Les fondements de la PSYCHOLOGIE SOCIALE

Sous la direction de
Robert J. Vallerand

Les fondements de la
PSYCHOLOGIE SOCIALE

gaëtan morin
éditeur

Montréal ▫ Paris ▫ Casablanca

Données de catalogage avant publication (Canada)

Vedette principale au titre:

Les fondements de la psychologie sociale

Comprend des réf. bibliogr. et deux index.

ISBN 2-89105-486-5

1. Psychologie sociale. 2. Psychologie. 3. Psychologie du soi. 4. Comportement d'aide. 5. Groupes sociaux. 6. Psychologie sociale–Recherche. I. Vallerand, Robert J.

HM251.I57 1994 302 C92-097260-8

Montréal, Gaëtan Morin Éditeur ltée
171, boul. de Mortagne, Boucherville (Québec), Canada J4B 6G4, Tél.: (514) 449-2369

Paris, Gaëtan Morin Éditeur, Europe
27 bis, avenue de Lowendal, 75015 Paris, France, Tél.: 01.45.66.08.05

Casablanca, Gaëtan Morin Éditeur – Maghreb S.A.
Rond-point des sports, angle rue Point du jour, Racine, 20000 Casablanca, Maroc, Tél.: 212 (2) 49.02.17

La publication de cet ouvrage a été rendue possible grâce à une subvention du Comité des publications de l'Université du Québec à Montréal.

Révision linguistique : Sophie Cazanave

Dépôt légal 1er trimestre 1994 – Bibliothèque nationale du Québec – Bibliothèque nationale du Canada

3 4 5 6 7 8 9 0 1 2 G M E 9 4 6 5 4 3 2 1 0 9 8 7

Dédicace

Il me fait particulièrement plaisir de dédier ce volume aux influences sociales les plus formatrices de ma vie : mes parents Diane et Maurice, ma grand-mère Imelda et mon frère André.

Avertissement

Dans cet ouvrage, le masculin est utilisé comme représentant des deux sexes, sans discrimination à l'égard des hommes et des femmes et dans le seul but d'alléger le texte.

AVANT-PROPOS

La psychologie sociale est sûrement l'une des branches les plus fascinantes, les plus importantes et les plus complexes de la psychologie.

Fascinante en ce qu'elle porte sur une pléiade de comportements que l'animal social, que nous sommes, est appelé à émettre quotidiennement. En effet, il est relativement difficile de dégager des comportements qui ne seraient pas influencés d'une façon ou d'une autre par des stimuli sociaux. Qu'il s'agisse de nos perceptions d'autrui, de nos attitudes, de nos relations intimes ou de nos comportements à l'intérieur de groupes, l'influence des autres est prépondérante.

Importante, la psychologie sociale l'est à plusieurs titres. Elle nous aide à mieux comprendre les processus psychologiques responsables des comportements que nous émettons en société et, ainsi, nous permet de bâtir l'édifice des connaissances scientifiques qui s'y rapportent. En outre, les théories et les connaissances en psychologie sociale servent à d'autres secteurs de la psychologie où l'on s'intéresse à mieux saisir l'influence du contexte social sur divers types de comportements. Par exemple, la relation entre un psychothérapeute et son client obéit aux mêmes règles que toute relation interpersonnelle. On ne s'étonnera donc pas de constater que certaines théories et certains phénomènes issus de la psychologie sociale soient étudiés en psychologie clinique, certes, mais également dans d'autres sphères de la psychologie. Enfin, la psychologie sociale est reconnue comme l'un des terrains les plus propices aux applications parmi toutes les disciplines de la psychologie. Dans cette perspective, et nous l'observerons dans cet ouvrage, la psychologie sociale peut s'avérer fort utile pour comprendre et, à l'occasion, résoudre certains problèmes psychologiques et sociaux.

Enfin, la psychologie sociale est complexe. Complexe parce qu'elle a pour objectif d'étudier une multitude de phénomènes différents qui n'ont bien souvent pour seul point commun l'influence d'autrui sur notre comportement. Cela explique que la discipline repose sur des théories habituellement restreintes. Cette complexité est décuplée si l'on tient compte de l'explosion des nouvelles connaissances qui viennent se juxtaposer aux notions classiques. Une intégration des connaissances classiques et contemporaines est donc vivement souhaitable.

Les considérations émises ci-dessus permettent de dégager les trois objectifs de l'ouvrage. Le premier consiste à présenter les phénomènes et les théories de base – ou classiques – en psychologie sociale. Puisque ce livre a pour propos les fondements de la psychologie sociale, il était important de s'assurer qu'on y traite des éléments fondamentaux de la discipline. Le deuxième objectif consiste à proposer une vision contemporaine des thèmes majeurs en psychologie sociale. C'est donc dire que l'ouvrage expose non seulement les résultats et les théories classiques, mais aussi les connaissances actuelles dans les principaux secteurs de la psychologie sociale. Enfin, le dernier objectif est de décrire certaines applications de la psychologie sociale et de donner des exemples concrets propres à faciliter la compréhension de nos comportements quotidiens.

Une brève description de la logique qui sous-tend l'organisation de l'ouvrage permettra de mieux comprendre comment les objectifs visés pourront être atteints. À la lecture de la table des matières, le lecteur s'est sans doute rendu compte que le livre se divisait en quatre parties. Chacune de ces parties comprend un certain nombre de chapitres où l'on fait le point sur diverses théories et divers phénomènes sociaux. La première partie sert d'introduction à la discipline tandis que les trois autres traitent, de manière progressive, de phénomènes sociaux selon les quatre niveaux d'analyse proposés par Breakwell et Rowett (1982). Ces niveaux correspondent à des stades variés allant de phénomènes intrapersonnels à des phénomènes intergroupes. Ainsi la deuxième partie, « Les cognitions sociales et les attitudes », traite principalement du comportement social étudié à la lumière des premier (niveau intrapsychique, par exemple le soi) et deuxième (niveau interpersonnel, par exemple les perceptions sociales) niveaux d'analyse. Le deuxième niveau est plus nettement apparent dans la troisième partie, « Les communications et les interactions sociales ». Les troisième et quatrième niveaux, qui concernent les comportements de groupes et intergroupes, sont discutés dans la quatrième partie, « Les influences sociales et les relations de groupes ». Bref, les thèmes abordés font l'objet d'une analyse progressive, depuis le niveau intrapersonnel jusqu'au niveau intergroupe. Il s'agit là de l'ensemble du territoire de la psychologie sociale.

Le présent ouvrage possède également certaines caractéristiques qui ne manqueront pas d'en rehausser l'intérêt et de faciliter l'acquisition des connaissances. Premièrement, chaque chapitre commence par une mise en situation qui permettra au lecteur de mieux saisir l'essence des éléments présentés. Deuxièmement, les termes clés sont composés en caractères gras et sont définis dans un glossaire intégré à la fin du livre. Troisièmement, plusieurs résultats de recherche sont clairement illustrés par des figures et des graphiques. Quatrièmement, une grande quantité d'exemples inspirés de la vie quotidienne permettent de saisir entièrement la pertinence des notions théoriques proposées dans chaque chapitre. Cinquièmement, tous les chapitres comportent un résumé général où sont repris les principaux éléments discutés. À la fin de chaque chapitre, une liste d'ouvrages spécialisés est présentée. Celle-ci vise à permettre au lecteur de poursuivre l'acquisition des connaissances dans un secteur précis. Dans la mesure du possible, des références d'ouvrages rédigés en français sont fournies. Enfin, certains hors-texte ou encadrés sont insérés dans chaque chapitre. Ces encadrés ont pour but de mettre en relief divers éléments d'intérêt particulier. Certains d'entre eux traitent par exemple d'une théorie importante, d'autres portent sur un phénomène social préoccupant, voire surprenant, d'autres encore soulignent le rôle de la psychologie sociale dans la compréhension et, à l'occasion, la résolution de problèmes sociaux importants.

Par les objectifs qu'il vise et les moyens qu'il utilise, j'ose espérer que cet ouvrage saura apporter à la psychologie sociale une contribution des plus originales, se situant bien au-delà du simple fait qu'il soit rédigé en français. Il se veut un guide précieux pour l'étudiant, un ouvrage de référence exhaustif pour le chercheur et une lecture essentielle pour le lecteur intéressé par les divers phénomènes relevant de la psychologie sociale. J'espère qu'il suscitera pour cette discipline un intérêt équivalent à celui qui nous anime, mes collaborateurs et moi-même. Bonne lecture !

Robert J. Vallerand
Montréal,
juillet 1993

REMERCIEMENTS

La réalisation d'une œuvre de cette envergure aurait été inconcevable sans les encouragements, l'aide et la contribution de nombreuses personnes.

Je tiens donc à remercier, en tout premier lieu, les collaborateurs de cet ouvrage, des scientifiques canadiens-français reconnus sur la scène internationale dans le domaine de la psychologie sociale. Non seulement ont-ils accepté avec enthousiasme de participer à la préparation de ce livre, mais se sont-ils pliés de bon gré aux exigences qu'il m'apparaissait important d'établir quant au contenu. Je les remercie de leur professionnalisme et, dans l'ensemble, de leur ponctualité.

Mes plus sincères remerciements vont également à M. Alain Jacques, de la maison d'édition Gaëtan Morin, qui a su apporter les encouragements nécessaires à l'évolution continue du projet; à M. Daniel Marleau, chargé de projet chez Gaëtan Morin; et à Mme Sophie Cazanave, qui a accepté de réviser le manuscrit.

Ma gratitude va également à ma secrétaire et amie, Mme Gabrielle A. Tremblay, du Laboratoire de recherche sur le comportement social de l'UQAM, pour son dévouement et son efficacité dans les diverses communications avec les collaborateurs et l'équipe d'édition et de production. C'est sûrement grâce à elle si le livre a pu être publié à l'intérieur de délais raisonnables.

Je m'en voudrais de passer sous silence le travail imposant de M. François Labelle, psychologue-dessinateur à l'UQAM, qui a conçu une bonne part des tableaux et des figures qui illustrent l'ouvrage (notamment bon nombre des éléments des chapitres 1, 2, 3, 5, 6, 10 et 13).

Un grand merci également au Comité des communications de l'UQAM, pour son appui financier au projet.

Enfin, et surtout, je réserve mes derniers remerciements à ma conjointe, Gisèle, et à mes deux fils, Georges-Étienne et Mathieu. Ce livre est en quelque sorte le leur, puisque le temps mis à sa préparation leur appartenait souvent. Je les remercie de leur compréhension et de leur soutien !

Sous la direction du professeur Robert J. Vallerand, liste des auteurs et auteures par ordre alphabétique

Michel Alain a obtenu son doctorat (Ph.D.) à l'Université de Waterloo (Ontario) en 1980. Il est professeur titulaire au Département de psychologie de l'Université du Québec à Trois-Rivières. Ses travaux de recherche et ses publications touchent à la psychologie du témoignage oculaire, à l'expertise psychojuridique, à la psychologie du contrôle et de la résignation acquise, de même qu'au domaine des attributions et du style attributionnel.

Michel Boivin est professeur agrégé à l'École de psychologie de l'Université Laval, où il a terminé ses études de doctorat en psychologie en 1986. Après des études postdoctorales à l'Université du Colorado et à l'Université Vanderbilt, il a obtenu une bourse de recherche du Canada lui permettant de poursuivre ses travaux de recherche dans son université d'origine. Ceux-ci visent à évaluer le rôle des pairs dans le développement socioaffectif et sociocognitif de l'enfance et, notamment, à comprendre les problèmes relationnels associés à l'agressivité et au retrait social. M. Boivin a à son actif plus d'une centaine d'articles et de communications scientifiques.

Richard Y. Bourhis est titulaire depuis 1977 d'un Ph.D. en psychologie sociale de l'Université de Bristol, en Angleterre. Il a publié de nombreux articles dans plusieurs domaines, dont la psychologie sociale des relations intergroupes, la communication interculturelle et l'aménagement linguistique. M. Bourhis a été nommé en 1988 Fellow de la Société canadienne de psychologie et est membre élu de la Society for Experimental Social Psychology depuis 1990. Il a enseigné la psychologie sociale à l'Université McGill et à l'Université McMaster, en Ontario. Il est présentement professeur titulaire à l'Université du Québec à Montréal.

Richard Clément, Ph.D. (University of Western Ontario) est actuellement professeur titulaire de psychologie à l'Université d'Ottawa. Son champ de spécialisation est la psychologie sociale, et il s'intéresse plus particulièrement aux relations et à la communication intergroupes (interethniques, intergénérations et intergenres). Ses recherches, publiées tant en français qu'en anglais en Amérique et en Europe, recouvrent de nombreux phénomènes concernant les sciences de l'éducation, la sociolinguistique et la psychologie transculturelle.

Lise Dubé a obtenu son Ph.D. en psychologie sociale de l'Université McGill en 1975. Elle enseigne depuis au Département de psychologie de l'Université de Montréal, où elle est maintenant professeure titulaire et responsable du secteur de la psychologie sociale. Fellow de la Société canadienne de psychologie, elle siège actuellement au conseil d'administration de cette société. Ses champs d'intérêt de recherche ont porté sur les relations interpersonnelles et intergroupes, domaine dans lequel elle a produit plus d'une centaine de publications et de communications scientifiques. Son programme de recherche porte actuellement sur l'engagement personnel et les théories explicatives du bonheur.

André Gagnon est diplômé en psychologie sociale et enseigne au niveau collégial depuis 1977. Il est aussi professeur associé au Département des sciences du comportement humain de l'Université du Québec en Abitibi-Témiscamingue. Il s'intéresse aux relations intergroupes et plus particulièrement au rôle joué par les processus d'identification au groupe dans des phénomènes tels que les préjugés et la discrimination. Sa communication sur ce thème a été primée au Congrès annuel de la Société canadienne de psychologie, tenu à Québec en 1992.

Serge Guimond est diplômé de l'Université McGill. Il a effectué des études spécialisées en psychologie sociale à l'Université de Paris X (D.E.A.) et à l'Université de Montréal où il a obtenu un doctorat (Ph.D.). Coordonnateur de la recherche en psychologie et professeur au Royal Military College of Canada, à Kingston, il est auteur ou coauteur de nombreux articles scientifiques et d'une monographie publiée sous la direction de la Société québécoise pour la recherche en psychologie. Il a enseigné la psychologie des groupes dans plusieurs universités, au Québec et au Canada français, et il a agi comme consultant en recherche et dans le domaine de l'édition scientifique. Ses principaux travaux ont porté sur la théorie de la privation relative, l'origine socioculturelle des cognitions sociales et l'influence des groupes sociaux.

Yves Lafrenaye, admirateur de Lewin, s'est toutefois rapidement dissocié des contributions du théoricien qui portaient sur la dynamique de groupe et la recherche-action. À l'encontre de cette approche alors dominante au Québec, M. Lafrenaye s'efforça de promouvoir l'étude expérimentale des phénomènes psychosociaux et d'affirmer l'héritage «galiléen» de Lewin ainsi que de l'œuvre de ses successeurs (par ex., Festinger, Schachter). Ses champs d'intérêt l'amenèrent à étudier les concepts de causalité et d'explication à partir des théories de l'attribution. Ses recherches présentes portent sur le changement des attitudes ainsi que sur l'étude et la mesure de leurs propriétés.

Gaëtan F. Losier a obtenu son baccalauréat en éducation physique et sa maîtrise en psychologie (clinique) de l'Université de Moncton. Il est actuellement à sa dernière année de doctorat en psychologie (sociale) à l'Université du Québec à Montréal. Dans le cadre de la psychologie sociale, ses champs d'intérêt de recherche portent principalement sur le concept de soi, notamment en ce qui a trait aux déterminants et aux conséquences de l'autorégulation. Entre autres, il est engagé dans des recherches relatives à la motivation et à la persévérance dans les études avancées, à la motivation globale et à la réalisation de projets personnels (ou les soi possibles), et à la motivation pour le sport et l'esprit sportif.

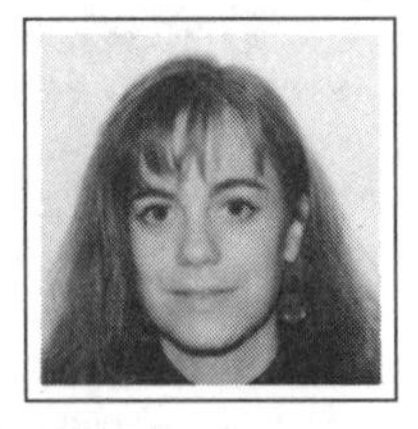

Kimberly A. Noels est actuellement étudiante au doctorat en psychologie à l'Université d'Ottawa où elle a aussi obtenu un baccalauréat en psychologie et un baccalauréat en linguistique. Ses champs d'intérêt concernent les aspects affectifs et motivationnels de la communication interethnique et de l'apprentissage des langues secondes. Actuellement, sa recherche porte sur la relation entre l'identité ethnique, l'apprentissage et l'emploi des langues secondes, et l'acculturation.

Luc G. Pelletier est professeur à l'École de psychologie de l'Université d'Ottawa depuis 1989. Il a effectué ses études de premier cycle et de maîtrise à l'Université de Montréal et a réalisé ses études doctorales en psychologie sociale à l'Université du Québec à Montréal en 1989. Ses champs d'intérêt de recherche sont dans les secteurs de la motivation humaine et des perceptions sociales. Il s'intéresse plus particulièrement aux mécanismes intrapersonnels et interpersonnels qu'utilisent les gens pour maintenir et développer leur motivation, ainsi qu'à la motivation pour les comportements écologiques et à la psychologie sociale de l'activité physique.

Caroline B. Senécal est étudiante au doctorat en psychologie sociale à l'Université du Québec à Montréal. La motivation humaine est le domaine de recherche qu'elle privilégie. Elle s'intéresse particulièrement aux conflits motivationnels entre divers domaines de vie, tels que le travail et la famille. Elle a également contribué à diverses publications d'articles dans les secteurs du travail, de l'éducation et des relations interpersonnelles.

Robert J. Vallerand est titulaire d'un doctorat de l'Université de Montréal (1981) et a réalisé des études postdoctorales à l'Université de Waterloo (1981-1982). Il est professeur titulaire et directeur du Département de psychologie de l'Université du Québec à Montréal. Président de la Société québécoise pour la recherche en psychologie (SQRP) de 1988 à 1991, président de la section 14 (Psychologie sociale) de la Société canadienne de psychologie de 1986 à 1988, il est également rédacteur associé de la *Revue canadienne des sciences du comportement* depuis 1984. Il est l'auteur de plus de 200 publications et communications scientifiques, surtout dans les secteurs de la motivation sociale et de la méthodologie de recherche. En 1990, le professeur Vallerand était nommé Fellow de la Société canadienne de psychologie.

TABLE DES MATIÈRES

PARTIE I
INTRODUCTION À LA PSYCHOLOGIE SOCIALE

Avant-propos .... **vii**
Liste des auteurs et auteures .... **xiii**

CHAPITRE 1 **Une introduction à la psychologie sociale contemporaine** 3
Robert J. Vallerand

Mise en situation 5
Introduction 6
Une analyse intuitive du comportement social 6
La psychologie sociale : définitions et caractéristiques 9
- Définitions 10
- Caractéristiques 13

Un historique de la psychologie sociale 18
- Les influences philosophiques 18
- Les débuts de la discipline : de 1897 à 1930 20
- Les années 1930 23
- Les années 1940 et 1950 24
- Les années 1960 et 1970 28
- Les années 1980 et 1990 32
- Conclusion 33

Les influences théoriques en psychologie sociale 37
- La théorie des rôles 38
- La théorie du renforcement 40
- La théorie cognitive 43
- Conclusion 45

La psychologie sociale contemporaine 45
- Une science en pleine effervescence 45
- La diversité des thèmes étudiés 47
- Une pléiade de chercheurs 48

Les carrières en psychologie sociale 49
Résumé 51
Bibliographie spécialisée 52
Encadré 1.1 Première expérimentation en psychologie sociale 21
Encadré 1.2 Le père de la psychologie sociale 26
Encadré 1.3 La psychologie sociale au Canada et au Québec 35

CHAPITRE 2 **Les méthodes de recherche en psychologie sociale** 53
Robert J. Vallerand

Mise en situation 55
Introduction 56
Les étapes de recherche en psychologie sociale 57
La phase de formulation d'hypothèses 58
- Qu'est-ce qu'une hypothèse de recherche ? 58
- L'importance des hypothèses de recherche 59
- D'où proviennent les hypothèses de recherche ? 59

Les concepts fondamentaux préalables 60
- Les variables dépendante et indépendante 63
- Les concepts de validité 64
- Les concepts de fidélité 66

Les devis de recherche ... 67
Le devis expérimental en laboratoire ... 67
Le devis expérimental en terrain naturel ... 71
Le devis quasi expérimental ... 73
Le devis corrélationnel ... 77
Les méthodes de recherche non expérimentales ... 79
Les enquêtes et les entrevues ... 81
La simulation et le jeu de rôles ... 84
Les méthodes secondaires ... 86
La méthode la plus efficace ... 93
Le choix de la mesure du phénomène étudié ... 94
Les mesures verbales ... 94
Les mesures comportementales ... 95
Les mesures non réactives ... 96
Quelle mesure devrait être utilisée ? ... 96
L'analyse statistique des données ... 97
Les analyses statistiques traditionnelles ... 97
Les analyses statistiques sophistiquées ... 99
L'interprétation des résultats ... 103
Les sujets particuliers ... 105
Les biais en recherche ... 106
Les aspects déontologiques ... 109
Les valeurs en recherche ... 112
Résumé ... 115
Bibliographie spécialisée ... 117
Encadré 2.1 Théorie et recherche en psychologie sociale ... 62
Encadré 2.2 L'effet Hawthorne ... 80
Encadré 2.3 La psychologie sociale appliquée ... 114

PARTIE II
LES COGNITIONS SOCIALES ET LES ATTITUDES

CHAPITRE 3 **Le soi en psychologie sociale : perspectives classiques et contemporaines** ... 121
Robert J. Vallerand et Gaëtan F. Losier

Mise en situation ... 123
Introduction ... 124
Qu'est-ce que le soi ? ... 126
Le soi comme contenu ... 127
Le concept de soi ... 128
L'estime de soi ... 129
Les schémas sur le soi ... 135
Les autres composantes du soi comme contenu ... 137
Apprendre à se connaître : les déterminants du soi comme contenu ... 139
Les sources interpersonnelles ... 139
Le contexte social et culturel ... 143
L'observation de nous-mêmes ... 144
L'évaluation de soi-même ... 148
Le soi comme contenu : stabilité et changement ... 152
Le soi comme processus ... 153
La conscience de soi : la route permettant l'accès au soi ... 154
Les types de conscience de soi ... 154
Les déterminants de la conscience de soi privée et publique ... 155
Certains processus du soi ... 158
Certaines conséquences intrapersonnelles du soi ... 161
Le traitement de l'information ... 161
La régulation des émotions et de la santé mentale ... 163
Le soi et la motivation ... 168

Le soi et la performance ... 171
Certaines conséquences interpersonnelles du soi ... 176
La perception des autres ... 176
Le choix de situations et d'interactions sociales ... 178
La présentation de soi ... 181
Résumé ... 190
Bibliographie spécialisée ... 191
Encadré 3.1 L'estime de soi collective ... 130
Encadré 3.2 Applications de la théorie de l'autodétermination en contexte naturel ... 172
Encadré 3.3 Le biais de faux consensus et le référendum canadien de 1992 ... 177

CHAPITRE 4 Les perceptions et les cognitions sociales : percevoir les gens qui nous entourent et penser à eux ... 193
Luc G. Pelletier et Robert J. Vallerand

Mise en situation ... 195
Introduction ... 196
Qu'entendons-nous par l'étude des perceptions et des cognitions sociales ? ... 197
Les perceptions des personnes et des objets diffèrent-elles ? ... 198
L'évolution de l'étude des perceptions et des cognitions sociales ... 201
Les facteurs à considérer dans l'étude des perceptions sociales ... 204
Conclusion : qu'est-ce que l'étude des perceptions et des cognitions sociales ? ... 208
Les cognitions sociales : l'étude des processus par lesquels nous traitons l'information sur notre monde social ... 208
Les schémas ... 209
Les processus de base dans le traitement de l'information sociale ... 214
Quels sont les schémas qui seront utilisés ? ... 218
L'utilisation d'heuristiques mentales ... 221
Les perceptions sociales sans interaction avec la cible ... 223
L'utilisation des schémas ... 226
L'intégration de renseignements multiples sur la cible ... 236
L'utilisation de schémas par opposition à l'intégration de renseignements multiples dans la formation d'une impression ... 242
Les perceptions sociales impliquant des interactions entre le percevant et la cible ... 248
L'influence de la cible dans la formation des perceptions sociales ... 248
La vérification confirmative des hypothèses ... 251
Les prophéties qui s'autoréalisent et leurs effets : l'influence des perceptions initiales sur les comportements du percevant ... 253
Le rôle de la cible dans la perception résultante : la négociation d'une identité entre la cible et le percevant ... 255
Résumé ... 257
Bibliographie spécialisée ... 258
Encadré 4.1 Comment les stéréotypes survivent-ils ? ... 211
Encadré 4.2 Cognitions sociales, illusions et santé mentale ... 217
Encadré 4.3 Appréciation globale d'un individu et rappel des faits justifiant l'appréciation ... 224

CHAPITRE 5 Les attributions en psychologie sociale ... 259
Robert J. Vallerand

Mise en situation ... 261
Introduction ... 262
Qu'est-ce qu'une attribution ? ... 263
Définition ... 263
Les types d'attributions ... 264
Comment mesure-t-on les attributions ? ... 266
Les attributions : qui, quand et pourquoi ... 269
Pourquoi faire des attributions ? ... 269
Quand fait-on des attributions ? ... 270
Qui fait des attributions ? ... 271
Comment on fait des attributions : les théories de l'attribution ... 272

La théorie naïve de Heider ... 273
La théorie des inférences correspondantes de Jones et Davis ... 276
La théorie de la perception de soi de Bem ... 280
Les théories de Kelley ... 281
Les approches récentes ... 284
Les biais attributionnels ... 288
Les biais dans les attributions des acteurs ... 288
Les biais dans les attributions des observateurs ... 292
Les différences entre les attributions émises par les acteurs et par les observateurs ... 295
Les différences entre les sexes ... 298
L'effet temporel ... 300
Les théories attributionnelles : l'étude des conséquences des attributions ... 301
Les attributions et les émotions ... 301
Les attributions et la motivation ... 305
Les attributions et l'adaptation psychologique à la suite d'événements négatifs ... 310
Modifier les attributions ... 320
Résumé ... 323
Bibliographie spécialisée ... 325
Encadré 5.1 Développement des mesures des attributions ... 267
Encadré 5.2 Attributions et santé ... 313
Encadré 5.3 Attributions et conséquences interpersonnelles ... 319

CHAPITRE 6 Les attitudes et le changement des attitudes ... 327
Yves Lafrenaye

Mise en situation ... 329
Introduction ... 330
Qu'est-ce qu'une attitude ? ... 331
Définition ... 331
Les caractéristiques de l'attitude ... 333
Les modèles de la structure attitudinale ... 342
Comment mesure-t-on les attitudes ? ... 345
Les mesures verbales de l'attitude ... 346
Les méthodes indirectes de mesure de l'attitude ... 351
À quoi les attitudes servent-elles ? ... 353
Les fonctions des attitudes ... 354
Les valeurs ... 358
Les relations valeurs-attitudes ... 359
La formation des attitudes ... 361
Les sources affectives ... 361
Les sources comportementales ... 364
Les sources cognitives ... 366
Conclusion ... 367
Comment changer les attitudes ? ... 367
Les théories de la consistance cognitive ... 368
L'approche de l'apprentissage du message ... 382
L'approche de la réponse cognitive ... 387
Le modèle de la vraisemblance d'élaboration cognitive ... 389
Les attitudes prédisent-elles le comportement ? ... 392
Le dilemme de la consistance attitude-comportement ... 393
Les conditions méthodologiques de prédiction attitude-comportement ... 393
Les modèles théoriques de prédiction du comportement ... 395
Résumé ... 402
Bibliographie spécialisée ... 405
Encadré 6.1 Peut-on changer les attitudes de personnes fortement convaincues ? ... 337
Encadré 6.2 L'effet d'assoupissement : une augmentation de l'efficacité persuasive à retardement ... 383

PARTIE III
LA COMMUNICATION ET LES INTERACTIONS SOCIALES

CHAPITRE 7 **La communication sociale: aspects interpersonnels et intergroupes** 409
Richard Clément et Kimberly A. Noels

Mise en situation 411
Introduction 411
Les symboles et la coordination 415
La communication non verbale 416
- Les expressions faciales 416
- Le regard 419
- Le langage du corps 421
- Le toucher 424

La communication verbale 426
- À propos de la langue 426
- Langage et communication 431
- Paralangage et prosodie 434

Les modes de communication combinés 436
- La tromperie 438

Communication et société 440
- L'acquisition d'une langue seconde 441
- Les codes et leur usage 444
- Quelques conséquences du choix et de l'usage des codes 449

Résumé 455
Bibliographie spécialisée 456
Encadré 7.1 À propos des théories de la communication 412
Encadré 7.2 La langue et le genre 429
Encadré 7.3 La langue et la loi 447

CHAPITRE 8 **Les relations interpersonnelles** 457
Lise Dubé

Mise en situation 459
Introduction 461
La perspective historique 462
La perspective théorique 465
- Les théories de l'harmonie cognitive 465
- Les théories du renforcement 466

Pourquoi on a besoin des autres 469
- La théorie de l'attachement 469
- La théorie de la comparaison sociale 470
- La théorie du soutien social 471
- Les théories implicites du bonheur 473

La popularité: qui sont ces personnes que tout le monde aime? 475
L'attirance initiale entre deux personnes 476
- Une étude sur le terrain à Montréal 476

Les relations intimes 478
- L'intimité 478
- Le développement des relations intimes 479

L'amour 482
- Les théories cliniques de la dépendance 482
- L'amour comparativement à l'amitié 486
- L'amour-passion 487
- Les couleurs de l'amour ou les différentes façons d'aimer 490
- La théorie triangulaire de l'amour: intimité, passion et engagement 491
- L'amour comme processus d'attachement 492
- Des questions sans réponses 495

L'engagement 496
La satisfaction du couple et les rôles sexuels 500

La solitude : le manque des autres 501
Qu'est-ce que la solitude ? 504
Les causes de la solitude 505
Résumé 507
Bibliographie spécialisée 508
Encadré 8.1 Il semble que l'amour fasse le bonheur 483
Encadré 8.2 La satisfaction des couples québécois 502

CHAPITRE 9 Une analyse psychosociale de l'agression 509
Michel Boivin

Mise en situation 511
Introduction 512
Distinctions et définitions 513
L'agression selon la perspective psychanalytique 515
L'agression selon la perspective éthologique 516
L'agression selon les théories psychosociales 522
L'hypothèse du lien entre la frustration et l'agression : la théorie originale 522
La contribution de Leonard Berkowitz : le lien entre la frustration et l'agression dans une perspective néo-associationniste 528
L'agression selon la théorie de l'apprentissage social 533
La perspective sociocognitive 538
La violence dans les médias et l'agression 545
La pornographie et l'agression 553
La violence en milieu familial 557
Résumé 564
Bibliographie spécialisée 565
Encadré 9.1 La déclaration de Séville sur la violence 519
Encadré 9.2 Les différences sexuelles quant au comportement agressif 555
Encadré 9.3 Les mécanismes cognitifs qui entrent dans le cycle de la violence 561

CHAPITRE 10 Le comportement d'aide : perspectives classiques et contemporaines 567
Robert J. Vallerand et Caroline B. Senécal

Mise en situation 569
Introduction 569
Le comportement d'aide : une définition 570
Les influences situationnelles 571
Les normes 571
Les modèles et le comportement d'aide 573
L'effet de la présence des autres sur le comportement d'aide en situation d'urgence 576
Les influences personnelles 587
Les facteurs génétiques 587
Les facteurs de personnalité 590
Les facteurs émotionnels 592
Les influences interpersonnelles 601
Les caractéristiques perçues de la personne demandant de l'aide 601
La relation entre l'aidant et l'aidé 603
Les conséquences du comportement d'aide 604
Les conséquences reliées à l'aide apportée 605
Les conséquences reliées à la non-adoption du comportement d'aide 611
Résumé 613
Bibliographie spécialisée 615
Encadré 10.1 L'effet du passant 577
Encadré 10.2 Facteurs personnels et situationnels 583
Encadré 10.3 Les téléthons 593
Encadré 10.4 Le bénévolat 605

PARTIE IV
LES INFLUENCES SOCIALES ET LES RELATIONS DE GROUPES

CHAPITRE 11 Les influences sociales 619
Michel Alain

Mise en situation 621
Introduction 621
Le conformisme 623
Pourquoi se conforme-t-on? 623
L'influence de la majorité 626
Les types de conformisme 630
L'indépendance: l'influence de la minorité 633
L'acquiescement 634
La présentation 634
La réciprocité 635
La manipulation 636
La stratégie du pied dans la porte 637
La stratégie de la porte dans la face 639
La faveur déguisée 641
Ce n'est pas tout! 642
Quelques variantes 643
Le pouvoir social 643
Les récompenses 644
La coercition 644
Les connaissances 644
L'information 645
Le pouvoir de référence 645
L'autorité légitime 645
L'obéissance à l'autorité 646
L'obéissance à l'autorité selon Milgram 647
Les variantes du modèle original 648
Résumé 652
Bibliographie spécialisée 653

CHAPITRE 12 Les groupes sociaux 655
Serge Guimond

Mise en situation 657
Introduction 657
Les individus et les groupes en psychologie sociale 659
La nature des groupes: qu'est-ce qu'un groupe social? 659
Les différents types de groupes 660
La formation des groupes: pourquoi se joint-on à un groupe? 662
Le modèle fonctionnaliste: le groupe comme lieu d'assouvissement de besoins psychologiques 662
Le modèle de la cohésion sociale: on se joint aux gens qu'on aime 663
Le modèle de l'identification sociale: on aime les gens auxquels on s'est joint 668
Le groupe comme agent de socialisation 669
La structure des groupes 669
La socialisation 671
Une théorie générale de la socialisation à l'intérieur des groupes 677
En conclusion 683
L'influence d'un individu sur le groupe: le leadership 683
Une définition 683
Les théories personnalistes 684
Les théories interactionnistes 688
L'influence du groupe sur le comportement individuel 690
La facilitation sociale 691

Est-ce que deux têtes valent mieux qu'une? 694
La théorie de l'impact social 696
Les décisions individuelles et collectives 698
La désindividuation: comprendre l'effet psychologique des foules 700
Résumé 703
Bibliographie spécialisée 705
Encadré 12.1 Quand l'appartenance au groupe coûte plus cher que prévu 680
Encadré 12.2 Le leadership en tant que transaction 689
Encadré 12.3 Quelques problèmes disjoints 695

CHAPITRE 13 Les préjugés, la discrimination et les relations intergroupes 707
Richard Y. Bourhis et André Gagnon

Mise en situation 709
Introduction 709
Survol des attitudes et des relations interethniques au Québec 710
La psychologie sociale des préjugés, des stéréotypes et de la discrimination 715
Les préjugés 715
Les stéréotypes 717
La discrimination 726
Les origines des préjugés et de la discrimination 733
La personnalité autoritaire 734
L'apprentissage social 739
La compétition et la coopération intergroupes 741
La catégorisation et l'identité sociale 746
L'équité, la privation relative et l'action collective 753
Peut-on atténuer les préjugés et la discrimination intergroupes? 758
L'hypothèse du contact intergroupe 759
Les buts communs et la coopération 761
L'approche sociocognitive 763
Vers une intégration des aspects cognitif et motivationnel 766
Résumé 771
Bibliographie spécialisée 772
Encadré 13.1 Le racisme moderne 765

Glossaire 775
Références bibliographiques 797
Index des auteurs 869
Index des sujets 883

PREMIÈRE
PARTIE

INTRODUCTION À LA PSYCHOLOGIE SOCIALE

Chapitre 1

Une introduction à la psychologie sociale contemporaine

Chapitre 2

Les méthodes de recherche en psychologie sociale

CHAPITRE

1

UNE INTRODUCTION À LA PSYCHOLOGIE SOCIALE CONTEMPORAINE

Robert J. Vallerand
Université du Québec à Montréal

- Mise en situation
- Introduction
- Une analyse intuitive du comportement social
- La psychologie sociale : définitions et caractéristiques
  - Définitions
  - Caractéristiques
- Un historique de la psychologie sociale
  - Les influences philosophiques
  - Les débuts de la discipline : de 1897 à 1930
  - Les années 1930
  - Les années 1940 et 1950
  - Les années 1960 et 1970
  - Les années 1980 et 1990
  - Conclusion
- Les influences théoriques en psychologie sociale
  - La théorie des rôles
  - La théorie du renforcement
  - La théorie cognitive
  - Conclusion
- La psychologie sociale contemporaine
  - Une science en pleine effervescence
  - La diversité des thèmes étudiés
  - Une pléiade de chercheurs
- Les carrières en psychologie sociale
- Résumé
- Bibliographie spécialisée
- Encadré 1.1 Première expérimentation en psychologie sociale
- Encadré 1.2 Le père de la psychologie sociale
- Encadré 1.3 La psychologie sociale au Canada et au Québec

MISE EN SITUATION

Les temps sont difficiles ! Plus que deux semaines avant la fin du trimestre et en plus d'avoir à étudier pour les examens vous devez vous serrer la ceinture. L'argent que vous aviez gagné l'été passé a disparu depuis fort longtemps et la perspective de manger des tartines de beurre d'arachide pendant plus de 15 jours ne vous enchante guère. Vous vous demandez que faire. Vous décidez d'en parler à votre colocataire, Richard. « Je suis dans la même situation que toi, dit-il, et il n'y a qu'une seule solution : faire appel à nos parents ! » Tout de go, ce dernier prend le téléphone et appelle sa mère. « Allô! Maman ? C'est Richard. Tu vas bien ? Oui ? Bon. Moi, ça ne va pas très bien. À vrai dire, je suis un peu coincé. On n'est pas encore arrivé à la fin du mois et je n'ai plus d'argent. Je ne sais plus quoi faire. Et puis, avec tous ces examens, ce n'est vraiment pas facile. Pourrais-tu me passer un peu d'argent pour finir le mois ?... Combien ? Oh ! à peu près 250 $. » Vous entendez soudain la mère de Richard lâcher un cri de douleur qui se rend à vos oreilles à partir du récepteur téléphonique. Richard a peine à se retenir. En reprenant son sérieux, il rassure sa mère : « Ne t'en fais pas, maman ; ne panique pas. Laisse-moi voir... Si je fais vraiment attention, en me privant de petits "superflus" et en ne faisant pas de folies, je crois que je vais pouvoir m'en sortir avec 75 $. Peux-tu me prêter cette somme-là ? » Le sourire sur le visage de Richard vous indique immédiatement que sa mère a acquiescé à sa demande. En raccrochant le récepteur, il vous dit : « Je savais que cette bonne vieille technique de demander le "gros lot" pour me contenter d'un montant raisonnable fonctionnerait. Bon, bien, tout ça m'a donné faim. Je vais aller me chercher une pizza. Viens-tu ? » « Je ne peux pas. » Vous lui dites : « Je dois préparer ma section de l'examen en psychologie de la personnalité. J'ai promis au groupe que je participerais à la rencontre. Tu vois, chacun est responsable d'une partie de l'examen et je ne voudrais pas les décevoir. » « OK. À tantôt ! » dit-il avant de disparaître. Une fois que Richard a quitté l'appartement, plusieurs questions vous viennent à l'esprit. « Comment a-t-il réussi ce tour de force avec sa mère ? Son truc est-il infaillible ? Devrais-je l'essayer avec mes parents ? Richard agit-il également de la sorte avec ses amis ? Est-il manipulateur à ce point ? Hum... Pourtant, ce n'est pas son genre. » Ces questions vous absorbent jusqu'à ce que vous vous rendiez compte qu'il est déjà 17 h 45. Vous allez tout de suite vous faire une série de tartines au beurre d'arachide et vous commencez à préparer votre examen.

INTRODUCTION

Nous sommes tous différents avec nos expériences personnelles, notre milieu familial et notre appartenance culturelle. Malgré ce fait, vous avez dû un jour ou l'autre vous poser des questions semblables à celles soulevées dans le scénario présenté ci-dessus. Cela est très compréhensible. Les relations interpersonnelles se trouvent au cœur même de l'existence de l'être humain. Ce dernier est le fruit d'une relation interpersonnelle, il naît et se voit immédiatement plongé dans un réseau de relations, et vit toute sa vie durant dans un cadre de relations avec autrui. Les gens qui nous entourent jouent donc un rôle de premier plan dans notre vie. Par exemple, dans une étude de Klinger (1977), presque tous les sujets ont répondu à la question « Qu'est-ce qui donne un sens à votre vie? » en indiquant leurs relations interpersonnelles avec leurs parents, amis, conjoints ou enfants. Un pourcentage beaucoup moindre de participants mentionnèrent leur succès au travail ou leur foi.

Vu l'importance des autres dans notre vie, il est tout à fait normal que l'on se questionne sur leurs comportements ainsi que sur l'influence que ces derniers peuvent exercer sur nous. La psychologie sociale a pour but de répondre aux questions posées par l'« animal social » que nous sommes. Ces questions sont étudiées dans un cadre scientifique et l'on essaie d'identifier certaines lois générales du comportement social. Mais avons-nous vraiment besoin d'une science du comportement social? Après tout, plusieurs personnes illustres, dont des poètes, écrivains, artistes et dramaturges, se sont également intéressés à l'être humain dans son contexte social et ont suggéré certaines visions qui semblent très pertinentes. Quel est l'apport de la psychologie sociale dans un tel contexte? Afin de répondre à ces questions, il devient important de mettre en veilleuse notre discussion sur la nature de la discipline de la psychologie sociale afin de déterminer la contribution de l'approche intuitive, non scientifique, à la compréhension du comportement social.

UNE ANALYSE INTUITIVE DU COMPORTEMENT SOCIAL

Le comportement social a été le sujet de nombreuses analyses littéraires, philosophiques et artistiques ou tout simplement le thème de nombreuses discussions à travers les siècles. Plusieurs de ces analyses étaient le fruit de personnes brillantes et le tableau brossé par certaines de ces études est souvent impressionnant. Par exemple, plusieurs siècles avant notre ère, Aristote avait déjà proposé que l'efficacité d'un orateur à convaincre son auditoire était nécessairement fonction de trois variables : la personnalité de l'orateur, l'état d'esprit de l'assistance (ou de l'interlocuteur) et la nature des preuves présentées par l'orateur. En fait, une telle analyse fut reprise plus de deux millénaires plus tard par Hovland et ses collègues dans leur étude de la persuasion et du changement d'attitudes (voir le chapitre 6). Même si les résultats des travaux de Hovland démontrent que la perspective aristotélicienne s'avère incomplète, on ne peut affirmer pour autant qu'elle soit fausse. La perspicacité de l'analyse d'Aristote, surtout au regard de l'époque à laquelle elle a été réalisée, commande l'admiration.

Toutes les positions exprimées n'ont pas obtenu le même succès. C'est le cas de plusieurs adages ou proverbes que l'on trouve dans notre langage et notre culture. Par exemple, le proverbe « Œil pour œil, dent pour dent » encourage la personne à se venger après avoir été frappée. Mais la position contraire est proposée par l'adage « Après avoir été frappé, présente l'autre joue ». Qui a raison ? Quel adage est supérieur à l'autre ? Les deux maximes ont résisté à l'emprise du temps et il est fort probable qu'elles sont toutes deux correctes. Chacune s'applique sans doute à des situations différentes. Mais lesquelles ? La position intuitive ne le précise pas. Le même problème se présente avec les adages « Qui se ressemble s'assemble » et « Les contraires s'attirent ». À partir de ces derniers proverbes, que suggéreriez-vous à une jeune fille éprise de deux garçons aux caractéristiques respectivement semblables aux siennes et différentes des siennes ? Devrait-elle choisir le garçon avec qui elle partage des affinités ou celui qui lui procurerait des aspects complémentaires à ses attributs ? Il est impossible de répondre à cette question en se basant uniquement sur la position intuitive (voir le chapitre 8 pour une analyse scientifique de l'amour romantique). On peut ainsi remarquer que la position intuitive ou populaire ne permet pas une analyse fiable du comportement social (voir la figure 1.1).

FIGURE 1.1 **Exemple d'une interprétation intuitive du comportement social**

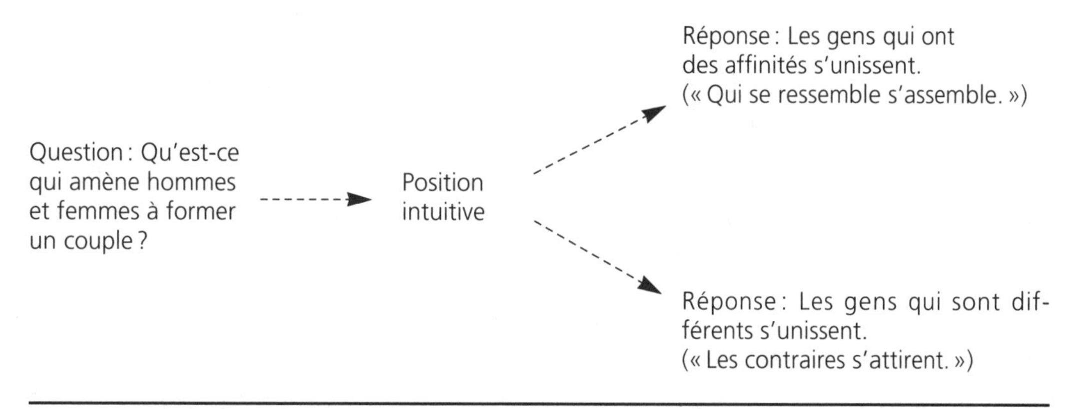

La position intuitive offre souvent une vision ambiguë du comportement social.

Poursuivons notre analyse. Étudiez les énoncés suivants et déterminez ceux avec lesquels vous êtes en accord.

1. L'être humain possède un instinct maternel très puissant.
2. Plus une personne est motivée, mieux elle réussira à résoudre un problème complexe.

3. Pour changer les comportements des gens vis-à-vis des membres de minorités ethniques, on doit changer en premier leurs attitudes.
4. Les garçons et les filles ne démontrent aucune différence dans les comportements exprimés jusqu'à ce que les influences environnementales produisent de telles différences.

Avec combien de ces énoncés êtes-vous d'accord? Deux, trois? Peut-être l'êtes-vous avec les quatre. Si c'est le cas, vous vous trouvez en excellente compagnie. En effet, de nombreux étudiants d'un cours d'introduction à la psychologie croyaient également que ces énoncés étaient tous véridiques (Vaughan, 1977). Sans doute direz-vous que le contenu des énoncés semble si évident que ce consensus était tout de même prévisible. En fait, une telle analyse fait problème, car il a été démontré en recherche que tous les énoncés présentés ci-dessus sont faux! L'analyse du comportement humain n'est donc pas si simple que cela, même pour des gens instruits.

Il semble donc qu'une approche intuitive du comportement social soit au moins incomplète et parfois erronée. En effet, non seulement une **analyse intuitive** ne permet pas de décider comment il faut agir dans une situation quelconque (comme après avoir été frappé; voir les proverbes ci-dessus), mais elle fait même naître de fausses croyances relatives aux déterminants du comportement humain. L'étude intuitive de la compréhension du comportement social mène donc à une impasse. Que faire?

Un élément important de réponse de cette impasse est apporté par la discipline de la **psychologie sociale.** Celle-ci propose qu'afin d'obtenir une information exacte et utile sur le comportement social on se doit d'utiliser une approche scientifique. En d'autres termes, les psychologues sociaux croient que l'on peut comprendre et expliquer le comportement social dans toute sa complexité dans la mesure où l'on est prêt à l'étudier et à le scruter de façon scientifique.

La psychologie sociale est une discipline relativement nouvelle. En effet, ses débuts remontent à la fin du siècle dernier et l'ensemble des connaissances acquises sont puisées dans des recherches qui datent à peine de plus de 40 ans. Malgré son jeune âge, la psychologie sociale se révèle une science enthousiaste et dynamique qui a déjà su produire un bagage important d'information relative à une foule de questions et de thèmes.

Ainsi, retournons à la mise en situation du début du chapitre afin de voir quels types de questions ont été abordées par les psychologues sociaux. Au moins six questions ou thèmes d'étude sont illustrés dans cet exemple. En premier lieu, le fait que Richard réussisse à convaincre sa mère de lui prêter de l'argent a été étudié sous le chapitre de l'influence sociale et plus particulièrement de l'acquiescement. Deuxièmement, dans l'exemple, vous avez su que Richard avait réussi à soutirer l'argent à sa mère bien avant que ce dernier vous l'annonce. Vous l'aviez «lu» sur sa figure. La communication entre les gens à partir de l'expression faciale représente un autre domaine important d'étude, soit celui de la communication non verbale. Un troisième thème d'analyse réside dans la cause du succès de Richard. Le fait de se demander comment il a pu accomplir ce tour de force représente une attribution et ce secteur de recherche est toujours l'un des plus actifs en psychologie sociale. Un quatrième champ de recherche illustré dans l'exemple a trait aux modèles. Le simple fait d'avoir vu Richard réussir à obtenir de l'argent de sa mère vous amène à penser que vous pourriez utiliser cette stratégie à votre tour. Cette approche a été étudiée surtout dans le cadre de l'agression et de l'altruisme. Un autre élément qui ressort de l'exemple renvoie à l'influence exercée par un groupe d'appartenance sur nous-mêmes en dépit de son absence. C'est en effet une telle allégeance à votre groupe d'étude qui vous a poussé à demeurer à la maison et à préparer votre partie de l'examen au lieu d'aller manger avec Richard. Cette allégeance à votre groupe devait être puissante puisque vous aviez alors préféré des tartines au beurre d'arachide à une succulente pizza. L'effet normatif du groupe représente un thème d'étude qui a préoccupé longtemps les psychologues sociaux. Enfin, votre désir soudain de vouloir vous faire une idée de Richard (« Est-il manipulateur à ce point ? ») est étudié en psychologie sociale sous le thème de la formation d'impressions et des perceptions sociales. Il semble effectivement intrinsèque à l'être humain de vouloir comprendre ses pairs et de s'en faire une opinion. L'étude des perceptions sociales représente donc un aspect important de l'étude du comportement social.

Tous ces phénomènes sociaux et bien d'autres sont traités dans ce volume (voir la table des matières). Avant de passer à l'étude de ces différents phénomènes, il devient important de bien saisir la nature de la psychologie sociale. Les pages qui suivent sont consacrées à cette fin.

LA PSYCHOLOGIE SOCIALE : DÉFINITIONS ET CARACTÉRISTIQUES

Présenter une définition et les caractéristiques d'un champ d'étude n'est jamais une chose facile. Il existe toujours un danger de négliger certains aspects importants et le fait non moins dangereux de présenter une vision biaisée de la discipline. Ces dangers qui guettent la personne qui ose scruter de plus près une discipline afin de mieux la comprendre dans son ensemble sont plus présents que jamais en ces années 1990. En effet, l'explosion des connaissances qui s'est produite durant cette période rend leur synthèse, et donc celle d'une discipline, encore plus périlleuse. À preuve, Derek Bok, président de la prestigieuse Université Harvard, révélait qu'il a fallu pas moins de 275 ans à cette université pour collectionner son premier million de livres et seulement 5 ans pour accumuler son dernier million (Bok, 1986). Et le magazine *Québec Science* avance même qu'il circulerait pas moins de 40 000 revues scientifiques à travers le monde qui publieraient plus de un million d'articles scientifiques annuellement.

Cette situation explosive et dynamique que connaissent les sciences prévaut également en psychologie sociale. Au cours des dernières années, de nouveaux thèmes d'étude ont été abordés, de nouvelles revues ont été fondées, des applications nouvelles ont été suggérées, à un point tel qu'une analyse du secteur peut sembler non seulement périlleuse mais également téméraire.

Malgré ces quelques difficultés, nous considérons comme important de présenter une définition de la psychologie sociale ainsi que ses caractéristiques les plus fondamentales afin de permettre au lecteur de se familiariser avec cette discipline. Mais notre intention n'est pas de tenter de définir de façon complète et définitive la discipline de la psychologie sociale.

Définitions

Nous avons mentionné précédemment que la psychologie sociale consistait dans l'étude scientifique du comportement social. Plusieurs définitions de la psychologie sociale ont été proposées. Nous n'en présenterons que deux afin de démontrer l'évolution récente de la vision des chercheurs dans le secteur.

Une première définition, peut-être la plus populaire, fut proposée par Gordon Allport (1968). Ce dernier suggère que « la psychologie sociale consiste à essayer de comprendre et d'expliquer comment les pensées, sentiments et comportements des individus sont influencés par la présence imaginaire, implicite ou explicite des autres ».

Cette définition est importante pour trois raisons. Premièrement, elle indique clairement que la psychologie sociale s'intéresse au comportement social de l'individu et non à celui de groupes, de collectivités ou de nations. Cette position correspond à la perspective proposée en 1924 par Floyd Allport, le frère de Gordon, et situe clairement le champ d'étude de la psychologie sociale dans la perspective psychologique, et non sociologique.

Deuxièmement, la psychologie sociale s'intéresse autant aux pensées et sentiments de la personne qu'à son comportement. Donc, les émotions, attitudes, attributions et autres phénomènes émotifs ou cognitifs se révèlent d'un très grand intérêt pour le psychologue social. Il serait beaucoup trop limitatif de se restreindre à l'étude du seul comportement. Notons, par contre, que les psychologues sociaux utilisent couramment l'expression « comportement social » pour faire référence à l'ensemble des pensées, sentiments et comportements de la personne. Nous n'échapperons pas à cette pratique dans ce volume.

Enfin, la définition d'Allport souligne aussi le fait que les gens qui nous entourent peuvent nous influencer de maintes façons, soit par leur présence directe, soit par leur présence implicite (on croit qu'une personne nous observe, par exemple) ou encore de façon imaginaire. Donc, une personne seule dans une pièce peut très bien agir en fonction de règles sociales intériorisées. Son comportement est par conséquent fondamentalement social.

Baron et Byrne (1981) proposent une seconde définition. Selon ces auteurs, la psychologie sociale est « le domaine d'étude scientifique qui étudie la façon par laquelle le comportement, les sentiments ou les pensées d'un individu sont influencés ou déterminés par le comportement ou les caractéristiques des autres ».

Ils ajoutent donc la composante des caractéristiques d'autrui comme source d'influence sur nos comportements. Ce point est important, car nous réagissons souvent aux caractéristiques des autres, et non uniquement à leurs comportements. Au volant de votre voiture, réagissez-vous de la même façon lorsque la voiture à côté est celle d'une jolie personne que s'il s'agit du véhicule d'un policier ? D'autres caractéristiques telles que la race, l'âge et l'apparence constituent d'importantes sources d'influence qui doivent être considérées dans l'étude du comportement social.

La psychologie sociale s'intéresse donc aux pensées, sentiments et comportements de l'être humain tels qu'ils sont influencés par la présence (implicite, explicite ou imaginaire) et les caractéristiques des gens qui l'entourent. Cette définition semble complète et compréhensible. Pourtant, au moins deux éléments importants n'y figurent pas, soit les stimuli sociaux et les composantes psychologiques personnelles.

Les stimuli sociaux renvoient aux objets, endroits et autres composantes de notre environnement, et influent souvent sur notre comportement social. Par exemple, vous êtes en train de fouiller dans vos vieilles affaires et vous mettez soudainement la main sur un objet qui appartenait à votre ex-ami ou ex-amie de cœur. Que ressentez-vous ? À quoi pensez-vous ? Que faites-vous ? Il est probable que plein de souvenirs vous reviendront. À ceux-ci sont sans doute associés de l'amertume, du chagrin ou encore de la joie. Il se peut également que vous oubliiez un petit moment ce que vous cherchiez dans vos affaires. Votre comportement ainsi que vos pensées et sentiments sont donc influencés par un objet en l'absence de toute autre personne dans la pièce. De tels types de stimuli sociaux ont été étudiés en psychologie sociale dans tout un éventail de thèmes.

D'autres genres de stimuli sociaux qui semblent encore plus éloignés d'un contexte social ont été également étudiés. Par exemple, l'effet de la chaleur et d'autres caractéristiques a été étudié, notamment en ce qui concerne le comportement agressif. Les pancartes, que l'on trouve en grand nombre un peu partout, influent souvent sur nos comportements (pour le meilleur et pour le pire) et elles ont également été le sujet de plusieurs études. Enfin, les éléments de l'habitat (grandeur, arrangement et couleur des pièces) ont une incidence importante sur nos comportements sociaux et ils font partie du thème d'étude de la psychologie sociale.

L'autre élément négligé dans les deux définitions présentées réside dans les composantes psychologiques personnelles de l'individu. Cet aspect de la définition de la psychologie sociale prend en considération le fait que l'individu lui-même peut être la source ou l'instigateur de son comportement envers les autres (Snyder & Ickes, 1985). Deux types de variables peuvent être incluses dans cette catégorie. La première a trait aux pensées, croyances, stéréotypes et souvenirs (le rôle de la mémoire est très étudié en psychologie sociale) concernant les gens qui nous entourent. Cela se rapporte à ce qu'on appelle les « cognitions sociales ». Par exemple, le fait de penser à la querelle que vous avez eue avec un de vos amis peut vous amener à être agressif vis-à-vis d'un passant qui vous demandait un renseignement. La seconde variable psychologique personnelle renvoie aux différences individuelles relativement stables qu'un individu peut posséder. En fait, il s'agit de l'influence de la personnalité sur le comportement social. Vous direz sans doute qu'il est alors question de psychologie de la personnalité et non de psychologie sociale. Et dans un certain sens vous avez raison. Par contre, il faut bien saisir que le psychologue social s'intéresse toujours au comportement social alors que ce n'est pas généralement le cas pour le chercheur ou théoricien de la personnalité. De plus, le psychologue social n'est pas vraiment intéressé par les variables de la personnalité qui prédisent le comportement social dans toutes les situations – ce qui est plutôt rare de toute façon (Mischel, 1973) –, mais il cherche plutôt à déterminer comment les variables individuelles de la personne interagissent avec la situation dans la détermination du comportement social. Ainsi le psychologue social s'attend à pouvoir expliquer et à pouvoir prédire le comportement social de l'individu à l'aide de la personnalité de ce dernier et de la nature de la situation dans laquelle il se trouve. Cette **approche interactionniste** en psychologie sociale est plutôt récente (Snyder & Ickes, 1985). Elle sera soulevée à l'occasion dans le texte.

À la lumière des définitions proposées par Allport (1968) et par Baron et Byrne (1981), et en considérant l'aspect important des stimuli sociaux et des composantes psychologiques personnelles, nous sommes maintenant en mesure de présenter une définition de la psychologie sociale qui reflète les diverses dimensions de la discipline :

> La psychologie sociale est le domaine d'étude scientifique qui analyse la façon par laquelle nos pensées, sentiments et comportements sont influencés par la présence imaginaire, implicite ou explicite des autres, par leurs caractéristiques et par les divers stimuli sociaux qui nous entourent, et qui de plus examine comment nos propres composantes psychologiques personnelles influent sur notre comportement social.

En somme, la psychologie sociale s'intéresse sur une base scientifique à une foule de sujets dans la mesure où ceux-ci permettent de mieux comprendre le comportement de l'être humain dans son habitacle social. Maintenant que nous avons une meilleure idée de ce qu'est la psychologie sociale, il nous est possible d'approfondir notre analyse de la discipline en étudiant certaines de ses caractéristiques.

Caractéristiques

À la suite de ce bref défrichage, cinq caractéristiques de la psychologie sociale peuvent être définies.

La psychologie sociale est scientifique. Cette caractéristique fait souvent sourire les gens. Comment une discipline qui étudie des phénomènes comme l'altruisme, les relations amoureuses ou l'agression peut-elle être scientifique au même titre que la chimie, la biologie ou la physiologie ? La réponse à cette question réside fondamentalement dans la perception du terme « science ». Ce dernier fait référence à l'utilisation de techniques et méthodes reconnues pour permettre l'étude objective de certains phénomènes. Dans la mesure où une discipline recourt à de telles méthodes, elle peut être considérée à juste titre comme une science. C'est le cas de la psychologie sociale, où l'utilisation de diverses méthodologies scientifiques est de rigueur. En fait, la psychologie sociale est reconnue dans les sciences sociales à la fois pour sa rigueur scientifique et pour sa créativité (voir le chapitre 2 pour un aperçu de l'approche méthodologique en psychologie sociale). Par conséquent, même si les thèmes étudiés en psychologie sociale sont différents de ceux dans les sciences traditionnelles, son approche n'est pas pour autant moins scientifique.

La psychologie sociale essaie de comprendre les causes du comportement social. Voilà le but fondamental poursuivi par les psychologues sociaux. Ces derniers cherchent à comprendre les diverses conditions à la base du comportement social parce qu'ils croient que les connaissances produites par de telles recherches permettront de prédire celui-ci et de résoudre certains problèmes sociaux importants. Ces deux objectifs renvoient respectivement aux aspects fondamentaux et appliqués de la psychologie sociale. Même si nous allons privilégier l'aspect fondamental dans ce volume, l'aspect appliqué ne sera cependant pas négligé. Comme nous l'avons mentionné précédemment, les causes du comportement social sont diverses. Les comportements et caractéristiques des autres, les stimuli sociaux et les composantes psychologiques personnelles de l'individu sont trois types d'influences qui regroupent une multitude de variables et celles-ci peuvent interagir entre elles. La psychologie sociale étant encore relativement jeune, seule une petite partie des variables en cause a été étudiée jusqu'ici. De nombreuses autres recherches devront être effectuées avant de pouvoir brosser un tableau complet du comportement social et de ses déterminants. En revanche, un bagage impressionnant de connaissances a été acquis jusqu'à maintenant et ces dernières seront présentées dans les chapitres de ce volume.

La psychologie sociale s'intéresse au comportement de l'individu en contexte social. La psychologie sociale, surtout dans ses débuts, a hésité un certain temps avant de décider de son point d'intérêt. Devrait-on étudier la personne ou le groupe ? Floyd Allport (1924) a définitivement orienté la psychologie sociale vers l'étude de la personne, et non des groupes, par la position prise dans son volume. À cet effet, Allport mentionnait :

> Il n'y a pas de psychologie des groupes qui ne soit essentiellement et entièrement une psychologie des individus [...] Lorsque nous disons que la foule est excitée, impulsive et irrationnelle, nous voulons dire que les individus qui s'y retrouvent sont excités, impulsifs et irrationnels [...] Les comportements spectaculaires des foules se sont combinés avec une terminologie imprécise de façon à déplacer l'attention de la vraie source de l'explication des groupes, particulièrement l'individu (p. 4 et 5).

La position de Floyd Allport s'est propagée au cours des années, si bien que de nos jours la psychologie sociale s'intéresse au comportement de la personne influencé par le contexte social. Peu importent les regroupements que l'on peut observer, au bout de la chaîne le comportement est le fait de l'individu, et non du groupe, et c'est ce comportement que l'on doit tenter d'expliquer, non celui du groupe. Par contre, cela ne veut pas dire que la psychologie sociale ne s'intéresse pas au groupe. Bien au contraire, le groupe représente un thème d'étude important en psychologie sociale (voir les chapitres 12 et 13). Cependant, ce qui intéresse les psychologues sociaux dans le cadre des groupes, c'est de savoir comment l'individu est influencé et comment il influence les autres membres de ce groupe. Cette position très nette de la psychologie sociale (la personne comme point d'étude) permet de la situer par rapport aux autres sciences sociales.

La psychologie sociale vise un cadre intégratif modéré. La psychologie sociale entretient des liens étroits avec plusieurs disciplines, notamment la sociologie et les autres branches de la psychologie. Pour mieux comprendre la psychologie sociale et sa vision, il est important de connaître les éléments d'analyse de ces dernières disciplines. La sociologie consiste en l'étude scientifique de la société humaine. Ses domaines d'étude incluent les institutions sociales (par exemple, la famille, la religion, la politique), la stratification à l'intérieur de la société (classe économique, race et ethnie), les processus sociaux (socialisation, interaction et contrôle social) et la structure d'unités sociales (groupes, organisations et bureaucraties) (Michener, DeLamater & Schwartz, 1986). Par contre, la psychologie étudie l'individu et son comportement, qui peut être social. La psychologie a des sujets d'étude tels que l'apprentissage humain et animal, la perception, l'intelligence, la motivation et les émotions, et inclut la psychologie clinique et de la personnalité.

Puisque la psychologie sociale analyse le comportement de la personne en contexte social, elle permet de faire le pont entre les disciplines de la psychologie et de la sociologie. À ce titre, elle est souvent vue comme un domaine interdisciplinaire. En fait, la psychologie sociale est étudiée selon des perspectives psychologique et sociologique. Il existe donc deux types de psychologie sociale, soit la psychologie sociale sociologique et la psychologie sociale « psychologique ». La première des deux approches encourage surtout l'utilisation d'enquêtes et d'observations systématiques, et s'intéresse aux liens entre les individus et les groupes auxquels ils appartiennent. Elle se penchera alors sur des thèmes tels la socialisation, la déviance sociale et le recrutement des membres dans des groupes. Le terme « psychosociologie », souvent utilisé dans les écrits européens, correspond surtout à ce premier type de psychologie sociale. Bien que la psychologie sociale psychologique utilise une foule de méthodes de recherche, comme nous le verrons, elle favorise particulièrement l'utilisation de la méthode expérimentale en laboratoire et, comme il a été indiqué précédemment, elle s'intéresse au comportement individuel influencé par le contexte social. Des thèmes d'étude tels les attitudes, la perception sociale, les attributions et l'altruisme sont privilégiés.

C'est à la psychologie sociale psychologique que cet ouvrage sera consacré. À l'occasion, cependant, des résultats intéressants issus de la psychologie sociale sociologique seront illustrés. Le lecteur désireux de mieux saisir les rapprochements entre les deux types de psychologie sociale saura puiser dans Stephan et Stephan (1985) et Michener *et al.* (1986) certains éléments intéressants.

Après avoir situé la psychologie sociale (psychologique) entre les sciences sociales de la psychologie et de la sociologie, il serait peut-être intéressant de la présenter dans un cadre plus large en la comparant avec les autres sciences. Une unité de comparaison utile consiste dans le continuum « réductionnisme-intégration » pour l'explication des phénomènes. Une explication réductionniste met l'accent sur des éléments moléculaires (tels des cellules ou des atomes) alors qu'une position intégrative propose des mécanismes d'ordre beaucoup plus grand (telles des influences humaines ou sociétales). La figure 1.2 présente une

FIGURE 1.2 **Niveau d'analyse dans les sciences selon un continuum d'explication intégratif-réductionniste**

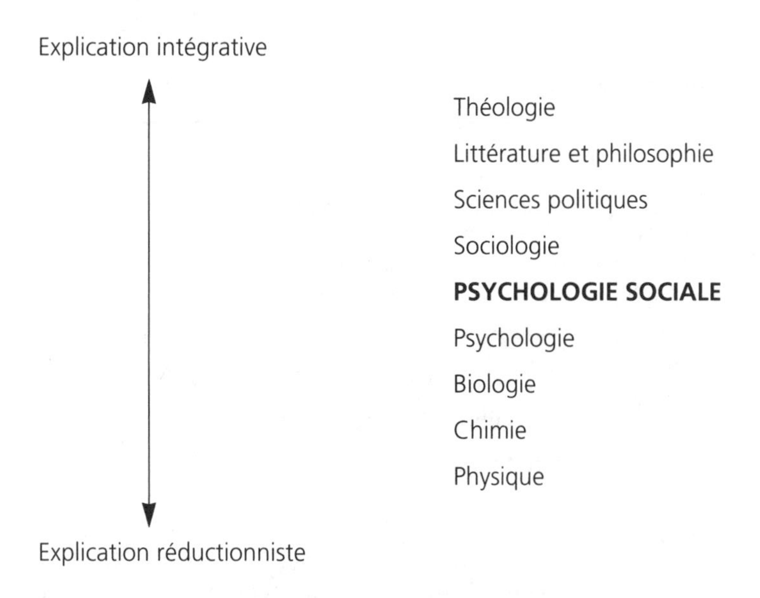

La psychologie sociale se situe à un niveau « moyen » sur un tel continuum, permettant d'expliquer le comportement humain avec les avantages des deux pôles. Notons qu'elle se situe entre la sociologie et la psychologie générale.

telle comparaison entre diverses sciences. On peut noter que le continuum réductionnisme-intégration s'étend de la physique à la théologie. La psychologie sociale, quant à elle, se situe en plein centre d'un tel continuum. Les mécanismes explicatifs proposés par la psychologie sociale se situent donc dans une sphère plus réduite que ceux proposés en sciences politiques, mais dans une sphère plus molaire ou intégrative que ceux proposés en biologie. Nous croyons que l'utilisation d'un niveau modéré d'intégration procure l'avantage d'explications empiriquement vérifiables pouvant mener à l'accumulation de connaissances sur le comportement social et pouvant avoir des incidences importantes pour notre société.

La psychologie sociale offre un cadre d'analyse varié. Puisque le comportement social étudié est varié et que les causes de ce comportement sont diverses, il est entendu que différents niveaux d'analyse seront empruntés en psychologie sociale. Certains auteurs (p. ex. Breakwell & Rowett, 1982; Doise, 1986) ont offert une analyse de ces différents niveaux. La position proposée par Breakwell et Rowett (1982) présente une vision qui s'apparente fort bien à celle préconisée dans ce volume. Selon ces derniers auteurs, quatre niveaux d'analyse caractérisent le champ d'étude de la psychologie sociale. Ceux-ci sont présentés à la figure 1.3. Le premier niveau d'analyse en est un intrapsychique. À ce stade, les théories et recherches ont pour but de décrire les phénomènes dont les mécanismes résident à l'intérieur d'une seule personne. Ainsi la façon dont les individus organisent leurs perceptions, l'évaluation de leur environnement social et leur comportement dans le cadre d'un tel environnement fait partie de ce premier niveau.

FIGURE 1.3 **Niveaux d'analyse en psychologie sociale**

Niveau 1: analyse intrapsychique
(exemple : dissonance cognitive et attribution de soi)

Niveau 2: processus interpersonnels
(exemple : perception d'autrui et attraction interpersonnelle)

Niveau 3: interaction entre l'individu et le groupe
(exemple : conformité avec le groupe, facilitation sociale)

Niveau 4: relations intergroupes
(exemple : compétition-coopération intergroupes, échanges intergroupes)

Les quatre niveaux d'analyse utilisés pour étudier le comportement social (adapté de Breakwell & Rowett, 1982).

Le deuxième niveau d'analyse s'intéresse aux processus interpersonnels tels qu'ils surviennent dans le cadre d'une situation donnée. En conséquence, l'étude de l'influence du comportement d'une personne sur une autre, comme l'effet d'une récompense matérielle sur la motivation intrinsèque d'un individu (Deci, 1971), s'insère dans ce niveau d'analyse. Le rôle des attributions dans la perception d'autrui (p. ex. Jones & Davis, 1965; Kelley, 1967) fait également partie de ce niveau d'analyse.

Les phénomènes intragroupes, où les phénomènes d'interaction se situent entre un individu et les membres du groupe, constituent le troisième niveau d'analyse. Des phénomènes tels que le fait de se conformer aux pressions des membres du groupe (Asch, 1951) et l'influence que le groupe peut exercer sur la performance individuelle de ses membres (Zajonc, 1965) se situent à ce niveau.

Enfin, le quatrième niveau d'analyse consiste dans les situations intergroupes. Dans de telles situations, les psychologues sociaux se penchent sur les comportements des individus en ce qu'ils sont influencés par les relations et interactions entre les groupes. Les situations de compétition et de coopération et leurs influences sur le comportement individuel (p. ex. Sherif *et al.*, 1961) ainsi que les comportements entre individus de différentes cultures, comme les Canadiens anglophones et les Canadiens francophones (Lambert, 1987), font partie de ce quatrième niveau.

Bien que ces différents niveaux soient présentés de façon linéaire et relativement statique, il semble bon de mentionner que plus d'un niveau peut avoir cours dans une situation donnée. Par exemple, la performance d'un individu peut être diminuée lorsqu'elle est effectuée dans le contexte d'un groupe (niveau 3), ce qui amène cet individu à produire des phénomènes de comparaison sociale (niveau 2) avec certains membres bien précis de ce groupe ou encore à changer sa perception de lui-même en repensant à sa performance (niveau 1). Plusieurs niveaux d'analyse peuvent donc s'imbriquer les uns dans les autres. Par contre, à ces différents niveaux sont associés des phénomènes différents. En conséquence, le fait de souligner la présence de différents niveaux d'analyse dans une même situation permet de déceler l'existence de plusieurs processus psychologiques dans cette situation sociale.

Nous avons vu dans cette section que la psychologie sociale s'intéressait de façon scientifique aux causes du comportement de la personne en contexte social. Nous avons également distingué la psychologie sociale des autres sciences et désigné quatre niveaux d'analyse utilisés dans les différentes recherches et théories. Mais comment la psychologie sociale en est-elle venue là ? Quelles furent les raisons qui ont amené la psychologie sociale à prendre une orientation scientifique et méthodologique rigoureuse afin d'étudier les divers thèmes maintenant en vogue ? Ce sont de telles questions que nous poserons dans la prochaine section.

UN HISTORIQUE DE LA PSYCHOLOGIE SOCIALE

Faire un historique de la psychologie sociale représente une tâche très difficile. En effet, malgré son jeune âge, plusieurs événements se sont produits et en ont fait une science importante. Nous nous contenterons ici de présenter les points essentiels afin de permettre au lecteur de connaître les origines de la psychologie sociale et d'être ainsi en mesure de mieux comprendre la discipline telle qu'elle existe aujourd'hui (voir Allport, 1968/1985; Hilgard, 1987; Jones, 1985; Sahakian, 1982, pour diverses présentations plus complètes de l'historique de la discipline).

Les influences philosophiques

Même si la psychologie sociale constitue une discipline jeune, les analyses du comportement social remontent à plusieurs millénaires. De fait, comme il a été mentionné précédemment, les philosophes grecs représentent probablement les premiers théoriciens en psychologie sociale. Platon (427-347 avant J.-C.), par exemple, proposait dans *La République* que les interactions sociales se développaient parce qu'aucun être humain n'était autosuffisant. Ayant besoin de l'aide des autres, les individus formaient alors des États ou gouvernements. Platon favorisait donc une vision utilitaire des interactions humaines et des regroupements. Aristote (384-322 avant J.-C.), en revanche, voyait les gens comme des animaux politiques mus par un instinct grégaire. Il croyait que les interactions sociales étaient nécessaires au développement normal de l'être humain. C'est donc leur grégarisme inné qui amènerait les gens à s'affilier aux autres.

Plus de deux millénaires plus tard, les philosophes s'intéressaient toujours au comportement social. Et c'est en France que les influences philosophiques les plus pressantes en vue d'étudier le comportement social d'une façon essentiellement scientifique se sont surtout fait sentir. Une première influence provint d'Auguste Comte (1798-1857), qui inventa le terme « sociologie » et qui fit beaucoup pour situer les sciences sociales parmi la famille des sciences. Comte n'était pas chercheur, mais il se préoccupait des possibilités de la science. Il croyait que les sciences devaient passer par trois stades, soit les stades théologique (où les événements sont expliqués et personnifiés par des dieux), métaphysique (où les événements sont expliqués par des pouvoirs impersonnels et par les lois de la science) et positif (où les phénomènes sont expliqués par leur invariabilité et par leur constance). Une science véritable en était une qui avait atteint ce dernier stade. Comte proposait à l'époque qu'en ce qui concerne le comportement humain ce troisième niveau serait atteint par un hybride de la biologie et de la sociologie. Cette « véritable science finale » aurait pour objet d'étude l'individualité de l'être humain qui se développe d'après la nature biologique de ce dernier à l'intérieur du contexte social et culturel (voir Allport, 1968; Sahakian, 1982).

La proposition de Comte était importante pour au moins deux raisons. Premièrement elle encourageait l'adoption d'une approche scientifique de l'étude du comportement social (à l'opposé d'une approche métaphysique comme c'était la coutume à l'époque) et deuxièmement cette vision de Comte traçait une ligne directrice pour les recherches à venir dans les sciences sociales. Il fallait étudier l'être humain avec ses origines biologiques dans son contexte social et culturel. On s'approchait alors beaucoup de la psychologie sociale. D'ailleurs, certains auteurs, tel Gordon Allport (1968), proposent que Comte soit considéré comme le fondateur de la psychologie sociale. Il est toujours difficile de déterminer avec certitude qui fut *le* fondateur d'une discipline. Toutefois, il est indéniable que l'influence de Comte fut importante et son nom mérite d'être cité dans une telle perspective historique.

D'autres philosophes français ont également joué un rôle considérable dans la pose des premiers jalons de la psychologie sociale. Ainsi Gabriel Tarde (1843-1904) fut-il l'un des premiers à mettre en avant le concept de l'« imitation »– terme important en psychologie sociale (voir Lott & Lott, 1985). Dans son volume *Les Lois de l'imitation* (1890/1903), il proposait l'énoncé selon lequel la société est unifiée parce que ceux qui suivent imitent les personnes au pouvoir. Éventuellement, Tarde en viendrait à adopter une position essentiellement psychologique de la psychologie sociale lorsqu'il avança que la société était ni plus ni moins qu'un agrégat d'individus en interaction où les forces sociales n'avaient aucune réalité indépendante de l'individu (Hilgard, 1987). Tarde fut également le premier auteur à utiliser l'expression « psychologie sociale » dans un titre de volume (*Études de psychologie sociale*) en 1898.

Le sociologue Gustave Le Bon (1841-1931) proposait quant à lui le concept de « suggestion » comme explication du comportement social. Par le biais de ce concept, explicité dans son ouvrage *La Psychologie des foules* (1895), Le Bon expliquait le comportement irrationnel des individus qui perdaient le contrôle d'eux-mêmes, dans des foules, par l'influence d'un leader ou par la contagion du comportement de masse.

Si Comte fut le premier à suggérer l'étude positive du comportement social, alors Émile Durkheim (1858-1917) fut le premier à appliquer ses recommandations. Durkheim effectua pour la première fois des travaux méthodologiques du comportement social, notamment dans l'étude du suicide. Il a contribué au développement du concept d'« anomie », variable importante dans le comportement suicidaire. L'anomie caractérise l'individu qui devient comme perdu parce que, selon Durkheim, la hiérarchie des valeurs dans la société s'est désintégrée. Durkheim encourageait une vision holistique de la société, où les forces sociales devenaient une réalité indépendante des individus qui la composent et dictaient le comportement humain. Donc, contrairement à Tarde, qui proposait une approche « psychologique » de l'étude du comportement social, Durkheim présentait plutôt une position essentiellement sociologique. Ces deux positions de la psychologie sociale se sont perpétuées jusqu'à nos jours.

Bien d'autres théoriciens mériteraient d'être nommés comme sources d'influence dans le développement de la psychologie sociale. Ainsi les travaux des Allemands Moritz Lazarus (1824-1903) et Heyman Steinthal (1823-1899), qui ont fondé en 1860 la revue *Zeitschrift für Völkerpsychologie* (soit une revue en « psychologie sociale »), et l'illustre Wilhelm Wundt (1832-1920), qui a également écrit un volume sur ce sujet (1912/1916), doivent être mentionnés. Soulignons que vers la fin du siècle dernier les théoriciens s'entendaient pour accorder une place importante à l'étude des effets des facteurs sociaux sur le comportement humain et que le terrain était ensemencé et prêt à porter le fruit de la première recherche expérimentale en psychologie sociale.

Les débuts de la discipline : de 1897 à 1930

L'honneur d'avoir effectué la première recherche *expérimentale* en psychologie sociale revient à Norman Triplett (1897/1898). En examinant les résultats de courses de bicyclettes, Triplett nota que les cyclistes pédalaient plus vite lorsqu'ils couraient contre un autre cycliste que lorsqu'ils couraient seuls. Afin de mieux comprendre le phénomène, il demanda à 40 enfants de 10 à 12 ans de participer à une expérience en laboratoire. Dans cette expérience, les enfants devaient enrouler la ligne d'une canne à pêche autour du moulinet le plus vite possible. Tous les enfants exécutèrent cette tâche isolément ainsi qu'en présence d'un autre enfant qui exécutait la même tâche. Triplett rapporte qu'en général la présence des autres « facilite » la performance quant à une activité donnée. Le premier thème de recherche, la facilitation sociale – thème encore d'actualité –, était né (voir l'encadré 1.1 sur la première expérimentation en psychologie sociale).

À la suite de cette recherche, d'autres expériences furent menées, principalement dans le secteur de la facilitation sociale. Le moment était venu de « lancer» la discipline en publiant un manuel d'introduction à la psychologie sociale. Ainsi, en 1908, deux volumes entièrement consacrés à la psychologie sociale parurent : l'un écrit par un psychologue (William McDougall, *An Introduction to Social Psychology*) et l'autre par un sociologue (Edward Ross, *Social Psychology: An Outline and a Sourcebook*). McDougall expliquait le comportement social par le biais d'une variété d'instincts : selon lui, une multitude de facteurs contrôlaient le comportement social. Ross, par contre, proposait que les forces qui dictent le comportement social étaient l'imitation et la suggestion, deux concepts discutés par les philosophes Tarde et Le Bon respectivement. Déjà dans ces deux ouvrages le schisme entre la **psychologie sociale psychologique** et la **psychologie sociale sociologique** se faisait sentir : les thèmes abordés et les auteurs cités étaient nettement différents.

Malgré une certaine ouverture d'esprit de la part du secteur académique, les deux volumes eurent un effet limité. En effet, pour plusieurs académiciens de

ENCADRÉ 1.1

PREMIÈRE EXPÉRIMENTATION EN PSYCHOLOGIE SOCIALE

Norman Triplett a effectué la première expérimentation en psychologie sociale (en 1897/1898). Triplett, qui était un avide spectateur de courses de bicyclettes, avait remarqué que les cyclistes pédalaient plus vite en présence d'autres coureurs cyclistes. Il a donc mené deux recherches afin de vérifier son hypothèse. La première, qui, malheureusement, est rarement rapportée, était en réalité une analyse archivistique des courses faites par plus de 2 000 cyclistes de haut calibre selon trois catégories : course seul contre la montre, course contre la montre mais avec un « meneur » (un autre cycliste non engagé dans la course mais qui doit pédaler à une vitesse rapide et déterminée) et enfin course contre d'autres cyclistes. À la suite de ses compilations, Triplett a observé les temps suivants pour des courses de 25 milles (environ 40 kilomètres) :

Course contre la montre	Course avec meneur	Course contre d'autres cyclistes
2 min 29,9 s	1 min 55,5 s	1 min 50,35 s

Courir en présence des autres semblait procurer des avantages relativement au fait de courir seul. Toutefois, Triplett ne pouvait en être tout à fait sûr puisque ce n'était pas les mêmes cyclistes qui participaient aux trois types de courses. Il se pouvait donc que les cyclistes participant aux courses contre d'autres soient supérieurs à ceux participant aux courses contre la montre.

C'est alors que Triplett eut l'idée d'effectuer une recherche en laboratoire afin de déterminer l'effet de la présence d'autrui sur le comportement des participants. Dans le cadre de cette étude, il demanda la participation de 225 personnes de différents âges. Cependant, dans son article, il ne rapporte que les résultats de 40 enfants. La tâche expérimentale consistait à enrouler le plus rapidement possible un moulinet fixé à une tige semblable à une canne à pêche. Au bout de cette tige était accroché un drapeau. Après s'être familiarisé avec la tâche, les sujets devaient effectuer, en alternance, six essais chronométrés, trois seul et trois en présence d'un autre concurrent.

Comme c'était la coutume à l'époque, Triplett rapporte, dans son article, le total des points pour chaque sujet et pour chacun des essais. Aucune analyse statistique n'est présentée. L'auteur se contente de constater que 20 sujets ont bénéficié de la présence d'autrui, 10 y sont restés indifférents et 10 ont été négativement influencés par la présence d'autres participants. Donc, même s'il semblait y avoir des différences individuelles dans les réponses des sujets, la performance de la majorité des participants s'est sensiblement améliorée en présence d'un autre participant.

→

ENCADRÉ 1.1 (suite)

Mais est-ce bien le cas ? Afin de répondre à cette question, nous avons utilisé le total des temps des sujets de l'étude de Triplett et effectué une analyse statistique, comparant les temps enregistrés lorsque le sujet était seul et lorsqu'il se trouvait en présence d'un autre participant. Les résultats furent les suivants :

Sujet seul : 39,39 s   Sujet en présence d'un autre participant : 37,42 s

Cette différence est hautement significative à l'aide d'un test-t , $t(39) = 4{,}97$, $p < 0{,}0001$. Les sujets enroulent significativement plus vite le moulinet en présence d'un autre participant que lorsqu'ils sont seuls. Triplett avait raison de conclure, du moins dans sa recherche, que la présence d'autrui facilite la performance (d'où l'expression « facilitation sociale »).

À la suite de cette première recherche en psychologie sociale, plusieurs autres études suivraient à un rythme fulgurant.

l'époque, la position selon laquelle l'instinct et la suggestion expliquent tous les comportements sociaux était intenable. De plus, peu de temps après la parution des deux volumes, les résultats de nombreuses recherches expérimentales apparurent dans les ouvrages à caractère social. Aucun de ces deux livres ne faisait une place de choix à la recherche expérimentale. La psychologie sociale était donc en quête d'un ouvrage qui lui apporterait son identité.

Seize ans plus tard, Floyd Allport (1924) publiait ce qui devait s'avérer l'un des volumes les plus importants de l'histoire de la psychologie sociale. La position théorique d'Allport était essentiellement béhavioriste. Pour lui, le comportement social était le comportement des individus dans un contexte social et la façon dont ils se conduisaient était déterminée par ce qu'ils avaient appris.

L'importance du volume d'Allport tient au moins à quatre raisons. Premièrement, comme il a été mentionné antérieurement, il donnait une direction définitive à l'unité d'étude que les recherches en psychologie sociale devraient dorénavant utiliser, soit l'individu (au lieu du groupe). Deuxièmement, le volume constituait un compte rendu précis des recherches effectuées dans les différents champs d'étude de l'époque où l'aspect expérimental était privilégié. Troisièmement, les divers thèmes recensés (comme les émotions, la facilitation sociale, le développement social, la communication non verbale, l'effet du groupe sur l'individu et bien d'autres) ont donné le ton à la psychologie sociale, si bien que de nos jours un bon nombre de ces thèmes se trouvent dans les manuels traditionnels d'introduction à la psychologie sociale. C'était le début de la psychologie sociale telle qu'on la connaît de nos jours. Enfin, quatrièmement, le volume d'Allport donnait un visage et une identité à la psychologie sociale qui était pleinement acceptable par la discipline mère, la psychologie. En fait, le manuel d'Allport fut le premier livre de base en psychologie sociale à permettre l'inclusion de cette discipline dans le programme d'études permanent des départements de psychologie des universités américaines (Hilgard, 1987). La psychologie sociale était lancée et plus rien ne saurait l'arrêter.

Les années 1930

Les années qui suivirent la parution du volume d'Allport furent fébriles. La psychologie sociale s'était donné une identité et un mandat : elle devrait étudier le comportement de l'individu en contexte social. Pour ce faire, il devenait impératif de mettre au point une méthodologie adéquate. C'est ce que les chercheurs se sont efforcés de faire durant cette période.

Un aspect qui retint l'attention des chercheurs fut la mesure des attitudes (voir le chapitre 6). Ainsi, après un article très influent (en 1928) postulant que les attitudes pouvaient être mesurées, Leon Thurstone élabora deux mesures des attitudes nécessitant le recours à des juges dans la phase de validation, soit la méthode des intervalles apparaissant égaux et celle des intervalles successifs. Bien que laborieuses, ces deux techniques permettaient de mesurer les attitudes des gens dans une foule de domaines allant de la religion aux préjugés raciaux. Par la suite, Rensis Likert (1932) mit au point une technique moins exigeante que celles proposées par Thurstone et pourtant tout aussi efficace dans la mesure des attitudes. Le recours à des juges n'était plus nécessaire : il suffisait de demander aux sujets d'indiquer à quel point ils étaient en accord ou en désaccord avec des énoncés extrêmes sur un sujet donné. L'ensemble des points des énoncés représentait le niveau d'attitude du sujet. La mesure des attitudes la plus populaire en psychologie sociale était créée. D'autres types de mesures furent également mises en avant. Ainsi Levy Moreno (1934) introduisit la mesure sociométrique et Dorothy Thomas (1929), celle de l'observation du comportement systématique et quantifiée.

En plus de la mesure des attitudes, les chercheurs en psychologie sociale se sont tournés vers le laboratoire afin de répondre à des questions importantes. Frederick Bartlett (1932), dans son volume intitulé *Remembering*, démontra clairement l'importance de l'approche expérimentale pour la compréhension de variables culturelles et motivationnelles dans les mécanismes de perception et de mémoire. Ses recherches précédaient ainsi le développement du secteur de recherche en cognitions sociales (voir Fiske & Taylor, 1984, 1991, à ce sujet).

Deux autres noms méritent notre attention dans ce cadre expérimental : il s'agit de Muzafer Sherif (1906-1990) et de Gardner Murphy (1895-1979). Selon Sahakian (1982), Sherif (1936) doit être crédité du premier **programme de recherche** à cadre expérimental. Il s'intéressait alors à l'étude des normes sociales, c'est-à-dire les règles dictant les conduites des individus (elles seront étudiées dans le chapitre 12). Pour les quelques années à venir, Sherif parviendrait à justifier l'étude de l'individu dans le cadre du groupe selon une méthodologie expérimentale.

Murphy, pour sa part, rédigea avec son épouse Loïs Gardner un livre influent en 1931 intitulé *Experimental Social Psychology*, lequel fut réédité en 1937. Ce volume promulguait l'approche expérimentale. Par le biais de son volume et de son influence comme chercheur à l'Université Columbia, Sahakian (1982) accorde à Gardner et Murphy un rôle de tout premier plan dans le développement de l'approche expérimentale en psychologie sociale.

Les années 1940 et 1950

À la fin des années 1930, l'approche expérimentale battait son plein et l'étude de l'individu dans les groupes devenait de plus en plus populaire. Les recherches se multipliaient. C'est durant cette période que la psychologie sociale a pris son envol pour devenir l'une des disciplines les plus importantes dans les sciences sociales. Selon Gardner et Murphy (1949), trois raisons expliquent cette éclosion. D'abord, la psychologie sociale s'était dotée d'une méthodologie rigoureuse et scientifique applicable à l'étude du comportement social. Ensuite, même à l'intérieur de la psychologie expérimentale générale, on se tournait vers l'influence des facteurs sociaux (les travaux de Bartlett en 1932 sur la mémoire en sont un exemple probant). Et finalement, il existait maintenant suffisamment de recherches, de données et d'information pour rédiger des volumes sur le sujet et pour créer des cours appropriés.

Un événement crucial viendrait encore accélérer les développements amorcés: la Seconde Guerre mondiale. Celle-ci a eu trois effets heureux sur la psychologie sociale. Une première conséquence réside dans le fait que la société s'est alors tournée vers la jeune discipline afin de pouvoir résoudre divers problèmes sociaux autant dans la population (p. ex. Lewin, 1947) que dans l'armée (voir Hovland, Lumsdaine & Sheffield, 1949; Stouffer *et al.*, 1949a, 1949b, 1950, pour des comptes rendus de ces recherches). Cette utilisation de la discipline permettait de vérifier plusieurs théories «sur le terrain» et de s'intéresser à divers problèmes importants.

Un deuxième effet de la guerre est que de nombreux chercheurs anxieux de servir leur pays furent «libérés» de leur département de psychologie et firent de la recherche. Comme une grande partie des recherches était menée sous l'égide de la psychologie sociale ou dirigée par des chercheurs en psychologie sociale (par exemple, Rensis Likert dirigeait la Division des enquêtes intensives de la section intérieure du Bureau de l'information de guerre des États-Unis), plusieurs chercheurs furent formés en psychologie sociale au cours de cette période. À la fin de la guerre, parmi les professeurs de psychologie qui retournèrent dans leur département original, plusieurs se tournèrent vers l'étude de la psychologie sociale alors que bon nombre d'autres étaient maintenant très favorables à la cause de cette dernière.

Mais la conséquence la plus importante de la Seconde Guerre mondiale pour la psychologie sociale fut sans contredit le fait qu'elle attira en Amérique du Nord de nombreux théoriciens européens qui désiraient se soustraire à l'emprise d'Hitler. Parmi les chercheurs les plus influents qui vinrent poursuivre leurs travaux en Amérique du Nord figurent Fritz Heider, T.W. Adorno et surtout Kurt Lewin. Ces psychologues ont eu (et certains ont toujours) une incidence importante sur la direction que devait prendre la psychologie sociale pour les décennies à venir.

T.W. Adorno et ses collaborateurs (1950) ont conçu un programme de recherche fort intéressant sur les causes des préjugés raciaux envers les Juifs. Selon ces auteurs, le fait de porter préjudice à une autre personne est causé par une personnalité autoritaire. Ce type de personne croit en l'autorité, qu'il faut respecter à tout prix. De plus, elle inflige souvent des punitions. Enfin, pour elle le monde se divise en deux parties: les «bons» et les «méchants». Les bons pensent comme elle et les méchants, différemment. Les recherches initiales d'Adorno et de ses collaborateurs ont démontré que les personnes autoritaires avaient beaucoup plus tendance à manifester des préjugés raciaux que les personnes égalitaristes, qui, elles, sont tournées vers le respect et la liberté des autres personnes. Ces travaux eurent un retentissement considérable en psychologie sociale et déclenchèrent l'élaboration de plusieurs programmes de recherche sur les préjugés raciaux (pour plus d'information, voir le chapitre 13).

Fritz Heider (1896-1991), pour sa part, quitta Hambourg, en Allemagne, et vint s'installer au collège Smith, au Massachusetts, jusqu'en 1947, puis à l'Université du Kansas jusqu'à la fin de sa carrière. Il s'intéressait à la perception sociale, c'est-à-dire les mécanismes par lesquels nous percevons les gens et les événements qui nous entourent. Il n'était pas vraiment intéressé par les travaux expérimentaux, mais plutôt par la désignation théorique des mécanismes par lesquels nous percevons notre monde. En fait, Heider n'a publié que trois travaux d'importance, soit son article sur la perception sociale et la causalité phénoménologique dans la *Psychological Review* en 1944, son article dans le *Journal of Psychology* sur l'organisation cognitive des attitudes (1946) dans lequel il présentait sa théorie de l'équilibre cognitif et enfin, probablement son œuvre la plus importante, son livre *The psychology of interpersonal relations* (1958) dans lequel il érigeait les bases de sa théorie sur les attributions. Comme on le verra au chapitre 5, cette théorie examine les explications que les gens donnent sur le comportement des autres et d'eux-mêmes, et sur les événements qui surviennent.

Sans vouloir rien enlever aux deux théoriciens précédents, Kurt Lewin (1890-1947) est peut-être le chercheur étranger qui a eu le plus fort impact sur les fondements de la psychologie sociale expérimentale. L'influence de Lewin s'est fait sentir à plusieurs niveaux. Parmi ceux-ci, on notera son utilisation expérimentale du laboratoire afin de manipuler des variables indépendantes, sa vérification des hypothèses théoriques, sa participation à l'étude de problèmes sociaux et son rôle dans la formation de plusieurs éminents psychologues sociaux (voir l'encadré 1.2 sur le père de la psychologie sociale).

ENCADRÉ 1.2

LE PÈRE DE LA PSYCHOLOGIE SOCIALE

Kurt Lewin a reçu sa formation en psychologie à l'Institut de psychologie de l'Université de Berlin. Il a commencé ses cours en 1910 et, à la suite d'études effectuées sous la supervision de Carl Stumpf, reçut le doctorat en 1916. Lewin fut également influencé par le philosophe Ernst Cassiere (1874-1945), qui l'aida à clarifier sa vision de la science et de la recherche. Après la Première Guerre mondiale, à laquelle il participa en tant que civil puis comme lieutenant, Lewin retourna à l'Institut de psychologie de Berlin à titre de professeur et se familiarisa avec la psychologie de la Gestalt de Köhler, Koffka et Wertheimer. De 1924 à 1935, Lewin et ses étudiants allemands (notamment Ovsiankina, Dembo, Zeigarnik et Birenbaum) effectuèrent de nombreuses expériences. Plusieurs de ces recherches étaient issues de ses observations. Par exemple, Lewin et ses étudiants allaient souvent prendre un café dans un bistro du coin. Lewin était fasciné par le fait que le serveur se souvenait exactement de ce que chacun des membres du groupe avait commandé, jusqu'au moment où l'addition était réglée. Par la suite, il ne s'en rappelait plus. Lewin et une de ses étudiantes, Bluma Zeigarnik, décidèrent d'étudier ce phénomène en laboratoire, ce qui permit de mettre au jour l'effet Zeigarnik (le fait d'être motivé dans ses efforts pour poursuivre une tâche jusqu'à sa complétude).

Se sentant menacé à la venue de la Seconde Guerre mondiale, Lewin, qui était juif, quitta l'Allemagne pour se joindre à l'Université de l'Iowa en 1935. C'est là que, jusqu'en 1944, il mena certaines de ses recherches les plus intéressantes. Ses travaux initiaux s'inscrivaient dans une perspective de motivation sociale. Il s'intéressait notamment à l'effet du degré d'aspiration sur la performance et aux activités substitutives consécutives à un échec. Par la suite, il étudia les comportements des enfants qui résultent de la frustration et finalement leurs comportements en situation de groupe. C'est dans le cadre de ces dernières recherches qu'il analysa le leadership. Lewin s'intéressait également à l'étude de problèmes sociaux. C'est d'ailleurs dans cette perspective qu'il étudia les conditions amenant les mères de famille à préparer les repas familiaux avec des restes de nourriture (abats de poulet, par exemple) durant la guerre.

→

ENCADRÉ 1.2 (suite)

En 1944, il fonda le Research Center for Group Dynamics au Massachusetts Institute of Technology (MIT), qu'il dirigea jusqu'en 1947, année de sa mort. Durant ces trois années, il dirigea une brochette de psychologues sociaux parmi les plus illustres de notre époque. Après sa mort, l'un de ses élèves, Leon Festinger, prit la relève comme directeur du centre. Le centre déménagea en 1949 à l'Université du Michigan. Il existe toujours et est maintenant dirigé par Robert Zajonc.

Lewin a influé sur la psychologie sociale d'au moins quatre façons. Premièrement, il fut l'un des premiers à utiliser le laboratoire de façon créative afin de vérifier des hypothèses précises. Par exemple, la recherche de Lewin, Lippitt et White (1939) étudia le comportement d'enfants en situation de groupe avec des leaders agissant de façon démocratique, autocratique ou laisser-faire. Lewin démontra que les comportements des enfants différaient non seulement en fonction des conditions expérimentales, mais également en fonction de la présence ou de l'absence du leader. Les études en laboratoire poursuivent encore cette tradition de nos jours. Deuxièmement, Lewin fut aussi l'un des premiers à insister sur le fait que les hypothèses devaient être formulées de façon claire (et non de façon floue et exploratoire) et être principalement issues de formulations théoriques. De telles recherches, selon Lewin, feraient avancer les connaissances beaucoup plus vite que de simples recherches sans cadre théorique. Une troisième influence de Lewin a trait à son intérêt pour l'étude de problèmes sociaux mais toujours à partir de formulations théoriques. C'est d'ailleurs lui qui a prononcé les paroles célèbres: « Il n'y a rien de plus pratique qu'une bonne théorie. » Il a effectué plusieurs recherches appliquées et publié des volumes à ce sujet. De nos jours, plusieurs chercheurs intéressés par les applications de la psychologie sociale se réfèrent encore aux idées et à la philosophie de base de Lewin (Fisher, 1982).

Enfin, une dernière influence de Lewin sur la psychologie sociale contemporaine concerne tous les psychologues sociaux qu'il a formés selon son approche et sa vision de la science. White, Lippitt, Morrow, Newcomb, Kelley, Festinger, Aronson et bien d'autres ont été formés par Lewin ou par ses collègues du Research Center for Group Dynamics qu'il a fondé. Sa vision de la science a, par la suite, été propagée par cette seconde génération de psychologues sociaux et c'est elle qui prévaut présentement en psychologie sociale.

À la lumière de toutes ces contributions, il n'est pas surprenant que plusieurs considèrent Kurt Lewin comme le père de la psychologie sociale contemporaine. À ce titre, le *Journal of Social Issues* consacrait à son œuvre en 1992 le numéro 2 du volume 48.

Outre la Seconde Guerre mondiale, le développement des statistiques, tels le test-t et l'analyse de variance, a considérablement influé sur l'« accréditation » de la méthode expérimentale en psychologie sociale (Jones, 1985). En effet, il devenait maintenant possible de déterminer si les manipulations expérimentales exerçaient une influence significative sur la variable d'intérêt. Une décennie plus tôt, les chercheurs comparaient les moyennes des réponses des sujets « à l'œil nu ». Le seuil de signification de l'effet expérimental indiquerait dorénavant si les résultats sont probants ou non, ajoutant ainsi à l'objectivité de l'approche méthodologique utilisée.

Terminons cette phase mouvementée de l'histoire de la psychologie sociale en mentionnant rapidement les grands thèmes de recherche de l'époque. Il est possible d'en distinguer trois qui vinrent à dominer la psychologie sociale pendant la période des années 1940 et 1950. Le premier a trait à l'étude de l'individu en contexte de petit groupe. Ainsi les thèmes du leadership (Lewin, Lippitt & White, 1939), de la coopération-compétition (Deutsch, 1949), du pouvoir social (French, 1956), de la conformité avec le groupe (Asch, 1952) et du processus interactif (Bales, 1950) furent étudiés à maintes reprises (ils seront analysés dans les chapitres 11 à 13). Le deuxième thème, issu des processus de groupe, portait sur la comparaison sociale (Festinger, 1954). Festinger, un ancien étudiant de Lewin, proposait que l'individu ressent un besoin de se comparer avec ses pairs afin de vérifier ses opinions et habiletés. Ces comparaisons peuvent avoir une incidence importante sur l'estime de soi de la personne (cette théorie sera vue au chapitre 3, qui porte sur le soi). Enfin, le troisième champ d'étude prioritaire de cette période concernait les attitudes. Par contre, comparativement à la période précédente (jusqu'à la décennie des années 1930), l'intérêt des chercheurs n'était plus centré sur la mesure des attitudes, mais plutôt sur l'explication des changements de ces dernières. Dans un tel cadre, trois modèles théoriques furent d'une grande importance, soit ceux de la communication et de la persuasion de l'Université Yale (Hovland, Janis & Kelley, 1953), de la théorie de l'équilibre cognitif (Heider, 1946) et enfin de la dissonance cognitive (Festinger, 1957). Cette dernière théorie (qui postule que les gens trouvent déplaisantes les incohérences entre deux cognitions, ou entre leurs pensées et leur comportement, et cherchent à les réduire en changeant soit leurs pensées, soit leur comportement) attira l'attention des chercheurs non seulement durant les années 1950, mais également jusqu'aux années 1970. Encore de nos jours, des recherches sont effectuées dans ce secteur. Ces différentes théories sur le changement des attitudes seront présentées dans le chapitre 6.

Les années 1960 et 1970

Au début des années 1960, la psychologie sociale a continué sur sa lancée de la décennie précédente avec une explosion de thèmes d'étude. Parmi ceux qui reçurent le plus d'attention, il faut mentionner la perception sociale (comment l'on se fait une impression des autres — voir le chapitre 4), l'agression et la violence (la désignation des causes de l'agression et de techniques pour réduire cette dernière – voir le chapitre 9), l'attraction et l'amour (pourquoi les gens s'aiment-ils? qu'est-ce que l'amour romantique? – voir le chapitre 8), la prise de décision en groupe (les groupes sont-ils plus efficaces que les individus seuls pour prendre des décisions? – voir le chapitre 12) et l'altruisme et le comportement prosocial (pourquoi les gens n'aident-ils pas ceux en situation d'urgence? quelles sont les variables encourageant le comportement d'aide? – voir le chapitre 10).

Plusieurs recherches se sont également efforcées de consolider les connaissances sur des thèmes déjà établis dans la période précédente. C'est le cas des trois secteurs de recherche suivants: le leadership (le leader efficace est-il né meneur ou est-il plutôt issu de la situation? – voir le chapitre 12), la dissonance cognitive (dans quelles circonstances la théorie s'applique-t-elle et dans quelles situations ne s'applique-t-elle pas? – voir le chapitre 6) et la facilitation sociale (voir le chapitre 12). Celle-ci revint à la surface grâce aux travaux de Robert Zajonc (1965). À la suite de la première étude de Triplett, plusieurs études avaient été effectuées sur le phénomène de la facilitation sociale. Certaines études parmi celles-ci démontraient que la présence des autres facilitait la performance, alors que d'autres révélaient qu'elle nuisait au rendement. Dashiell (1935) recommanda même qu'on abandonne ce secteur de recherche. En se servant de la théorie du *drive*, Zajonc permit de résoudre une énigme vieille de près de 30 ans selon laquelle, en présence des autres, certaines personnes réussissent mieux alors que d'autres font moins bien. Selon Zajonc, la présence des autres produit une excitation physiologique *(arousal)*. Cette dernière amène les gens à émettre les réponses dominantes en ce qui concerne l'activité en question. Si vous êtes expérimenté, les réponses dominantes émises seront correctes et votre performance sera facilitée. Par contre, si vous êtes novice, des réponses dominantes incorrectes seront émises et votre performance en souffrira. Zajonc démontra ainsi la puissance du raisonnement théorique afin de permettre de donner un sens aux connaissances dans un secteur d'étude.

Alors que les recherches se poursuivaient vers la fin des années 1960, un malaise commença à faire surface. Un certain nombre de personnes firent connaître leur mécontentement vis-à-vis de ce qu'était devenue la discipline. La psychologie sociale était dans la phase communément appelée **crise de confiance** et qui devait durer près de 10 ans. Deux sources distinctes de critique furent le grand public et les psychologues sociaux eux-mêmes. Il faut se rappeler qu'à cette époque la société américaine ainsi que la plupart des sociétés occidentales étaient en pleine évolution et turbulence. C'était l'époque du *flower power*, du mouvement de la libération de la femme (le *women's lib*), des manifestations étudiantes autant en Europe qu'en Amérique du Nord et de la révolte des jeunes envers la guerre au Viêt-Nam. Certaines personnes occupant un poste important ont alors émis un appel de détresse à la psychologie sociale. Seul l'écho répondit. Malgré une orientation clairement sociale, la psychologie sociale n'était pas encore prête à résoudre des problèmes aussi concrets que les affrontements entre étudiants et policiers, les mésententes raciales et autres graves problèmes sociaux.

La seconde critique vint de chercheurs en psychologie sociale, qui se disaient mécontents de l'évolution de la discipline. Parmi les points importants, notons le laboratoire comme principal moyen de recherche (la grande majorité des recherches durant cette période était menée en laboratoire), le recours exagéré à des étudiants en psychologie comme sujets (pas moins de 87 % des recherches publiées dans le *Journal of Personality and Social Psychology* au cours de l'année 1974 firent appel à des étudiants comme sujets), le peu de souci pour la contribution théorique (la plupart des recherches étaient très limitées dans leur incidence théorique – une considération encore plus importante était de publier à tout prix) et l'écart qui s'agrandissait entre la psychologie sociale expérimentale et la psychologie sociale appliquée. En d'autres mots, plusieurs chercheurs en psychologie sociale étaient insatisfaits quant à l'aspect artificiel des recherches dans leur secteur et certains vinrent à douter de la validité externe (c'est-à-dire à quel point les résultats de leurs recherches peuvent se généraliser à d'autres populations et contextes) des connaissances assimilées dans la discipline ainsi que de la contribution de cette dernière à la société.

Parmi les critiques émises par des scientifiques en psychologie sociale, nulle ne fut plus virulente que celle exprimée par Ken Gergen (1973). Il a été vu antérieurement qu'une des caractéristiques de la psychologie sociale est qu'elle se veut scientifique. Or, selon Gergen, la psychologie sociale n'est pas scientifique mais plutôt historique :

> La psychologie sociale représente principalement une recherche historique. Contrairement aux sciences naturelles, elle s'intéresse à des faits qui sont largement « non répétables » et qui fluctuent de façon marquée sur une base temporelle. Des principes de l'interaction humaine ne peuvent être identifiés sur une base temporelle parce que les faits sur lesquels ils reposent ne demeurent généralement pas stables. Les connaissances ne peuvent s'accumuler comme on l'entend généralement en science parce que de telles connaissances ne peuvent pas généralement transcender ses barrières historiques (p. 310).

Un autre point important à noter dans la position de Gergen, c'est que ce dernier voit la science et la société comme reliées par une boucle bidirectionnelle dans laquelle les membres de la société peuvent apprendre un principe behavioriste et alors l'utiliser de façon à infirmer le principe. Les connaissances sur ce principe, selon Gergen, sont limitées à la phase historique précédant celle où l'information sur le principe a été véhiculée dans la société. La psychologie sociale est donc selon lui fondamentalement historique...

Plusieurs chercheurs en psychologie sociale ont répliqué à l'attaque de Gergen et une polémique s'engagea sur le sujet (voir à ce propos le volume 2 du *Personality and Social Psychology Bulletin* [1976] et plus récemment le volume 19 du *European Journal of Social Psychology* [1989]). La position prédominante vis-à-vis du problème soulevé par Gergen est qu'il s'agit en fait d'un faux problème.

Sur le plan strictement observable ou béhavioriste, Gergen a raison: les connaissances, lorsqu'elles sont présentées au public, risquent fort de mener à des changements dans la société. Par contre, cela ne veut pas automatiquement dire que les principes théoriques qui sous-tendent ces observations sont infirmés ou limités dans une perspective historique.

Prenons un exemple. Un résultat reconnu dans le secteur de la motivation intrinsèque (être motivé à faire quelque chose par plaisir) est que le fait de fournir des renforcements verbaux positifs à une personne (comme lui dire qu'elle est douée pour l'activité) produit une augmentation de motivation intrinsèque vis-à-vis de l'activité en question (p. ex. Deci, 1971; Vallerand & Reid, 1984, 1988). Face à ces connaissances, les tenants de la perspective historique (Gergen, 1973) avanceraient que le fait de procurer cette information à la société éliminerait l'effet en question. Point intéressant, la théorie de l'évaluation cognitive (Deci & Ryan, 1985) peut très bien expliquer et prédire cet effet proposé par l'approche historique. Selon cette théorie, le renforcement verbal positif peut avoir au moins deux fonctions: il peut servir d'information concernant la performance de la personne ou il peut servir à manipuler le récepteur du message. Le renforcement positif augmentera la motivation intrinsèque dans la mesure où celui-ci est perçu comme un message de compétence par la personne. Conséquemment, si la personne se croit douée pour l'activité, elle y retournera avec intérêt. Par contre, si elle sait que le but du renforcement verbal positif est de la manipuler, alors l'effet positif du renforcement verbal ne se produira pas, la personne ne se sentant pas compétente mais plutôt contrôlée par le renforcement. La théorie permet donc de prédire quand l'effet observable de l'augmentation de motivation intrinsèque se produira ou ne se produira pas. Le principe théorique n'est alors pas infirmé par la présentation des connaissances à la population. Seul l'effet observable l'est.

En somme, les adeptes de l'approche historique ont probablement raison quand ils avancent que le fait d'éduquer le public sur les connaissances risque de mener à des changements chez ce dernier et nous l'espérons bien, ces changements pouvant être très souvent bénéfiques (voir Zajonc, 1989, à cet effet). Par contre, Gergen erre fondamentalement quand il propose que les principes sous-jacents au comportement social en sont pour autant infirmés. Comme il a été démontré dans l'exemple ci-dessus, le comportement observable peut changer, mais l'explication théorique de ce comportement, bien sûr, lorsqu'elle est bien menée, demeure.

Bien que la crise ait terni quelque peu l'image extérieure de la psychologie sociale, elle entraîna au moins deux conséquences heureuses. Premièrement, elle engendra un souci pour une méthodologie renouvelée et non uniquement dépendante du laboratoire. On se dirigeait donc vers une position multimodale où les résultats de plusieurs études épousant diverses approches méthodologiques confirment la validité des conclusions. On trouvait, associée à cette approche, une considération plus équilibrée entre la validité interne (à quel point les effets obtenus sont bel et bien dus à la variable indépendante) et la validité externe. D'ailleurs, après une analyse des écrits publiés à la suite de la période de crise, Vitelli (1988) concluait que celle-ci avait promulgué l'utilisation d'autres types de méthodologies, telles que l'enquête par questionnaire, et bien que le laboratoire demeure l'outil de prédilection des psychologues sociaux, ces derniers font maintenant beaucoup moins usage de la tromperie (ou *deception)* dans leurs recherches.

Deuxièmement, cette période de crise a également amené les chercheurs à être plus conscients de leur responsabilité envers la société. Cette conscientisation devait mener, en 1970, à la création d'une revue spécialisée sur le sujet, le *Journal of Applied Social Psychology*, et au développement de programmes d'études en psychologie sociale appliquée (voir Bickman *et al.*, 1980; Fisher, 1982). Cette période de crise semble donc avoir influé positivement sur la discipline.

Enfin, en quittant la période des années 1970, il ne faudrait pas manquer de souligner l'importance que la perspective attributionnelle a eue en psychologie sociale. À travers la crise qui a sévi au cours de cette période, le thème d'étude des attributions (le fait d'expliquer son comportement, celui des autres ainsi que les divers événements dans notre vie) s'est développé à un rythme tel que plus de 4 000 articles ont été écrits sur le sujet et qu'au milieu des années 1970 plus de 50 % des articles parus dans les principaux périodiques de psychologie avaient les attributions comme point d'attache (Vallerand & Bouffard, 1985). Les théories de Kelley (1973), Bem (1972) et Weiner (1972, 1979) ont notamment fait l'objet de plusieurs recherches théoriques et appliquées. Les attributions seront vues dans le chapitre 5 et nous serons alors à même de constater à quel point celles-ci peuvent être importantes pour comprendre le comportement social.

Les années 1980 et 1990

Vers la fin des années 1970, les recherches en psychologie sociale continuaient toujours à un rythme fulgurant. La crise étant passée (Fiske & Taylor, 1984), les chercheurs s'orientaient vers de nouveaux horizons. Les années 1980 et 1990 furent caractérisées par quatre faits marquants. Premièrement, malgré le fait qu'encore une grande majorité des recherches étaient orientées vers l'étude de mécanismes attributionnels, petit à petit une orientation nouvelle voyait le jour et allait dominer les années 1980 jusqu'à nos jours. Cette approche, qui porte le nom de « cognitions sociales », représente un amalgame de la psychologie sociale et de la psychologie cognitive. Le secteur des cognitions sociales s'intéresse aux concepts de la psychologie cognitive (par exemple les schémas, l'attention, la mémoire, le rappel et autres concepts) appliqués à certains aspects du comportement social. Les chercheurs étaient alors préoccupés par des questions telles l'influence de certains schémas de soi (ou représentations qu'une personne a d'elle-même) sur le comportement de la personne (voir le chapitre 3) et l'influence du rappel d'événements stockés en mémoire sur la perception d'autrui (voir le chapitre 4).

Cet accent sur le rôle des mécanismes cognitifs dans le comportement social a sûrement contribué au deuxième fait marquant des années 1980 et 1990, soit le retour du soi (ou *self)* comme champ d'étude. Bien que certains travaux aient été menés au début du siècle par Cooley et G.H. Mead et que l'intérêt pour ce thème soit réapparu durant les années 1970 (p. ex. Bandura, 1977; Duval & Wicklund, 1972; Markus, 1977), l'étude du soi a vraiment pris son envol au cours des années 1980. Les positions théoriques de l'autoefficacité (Bandura, 1982), de la conscience de soi (Carver & Scheier, 1981) et du monitorage de soi (Snyder, 1987) furent particulièrement populaires auprès des scientifiques. Les diverses recherches reliées à ces positions théoriques seront présentées au chapitre 3.

Un troisième fait marquant de cette période consiste en l'influence que la **psychologie sociale appliquée** a exercée sur cette époque (et qu'elle exerce toujours). Durant cette période, plusieurs monographies ont été publiées sur sa portée, certaines revues virent le jour (par exemple *Basic and Applied Social Psychology, Journal of Social and Clinical Psychology*) et énormément de chercheurs se mirent à étudier des problèmes appliqués importants, non pas tant pour tester des théories en contexte écologique que pour contribuer à la compréhension de ces problèmes et éventuellement aider à les résoudre. Nous parlerons de certaines de ces recherches dans les différents chapitres du volume.

Enfin, un quatrième fait marquant de cette période, et non le moindre, réside dans l'utilisation de nouvelles techniques statistiques. Alors que les recherches effectuées au cours de la décennie précédente faisaient un usage presque exclusif de l'analyse de variance et du test-t, celles des années 1980 et 1990 commencèrent à utiliser des techniques plus sophistiquées permettant de répondre à des questions plus complexes. Ces diverses techniques permettaient donc de pousser encore plus loin l'étude de l'être humain en contexte social. Ainsi des techniques telles l'analyse multidimensionnelle, l'analyse acheminatoire et les équations structurelles (LISREL) sont apparues et font maintenant partie de l'arsenal du psychologue social. Certaines de ces techniques seront discutées au chapitre 2.

Conclusion

La psychologie sociale a parcouru beaucoup de chemin au cours du dernier siècle. Après des débuts modestes, la voici maintenant enseignée dans tous les départements de psychologie en Amérique du Nord et dans la majorité de ceux d'Europe. En outre, sur une base scientifique, elle s'est dotée d'une méthodologie rigoureuse qui fait l'envie de plusieurs sciences sociales. Cette méthodologie permet l'étude scientifique de plusieurs thèmes tant fondamentaux qu'appliqués. Le tableau 1.1 fait une rétrospective historique des faits marquants de la psychologie sociale et l'encadré 1.3 discute d'événements ayant fortement influencé la psychologie sociale canadienne et québécoise.

TABLEAU 1.1 Événements importants dans l'histoire de la psychologie sociale

Dates	Événements
1830-1842	Comte présente sa position sur les sciences sociales.
1895	Le Bon publie son volume *La Foule*.
1897 / 1898	Triplett effectue la première étude expérimentale en psychologie sociale.
1902	Cooley publie son volume *Human Nature and the Social Order.*
1908	McDougall et Ross publient les deux premiers volumes de base en psychologie sociale.
1918	Thomas et Znaniechi commencent leurs travaux sur les attitudes.
1924	Floyd Allport publie *Social Psychology.*
1925	Le *Journal of Abnormal and Social Psychology* (auparavant *Journal of Abnormal Psychology)* est fondé.
1927	Thurstone démontre que les attitudes peuvent être mesurées.
1929	Murchison et Dewey fondent le *Journal of Social Psychology.*
1934	Mead publie ses travaux sur le soi.
	LaPiere démontre que le comportement et les attitudes ne se correspondent pas toujours.
	Moreno conçoit son approche de mesure sociométrique.
1935	Sherif étudie les normes sociales.
	Murchison publie le premier *Handbook of Social Psychology.*
1936	Fondation de la *Society for the Psychological Study of Social Issues* (groupe promouvant l'étude de problèmes sociaux importants).
1937	Moreno fonde la revue *Sociometry,* qui deviendra plus tard *Social Psychological Quarterly.*
1939	Lewin étudie le leadership dans les groupes.
1946	Asch étudie la formation d'impressions.
1952	Asch publie ses travaux sur la conformité en groupe.
1953	Hovland publie les résultats de ses travaux sur la persuasion et le changement d'attitude.
1954	Festinger formule sa théorie de la comparaison sociale.
1957	Festinger propose sa théorie de la dissonance cognitive.
1958	Heider publie *The Psychology of Interpersonal Relations* et lance le secteur d'étude sur les attributions.
1962	Schachter et Singer proposent une théorie sur les déterminants cognitif et physiologique de l'émotion.

TABLEAU 1.1 **(suite)**

Dates	Événements
1963	Milgram publie sa première étude sur l'obéissance à l'autorité.
1964	Berkowitz lance sa série *Advances in Experimental Social Psychology.*
	Le *Journal of Personality and Social Psychology* est fondé.
1965	Zajonc publie ses travaux en facilitation sociale.
	Le *Journal of Experimental Social Psychology* est fondé par Jones.
1967	Kelley propose sa théorie en attribution.
1968	Latané et Darley commencent leurs travaux sur le comportement d'aide.
1971	L'appel à des intérêts plus appliqués porte ses fruits et le *Journal of Applied Social Psychology* est fondé par Streufert.
1972	Bem repropose sa théorie sur la perception de soi et l'inscrit dans un cadre attributionnel.
	Weiner publie la première version de sa théorie attributionnelle de la motivation à l'accomplissement.
1973	Gergen critique la discipline sur son aspect historique et peu scientifique.
1975	Deci publie *Intrinsic Motivation.*
1980	Bickman lance la série *Applied Social Psychology Annual.*
1982	Les recherches sur les cognitions sociales deviennent de plus en plus importantes et Schneider fonde la revue *Social Cognition.*
1984	Oskamp publie le premier volume en psychologie sociale appliquée *(Applied Social Psychology).*

ENCADRÉ 1.3

LA PSYCHOLOGIE SOCIALE AU CANADA ET AU QUÉBEC

La psychologie sociale a connu des débuts modestes au Canada. En effet, comme les autres secteurs de la psychologie, ses progrès ont été retardés parce que la discipline mère a été longtemps considérée comme une sous-discipline de la philosophie. Ce n'est donc que tout récemment que la psychologie sociale a pu se développer.

→

ENCADRÉ 1.3 (suite)

La psychologie sociale canadienne semble avoir principalement pris racine dans trois départements anglophones, soit ceux de l'Université McGill, de l'Université de Toronto et de l'Université de l'Alberta. Bien que l'Université de Toronto ait fondé son laboratoire de psychologie avant celui de McGill, il semble que le premier cours de psychologie sociale ait été offert dans ce dernier établissement en 1913 (Wright & Myers, 1982). Par la suite, la psychologie sociale aurait été enseignée à l'Université de Toronto au début des années 1920 et à l'Université de l'Alberta en 1925. Le volume de William McDougall y était alors utilisé.

Le premier cours de psychologie sociale en français aurait été dispensé en 1942 à l'Institut de psychologie (maintenant le département de psychologie) de l'Université de Montréal. Le livre utilisé était celui de LaPiere et Fransworth (1942) intitulé *Social Psychology.* Rédigé par un psychologue et un sociologue, ce volume intégrait donc les perspectives psychologique et sociologique de la psychologie sociale. Par la suite, l'Université d'Ottawa offrit également des cours de psychologie sociale en français, suivie de l'Université Laval dans les années 1960.

Il est très difficile de désigner le moment et l'endroit où les premières recherches en psychologie sociale auraient été réalisées. Nous savons toutefois que des études sur l'acquisition de langues modernes et sur les délinquants ont été effectuées à l'Université de Toronto dès les années 1920, notamment par Blatz et MacPhee, et que la formation d'impressions a été étudiée par Luchins à l'Université McGill dès les années 1940.

Il est impossible de nommer le premier psychologue social au Canada, car la discipline était si différente à l'époque et notre information si incomplète que nous pourrions facilement nous tromper. Il semble toutefois que les Ketchum, Blatz et MacPhee (à l'Université de Toronto), dès les années 1920, et les Mailhot et Lussier à l'Université de Montréal, vers la fin des années 1940, aient été parmi les premiers psychologues sociaux anglophones et francophones, respectivement (Pinard, 1987, communication personnelle; Wright & Myers, 1982).

Par la suite, plusieurs psychologues sociaux sont venus se greffer sur les corps professoraux existant dans les diverses universités canadiennes, dont Wallace Lambert à l'Université McGill en 1957, John Arrowood à l'Université de Toronto, Brendan Rule à l'Université de l'Alberta en 1961, Robert Gardner et William McClelland à l'Université Western Ontario et Melvin Lerner à l'Université de Waterloo vers 1965. Le développement de la psychologie sociale sur le plan francophone au Québec ne s'est fait que passablement plus

→

ENCADRÉ 1.3 (suite)

tard. En effet, ce n'est que vers le milieu des années 1970 qu'un nombre relativement important de psychologues sociaux ont commencé leurs travaux.

Les psychologues sociaux forment aujourd'hui un groupe imposant de chercheurs représentés dans tous les départements de psychologie au Canada ainsi que dans d'autres départements universitaires et certains services publics et gouvernementaux.

LES INFLUENCES THÉORIQUES EN PSYCHOLOGIE SOCIALE

Comme nous l'avons indiqué au début de ce chapitre, nous essayons souvent de comprendre pourquoi tel événement est survenu ou encore pourquoi telle personne a agi de la sorte. Dans une certaine mesure, nous utilisons nos propres « théories » afin de pouvoir expliquer notre environnement social. Par contre, comme il le fut démontré dans notre analyse sur l'approche intuitive, de telles théories sont souvent trompeuses, car elles subissent l'influence de nos biais personnels et ne peuvent être vérifiées scientifiquement.

Dans le cadre de la psychologie sociale, les théories sont utilisées de façon systématique et constituent un outil essentiel à toute démarche scientifique. De façon générale, nous pouvons considérer une théorie comme un ensemble de conventions créées afin de représenter la réalité (Hall & Lindzey, 1985). De façon plus officielle, une théorie peut être définie comme « un ensemble d'hypothèses ou de propositions interreliées concernant un phénomène ou un ensemble de phénomènes » (Shaw & Costanzo, 1982, p. 4).

Chaque théorie émet un certain nombre de postulats relatifs à la nature du comportement qu'elle essaie de décrire et d'expliquer. Elle contient aussi un ensemble de définitions empiriques et de construits théoriques. Bien sûr, les diverses théories définies par différents groupes de scientifiques varient quant à leurs postulats, leurs construits ainsi que leurs orientations. Cependant, toute théorie vise les mêmes buts. Un premier but consiste à organiser et à expliquer la relation entre les diverses connaissances que nous possédons sur un phénomène social donné. Par exemple, une théorie devrait être capable de regrouper, sous divers postulats, les différentes connaissances concernant les effets de la bonne humeur sur le comportement social. En d'autres termes, une théorie cherche à intégrer des faits empiriquement reconnus à l'intérieur d'un modèle logique et parcimonieux (Hall & Lindzey, 1985).

(2) Un autre rôle important des théories consiste à prédire certaines relations entre diverses variables qui n'ont pas encore été étudiées. La théorie propose des hypothèses qui conduiront à de nouvelles recherches qui enrichiront le bagage de connaissances sur un phénomène social bien précis. Elle permet de progresser dans les investigations sur le monde qui nous entoure.

Dans un cadre scientifique, les théories jouent un rôle capital. Elles rendent possible l'étude des relations entre certaines variables. Ces résultats, en retour, éclairent les chercheurs sur la valeur (ou la validité) de la théorie. Il est important de noter qu'une théorie ne sera pas nécessairement toujours appuyée par les résultats des recherches. Il se peut même qu'une théorie soit éventuellement tout à fait infirmée. Dans un cheminement scientifique, cette situation est attendue puisqu'une théorie ne représente qu'un modèle – une représentation abstraite – du comportement social et que tôt ou tard cette représentation devra être révisée, modifiée ou complètement changée. Cependant, la théorie demeure essentielle, même si elle est infirmée, car elle permet la réalisation d'études qui font avancer les connaissances sur un phénomène donné et qui mèneront ultimement à des modèles plus justes du comportement social.

À la question « Quelle théorie doit-on utiliser pour les recherches en psychologie sociale ? » aucune réponse simple n'existe puisque aucune théorie ne permet d'expliquer adéquatement tous les phénomènes sociaux. Il en va ainsi dans tous les secteurs scientifiques (par exemple, la théorie de la relativité d'Einstein ne peut expliquer le phénomène de l'accélération des corps en chute libre). Certaines théories sont globales ou générales alors que d'autres sont plus particulières et restreintes dans leur explication et dans leurs prédictions. La tendance actuelle en psychologie sociale est d'utiliser des **mini-théories** propres à des phénomènes précis, tels l'amour romantique, la solitude ou la motivation intrinsèque. Ces différentes formulations théoriques et bien d'autres seront présentées dans les chapitres correspondant aux thèmes d'étude. Ces mini-théories peuvent se regrouper selon leurs affinités et postulats sous trois grandes théories, soit la théorie des rôles, la théorie du renforcement et la théorie cognitive.

La théorie des rôles

La **théorie des rôles** résulte principalement d'influences sociologiques. En effet, même s'il est possible de retracer ses débuts dans les conceptions de rôles théâtraux d'il y a plus de deux millénaires chez les Grecs, c'est George Herbert Mead (1913) qui rendit le concept de « rôle » populaire dans son analyse du soi en relation avec les gens qui l'entourent.

Il serait important de spécifier que, même si l'on utilise l'expression « théorie des rôles », il n'existe pas *une* théorie des rôles proprement dite. Il s'agit plutôt d'un ensemble de postulats, de construits et d'hypothèses reliés entre eux d'une manière cohérente (Shaw & Costanzo, 1982). L'approche des rôles ne considère pas de façon typique des déterminants individuels du comportement. Ainsi, les attitudes, la motivation et la personnalité ne figurent pas dans le cadre d'une telle analyse du comportement social. Ce dernier est plutôt expliqué grâce aux rôles, aux attentes et exigences des rôles de même qu'aux habiletés exigées par les rôles et par les groupes de référence ayant une influence sur les participants dans des interactions sociales (Shaw & Costanzo, 1982). Dans la même idée macroscopique, et en contraste avec un aspect plus psychologique présent dans les deux autres grandes approches théoriques, la théorie des rôles accorde beaucoup d'attention aux réseaux sociaux et aux organisations.

Un rôle peut être défini comme «les fonctions remplies par une personne lorsqu'elle occupe une position particulière à l'intérieur d'un contexte social donné» (Shaw & Costanzo, 1982, p. 296). Chacun d'entre nous joue plusieurs rôles selon les contextes. Ainsi, en classe, vous pouvez être un étudiant modèle; à la cafétéria, vous êtes peut-être la personne gloutonne qui mange tout ce qui lui passe entre les mains; à la maison, vous êtes la personne conciliante qui partage un appartement avec un colocataire; en amour, vous êtes cette personne douce et agréable qui sait tout donner; enfin, dans les sports, vous êtes un adversaire qui n'aime pas perdre. Ces rôles très diversifiés que nous sommes appelés à jouer constituent un reflet de ce que nous sommes. Ce serait donc une erreur de penser qu'il s'agit de faux comportements adoptés de façon à prétendre ou à faire semblant que nous sommes de telle ou telle façon. Bien au contraire, le concept du rôle renvoie ici à différents comportements exprimés en accord avec le contexte social dans lequel nous nous trouvons et selon la position que nous occupons dans un contexte précis.

Les attentes des gens vis-à-vis de notre rôle ainsi que nos propres attentes dans un contexte donné peuvent exercer des influences importantes sur notre comportement. Par exemple, le professeur en classe s'attend à ce que l'étudiant approfondisse le sujet du cours et non pas qu'il mange son hamburger tout garni! De même, l'entraîneur s'attend à ce que l'athlète arrive prêt à faire face à l'autre équipe et non pas, guitare en main, prêt à exécuter un spectacle rock! Les normes représentent des attentes encore plus généralisées concernant le comportement appris au cours du processus de socialisation (Biddle & Thomas, 1966). À titre d'exemple, je peux avoir des normes générales sur ce que les relations entre les hommes et les femmes doivent être d'après mon expérience acquise dans le cadre de relations particulières. Bien sûr, à l'intérieur de chaque contexte, il y a place pour de la latitude. Il demeure tout de même que les attentes et les normes à l'égard des rôles sont importantes pour spécifier le cadre acceptable des comportements pouvant être adoptés dans un contexte donné. À ce titre, elles peuvent donc exercer une influence considérable sur notre comportement.

Vu la multitude des rôles à jouer chaque jour, il ne faut pas se surprendre si certains conflits surviennent. Des conflits de rôles se produisent lorsqu'une personne tient plusieurs rôles aux exigences incompatibles **(conflits interrôles)** ou qu'un rôle unique possède deux ou plusieurs attentes incompatibles entre elles **(conflits intrarôles).** Un adolescent qui se promène avec sa petite amie et qui soudainement la délaisse pour retrouver son groupe d'amis du même sexe fait preuve d'un comportement résultant d'un conflit interrôle. Par contre, l'étudiante qui doit décider si elle prépare son examen de psychologie sociale ou celui de psychologie du développement vit un conflit intrarôle (celui d'étudiante).

La théorie des rôles a mené à plusieurs recherches et mini-théories en psychologie sociale. Ainsi les recherches sur les normes sociales (Sherif, 1935) ainsi que celles sur le processus de communication (Shannon & Weaver, 1949) représentent des positions théoriques faisant appel à des concepts reliés à la théorie des rôles. Plus récemment, les recherches et théories sur le soi ont fait usage de la théorie des rôles. Par exemple, les travaux de Mark Snyder (1979) sur le concept de « monitorage de soi » – la tendance chez certaines personnes à contrôler la façon dont elles sont perçues par les autres – et ceux de Barry Schlenker (1984) sur la présentation de soi – le recours à divers comportements afin de créer l'impression désirée chez l'autre personne – constituent des exemples de mini-théories prenant racine dans la position des rôles. Ces diverses positions sur le soi seront présentées au chapitre 3.

La théorie du renforcement

La deuxième approche théorique étudiée se concentre sur les principes psychologiques du renforcement et de l'apprentissage. Une telle théorie porte en grande partie sur l'analyse de la relation entre le stimulus et la réponse de l'individu. Un stimulus est un événement interne ou externe qui produit un changement dans le comportement d'une personne (Kimble, 1961). Ce changement est appelé « réponse ». Si la réponse produit un résultat favorable pour la personne, un état de renforcement est créé, c'est-à-dire que la personne a été récompensée pour sa réponse. En accord avec la loi de l'effet (Thorndike, 1911), il est généralement attendu qu'une action suivie d'une récompense aura tendance à être reproduite alors qu'un comportement suivi d'une punition aura tendance à ne pas être exprimé de nouveau (voir aussi B.F. Skinner, 1980, pour une analyse similaire).

Les premières formulations théoriques empruntant une position de renforcement utilisaient une approche restreinte à la relation entre le stimulus et la réponse (approche S-R). Ainsi un stimulus donné produisait une réponse chez l'individu. Le même comportement pouvait être exprimé devant un stimulus différent mais semblable par le biais de la généralisation du stimulus. Donc, une personne ayant appris à être gentille vis-à-vis d'une personne de l'autre sexe pourrait apprendre à être gentille avec toutes les personnes de l'autre sexe. De nos jours, par contre, les positions du renforcement ont évolué et incluent, pour la plupart, des éléments cognitifs dans la relation entre le stimulus et le comportement. Cette relation peut donc s'écrire « stimulus-organisme-réponse » (S-O-R) où les cognitions de la personne (ou organisme : O) interviennent entre les stimuli et les réponses. Il est possible de distinguer deux grands types de théories du renforcement en psychologie sociale: la **théorie de l'apprentissage social** et la **théorie de l'échange social.**

La théorie de l'apprentissage social. En 1941, Miller et Dollard créaient les fondements de la théorie de l'apprentissage social en proposant que le phénomène de l'imitation pouvait être expliqué par les principes de base du stimulus, de la récompense et du renforcement. Leurs postulats étaient les suivants: l'imitation, comme la plupart des comportements humains, est apprise et le comportement et l'apprentissage sociaux peuvent être compris grâce aux principes généraux de l'apprentissage. Miller et Dollard attribuaient un rôle central à l'imitation dans l'explication de l'apprentissage que fait le jeune enfant des divers comportements sociaux tel le langage. Miller et Dollard ajoutaient que l'imitation était importante dans le maintien de la discipline et de la conformité avec les normes de la société. Ainsi le jeune enfant qui voit son grand frère obtenir une récompense parce qu'il a bien écouté à l'école essaiera d'en faire autant. Dans la mesure où il accomplit ce geste, il sera récompensé à son tour. L'imitation est devenue source de récompense et la réponse imitée pourra se généraliser à une foule de situations.

Plus contemporain, Albert Bandura, chercheur canadien, maintenant à l'Université Stanford, a conçu une perspective plus globale de la théorie de l'apprentissage social. Selon lui (par exemple 1977, 1986), le comportement social peut se produire par le biais de conséquences directes (comme le renforcement) d'une réponse émise ou encore, plus fréquemment, par notre **observation vicariante** du comportement des autres. Dans ce dernier cas, le comportement de cette personne (appelée «modèle») sert de source d'information. L'observateur peut par la suite utiliser cette information afin d'adopter le même comportement, même en l'absence de renforcement. Ce dernier fait a été démontré par Bandura et ses collègues à maintes reprises avec divers types de comportements sociaux (voir Bandura, Ross & Ross, 1963, pour un exemple concernant l'agression). Dans sa théorie, Bandura (1986) propose que certains processus cognitifs sont compris dans un tel apprentissage. En fait, une séquence de quatre étapes est proposée, soit les phases d'attention (regarder le modèle afin de savoir comment s'y prendre), de rétention (il s'agit alors de coder en mémoire le comportement observé, de l'organiser en mémoire et de le pratiquer mentalement), de reproduction motrice (il ne sert à rien d'observer un modèle faisant du ski acrobatique si l'on ne possède pas l'habileté motrice pour exprimer le comportement désiré!) et enfin la présence de **renforcements** (il s'agit ici des attentes de renforcements; si l'on s'attend à se faire récompenser parce qu'on a vu le modèle recevoir une récompense ou parce que cette dernière nous a été promise, il y a des chances pour que nous reproduisions le comportement désiré).

Comme on peut le remarquer, la théorie de l'apprentissage social permet d'expliquer des formes d'apprentissage beaucoup plus complexes que le permettaient les premiers modèles d'apprentissage.

La théorie de l'échange social. Cette théorie inclut des principes de renforcement ainsi que des notions d'économie dans son analyse du comportement social. Parmi les principes de la théorie, ceux des coûts et des bénéfices sont très importants. Ainsi nous sommes particulièrement intéressés par les relations interpersonnelles qui nous rapportent plus que ce qu'elles nous coûtent, alors que nous tentons d'éviter celles qui promettent d'être plus coûteuses que bénéfiques. Diverses positions théoriques appartenant à la théorie de l'échange social ont été proposées (p. ex. Cook, 1987). Une des plus intéressantes est sans contredit celle de Thibaut et Kelley (Kelley & Thibaut, 1978; Thibaut & Kelley, 1959). Ces chercheurs basent leur théorie sur le processus d'interaction – une situation qui se présente lorsque deux personnes agissent et réagissent entre elles, et lorsque les actions d'une personne peuvent avoir un effet sur l'autre personne. Afin d'analyser les résultats potentiels d'une interaction, Thibaut et Kelley ont proposé la matrice des résultats : il s'agit de juxtaposer les coûts et bénéfices, pour chacune des deux personnes, associés à la pratique de divers comportements faisant partie de leur relation interpersonnelle. Pour chaque combinaison d'actions, un résultat particulier peut être défini. Le comportement adopté devrait être dépendant de l'analyse du résultat de la grille faisant la somme des différents coûts et bénéfices compris dans la relation en question.

Prenons un exemple. Une de vos amies qui suit avec vous le cours de psychologie de la motivation vous téléphone. Vous lui aviez déjà promis d'aller faire du ski avec elle. Et voilà que c'est justement ce qu'elle vous demande. Elle s'est fait remplacer à son emploi de fin de semaine afin de pouvoir vous accompagner. Mais vous ne pensiez pas qu'elle vous inviterait si tôt et vous aviez prévu préparer votre examen de motivation. Pour vous, préparer votre examen est plus renforçant, alors qu'aller faire du ski est plus intéressant pour votre amie. Il semble donc que vous ayez un problème. Que faire ?

Selon Thibaut et Kelley, afin de comprendre le comportement des deux amis, il faut étudier les coûts et bénéfices prévus pour chacune des deux actions. Si vous étudiez, vous aurez la satisfaction du travail bien accompli et peut-être les notes qui s'imposent à l'examen (bénéfices). Par contre, vous aurez probablement des remords à la pensée d'avoir laissé tomber votre amie ainsi que d'avoir perdu une occasion en or de faire du ski, l'un de vos sports favoris (coûts). Pour votre amie, c'est un peu le contraire. Dans la mesure où elle pourra skier avec vous, elle sera très contente (bénéfices) alors qu'elle n'est pas du tout tentée de travailler durant la fin de semaine (coûts). Dans une telle situation d'échange, les participants doivent calculer les coûts et bénéfices pour chaque combinaison d'actions et déterminer quel comportement sera le plus bénéfique pour les deux. Ainsi, dans notre exemple, vous pourriez faire reconnaître à votre amie que préparer l'examen de motivation procurerait le plus haut niveau de récompense et pour vous et pour elle (de meilleures notes à l'examen). Vous pourriez par la suite aller célébrer vos bons résultats à l'examen sur la piste de ski de son choix! Vous pourriez aussi remettre le ski. Par contre, si aucune entente n'est possible, il se peut fort bien que vous commenciez à entrevoir la possibilité de terminer cette amitié pour en nouer une nouvelle avec une personne aux intérêts plus proches des vôtres. Dans une telle situation, le degré de comparaison des coûts-bénéfices dans la relation potentielle serait mis en balance avec celui offert par la relation en cours. Le ratio le plus élevé devrait dicter si une nouvelle amitié sera entreprise ou si l'ancienne sera poursuivie.

Bien sûr, l'analyse d'une relation sociale est généralement plus complexe que celle que nous venons de présenter. Toutefois, le point important à retenir est que, dans la théorie proposée par Thibaut et Kelley, le déterminant du comportement des individus à l'intérieur d'un échange social sera la perception des coûts et bénéfices, peu importe le nombre de comportements considérés. Le modèle d'échange social de Thibaut et Kelley est très large et il a été appliqué à plusieurs phénomènes sociaux, dont ceux de la compétition et de la coopération, des relations interpersonnelles et conjugales, des relations de pouvoir, de marchandage et enfin de négociation.

Dans l'ensemble, l'application des principes de renforcement à l'étude du comportement social a suscité un intérêt soutenu en psychologie sociale (voir Lott & Lott, 1985, pour un relevé récent à ce sujet). De tels principes ont été utilisés afin d'expliquer la formation d'attitudes envers les objets (Zanna, Kiesler & Pilkonis, 1970) et envers les gens qui nous entourent (Byrne, 1971). Par exemple, Byrne suggère que nous aimons les gens qui sont semblables à nous sur une variété de dimensions parce qu'une telle similitude est renforçante ou plaisante. Plusieurs autres théories ont été proposées. Il semble donc que l'approche du renforcement soit importante en psychologie sociale.

La théorie cognitive

Le terme «cognitif» fait référence à une orientation théorique générale qui met l'accent, dans son schème explicatif, sur les processus centraux telles les pensées, les attentes, les attitudes, les attributions et autres structures internes (voir Shaw & Costanzo, 1982). Il s'intéresse donc à des processus internes qui doivent être inférés et non observés.

Un certain nombre d'approches «cognitives» peuvent s'inscrire sous la bannière de la **théorie cognitive.** Une première renvoie à la position de la **Gestalt,** qui a été popularisée par Wertheimer, Koffka et Köhler dans les années 1930. Cette approche mettait l'accent sur les pensées et la perception active de la personne. La position gestaltiste postula le concept de l'«insight» et avança le postulat selon lequel «le tout est plus grand que la somme de ses parties». Ce faisant, l'approche gestaltiste s'éloignait d'une analyse de stimuli et de réponses observables pour se diriger vers l'inférence de processus cognitifs internes.

Une deuxième approche cognitive est celle de la **phénoménologie.** Selon cette approche, il est possible d'expliquer le comportement d'une personne uniquement en sachant comment elle perçoit le monde qui l'entoure. Qui plus est, les jumelages stimuli-réponses, et autres apprentissages effectués dans le passé, ne sont importants que dans la mesure où ces derniers sont représentés en conscience ou influent sur les structures cognitives conscientes de la personne. L'approche phénoménologique propose donc que seules les cognitions en conscience (le « ici et maintenant »), durant un épisode quelconque, détermineront le comportement social d'un individu.

Une troisième position considérée est la **théorie du champ** de Kurt Lewin (Lewin, 1951). Celle-ci est étroitement reliée à l'approche phénoménologique et accorde beaucoup d'importance aux perceptions qu'ont les individus de leur environnement social ou ce que Lewin appelle « espace vital » (*life space*). Ce sont les perceptions des gens qui dicteront leurs comportements. Contrairement à l'approche phénoménologique, cependant, Lewin postule que l'élément de conscience n'est pas nécessaire pour que les perceptions et le sens donné aux divers stimuli sociaux dans l'espace vital influent sur le comportement social.

Enfin, l'approche du traitement de l'information (p. ex. Lindsay & Norman, 1972) représente une dernière orientation théorique qui joue présentement un rôle prépondérant dans les recherches en psychologie sociale. Cette position théorique, issue de la psychologie cognitive, tient plutôt du paradigme de recherche que d'une théorie en soi. L'approche du traitement de l'information établit une analogie entre l'ordinateur et l'être humain dans l'explication du fonctionnement cognitif de ce dernier. Ce faisant, cette approche propose qu'il faut distinguer entre différents processus, dont la perception de stimuli, leur entreposage en mémoire à court et à long terme, le rappel et la prise de décision. Une telle position, appliquée aux stimuli sociaux, est particulièrement importante de nos jours (voir le chapitre 4).

La théorie cognitive permet d'expliquer des situations qui semblent de prime abord incompréhensibles. Prenons un exemple. Vous venez de recevoir la note de votre premier examen en psychologie de l'intelligence : 75 % ! Vous vous dites que ce n'est pas si mal puisque vous n'avez pas trop étudié. Au même instant, vous entendez votre voisin de gauche laisser aller un cri de douleur ainsi qu'une bordée d'injures. Sans vouloir bousculer les choses, vous lui demandez sa note et il vous répond sur un ton agressif : « 75 %, un vrai échec... » Vous sursautez. Comment la même note peut-elle produire des effets si différents chez deux personnes ? C'est, entre autres, ce type de phénomène que l'approche cognitive désire expliquer et peut élucider. La réponse, selon cette approche, réside dans la perception du résultat de l'examen et de ce qu'il représente pour l'étudiant et non pas dans la note, ou l'aspect objectif du stimulus en tant que tel.

Les quatre positions théoriques cognitives présentées ci-dessus ont joué un rôle important dans la formulation des théories et modèles cognitifs plus contemporains. Et de nos jours, un grand nombre de formulations théoriques en psychologie sociale sont redevables de l'approche cognitive. Par exemple, la façon dont nous nous percevons nous-mêmes, ainsi que ceux qui nous entourent, fait nécessairement appel à des concepts cognitifs tels les schémas, la mémoire, les prototypes et autres formes de cognitions sociales ; le concept des « attributions », c'est-à-dire la manière dont nous expliquons un événement qui survient dans notre vie, est très populaire en psychologie sociale et représente un autre concept cognitif important. Ces divers concepts seront discutés aux chapitres 4 et 5.

Les théories de la congruence cognitive (p. ex. Festinger, 1957; Heider, 1946), de leur côté, permettent d'expliquer comment les changements d'attitudes surviennent. Selon ces dernières, nous désirons que nos différentes attitudes ou nos attitudes et nos comportements soient cohérents entre eux. Lorsque ce n'est pas le cas, nous sommes motivés à effectuer des changements. Par exemple, si vous accomplissez une tâche vraiment insignifiante et peu intéressante sans aucune raison valable, il y a alors incohérence entre votre comportement et votre attitude initiale vis-à-vis de l'activité en question. Dans une telle situation, il se peut fort bien que vous en veniez à trouver des éléments positifs à l'activité en vous disant qu'après tout, ce n'était pas si terrible. Les théories de la congruence cognitive diraient que vous avez changé votre attitude vis-à-vis de l'activité afin de rendre votre attitude cohérente avec votre comportement. Nous verrons ces théories au chapitre 6.

Conclusion

Les théories cognitives, du rôle et du renforcement ont joué, et jouent encore, un rôle important en psychologie sociale. Même si elles mettent l'accent sur des processus différents, il reste que chacune des trois approches contribue à mieux faire comprendre divers comportements sociaux. De nos jours, l'approche cognitive est la plus populaire auprès des théoriciens et chercheurs. Néanmoins, les deux autres positions théoriques continuent d'exercer une influence notable dans le secteur.

LA PSYCHOLOGIE SOCIALE CONTEMPORAINE

Jusqu'ici, nous avons défini la psychologie sociale, effectué un survol de la psychologie sociale de ses débuts à nos jours et présenté les influences théoriques majeures. Il semble opportun à ce stade-ci de notre discussion d'aborder la psychologie sociale comme elle existe présentement.

Une science en pleine effervescence

Dans une période qui se caractérise par une explosion des connaissances, des découvertes et des publications (Bok, 1986), la psychologie sociale est devenue l'un des domaines de recherche les plus importants en psychologie et dans les sciences sociales. Chaque année, des milliers d'études sont effectuées et publiées dans diverses revues scientifiques spécialisées en psychologie sociale. Si l'on se limite au secteur de la psychologie sociale, pas moins de 18 revues scientifiques existent. Celles-ci sont présentées par ordre alphabétique au tableau 1.2.

À la lecture de ce tableau, on constate premièrement que la grande majorité des publications importantes sortent dans des revues américaines. En effet, de toutes les revues mentionnées ci-dessus, seulement trois (*British Journal of Social Psychology, European Journal of Social Psychology* et *Revue internationale de psychologie sociale*) proviennent d'Europe et une autre de Nouvelle-Zélande (*Journal of Social Behavior and Personality*). De plus, les trois principales revues de psychologie sociale, selon le Social Science Citation Index, sont, par ordre décroissant, le *Journal of Personality and Social Psychology*, le *Journal of Experimental Social Psychology* et le *Personality and Social Psychology Bulletin*, toutes des revues américaines (Feingold, 1989). Et qui plus est, bon nombre de chercheurs américains publient également des articles dans les revues européennes. La psychologie sociale américaine est donc prépondérante dans notre secteur d'étude.

TABLEAU 1.2 **Revues scientifiques en psychologie sociale par ordre alphabétique**

Basic and Applied Social Psychology
British Journal of Social Psychology
European Journal of Social Psychology
Journal of Applied Social Psychology
Journal of Experimental Social Psychology
Journal of Language and Social Psychology
Journal of Personality
Journal of Personality and Social Psychology
Journal of Social and Clinical Psychology
Journal of Social and Personal Relationships
Journal of Social Behavior and Personality
Journal of Social Issues
Journal of Social Psychology
Personality and Social Psychology Bulletin
Revue internationale de psychologie sociale
Social Behavior and Personality
Social Cognition
Social Psychology Quarterly

Deuxièmement, une seule revue, pour autant que nous sachions, est publiée en français : *Revue internationale de psychologie sociale.* Au même titre que dans toutes les autres sciences, la langue de Shakespeare est la langue de prédilection en psychologie sociale. Troisièmement, la psychologie sociale se pratique surtout en psychologie, comme il a été mentionné précédemment. En effet, des 18 revues de psychologie sociale, seulement deux sont sous la responsabilité de sociologues, soit *Social Psychology Quarterly* (auparavant *Sociometry)* et *Journal of Language and Social Psychology*), et même là plusieurs chercheurs ayant une appartenance psychologique y publient leurs travaux. Enfin, si l'on ajoute à ces diverses revues celles qui ne sont pas restreintes à la psychologie sociale mais qui acceptent des articles relevant de cette discipline, le nombre d'articles publiés annuellement dans ce dernier secteur se chiffre facilement à plusieurs milliers. La psychologie sociale est donc en pleine effervescence et occupe une place très enviable parmi les sciences sociales.

La diversité des thèmes étudiés

Dans notre discussion sur l'évolution de la psychologie sociale, nous avons mentionné certains thèmes d'étude qui, selon les époques, avaient la cote de popularité auprès des chercheurs. Où en sommes-nous maintenant ? À quoi ressemblent les thèmes d'étude en psychologie sociale à l'heure actuelle ?

Reeves, Richardson et Hendrick (1979) ont effectué une analyse des articles publiés en psychologie sociale au cours de l'année 1978 dans les principales revues. Les cinq thèmes dominants de recherche étaient les suivants : les attributions, les processus de groupe, le comportement d'aide, l'attirance et l'affiliation (relations interpersonnelles) et l'agresssion.

Bien qu'aucune analyse n'ait été faite à ce jour en ce qui concerne les thèmes étudiés au cours des années 1980 et 1990, une lecture des principaux périodiques de la dernière décennie permet de relever les thèmes qui ont reçu la faveur des chercheurs durant l'année 1978. Ainsi les cognitions sociales représentent de toute évidence le thème princier en psychologie sociale, alors qu'il commençait à peine à être étudié à la fin des années 1970. Deux autres thèmes majeurs de nos jours, les attitudes et le soi, ont déjà été très populaires à d'autres périodes. Il en va de même pour les processus de formation d'impressions, surtout dans le cadre des cognitions sociales. Soulignons aussi l'intérêt accru des psychologues sociaux pour les recherches appliquées dans des secteurs aussi variés que la santé, la loi, l'éducation, le travail, le sport et bien d'autres. Le rôle de la personnalité dans le comportement social est également devenu très populaire. On notera que les attributions et les relations interpersonnelles sont toujours en vogue. Toutefois, alors que les premières ont subi une légère baisse de popularité, les dernières ont connu un regain d'intérêt auprès des chercheurs. Soulignons enfin que les thèmes de l'agression, du comportement d'aide et des processus de groupe sont de nos jours moins populaires qu'en 1978.

En somme, les psychologues sociaux s'intéressent à de nombreux thèmes de recherche. Certains secteurs de recherche persistent, d'autres chutent (voir Jones, 1985, pour une discussion des déterminants de tels changements), mais l'intérêt pour la recherche demeure entier, comme vous serez à même de le remarquer dans ce volume.

Une pléiade de chercheurs

Il y a moins de 25 ans, seulement un nombre restreint de chercheurs monopolisaient le secteur de la psychologie sociale; aujourd'hui, les chercheurs apportant une contribution importante à la discipline sont de plus en plus nombreux. Perlman (1984) a fait un compte des chercheurs les plus cités dans sept livres d'introduction à la psychologie sociale. Les 25 chercheurs les plus cités, ainsi que le nombre de fois qu'ils étaient nommés, sont présentés au tableau 1.3.

TABLEAU 1.3 **Les 25 chercheurs les plus cités dans les principaux volumes de psychologie sociale**

Nom	Fréquence de citation
E. Hatfield	120
H. Kelley	106
L. Festinger	105
E. Berscheid	102
E. Jones	92
B. Latané	87
S. Milgram	85
J. Darley	83
L. Berkowitz	72
E. Aronson	69
M. Snyder	69
M. Deutsch	65
C. Hovland	65
S. Schachter	65
A. Bandura	64
I. Janis	63
M. Sherif	63
M. Zanna	62
S. Asch	61
D. Byrne	53
J. Rodin	52
P. Zimbardo	52
D. Bem	51
R. Nisbett	51
F. Heider	48

Tiré de Perlman (1984).

On peut remarquer que plusieurs chercheurs à la carrière jeune se glissent parmi des personnalités de renom. Cette situation prévaut toujours. La psychologie sociale progressant surtout en fonction des thèmes d'étude et non des théories, il devient ainsi relativement facile pour de nouveaux chercheurs de percer l'anonymat. L'apparition de nouveaux chercheurs assure une vitalité constante à la discipline.

LES CARRIÈRES EN PSYCHOLOGIE SOCIALE

Dans la section qui suit, nous allons tenter de répondre aux questions que certains d'entre vous se sont peut-être déjà posées: «Y a-t-il de l'emploi en psychologie sociale? Quels types d'emplois y trouve-t-on? Que faut-il faire pour mener une carrière dans cette discipline?» Pour ceux qui n'auraient pas encore ressenti l'intérêt de se poser ces questions, nous osons espérer que d'ici la fin de ce volume cet intérêt sera rehaussé.

Comme la plupart d'entre vous le savent fort probablement, le baccalauréat en psychologie n'est pas terminal en soi. C'est dans des études de maîtrise et de doctorat que l'étudiant en psychologie va puiser sa spécialisation et ses compétences nécessaires à un emploi à venir. Il n'en est pas autrement en psychologie sociale. Après l'obtention d'un baccalauréat en psychologie, l'étudiant désireux de faire carrière en psychologie sociale doit donc poursuivre des études spécialisées dans cette discipline. Dans la plupart des universités en Amérique du Nord et en Europe, ce cheminement suppose des études d'une durée de quatre ou cinq ans menant à l'obtention du doctorat (Ph. D.). Bien que dans certaines universités il soit possible d'obtenir une maîtrise avec spécialité en psychologie sociale, l'emploi trouvé avec ce diplôme demeurera généralement moins intéressant que celui qu'il est possible d'obtenir avec un doctorat.

Le domaine de la psychologie sociale représente un secteur fort populaire de la psychologie. À preuve, une étude de Howard, Blumstein et Schwartz (1986), menée auprès des membres de l'American Psychological Association (APA), révèle qu'entre 1960 et 1976 pas moins de 10 % des diplômés (doctorat) en psychologie aux États-Unis étaient spécialisés en psychologie sociale. En raison du grand nombre de nouveaux secteurs qui se sont ouverts récemment en psychologie, ce pourcentage a diminué quelque peu au cours de la dernière décennie et se situait aux environs de 6 % en 1984. Au cours des 25 dernières années, le nombre de diplômés en psychologie sociale s'est situé au troisième rang, derrière la psychologie clinique et la psychologie expérimentale. Le secteur de la psychologie sociale représente donc un champ d'études très populaire en psychologie.

On notera également que le secteur de la psychologie sociale est devenu de plus en plus populaire auprès des étudiantes ces années-ci. En effet, alors que seulement 25 % des diplômés ayant un doctorat en psychologie sociale en 1975 étaient des femmes, ce pourcentage a grimpé à 51,6 % en 1984.

En ce qui concerne les perspectives d'emploi en psychologie, celles-ci semblent intéressantes. C'est ce que révèle une étude de Stapp et Fulcher (1983) effectuée en 1982 auprès de 6 584 diplômés (doctorat et maîtrise) membres de l'APA. Les résultats démontrent que pas moins de 86,1 % des étudiants obtenant un doctorat en psychologie se trouvent un emploi *à temps plein* en psychologie. Ce pourcentage baisse à 73,3 % pour ceux qui arrêtent leurs études après la maîtrise. Ces chiffres sont encore plus éloquents pour les diplômés en psychologie sociale puisque pas moins de 90,8 % se trouvent un emploi à plein temps à la suite de l'obtention du doctorat. Par contre, ce pourcentage baisse à 55,9 % pour les étudiants ne possédant qu'une maîtrise. La psychologie sociale se classe au septième rang sur 22 secteurs répertoriés par Stapp et Fulcher pour ce qui est du placement des étudiants.

Une autre question importante a trait aux types d'emplois décrochés par les diplômés en psychologie sociale. Le tableau 1.4 désigne les secteurs d'emploi et établit une comparaison avec la psychologie en général. On remarque que la majorité des emplois en psychologie sociale se situe en milieu d'enseignement et de recherche (62,7 %), avec des postes de professeurs ou de scientifiques en milieu universitaire ou collégial. Ce pourcentage est le plus élevé de tous les secteurs d'études en psychologie. Les milieux privés et gouvernementaux attirent également un pourcentage non négligeable (26,5 %) de diplômés.

TABLEAU 1.4 **Pourcentages de diplômés (avec le doctorat) en psychologie et en psychologie sociale employés à temps plein dans les principaux secteurs**

	Psychologie[a]	*Psychologie sociale*[b]
Milieu de l'enseignement et de la recherche (université ou collège)	33,9	62,7
Secteur scolaire	3,7	3,9
Milieux organisés de services humains	24,5	5,9
Pratique privée	22,0	1,0
Secteurs privé et gouvernemental	13,0	26,5

[a] Données datant de 1985 tirées de Pion (1985) et publiées par Howard *et al.* (1986).

[b] Données datant de 1983 tirées de Pion (1985) et publiées par Howard *et al.* (1986).

Enfin, notons une tendance émanant des sciences pures et appliquées qui commence à prendre de l'ampleur en psychologie en général et en psychologie sociale. Le nombre de postes en milieu d'enseignement et de recherche devenant, avec les années, plus restreint, de plus en plus de diplômés en psychologie sociale décident d'effectuer un stage postdoctoral de une ou deux années afin de parfaire leur formation en recherche. Ils peuvent alors avoir l'occasion de publier le fruit de leurs recherches et ainsi présenter un dossier plus étoffé leur permettant de dénicher un emploi dans le secteur de l'enseignement et de la recherche. Cette tendance ne s'observe pas chez les diplômés se dirigeant vers le secteur public ou privé.

Donc, dans l'ensemble, la psychologie sociale offre des perspectives d'emploi fort intéressantes et diversifiées. Les étudiants qui possèdent un doctorat se trouvent un emploi dans une très forte proportion et dans différents secteurs, allant du milieu universitaire au secteur privé.

RÉSUMÉ

Malgré plusieurs analyses populaires intéressantes, nous avons vu qu'une analyse intuitive du comportement social fait souvent problème. Une analyse scientifique du comportement social est donc requise afin de permettre une vision éclairée des divers phénomènes qui nous préoccupent. Dans cette optique, la psychologie sociale peut être définie sommairement comme la discipline scientifique qui essaie de comprendre le comportement humain en contexte social.

Bien que l'interprétation du comportement social remonte à plusieurs millénaires, l'étude scientifique de ce dernier est plutôt récente. En fait, la psychologie sociale n'a émergé comme science que dans les premières décennies du XXe siècle. Une fois lancée, en revanche, la discipline s'est développée à un rythme fulgurant. L'aspect social étant omniprésent dans une gamme de comportements humains, les chercheurs en psychologie sociale se sont donc intéressés à une foule de phénomènes. Dans ce cadre de référence, les années 1960 ont fort probablement marqué la discipline, les chercheurs se mettant à la poursuite de nombreux thèmes qui sont encore étudiés de nos jours. La même intensité en recherche a caractérisé la décennie des années 1970. Certains thèmes ont été particulièrement importants, tels que l'attraction interpersonnelle et l'amour, l'agression et surtout les attributions. De plus, les intérêts pour les applications des connaissances devinrent plus marqués. Enfin, la psychologie sociale dut faire face à une crise majeure qui amena les chercheurs à évaluer leur discipline.

De nos jours, la psychologie sociale est devenue un secteur de recherche en pleine effervescence. De nombreux thèmes sont étudiés avec régularité et plusieurs mini-théories ont été formulées pour expliquer ceux-ci. Enfin, la psychologie sociale offre également des possibilités d'emploi relativement intéressantes pour l'étudiant désireux de faire carrière dans cette sphère.

BIBLIOGRAPHIE SPÉCIALISÉE

Gilmour, R. & Duck, S. (Eds.). (1990). *The development of social psychology*. New York: Academic Press.

Jones, E.E. (1985). Major developments in social psychology during the past five decades. In G. Lindzey & E. Aronson (Eds.), *The handbook of social psychology* (3rd ed., pp. 47-107). New York: Random House.

Joshi, P. (1979). La psychologie sociale dans une perspective historique. In G. Bégin & P. Joshi (Eds.), *Psychologie sociale* (pp. 7-30). Québec: Presses de l'Université Laval.

Lindzey, G. & Aronson, E. (1985). *The handbook of social psychology* (3rd ed., vols. 1-2). New York: Random House.

Sahakian, W. (1982). *History and systems of social psychology*. Washington, DC: Hemisphere.

Shaw, M.E. & Costanzo, P.R. (1982). *Theories in social psychology* (2nd ed.). New York: McGraw-Hill.

Stephan, C.W., Stephan, W.G. & Pettigrew, T.F. (Eds). (1991). *The future of social psychology: Defining the relationship between sociology and psychology*. New York: Springer-Verlag.

Weyant, J. (1986). *Applied social psychology*. New York: Oxford University Press.

CHAPITRE 2

LES MÉTHODES DE RECHERCHE EN PSYCHOLOGIE SOCIALE

Robert J. Vallerand
Université du Québec à Montréal

Mise en situation
Introduction
Les étapes de recherche en psychologie sociale
La phase de formulation d'hypothèses
- Qu'est-ce qu'une hypothèse de recherche?
- L'importance des hypothèses de recherche
- D'où proviennent les hypothèses de recherche?

Les concepts fondamentaux préalables
- Les variables dépendante et indépendante
- Les concepts de validité
- Les concepts de fidélité

Les devis de recherche
- Le devis expérimental en laboratoire
- Le devis expérimental en terrain naturel
- Le devis quasi expérimental
- Le devis corrélationnel

Les méthodes de recherche non expérimentales
- Les enquêtes et les entrevues
- La simulation et le jeu de rôles
- Les méthodes secondaires
- La méthode la plus efficace

Le choix de la mesure du phénomène étudié
- Les mesures verbales
- Les mesures comportementales
- Les mesures non réactives
- Quelle mesure devrait être utilisée?

L'analyse statistique des données
- Les analyses statistiques traditionnelles
- Les analyses statistiques sophistiquées

L'interprétation des résultats
Les sujets particuliers
- Les biais en recherche
- Les aspects déontologiques
- Les valeurs en recherche

Résumé
Bibliographie spécialisée
Encadré 2.1 Théorie et recherche en psychologie sociale
Encadré 2.2 L'effet Hawthorne
Encadré 2.3 La psychologie sociale appliquée

MISE EN SITUATION

Voilà arrivé le jour de votre première expérience en psychologie sociale. Vous aviez donné votre nom pour participer à une étude sur les problèmes personnels que les étudiants peuvent vivre. Et vous vous trouvez maintenant devant le local où se déroulera l'expérience. Vous vous demandez ce qui va bien pouvoir se passer et vous cognez à la porte. Un homme vous ouvre: « C'est pour l'expérience sur la communication de problèmes personnels d'adaptation? Si tu veux me suivre… On t'attendait pour commencer. » Vous le suivez et arrivez à un cabinet de travail. L'expérimentateur vous demande de vous asseoir et vous explique que « le but de la recherche est d'en savoir plus sur les problèmes personnels d'adaptation que vivent les étudiants en milieu collégial et universitaire. Vous allez communiquer avec cinq autres étudiants et discuter de vos problèmes personnels. Comme il peut être embarrassant de parler de certains problèmes, surtout à des étrangers, nous avons pris quelques précautions. Ainsi l'information va demeurer anonyme. Tu demeureras dans ton cabinet de travail et tu communiqueras avec les autres participants par le biais d'un interphone. De plus, je n'écouterai pas votre conversation. Vous pourrez ainsi discuter librement. À la fin de votre conversation, je vous demanderai seulement de répondre à un questionnaire sur vos impressions relatives à la discussion. Vous discuterez à tour de rôle pendant deux minutes et exposerez vos problèmes personnels. Par la suite, vous parlerez l'un après l'autre des problèmes énoncés par les autres. Enfin, en tout dernier lieu, il y aura une discussion libre sur l'ensemble des échanges. As-tu des questions? Non? OK, je vais quitter le local, prévenir les autres et on va commencer. » L'expérimentateur quitte le local et quelques instants plus tard un premier sujet, Paul, commence à parler. Il expose ses difficultés à s'adapter en dehors de sa ville natale. Il avoue s'ennuyer de sa famille et de sa copine. Puis, avec une certaine gêne, il confie que, lorsqu'il est tendu ou qu'il subit une forte pression, il lui arrive d'avoir des crises d'apoplexie qui peuvent être assez graves. Le premier sujet cesse de parler et un autre prend la parole. Et ainsi de suite jusqu'à ce que les cinq autres étudiants aient parlé. C'est à votre tour de communiquer vos problèmes. Vous indiquez également que vous éprouvez certaines difficultés dans votre vie personnelle mais rien de majeur. Vous croyez vraiment que tout est sous contrôle. Par contre, vous avez hâte à la fin du trimestre pour vous reposer un peu.

Puis c'est à nouveau au tour de Paul de parler. Il fait certaines remarques concernant ce que les autres sujets ont dit et, soudain, il commence à parler fort et de façon incohérente: « Heu…! Je pense que j'ai un petit problème... Heu…! J'aimerais qu'on m'aide... difficulté à respirer... Je crois que... Ah...! Une attaque d'apoplexie. Ah non! Au secours! Heu...! Je ne peux pas respirer. Ah...! Vais mourir! Ah…!» Vous entendez alors un bruit sourd, comme si Paul était tombé au sol, puis plus rien. Vous commencez à avoir chaud. C'est votre

→

MISE EN SITUATION (suite)

première expérience et un des sujets de l'étude va peut-être mourir. Vous vous demandez quoi faire. Vous vous levez et commencez à tourner en rond. Vous écoutez à la porte. Rien. Pas un son. « Hum ! Est-ce que je devrais aller le dire à l'expérimentateur ? Et d'abord, pourquoi moi ? Les autres devraient s'en occuper. Après tout, je ne sais pas quoi faire, moi ! » Deux minutes se sont déjà écoulées depuis l'incident. Et toujours rien. Paul n'a peut-être pas encore été secouru, pensez-vous. Vous ouvrez la porte de votre cabinet de travail et risquez un regard furtif. Par chance, vous voyez l'expérimentateur au fond du corridor. Prenant votre courage à deux mains, vous quittez votre local et allez lui dire que Paul semble avoir eu une crise d'apoplexie et qu'il faudrait aller l'aider. L'expérimentateur vous répond : « Très bien ! L'expérience est terminée. » « Et Paul, lui dites-vous, que se passe-t-il avec Paul? » L'expérimentateur vous annonce que Paul n'a pas eu de crise d'apoplexie, qu'en fait Paul n'existe pas. Il vous demande de le suivre à son bureau afin de vous expliquer le déroulement de l'expérience ainsi que les hypothèses de sa recherche. Tout surpris, vous suivez l'expérimentateur en vous demandant ce qui a bien pu se passer dans cette expérience.

INTRODUCTION

Il a été vu dans le chapitre précédent que la psychologie sociale, malgré son jeune âge, possédait déjà un bagage de connaissances impressionnant. D'ailleurs, ce volume, avec ses 13 chapitres, témoigne de ce fait. Cependant, la psychologie sociale ne constitue pas uniquement un secteur de connaissances. Elle représente également une science très dynamique à la recherche de nouvelles connaissances. En effet, chaque année des milliers d'études sont menées sur une foule de thèmes.

Comme toute science, la psychologie sociale possède ses **méthodologies** et techniques propres lui permettant d'effectuer des découvertes scientifiques sur le comportement social. Ces techniques sont diverses et variées. Par exemple, certaines études sont faites en laboratoire. C'est le cas de la mise en situation présentée plus haut, qui portait sur le comportement d'aide (ce thème sera étudié au chapitre 10). Mais il existe bien d'autres façons d'étudier le comportement d'aide ou tout autre thème. Et c'est ce que nous allons voir dans ce chapitre.

La mise en scène vous a permis de « vivre » (ou de revivre pour certains d'entre vous) l'expérience d'une participation à une étude selon la perspective du sujet. Toutefois, le but du chapitre est de vous permettre de mieux comprendre l'approche de recherche en psychologie sociale selon la perspective du chercheur par la présentation des différentes facettes faisant partie de la recherche dans cette discipline. Nous traiterons donc la formation d'hypothèses, certains concepts fondamentaux, devis et techniques de recherche, la mesure de la variable dépendante, les analyses statistiques des données, l'interprétation des résultats ainsi que certains sujets particuliers. Nous espérons que l'aspect novateur, dynamique et créateur qui caractérise les recherches en psychologie sociale saura ressortir de notre analyse.

LES ÉTAPES DE RECHERCHE EN PSYCHOLOGIE SOCIALE

Le chapitre précédent soulignait l'effervescence dans laquelle se trouve la psychologie sociale présentement. Non seulement les scientifiques du comportement social étudient-ils un nombre impressionnant de phénomènes, mais ils le font d'une foule de façons. Les recherches en psychologie sociale peuvent être menées en laboratoire, en terrain naturel, par analyse d'archives ou autres techniques. Les chemins qui mènent au savoir sont nombreux et diversifiés! Même s'il existe effectivement maintes façons de mener des études sur le comportement social, il n'en demeure pas moins qu'une certaine « philosophie » de travail soustend celles-ci. Cette philosophie propose que le comportement social peut être étudié scientifiquement et qu'il existe une façon logique de procéder dans un tel cadre. L'approche scientifique utilisée en psychologie sociale comprend cinq étapes, soit la formulation d'hypothèse(s), le choix d'une méthode de recherche, le choix d'une mesure du phénomène à l'étude, l'analyse statistique des données et l'interprétation des résultats. Ces étapes sont présentées à la figure 2.1. On remarque qu'elles sont présentées dans un ordre temporel séquentiel allant de la formulation d'hypothèse(s) à l'interprétation des résultats. Chacune des étapes influe sur la suivante et ainsi de suite. Ce fait est représenté par les flèches unidirectionnelles qui unissent les différentes étapes les unes aux autres. Cependant, les choses sont rarement aussi simples. Il est plutôt rare que le choix effectué à une étape ne soit pas influencé par les possibilités (avantages et désavantages) offertes par les étapes ultérieures de la démarche scientifique. En d'autres termes, les choix opérés au cours des différentes étapes ne sont que rarement linéaires et unidirectionnels. Le chercheur expérimenté considère l'ensemble de la démarche et les conséquences des diverses possibilités à tous les niveaux avant de décider comment réaliser l'ensemble de l'étude envisagée. Cette réalité est représentée par les flèches reliant les étapes « ultérieures » aux étapes « antérieures ». Examinons maintenant chacune de ces étapes de recherche.

FIGURE 2.1 **Étapes de la recherche en psychologie sociale**

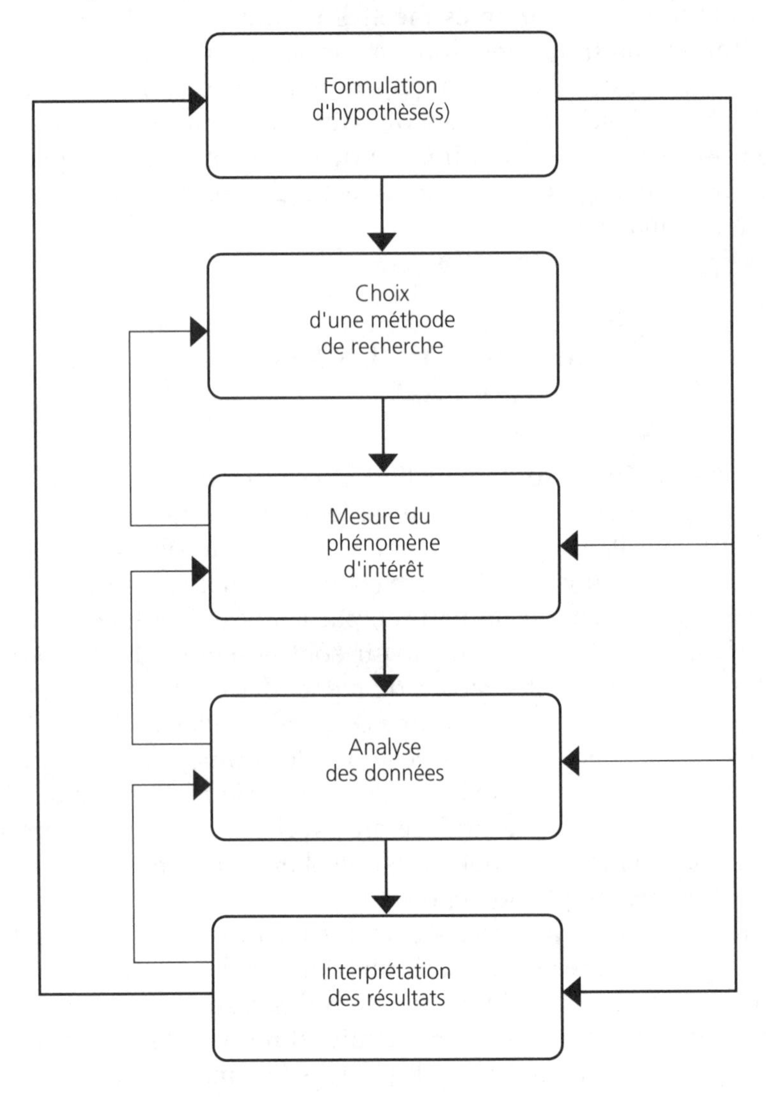

LA PHASE DE FORMULATION D'HYPOTHÈSES

«La majeure partie des connaissances et une bonne partie du génie du chercheur résident dans la sélection de ce qui vaut la peine d'être observé» (Beveridge, 1961, p. 103, traduction libre).

Qu'est-ce qu'une hypothèse de recherche?

La première phase dans le processus de recherche et ce, peu importe le secteur, consiste à formuler une ou plusieurs **hypothèses** de recherche. Une hypothèse de recherche représente un « énoncé conjectural de la relation entre deux ou plusieurs variables » (Kerlinger, 1973). Il s'agit d'une déclaration sur la nature de la relation entre certaines variables. Un tel énoncé entraîne des conséquences directes pour la recherche. Plus particulièrement, il apporte des indications concernant la façon de tester l'hypothèse. Par exemple, l'énoncé « La bonne humeur augmente le comportement altruiste » représente une hypothèse parce qu'il stipule la nature de la relation entre les deux variables en cause (la bonne humeur et le comportement altruiste). De plus, l'énoncé indique comment vérifier la relation entre les deux variables (il s'agirait de vérifier si effectivement les gens qui sont de bonne humeur aident plus autrui que ceux qui sont d'une humeur neutre).

L'importance des hypothèses de recherche

Les hypothèses se situent au cœur de la recherche et se révèlent importantes pour au moins deux raisons. Premièrement, elles dirigent la réalisation de recherches en précisant quelles variables doivent être étudiées et la nature de la relation qui devrait exister entre les variables en cause. Sans hypothèses les scientifiques ne sauraient quelles variables étudier et de quelle façon. Deuxièmement, parce qu'elles sont souvent issues de **théories,** les hypothèses permettent l'augmentation des connaissances scientifiques. En effet, si une hypothèse issue d'une théorie donnée est infirmée, ce démenti indique que la théorie en question n'est pas adéquate. De tels résultats permettent de relancer les recherches sur des pistes plus fructueuses.

Donc, dans l'ensemble, les hypothèses de recherche s'avèrent indispensables pour la réalisation de recherches scientifiques. Elles représentent le lien entre la théorie et l'étude empirique des relations entre diverses variables.

D'où proviennent les hypothèses de recherche ?

On entend souvent les chercheurs débutants s'exclamer : « Mais où diable prenez-vous vos idées de recherche ? » Cette question représente le point de départ de toute démarche scientifique.

Plusieurs propositions ont été formulées afin d'expliquer comment des hypothèses de recherche sont identifiées. Silverman (1977), par exemple, propose que la curiosité et l'observation du chercheur sont essentielles dans une telle démarche de développement d'hypothèses. Selon Silverman, la curiosité du psychologue social se portera sur le comportement humain alors que l'observation portera sur les gens et leurs interactions sociales. L'observation peut être guidée par une foule de facteurs, tel l'intérêt pour un thème bien particulier. À titre d'exemple, un psychologue social amateur de sport pourra sans doute observer des phénomènes intéressants dans ce secteur – phénomènes que sa curiosité l'amènera à vouloir étudier de façon scientifique par la suite. En fait, c'est exactement ce qui est arrivé dans le cas de Norman Triplett et de son étude sur la facilitation sociale. « Les cyclistes sont-ils plus rapides en présence d'autres cyclistes que seuls ?» s'était demandé Triplett. Sa question fut par la suite étudiée en laboratoire dans sa célèbre recherche.

Dans d'autres situations, le processus peut être plus fortuit. C'est le cas lorsqu'un chercheur étudie un phénomène et obtient par hasard des résultats surprenants ou encore des résultats relatifs à un autre phénomène. Dans la mesure où le psychologue social fera preuve d'observation, de curiosité et de flexibilité, il saura se pencher sur ces résultats et peut-être effectuera-t-il une découverte majeure. Bon nombre de découvertes en psychologie sont isues de ce processus (voir Pavlov, 1927; Seligman, 1975, pour des exemples).

Dans une analyse du secteur de la psychologie sociale, McGuire (1973) a proposé un certain nombre de façons par lesquelles des hypothèses de recherche pouvaient être obtenues. Ces approches, au nombre de neuf, figurent dans le tableau 2.1. Elles ont toutes été utilisées en psychologie sociale. Parmi celles-ci, les plus populaires sont sûrement l'approche hypothético-déductive (n° 4), où le lien entre la théorie et l'observation empirique est permis par l'hypothèse (voir l'encadré 2.1 à cet effet); la tentative d'expliquer des résultats conflictuels (n° 5); et l'explication d'incidents surprenants (n° 2). Il est à remarquer que certaines approches sont issues de la vie de tous les jours : le psychologue social curieux et ouvert à son environnement saura y puiser sa juste part d'hypothèses de recherche. D'autres approches, par contre, exigent énormément de travail de la part du chercheur (approches n°s 1, 4, 5 et 8 par exemple). Peu importe la technique génératrice utilisée, l'important est de poser *la* bonne question. L'hypothèse de recherche représente la fondation de l'édifice scientifique. Si les fondations sont solides, la démarche scientifique le sera fort probablement. Par contre, si les fondations sont vacillantes (c.-à-d. une hypothèse mal formulée), le processus scientifique de la recherche en cours pourrait tituber, voire s'écrouler, engendrant une perte énorme d'efforts et d'argent pour le chercheur et pour la communauté scientifique.

LES CONCEPTS FONDAMENTAUX PRÉALABLES

Une fois l'hypothèse de recherche formulée, il reste à la vérifier. Cette étape suppose que l'étude qui cherche à vérifier l'hypothèse en question soit bien menée afin de pouvoir permettre le test approprié de cette dernière. Dès lors, le devis de recherche, les mesures du phénomène d'intérêt utilisées ainsi que les analyses statistiques doivent être adéquats. Pour parvenir à cette adéquation certains concepts fondamentaux préalables doivent être acquis. C'est vers ces derniers éléments que nous nous tournons maintenant.

TABLEAU 2.1 Différentes façons de créer une hypothèse de recherche

1. Approfondir une étude de cas
Janis (1972) a étudié en profondeur différents fiascos résultant de discussions de groupe, ce qui l'a amené à proposer une théorie sur la pensée de groupe.

2. Chercher à expliquer un événement paradoxal ou surprenant
Darley et Latané (1968) ont cherché à expliquer pourquoi les témoins du meurtre de Kitty Ginovese n'ont rien fait pour aider celle-ci. Ils ont postulé des hypothèses concernant la diffusion de responsabilité en présence d'autres personnes.

3. Établir une analogie
En se servant d'un modèle cybernétique comme exemple, Carver et Scheier (1981) ont postulé un modèle sur l'autorégulation.

4. Approche hypothético-déductive
Ici le chercheur combine un certain nombre de principes provenant de recherches antérieures et par le biais de méthodes logiques et déductives arrive à des prédictions. Par exemple, Dunn et Rogers (1983) se sont servis des résultats antécédents sur la perte d'individualité de Diener et de la théorie de l'autorégulation de Carver et Scheier pour démontrer que la perte d'individualité ne se produit qu'en situation de perte de conscience de soi *privée*.

5. Essayer d'expliquer des résultats conflictuels
Jusqu'en 1965, les écrits sur la facilitation sociale démontraient que la présence des autres pouvait à l'occasion faciliter la performance alors que dans d'autres circonstances elle pouvait nuire à la performance. Zajonc a émis l'hypothèse que cela était dû à des habitudes différentes chez les sujets en accord avec la théorie du *drive* de Hull. Zajonc permettait ainsi de résoudre un problème épineux en psychologie sociale.

6. Approche fonctionnelle ou adaptative
Le chercheur observe un phénomène et postule certains mécanismes psychologiques afin d'expliquer son occurrence. Par exemple, les recherches de Cialdini (1980) sur l'effet de demander des contributions minimes («un sou peut suffire») ont débuté peu après que lui-même se soit fait demander la même chose et qu'il n'a pu refuser.

7. Réduire l'étude de certaines variables à certaines composantes de cette relation
Un chercheur peut décider d'étudier certaines composantes d'un phénomène au lieu d'étudier le phénomène au complet. À titre d'exemple, au lieu d'étudier le phénomène de la prophétie autoréalisante (un professeur croit qu'un étudiant n'est pas «brillant» et éventuellement ce dernier éprouvera des problèmes en classe) dans sa totalité, un certain nombre de chercheurs, dont Brophy, ont étudié quelques éléments de la chaîne causale, comme le type de rétroaction verbale que des professeurs donnent à des étudiants jugés brillants et à d'autres considérés comme médiocres.

8. Chercher à expliquer des exceptions dans des résultats généraux
Ce type d'approche de génération d'hypothèses est très populaire en psychologie sociale. Elle survient lorsqu'un résultat est bien établi. Les chercheurs essaient alors de fixer les limites de son occurrence: quand se produit-il et pour quel type de personnes? Par exemple, les messages à contenu religieux sont généralement plus persuasifs que ceux à contenu légaliste pour les gens à orientation religieuse alors que l'inverse est vrai pour les individus à orientation légaliste (Cacioppo, Petty & Sidera, 1982).

9. Analyser le fonctionnement de certaines personnes habiles
Au cours des années 1970, Cialdini a suivi des cours pour devenir vendeur d'automobiles afin de pouvoir déterminer comment les vendeurs arrivent à leur fin. Il a par la suite émis différentes hypothèses qu'il a testées lors de recherches, dont celles de la stratégie de la porte dans la face et de la faveur déguisée.

ENCADRÉ 2.1

THÉORIE ET RECHERCHE EN PSYCHOLOGIE SOCIALE

Comme nous l'avons vu au chapitre 1, la psychologie sociale ne se limite pas à une étude intuitive, mais utilise une perspective scientifique afin de décrire, comprendre, expliquer et prédire le comportement social. Dans un tel cadre, les théories jouent un rôle de tout premier plan. En effet, parce qu'elles permettent, par processus de déduction logique, d'émettre des prédictions concernant le comportement, les théories offrent la possibilité de proposer des hypothèses relatives aux relations entre diverses variables d'intérêt. Ainsi, si votre théorie postule que les gens heureux rendent les gens autour d'eux heureux, vous pourriez étudier des gens heureux et tristes, et comparer leurs effets sur les gens avec lesquels ils interagissent. Votre théorie mènerait à l'hypothèse suivante : les gens qui interagissent avec des gens heureux seront par voie de conséquence plus heureux que ceux qui interagissent avec des gens tristes. Votre théorie vous aura permis de concevoir une hypothèse qui pourra par la suite être étudiée dans une recherche.

Toutefois, il ne faudrait pas croire que les théories ne font qu'engendrer des hypothèses ; elles se nourrissent aussi des résultats empiriques. En fait, les théories représentent des généralisations de résultats empiriques. Par processus d'induction logique, elles sont initialement émises afin d'expliquer des observations empiriques, puis progressivement modifiées dans le but de rendre compte de nouvelles observations. Les recherches alimentent les théories, même lorsqu'elles ne soutiennent pas celles-ci. En effet, les théories ne peuvent pas tout expliquer et il devient important d'établir leurs limites. En somme, une relation bidirectionnelle existe entre les formulations théoriques et la recherche.

Autre point à souligner : les recherches théoriques ne sont pas confinées au laboratoire. Comme on le verra dans ce chapitre, la psychologie sociale utilise toute une gamme de procédés scientifiques (y compris le laboratoire) afin de mieux comprendre le comportement social. Tous ces procédés permettent de tester les hypothèses de recherche et de faire avancer nos connaissances scientifiques.

Enfin, même les recherches appliquées peuvent éclairer les théories. Parce que la plupart des recherches portant sur des thèmes appliqués ont pour prémisse une perspective théorique qui les guide, les résultats de telles recherches ont une incidence fort importante sur les théories. En effet, si une recherche appliquée guidée par une théorie quelconque mène à des résultats conformes aux prédictions de la théorie, les résultats appliqués apportent un soutien majeur à celle-ci. Par exemple, la théorie de l'autodétermination (Deci & Ryan, 1985) prédit que la motivation intrinsèque (le fait d'accomplir une

→

ENCADRÉ 2.1 (suite)

activité par plaisir) amène les individus à persister dans une activité. Dans la mesure où une recherche démontre qu'un programme favorisant le maintien de ce type de motivation chez des étudiants qui risquent d'abandonner leurs études enraye effectivement l'abandon des études, un soutien empirique pour la théorie est produit.

Comme on peut le voir, la théorie se situe au cœur même de la recherche en psychologie sociale — que cette recherche soit de nature fondamentale ou appliquée. Vous serez à même de vous en rendre compte dans les différents chapitres du volume.

Les variables dépendante et indépendante

La réalisation d'une étude nécessite la sélection de variables permettant la mise en relation des concepts impliqués dans l'hypothèse à l'étude. Celles-ci sont de deux types, soit les variables dépendantes et les variables indépendantes. Prenons le cas du comportement d'un sujet mesuré par l'expérimentateur et mis en relation avec une autre variable. Le comportement du sujet sert alors de **variable dépendante.** Par contre, d'autres variables, appelées **variables indépendantes,** sont des facteurs contrôlés ou manipulés par l'expérimentateur, et qui peuvent être perçus comme la cause du comportement du sujet. Ces deux types de variables vont de pair puisque les variables dépendantes ne sont que mesurées alors que les variables indépendantes sont contrôlées et variées par l'expérimentateur afin de vérifier si elles constituent des causes de la variable dépendante.

Par exemple, un chercheur qui manipule différents types d'attributions et qui étudie leurs effets sur le comportement agressif (p. ex. Ferguson & Rule, 1983; voir le chapitre 9) utilise ces dernières (p. ex. Weiner, 1985b; voir le chapitre 5) comme variable indépendante et l'agression comme variable dépendante. Au contraire, des chercheurs étudiant la *relation* entre le style attributionnel (une disposition relativement stable à émettre un type d'attributions bien précises) d'une personne et son comportement dépressif (p. ex. Peterson & Seligman, 1984), sans manipuler les attributions, n'emploient pas de variables indépendantes en tant que telles, mais mettent plutôt en relation deux variables dépendantes.

Comme nous le verrons ci-dessous, certaines études utilisent des variables dépendantes et indépendantes alors que d'autres se limitent uniquement à des variables dépendantes. Cette différence dans la façon de procéder ne rend pas les premières études nécessairement supérieures aux secondes. Tout dépend du but de l'étude. Il se révèle parfois impossible, sur les plans tant pratique que déontologique, de manipuler certaines variables. Que penseriez-vous d'un chercheur qui manipulerait le degré de dépression clinique (élevé chez certains patients et bas chez d'autres) afin d'étudier ses effets sur la prise de décision ? En revanche, il devient possible et acceptable de mesurer la dépression déjà existante chez certaines personnes, et de mettre en relation cette mesure avec des indices de prise de décision. Bien que cette façon de procéder ne soit pas parfaite, les chercheurs possèdent au moins certains résultats qui, lorsqu'ils sont confirmés dans d'autres études et avec d'autres méthodes, peuvent les amener à mieux comprendre le phénomène d'intérêt.

Alors que la nature de la variable indépendante peut être sans limites (la seule limite réside dans l'ingéniosité et la créativité du chercheur), la variable dépendante sera généralement de trois ordres, soit de nature verbale – le sujet indique ses réponses sur un questionnaire ou les énonce au cours d'une entrevue –, de nature comportementale – le comportement du sujet devient la mesure d'intérêt – ou constituera une mesure non réactive – l'environnement social (au lieu de la personne) devient la source d'observation. Ces trois types de mesures seront vus dans une section ultérieure de ce chapitre.

Donc, bien que les variables dépendantes puissent être de divers types, il n'existe pas de types de mesures supérieures aux autres. La bonne mesure est celle qui permet de vérifier l'hypothèse de recherche. L'important consiste à bien choisir la mesure pour que les résultats de l'étude puissent être utilisés avec confiance. Dans un tel ordre d'idée, les notions de **validité** s'avèrent de toute première importance.

Les concepts de validité

Afin qu'on puisse utiliser les résultats d'une étude en toute confiance, celle-ci doit pouvoir démontrer qu'elle est valide. Trois types de validité ont été établis. Un premier type fait référence à la **validité de construit.** Cette dernière représente le degré de correspondance entre les variables dépendantes et indépendantes utilisées dans l'étude et les concepts postulés dans l'hypothèse de recherche. Ainsi, si l'on désire étudier l'agression, il faut s'assurer que les variables mesurent bien ce concept et non quelque chose de similaire telle l'affirmation.

Un deuxième type de validité concerne la **validité interne** de l'étude. Une étude possède un haut niveau de validité interne lorsque les résultats obtenus sont le seul fruit des variables manipulées (variables indépendantes) par l'expérimentateur. Ceci implique que ce dernier a pris toutes les précautions qui s'imposent afin de contrôler l'effet indésirable d'autres variables. Un problème qui survient à l'occasion en recherche réside dans le fait qu'une variable autre que celle manipulée par l'expérimentateur covarie avec le traitement expérimental. C'est ce que l'on appelle **effet de confusion.** La validité interne de l'étude se révèle alors si faible qu'il devient impossible de déterminer avec certitude si les résultats sont dus à la variable indépendante ou à un autre facteur. Ainsi, dans l'exemple de la figure 2.2, si vous essayez toutes les stratégies indiquées il vous sera impossible de déterminer pourquoi vous avez réussi votre examen, car trop de variables covarient.

FIGURE 2.2 **Un exemple de l'effet de confusion**

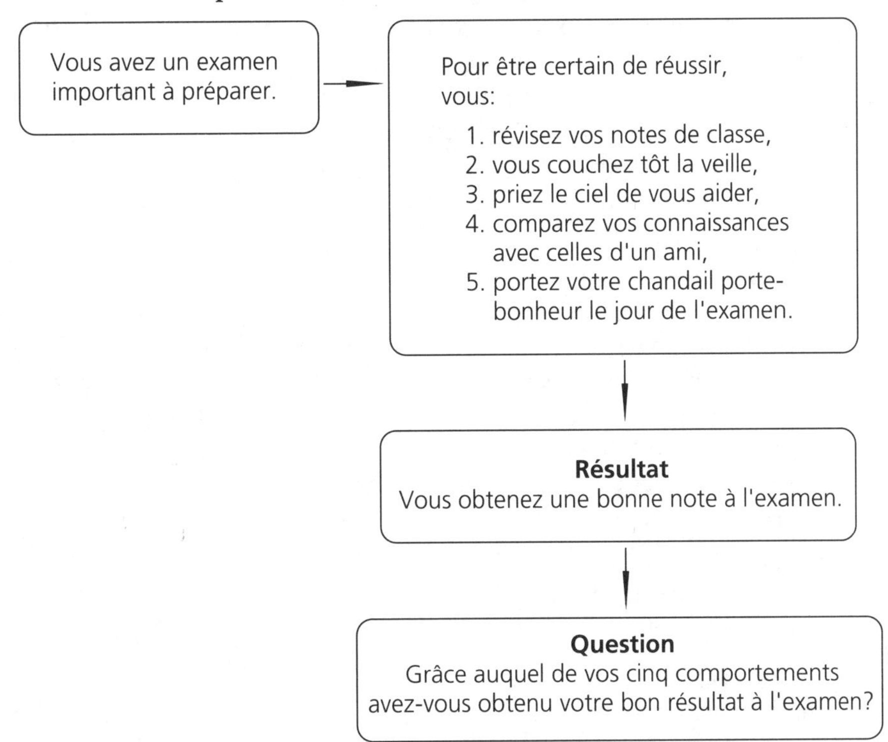

Lorsque plusieurs variables susceptibles d'influer sur le comportement ont l'occasion de varier en même temps, il devient difficile de déterminer laquelle a produit les effets obtenus. Afin d'éviter une telle confusion, les psychologues sociaux essaient toujours de tenir constants les facteurs autres que la variable indépendante dans leurs expériences (adapté de Baron & Byrne, 1981).

Enfin, un troisième type de validité concerne le degré de généralisation des résultats d'une étude à une population beaucoup plus vaste que celle étudiée dans la recherche ainsi qu'à d'autres variables dépendantes et indépendantes (Campbell & Stanley, 1966). Elle est appelée **validité externe.** Alors que dans certaines disciplines comme la chimie, la physique et autres sciences pures et appliquées l'aspect de validité externe ne joue pas un rôle particulièrement important, il en est tout autrement en psychologie sociale. En effet, cette dernière étudiant les gens en interaction, il s'avère capital que les individus choisis soient bel et bien représentatifs de la population générale afin d'éviter la situation fâcheuse où les résultats de l'étude ne sont valables que pour les sujets ayant participé à l'étude. Il en va de même avec le choix de variables dépendantes et indépendantes. Dans la mesure où les résultats ne sont obtenus qu'avec un seul type de variable indépendante et une seule mesure de variable dépendante, nous sommes en droit de douter de la validité externe des résultats : ils semblent se produire dans des situations extrêmement limitées et ne sont probablement pas très importants. La seule façon de s'assurer que les résultats obtenus possèdent un haut niveau de validité externe consiste à mener une ou plusieurs études avec diverses populations, dans plusieurs situations et avec des méthodologies différentes. La convergence des résultats atteste alors la validité externe de l'étude et suscite une confiance relative à la généralité des résultats. Cette pratique est fort répandue en psychologie sociale.

Les concepts de fidélité

Le concept de **fidélité** est fort utilisé en recherche. L'aspect de fidélité a trait à la confiance que nous avons dans les résultats obtenus. Un instrument de mesure fidèle mène invariablement aux mêmes résultats. Cet aspect se révèle très important en recherche. En effet, une des fondations de la science étant l'aspect de reproductibilité, les éléments méthodologiques fiables sont donc essentiels. Notons que le concept de fidélité diffère de celui de validité : un instrument pourrait être fidèle sans pour autant mesurer le concept de façon adéquate. Un questionnaire, par exemple, pourrait *toujours* mesurer un construit autre que celui postulé conceptuellement. L'instrument serait alors fidèle sans pour autant être valide.

Généralement, le concept de fidélité est utilisé dans le cadre de notions psychométriques reliées à l'élaboration d'instruments de mesure par questionnaire ou par observation. Dans ce cadre, on peut noter deux types de fidélité. Un premier type renvoie à ce que l'on appelle **fidélité temporelle.** Pour démontrer ce type de fidélité, un instrument devrait mener aux mêmes résultats lorsqu'il est présenté à des sujets à deux reprises dans le temps. Par exemple, une mesure d'estime personnelle fidèle indiquerait à peu près les mêmes niveaux lorsqu'un sujet y répondrait de nouveau plusieurs mois après la première séance.

La **fidélité interjuges** ou **interitems** représente le second type de fidélité considérée dans un volet psychométrique. Il s'agit de démontrer que les items (dans le cas d'un questionnaire) ou les juges (dans le cas d'une mesure par observation ou d'une analyse de contenu) s'entendent pour mesurer la même chose de la même façon. Ainsi, si la variable dépendante utilisée pour mesurer la motivation intrinsèque des sujets consiste dans le temps passé par les sujets sur une activité critère durant une période libre (voir Deci, 1971), cette mesure sera jugée fidèle si deux observateurs, de façon indépendante, accordent le même nombre de secondes aux sujets de l'étude. En ce qui concerne la fidélité interitems, elle sera élevée lorsque les items formant un questionnaire démontreront une forte homogénéité. Celle-ci peut être démontrée statistiquement par différents procédés, dont l'alpha de Cronbach est le plus utilisé de nos jours.

Enfin, un dernier type de fidélité porte surtout sur l'ensemble de la méthodologie, et non sur les instruments en tant que tels, et correspond à l'élément de reproductibilité. Une étude démontrera une forte **fidélité de reproductibilité** lorsqu'elle aura été reproduite à maintes reprises avec la même méthodologie et ce, à différents endroits, à d'autres périodes temporelles et avec différentes populations. C'est ce que l'on appelle l'approche par **triangulation** (Webb *et al.*, 1982). Par exemple, si aujourd'hui des scientifiques décidaient de reproduire l'étude de Solomon Asch (1951) sur la conformité d'une personne en situation de groupe (voir le chapitre 11) en utilisant la même méthodologie mais avec des populations non étudiantes (enfants d'âge préscolaire, hommes et femmes sur le marché du travail, etc.) et dans différents milieux, une forte fidélité de reproductibilité serait démontrée dans la mesure où les mêmes résultats seraient obtenus. Une autre façon d'étudier la fidélité de reproductibilité est de l'appliquer aux résultats obtenus. Les résultats d'une étude seraient fidèles dans la mesure où il serait possible de les reproduire en utilisant une méthodologie différente mais *psychologiquement équivalente*. Donc, si des psychologues sociaux reproduisaient les résultats de l'étude de Asch (1951) mais en utilisant une méthodologie différente (en plaçant le sujet seul dans un cabinet et en lui laissant entendre les opinions des autres par le biais d'un interphone par exemple), on pourrait alors accorder un haut degré de fidélité de reproductibilité à l'effet de conformité en milieu groupal. Il est important de noter que les recherches des psychologues sont très sensibles à la notion de reproductibilité puisque les plus récentes données démontrent qu'ils publient en moyenne près de deux études par article dans le *Journal of Personality and Social Psychology* (Reis & Stiller, 1992).

LES DEVIS DE RECHERCHE

Dans un cadre méthodologique, le devis de recherche représente un élément capital. C'est en effet le devis de recherche qui dicte les « opérations », c'est-à-dire qu'il détermine la façon dont l'hypothèse sera testée. Le but de cette section consiste à présenter et à illustrer les principaux devis ou plans d'expérience utilisés en recherche. Quatre types de devis de recherche sont présentés ci-dessous : le devis expérimental en laboratoire, le devis expérimental en terrain naturel, le devis quasi expérimental et le devis de nature corrélationnelle.

Le devis expérimental en laboratoire

Deux éléments caractérisent le devis de recherche expérimental, soit la manipulation de la variable indépendante et l'**affectation aléatoire** des sujets à l'une ou l'autre des conditions expérimentales créées par la manipulation de la variable indépendante. Il a été vu précédemment que la manipulation de la variable indépendante permettait généralement d'inférer que les résultats obtenus étaient dus à la variable indépendante en question.

Mais il arrive parfois que certaines variables indésirables viennent créer un effet de confusion. Cette situation se produit lorsque des variables, qui n'ont pas été contrôlées par l'expérimentateur, covarient avec la variable indépendante (voir la figure 2.2). Il devient alors difficile d'inférer avec certitude que les effets obtenus sont le fruit de la variable indépendante. C'est ici qu'entre en jeu le deuxième élément caractéristique du devis expérimental, soit l'affectation aléatoire des sujets aux différentes conditions expérimentales. Avec la méthode d'affectation aléatoire, l'expérimentateur peut contrôler les différences systématiques qui pourraient exister chez les groupes de sujets. Cette méthode s'avère relativement simple puisqu'il suffit de déterminer au hasard à quelle condition expérimentale chaque sujet sera soumis.

Afin de permettre au lecteur de mieux saisir les dessous d'une étude empruntant un devis expérimental en laboratoire, revenons au scénario du début du chapitre, alors que vous étiez sujet dans une expérience. Cette étude a déjà été menée par Darley et Latané en 1968 et nous examinerons plus en détail la position théorique sous-jacente à cette étude au chapitre 10. Le but de cette étude était d'analyser l'effet du nombre de personnes présentes sur le comportement d'aide adopté en situation d'urgence. L'hypothèse du chercheur pourrait s'énoncer comme suit: « Plus on retrouve de gens dans une situation d'urgence, moins ceux-ci aident la victime. » Pour ce faire, le chercheur a décidé de créer trois niveaux de la variable indépendante, soit ceux où il y aurait une, deux ou cinq personnes en présence de la victime d'apoplexie. Afin de contrôler l'effet de confusion, le chercheur affecta aléatoirement les sujets à l'une des trois conditions. Vous avez été affecté à la condition avec six personnes (cinq témoins, dont vous-même, et la victime). De plus, pour ajouter au contrôle expérimental, les autres sujets de l'étude correspondaient avec vous par le biais d'un interphone. En fait, vous n'étiez que le seul sujet. Les autres « sujets » étaient en réalité des voix préenregistrées et diffusées par le biais d'un magnétophone. Ainsi, même si les sujets dans les trois conditions de l'étude n'entendaient pas le même nombre de personnes dans l'interphone, les voix ainsi que les messages qu'ils entendraient seraient identiques.

Puis il fallait créer une situation d'urgence qui serait équivalente dans les trois conditions. Le chercheur devait donc préparer soigneusement une situation qui ressemblerait le plus possible à une situation d'urgence réelle qui amènerait les sujets à penser aider la victime. La crise d'apoplexie fut choisie.

Enfin, il fallait concevoir une mesure du comportement d'aide en situation d'urgence. Le chercheur décida d'utiliser deux types de variables dépendantes. La première variable dépendante résidait simplement dans la sortie du sujet de son cabinet pour aller aider la victime alors que la seconde correspondait au temps mis par le sujet pour sortir de son cabinet, dans la mesure bien sûr où il sortait. Ces deux mesures furent prises selon une approche d'observation par l'expérimentateur, qui vous attendait au bout du corridor.

Une fois le nombre de sujets requis obtenu (environ 15 par groupe), le chercheur a recueilli ses observations et comparé les moyennes des trois groupes. Que donnèrent les résultats ? Ceux-ci confirmèrent les hypothèses : le nombre croissant de personnes présentes dans le groupe de discussion a pour effet de diminuer l'aide apportée à la victime ainsi que la rapidité avec laquelle elle est offerte. En effet, les sujets dans la condition avec six personnes aident moins et lorqu'ils aident ils prennent plus de temps à le faire que les sujets des autres groupes. De plus, le comportement d'aide est exprimé à un taux de 100 % (après deux minutes et demie) dans la condition où le sujet se croit seul avec la victime, alors qu'il se stabilise à 80 et 60 % pour les deux autres groupes (voir la figure 10.2 au chapitre 10). En somme, l'hypothèse de recherche selon laquelle le nombre de personnes présentes diminue le comportement d'aide en situation d'urgence a été confirmée (Darley & Latané, 1968).

Dans l'étude de Darley et Latané (1968), une seule variable indépendante (le nombre de personnes présentes) avait été utilisée. Dans le cadre de recherches expérimentales, il est également possible de manipuler *plus d'une variable indépendante à la fois*. C'est ce que l'on appelle un **devis factoriel expérimental.** Ce genre de devis est généralement utilisé lorsque le chercheur s'attend à ce que l'effet d'une variable indépendante sur la variable dépendante soit différent selon la nature de la seconde variable indépendante. Il s'agit alors d'un effet d'interaction.

Le devis expérimental s'avère utile pour le chercheur qui émet l'hypothèse qu'une interaction entre deux variables indépendantes peut se produire. Ces variables peuvent être, bien sûr, de nature situationnelle (par exemple l'effet de la présentation de différents types de messages sur la persuasion des sujets) ou encore de nature dispositionnelle (l'impact de la personnalité ou de l'orientation de la personne sur certaines dimensions psychologiques stables). De plus en plus, les chercheurs en psychologie sociale étudient l'interaction entre ces deux types de variables (Snyder & Ickes, 1985). À titre d'exemple, Cacioppo, Petty et Sidera (1982) ont décidé de vérifier l'hypothèse voulant que deux messages suggérant la même position mais présentés de façon différente pouvaient être efficaces seulement auprès des gens qui possèdent les caractéristiques conformes avec la forme de présentation du message en question.

Pour ce faire, Cacioppo *et al.* ont choisi des gens qui avaient une orientation légaliste (portés vers la loi et son respect) et d'autres qui manifestaient une orientation religieuse. Puis il ont affecté aléatoirement les deux types de sujets à l'une des deux conditions suivantes : un même message, un exposé sur l'avortement, a été présenté de deux façons ; la première présentation mettait l'accent sur la position de la religion vis-à-vis de l'avortement, alors que la seconde était basée sur des arguments de nature légale. Par la suite, les sujets indiquèrent jusqu'à quel point ils trouvaient les arguments persuasifs. L'hypothèse de Cacioppo *et al.* implique une interaction puisqu'il est prédit que les sujets avec une orientation religieuse trouveront les arguments religieux plus persuasifs que les arguments légaux. Par contre, le contraire était attendu pour les sujets avec une orientation légaliste. Les résultats de l'étude sont présentés à la figure 2.3. Comme on peut le remarquer, l'hypothèse des chercheurs a été confirmée.

Le devis expérimental tel qu'il est employé en laboratoire représente la méthode de recherche la plus utilisée en psychologie sociale (Higbee, Millard & Folkman, 1982; West, Newsom & Fenaughty, 1992). Et pour cause! Il offre en effet de nombreux avantages. Comme il a été mentionné précédemment, une telle approche méthodologique permet de contrôler ou de manipuler la ou les variables indépendantes ainsi que d'affecter aléatoirement les sujets aux différentes conditions expérimentales. De plus, l'utilisation du laboratoire permet à l'expérimentateur de limiter les influences indésirables d'autres variables (la

FIGURE 2.3 **Exemple d'un schème factoriel menant à une interaction statistique**

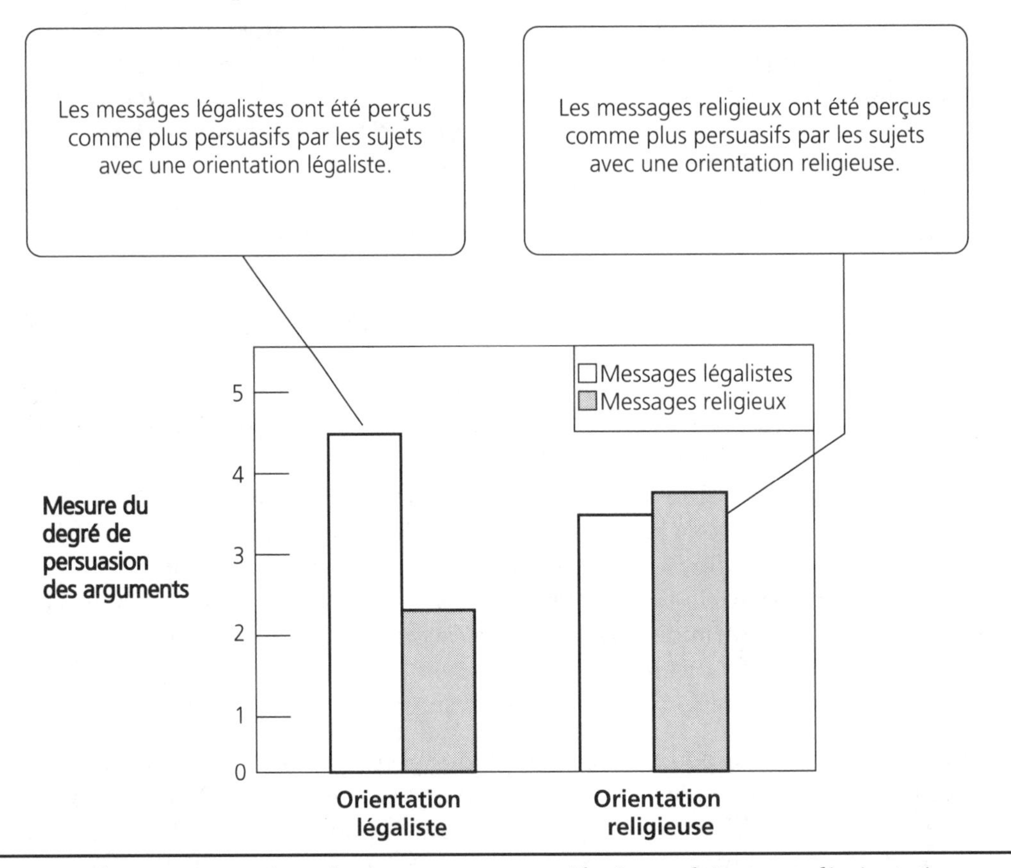

Lorsque les arguments dans des messages persuasifs s'accordaient avec l'orientation psychologique des sujets, ces derniers voyaient ces messages comme plus persuasifs que les messages en désaccord avec leur orientation psychologique (adapté de Cacioppo, Petty & Sidera, 1982).

présence d'autres personnes par exemple) sur la variable dépendante d'intérêt. Il devient alors possible de déterminer l'effet «pur» de différentes variables indépendantes alors que en dehors du laboratoire cette mesure deviendrait pratiquement impossible à réaliser dans plusieurs situations. Enfin, notons que l'utilisation du laboratoire est relativement facile en milieu universitaire et collégial, et que pour plusieurs chercheurs elle facilite la réalisation des recherches.

Certains désavantages sont également associés à l'utilisation du devis expérimental en laboratoire. Un premier désavantage porte sur l'aspect artificiel de la recherche en laboratoire. Certaines critiques ont été formulées selon lesquelles plusieurs situations créées en laboratoire ne possèdent que peu de ressemblance avec le monde réel extérieur. Même si le fait de mener une étude dans un espace restreint et limité, tel le laboratoire, produit un aspect artificiel, une telle pratique n'entraîne pas automatiquement une baisse de validité externe. En fait, Carlsmith, Ellsworth et Aronson (1976) proposent de façon très convaincante qu'afin de se faire une idée de la validité externe d'une étude en laboratoire il faille distinguer entre le **réalisme expérimental** et le **réalisme trivial.** Selon ces auteurs, il est possible de créer dans le laboratoire des situations prenantes et importantes pour le sujet de sorte que des processus psychologiques valides soient évoqués même si la situation demeure artificielle comparativement au monde extérieur. Dans la mesure où le chercheur a réussi à créer un tel contexte, le réalisme expérimental devient un aspect intégrant de la recherche en question et la validité externe de celle-ci devrait être sauvegardée. C'est dans les situations où le réalisme expérimental s'avère douteux (ou trivial) que la validité externe peut être mise en doute. Et malheureusement, certaines études en laboratoire se situent dans cette catégorie. Toutefois, il demeure important de souligner que le fait d'utiliser le laboratoire n'entraîne pas automatiquement une perte de validité externe.

D'autres désavantages viennent s'ajouter au premier. Ceux-ci ont trait aux comportements des sujets et de l'expérimentateur dans le cadre de la recherche. D'une part, si le sujet ressent une certaine peur de se faire juger ou de se faire tester par l'expérimentateur **(appréhension de l'évaluation),** il pourrait agir différemment qu'en temps normal. D'autre part, l'expérimentateur, souvent subjectivement investi dans l'issue de la recherche, pourra véhiculer à son insu certains indices au sujet, lui indiquant comment agir dans le contexte expérimental. Ce facteur indésirable représente ce que les psychologues sociaux appellent le **biais de l'expérimentateur.** Notons que ces derniers désavantages ne s'appliquent pas uniquement à l'approche expérimentale en laboratoire. Nous traiterons d'ailleurs de ces derniers problèmes ainsi que d'autres de façon plus approfondie dans la section sur les sujets particuliers.

Le devis expérimental en terrain naturel

Plusieurs personnes croient qu'un devis expérimental ne peut s'utiliser qu'en laboratoire. Rien n'est plus faux. Bien qu'il soit effectivement plus facile d'avoir recours au devis expérimental en laboratoire, rien n'empêche l'utilisation d'un tel devis en terrain naturel, surtout pour un chercheur ingénieux. Par exemple, Cialdini et Schroeder (1976, étude n° 1) décidèrent d'étudier l'effet de demander un don minime (un sou) sur le comportement de l'aide financière. En se basant sur des recherches antérieures, Cialdini et Schroeder émirent l'hypothèse que demander un petit don devrait produire plus d'acquiescement (voir le chapitre 11 à cet effet) à la demande puisque ce geste enlève toute excuse pour ne pas donner de l'argent et qu'en plus il amène la personne à agir de façon à présenter (aux yeux de la personne qui demande) une image positive d'elle-même.

Afin de vérifier leur hypothèse, les chercheurs obtinrent la permission de demander des dons au nom de la Société américaine pour la lutte contre le cancer et allèrent demander des contributions selon deux formules. La première formule correspondait à celle traditionnellement utilisée par la Société : « Nous ramassons de l'argent pour la Société américaine pour la lutte contre le cancer. Seriez-vous prêt à nous aider en faisant un don ? » En revanche, la seconde formule fut arrangée de sorte à légitimer toute donation, peu importe la somme : « Nous ramassons de l'argent pour la Société américaine pour la lutte contre le cancer. Seriez-vous prêt à nous aider en faisant un don ? *Même un sou va nous aider.* » Les chercheurs assignèrent aléatoirement 84 résidences familiales à ces deux conditions et formulèrent leurs demandes. Les résultats démontrèrent qu'en moyenne les sujets dans le groupe de légitimation d'une petite demande donnèrent plus souvent que les sujets de la condition traditionnelle (50 % c. 26 %) et qu'en plus ils versèrent pratiquement autant d'argent chaque fois (1,44 $ c. 1,54 $). Le montant total des recettes pour 42 sujets dans la condition de légitimation s'avérait donc beaucoup plus intéressant (30,24 $) que celui de la condition traditionnelle (16,82 $). L'hypothèse des chercheurs était donc confirmée.

Le devis expérimental en terrain naturel offre de nombreux avantages. Par exemple, parce que la recherche est effectuée en terrain naturel, il y a de fortes chances que la validité externe des résultats soit élevée. Qui plus est, comme les sujets de l'étude ne sont généralement pas conscients qu'ils participent à une étude, les dangers dus à la réaction des sujets dans un cadre expérimental sont réduits au minimum. De plus, le devis expérimental étant de mise (contrôle des variables indépendantes et affectation aléatoire des sujets aux diverses conditions), l'étude à caractère expérimental en terrain naturel permet d'inférer qu'il existe une relation de cause à effet entre la (ou les) variable indépendante et les variables dépendantes, et ce, au même titre qu'avec le devis expérimental en laboratoire. Enfin, ce qui n'est pas à négliger, les résultats peuvent également servir sur une base appliquée. Dans le cas de l'étude de Cialdini et Schroeder, inutile de dire que la Société américaine pour la lutte contre le cancer fut très intéressée par cette nouvelle technique de demande de dons !

Même si le devis expérimental en terrain naturel semble disposer de tous les avantages, alliant le contrôle du laboratoire à la saveur naturelle du terrain, il n'est par contre pas à l'abri de certains désavantages. On peut en nommer au moins trois. Un premier désavantage consiste dans le fait qu'en terrain naturel diverses influences, autres que la variable indépendante, risquent d'apparaître et d'affecter la variable dépendante. En d'autres mots, en terrain naturel le chercheur ne possède pas le contrôle sur les variables externes à celles d'intérêt; la validité interne de l'étude risque fort de ne pas être aussi élevée qu'en laboratoire. Un deuxième problème est relié à la variable dépendante. Puisque cette dernière est généralement obtenue à l'insu des sujets, il faut forcément qu'elle soit détectable par des observateurs. Cette condition essentielle réduit de beaucoup le type de variables dépendantes utilisées et des thèmes pouvant être étudiés. Par exemple, il devient difficile d'étudier certains comportements non verbaux des gens en terrain naturel. Le patron des yeux ou des sourcils est généralement hors de portée d'études en terrain naturel. Généralement, des comportements plus molaires (généraux), tels se pencher pour aider quelqu'un ou encore courir après une personne pour lui remettre un objet échappé, sont utilisés comme variables dépendantes.

Enfin, un dernier désavantage concerne l'**aspect déontologique** soulevé par le fait d'amener des gens à participer à une recherche à leur insu. En effet, si l'on mentionne aux sujets qu'ils prennent part à une expérience, aussi bien effectuer l'étude en laboratoire puisque l'on vient de détruire l'un des éléments inhérents à l'étude en terrain naturel. Par contre, pouvons-nous amener des personnes à participer à une recherche sans leur consentement ? La position actuelle en recherche (voir Carlsmith *et al.*, 1976; Kidder & Judd, 1986) est que les recherches en terrain naturel sont les bienvenues dans la mesure où les variables indépendantes utilisées sont courantes, que le contexte expérimental consiste en un lieu public et, enfin, que l'étude en soi ne produise pas de pressions émotionnelles indues chez le sujet. En d'autres mots, l'étude est justifiée dans la mesure où elle ne diffère pas d'autres situations de la vie de tous les jours. Nous reviendrons sur cet aspect déontologique dans la section Sujets particuliers.

Le devis quasi expérimental

Le contrôle expérimental, c'est-à-dire l'affectation aléatoire des sujets aux diverses variables indépendantes de l'étude, n'est pas toujours possible. Il est surtout absent des cas de thèmes ne pouvant être étudiés en laboratoire et souvent imprévisibles en terrain naturel. Par exemple, si vous désirez étudier les réactions psychologiques des victimes de désastres naturels telles les éruptions volcaniques, vous ne pouvez, bien sûr, aléatoirement affecter des sujets à des conditions d'éruption volcanique et de groupe témoin (aucune éruption). Qu'allez-vous faire ? Au moins deux stratégies s'offrent à vous (il en existe d'autres, mais nous nous limiterons à celles-ci).

Une première stratégie consisterait à comparer les réactions psychologiques de gens ayant vécu un tel événement (un sinistre par exemple) avec celles de personnes vivant habituellement dans des habitats similaires mais n'ayant pas été victimes d'un tel événement. C'est ce que l'on appelle en recherche un **devis avec**

groupe témoin non équivalent. Pour ajouter à l'interprétation concernant la relation de cause à effet, il est parfois possible d'utiliser des mesures prises avant l'événement et de les comparer avec celles d'après l'événement, en plus de les comparer avec celles de sujets dans un groupe témoin. Cette variation du premier devis représente un **devis prétest – post-test avec groupe témoin non équivalent.** Comme ce dernier type de devis s'avère plus complet que le premier, nous allons examiner une étude qui en a fait usage à bon escient.

Vers 4 h du matin, le mercredi 28 mars 1979, à Harrisburg dans l'État de Pennsylvanie, un réacteur nucléaire de la centrale de Three Mile Island surchauffa. De l'eau radioactive se répandit sur le plancher où se trouvait le réacteur. Celle-ci fut immédiatement aspirée par une pompe non conçue à cet effet. Du gaz radioactif s'échappa alors par le système de ventilation de cette pompe. Après plusieurs vaines tentatives, les opérateurs de la centrale purent stabiliser le réacteur et refroidir le «cœur nucléaire». Des experts ont estimé qu'entre 30 et 60 minutes de plus et toute la centrale sautait, ce qui aurait pu causer un désastre sans précédent en Amérique du Nord et peut-être sur la planète. La centrale nucléaire fut alors fermée pour des réparations qui coûtèrent plusieurs centaines de millions de dollars. Cet événement important avait troublé toute l'Amérique du Nord et le monde entier.

Un tel événement devait avoir eu des effets psychologiques considérables sur les habitants de la région. Mais il y avait encore plus à venir. Il fallait nettoyer la centrale avant de poursuivre les opérations et deux choix s'offraient aux opérateurs: libérer le gaz radioactif tout d'un coup ou encore y aller par petites doses sur une plus longue durée. La Commission de régulation nucléaire des États-Unis devait prendre cette décision. Elle demanda à un groupe de psychologues sociaux dirigés par Andrew Baum de l'aider à prendre une telle décision. Après avoir étudié différents dossiers, les écrits sur le stress et autres sources d'information, ces chercheurs proposèrent qu'il serait préférable de laisser s'échapper le gaz vicié à petites doses sur une certaine période de temps. Éventuellement, les habitants de Three Mile Island finiraient par s'habituer au stress occasionné par ces ventilations. Après mûre réflexion, la Commission accepta la proposition de Baum et ses collègues, et leur demanda d'étudier l'impact de cette première phase de ventilation du gaz radioactif.

Limités par le temps (les chercheurs n'eurent que trois semaines pour se préparer et ne purent commencer leur étude que cinq jours avant le début de la ventilation), Baum et ses collègues décidèrent d'utiliser un **devis quasi expérimental** et plus particulièrement un devis prétest – post-test avec groupe témoin non équivalent. Afin d'étudier l'impact de cette phase de ventilation du gaz radioactif, Baum et ses collègues (voir Baum, Fleming & Singer, 1982) choisirent au hasard 44 personnes vivant à moins de 8 kilomètres de Three Mile Island et 31 personnes de la ville de Frederick. Cette dernière était située à 120 kilomètres de Three Mile Island et avait été choisie comme groupe témoin parce qu'elle était similaire sur les plans démographique et du style de vie, tout en n'étant pas située près d'une centrale nuclaire. Les chercheurs décidèrent de mesurer plusieurs variables dépendantes reliées au stress et ce, à quatre reprises, soit cinq jours avant la ventilation du gaz, pendant la phase de ventilation, de trois à cinq jours après la fin des travaux de ventilation et enfin six semaines après la fin de la ventilation. L'hypothèse des chercheurs était qu'avec le temps le stress et les symptômes psychologiques négatifs disparaîtraient. La figure 2.4 rapporte les résultats en ce qui concerne les symptômes dépressifs. On remarque que l'hypothèse des chercheurs est confirmée. En effet, alors que d'importantes différences existaient entre les sujets des deux villes avant et pendant la phase de ventilation, ces différences s'atténuèrent avec le temps si bien qu'à la phase du suivi, six semaines après la fin des travaux, les différences entre les deux villes n'étaient plus significatives.

FIGURE 2.4 **Exemple d'étude utilisant un devis quasi expérimental prétest – post-test avec groupe témoin non équivalent**

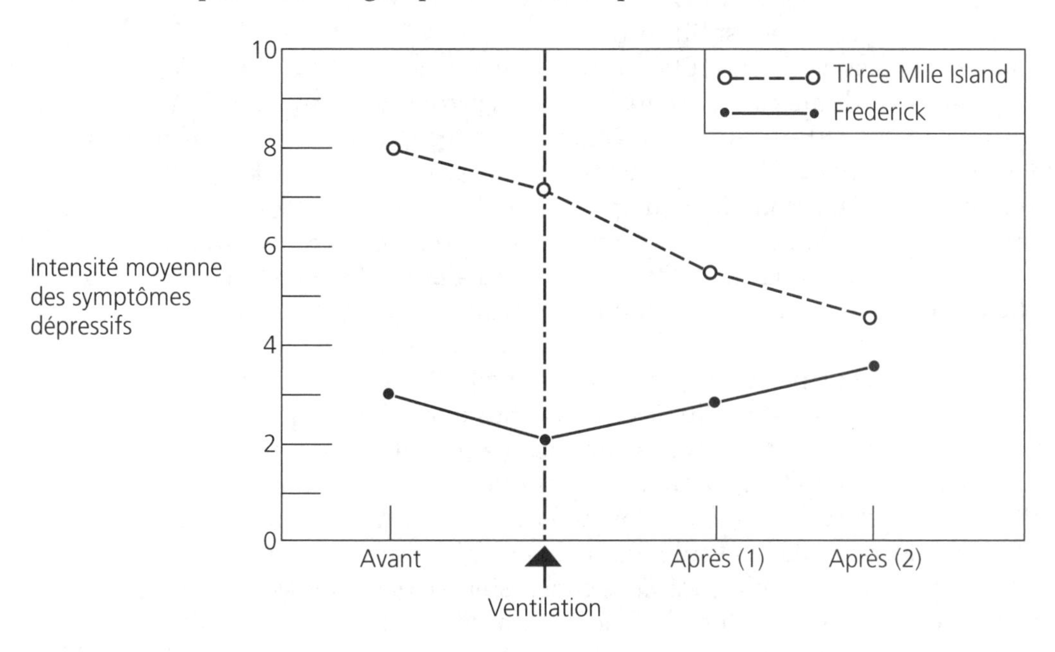

On remarque que l'intensité des symptômes dépressifs (en ordonnée) diminue avec le temps pour les sujets de Three Mile Island alors qu'aucun changement ne s'opère chez les habitants de la ville de Frederick (adapté de Baum *et al.*, 1982).

Donc, même si l'expérimentateur n'exerce pas un contrôle total sur le déroulement d'une étude en terrain naturel, comme nous l'avons vu dans l'étude de Baum *et al.* (1982), l'utilisation d'un ou de plusieurs groupes témoins *appropriés* permet une interprétation éclairée de l'impact de la variable indépendante. Par contre, il peut arriver qu'il soit impossible de pouvoir utiliser un groupe témoin approprié et que l'on désire tout de même étudier l'impact d'une variable indépendante. Que faire? Les psychologues sociaux ont découvert que, dans la mesure où il était possible de mesurer le comportement cible (ou la variable dépendante d'intérêt) à plusieurs reprises *avant* et *après* l'intervention d'une variable indépendante, ils étaient tout de même en mesure de pouvoir statuer sur la relation de cause à effet entre les variables concernées. Ce type de devis s'appelle **devis à séries temporelles interrompues.**

Par exemple, si O représente des observations et X une variable indépendante quelconque, un devis à séries temporelles interrompues ressemblerait à ceci :

O O O O O O O O O O X O O O O O O O O O O

S'il y a changement dans la variable dépendante O seulement après l'intervention de la variable indépendante X, il est alors possible d'attribuer un tel effet à la variable indépendante.

Mazur-Hart et Berman (1977) ont utilisé un tel devis afin d'étudier l'impact du divorce sans responsabilité *(no fault divorce)* sur le nombre de divorces prononcés à la suite de l'adoption d'une nouvelle loi dans l'État du Nebraska. En se servant des données en archives (nous verrons dans une section ultérieure l'utilisation de cette technique), Mazur-Hart et Berman furent en mesure de relever le nombre de divorces pour chaque mois entre 1969 et juillet 1972 (imposition de la nouvelle loi) ainsi qu'après cette date jusqu'en 1974. Puis les données furent étudiées à l'aide d'analyses statistiques pour séries temporelles. Les résultats révélèrent une augmentation des divorces après l'établissement de la nouvelle loi. Toutefois, cette augmentation pouvait être prédite par le patron du taux de divorces *avant* l'imposition de la loi. Ceci indique que l'augmentation du taux de divorces n'était pas imputable à la nouvelle loi sur le divorce mais plutôt à une autre variable dont l'influence se fit sentir avant l'établissement de la loi. Les changements dans les mœurs des Américains constitueraient une cause plausible d'une telle augmentation. N'oublions pas que c'est le grand nombre de points de mesure avant et après l'intervention de la variable indépendante qui rend ce type de devis interprétable. La seule étude des résultats après l'imposition de la nouvelle loi, par exemple, mènerait à la conclusion erronée que celle-ci a produit un changement important. C'est donc le patron de l'ensemble des résultats avant et après l'intervention de la variable indépendante qui dicte l'interprétation des résultats.

Les exemples d'études, présentées ci-dessus, ayant utilisé des devis quasi expérimentaux démontrent bien les avantages d'une telle approche méthodologique. Un pareil devis permet d'étudier les effets de variables très puissantes (comme le mauvais fonctionnement d'une centrale nucléaire) qui ne pourraient être scrutées en laboratoire. Le devis quasi expérimental permet également au chercheur d'analyser l'impact de nouvelles décisions politiques ou législatives qui ne peuvent pas non plus être étudiées en laboratoire avec le réalisme expérimental qui s'impose. En somme, un tel devis offre au chercheur une possibilité de tester hypothèses et théories dans un contexte de validité externe très élevée.

Cependant, il ne faudrait pas croire que le devis quasi expérimental est exempt de toute faiblesse. Bien au contraire! Tel qu'il a été indiqué au début de cette section, le chercheur utilisant un tel devis n'a pas de contrôle sur la variable indépendante. Il se peut donc que l'effet apparent de la variable indépendante d'intérêt (comme la nouvelle loi sur le divorce) soit dû en fait à une variable insoupçonnée par le scientifique (telles les mœurs changeantes des gens).

De plus, le chercheur ne peut que rarement affecter aléatoirement les individus aux diverses conditions et certaines caractéristiques psychologiques individuelles des sujets choisis risquent d'influer sur les résultats. Par exemple, il se peut que les résultats de l'étude de Baum *et al.* (1982) aient été modérés par l'attitude des habitants de Three Mile Island vis-à-vis de l'énergie nucléaire. Il est possible en effet que ces habitants possèdent des opinions très positives quant à l'élément nucléaire (état de fait prévisible puisqu'ils ont décidé d'aller vivre à cet endroit ou encore d'y demeurer en dépit de la construction de la centrale), ce qui a peut-être eu pour effet de *diminuer* l'impact négatif de l'accident de la centrale et celui de la ventilation du gaz radioactif sur la santé mentale des résidants. Des sujets issus de la population en général auraient peut-être réagi de façon plus négative aux procédés de ventilation. Si c'était le cas, la validité *externe* des résultats serait mise en cause puisque les résultats de l'étude ne pourraient pas s'appliquer à la population en général. Donc, le fait de mener une étude en terrain naturel n'assure pas automatiquement une validité externe élevée. Enfin, il faut souligner que la réalisation d'une étude quasi expérimentale utilisant des désastres naturels ou technologiques comme variables indépendantes va demander au chercheur une préparation très poussée. Baum *et al.*, par exemple, n'ont eu que trois semaines pour préparer leur étude. Lorsqu'on sait que plusieurs mois sont souvent nécessaires afin d'assurer la préparation adéquate d'une étude, on peut comprendre l'hésitation de plusieurs psychologues sociaux à emprunter le devis quasi expérimental en recherche dans de telles circonstances.

Le devis corrélationnel

Un **devis corrélationnel** correspond à un devis où, comme dans l'exemple précédent, aucune des deux variables n'est manipulée par le chercheur et, de plus, où l'affectation aléatoire n'est pas possible. Il va sans dire que ce type de devis est surtout utilisé en terrain naturel. Le terme « corrélationnel » est employé dans un tel cadre parce que ce type de schème se révèle très propice à l'utilisation de la corrélation comme analyse statistique (cette dernière représente une mesure d'association entre les deux variables en cause – nous verrons celle-ci brièvement dans une section ultérieure de ce chapitre).

Un pareil devis peut-il renseigner les chercheurs sur la relation de cause à effet entre diverses variables? Dans certains cas, la relation est plutôt difficile à démontrer. En revanche, dans d'autres situations, il devient possible de désigner avec un certain degré de certitude la direction de la causalité. Par exemple, en ce qui concerne la relation entre le niveau d'études des gens et leurs préjugés raciaux, il ne saurait être question que les préjugés raciaux *causent* le niveau d'études. Donc, il y a de fortes chances que ce soit le niveau d'études qui produise la baisse des préjugés raciaux observés et non le contraire.

Bon nombre d'études font appel à un devis corrélationnel en recherche. Trois raisons motiveraient l'utilisation d'un tel devis de recherche. Premièrement, cette approche peut s'avérer très utile dans les premières étapes de vérification d'hypothèse. Au lieu de débuter par une recherche expérimentale, les scientifiques effectuent souvent une simple étude à schème corrélationnel afin de vérifier s'il existe une relation entre les deux variables en question. De cette façon, si une hypothèse stipule que la compétition diminue la motivation intrinsèque des gens (p. ex. Vallerand, Gauvin & Halliwell, 1986), alors on devrait s'attendre à ce que des mesures de compétition et de motivation intrinsèque démontrent une relation négative. Dans la mesure où une telle relation est obtenue, le psychologue social peut dès lors effectuer une recherche à cadre expérimental, sachant fort bien qu'il ne perd pas son temps.

Une deuxième utilité du devis corrélationnel consiste à permettre la vérification d'un modèle théorique. Au cours des dernières années, de nouvelles techniques statistiques sophistiquées ont été mises au point afin de tester un modèle théorique *dans son ensemble* et non en pièces détachées comme dans les devis expérimentaux. Cette approche suppose que toutes les variables postulées par la théorie soient mesurées dans un schème corrélationnel et analysées statistiquement selon diverses techniques sophistiquées (analyse acheminatoire, LISREL et autres). La démonstration de quelques-unes de ces techniques sera faite dans la section de l'analyse des résultats.

Enfin, une troisième utilité du devis de recherche corrélationnel a trait à son utilisation dans le cadre de recherches visant à valider des instruments psychologiques. Dans une telle perspective, il est courant de demander à des sujets de répondre à divers instruments et par la suite d'étudier le degré d'association entre l'instrument d'intérêt et certains autres instruments bien précis. Notons que ce troisième type d'utilisation du devis corrélationnel ne présume pas de la direction de la causalité entre les deux concepts. Les hypothèses, dans ce cas, ne portent que sur le degré et la direction de l'association entre les concepts et non sur la relation de cause à effet.

Guy Bégin et Hélène Couture (1980), de l'Université Laval, ont utilisé cette technique dans le processus de validation d'une échelle d'attitudes envers les détenus et les ex-détenus. Ce questionnaire est censé mesurer le degré d'acceptation d'une personne envers les détenus et les ex-détenus. Selon Bégin et Couture, si l'échelle en question mesure bien ce qu'elle est supposée mesurer, elle devrait être reliée de façon modérée et positivement avec une échelle mesurant la flexibilité cognitive (ou l'ouverture) des gens. Bégin et Couture ont demandé à divers groupes de sujets de répondre au questionnaire de l'échelle d'attitudes envers les détenus et les ex-détenus ainsi qu'à d'autres questionnaires, y compris à celui de l'échelle de flexibilité du California Psychological Inventory. Les résultats ont démontré qu'effectivement une relation modérée et positive (indice de corrélation, $r = + 0{,}43$) existait entre les deux échelles. Ils permettaient donc d'appuyer l'hypothèse selon laquelle l'échelle d'attitudes envers les détenus et les ex-détenus est valide.

Le devis corrélationnel permet donc de vérifier certaines hypothèses dans un cadre réel (généralement en terrain naturel) et de façon relativement rapide et peu coûteuse. Par contre, le devis corrélationnel comprend également certains désavantages. Un premier désavantage concerne le fait suivant : aucune variable indépendante n'est manipulée, le chercheur qui a recours à ce type de devis doit demeurer prudent dans son interprétation de la relation de cause à effet entre les variables en jeu. Ainsi, dans notre exemple sur la relation entre le niveau d'études et les préjugés raciaux, peut-on être vraiment sûr qu'une scolarité élevée amène les gens à manifester moins de préjugés raciaux? Une hypothèse rivale plausible serait qu'une tierce variable, l'ouverture d'esprit par exemple, amène les gens à vouloir se cultiver *et* à ne pas causer de préjudices aux gens d'autres nationalités. Dans un tel cas, éducation et préjugés ne constituent que des **variables concomitantes** sans relation causale. Elles ne sont reliées que parce qu'elles sont causées par une tierce variable commune, en l'occurrence l'ouverture d'esprit. Donc, dans la mesure où le chercheur se sert d'un devis corrélationnel afin de vérifier certaines hypothèses préliminaires, il doit se montrer conscient des dangers d'interprétation des résultats. Notons toutefois que certaines analyses statistiques (comme l'analyse de corrélation partielle) peuvent être utilisées afin de permettre l'élimination d'un certaine nombre d'hypothèses rivales plausibles.

Un second désavantage du devis corrélationnel réside dans le fait que les sujets sont généralement conscients de participer à une étude (voir l'encadré 2.2 à cet effet). Au même titre que le devis expérimental en laboratoire, le fait d'être conscient de participer à une étude peut amener plusieurs biais chez le sujet, qui risquent d'influer sur les résultats de l'étude. Le psychologue social aura donc tout avantage à gagner la confiance des sujets avant de leur demander de participer à l'étude.

LES MÉTHODES DE RECHERCHE NON EXPÉRIMENTALES

Les divers devis de recherche présentés dans la section précédente constituent sans contredit les méthodes de recherche les plus utilisées en psychologie sociale. Cependant, bon nombre d'autres façons d'obtenir de l'information sur le comportement social sont employées par les chercheurs. Ces diverses autres techniques de recherche possèdent certaines caractéristiques. D'abord, le psychologue social n'exerce pas de contrôle sur la variable indépendante, sauf avec la méthode par simulation. Ensuite, plusieurs de ces techniques demandent

ENCADRÉ 2.2

L'EFFET HAWTHORNE

L'effet Hawthorne prend son nom d'une recherche qui s'est déroulée à l'usine Western Electric Hawthorne à Cicero, dans l'Illinois, aux États-Unis. Durant une période d'une année, les chercheurs (Roethlisberger & Dickson, 1939) ont vérifié les effets de plusieurs variables sur le rendement de certains des employés de l'usine. Ainsi les effets de la période de travail, de la période de repos, de l'éclairage et des conditions salariales sur la productivité ont été étudiés. Les résultats furent initialement surprenants : toutes ces variables ont augmenté la productivité des employés. Que les heures de travail fussent longues ou courtes, que la lumière fût forte ou faible, la productivité grimpa ! Il fut conclu que le simple fait de recevoir l'attention des chercheurs en tant que sujets d'une étude avait amené les employés à augmenter leur rendement. Bien que ce résultat n'ait été en rien relié au but initial de la recherche, ce phénomène intéressant allait devenir fort populaire et connu sous le nom de « l'effet Hawthorne ».

Au fil des ans, plusieurs chercheurs se sont intéressés au phénomène (voir Adair, Sharpe & Huynh, 1989). Même si certaines recherches ont reproduit les résultats initiaux, plusieurs ne purent y parvenir. Une considération importante était que les facteurs menant précisément à l'effet Hawthorne n'avaient jamais été clairement établis. Les auteurs originaux, Dickson et Roethlisberger (1966), ont avancé plus tard que 17 facteurs, dont trois variables médiatrices majeures, déterminaient si l'effet Hawthorne se produirait ou non : une attention particulière accordée aux sujets de l'étude, la conscience des sujets de participer à une recherche et la nouveauté, ou l'aspect unique, associée à la tâche expérimentale.

Récemment, John Adair et ses collègues de l'Université du Manitoba (Adair *et al.*, 1989) ont effectué une série de recherches afin de déterminer si l'ensemble des études ayant respecté ces trois critères avaient mené à l'effet Hawthorne. Les résultats d'une méta-analyse sur l'ensemble de ces données se sont avérés peu concluants. Même les études qui ont contrôlé l'effet de ces trois variables clés n'ont pu reproduire l'effet Hawthorne !

Si, pour des sujets, le fait de savoir qu'ils participent à une recherche peut influer sur leur comportement, une telle conséquence ne se produit pas automatiquement. Pis encore, on ne sait toujours pas avec précision quand et comment l'effet se produit. Certains auteurs (Rice, 1982) vont même jusqu'à avancer que l'effet Hawthorne ne s'est jamais produit à l'usine Hawthorne ! Les résultats auraient été la conséquence de procédés méthodologiques viciés. Le problème reste entier et des recherches futures seront nécessaires afin de démythifier le phénomène.

l'utilisation de données de second ordre, c'est-à-dire obtenues non pas par le chercheur lui-même mais par d'autres sources. C'est ce qui leur confère leur titre de méthodes «non expérimentales». Enfin, notons que certaines de ces techniques représentent des nouvelles tendances en psychologie sociale pouvant mener à l'étude de questions importantes de façon plus éclairée. C'est le cas, entre autres, de la méta-analyse, que nous verrons ci-dessous. Ces diverses techniques sont l'enquête, la simulation et le jeu de rôles, l'étude de cas, l'analyse de contenu et l'analyse archivistique de même que la méta-analyse.

Les enquêtes et les entrevues

Parfois le psychologue social ne désire pas étudier la relation de cause à effet entre diverses variables. Dans certaines circonstances, il sera tout simplement satisfait de connaître l'opinion des gens vis-à-vis d'un domaine bien précis. Ce genre de méthodologie, bien que non expérimental en soi, peut s'avérer très utile sur une base appliquée. Par exemple, Blais *et al.* (1990), de l'Université du Québec à Montréal, voulaient comprendre l'importance que les étudiants du collégial accordaient aux différents domaines d'activité de leur vie. L'étude d'une telle question ne nécessite pas un devis expérimental ou même quasi expérimental. Aucune relation entre des variables n'est postulée. Blais et ses collègues ont donc demandé à environ 500 étudiants de différents collèges choisis au hasard dans la région métropolitaine de Montréal de répondre à un questionnaire dans lequel ils devaient indiquer à quel point (sur une échelle de huit points) divers domaines de leur vie (l'éducation, la famille, les loisirs, etc.) étaient importants. Les résultats ont révélé que les collégiens accordent énormément d'importance aux secteurs de l'éducation, des besoins vitaux, des relations interpersonnelles (amis, couple et famille), des loisirs et de la santé. Il est intéressant de noter que les deux domaines les moins importants (sur un total de 21) étaient l'engagement social ou politique et la religion. Les temps ont bien changé!

Certains se demanderont si une telle recherche est vraiment essentielle pour la psychologie sociale. En elle-même, cette recherche n'apporte aucun nouvel élément théorique. Mais elle peut tout de même avoir un impact considérable de par ses résultats, qui indiquent clairement quels sont les domaines privilégiés par cette strate de la population. Les chercheurs désireux d'étudier certains problèmes majeurs chez cette population, notamment quant au soi (voir le chapitre 3), auraient donc tout intérêt à se concentrer sur les domaines les plus importants pour ces jeunes. Donc, même si la recherche utilisant l'approche de l'enquête ne permet pas un éclairage nouveau des relations entre diverses variables, elle peut néanmoins s'avérer d'une très grande utilité et tracer certaines pistes de recherche.

Dans l'étude de Blais *et al.* (1990), un questionnaire avait été utilisé. Bon nombre de chercheurs procèdent de même dans leurs études. Le questionnaire représentant le seul outil employé par le chercheur dans une **enquête,** il devient important que ce questionnaire soit construit avec soin. Cette tâche se révèle extrêmement ardue. Plusieurs éléments doivent être considérés, tels le choix des mots et des questions, le type de format de réponses (par exemple, doit-on utiliser des réponses « ouvertes », où le sujet peut s'exprimer librement, ou des réponses fermées pouvant être quantifiées sur des échelles de 0 [aucune importance] à 8 [importance extrême], comme dans l'étude de Blais *et al.*, 1990 ?) et le format du questionnaire lui-même. Ces différentes caractéristiques du questionnaire doivent être étudiées minutieusement par le chercheur, car elles risquent fort d'exercer une influence importante sur les résultats de l'enquête (Anastasi, 1976).

Bien que plusieurs études fassent usage de questionnaires auxquels les sujets répondent eux-mêmes, il n'en demeure pas moins qu'un grand nombre d'enquêtes sont menées par le biais de l'**entrevue.** Avec cette dernière méthode, le chercheur pose des questions oralement aux sujets et enregistre leurs réponses. Vous est-il déjà arrivé de vous faire interpeller dans un centre commercial afin de répondre à un sondage? C'est un peu le même principe avec l'approche de l'entrevue. Celle-ci est généralement utilisée lorsqu'on désire approfondir certaines questions que le questionnaire ne ferait qu'effleurer. Il va sans dire qu'une entrevue qui peut durer parfois quelques heures est plus onéreuse (en temps et en argent) que l'approche par questionnaire. Dans une telle perspective, il n'est pas surprenant que le chercheur se servant de l'entrevue fasse appel à un nombre moindre de sujets que celui empruntant l'approche par questionnaire.

Même si l'approche par questionnaire ou par entrevue semble relativement simple, le chercheur doit néanmoins prendre certaines précautions afin de s'assurer de la validité des résultats obtenus. Un des dangers les plus grands lorsque l'approche par entrevue est utilisée réside dans les biais de l'expérimentateur déjà discutés dans le cadre des devis expérimentaux. Dans une entrevue, il se peut que l'expérimentateur amène le sujet à répondre de telle ou telle façon uniquement par son comportement. L'expérimentateur doit donc prendre tous les moyens possibles afin de ne pas transmettre au sujet certaines évaluations de ses réponses. Il devra éviter les « Ah! Intéressant... », « Vous êtes sérieuse, madame?» ou encore les «Êtes-vous bien sûr de votre réponse?», car de telles rétroactions faisant suite aux réponses du sujet indiquent clairement à ce dernier la position personnelle de l'expérimentateur. Le sujet pourra dès lors répondre de sorte à confirmer sa position ou à l'infirmer intentionnellement. L'approche idéale consiste tout d'abord à établir un climat de confiance et non évaluatif avec le sujet, en l'assurant de la confidentialité des résultats et, du fait qu'il s'agit d'opinions, qu'il n'y a pas de bonnes ou de mauvaises réponses. Une fois ce climat de confiance acquis, il devient possible au chercheur d'aller plus en profondeur dans ses questions.

Il n'est pas suffisant de bien préparer son questionnaire et de présenter adéquatement le questionnaire ou l'entrevue aux sujets, encore faut-il s'assurer que les sujets sont représentatifs de la population d'intérêt. Cette représentativité constitue un autre problème dont le chercheur doit être conscient. Si des chercheurs désirent connaître l'opinion des Québécois vis-à-vis de la loi 101 concernant l'affichage en langue française par exemple, il devient important de veiller à ce que les sujets interviewés représentent toutes les couches de la société et non seulement les adhérents du Parti québécois ou encore du Mount-Royal Sport Club. Dans de tels cas, les résultats seraient biaisés dans une direction ou dans l'autre, selon l'échantillon choisi. Le chercheur soucieux utilise alors des **procédés d'échantillonnage** afin de choisir ses sujets. Plusieurs techniques existent à cet effet (voir Kidder & Judd, 1986, chapitre 7). Lorsqu'il le pourra, le chercheur utilisera des **procédés d'échantillonnage aléatoire,** où les sujets sont choisis au hasard. Deux techniques d'échantillonnage aléatoire ont la faveur des chercheurs. Dans la première, l'**échantillonnage aléatoire simple,** toutes les personnes de la population visée (comme les Québécois) ont une chance égale de participer à l'étude sur la loi 101 par exemple. À cette fin, un chercheur pourrait utiliser la liste des noms des quelque six millions de Québécois, en choisir 2 000 au hasard et aller les interviewer. Par contre, une telle technique n'assure pas une représentativité en nombre suffisant de toutes les régions ou encore de toutes les différentes ethnies. Afin d'éviter cette sous-représentativité, une seconde technique appelée **échantillonnage aléatoire stratifié** peut être utilisée. Un chercheur employant cette approche de sélection de sujets désignerait, dans un premier temps, tous les sous-groupes (anglophones, francophones, Vietnamiens, etc.) qui l'intéressent. Puis, dans un second temps, il choisirait *au hasard* un certain nombre de sujets *à l'intérieur* de ces sous-groupes. Le chercheur s'assurerait ainsi que tous les groupes représentatifs de la société font partie de son échantillon. Il pourrait alors établir des comparaisons entre ces différents groupes.

L'approche de l'enquête et de l'entrevue offre de nombreux avantages. Parmi ceux-ci, notons le fait que cette approche est claire et très directe. Des sujets répondent à des questions sur un thème précis. Nul n'est besoin de demander aux sujets de se présenter à un laboratoire ou encore de manipuler certaines variables indépendantes. L'enquête et l'entrevue procurent donc au chercheur un élément de simplicité dans l'étude du comportement social. Notons que cette approche représente parfois la seule façon d'étudier un problème. Par exemple, comment vous y prendriez-vous pour étudier l'impression qu'une personne âgée conserve de ses parents ? Vous devriez procéder par le biais de l'entrevue ou du questionnaire. Bien savoir utiliser cette technique peut représenter une corde (importante) de plus à l'arc du psychologue social.

Cependant, certains désavantages demeurent rattachés à l'utilisation de l'enquête et de l'entrevue. Un premier désavantage tient à la possibilité que les réponses des sujets soient peu valides. En effet, le chercheur doit être conscient que, pour une foule de raisons, les réponses données par les sujets ne sont pas toujours exactes. Ainsi la mémoire des gens ne constitue pas toujours un reflet fidèle des événements passés. En plus, certains thèmes peuvent susciter des réponses plus ou moins honnêtes des sujets. Par exemple, un chercheur demandant en entrevue à des élèves du secondaire s'ils ont déjà eu des relations sexuelles risque fort d'obtenir un pourcentage de réponses positives plus élevé que ne le démontre la réalité. De plus, l'utilisation du questionnaire brime souvent le sujet dans son choix de réponses. Peut-on vraiment être sûr que les réponses des sujets aux questions *imposées* correspondent vraiment à leur attitude ou à leur opinion ? Enfin, l'emploi de l'entrevue prend généralement beaucoup plus de temps que l'approche par questionnaire ou l'observation du comportement du sujet en terrain naturel.

La simulation et le jeu de rôles

Lorsqu'on demande à des psychologues sociaux de nommer l'étude qui les a le plus marqués en psychologie sociale, un bon nombre d'entre eux citent l'étude de la prison simulée par Philip Zimbardo et ses collègues (Haney, Banks & Zimbardo, 1973; Zimbardo, 1975). Pourtant, cette étude n'a pas utilisé les devis ou cadres d'expérience présentés jusqu'ici. Elle avait utilisé une approche de jeu de rôles où l'on avait demandé aux sujets de jouer le rôle de gardiens de prison ou de prisonniers.

Zimbardo et ses collègues désiraient mieux comprendre le fonctionnement des prisons. Comme l'observation systématique de vraies prisons leur avait été refusée, la seule option qu'il leur restait consistait à organiser une simulation dans laquelle des étudiants seraient appelés à jouer les rôles de prisonniers et de gardiens de la «prison de l'Université Stanford». Vingt-deux sujets tout à fait normaux et équivalents sur différentes mesures de personnalité furent aléatoirement affectés aux conditions de gardiens de prison et de prisonniers. Un beau dimanche d'été, la police de la ville de Palo Alto, en Californie, vint arrêter à l'improviste les 11 «prisonniers». Après que les empreintes digitales furent prises, les prisonniers furent conduits à la prison de l'Université Stanford. Dépouillés de leurs vêtements, ils durent revêtir la tunique des prisonniers avec un numéro. Ce numéro deviendrait leur nom pour la durée de l'expérience. Pendant ce temps, les gardiens reçurent leur brève formation. Cette dernière se résuma, en somme, à leur faire comprendre qu'on attendait d'eux qu'ils se comportent... comme des gardiens de prison. Par la suite, les chercheurs restèrent le plus possible à l'écart des interactions entre les gardiens et les prisonniers, et se contentèrent d'observer et de filmer les comportements dans les deux groupes.

L'expérience était censée durer deux semaines. Après six jours, on dut cesser toute l'opération. Les gardiens étaient devenus déchaînés et traitaient les prisonniers comme des animaux. Les prisonniers, pour leur part, étaient sur le point de craquer. En fait, l'un deux avait été retiré de l'étude après seulement quelques jours, car il se trouvait sur le point de vivre une dépression alors qu'un autre prisonnier avait développé des rougeurs sur tout le corps. Ces deux cas, malheureusement, n'étaient pas des cas isolés; tous les prisonniers manifestaient à la fin de l'étude des indices de dépression et de perception de soi négative. Que s'était-il passé ? Les effets négatifs vécus par les «prisonniers» avaient-ils été vraiment causés par le comportement des «gardiens»? Comment des sujets qui savaient pourtant très bien qu'ils participaient à une étude en cadre universitaire avaient-ils pu réagir de cette façon? Les résultats de l'étude démontrant l'effet néfaste de la prison et des contacts qui y étaient vécus étaient-ils valides? La réponse à ces diverses questions, nous croyons, réside dans le pouvoir de la simulation comme méthode de recherche, surtout lorsque cette dernière est bien conçue.

Le succès d'une **simulation** ou d'un **jeu de rôles** dépend en grande partie du degré de participation des sujets engendré par le réalisme du contexte expérimental. Dans la mesure où les sujets sont vraiment engagés dans le contexte expérimental et que ce dernier représente une approximation décente du contexte visé, alors les résultats peuvent s'avérer effectivement valides. Et dans l'étude de la prison simulée, tout amenait les sujets des deux groupes (prisonniers et gardiens) à vivre leur rôle avec une grande intensité. La validité des résultats peut être difficilement mise en doute, même si certaines critiques ont été formulées à l'endroit de l'étude sur une base méthodologique (p. ex. Banuazizi & Movahedi, 1975). De plus, les sujets ayant été *aléatoirement* affectés aux conditions de prisonniers et de gardiens, il ne peut y avoir de doute quant à la cause des réactions des prisonniers: elles furent bel et bien causées par les comportements des gardiens. Les résultats d'une étude empruntant une approche de simulation et de jeu de rôles peuvent donc s'avérer valides et même très importants sur une base théorique ou appliquée (comme ce fut le cas pour l'étude de Zimbardo). Ce qui compte, c'est le degré de réalisme et d'intensité du contexte expérimental, qui doit représenter fidèlement le contexte réel faisant l'objet de l'étude.

Il ne faudrait pas croire que toutes les études utilisant une approche de simulation doivent être aussi audacieuses et intenses que celle de Zimbardo. Une tendance au cours des dernières années en psychologie sociale consiste à demander aux sujets de lire des scénarios hypothétiques, sur questionnaires, décrivant diverses situations et d'indiquer sur différentes échelles comment ils réagiraient dans ces situations. Les scénarios peuvent être préparés de sorte que des variables indépendantes soient manipulées dans l'histoire qu'ils présentent. Un secteur de recherche qui fait grand usage de cette approche présentement est celui des recherches appliquant les construits et connaissances dans le secteur des attributions (il en sera question dans le chapitre 5).

Le lecteur attentif aura su noter les nombreux avantages que l'approche de la simulation et du jeu de rôles peut procurer au chercheur sachant s'en servir correctement. Ainsi cette méthode permet aux chercheurs d'étudier certaines situations qui ne peuvent que très difficilement être analysées en laboratoire et en terrain naturel. Par exemple, il est pratiquement impossible d'étudier le fonctionnement d'une prison ou les délibérations d'un jury en terrain naturel. En revanche, il devient possible d'en faire une approximation par le biais de la simulation et ainsi d'étudier les processus psychologiques en cause. Un deuxième avantage de cette approche méthodologique a trait à la perspective déontologique alors que les sujets ne sont pas trompés (comme c'est souvent le cas en laboratoire). Les sujets sont au courant des intentions du chercheur ainsi que du rôle que l'on s'attend à les voir jouer. La simulation et le jeu de rôles semblent donc constituer une alternative à l'approche en laboratoire, qui, somme toute, postule qu'il est préférable que le sujet ne soit pas au courant du but de l'étude ainsi que du rôle réel qu'il aura à jouer. Enfin, l'approche de la simulation permet avec relativement de facilité de mener des études selon une perspective expérimentale (en affectant des sujets aléatoirement à diverses conditions des variables indépendantes). C'est particulièrement le cas lorsque l'expérimentateur utilise des scénarios hypothétiques présentés sur questionnaires.

Malgré les divers avantages qu'elle peut procurer, il faut tout de même soulever le fait que l'approche de la simulation demeure l'une des méthodes de recherche les plus critiquées (voir Jones, 1985). La critique la plus sévère à notre avis consiste à dire que lorsque des sujets se comportent comme s'ils jouaient un rôle il se peut fort bien qu'ils n'adoptent pas le même comportement que dans une situation *réelle*. Même si certaines recherches indiquent que les sujets agissent souvent de la même façon dans les deux cas (Betancourt, 1990), le problème demeure entier.

Les méthodes secondaires

Certaines méthodes de recherche sont dites « secondaires », car elles font généralement usage d'informations déjà disponibles dans des études ou rapports primaires. C'est le cas notamment de l'étude de cas, l'analyse de contenu, l'analyse archivistique et la méta-analyse. L'étude de cas peut se servir des données déjà existantes, bien qu'elle puisse à l'occasion exiger du chercheur qu'il recueille lui-même ses propres données ; l'analyse de contenu et l'analyse archivistique portent toutes deux sur des données déjà recueillies par d'autres moyens que ceux du chercheur lui-même mais qui concernent *plusieurs sujets ou événements* au lieu d'un seul. La différence majeure entre ces deux approches réside principalement dans le fait que l'analyse de contenu porte sur des données d'ordre *qualitatif* (données non quantifiées) alors que l'analyse archivistique se concentre sur des données d'ordre *quantitatif* (données déjà quantifiées, comme des échelles de neuf points par exemple). Nous discuterons de ces différents types de recherche dans les sections qui suivent.

L'étude de cas. L'**étude de cas** implique l'étude en profondeur d'une personne, d'un groupe ou d'un événement précis. Cette technique est utilisée avec assez de régularité en psychologie de la personnalité et en psychologie clinique (Hersen & Barlow, 1976; Kratochwill, Mott & Dodson, 1984; Yin, 1984), mais relativement peu souvent en psychologie sociale contemporaine à cause de sa tendance méthodologique expérimentale et quasi expérimentale. Le chercheur qui utilise l'étude de cas essaie de comprendre l'événement ou la personne d'intérêt dans toute sa complexité afin d'en retirer une explication psychologique. À cette fin, toutes les sources d'information valides sont utilisées : entrevues, articles scientifiques et non scientifiques (comme les journaux), enregistrements vidéo et audio des personnes concernées ou provenant d'autres sources (émissions de télévision et de radio, etc.). L'étude de cas peut se faire à partir de sources d'information primaires (le sujet d'étude lui-même; voir Kratochwill *et al.*, 1984) ou secondaires (rapports de l'événement, description de la façon dont la personne en question est perçue). Comme on peut le voir, l'étude de cas laisse beaucoup de latitude au chercheur quant aux outils à utiliser afin d'aller puiser les éléments d'information nécessaires pour vérifier l'hypothèse de recherche ou encore pour aider à formuler un modèle théorique.

L'une des études de cas les plus populaires en psychologie sociale est celle de Janis (1972) sur la pensée groupale. Janis désirait mieux comprendre la façon d'opérer des groupes ayant travaillé à des projets qui avaient abouti à des fiascos. L'analyse de l'échec de l'invasion de la baie des Cochons est particulièrement percutante. On se souviendra que le 17 avril 1961, certains de pouvoir écraser le régime de Fidel Castro, les États-Unis décidèrent de lancer une attaque qui devait conduire à l'un des fiascos les plus grands de leur histoire. À peine quelques jours après l'attaque, plus de 1 400 soldats américains furent faits prisonniers et renvoyés aux États-Unis en échange de denrées et de fournitures médicales d'une valeur de *50 milllions de dollars*.

Après avoir étudié divers documents historiques, les procès-verbaux des réunions du groupe décisionnel, des lettres, des ordres du jour et les mémoires des membres du groupe ainsi que les communiqués de presse officiels, Janis conclut que le groupe chargé de la décision d'envahir la baie des Cochons avait été sujet à l'effet de la pensée de groupe. Cet effet se définit comme une «détérioration de l'efficacité mentale, de la vérification de la réalité et du jugement moral qui résulte des pressions à l'intérieur du groupe» (Janis, 1972, p. 9). En d'autres termes, le groupe qui devait décider d'attaquer ou non Cuba n'avait pas étudié toutes les possibilités parce que ses membres ne s'étaient pas exprimés ouvertement sur les dangers d'une telle opération de peur de détruire la cohésion du groupe ou de subir des représailles. Les membres allèrent de l'avant avec le projet même si intérieurement plusieurs se sentaient réticents vis-à-vis de celui-ci. Le résultat fut catastrophique.

À partir de son étude de cas de l'invasion de la baie des Cochons et autres événements similaires, Janis fut en mesure de présenter son modèle de la pensée de groupe et de proposer des mesures à prendre afin d'éviter que de telles conséquences ne se reproduisent. Les travaux de Janis seront discutés au chapitre 12.

Comme toutes les approches que nous avons vues dans ce chapitre, un devis de recherche à cas unique possède ses avantages et ses désavantages. Parmi les avantages, on se doit de souligner le fait que cette approche permet une analyse détaillée et fouillée d'une personne, d'un groupe ou d'un événement comme il ne serait pas possible d'en faire une avec d'autres méthodologies. De plus, les mesures utilisées dans un tel type de recherche ne sont pas soumises à un effet de réactivité de la part du sujet puisque généralement il s'agit de rapports écrits et que les phénomènes d'intérêt ont déjà eu lieu. Enfin, sur une base plus pratique, la tenue d'études de cas est relativement assez facile à organiser.

Les divers avantages de l'approche doivent, par contre, être envisagés à la lumière des désavantages qu'elle peut engendrer. Un premier désavantage a trait à la possibilité que la personne, le groupe ou l'événement étudié ne soit pas représentatif de la population d'intérêt. Un modèle théorique conçu à partir de l'analyse de situations extraordinaires et non représentatives du quotidien pourrait éventuellement se révéler faux. Deuxièmement l'information recueillie pourrait être fausse et le chercheur ne possède que peu de façons de distinguer les « vrais » documents des « faux ». Enfin, il faut bien comprendre qu'aussi bien menée qu'elle puisse l'être l'étude de cas n'emprunte pas une approche expérimentale et ne saurait que très rarement apporter des réponses à une relation de cause à effet entre deux ou plusieurs variables.

L'analyse de contenu. Contrairement à l'étude de cas, l'**analyse de contenu** porte uniquement sur des données déjà existantes. Celles-ci sont de nature qualitative et concernent un grand nombre de sujets ou d'événements. La liste des sources d'information pouvant être utilisées par le chercheur est pratiquement illimitée. L'analyse de contenu permet au psychologue social de tirer certaines conclusions quant aux attitudes, cognitions, sentiments et comportements dans un contexte social à partir de l'analyse qualitative de divers documents.

En effectuant une analyse de contenu, le chercheur doit considérer quatre éléments. Dans un premier temps, il est essentiel de choisir une unité d'analyse reflétant bien le phénomène d'intérêt. En d'autres termes, le chercheur doit choisir la meilleure variable dépendante possible. Parfois, une telle variable existe déjà ; plus souvent le chercheur devra la « créer » à même les sources d'information disponibles. Une deuxième considération importante consiste justement à trouver les plus pertinentes sources d'information ayant traité du phénomène d'intérêt et ayant mesuré la variable dépendante choisie. Troisièmement il faut concevoir une façon de coder les données qui permettra d'étudier *objectivement* le phénomène d'intérêt. Et finalement le chercheur devra bien choisir l'échantillon duquel il retirera les données afin de s'assurer que les résultats obtenus peuvent être généralisés à la population visée.

Rak et McMullen (1987), de l'Université de la Saskatchewan, ont fait usage de l'analyse de contenu afin d'étudier la teneur des stéréotypes sexuels véhiculés dans les annonces publicitaires à la télévision américaine. Ces chercheures ont choisi aléatoirement 120 publicités, soit 60 le jour et 60 en soirée, d'un échantillon plus grand (2 376) de messages enregistrés entre 1983 et 1984. Puis elles ont codé le contenu des annonces en ce qui concerne les rôles attribués aux femmes et aux hommes dans ces publicités. Puisque les chercheures désiraient comparer les stéréotypes sexuels des hommes et des femmes, elles ont choisi de coder des dimensions traditionnelles et de comparer le nombre de points obtenus par les acteurs des deux sexes. Plusieurs dimensions d'intérêt ont été sélectionnées, dont celles de « dépendance », « autonomie » et « autres » (comportements non classés dans les deux premières catégories). Les résultats relatifs aux trois dimensions nommées ci-dessus confirmèrent l'hypothèse que la télévision perpétue l'image des stéréotypes sexuels traditionnels : les femmes sont présentées comme plus dépendantes que les hommes et ces derniers sont montrés comme des personnes plus autonomes.

L'analyse de contenu comporte sensiblement les mêmes avantages et désavantages que l'étude de cas. En effet, ce type de méthode de recherche utilise des mesures non soumises à la réactivité des sujets et permet une analyse fouillée d'un phénomène donné. Toutefois, il faut se rappeler que l'analyse de contenu porte sur le caractère qualitatif de divers documents et qu'elle doit être menée avec soin pour conduire à des résultats valides. Cette condition nécessite la préparation d'une grille de codification qui permettra aux différents observateurs de coder le comportement observé dans les différentes catégories prévues avec un accord interjuges (indice de fidélité) élevé. Plus d'une étude connaît des problèmes sérieux à ce niveau et ses résultats doivent alors être remis en question.

L'analyse archivistique. L'**analyse archivistique** constitue une analyse de différentes sources d'information, autres que celle obtenue par le chercheur lui-même, contenant des statistiques ou des données quantifiables sur des éléments divers. Comme dans le cas de l'analyse de contenu et de l'étude de cas, les sources d'information sont innombrables. Toutefois, puisque le chercheur est à la recherche de données déjà quantifiées, les bureaux de statistique, de recensement ou autres services gouvernementaux représentent des sources importantes de données. Ainsi au Québec les Archives nationales du Québec reçoivent-elles chaque année la visite de pas moins de 10 000 chercheurs.

Une étude de Louis Deschênes (1987), agent de recherche au Bureau de la statistique du Québec, sur la situation de la famille en sol québécois démontre bien les possibilités de l'analyse archivistique. Une telle analyse cadre bien dans une perspective de psychologie sociale surtout lorsqu'on considère que la famille représente le siège de nombreuses relations interpersonnelles et l'un des domaines les plus importants de la vie des gens (Blais *et al.*, 1990; Campbell, Converse & Rodgers, 1976). Dans son analyse, Deschênes utilisa tous les recensements québécois depuis 1951 afin d'étudier les changements qui se sont opérés au sein de cette institution que constitue la famille. Certains des résultats figurent au tableau 2.2 (voir page suivante). Pour souligner les changements dans les tendances familiales, nous n'avons inscrit que les données pour les années 1951 et 1981. Ainsi, bien que 85 % des gens demeurent toujours en famille, celle-ci est devenue moins populeuse (en moyenne 1,4 enfant par femme). De plus, on retrouve en 1981 davantage de familles monoparentales (plus de 208 000) et de ménages homosexuels (9 330). Enfin, il y a près de 43 fois plus de mères célibataires en 1981 qu'en 1951 (27 530 contre 638). Ces résultats à l'appui, Deschênes conclut que la famille forme encore le cœur de la société québécoise, même si la nature de la famille et sa composition ont beaucoup changé.

L'étude de Deschênes (1987) illustre bien l'utilité de l'analyse archivistique. On peut se servir de ce type de méthodologie afin de mieux saisir certains changements ou les effets de certaines variables selon une perspective temporelle, pour ne nommer que cette possibilité. Par contre, comme de telles analyses

TABLEAU 2.2 **Évolution de la famille québécoise: comparaison de certains éléments entre 1951 et 1981**

	1951	1981
Pourcentage de familles de cinq personnes et plus	35 %	16 %
Nombre de familles de neuf personnes et plus	52 000	*
Nombre d'enfants en moyenne par famille	3,85	1,4
Nombre de familles monoparentales	85 000	208 435
Nombre d'enfants de mères célibataires	638	27 530
Nombre de ménages homosexuels	*	9 330

* Statistiques qui ne sont plus recueillies ou qui ne l'étaient pas à l'époque (adapté de Deschênes, 1987).

sont basées sur des relevés ou des données de recensements de nature non psychologique, il est généralement difficile de pouvoir désigner les causes de ces changements. À titre d'exemple, pouvez-vous déterminer, dans l'étude de Deschênes, les causes des changements au sein de la famille québécoise? Bien malin qui pourrait le faire. Les données relevées permettent uniquement de cerner les changements opérés sur la variable d'intérêt (la famille) et non d'expliquer le pourquoi et le comment de ces changements. Cette difficulté explicative représente une caractéristique générale de l'approche archivistique, bien qu'à l'occasion l'utilisation des données archivistiques puisse être reliée à une interprétation causale.

La méta-analyse. Au cours des dernières années, un type particulier d'analyse archivistique, non concernée par la lacune sur l'interprétation causale discutée ci-dessus, a vu le jour. Celle-ci est appelée «méta-analyse» (Glass, 1976; Rosenthal, 1991). Telle qu'elle est définie par Gene Glass (1976), l'un des premiers chercheurs à utiliser cette technique, la **méta-analyse** consiste en l'«analyse statistique d'une large collection de résultats d'analyses issus d'études individuelles ayant pour but d'intégrer les résultats de l'ensemble de ces études» (p. 3, traduction libre). En d'autres termes, la méta-analyse fait appel aux résultats des études ayant observé un phénomène donné et s'en sert de façon à ce que chaque résultat issu d'une étude représente un «sujet». Il devient alors possible d'effectuer diverses analyses statistiques et ainsi de pouvoir résumer les résultats de tout un secteur de connaissances.

La méta-analyse semble complexe. En fait, le principe est tout simple: il s'agit de rassembler les recherches qui ont étudié le phénomène qui nous intéresse et d'utiliser leurs résultats dans une (ou plusieurs) analyse statistique afin de pouvoir obtenir une appréciation globale de ce qu'indique l'ensemble des résultats sur le phénomène en question. Une telle analyse peut permettre de mieux comprendre des questions souvent posées (mais de la mauvaise façon) dans le passé ou encore de répondre à de nouvelles questions à l'aide de données existantes.

Étudions un exemple afin de mieux saisir certaines de ses complexités. Zuckerman, DePaulo et Rosenthal (1981) désiraient étudier les habiletés des gens à détecter la tromperie (duperie). Dans un premier temps, ces chercheurs ont repertorié 72 études qui avaient analysé l'importance de diverses variables sur la perception de tromperie que pouvaient avoir des sujets. Par exemple, dans ces études, une personne présentait un message sous diverses formes (le langage seulement, le corps seulement, le visage seulement, ces diverses sources d'information en combinaison ainsi qu'un rapport écrit du message). Ce message pouvait être vrai ou faux. Le sujet devait décider si le message était vrai et à quel point. Afin de se faire une idée de l'habileté générale des gens à détecter la tromperie, Zuckerman *et al.* (1981) ont effectué un test d'association (corrélation) entre le message présenté et la détection de la tromperie. Ce test a démontré un degré moyen d'association entre le message présenté et la détection de la tromperie (r = 0,32). Ce résultat signifiait que la tromperie pouvait être détectée. Cependant, ce résultat ne permettait pas de pouvoir déterminer la source du message qui était la plus importante dans la détection de la tromperie. Zuckerman *et al.* ont alors analysé les effets des diverses sources d'information tels qu'ils avaient été obtenus dans les 72 études en question. Les résultats ont clairement démontré que le langage avait l'effet le plus grand sur la détection de la tromperie. Le tableau 2.3 compare les résultats entre les diverses sources d'information en ce qui concerne la détection de la tromperie. Il est possible de remarquer que lorsque le langage est employé comme source d'information l'habileté à déceler la tromperie est nettement plus élevée que lorsqu'il ne l'est

TABLEAU 2.3 **Exemple de résultats d'une méta-analyse étudiant la relation entre la source d'information d'un message et la détection de la tromperie dans le message**

Source d'information	Nombre d'études	Corrélation médiane
Figure, corps et langage	21	0,33
Figure et corps	6	0,07
Figure et langage	9	0,45
Figure	7	-0,08
Corps et langage	3	0,55
Corps	4	0,10
Langage	12	0,36
Ton de la voix	4	0,06
Message écrit	6	0,40
La médiane	6	*0,33*

Adapté de Rosenthal (1984, p. 115).

pas. D'autres analyses ont révélé que le langage expliquait à lui seul plus de 86 % des effets causés par l'ensemble des différentes sources d'information.

Cette étude de Zuckerman *et al.* (1981) démontre bien la puissance de la méta-analyse afin d'étudier l'existence de certains liens entre différentes variables pouvant expliquer un phénomène d'intérêt. Contrairement à l'analyse archivistique habituelle, les documents utilisés ne sont pas des recensements ou des annales en bibliothèque mais des études (publiées et non publiées) ayant déjà analysé le phénomène d'intérêt. Dans la mesure où la méta-analyse est bien menée, elle permet de répondre à certaines questions de façon beaucoup plus complète qu'une seule étude ne pourrait le faire.

L'analyse archivistique et la méta-analyse possèdent un certain nombre d'avantages. Un premier avantage réside dans le fait que ces types de recherche permettent au chercheur de vérifier des hypothèses en employant des données obtenues à l'insu des sujets. Les résultats ainsi obtenus ne seront pas soumis à l'effet d'appréhension de l'évaluation de la part du sujet ni à celui des différents biais de la part du chercheur. Pareillement, cette approche de recherche étant basée sur l'analyse de sources d'information secondaires, aucun problème de déontologie ne semble être posé. De plus, comme les données ont été récoltées dans diverses situations, les résultats de la méta-analyse, ou encore d'études archivistiques, apportent une validité externe aux résultats. Enfin, puisqu'elle est basée sur un ensemble de recherches, la méta-analyse permet de mieux comprendre certaines questions de recherche et de cerner les connaissances dans tout un secteur de recherche et non seulement une question bien précise restreinte à un seul cadre d'analyse.

Par contre, certains désavantages sont également à noter. Un premier désavantage concerne la difficulté à pouvoir mettre la main sur des données pertinentes puisque le chercheur ne récolte pas lui-même les variables dépendantes. Un deuxième désavantage relié au premier a trait au fait que la qualité des résultats de l'analyse archivistique ou de la méta-analyse est fortement dépendante des propriétés méthodologiques des données ou des études qu'elles utilisent. Dans la mesure où les sources de données sont faussées, les résultats des analyses archivistiques et des méta-analyses risquent de l'être également. Bien qu'il existe des façons de se garer de ces problèmes (voir Rosenthal, 1984, 1991), ils demeurent tout de même un désavantage important. Enfin, un dernier désavantage concerne le temps que doit consacrer le chercheur à cette approche de recherche lorsqu'il a choisi de l'utiliser. Il commet une grave erreur quand il la choisit parce que la croyant plus rapide que la recherche en laboratoire ou en terrain naturel. Selon l'ampleur du problème étudié, la recherche archivistique et la méta-analyse demandent généralement autant de temps et parfois plus que les autres types de recherche.

La méthode la plus efficace

Nous venons de voir neuf méthodes de recherche. Vous devez probablement vous demander quelle technique est la meilleure. La réponse qui vous vient d'emblée est « Toutes et aucune à la fois ». Une méthode de recherche ne sera adéquate que dans la mesure où elle pourra permettre de vérifier l'hypothèse fixée au tout début de l'entreprise scientifique. Si le but de la recherche est de pouvoir étudier le pourcentage d'étudiants qui souffrent de solitude chronique, alors la méthodologie de l'enquête peut fort bien faire l'affaire. Par contre, s'il s'agit d'étudier les *causes* de la solitude chronique chez ces mêmes étudiants, alors on devrait plutôt se tourner vers des approches permettant une analyse de cause à effet entre certaines variables dépendantes et indépendantes, tels les devis expérimental et quasi expérimental.

Un point essentiel à souligner est que chaque approche méthodologique peut être utile en soi dans la mesure où elle est utilisée dans un cadre respectant ses possibilités et ses limites. Chacune des techniques possède ses avantages et ses désavantages. Il est donc du ressort du chercheur de bien connaître ceux-ci afin de choisir en toute connaissance de cause l'approche la plus susceptible de pouvoir tester l'hypothèse d'intérêt. Dans une telle perspective, le tableau 2.4 résume ces avantages et désavantages selon certains critères établis et importants en

TABLEAU 2.4 Résumé des forces et des faiblesses des différentes méthodes de recherche

Méthodes	Validité interne	Validité externe	Contrôle de l'expérimentateur	Soumis aux biais de l'expérimentateur	Problèmes d'éthique	Facilité d'utilisation
Expérimentale en laboratoire	Forte	Modérée	Fort	Modérément	Certains	Modérée
Expérimentale en terrain naturel	Modérée	Forte	Fort	Modérément	Certains	Ardue
Quasi expérimentale	Modérée	Modérée	Modéré	Modérément	Très peu	Ardue
Corrélationnelle	Faible	Modérée	Faible	Modérément	Certains	Modérée
Enquête	Modérée	Modérée	Modéré	Modérément	Certains	Modérée
Simulation	Modérée	Modérée	Fort	Modérément	Certains	Modérée
Étude de cas	Faible	Faible	Faible	Faiblement	Très peu	Modérée
Analyse de contenu	Modérée	Modérée	Faible	Modérément	Très peu	Assez aisée
Analyse archivistique*	Faible	Modérée	Faible	Fortement	Très peu	Modérée

* Inclut la méta-analyse (adapté de Penrod, 1983).

recherche. Vous remarquerez qu'aucune approche n'est en mesure d'offrir au chercheur une garantie optimale de validité pour toutes les dimensions considérées. Il revient donc au chercheur de choisir l'approche qui sied le mieux à la vérification de l'hypothèse à l'étude. Dans cette perspective, il convient davantage de poser la question suivante: «*Quand* une approche méthodologique donnée s'avère-t-elle la meilleure?»

LE CHOIX DE LA MESURE DU PHÉNOMÈNE ÉTUDIÉ

Le processus de recherche ne s'arrête pas à la formulation de l'hypothèse et au choix d'une méthode de recherche. Comme il a été vu à la figure 2.1, une troisième étape dans toute recherche consiste à choisir la mesure du phénomène étudié. En termes scientifiques, il s'agit de mesurer la variable dépendante.

En choisissant une mesure, le chercheur doit s'assurer qu'elle correspondra bien au concept étudié et qu'elle ne sera pas soumise à des biais de la part du sujet ou de sa part. Dans une telle perspective, trois types de mesures peuvent être utilisés: les mesures verbales, les mesures comportementales et les mesures non réactives.

Les mesures verbales

Les mesures verbales peuvent être de deux ordres. Un premier type, très utilisé en psychologie sociale, consiste dans des **questionnaires auto-rapport** préparés par le chercheur et auxquels le sujet répond. Ces questionnaires peuvent prendre plusieurs formes et être construits selon différentes philosophies. Certains questionnaires ne se servent que d'un énoncé pour mesurer la variable d'intérêt. Ils sont à éviter, car leur fidélité ne peut être vérifiée et peut s'avérer douteuse. D'autres questionnaires utilisent plusieurs items afin de mesurer un même construit.

Ces questionnaires peuvent être construits de différentes façons. Les approches de type Thurstone, Guttman et Likert sont très utilisées, la dernière technique étant nettement la plus populaire en psychologie sociale. Avec le questionnaire de type Likert, le sujet répond à un ensemble d'items en indiquant sur une échelle de cinq, sept ou neuf points à quel point il est en accord ou en désaccord avec l'énoncé. Le total des points du sujet est obtenu en additionnant les scores de chacun des items. Le questionnaire est employé à plusieurs fins en recherche, mais généralement il est utilisé afin de mesurer des variables de nature cognitive et affective (attitudes, émotions et autres). Il représente la mesure par excellence en psychologie sociale puisque pas moins de 82 % des recherches en psychologie sociale effectuées en 1988 en avaient fait usage (West *et al.*, 1992).

Le tableau 2.5 présente un exemple d'un questionnaire de type Likert. Le questionnaire, construit par Blais, Vallerand, Pelletier et Brière (1989), permet de mesurer le niveau de satisfaction de vie des gens. Quel est votre niveau de satisfaction de vie ? (Voyez le bas du tableau 2.5 pour évaluer votre satisfaction de vie.)

TABLEAU 2.5 L'échelle de satisfaction de vie

Nous présentons ci-dessous cinq énoncés avec lesquels vous pouvez être en accord ou en désaccord. À l'aide de l'échelle de 1 à 7 ci-dessous, indiquez votre degré d'accord ou de désaccord avec chacun des énoncés en encerclant le chiffre approprié à la droite des énoncés. Nous vous prions d'être ouvert et honnête dans vos réponses. L'échelle de sept points s'interprète comme suit:

Fortement en désaccord	En désaccord	Légèrement en désaccord	Ni en désaccord ni en accord	Légèrement en accord	En accord	Fortement en accord
1	2	3	4	5	6	7

	Encercler
1) En général, ma vie correspond de près à mes idéaux.	1 2 3 4 5 6 7
2) Mes conditions de vie sont excellentes.	1 2 3 4 5 6 7
3) Je suis satisfait(e) de ma vie.	1 2 3 4 5 6 7
4) Jusqu'à maintenant, j'ai obtenu les choses importantes que je voulais de la vie.	1 2 3 4 5 6 7
5) Si je pouvais recommencer ma vie, je n'y changerais presque rien.	1 2 3 4 5 6 7

Note : L'échelle comprend cinq énoncés. Pour connaître son niveau de satisfaction de vie, il s'agit d'additionner les points obtenus à chacun des énoncés (adapté de Blais et *al.*, 1989).

Le second type de mesure verbale utilisée en psychologie sociale est l'entrevue. Dans une entrevue, le chercheur pose des questions au sujet selon un ordre plus ou moins précis et enregistre lui-même les réponses des sujets. Puisque nous en avons discuté dans le cadre de la méthode de recherche de l'enquête et de l'entrevue, il suffira de souligner que l'entrevue est utilisée pour recueillir divers types de variables, qu'elles soient à contenu cognitif ou affectif.

Les mesures comportementales

Plusieurs types d'observation sont utilisés en recherche qui concernent autant le comportement du sujet sur une foule de dimensions que l'interaction entre deux personnes et la performance d'un groupe. Lorsque le chercheur désire employer une telle mesure, il doit décider sur quel aspect du comportement l'observation portera. En effet, l'observation peut porter sur les aspects de *fréquence*, de *taux* et de *niveau*, de *vitesse*, d'*intensité, de durée* et bien d'autres (voir Carlsmith *et al.*, 1976). Par exemple, le nombre de fois qu'un professeur exprime un renforcement verbal en classe représente une mesure de fréquence du comportement et le nombre de secondes qu'un sujet passe sur une activité en période libre se rattache à la durée. Les **mesures d'observation comportementales** sont fort utilisées en psychologie sociale (West *et al.*, 1992), surtout dans la mesure où le sujet n'est pas conscient de se faire observer, ce qui réduit au minimum les biais de la part de ce dernier.

Les mesures non réactives

Les **mesures non réactives** constituent le troisième type de variable dépendante. Il s'agit ici de mesures du contexte social qui ne portent pas directement sur le ou les sujets d'une étude. Ces mesures sont généralement prises en terrain naturel. Par exemple, afin de mesurer l'intérêt pour une peinture dans un musée, un chercheur peut comparer le degré d'« usure » des planchers près de la toile en question et près d'autres peintures (Webb *et al.*, 1982). D'autres recherches ont étudié l'obéissance à des enseignes défendant d'écrire sur les murs en comptant le nombre de messages rédigés sur les murs ou sur l'enseigne elle-même (Pennebaker & Sanders, 1976; Sechrest & Belew, 1983). Cette approche s'avère très utile, car comparativement aux mesures verbales ou parfois même comportementales les sujets ne sont pas conscients d'être analysés. Il y a donc moins de risque que les données soient influencées par des biais de la part des sujets.

Quelle mesure devrait être utilisée ?

Les facteurs tels le but de l'étude, le concept étudié ainsi que la méthode de recherche déterminent la mesure à employer en recherche. En effet, *il n'existe pas de mesure par excellence* (dans l'éventualité, bien sûr, où ces mesures sont toutes valides et fidèles). La bonne mesure est celle qui permet de vérifier l'hypothèse à l'étude en réduisant au minimum les biais autant de la part du chercheur que de la part du sujet. Le choix d'une mesure du phénomène est lié au concept à l'étude ainsi qu'à la méthode de recherche utilisée par le chercheur. À ceci, il faudrait ajouter que chaque type de mesure possède ses particularités, qui peuvent biaiser les résultats. Le psychologue social devra donc y être attentif.

Enfin, un dernier élément que le psychologue social doit prendre en considération dans son choix de mesure porte sur le type d'analyses statistiques qui peuvent être effectuées. En effet, le choix de la variable dépendante les détermine. Les variables mesurées sur une échelle de neuf points, par exemple, représentent des données d'ordre continu. De telles données peuvent être analysées par des statistiques paramétriques (test-t, analyses de variance, etc.). Ces analyses sont les plus puissantes et il est conseillé de s'en servir lorsque cela est possible.

Quand les variables sont mesurées de façon discrète, avec des « vrai ou faux» ou des pourcentages, par exemple, alors le chercheur doit utiliser des analyses non paramétriques, tel le chi-carré. L'aspect statistique doit donc également être pris en considération dans le choix d'une mesure.

L'ANALYSE STATISTIQUE DES DONNÉES

L'**analyse statistique** des données représente un élément important du processus de recherche. En effet, c'est cette analyse qui permet de déterminer quantitativement, et donc objectivement, si l'hypothèse à l'étude est confirmée ou infirmée. Vu le peu d'espace à notre disposition, nous ne pourrons discourir sur le sujet. Nous nous contenterons de présenter les éléments de base nécessaires afin de vous permettre de mieux saisir les résultats de recherche présentés dans ce volume.

Aux fins de la discussion, on peut diviser en deux catégories les analyses statistiques utilisées en psychologie sociale, soit les analyses traditionnelles et les analyses sophistiquées. Les analyses traditionnelles renvoient aux analyses d'association et de différences entre les groupes, alors que les analyses sophistiquées permettent d'aller plus loin dans l'analyse de la causalité entre les différentes variables à l'étude.

Les analyses statistiques traditionnelles

Dans le cadre d'analyses traditionnelles, quatre concepts doivent être discutés : la tendance centrale, la variabilité, l'association et les différences entre des groupes. Le concept de la **tendance centrale** concerne la réponse représentative de l'ensemble des sujets. En général, la **moyenne** des réponses des sujets est utilisée. Il s'agit ici de la somme des points des sujets divisée par le nombre de sujets. Par exemple, dans l'étude de Vallerand *et al.* (1986) sur l'effet de la compétition sur la motivation intrinsèque présentée antérieurement, il y avait 13 sujets dans la condition de compétition. Ces sujets ont totalisé 809 secondes passées sur l'activité critère en période libre (mesure comportementale de motivation intrinsèque). Les sujets de ce groupe ont donc obtenu une *moyenne* de 62,23 secondes (809 ÷ 13) comme total. Parfois, la **médiane** est employée comme donnée représentative des réponses des sujets. La médiane représente le point milieu d'une distribution, c'est-à-dire que la moitié des sujets est en haut de la médiane alors que l'autre moitié est située en bas de celle-ci. Dès lors, si dans une étude les points suivants furent obtenus : 50, 75, 100, 125 et 150, alors la médiane se situera à 100 (le point milieu de la distribution). Fait intéressant, la moyenne d'une telle distribution s'élève également à 100. Par contre, la moyenne et la médiane ne mènent pas toujours au même pointage et cette différence dépend de la variabilité des données.

Le concept de la **variabilité** fait référence à la dispersion des réponses des sujets. Dans certaines recherches, il peut parfois s'avérer utile de savoir quelle est l'étendue des réponses des sujets. Prenons l'exemple d'une récente enquête sur l'opinion des Canadiens quant à la peine de mort (*La Presse*, 15 mars 1987). Cette enquête auprès de 1 666 Canadiens a révélé que 73 % des répondants étaient modérément ou fortement d'accord pour le rétablissement de l'ancienne loi dans le cas de crimes violents. Les Canadiens semblent donc d'accord pour que la loi soit rétablie. Toutefois, si l'on vous présentait deux patrons des résultats pour les gens en accord avec le rétablissement de la loi sur la peine capitale, lequel vous indiquerait une attitude *plus favorable* envers la peine de mort ? Patron n° 1: 46 % des sujets sont modérément d'accord avec le rétablissement de la loi alors que seulement 27 % sont fortement d'accord avec celui-ci ; patron n° 2 : 27 % des sujets sont modérément d'accord avec un retour de la loi alors que 46 % sont fortement d'accord avec son rétablissement. Il y a de fortes chances que vous choisissiez ce dernier patron de résultats, car il indique que près de la moitié des Canadiens interrogés favorisent fortement le rétablissement de la peine de mort. Le concept de variabilité peut donc à l'occasion s'avérer utile pour mieux comprendre les réponses des sujets. (En passant, ce dernier patron des résultats représente le résultat réel de l'enquête.)

Un troisième concept utile est celui de l'**association.** Le concept de l'association porte sur le degré de la relation entre deux variables. Nous avons déjà brièvement présenté le concept de la **corrélation**: il s'agit d'une mesure d'association entre deux variables qui peut varier entre +1 et -1, où 0,00 indique une relation nulle entre les deux variables, +1 une relation parfaite positive (c'est-à-dire qu'une augmentation sur une des deux variables est associée à une augmentation sur l'autre variable) et -1 une relation parfaite négative (une diminution sur une des deux variables sera associée à une diminution sur l'autre variable). On se souviendra que dans l'étude de Bégin et Couture (1980), présentée dans le cadre de l'étude à caractère corrélationnel, un indice de corrélation Pearson de +0,43 avait été obtenu entre le questionnaire d'attitudes envers les détenus et une mesure de flexibilité cognitive, signifiant une association de degré moyen entre les deux variables. La corrélation (r) de Pearson est l'indice de corrélation le plus utilisé en recherche, mais bien d'autres types d'analyses sont possibles en fonction du genre de données à analyser (voir Roscoe, 1969).

Enfin, le quatrième et dernier élément à discuter dans le cadre de statistiques traditionnelles concerne l'élément de différence entre des groupes. Il s'agit ici de comparer deux ou plusieurs groupes sur leurs moyennes obtenues quant à la variable dépendante d'intérêt. Par exemple, dans l'étude de Vallerand *et al.* (1986) sur les effets de la compétition sur la motivation intrinsèque, les sujets en compétition avaient passé moins de temps en moyenne (62,23 s) sur l'activité que les sujets en condition de maîtrise intrinsèque de l'activité (151,10 s). Un test de différence (test-t) entre ces deux moyennes avait démontré qu'elles étaient *significativement* différentes à un niveau de probabilité (p) de 0,01. En d'autres termes, il y avait moins de 1% de chances que les chercheurs fassent erreur en concluant que les deux groupes étaient différents en ce qui concerne leur degré de motivation intrinsèque. Ils pouvaient donc conclure avec certitude que la compétition diminue la motivation intrinsèque.

Dans l'exemple présenté ci-dessus, il n'y avait que deux groupes et un test-t avait été effectué. Dans d'autres cas, par contre, plus de deux groupes sont comparés. Une analyse de variance est alors employée. Lorsque plusieurs groupes sont comparés sur une seule variable indépendante, le résultat de cette comparaison représente l'**effet principal.** Un effet principal significatif indique que les groupes sont différents. Par contre, lorsque l'effet principal n'est pas significatif à un degré approprié (généralement à 0,05 ou 0,01 de probabilité), les groupes sont considérés comme équivalents.

Enfin, dans un dernier temps, il est possible d'analyser les effets de plus de deux variables indépendantes en même temps. Cette étude se fait généralement par une **analyse de variance.** En plus de rendre possible l'étude des deux effets principaux, une telle analyse permet également d'étudier l'**effet d'interaction statistique.** Nous avons déjà décrit l'interaction, au cours de la discussion sur le devis expérimental en laboratoire, comme le résultat de l'effet d'une première variable indépendante qui varie selon le niveau de la seconde variable indépendante. Cette définition avait été explicitée avec l'étude de Cacioppo *et al.* (1982) (voir la figure 2.3). Les résultats de cette étude démontrent que les messages avec orientation religieuse sont perçus comme plus persuasifs par les sujets ayant une orientation religieuse que par ceux ayant une orientation légaliste. Inversement, les messages avec orientation légaliste sont perçus comme plus persuasifs par les personnes à orientation légaliste que par celles ayant une orientation religieuse. La première variable indépendante (type de message) produit donc des effets différents selon le niveau de la seconde variable indépendante (orientation personnelle). Une telle perspective d'interaction est très utilisée en psychologie sociale.

En somme, les **analyses statistiques traditionnelles** permettent d'étudier les rapports d'association existant entre certaines variables ou encore de comparer deux ou plusieurs groupes de sujets sur certaines dimensions. Dans ce cadre, l'analyse de variance représente un outil très précieux... et très populaire. En effet, au cours de l'année 1978, pas moins de 84 % des articles publiés dans les principales revues de psychologie sociale portaient sur ce type d'analyse statistique (Kenny, 1985). Cette tendance est légèrement moins marquée de nos jours (61 %), même si les **analyses statistiques sophistiquées** sont de plus en plus utilisées (Reis & Stiller, 1992).

Les analyses statistiques sophistiquées

Bien que l'analyse de variance constitue le type d'analyse la plus employée en psychologie sociale, il n'en demeure pas moins qu'au cours des 15 dernières années de nouvelles techniques statistiques sont devenues extrêmement populaires dans cette discipline. Nous voudrions ici illustrer le potentiel de certaines de ces techniques. Vu le peu d'espace à notre disposition, nous devrons nous contenter de discuter de deux techniques, soit l'analyse multidimensionnelle et le modelage par équations structurelles.

L'analyse multidimensionnelle. L'**analyse multidimensionnelle,** bien que nouvellement utilisée en psychologie sociale, n'est pas un type d'analyse récente pour autant (Kruskal & Wish, 1978). Elle est utilisée dans plusieurs sciences, dont la sociologie, l'économie et le marketing, depuis fort longtemps. L'analyse multidimensionnelle (AMD) a pour but de déceler les pensées sous-jacentes d'un individu. Le procédé est fort simple. On demande à des sujets de comparer le degré de similitude entre différents énoncés (une paire d'énoncés à la fois) représentant les divers éléments conceptuels d'intérêt sur une échelle de neuf points allant de 1 (très différent) à 9 (très semblable). Par la suite, les réponses de similitude sont analysées par l'AMD afin de reproduire graphiquement les distances entre les divers énoncés et ainsi de tracer les dimensions psychologiques responsables des perceptions des sujets. Un exemple, d'une récente étude ayant employé cette technique statistique, nous aidera à mieux comprendre ce type d'analyse.

Abbondanza et Dubé-Simard (1982), de l'Université de Montréal, désiraient mieux comprendre les dimensions cognitives sous-jacentes utilisées par des femmes au foyer et d'autres au travail dans la perception de différents groupes de femmes. À cette fin, 20 femmes au foyer et 20 autres femmes au travail à temps plein, toutes mères d'un enfant d'âge préscolaire, jugèrent le degré de similitude de 15 items sur l'échelle de neuf points. Ces items correspondaient à divers types de femmes. Par exemple, l'item n° 1 se lisait « Les femmes en général »; l'item n° 4 « La mère idéale »; et enfin l'item n° 15 « Moi-même ». Les sujets devaient donc aussi se comparer aux types de femmes décrites dans les divers énoncés. Les réponses des degrés de similitude furent analysées avec l'AMD. Le résultats révèlent que les femmes au foyer et celles au travail utilisent les mêmes catégories cognitives pour percevoir les femmes dans leur environnement social. En l'absence de différences entre les deux groupes, nous ne représentons ici que les résultats obtenus auprès des mères au travail (voir la figure 2.5).

La figure 2.5 révèle que les sujets perçoivent les énoncés comme se situant sur deux dimensions. La première dimension sur l'axe de l'abscisse (axe horizontal) renvoie à l'aspect travail-maison. Elle est utilisée par les sujets afin de distinguer les femmes qui demeurent à la maison de celles qui travaillent. La seconde dimension en ordonnée (axe vertical) fait référence à l'aspect contraintes-liberté. On observe au pôle Liberté les énoncés 14 (la mère qui travaille pour son épanouissement) et 11 (la mère qui a fini d'élever sa famille et qui va travailler). À l'autre pôle, on remarque l'aspect de l'obligation financière comme raison de travailler (item n° 13). Enfin, on notera que la mère au travail voit la femme idéale et la mère idéale comme une femme au travail et libre.

FIGURE 2.5 **Exemple de résultats d'une analyse multidimensionnelle**

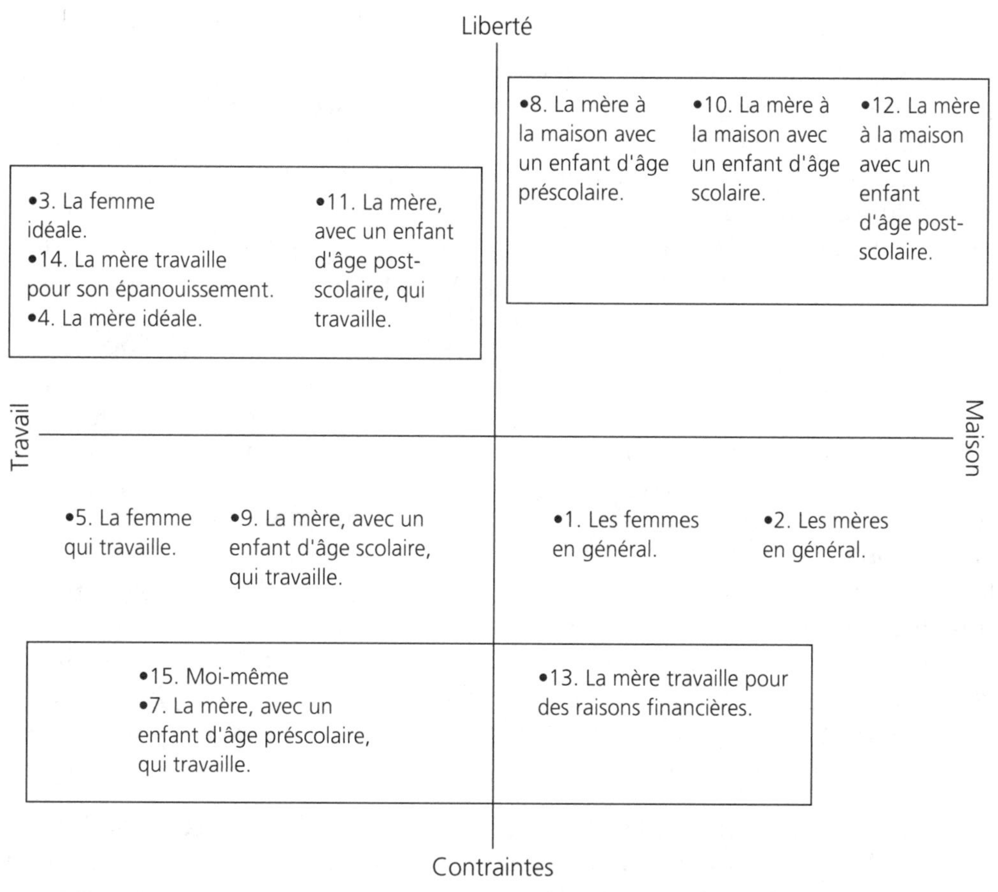

Ces résultats de l'étude de Abbondanza et Dubé-Simard (1982) avec le sous-groupe des femmes au travail révèle la présence de deux dimensions psychologiques, soit la dimension travail-maison (axe horizontal) et la dimension contraintes-liberté (axe vertical) [adapté de Abbondanza & Dubé-Simard, 1982].

Les résultats de l'étude de Abbondanza et Dubé-Simard (1982) démontrent bien la richesse de l'interprétation que peut apporter l'AMD. Parce qu'elle permet de désigner les dimensions cognitives utilisées par les sujets pour percevoir leur environnement social, l'AMD facilite la compréhension de leurs comportements. L'AMD représente donc un outil utile en recherche pour le psychologue social.

Le modelage par équations structurelles. Alors que l'AMD permet d'identifier les structures cognitives sous-jacentes à la perception sociale, le **modelage par équations structurelles** (MES) a pour but de tester la viabilité de certains modèles théoriques dans leur ensemble. Le MES constitue un bon exemple d'une technique statistique s'appuyant sur une méthodologie corrélationnelle capable d'informer le chercheur de la validité de certains effets émanant de plusieurs variables indépendantes interreliées qui s'intègrent dans un modèle théorique défini.

L'utilisation de cette technique statistique implique en général les étapes suivantes. Dans un premier temps, le chercheur a préalablement déterminé le modèle théorique qu'il voulait mettre à l'épreuve. Cette détermination représente une condition *sine qua non* de l'emploi du MES, car le test d'adéquation du modèle repose sur la définition précise de toutes les constituantes du modèle. Par la suite, le chercheur demande à de nombreux sujets de répondre à des questionnaires comprenant des mesures des différents concepts postulés théoriquement. Dans cet esprit, un devis corrélationnel est généralement utilisé, bien que certaines études (p. ex. Fiske, Kenny & Taylor, 1982; Reisenzein, 1986) aient recours également au devis expérimental. Puis les données sont soumises à l'analyse statistique, dont de nombreux types existent maintenant : certaines techniques, dont l'analyse acheminatoire (*path analysis*, Asher, 1983), font usage de l'analyse de régression (type d'analyse d'association entre plusieurs variables); cependant, l'analyse sans contredit la plus populaire demeure celle proposée par Jöreskog et Sörbom (1982, 1984) et appelée « LISREL » (pour *linear structural relationships*). Elle est beaucoup plus complexe que l'approche par régression et implique simultanément un test sur la mesure de *chacun* des construits inhérents au modèle ainsi qu'un test d'adéquation des relations *entre* les différents construits du modèle théorique. Enfin, dans un dernier temps, le chercheur analyse les données et détermine l'adéquation du modèle postulé. Voici un exemple de l'utilisation de cette technique statistique.

Newcomb et Harlow (1986) désiraient étudier les déterminants de l'usage d'alcool et de drogues (marijuana, cocaïne, LSD). Après avoir parcouru les écrits sur le sujet, les auteurs proposèrent le modèle suivant : les événements stressants et incontrôlables produisent chez la personne une perte de contrôle sur l'environnement ; cette perte de contrôle lui fait perdre le sens de la vie ; enfin, le fait que sa vie n'ait plus de sens l'amène à consommer de la drogue.

Une telle étude ne pourrait évidemment être menée en cadre expérimental pour des raisons déontologiques. De plus, même si l'aspect déontologique n'était pas pertinent, il faudrait une série d'analyses de variance pour pouvoir tester l'ensemble du modèle et l'interprétation globale du modèle serait diminuée de beaucoup. En revanche, en utilisant un devis corrélationnel, il devient possible de mesurer les différentes variables faisant partie du modèle et de vérifier si les relations postulées par le modèle sont confirmées. C'est exactement ce que Newcomb et Harlow (1986) ont fait auprès de 376 élèves du secondaire et de l'université. Les résultats présentés à la figure 2.6 et les divers indices d'adéquation confirmèrent le modèle théorique des auteurs. Il semble donc que la perte de contrôle et de sens de la vie d'une personne puisse l'amener à consommer de la drogue et de l'alcool. Ces résultats ne sont pas que théoriquement intéressants, ils sont également d'une importance certaine sur le plan appliqué. Pour résumer, bien que cette technique statistique ne puisse régler tous les problèmes et qu'elle

FIGURE 2.6 **Exemple de résultats d'une analyse de modelage par équations structurelles**

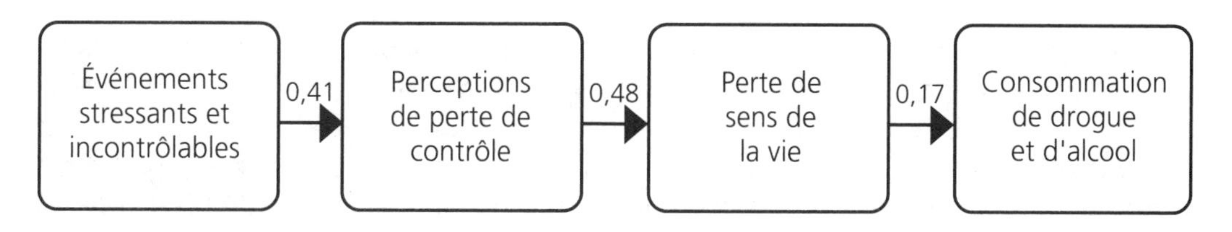

Il est possible de voir que lorsque des sujets vivent des événements incontrôlables, ils ressentent une perte de contrôle qui les amène à ne plus percevoir de sens à leur vie. Cette perte de sens amène les individus à consommer de la drogue et de l'alcool (adapté de Newcomb & Harlow, 1986).

doive être utilisée à bon escient (Breckler, 1990), elle ouvre cependant d'autres perspectives de recherche fort intéressantes et novatrices.

L'INTERPRÉTATION DES RÉSULTATS

La phase d'interprétation des résultats représente la dernière étape en recherche (en omettant, bien sûr, la rédaction et la publication du manuscrit). Par contre, il ne faut pas sous-estimer l'importance de cette dernière pour autant. Dans cette section, nous allons soulever certains points importants selon la perspective de l'étudiant, qui se rattache surtout à une position de *consommateur* de recherche, à ce stade-ci de son développement, plutôt que la perspective du chercheur en tant que tel.

Le lecteur d'un article en psychologie sociale doit être conscient que l'interprétation faite par le chercheur des résultats de l'étude n'est pas toujours optimale. Il y a souvent un excès de confiance dans les résultats qui ne sont pas justifiés objectivement. Il revient donc au lecteur de se faire une opinion de la qualité de l'étude. Le sage consommateur de recherche doit donc être sur ses gardes afin de ne pas se laisser leurrer. Il devrait par conséquent se poser au moins trois grandes questions. « La recherche, telle qu'elle a été menée, permet-elle de vérifier l'hypothèse de l'étude ?» devient la première question. On a hélas ! souvent la mauvaise habitude de l'oublier. Afin de pouvoir y répondre, le lecteur doit étudier la méthodologie de la recherche (devis, choix de la mesure, statistiques utilisées, etc.) et déterminer s'il y a problème.

Par exemple, si l'hypothèse porte sur les effets de la frustration sur l'agression et que la mesure du phénomène en est plutôt une d'affirmation, la validité de construit de la variable dépendante est plutôt faible et l'on pourrait conclure que l'étude n'a probablement pas permis une vérification juste de l'hypothèse de recherche. Dans le même ordre d'idée, un problème qui survient souvent est celui de l'effet de confusion. Il arrive trop souvent que, parce que les sujets n'avaient pas été aléatoirement affectés aux différents niveaux de la variable indépendante, des hypothèses rivales à celle mise à l'étude expliquent les résultats obtenus. Dans un tel cas, l'hypothèse de la recherche n'a pas été étudiée correctement. En somme, devant cette première question, le lecteur doit se montrer vigilant et étudier le déroulement de la recherche afin de s'assurer que cette dernière a été conçue de sorte à pouvoir permettre un test valide de l'hypothèse. Les connaissances méthodologiques s'avèrent alors fort utiles. (Vous voyez, même si vous ne devenez jamais chercheur, vos connaissances méthodologiques pourront vous servir toute votre vie durant!)

La deuxième question porte directement sur la relation entre les résultats obtenus et l'hypothèse de recherche, et pourrait être formulée comme suit: « Les résultats de l'étude sont-ils interprétés en fonction de l'hypothèse ?» Trop souvent le chercheur, ou la personne qui se sert des résultats du chercheur (comme dans le cadre d'une **recherche commanditée**), déborde le cadre de l'étude (et de l'hypothèse) et présente une interprétation exagérée des résultats. Un exemple flagrant devrait suffire à expliciter ce fait.

Les journaux font un usage considérable des sondages d'opinion. À cet effet, ils demandent à des firmes de sondage, comme Gallup au Canada ou Léger et Léger au Québec, de tâter le pouls des Canadiens et des Québécois sur différents sujets. Les firmes rapportent par la suite les résultats de leur enquête aux journaux qui, eux, en font une interprétation qu'ils publient. Le tableau 2.6 présente un exemple d'une enquête publiée dans le quotidien *La Presse* en 1986 qui portait sur les gens âgés et le chômage. Nous avons reproduit l'essentiel de l'article.

Étudions ce sondage et son interprétation par étapes. D'abord, l'hypothèse à l'étude n'est pas clairement énoncée, mais on peut la deviner à partir de la question posée aux sujets en entrevue. Elle pourrait être formulée comme suit: « Les Canadiens *estiment-ils* que le chômage est plus grave maintenant qu'il y a cinq ans chez les personnes âgées de 50 ans ou plus ?» Ensuite, que démontrent les

TABLEAU 2.6 Exemple de biais dans l'interprétation de résultats d'une étude

LES GENS ÂGÉS SONT PLUS TOUCHÉS PAR LE CHÔMAGE

À l'occasion d'un récent sondage Gallup, la majorité des Canadiens (64 %) ont déclaré que le chômage est plus grave actuellement chez ceux de 50 ans et plus, cependant que 13 % soutiennent qu'il est moins grave et que 14 % sont d'opinion qu'il n'y a aucun changement.

La question posée était la suivante: «Avez-vous l'impression que le chômage chez ceux de 50 ans et plus est plus grave ou moins grave qu'il y a cinq ans?»

Les habitants des Maritimes et de la Colombie-Britannique ont légèrement plus tendance que ceux du Québec et de l'Ontario à conclure à une aggravation du chômage dans le groupe d'âge de 50 ans et plus.

Adapté de *La Presse* (1986).

résultats ? En général, 64 % des Canadiens estiment que le chômage est plus grave chez les personnes âgées présentement qu'il y a cinq ans. Enfin, qu'en conclut le journal? Le quotidien résume ainsi les résultats de l'étude : « Les gens âgés *sont plus touchés* par le chômage. » Cette interprétation des résultats est-elle justifiée ? Bien sûr que non ! C'est une chose de demander aux gens ce qu'ils pensent d'une situation ; c'en est une autre de vérifier si cette situation existe vraiment. Nous savons maintenant ce que les Canadiens pensent de la situation de chômage des personnes âgées de 50 ans ou plus. Par contre, nous ne connaissons pas la situation objective de ces dernières relativement au marché du travail. Il faut donc être prudent dans ses lectures. Et, bien que cet exemple soit tiré d'un quotidien, il ne faut pas se leurrer : de tels problèmes d'interprétation se retouvent également, et malheureusement, dans les écrits scientifiques.

La troisième question que doit se poser le lecteur averti est la suivante : « Quelles sont les limites de l'étude ?» Cette question est importante puisqu'il se peut qu'une recherche vérifie correctement l'hypothèse de recherche, qu'elle interprète avec justesse les résultats, mais que ses limites ne soient pas pour autant clairement présentées. Cette dernière question témoigne essentiellement de soucis de validité externe. La méthodologie utilisée dans l'étude permet-elle de généraliser les résultats à la « vie de tous les jours » ? Trop souvent, la méthodologie limite les résultats obtenus au seul contexte dans lequel l'étude a été menée. Par exemple, à quel point des résultats atteints avec des étudiants sur une tâche purement artificielle en laboratoire permettent-ils de comprendre le phénomène d'intérêt tel qu'il existe dans la société ? Il se peut que des résultats obtenus dans un cadre artificiel ne puissent se généraliser hors du contexte de recherche utilisé. Dans pareil cas, l'interprétation des résultats devrait souligner ce point de façon explicite. De plus, il y aurait alors lieu de suggérer certaines pistes de recherche pour pallier ce manque de validité externe des résultats de recherche. Une saine interprétation des résultats sait reconnaître les faiblesses de l'étude et s'en servir comme guide pour les recherches à venir. Le lecteur perspicace saura d'ailleurs trouver une source importante d'inspiration pour des hypothèses de recherche dans une analyse sérieuse de la validité externe (ou du degré de généralité) d'une étude.

LES SUJETS PARTICULIERS

Jusqu'ici, nous avons étudié les différentes phases du processus de recherche. Nous aimerions maintenant terminer cette discussion de recherche en traitant certains thèmes qui débordent quelque peu le cadre de méthodes de recherche spécifiques, mais qui ont tout de même une incidence importante sur la façon dont les recherches sont menées. Trois thèmes ont été retenus : les biais en recherche, les aspects déontologiques et les valeurs en recherche.

Les biais en recherche

Les **biais en recherche** représentent des variables contaminantes qui influent sur les résultats de façon relativement imprévisible. Les biais ont parfois des effets si puissants qu'ils peuvent rendre l'interprétation des résultats tout à fait impossible. Plusieurs types de biais existent. Nous allons brièvement discuter de trois d'entre eux, soit le choix de sujets volontaires, les biais produits par le contexte expérimental et les biais de l'expérimentateur.

Le choix de sujets volontaires. Les sujets peuvent influer sur les résultats de plusieurs façons. Un premier type d'influence indésirable concerne la présence dans l'expérience de **sujets volontaires.** Les sujets volontaires sont ceux qui décident d'eux-mêmes de participer à une étude. La participation volontaire survient lorsque le chercheur affiche une annonce décrivant l'étude en cours et mentionnant le local de recherche où se déroule l'expérience. Une autre façon courante de travailler avec des sujets volontaires consiste à aller dans des classes et à demander aux personnes désireuses de participer à une expérience sur un thème donné de signer leur nom et d'indiquer leur numéro de téléphone de sorte que l'on puisse communiquer avec elles ultérieurement et qu'elles participent à l'étude.

Puisque ces sujets n'ont pas été choisis aléatoirement parmi une certaine population, ils risquent donc d'être différents des autres membres de la population étudiante dont ils font partie. En fait, certaines recherches (voir Rosenthal & Rosnow, 1984) démontrent que les sujets volontaires sont plus éduqués, plus intelligents, plus sociables, ont un besoin d'approbation sociale plus élevé et proviennent d'un niveau socio-économique supérieur à celui des sujets non volontaires. Si l'on prend en considération le fait que la population étudiante se différencie déjà de la population en général sur certains aspects, le seul recours à des sujets volontaires en recherche risque de réduire sérieusement la validité externe des résultats. En d'autres termes, les résultats de l'étude ne pourraient s'appliquer qu'à cette population particulière de sujets volontaires, qui par surcroît sont souvent étudiants ! La validité externe des résultats est alors en jeu.

Un second problème tout aussi important que le premier concerne le fait que les sujets volontaires participent aux recherches très souvent parce qu'ils s'intéressent au thème à l'étude. Les sujets se présentent donc avec un degré de motivation élevé. Cette dernière variable risque d'interagir avec la ou les variables indépendantes de l'étude et de mener à des résultats soumis à l'effet de confusion. En effet, dans une telle situation, il devient difficile de déterminer si les résultats de l'étude sont produits par ce degré de motivation élevé ou par la variable indépendante. La validité interne des résultats risque alors d'être des plus douteuses.

Les psychologues sociaux résolvent le problème des sujets volontaires d'au moins trois façons. Une première approche consiste à ne pas utiliser de participants volontaires mais plutôt à choisir aléatoirement des sujets soit dans la population en général ou encore dans la population étudiante, selon le but de l'étude. Une deuxième façon suggérée par Rosenthal et Rosnow (1984) consiste à utiliser les méthodes usuelles de recrutement (par exemple l'affichage) en les rendant tellement intéressantes que beaucoup d'éventuels sujets trouvent le thème d'étude attrayant et décident de participer à l'étude. Cette technique peut donc diminuer les risques qu'un petit groupe sélect de volontaires participent à l'étude et contaminent les résultats.

Enfin, une dernière approche consiste à effectuer un certain nombre d'études avec différents groupes de sujets volontaires. Un expérimentateur pourrait donc mener une étude avec des volontaires issus du milieu universitaire, du milieu des affaires et d'autres contextes. Dans la mesure où les résultats convergent, le chercheur peut être assuré que les résultats ne sont pas engendrés par le type de sujets mais bien par la variable indépendante postulée.

Les biais dus au contexte expérimental. Certains aspects de la recherche peuvent suggérer au sujet les hypothèses de l'étude ou encore le comportement qu'on attend de lui. Il est alors possible que le sujet agisse de sorte à s'assurer que l'hypothèse est confirmée ou infirmée. Dans une telle situation, le fait de participer à une étude modifie l'attitude du sujet et c'est ce qu'on appelle le « biais dû au contexte expérimental » (*demand characteristics*, Orne, 1962). Les résultats de l'étude auront alors une faible validité interne. En d'autres mots, le chercheur ne peut se fier aux résultats d'une telle étude, car il ne sait pas s'ils sont produits par la variable indépendante ou par le désir des sujets de coopérer (ou de nuire) à la vérification de l'hypothèse de recherche.

Il ne faut pas se surprendre de tels comportements de la part des sujets. En effet, ces derniers savent qu'ils participent à une recherche. Ils sont fort conscients du fait qu'ils sont observés par l'expérimentateur et que leurs réponses verbales et souvent non verbales seront analysées. De plus, la plupart sont au courant qu'une hypothèse scientifique est étudiée. Plusieurs vont donc essayer de deviner la nature de l'hypothèse et par la suite pourront orienter leurs comportements de façon à confirmer ou à infirmer l'hypothèse à l'étude. Comme le mentionne Orne (1962), c'est un peu comme si le sujet faisait sa propre expérience à l'intérieur de l'expérience du chercheur. D'autres sujets encore sont très sensibles à l'évaluation et font preuve d'une appréhension de l'évaluation. Ils agiront de sorte à impressionner l'expérimentateur ou à lui démontrer qu'ils sont bien intentionnés et coopératifs. Le sujet est rarement aussi naïf que le souhaiteraient les chercheurs. Et la perception qu'il se fait du contexte expérimental risque fort d'avoir une influence importante sur les résultats de l'étude.

Au cours des dernières années, les psychologues sociaux ont élaboré un certain nombre de techniques afin de réduire au minimum l'effet indésirable dû au contexte expérimental. Une première approche consiste à duper les sujets concernant le but réel de l'étude à laquelle ils participent. Étant informés du faux but de l'étude, des sujets ne devraient pas avoir un comportement qui influe sur la véritable hypothèse à l'étude. Une deuxième technique, plus complexe que la première, exige que l'expérimentateur oriente la session expérimentale de sorte que la mesure de la variable dépendante soit prise dans un contexte ou endroit autre que celui où s'est déroulée l'étude. Il demande alors aux sujets de participer à une « seconde étude » qui est en réalité un second contexte expérimental différent du premier, permettant de recueillir la variable dépendante (voir McFarland & Ross, 1982, pour un exemple). Enfin, une troisième méthode consiste à déguiser le contexte expérimental de sorte que les sujets ne soient pas conscients qu'ils participent à une étude. Toutes ces méthodes, et bien d'autres, ont été trouvées efficaces pour enrayer l'effet des différents biais inhérents au contexte expérimental. Par contre, comme nous pourrons le voir ultérieurement, ces méthodes soulèvent également certaines questions déontologiques.

Les biais de l'expérimentateur. Dans son interaction avec le sujet, l'expérimentateur introduit une foule de variables qui risquent d'influer sur le comportement et sur les réponses des sujets. Rosenthal et Rosnow (1984) ont désigné trois types d'effets que l'expérimentateur pouvait avoir sur le sujet, soit les effets non interactifs, les effets interactifs et le biais causé par les attentes de l'expérimentateur. Les effets non interactifs renvoient aux effets systématiques qui seraient dus à l'expérimentateur. Ces effets peuvent être produits par des différences chez les expérimentateurs dans l'observation (différents expérimentateurs perçoivent le comportement des sujets différemment par exemple) et l'interprétation des observations.

Les effets interactifs de l'expérimentateur sont plus subtils que les précédents et sont de trois ordres. Les premiers sont des **effets biosociaux.** Il s'agit ici des effets du sexe, de l'âge et de la race du chercheur sur les réponses des sujets. Une étude de Rosenthal (1963) illustre bien ce problème. Dans cette étude, les interactions gestuelles et verbales entre les expérimentateurs masculins et les sujets furent enregistrées sur film. Les résultats démontrèrent que seulement 12 % des expérimentateurs sourirent aux sujets masculins alors que 70 % le firent auprès de sujets féminins. Par la suite, il fut démontré que le sourire de l'expérimentateur avait influé sur les résultats de l'étude ! Qui ne se souvient pas de cette scène au début du film *SOS Fantômes* (*Ghostbusters*) dans laquelle le chercheur (Bill Murray) vérifie son hypothèse sur la télépathie auprès d'un sujet masculin et d'un sujet féminin ? Il agit de façon brusque avec le sujet masculin et s'amuse à lui donner des chocs électriques (et ce, malgré les bonnes réponses de ce dernier !) alors qu'il fait les yeux doux au sujet féminin... et finit par prendre rendez-vous avec lui. Bien que cette dernière situation soit invraisemblable dans un cadre scientifique, elle illustre quand même les dangers découlant des caractéristiques biosociales de l'expérimentateur.

Un deuxième type d'effets interactifs a trait aux effets psychosociaux. Ces effets sont causés par la personnalité de l'expérimentateur. De nombreuses études confirment ce fait. Par exemple, les expérimentateurs à l'attitude froide suscitent des réponses conformistes de la part de leurs sujets alors que ceux qui ont des interactions plus chaleureuses avec leurs sujets obtiennent des réponses plus positives de la part de ces derniers (Rosenthal & Rosnow, 1984).

Les **effets situationnels** représentent le troisième et dernier type d'effets interactifs. Ce type d'effets se produit lorsqu'un événement survient dans le cadre de l'étude, amenant l'expérimentateur à changer son comportement vis-à-vis des sujets. Un problème souvent rencontré est celui où l'expérimentateur analyse les résultats obtenus avec les premiers sujets. Dans la mesure où les résultats ne vont pas dans le sens prévu, le comportement de l'expérimentateur pourrait changer alors de sorte à amener les autres sujets à agir de façon conforme avec l'hypothèse.

Enfin, le dernier type d'effets de l'expérimentateur porte sur les attentes de ce dernier. Plusieurs recherches (voir Rosenthal & Rubin, 1978) ont démontré que les attentes que les gens ont vis-à-vis d'une autre personne peuvent influer sur leurs comportements vis-à-vis de cette dernière de sorte à *prophétiser* le comportement de la personne en question. (Nous verrons cet effet au chapitre 4.) Ce type d'effets se produit souvent à l'insu du chercheur. Il devient alors plus difficile à contrer.

Conscients des différents problèmes inhérents aux biais produits par l'expérimentateur, les chercheurs en psychologie sociale ont mis au point un certain nombre de techniques permettant de contrecarrer ces nombreux biais. Une première approche consiste à utiliser plusieurs expérimentateurs. Ainsi les caractéristiques d'un seul chercheur ne peuvent influer sur les réponses des sujets. Une autre technique consiste à ne pas informer les expérimentateurs de l'hypothèse ou même du thème de la recherche (c'est ce qu'on appelle l'**expérience à double insu**) et à réduire au minimum les contacts entre l'expérimentateur et le sujet (par l'emploi d'information préenregistrée sur cassettes par exemple).

Les aspects déontologiques

Ces dernières années, les psychologues sociaux sont devenus conscients des divers problèmes déontologiques qui pouvaient être associés à la pratique de la recherche sociale. Ces réflexions se sont traduites par plusieurs écrits sur le sujet (Cook, 1976; Schlenker & Forsyth, 1977). L'American Psychological Association (1973) et la Société canadienne de psychologie ont même rédigé un manuel sur les aspects de la recherche humaine en psychologie. D'ailleurs, cette considération particulière pour le sujet a été démontrée en recherche où certains résultats indiquent que les psychologues sociaux sont beaucoup plus sévères dans leur jugement déontologique que d'autres scientifiques, professeurs de droit et même étudiants qui participent aux recherches en psychologie sociale (Rugg, 1975; Schwartz & Gottlieb, 1981).

Parmi les aspects déontologiques qui ont suscité l'intérêt des psychologues sociaux, trois thèmes méritent notre attention: le stress psychologique, la duperie et l'invasion de l'intimité du sujet.

Le stress psychologique. Un premier souci du chercheur réside dans le fait que les participants à l'étude ne soient pas soumis à des niveaux de stress psychologique indus. Plusieurs de nos comportements pourraient être caractérisés par une certaine dimension de stress ou de conflit. Le psychologue social désireux de mieux comprendre ces phénomènes, et éventuellement de proposer certaines solutions, se doit de les étudier dans le contexte le plus réel possible. De telles prises de position peuvent amener le chercheur à vouloir étudier les aspects négatifs du comportement social et à créer, soit expérimentalement, soit par d'autres moyens, certaines situations qui risquent d'être plus ou moins déplaisantes pour les sujets. Que font les psychologues sociaux dans de pareilles situations afin de réduire au minimum l'inconfort vécu par les sujets tout en conservant l'aspect réaliste de l'étude ?

Le chercheur doit d'abord s'assurer que ces conditions « négatives » sont essentielles pour la réalisation de l'étude. Assez souvent l'hypothèse de recherche peut être étudiée sous un angle positif. Ensuite, l'expérimentateur se doit d'avertir le sujet du contenu de l'étude et de ses conséquences psychologiques négatives possibles. De plus, le sujet doit avoir le droit de cesser sa participation quand bon lui semble. Donc, si des sentiments vécus par un sujet devenaient trop négatifs, il pourrait se retirer de l'étude sans préjudice. Cette information quant au but de l'étude et à son contenu ainsi qu'aux droits du sujet peut être présentée verbalement à ce dernier ou encore par écrit sur une **formule de consentement** qui est alors signée par le sujet au début de la recherche.

De tels procédés assurent minimalement, du moins, que les participants aux recherches ne seront pas exposés à des situations désagréables contre leur gré et que les conditions utilisées par le chercheur sont *nécessaires* pour étudier l'hypothèse de l'analyse.

La duperie. Nous avons vu précédemment qu'il peut arriver que des sujets essaient de deviner le but de la recherche en cours. Une stratégie souvent utilisée par les psychologues sociaux pour contrecarrer cette influence néfaste sur le déroulement de l'étude consiste à présenter l'étude de façon à déguiser son but réel. Le chercheur y parvient en omettant d'informer le sujet de certains aspects de l'étude ou en présentant carrément un tout autre but d'étude. En agissant de la sorte, il dupe le sujet. Une telle pratique est assez courante en psychologie sociale. En effet, selon Gross et Fleming (1982), pas moins de 59 % des études publiées dans les meilleures revues de psychologie sociale durant les années 1978 et 1979 avaient utilisé cette approche. Les études portant sur l'acquiescement et la conformité ouvraient la marche avec 96 % de taux d'utilisation de la **duperie** alors que les études sur la socialisation fermaient le peloton avec une moyenne tout de même intéressante de 26 %. Bien que ces chiffres semblent avoir diminué depuis ce temps, il demeure que la plupart des recherches en laboratoire en font usage. Mais en fait, quelles sont les conséquences d'une telle pratique ?

On peut noter deux types de conséquences de la duperie, soit celles sur le sujet et celles sur les résultats de l'étude. En général, les études (p. ex. Milgram, 1977;

Smith & Berard, 1982) qui ont analysé les réactions des sujets à des conditions de duperie révèlent que les participants indiquent qu'ils comprennent l'importance d'utiliser cette technique et répondent souvent que leur participation à l'étude en dépit de la duperie leur a permis d'apprendre quelque chose d'intéressant.

Par contre, il semble que la présence de certains éléments soit importante pour amener les sujets à apprécier leur participation à l'étude et à voir l'utilisation de la duperie comme importante (Milgram, 1977; Smith, 1983). Un premier élément porte sur l'aspect confidentiel des résultats. Dans la mesure où le chercheur assure la confidentialité des résultats aux sujets, ces derniers semblent rassurés. Cet aspect constitue généralement une condition *sine qua non* de la recherche en psychologie sociale. Toutefois, cette information n'est pas toujours présentée aux sujets. Il semblerait donc important de la mentionner. Un deuxième élément consiste à laisser le choix aux sujets de participer ou non à l'étude. Cet aspect a été traité antérieurement et peut être contrôlé par la méthode de la formule de consentement. Enfin, un dernier élément très important aux yeux des sujets est la connaissance du but réel de l'étude et de tous les dessous de l'expérience. Ce désir de savoir implique qu'une **session d'information** *(debriefing)* doive suivre l'étude en question. Celle-ci peut être tenue de maintes façons (voir Aronson *et al.*, 1990). L'important, cependant, c'est qu'à la suite du déroulement de l'étude on explique au sujet les hypothèses et les différentes conditions expérimentales, et surtout qu'il ait l'occasion de s'exprimer quant à son expérience personnelle dans le cadre de l'étude en question. Dans la mesure où ces trois éléments sont présents, il semble que la très grande majorité des sujets sauront trouver l'expérience d'une recherche faisant appel à la duperie non seulement acceptable mais également instructive.

Qu'en est-il des effets de l'utilisation de la duperie sur la qualité des recherches? Bien sûr, une telle pratique peut avoir des effets désirables dans la mesure où elle permet d'éviter les biais dus aux sujets. Il devient alors difficile pour les derniers sujets de deviner le but de l'étude et la validité interne de l'étude n'en est que renforcée. Par contre, si les sujets réussissent à percevoir la duperie (et ceci est possible; voir DePaulo, Zuckerman & Rosenthal, 1980), le chercheur se trouve confronté au problème qu'il essayait d'éviter en utilisant cette technique. La duperie ne règle donc pas tous les problèmes.

Une autre conséquence, plus à long terme celle-ci, a trait à la perception que les sujets peuvent avoir des types de recherches menées en psychologie sociale. Les sujets parlent entre eux, discutent de leur expérience, et le mot se passe que la duperie est utilisée dans plusieurs études. Les futurs sujets peuvent alors se présenter au laboratoire aux fins de recherche en s'attendant à être dupés. Cette réaction peut avoir des conséquences néfastes sur les recherches à venir (Kelman, 1967; MacCoun & Kerr, 1987). Démontrant des tendances paranoïaques, les sujets ne croiront plus l'expérimentateur même lorsque ce dernier dira la vérité!

La duperie produit des effets à la fois positifs et négatifs. Chose surprenante, les conséquences négatives sont limitées et surtout orientées vers la validité de la recherche elle-même et peu vers l'expérience vécue par les sujets.

L'invasion de l'intimité du sujet. Jusqu'ici, la discussion a porté sur les problèmes et dilemmes associés à l'utilisation de la recherche en laboratoire puisque, de par sa structure expérimentale, elle soulève plus de questions déontologiques que les autres méthodes de recherche. Celles-ci cependant ne sont pas à l'abri de pareils soucis. Par exemple, un des problèmes associés aux recherches en terrain naturel est que dans une large mesure les participants ne sont pas conscients de participer à une étude. Dans une telle situation, le chercheur se doit de respecter l'intimité du sujet. Les interrogations relatives à cette intimité peuvent être formulées comme suit: «Quelles sont les limites acceptables des recherches auxquelles le sujet participe sans être au courant de sa participation? Jusqu'où le chercheur peut-il aller dans son étude du comportement social et dans son intrusion dans l'intimité du sujet?»

Au moins deux questions devraient guider la décision du chercheur de mener une étude sans le consentement des sujets: «Existe-t-il un danger de conséquences psychologiques (ou autres) sérieuses associées à la participation des sujets à l'étude en question? La situation à l'étude peut-elle être étudiée dans un cadre réaliste et dans un contexte quotidien?» Dans la mesure où aucune conséquence grave n'est prévue pour les sujets, déjà les problèmes d'ordre déontologique paraissent beaucoup moins importants. Ceci sera d'autant plus le cas si le comportement observé fait partie de la vie quotidienne des sujets.

Par contre, plusieurs études ont été critiquées parce que le thème à l'étude était trop privé. Ainsi, aux États-Unis, le sénateur William Proxmire, de l'État du Wisconsin, a ouvertement indiqué que selon lui il n'était pas correct d'étudier certains comportements sociaux, dont l'amour: «Les 200 millions d'Américains veulent que certaines choses demeurent des mystères dans la vie et tout en haut de cette liste se trouve le désir de ne pas vouloir savoir pourquoi un homme tombe amoureux d'une femme et vice versa» (tiré de Baron & Byrne, 1981, p. 16).

À cette critique, Ellen Berscheid et Elaine Hatfield, deux éminentes scientifiques dans le secteur de l'amour (nous verrons leurs travaux au chapitre 8), ont répliqué que de telles recherches étaient importantes non seulement sur une base scientifique mais également sur une base appliquée. En effet, de meilleures connaissances sur le phénomène de l'amour pourront aider les individus à mieux choisir leurs compagnons et compagnes, à éviter des divorces et problèmes familiaux, et à mieux comprendre leurs sentiments envers leur conjoint. Selon vous, devant les divers bénéfices qui peuvent découler de telles études, la tenue de recherches dans le secteur de l'amour est-elle justifiée?

Les valeurs en recherche

Un dernier thème que nous aimerions traiter dans ce chapitre porte sur le rôle des valeurs en recherche. Plusieurs d'entre vous croient sûrement que les valeurs du chercheur n'ont pas de raison d'être en recherche. La recherche scientifique en psychologie sociale étant caractérisée par la rigueur méthodologique, on ne devrait pas permettre aux sentiments ou positions personnelles d'avoir une influence sur le processus scientifique. Et sur ce point vous avez assurément raison. Les valeurs du psychologue social ne devraient jamais influer, et *en aucun cas,* sur le mécanisme de collecte des données ou encore sur celui de l'interprétation des résultats. S'il fallait que les chercheurs décident de biaiser leur collecte de données afin de voir confirmée leur hypothèse préférée, nous n'irions pas bien loin dans l'avancement de nos connaissances.

Malgré l'influence néfaste possible des chercheurs sur *certains* éléments du processus de la recherche, un consensus récent chez les scientifiques révèle que les valeurs semblent avoir un effet bénéfique sur d'autres processus de la démarche scientifique (voir Hillerband, 1987; Howard, 1985). À ce titre, au moins trois types d'influences bénéfiques peuvent être désignés. Un premier concerne l'influence que les valeurs exercent sur la vision des chercheurs quant à leur profession. Ainsi il ne faudrait pas se surprendre que les psychologues sociaux trouvent la recherche essentielle pour l'avancement de la psychologie sociale ou encore qu'ils croient possible d'énoncer certaines lois du comportement social. Une adhésion à une telle vision du monde semble en fait nécessaire pour faire de la recherche. Donc, à ce niveau-ci, les valeurs peuvent exercer une influence positive sur le développement de la recherche et sur ceux qui éventuellement y feront carrière.

Une deuxième influence des valeurs consiste dans le choix des théories et des hypothèses que les chercheurs décident d'examiner en recherche. Les chercheurs n'adhèrent pas tous aux mêmes postulats philosophiques et psychologiques concernant les causes du comportement humain. Certains voient l'environnement comme la source d'influence première; d'autres, plus nombreux, accordent aux cognitions de la personne un rôle clé dans l'expression du comportement. Des valeurs aussi différentes mènent à des hypothèses de recherche et même à des méthodologies radicalement différentes, permettant ainsi de faire progresser nos connaissances.

Enfin, les valeurs peuvent amener les chercheurs à vouloir étudier certains thèmes de sorte à améliorer le sort de l'humanité. Une telle philosophie conduit le chercheur à choisir les thèmes d'étude qui lui permettront d'étudier des problèmes sociaux qu'il juge prioritaires. Pour plusieurs, le chercheur ne doit pas mêler sa vision personnelle du monde avec celle de ses recherches. Toutefois, un nombre sans cesse croissant de psychologues sociaux (p. ex. Fisher, 1982; Joshi & Marchand, 1985; Mayo & La France, 1980; Vallerand, 1985) promulguent cette perspective de la psychologie sociale, communément appelée «psychologie sociale appliquée». Ces chercheurs croient fondamentalement que les thèmes d'étude choisis selon leurs valeurs humanitaires peuvent être étudiés sans partisanerie et sans biais selon les traditions scientifiques, et mener à des solutions pour les différents problèmes étudiés (voir l'encadré 2.3 à cet effet).

ENCADRÉ 2.3

LA PSYCHOLOGIE SOCIALE APPLIQUÉE

La psychologie sociale s'intéresse aux aspects fondamentaux et appliqués du comportement social. Au cours des 15 dernières années, de plus en plus d'attention a été accordée à la dimension appliquée, si bien qu'une sous-discipline a vu le jour: la psychologie sociale appliquée. Celle-ci peut être définie comme l'utilisation de principes et de méthodes de recherche éprouvés en psychologie sociale afin de comprendre et de résoudre des problèmes sociaux (Rodin, 1985). Mais peut-elle vraiment aider à régler des problèmes tels la violence interraciale, les relations tendues entre patronat et syndicats, la détresse psychologique causée par un divorce, la pauvreté et la pollution?

Les psychologues sociaux croient que oui. En effet, ces divers problèmes sociaux ne peuvent être résolus entièrement par des progrès techniques. Les solutions devront passer par des modifications des attitudes et comportements interpersonnels. Et ces éléments font partie du territoire du psychologue social. Considérons le problème de la pollution. Même si des techniques sophistiquées permettaient de se débarrasser des produits toxiques, seule la population pourrait décider de leur emploi si elle jugeait que de tels produits font problème. On peut donc aisément voir l'importance de la psychologie sociale (et plus particulièrement de la psychologie sociale appliquée) dans la résolution de problèmes sociaux majeurs.

Par contre, quelles sont les influences de la psychologie sociale appliquée sur la recherche en psychologie sociale? La psychologie sociale appliquée implique la réalisation de recherches en terrain naturel (Bickman, 1980; Rodin, 1985) et ce procédé mène au moins à trois conséquences heureuses. D'abord, en effectuant des recherches en terrain naturel, le psychologue social peut étudier le comportement social d'échantillons variés d'individus, chose difficile en laboratoire. Ainsi la validité externe de tels résultats dépasse largement celle obtenue avec une population universitaire. Ensuite, en terrain naturel, le chercheur peut observer diverses formes de comportement social dans les conditions où elles se produisent normalement. L'influence du contexte expérimental est alors éliminée, car bien souvent les sujets ne sont pas conscients de participer à une recherche. Enfin, les chercheurs peuvent être assurés de l'implication des sujets dans le comportement en question, contrairement aux études en laboratoire où la tâche expérimentale peut être triviale.

Donc, même si les recherches en terrain naturel peuvent mener à certains désavantages méthodologiques, comme nous l'avons vu dans ce chapitre, la psychologie sociale appliquée, et l'accent qu'elle met sur les recherches en terrain naturel, peut conduire à l'emploi d'une multitude de procédés

→

ENCADRÉ 2.3 (suite)

scientifiques qui permettront à la discipline de transcender la simple utilisation du laboratoire. Si l'on ajoute à cela la possibilité de résoudre des problèmes sociaux importants, on peut facilement conclure que la psychologie sociale appliquée peut contribuer énormément à la discipline. Les applications de la psychologie sociale seront vues au fil des différents chapitres du volume.

Non seulement les valeurs que les chercheurs possèdent peuvent-elles les amener à étudier des thèmes socialement importants, mais elles peuvent également les encourager à *refuser* d'étudier certains thèmes qui risquent de mettre en danger, éventuellement, le bien-être de l'être humain. Cet aspect représente une question épineuse, car plusieurs éléments doivent être considérés. Un premier élément porte sur les conséquences négatives que les sujets risquent de vivre dans les études elles-mêmes et que nous avons traitées antérieurement. Une seconde considération a trait au degré de responsabilité que le chercheur peut ou doit assumer pour les conséquences de ses travaux. Par exemple, seriez-vous prêt à inventer la bombe atomique sachant les effets qu'elle pourrait avoir et la façon dont elle serait utilisée par l'humanité ? Un débat à ce sujet a opposé en 1987 les étudiants de l'Université McGill aux dirigeants de la Faculté de recherche de l'Université. Les étudiants de l'établissement protestaient parce que certaines recherches dans le domaine militaire menées par les professeurs Lee et Knystautas et subventionnées par la Défense nationale portaient sur la bombe à combustion aérosol. Cette dernière ressemble énormément à la bombe atomique mais sans les radiations. Les protestations des étudiants ont forcé l'Université à étudier le dossier. Peut-on séparer la recherche de ses implications morales et sociales ? Tous les psychologues sociaux doivent répondre un jour ou l'autre à cette question.

RÉSUMÉ

Les psychologues sociaux étudient le comportement social de façon systématique et scientifique. Le processus scientifique en psychologie sociale implique différentes étapes bien précises et interdépendantes. Ce processus scientifique débute avec la formulation d'hypothèses, qui peuvent être issues de maintes sources. L'hypothèse de recherche a pour but de clairement préciser le type de relation devant être étudiée entre différentes variables. De plus, elle peut aider à préparer la deuxième étape, celle du choix de la méthode de recherche. Cette dernière peut être à caractère expérimental, quasi expérimental, corrélationnel ou encore elle peut relever davantage de l'observation. Dans cet esprit, nous avons traité les approches de l'enquête et de l'entrevue, de la simulation, de l'étude de cas, de l'analyse de contenu et des études archivistiques et de la méta-analyse. Le point majeur qui fut souligné réside dans le fait que chacune des méthodes possède ses points forts et ses faiblesses. Il est du ressort du chercheur de décider quelle méthode utiliser en fonction de l'hypothèse à l'étude. Le choix de la méthode de recherche suppose une considération des notions de validité interne et externe. Celles-ci ont trait respectivement au degré de confiance que l'on possède concernant l'effet que la variable indépendante (cause) a sur la variable dépendante (effet) ainsi qu'au degré de généralisation des résultats. De plus, l'aspect de la fidélité, qui renvoie à la fiabilité de la méthode d'étude, doit également être considéré dans le choix d'une méthode de recherche.

La troisième étape du processus de recherche porte sur le choix d'une mesure du phénomène à l'étude. Plusieurs mesures peuvent être utilisées et elles sont souvent originales. Elles peuvent être de trois types : des questionnaires ou entrevues, des mesures d'observation sur les sujets ou encore des mesures non réactives de l'environnement social. Le choix de la mesure du phénomène est déterminé par toutes les phases précédentes du processus ainsi que, dans une certaine mesure, par la quatrième étape, soit l'analyse des résultats. Ces analyses peuvent être de nature paramétrique ou non paramétrique, selon que la variable dépendante est continue (une échelle de sept points par exemple) ou discrète (vrai ou faux, oui ou non, etc.). De plus, les analyses peuvent être subdivisées en deux catégories : celles qui sont traditionnelles, comme les tests-t, analyses de variance, corrélations, et celles plus sophistiquées, telles que l'analyse multidimensionnelle et les analyses de modelage par équations structurelles. Alors que les premières analyses permettent des tests d'association ou de différences dans les moyennes de différents groupes, le second type d'analyse offre au chercheur l'avantage de pouvoir étudier les dimensions cognitives sous-jacentes aux croyances et comportements des sujets, et de pouvoir vérifier la viabilité de modèles théoriques de façon globale.

Enfin, la dernière étape du processus scientifique porte sur l'interprétation des résultats. Nous avons alors souligné l'importance que celle-ci soit effectuée de façon éclairée et honnête en faisant ressortir l'incidence des résultats obtenus en fonction de l'hypothèse à l'étude et en soulignant les limites de l'étude. Il ne doit pas y avoir de place, dans cette étape, pour la partisanerie ou le biais de préférences personnelles.

Nous avons terminé la discussion en soulevant certains points d'intérêt particulier. Notre attention s'est portée sur les différents biais que l'on peut retrouver en recherche, notamment ceux associés à la participation de sujets volontaires et ceux dus au contexte expérimental. De plus, nous avons discuté des techniques à utiliser afin de réduire au minimum ces effets néfastes. Dans un second temps, nous avons discuté des aspects déontologiques. Nous avons souligné l'importance première que le chercheur devrait accorder au bien-être du sujet dans l'entreprise scientifique. Nous avons essayé de sensibiliser le lecteur aux avantages et désavantages associés à la pratique de certaines techniques, dont celles impliquant un stress psychologique, la duperie ou la perte d'intimité du sujet. Enfin, le rôle des valeurs dans la recherche en psychologie sociale a été discuté. Il a alors été démontré que les valeurs font partie du processus de recherche scientifique. Même si elles peuvent entraver le sain déroulement de la recherche scientifique lorsqu'elles influent sur les étapes objectives de la collecte des données et sur celle de l'interprétation des résultats, les valeurs contribuent tout de même à l'essor de la science de par leurs effets sur le choix de carrière du chercheur, l'adoption d'une approche théorique ou philosophique de l'étude du comportement social et enfin en amenant le chercheur à s'engager dans l'étude de certains problèmes sociaux importants.

Somme toute, la recherche en psychologie sociale représente une vaste collection de méthodes et de techniques s'inscrivant dans un processus hautement scientifique. L'utilisation de l'une ou l'autre des méthodes de recherche dépend d'une foule de facteurs aussi variés que la nature du thème à l'étude et même les goûts personnels du chercheur. Ces différentes méthodes de recherche ont été utilisées pour étudier une foule de thèmes que nous verrons dans les chapitres qui suivent. Nous espérons que les notions acquises dans ce chapitre sauront non seulement faciliter votre lecture, mais qu'elles vous permettront aussi d'apprécier la qualité et l'originalité des différentes recherches effectuées en psychologie sociale, et ainsi d'ajouter à votre plaisir de lecture.

BIBLIOGRAPHIE SPÉCIALISÉE

Aronson, E., Carlsmith, J.M., Ellsworth, P.C. & Gonzales, M.H. (1990). *Methods of research in social psychology* (2nd ed.). Reading, MA: Addison-Wesley.

Byrne, B. (1989). *A primer of LISREL*. New York: Springer-Verlag.

DeVellis, R.F. (1991). *Scale development : Theory and applications*. Newbury Park, CA: Sage.

Jones, R.A. (1985). *Research methods in the social and behavioral sciences*. Sunderland, MA: Sinauer.

Kenny, D.A. (1985). Quantitative methods for social psychology. In G. Lindzey & E. Aronson (Eds.), *The handbook of social psychology* (3rd ed., pp. 487-508). New York: Random House.

Robert, M. (Ed.). (1988). *Fondements et étapes de la recherche scientifique en psychologie*. Saint-Hyacinthe : Edisem.

Rosenthal, R. (1991). *Meta-analytic procedures for social research* (2nd ed.). Beverly Hills, CA: Sage.

Smith, C.P. (1983). Ethical issues : Research on deception, informed consent, and debriefing. *Review of Personality and Social Psychology*, 4, 297-328.

DEUXIÈME
PARTIE

LES COGNITIONS SOCIALES ET LES ATTITUDES

Chapitre 3

Le soi en psychologie sociale : perspectives classiques et contemporaines

Chapitre 4

Les perceptions et les cognitions sociales : percevoir les gens qui nous entourent et penser à eux

Chapitre 5

Les attributions en psychologie sociale

Chapitre 6

Les attitudes et le changement des attitudes

CHAPITRE

3

LE SOI EN PSYCHOLOGIE SOCIALE : PERSPECTIVES CLASSIQUES ET CONTEMPORAINES

Robert J. Vallerand et Gaëtan F. Losier
Université du Québec à Montréal

Mise en situation

Introduction

Qu'est-ce que le soi ?

Le soi comme contenu

- Le concept de soi
- L'estime de soi
- Les schémas sur le soi
- Les autres composantes du soi comme contenu

Apprendre à se connaître : les déterminants du soi comme contenu

- Les sources interpersonnelles
- Le contexte social et culturel
- L'observation de nous-mêmes
- L'évaluation de soi-même
- Le soi comme contenu : stabilité et changement

Le soi comme processus

- La conscience de soi : la route permettant l'accès au soi
- Les types de conscience de soi
- Les déterminants de la conscience de soi privée et publique
- Certains processus du soi

Certaines conséquences intrapersonnelles du soi

- Le traitement de l'information
- La régulation des émotions et de la santé mentale
- Le soi et la motivation
- Le soi et la performance

Certaines conséquences interpersonnelles du soi

- La perception des autres
- Le choix de situations et d'interactions sociales
- La présentation de soi

Résumé

Bibliographie spécialisée

Encadré 3.1 L'estime de soi collective

Encadré 3.2 Applications de la théorie de l'autodétermination en contexte naturel

Encadré 3.3 Le biais de faux consensus et le référendum canadien de 1992

MISE EN SITUATION

Marc a finalement la chance de rencontrer la femme de ses rêves ! Il se présente au bar étudiant du campus, où Jean l'attend en compagnie de sa copine, Hélène. Jean et Hélène ont planifié cette sortie afin que Marc puisse enfin rencontrer Mélanie, dont il rêve de faire la connaissance depuis le début de l'année universitaire. Marc a beaucoup misé sur cette rencontre et aimerait bien faire une bonne impression auprès de Mélanie..., qui se fait attendre. Enfin ! Voilà Mélanie. Après les présentations, Jean et Hélène veulent engager la conversation, mais de quoi parler ? Préférablement d'un sujet pas trop intime pour débuter. Un thème qui peut concerner également Marc et Mélanie.

Hélène commence la conversation en parlant de ses frustrations dans son cours de statistique. Le thème des études les touche tous puisque les quatre sont des étudiants de première année au baccalauréat en psychologie. « Je me demande ce qu'un cours de "stats" va me donner, moi qui ai l'intention de faire de la pratique privée comme psychologue, déclare Hélène. Et j'ai vraiment l'impression que tout le monde dans la classe se demande la même chose. » Mélanie, qui fait partie de la classe d'Hélène, n'est cependant pas de cet avis. Au contraire, elle croit que plusieurs étudiants considèrent la statistique comme essentielle à la compréhension et à l'analyse critique d'explications du comportement humain, et qu'elle s'avère donc importante dans la formation de tout intervenant en psychologie. La conversation se poursuit et chacun a la chance de parler de son programme d'études, de ses frustrations et de ses succès dans ses cours.

Puis Mélanie demande à Marc quels sont ses projets d'études futures et de carrière. Marc voit là une bonne occasion d'impressionner un peu Mélanie et lui répond qu'il songe poursuivre ses études et devenir professeur de psychologie. Jean, le meilleur ami de Marc, en est estomaqué. « Marc ! Es-tu sérieux? C'est la première fois que je t'entends parler d'un tel projet. Je croyais que tu ne savais pas ce que tu voulais faire plus tard et tu parlais de peut-être voyager pour un bout de temps », rétorque Jean. Après un court silence, Marc tente tant bien que mal de se remettre de l'affront que vient de lui faire son meilleur ami. Il reprend la parole en défendant bien ses projets et en soulignant qu'il n'en avait finalement parlé qu'à très peu de personnes.

La soirée progresse. À un moment donné, Marc s'excuse pour aller aux toilettes. Il en profite pour vérifier son apparence. Tout en examinant sa coiffure dans le miroir, il se rappelle son interaction avec Jean plus tôt dans la soirée. Marc se dit : « C'est vrai que j'ai déjà vaguement songé à poursuivre mes études et à devenir professeur, mais Mélanie est la première à qui j'en fais part. Et puis, finalement, Jean a raison : je ne suis vraiment pas sûr de ce que je veux faire plus tard. » Il met en doute sa franchise à l'égard de Jean, Hélène et Mélanie, et ressent de la culpabilité. Marc va rejoindre ses amis en se disant qu'il leur doit certaines explications.

INTRODUCTION

Est-ce que le scénario de Marc et ses amis vous rappelle une situation que vous avez déjà vécue ? Vous est-il déjà arrivé d'avoir comme Marc à vous présenter à d'autres et d'essayer de faire bonne impression ? Comme Marc, avez-vous quelque peu exagéré la réalité ? Comment vous êtes-vous alors senti : coupable comme lui ? Mais qu'est-ce qui fait en sorte que nous pouvons présenter notre personne aux autres ? Quel processus nous évalue et fait en sorte qu'on se sent coupable de ne pas avoir agi selon ses valeurs personnelles ? Comme nous le verrons dans ce chapitre, le soi joue un rôle crucial dans la régulation de notre comportement, notre affect et nos pensées.

Le soi est l'un des construits les plus vieux en psychologie sociale (voir Baumeister, 1987), remontant au tout début de la discipline (p. ex. Cooley, 1902; James, 1890). Il est très étudié en psychologie sociale de nos jours. À preuve, les construits suivants représentent des domaines d'étude très populaires : l'estime de soi (Baumeister, 1993), le concept de soi (Hattie, 1992), la conscience de soi (Gibbons, 1990), la présentation de soi (Leary & Kowalski, 1990), la vérification de soi (Swann, 1985), les schémas sur le soi (Markus & Wurf, 1987) et le monitorage de soi (Snyder, 1979, 1987).

Il n'en est pas autrement dans les différents cercles populaires. En effet, nous vivons dans une ère qui encourage la connaissance de soi. Les librairies vendent beaucoup de livres promettant plein de belles choses à ceux qui parviendront à découvrir les puissances qui se cachent à l'intérieur d'eux-mêmes. Les revues populaires et les journaux font aussi mention de l'importance de mieux se connaître. À titre d'exemple, pas moins de 60 % des cassettes (34/52) dont la vente est annoncée dans la revue populaire *Psychology Today* (avril 1987) portent sur l'un des aspects du soi.

Somme toute, le message provenant de ces différentes sources d'information est relativement clair : afin de devenir une personne complète pouvant actualiser ses possibilités, il faut se connaître. Bien sûr, il est loin d'être évident que cette hypothèse est véridique. En revanche, l'intérêt voué au soi représente à lui seul un phénomène fort intéressant et souligne la correspondance entre les pensées populaire et scientifique.

Le soi semble donc très important dans notre vie. Mais comment se fait-il que le soi représente pour autant un thème d'étude en psychologie « sociale » ? Nous croyons que l'étude du soi relève de la psychologie sociale pour au moins deux raisons. Premièrement, le soi est en grande partie une « création sociale ». Nous vivons dans un environnement social où un tas de stimuli tels la télévision, la radio, les livres, nos parents et amis influencent de façon directe et indirecte ce que nous sommes ou sommes en train de devenir. Il serait erroné de croire que nous sommes des personnes faites de pierre, immuables, interagissant avec d'autres gens également inchangeants. Bien au contraire ! Nous nous façonnons au fil des interactions avec les autres. Notre soi est le produit de l'environnement social qui nous entoure.

Une seconde raison démontrant l'appartenance du soi à la psychologie sociale porte sur l'influence déterminante qu'il a sur notre comportement social. Comme nous le verrons dans ce chapitre, ainsi que dans le volume en général, le soi n'est pas uniquement un contenu représentant ce que nous sommes et comment nous nous percevons, mais il est aussi un ensemble de structures et processus au cœur même de la plupart de nos pensées, sentiments et actions. La façon dont nous percevons les autres dépend en bonne partie de notre perception de nous-mêmes. Ce que nous ressentons lorsque d'autres gens nous acceptent ou nous rejettent dépend pour une large part de notre évaluation de nous-mêmes. Les comportements que nous adoptons et notre motivation vis-à-vis de diverses activités et personnes sont intimement liés à notre perception de nous-mêmes et à ce que nous voulons devenir. Enfin, l'impression ou l'image que nous tentons à l'occasion de créer chez les autres lorsque nous interagissons avec eux est déterminée par le soi et ses multiples fonctions.

En somme, le soi résulte en bonne partie de l'influence des autres et les diverses ramifications qu'il engendre viennent influer sur le moindre de nos comportements envers les gens qui nous entourent. Il mérite donc une place de choix dans notre analyse du comportement social.

Dans ce chapitre, nous allons tenter de dresser un bilan des connaissances sur le soi. Nous verrons comment notre soi peut être influencé par les situations sociales et faire naître chez nous divers états affectifs ainsi que modifier nos pensées et nos comportements. Il vous sera alors possible de mieux comprendre le comportement humain en mileu social, comme dans le scénario mettant en scène Marc et ses amis. Par exemple, les deux premières parties du chapitre traitent du soi comme contenu et de ses déterminants, et touchent, entre autres, à la notion d'estime de soi. Vous pourrez alors mieux apprécier le rôle de l'estime de soi dans la situation où Marc se voit reprendre par Jean (son meilleur ami) et saisir comment la rétroaction d'une personne qui vous est importante peut affecter votre concept de soi.

Par ailleurs, la troisième partie du chapitre, qui traite du soi comme processus – entre autres processus l'augmentation de soi et la protection de soi –, devrait vous permettre de mieux connaître les mécanismes dont Marc dispose pour préserver son estime personnelle à la suite de l'intervention de Jean. Dans cette troisième partie, il est également question des déterminants de la conscience de soi. Vous verrez comment la conscience de soi publique peut être accrue par des stimuli interpersonnels et avoir des conséquences sur le comportement de la personne. Vous pourrez alors comprendre le souci de Marc pour son apparence et sa coiffure. Il vous sera aussi possible de mieux saisir comment le miroir dans les toilettes aurait pu rendre plus saillante la conscience de soi privée de Marc et entraîner des conséquences intrapersonnelles chez celui-ci en lui permettant d'être plus en contact avec ses états intérieurs.

Les deux dernières sections du chapitre traitent de façon plus nuancée des conséquences, respectivement intrapersonnelles et interpersonnelles, du soi. Entre autres, il est question des présentations stratégique et authentique de soi. Vous devriez alors mieux comprendre pour quelles raisons le comportement de Marc à l'égard de Mélanie aurait pu comporter une présentation stratégique de soi, afin de créer chez celle-ci l'impression qu'il est sérieux en déclarant qu'il veut devenir professeur, ou une révélation sur soi (une forme de présentation authentique), dans le but de se rapprocher d'elle en partageant ses projets personnels tels que le plan d'une carrière universitaire. De plus, vous pourrez davantage saisir comment la conscience de soi privée (rendue saillante par le miroir des toilettes) aurait pu avoir des conséquences intrapersonnelles pour Marc, qui, une fois en contact avec ses états intérieurs, a ressenti une émotion (la culpabilité) en constatant une incohérence entre son comportement et ses valeurs ou croyances. En retour, cet état aurait entraîné des conséquences interpersonnelles en incitant Marc à la présentation authentique de soi, c'est-à-dire à se montrer plus franc envers ses amis. Finalement, vous devriez être en mesure de déterminer si Hélène et Mélanie ont manifesté un biais de faux consensus en supposant que la plupart des gens de leur classe partagent leur position respective. Ces thèmes, et plusieurs autres, relatifs à la notion du soi sont traités dans ce chapitre.

QU'EST-CE QUE LE SOI?

Les philosophes et sociologues se sont intéressés au soi autant par curiosité que par respect pour une certaine idéologie humaniste. En effet, l'être humain peut raisonner et s'il le fait il doit bien y avoir une entité chez ce dernier qui en est responsable : cette entité, c'est le soi. Essayez un instant de réfléchir à ce que vous êtes en train de faire. Vous lisez un livre. Vous déchiffrez ce qu'il y a d'écrit sur du papier. Vous évaluez également le sens des mots et (espérons-le) vous gardez en mémoire ce que vous apprenez. Mais qui donc exerce toutes ces fonctions ? Votre corps ? En y pensant bien, il semble qu'il y a quelque chose à l'intérieur de notre enveloppe physique qui évalue le monde pour nous, qui enregistre l'information perçue et même qui guide nos actions. Peu importe le nom qu'on donne à cette entité : l'âme, l'esprit, la pensée ou le soi, cette présence intérieure fait son apparition chaque fois qu'on se penche sur son for intérieur.

Mais qu'en est-il de cette entité intérieure ou de ce soi ? Qu'est-ce que le soi au juste ? Les chercheurs et théoriciens en psychologie s'entendent pour dire que le soi comporte deux aspects : le soi comme contenu et le soi comme processus. C'est d'ailleurs l'illustre psychologue William James (1890) qui a proposé cette dichotomie du soi il y déjà plus d'un siècle. Selon lui, lorsqu'on dirige notre attention vers l'intérieur de nous-mêmes nous pouvons alors entrer en contact avec le contenu de notre soi. Celui-ci porte sur les caractéristiques que nous croyons posséder en tant qu'individu, tels notre corps, notre personnalité, etc. James appelait cet aspect du soi le « moi » (à ne pas confondre avec le moi de

Freud) ou le «connu». Il ajoutait que, si le contenu de notre soi peut être perçu, alors l'entité qui perçoit et permet un tel contact doit nécessairement faire partie de nous. Cet agent percepteur représente le second aspect du soi. James l'appelait le «je» ou le «connaissant». C'est cet aspect de processus du soi qui remplit plusieurs fonctions telles l'évaluation de soi, la présentation sociale et bien d'autres.

Jusqu'ici nous avons traité des deux composantes du soi comme si elles étaient deux entités séparées et indépendantes. Dans les faits, il y a certains recoupements entre les deux parties du soi. Après tout, il s'agit toujours de la même personne! Greenwald et Pratkanis (1984) présentent un exemple qui permet de mieux comprendre la relation entre les deux parties du soi. Selon ces auteurs, nous pouvons considérer le contenu de notre soi comme une histoire sur nous-mêmes, un genre de compte rendu des divers événements qui ont marqué notre vie; une autobiographie, quoi! Cette dernière contient les multiples aspects de notre identité. Chaque nouvelle pièce d'information qui est pertinente pour nous s'ajoute au conte de notre vie. Ces renseignements représentent le contenu sur notre soi.

Par contre, si le soi comme contenu est une histoire, notre soi a également besoin d'un historien pour la raconter ou l'animer. Cet «historien» remplit plusieurs fonctions. Il traite l'information, la retient ou la rejette, l'enregistre, l'organise et plus tard la rappelle en mémoire lorsque cela s'avère nécessaire. Il a trait à ce qu'on appelle dans ce chapitre «le soi comme processus». Il est intéressant de noter que ce dernier est souvent biaisé dans son traitement de l'information (Ross & Conway, 1986). Ce biais tend à souligner l'étroite relation qui existe entre les deux composantes du soi. Le soi en tant que processus évalue souvent l'environnement social à la lumière même du soi comme contenu (si une personne est dépressive, alors elle voit régulièrement la vie en noir). Et le soi comme contenu se développe avec l'apport de nouveaux éléments teintés de l'influence du soi comme processus (à force de voir la vie en noir, la personne demeure dépressive). Comme nous le verrons dans ce chapitre, l'interrelation entre les deux composantes du soi est très pertinente pour la compréhension de plusieurs comportements sociaux à nos yeux souvent surprenants.

En somme, le soi est en général perçu comme un élément à deux entités, en l'occurrence le soi comme contenu et le soi comme processus avec toutes ses fonctions. Dans les sections qui suivent, nous allons traiter de ces deux aspects du soi. Nous commençons notre analyse avec le soi comme contenu.

LE SOI COMME CONTENU

Le soi comme contenu comporte divers renseignements sur nous-mêmes issus de nos évaluations et de nos prises de conscience. Nous verrons dans cette section que le soi comme contenu peut être considéré selon trois grandes composantes. La première est le **concept de soi**, qui représente un résumé des perceptions et des connaissances que les gens possèdent de leurs qualités et caractéristiques. Il est important de noter que le concept de soi ne constitue pas nécessairement une vision «objective» de ce que nous sommes mais plutôt un reflet de nous-mêmes tels que nous nous percevons. Le soi comme contenu contient une deuxième dimension qui, elle, évalue les qualités ou les compétences du soi. Cette composante évaluative s'appelle «estime de soi». Cette dernière renvoie aux jugements de valeur de la personne quant à ce qui la caractérise et l'identifie. Une troisième dimension du soi comme contenu regroupe diverses représentations cognitives propres à l'individu. Parmi les plus importantes que nous avons notées, il y a les **soi possibles** (ce qu'on «pourrait» devenir plus tard) et les **soi idéaux** (ce qu'on «voudrait» être). Enfin, le soi comme contenu inclut également les **schémas sur le soi**; ces derniers ont trait à des généralisations (structures) cognitives qui guident les processus perceptuels et cognitifs de la personne. C'est grâce aux schémas que le soi comme contenu ou l'ensemble de l'information sur soi peut être organisé, permettant ainsi de maintenir une certaine cohésion à l'intérieur des dimensions du soi. Les différentes composantes du soi comme contenu sont examinées plus en détail dans les paragraphes qui suivent.

Le concept de soi

Plusieurs types d'information peuvent faire partie du concept de soi. William James (1890) a proposé que le soi comme objet ou contenu puisse se diviser en trois grandes catégories: le soi matériel, le soi social et le soi spirituel (en fait, la théorie de James est plus complexe que cela; toutefois, pour les besoins du chapitre, cette discussion sera suffisante). Le soi matériel inclut les aspects de notre corps, nos vêtements et toutes nos possessions. L'aspect central du soi social a trait à l'image qu'on projette ainsi qu'aux différents rôles qu'on joue devant les gens qui nous entourent. Il peut donc y avoir plusieurs soi sociaux. Enfin, le soi spirituel renvoie aux expériences intérieures, habiletés, valeurs et idéaux qui représentent des aspects relativement stables de nous-mêmes.

Dans quelle mesure le concept de soi des gens se rapporte-t-il aux différentes catégories de James? Afin de répondre à cette question, il faut pouvoir mesurer le concept de soi. Une technique utilisée à cet effet consiste à laisser le sujet répondre librement à la question suivante: «Qui suis-je?» Gordon (1968), par exemple, a employé cette technique auprès d'élèves du secondaire. Le tableau 3.1 présente certains des résultats de son étude. On peut noter qu'un grand pourcentage des sujets mentionnent leurs relations avec les autres (59 %), leurs goûts (58 %) ainsi que leurs émotions (52 %) et leur apparence physique (36 %) comme étant des aspects inhérents à eux-mêmes. Ces résultats corroborent la position de James. En effet, il est possible de classifier les réponses des sujets selon les catégories bien distinctes proposées par James. Ainsi, les éléments 4 et 8 font partie du soi matériel ; les énoncés 1 et 7 se regroupent sous le soi social, alors que les autres items du tableau 3.1 font partie du soi spirituel.

TABLEAU 3.1 Perceptions d'élèves du secondaire sur différentes catégories de leur concept de soi

	Thèmes	Types de soi	Pourcentage
1.	Relations avec les autres (Ex. : « J'ai de bonnes relations. »)	Social	59
2.	Jugements, goûts ou activités (Ex. : « Je joue au basket-ball. »)	Spirituel	58
3.	Comportements et sentiments habituels (Ex. : « Je suis de bonne humeur. »)	Spirituel	52
4.	Apparence physique (Ex. : « Je parais bien. »)	Matériel	36
5.	Liberté d'action (Ex. : « Je suis quelqu'un qui décide lui-même de ses activités. »)	Spirituel	23
6.	Sentiment de valeur morale (Ex. : « Je me respecte personnellement. »)	Spirituel	22
7.	Les réactions des autres vis-à-vis de moi (Ex. : « Je suis populaire. »)	Social	18
8.	Les possessions matérielles (Ex. : « Je possède une voiture. »)	Matériel	5
9.	Unité ou manque d'unité de la personne (Ex. : « Je suis tout mêlé. »)	Spirituel	5

Adapté de Gordon (1968).

L'estime de soi

Jusqu'ici, nous avons décrit comme plutôt neutre et dénuée d'évaluation l'information comprise dans notre soi comme contenu. Par exemple, une personne peut se voir comme une étudiante, ayant des relations interpersonnelles et pratiquant des sports et des loisirs donnés. Toutefois, plusieurs théoriciens et chercheurs (Wylie, 1979; Zajonc, 1980) postulent que nous portons également des jugements qui impliquent une évaluation de type « bon-mauvais ». Une telle évaluation s'appliquerait également au soi. Ainsi, selon cette perspective, vous vous percevriez non seulement comme un étudiant mais également comme un « bon » étudiant ; vous ne seriez pas qu'un sportif : vous seriez un « très bon » athlète, et ainsi de suite. En somme, en plus de posséder un soi, vous possédez un soi que vous jugez « positif » ou »négatif ».

Cette composante évaluative du soi comme contenu est appelée **estime de soi.** L'estime de soi renvoie à l'acceptation générale de la personne, c'est-à-dire au degré avec lequel une personne pense avoir de la valeur en tant qu'individu (Burns, 1979). Dans la mesure où une personne se respecte, s'accepte et s'évalue positivement, alors nous disons qu'elle possède une estime de soi élevée ou positive. Par contre, si une personne se rejette, se déprécie et s'évalue négativement, alors cette dernière possède une estime de soi faible ou négative.

Au cours des dernières années, les psychologues sociaux en sont venus à préciser l'estime de soi de trois façons. Premièrement, on fait maintenant la distinction entre une estime de soi personnelle et une estime de soi collective (Luhtanen & Crocker, 1992). L'**estime de soi personnelle** renvoie à l'évaluation subjective des attributs qui nous sont propres. C'est en quelque sorte ce que la plupart des gens ont en tête lorsqu'ils utilisent l'expression « estime de soi » ou « estime personnelle ». Par contre, l'**estime de soi collective** renvoie aux jugements de valeur de la personne à l'égard des caractéristiques du ou des groupes auxquels elle s'identifie. Ainsi une personne pourrait dire que les groupes sociaux auxquels elle appartient forment une partie importante de son estime de soi. Cette distinction entre les éléments personnel et collectif de l'estime de soi représente un avancement intéressant qui devrait permettre de rapprocher les courants scientifiques nord-américains et européens, qui s'intéressent aux notions d'estime de soi et d'identité respectivement. L'encadré 3.1 présente certains éléments récents relatifs à l'estime de soi collective.

ENCADRÉ 3.1

L'ESTIME DE SOI COLLECTIVE

Qu'on le veuille ou non, nous appartenons tous à un ou à plusieurs groupes sociaux. Ceux-ci peuvent s'appuyer par exemple sur la race, l'ethnie, le sexe, la religion, la politique ou le sport. Notre appartenance à divers groupes sociaux révèle certaines choses à notre sujet ; elle peut servir à nous identifier et à nous décrire. Nous avons vu que l'estime de soi reflète l'évaluation subjective de l'individu quant à des attributs personnels, telles ses compétences, sa personnalité ou son apparence. Qu'en est-il des caractéristiques des groupes sociaux auxquels nous appartenons ? Est-ce que la personne effectue également une évaluation subjective des composantes des groupes auxquels elle appartient ?

En d'autres mots, peut-on parler, d'une part, d'une estime de soi « personnelle » qui représente l'évaluation subjective d'un individu quant à ses

→

ENCADRÉ 3.1 (suite)

propres attributs et, d'autre part, d'une estime de soi « collective » qui reflète l'évaluation subjective de la personne à l'égard des caractéristiques des groupes sociaux auxquels elle s'identifie ? C'est en fait la distinction proposée par Riia Luhtanen et Jennifer Crocker (1991), qui se sont basées sur la théorie de l'identité sociale (Tajfel & Turner, 1979, 1986; voir le chapitre 13 à cet égard). Puisque notre conception de nous-mêmes semble dépendre en partie de notre identité sociale ou de notre appartenance à des groupes sociaux, Luhtanen et Crocker ont proposé que l'individu s'évalue non seulement en fonction des attributs qui lui sont propres, mais également par rapport aux caractéristiques des groupes auxquels il s'identifie.

Une étude célèbre en psychologie sociale de Kenneth et Mamie Clark (1947) laissait présager que l'estime de soi est influencée par nos perceptions des groupes sociaux auxquels nous appartenons. L'étude de Clark et Clark consistait à présenter des poupées blanches et des poupées noires à des enfants américains de race blanche et de race noire (rencontrés individuellement), et à leur demander laquelle des poupées les représentait davantage et laquelle ils aimeraient choisir. La première constatation des chercheurs n'eut rien d'étonnant : dans la majorité des cas, les enfants blancs s'identifièrent à une poupée blanche, alors que les enfants noirs s'identifièrent à une poupée noire. Toutefois, la seconde observation des psychologues fut beaucoup plus surprenante et révéla que, dans la majorité des cas, les enfants noirs comme les enfants blancs choisirent une poupée blanche. Ces résultats étaient troublants puisqu'ils suggéraient que les enfants noirs s'identifiaient à un groupe de race noire sans toutefois valoriser une telle appartenance.

L'étude de Clark et Clark a été rendue célèbre en raison de son impact juridique et social, notamment sur le système scolaire des États-Unis. Au cours des années 1950, le système scolaire public américain (tout comme d'autres services publics) pratiquait toujours la ségrégation raciale, selon laquelle il y avait un réseau d'écoles pour les Américains de race blanche et un autre (beaucoup plus démuni) pour les Américains de race noire. Or, à cette époque, une importante décision de la Cour suprême des États-Unis a rendu cette pratique illégale. (D'ailleurs, l'événement a fait l'objet d'un film américain en 1991, intitulé *Separate but Equal* et mettant en vedette Sidney Poitier.) Le témoignage de Kenneth Clark, selon lequel les enfants noirs développaient une faible estime de soi comparativement aux enfants blancs, avait joué un rôle considérable dans la décision de la Cour suprême.

Quelle composante du soi Clark et Clark (1947) avaient-ils examinée dans leur enquête auprès d'enfants américains ? S'agissait-il d'estime de soi personnelle ou d'estime de soi collective ? Les récents travaux de Luhtanen et Crocker (1991, 1992) suggèrent qu'il s'agissait de l'estime de soi collective

→

ENCADRÉ 3.1 (suite)

plutôt que personnelle. Ces chercheuses ont élaboré une théorie et une mesure de l'estime de soi collective. Contrairement à la majorité des mesures d'estime de soi, qui portent sur des aspects personnels du soi, l'échelle d'estime de soi collective (Luhtanen & Crocker, 1992) porte sur la tendance générale à évaluer positivement l'identité sociale ou collective de soi.

Afin de mesurer l'estime de soi collective, Luhtanen et Crocker (1992) ont recours à des énoncés tels que « En général, je suis heureux d'être membre des groupes sociaux auxquels j'appartiens » ou « Dans l'ensemble, mes groupes sociaux sont bien vus par les autres ». Les sujets indiquent sur une échelle de sept points de type Likert leur degré relatif de désaccord ou d'accord avec l'item présenté. Des résultats empiriques soutiennent les notions voulant que l'estime de soi collective puisse être mesurée fidèlement et qu'elle soit empiriquement distincte, mais associée à l'estime de soi personnelle (Luhtanen & Crocker, 1992).

En somme, les groupes sociaux desquels nous faisons partie sont le reflet de notre identité sociale et déterminent en partie la conception que nous avons de nous-mêmes. Par conséquent, l'estime de soi collective représente les jugements de valeur de la personne quant aux caractéristiques des groupes sociaux auxquels elle s'identifie. L'évaluation subjective des caractéristiques des groupes auxquels vous appartenez est-elle positive ?

La deuxième précision importante concernant l'estime de soi a trait à la distinction entre l'estime de soi d'état et l'estime de soi dispositionnelle. Il nous arrive à tous, tôt ou tard, de vivre certaines périodes négatives. Rien ne va et le monde semble gris. En revanche, heureusement, il y a également de ces périodes où tout marche comme sur des roulettes et où tout ce qu'on entreprend s'avère une réussite. Nos évaluations sur nous-mêmes risquent alors de varier en fonction des situations. Lorsque les choses vont mal, notre estime de soi peut alors être abaissée temporairement, tandis que lorsque les choses vont bien elle peut être rehaussée. Ces variations ponctuelles dans l'évaluation de soi renvoient alors à ce que certains appellent l'**estime de soi d'état.** Heatherton et Polivy (1991) ont conçu un instrument pour mesurer ce type d'estime de soi, l'échelle d'estime de soi d'état. Lorsqu'ils répondent à l'échelle, les sujets doivent indiquer comment ils se sentent sur le moment. La première partie du tableau 3.2 donne un exemple de quelques énoncés issus de cette échelle. Imaginez que vous veniez d'échouer à un examen important, puis répondez aux énoncés. Maintenant, faites le même exercice en prétendant que vous venez de réussir cet examen. Le total des points devrait être plus bas après l'échec qu'après le succès. Ceci est conforme aux résultats de Heatherton et Polivy (1991, étude n° 3), où les étudiants

TABLEAU 3.2 Exemples d'énoncés servant à mesurer l'estime de soi d'état et l'estime de soi dispositionnelle

Items traduits librement de l'échelle d'estime de soi d'état (Heatherton & Polivy, 1991)

Aucunement en accord	Un peu en accord	Relativement en accord	Très en accord	Tout à fait en accord
1	2	3	4	5

1. Je suis présentement satisfait de mon apparence.	1	2	3	4	5
2. Je suis confiant dans mes habiletés.	1	2	3	4	5
3. J'ai l'impression que les autres me respectent et m'admirent.	1	2	3	4	5
4. Je me sens présentement inférieur aux autres*.	1	2	3	4	5
5. J'ai le sentiment de ne pas bien faire*.	1	2	3	4	5

Items tirés de la validation canadienne-française (Vallières & Vallerand, 1990) de l'échelle d'estime de soi dispositionnelle (Rosenberg, 1965)

Tout à fait en désaccord	Plutôt en désaccord	Plutôt en accord	Tout à fait en accord
1	2	3	4

1. Je pense que je possède un certain nombre de belles qualités.	1	2	3	4
2. Dans l'ensemble, je suis satisfait de moi.	1	2	3	4
3. Parfois je me sens vraiment inutile*.	1	2	3	4
4. J'ai une attitude positive vis-à-vis de moi-même.	1	2	3	4
5. Il m'arrive de penser que je suis bon à rien*.	1	2	3	4

Note: Plus le score est élevé sur les échelles et plus l'estime de soi est élevée.
* Le pointage pour cet énoncé doit être inversé.

qui venaient d'échouer à un examen démontraient une baisse d'estime de soi d'état, alors que ce n'était pas le cas pour les étudiants qui avaient bien fait à l'examen.

Nonobstant ces périodes occasionnelles, qui, somme toute, ne sont pas représentatives de l'ensemble de notre situation de vie, nous avons également une évaluation « générale » de nous-mêmes en tant que personnes (Demo, 1985). C'est cette dernière qui se rapporte à l'**estime de soi dispositionnelle.** Plusieurs instruments ont été construits afin de mesurer cette évaluation habituelle que nous effectuons de notre personne (p. ex. Coopersmith, 1967; Fleming & Courtney, 1984; Janis & Field, 1959; Rosenberg, 1965). La seconde portion du tableau 3.2 présente certains énoncés du questionnaire de Rosenberg (1965) validé en français par Vallières et Vallerand (1990). On remarque que la personne répond à ces énoncés en fonction de la manière dont elle se perçoit en général. Comment vous percevez-vous par rapport à ces items ?

Enfin, la troisième contribution récente des psychologues sociaux en ce qui concerne l'estime de soi consiste à en distinguer les aspects globaux des éléments plus particuliers. Plusieurs chercheurs (p. ex. Harter, 1982; Marsh, 1986) croient de nos jours que le concept de soi a trait à une entité à multiples facettes ou

« multidimensionnelle » ainsi qu'à une représentation globale de notre personne. Ceci semble intuitivement correct. En effet, tout en laissant place à une évaluation globale, nous nous percevons souvent de façon multiple : l'étudiante brillante, l'amie qui prend bien soin de ses amis, la sportive performante, etc. Qu'en est-il dans les faits ?

Vallerand, Pelletier et Gagné (1991) se sont penchés sur la question. Dans l'une de leurs études, Vallerand et ses collaborateurs ont utilisé le questionnaire de Harter (1982). Cette échelle mesure l'évaluation que les enfants d'âge scolaire font de quatre dimensions d'eux-mêmes, soit les aspects sociaux, physiques (ou sportifs), cognitifs (ou scolaires) ainsi qu'une évaluation globale. À l'aide de cet instrument, Vallerand *et al.* (1991) ont comparé l'estime de soi de 65 élèves doués et de 69 élèves moyens de 4e, 5e et 6e année du primaire. Dans la mesure où l'aspect multidimensionnel du concept de soi existe, les résultats devraient démontrer que les élèves doués s'évaluent plus positivement que les élèves moyens uniquement quant à la dimension cognitive (ou scolaire) puisque ce n'est que sur cet aspect qu'ils sont supérieurs aux autres élèves. Aucune différence ne devrait apparaître entre les groupes par rapport aux autres dimensions de l'estime de soi. Comme le démontre le tableau 3.3, les résultats confirmèrent une vision multidimensionnelle de l'estime de soi, la seule différence significative entre les groupes se situant sur l'échelle cognitive ou scolaire. Des recherches de Marsh et ses collègues ont également apporté des résultats similaires avec des instruments différents de celui de Harter (p. ex. Marsh, 1990; Marsh, Byrne & Shavelson, 1992; Marsh, Richards & Barnes, 1986a, 1986b).

L'estime de soi représente donc une évaluation qu'on fait de soi-même et qui peut prendre diverses formes (globale ou multidimensionnelle ; d'état ou dispositionnelle ; personnelle ou collective). Une telle perspective permet de rendre compte de la complexité de l'évaluation que nous faisons de notre soi.

Bien que plusieurs études aient porté sur l'estime de soi, très peu d'entre elles ont essayé de découvrir le pourquoi de l'existence de l'estime de soi chez l'être humain. Greenberg et ses collègues (Greenberg, Pyszczynski & Solomon, 1986;

TABLEAU 3.3 Différences entre des élèves doués et des élèves moyens sur l'échelle des perceptions de compétence (Harter, 1982)

Sous-échelles	Élèves	
	Doués	Moyens
Estime de soi générale	19,58	18,58
Estime de soi sociale	20,48	19,67
Estime de soi physique	18,69	18,54
Estime de soi cognitive (scolaire)	21,63*	19,59*

*Les deux groupes sont significativement différents à une probabilité de p< 0,002 (adapté de Vallerand, Pelletier & Gagné, 1991).

Note : Les analyses sont basées sur les résultats de 65 élèves doués et 69 élèves moyens de 4e, 5e et 6e année du primaire. Aucune différence ne fut obtenue entre les garçons et les filles ainsi qu'entre les trois années.

Greenberg *et al.*, 1992; Solomon, Greenberg & Pyszczynski, 1991), dans le cadre de leur **théorie de la gestion de la terreur de l'estime de soi** *(terror management theory of self-esteem)*, proposent que les gens sont motivés à maintenir une estime de soi positive afin de se protéger de diverses sources anxiogènes présentes dans la vie, notamment la peur de la mort. Ainsi, selon cette théorie, la personne a besoin de valoriser son existence et de croire qu'elle a sa raison d'être dans un univers qui a un sens. L'estime de soi positive permettrait alors à l'individu de contrer (en partie) l'anxiété vis-à-vis du fait que son existence se terminera un jour par la mort. Bien que cette théorie soit relativement récente, elle a déjà mené à plusieurs études qui soutiennent la perspective des auteurs (voir Burling, 1993; Greenberg *et al.* 1993; Solomon *et al.*, 1991).

Les schémas sur le soi

Nous avons déjà vu que le soi comme contenu représentait l'ensemble de l'information que l'individu possède sur lui-même. Mais comment au juste le soi organise-t-il ces diverses perceptions sur nous-mêmes ? De l'avis de la plupart des chercheurs et théoriciens, le soi agit comme un système de mémoire spécialisé qui intègre nos perceptions sur nous-mêmes (Greenwald & Pratkanis, 1984; Kihlstrom & Cantor, 1984; Markus, 1977). Ces perceptions sont regroupées et organisées de façon hiérarchique, et interreliées par des réseaux fort complexes dont l'unité de base est le **schéma** (Markus, 1977).

Nous avons dit précédemment que la psychologie sociale contemporaine était très cognitive. Le concept de schéma constitue un bon exemple de cette caractéristique. Issu de la psychologie cognitive (p. ex. Neisser, 1976), le concept de schéma représente un ensemble organisé de connaissances sur un domaine particulier (Alba & Hasher, 1983). En général, les chercheurs dans la discipline s'entendent pour dire qu'un schéma : a) est une structure interne parfois associée à des structures et à des processus physiologiques ; b) forme une unité organisée de connaissances ; c) est propre à un domaine pertinent tel que le soi, ou un aspect du soi ; d) est changeable par l'expérience ; e) guide l'attention et l'activité de la personne ; et f) permet l'assimilation de connaissances appropriées pour le schéma de sorte que les expériences sont perçues, remisées en mémoire et rappelées en fonction du schéma (Schlenker, 1985). En somme, un schéma est à la fois contenu et processus. Le concept de schéma cadre donc bien avec notre vision du soi.

À la lumière de ce que nous venons de voir, un schéma sur le soi peut être défini comme « des généralisations cognitives à propos de soi issues d'expériences passées qui organisent et guident le traitement de l'information contenue dans les expériences sociales de la personne » (Markus, 1977, p. 64). Selon Markus (1983; Markus & Sentis, 1982), les schémas sur le soi nous aident à rassembler et structurer les données que nous avons ramassées sur nous-mêmes au fil des années. Les schémas servent en quelque sorte de classeurs où l'on peut ranger l'information tout en sachant où aller fouiller pour la retrouver. Chaque

« chemise » porte sur un aspect de notre soi et les données y sont incluses ou exclues à la lumière de nos expériences. En plus de porter sur un élément précis de nous-mêmes (par exemple la dimension d'indépendance), le schéma contient des expériences particulières pertinentes (« J'agis généralement de façon indépendante. ») et des implications pour l'action (« Une personne indépendante doit agir à sa façon. »).

La spécificité des schémas peut varier en fonction de l'expertise de la personne dans le domaine en question. Les schémas sur la psychologie sociale d'un professeur dans le domaine « devraient » être beaucoup plus complexes que ceux de l'étudiant dans cette même discipline. Et c'est normal. Le professeur a accumulé au fil des ans un bagage important de connaissances dans ce secteur qui nécessite un système de classeurs (ou schémas) plus sophistiqué. En revanche, les schémas de l'étudiant sur la musique rock ou la *dance music* pourraient être plus détaillés que ceux du professeur, selon l'expérience antérieure de l'étudiant et celle du professeur dans ce champ d'activité.

Le nombre de schémas sur le soi que les gens possèdent peut varier d'une personne à l'autre en fonction de sa complexité, de sa maturité ainsi que de son expérience personnelle dans les secteurs donnés. La figure 3.1 présente un exemple de schémas sur le soi que pourrait posséder une étudiante en psychologie. On peut voir que les schémas sur le soi sont ceux intimement reliés au soi (étudiante, femme), alors que d'autres schémas, par contre, le sont peu (musique et sports). Tout en formant des généralisations d'information, ces derniers schémas

FIGURE 3.1 **Les schémas sur le soi d'une étudiante en psychologie**

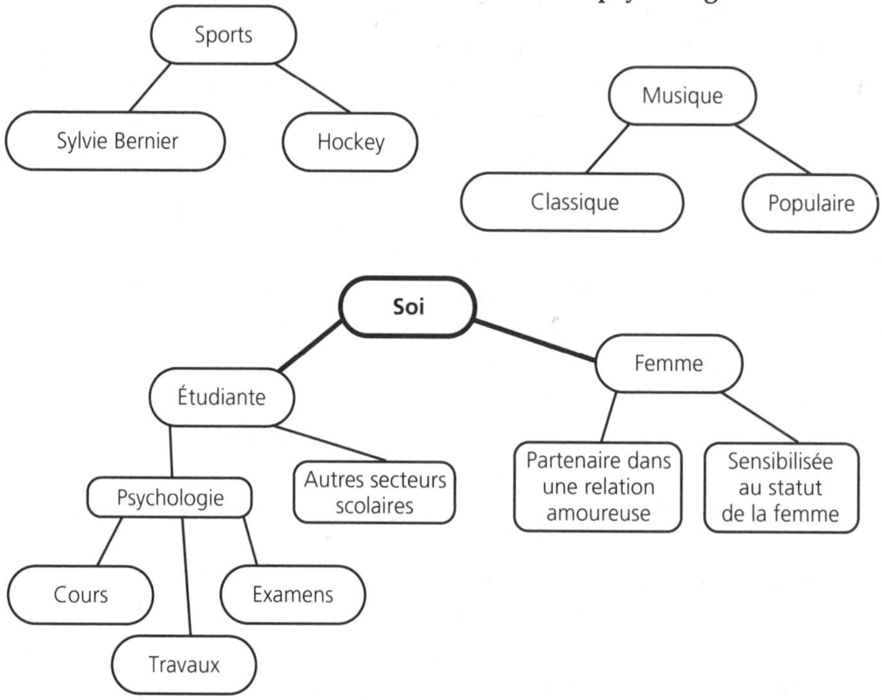

ne sont probablement pas fondés sur l'expérience personnelle de l'individu. Si vous aviez à définir les schémas sur votre soi, quel type de figure obtiendriez-vous ? À quel point cette dernière ressemblerait-elle à la figure 3.1?

Comme vous vous en êtes sûrement rendu compte en essayant de comparer votre configuration personnelle à celle de la figure 3.1, nous avons tous des schémas plus importants que d'autres, qui ne sont pas nécessairement les mêmes pour tout le monde. Lorsqu'une personne possède un schéma sur une dimension précise, on dit alors qu'elle est «schématique» sur cette dimension. Par contre, lorsqu'une personne ne possède pas de schéma détaillé sur une dimension donnée, alors elle est dite «non schématique» ou «aschématique» sur cette dimension. Plusieurs recherches démontrent que les gens qui sont schématiques sur une dimension quelconque se connaissent beaucoup mieux que ceux qui sont aschématiques sur la dimension en question. Ainsi plusieurs études révèlent que les sujets schématiques prennent moins de temps à juger, à partir d'une liste d'adjectifs, lesquels les caractérisent (puisqu'ils se connaissent mieux sur la dimension donnée, ils peuvent répondre plus rapidement), se rappellent généralement plus d'items de la liste présentée et donnent plus d'exemples de comportements passés relatifs à la dimension précise que les individus non schématiques sur la même dimension (voir Markus & Zajonc, 1985, pour une recension sur le sujet).

Ces résultats soulèvent deux points importants: premièrement, les schémas en tant qu'unités structurales sont utiles scientifiquement puisqu'ils mènent à des différences prévisibles entre les sujets schématiques et aschématiques. Et deuxièmement, tel qu'il a été mentionné précédemment, les schémas sur le soi ont une influence importante sur notre perception sociale. À ce titre, les schémas sur le soi mènent à des conséquences intra et interpersonnelles qui méritent l'attention du psychologue social. Nous y reviendrons ultérieurement.

Les autres composantes du soi comme contenu

Au cours des dernières années, les chercheurs et théoriciens sur le soi ont proposé l'existence d'autres types de représentation du soi. Selon Markus et Wurf (1987), ces différentes composantes du soi sont importantes parce qu'elles engendrent des conséquences affectives et motivationnelles majeures pour la personne. Nous ne ferons que présenter certaines de ces représentations ici.

Les conceptions centrales par opposition aux conceptions périphériques du soi. Certaines conceptions sont centrales (Gergen, 1968) pour la personne alors que d'autres ne sont que périphériques. Ainsi une étudiante en psychologie pourrait désigner les aspects reliés à sa situation de femme et d'étudiante et aux relations interpersonnelles (amitiés et amour) comme étant centraux. Par contre, les perceptions d'elle-même comme sportive ne seraient que très périphériques pour elle. Cette représentation pourrait donner un portrait semblable à celui que nous avons déjà vu à la figure 3.1, les conceptions les plus centrales étant celles les plus au centre et occupant le plus d'espace. Les conceptions centrales du soi sont généralement les plus détaillées.

Les identités personnelle et collective. La notion d'identité représente la réponse à la question «Qui suis-je?» (Brown, 1988). Ce concept est intéressant, car il procure à la personne d'une part la possibilité de souligner ce qui la caractérise ou la distingue personnellement, et d'autre part de témoigner de son appartenance à un groupe (Brewer, 1991; Deaux, 1993). Dans le premier cas, il s'agit de faire le point sur une identité personnelle, alors que dans le second la personne se réfère à une identité sociale (ou collective). Vous avez sans doute déjà vécu une situation dans laquelle vous faisiez partie d'un groupe et où, à un moment donné, vous vous êtes trouvé en désaccord avec l'orientation de celui-ci. Dans une telle situation, on peut se sentir déchiré par le besoin, d'une part, de respecter ses convictions personnelles et, d'autre part, d'adhérer aux normes du groupe. Ce dilemme peut s'expliquer en fonction du besoin chez la personne de préserver une identité personnelle (ou le sentiment d'être distinct des autres) d'un côté et du besoin d'une identité sociale (ou le sentiment d'appartenance) de l'autre côté. Marilyn Brewer (1991) suggère que les gens pourraient résoudre ce dilemme d'identité en établissant des rapports plus étroits avec les groupes qui renforcent simultanément leur identitié personnelle et leur identité sociale. Les besoins de distinction et d'appartenance seraient alors nourris en même temps.

Les conceptions idéales du soi. Un certain nombre de théoriciens en psychologie sociale ont proposé des modèles fort intéressants incorporant la notion de «soi idéal». Par exemple, Rosenberg (1979) propose qu'il faille distinguer les conceptions idéales du soi qui sont réalisables de celles qui ne sont, en fait, que des images glorifiées de soi-même. Selon Rosenberg (1979), des conséquences différentes seraient associées à ces deux types de soi idéal. Poursuivant sur cette lancée, Higgins et ses collègues (1989; Higgins, Strauman & Klein, 1986) ont suggéré que la conception du soi pouvait se diviser en trois grandes parties, en l'occurrence le soi idéal (celui qu'on voudrait être), le soi réel (celui qu'on se perçoit être) et le soi obligé (celui qu'on devrait être, selon nous ou les autres). Ces trois types de soi peuvent être plus ou moins élaborés chez la personne et mener à des conséquences émotionnelles importantes, comme nous le verrons dans la section sur les conséquences intrapersonnelles du soi.

Les conceptions du soi possibles. Tout dernièrement, Hazel Markus et ses collègues (Markus & Nurius, 1986; Ruvolo & Markus, 1992) ont proposé que nous ayons également des représentations de ce qu'il nous est possible de devenir, pour le meilleur ou pour le pire. Ce type de connaissances sur nous-mêmes porte sur ce que les gens croient par rapport à leur potentiel et à leur avenir. Les soi possibles incluent les soi que nous pourrions et voudrions devenir ainsi que ceux que nous avons peur de devenir (voir Ogilvie, 1987, pour un concept similaire, celui du soi non désiré). Par exemple, les soi possibles désirés pourraient être le soi mince, le soi riche, le soi créatif, le soi aimé et admiré. De l'autre côté, les soi possibles craints peuvent être le soi seul, le soi dépressif, le soi sans emploi et le soi alcoolique. En d'autres termes, la liste des soi possibles peut être très exhaustive. Selon Markus et Nurius (1986), les soi possibles sont importants parce qu'ils permettent le lien essentiel entre les représentations cognitives de soi et la motivation de l'individu à atteindre ou à éviter celles-ci. Les soi possibles établiraient donc le lien entre le soi comme contenu et le soi comme processus. Nous y reviendrons ultérieurement.

APPRENDRE À SE CONNAÎTRE : LES DÉTERMINANTS DU SOI COMME CONTENU

Nous avons vu, dans la section précédente, que l'information que nous possédons sur nous-mêmes est multiple et vaste. Mais nous n'avons pas indiqué les sources ou les déterminants de ces connaissances sur soi. C'est ce à quoi cette section va s'attarder. Nous verrons que ces sources d'influence sont nombreuses et variées.

Les sources interpersonnelles

Les théoriciens autant en sociologie qu'en psychologie ont proposé depuis fort longtemps que la formation du soi repose fondamentalement sur des bases interpersonnelles (Cooley, 1902; James, 1890; Mead, 1934). Selon ces théoriciens, notre concept de soi peut être lié aux évaluations des autres à notre égard. Par exemple, votre professeur peut vous féliciter pour votre bon travail. Le message est clair et direct : « Vous êtes un bon étudiant. » Cette appréciation pourrait vous amener à vous percevoir effectivement de cette façon. Parfois, le message est moins évident : une personne de votre entourage cesse de vous parler lorsque vous prenez quelques bières de trop. Il semblerait que la personne qui vous boude ne prise guère votre consommation d'alcool. Cette attitude pourrait vous révéler que vous avez un problème de ce côté. Nous pouvons donc voir qu'en nous procurant de l'information sur nous-mêmes, les autres nous aident à nous connaître. Comme le disait Cooley (1902), les gens qui nous entourent représentent un miroir que nous pouvons utiliser afin d'apprendre à mieux nous connaître. Cette position des déterminants de notre soi est appelée **interactionnisme symbolique** parce que notre conception de nous-mêmes est le fruit de nos interprétations des rétroactions symboliques exprimées par les autres dans leurs interactions avec nous (voir Stryker & Statham, 1985, pour un résumé de positions récentes à cet effet).

Selon la perspective de l'interactionnisme symbolique, le soi ne constitue pas une entité immuable mais plutôt un domaine qui se construit continuellement au fil des interactions que nous entretenons avec notre environnement social. Nous apprenons à nous connaître progressivement, et ce en deux étapes. Dans un premier temps, nous imaginons comment les autres nous perçoivent. Ceci implique

que nous sommes capables de prendre le point de vue de l'autre personne. C'est ce que nous appelons la «prise de rôle». Par exemple, si un collègue de classe vous dit que vous êtes une personne super et peu après vous demande vos notes pour préparer son examen, en vous mettant dans sa peau (en prenant son rôle), vous pourriez facilement vous rendre compte que son message n'était pas véridique et ne représentait probablement qu'un appât pour lui permettre d'obtenir vos précieuses notes de cours. Un tel commentaire ne devrait pas mener à des modifications de votre soi.

Par contre, si un de vos grands amis vous dit que même s'il vous aime il vous trouve paresseux, il se peut fort bien qu'un tel commentaire affecte votre perception de vous-même. Provenant d'une personne que vous respectez et qui n'a rien à gagner en faisant un tel commentaire, ce dernier sera reçu différemment par vous. Cependant, avant que ce message soit incorporé dans votre concept de soi, une deuxième étape doit être franchie: il vous faut intérioriser la perception que votre ami a de vous. Donc, afin de vous percevoir comme une personne paresseuse, non seulement faudra-t-il que vous receviez un tel message de quelqu'un qui vous est cher, mais également que vous concluiez vous-même (sûrement après hésitation) qu'en effet vous êtes de nature paresseuse. Ces deux étapes (la prise de rôle de la personne émettant le message et l'intériorisation du message) représentent des conditions nécessaires afin que l'information émise affecte votre perception de vous-même. Les recherches sur les influences interpersonnelles peuvent être regroupées dans trois courants, soit les influences directes, filtrées (indirectes) et bloquées.

Les influences interpersonnelles directes. Notre soi résulte en grande partie de notre environnement social. Ce dernier nous envoie une image de nous-mêmes qui parfois peut être intériorisée directement. Ceci peut être notamment le cas dans des situations où notre connaissance de nous-mêmes est limitée. Par exemple, Vallerand et Reid (1984) ont étudié les changements dans les perceptions de compétence de sujets par rapport à une tâche motrice (le stabilomètre) qui consistait à demeurer en équilibre. Au cours d'une première séance, les sujets participèrent à l'activité sans aucune rétroaction de la part de l'expérimentateur et indiquèrent leur évaluation de leur habileté pour l'activité en question. Trois semaines plus tard, les sujets retournèrent au laboratoire et furent répartis aléatoirement dans l'une des trois conditions suivantes: rétroaction positive, rétroaction négative et aucune rétroaction quant à leur performance. Les sujets n'avaient pas accès à d'autres sources d'information concernant leur performance. Les résultats révélèrent que les sujets qui avaient reçu une rétroaction positive de l'expérimentateur «augmentèrent» leurs perceptions de compétence pour l'activité, alors que les sujets qui reçurent une rétroaction négative «diminuèrent» leurs perceptions de compétence pour l'activité. Enfin, les sujets qui ne reçurent aucune rétroaction ne changèrent pas dans leurs perceptions de compétence.

Les résultats de l'étude de Vallerand et Reid (1984) démontrent que lorsque nous ne connaissons pas nos habiletés pour une dimension donnée la rétroaction des autres peut servir à former (de façon directe) une perception de nous-mêmes sur la dimension en question. Si les autres peuvent nous influencer de la sorte, alors sont-ils en mesure de nous aider à interpréter les événements que nous vivons et ainsi déterminer (en partie du moins) l'incidence que ces derniers peuvent avoir sur notre perception de nous-mêmes ? C'est en fait le but des groupes de soutien social, qui sont très populaires de nos jours. Les gens qui nous entourent peuvent nous aider à faire face à des messages négatifs en nous permettant de les réinterpréter de façon positive (Swann & Predmore, 1985). Par contre, dans un tel processus, l'influence des autres n'est pas toujours positive. En fait, si les gens qui nous entourent croient que les événements négatifs que nous vivons sont justifiés (Lerner, 1980), alors la rétroaction qu'ils nous procurent risque fort d'être dommageable, produisant ainsi des effets négatifs sur notre estime de soi (Swann & Predmore, 1985).

Les influences interpersonnelles filtrées. Il ne faudrait pas croire que nous acceptons toujours ce que les autres nous disent sans dire un mot. En fait, nous nous connaissons tout de même sur plusieurs dimensions et il serait donc normal que notre perception de nous-mêmes médiatise l'effet de la rétroaction des autres sur le contenu de notre soi. Plusieurs études ont démontré que l'évaluation des autres à notre endroit et notre perception de l'évaluation des autres ne sont pas toujours équivalentes. Notre soi filtre souvent la rétroaction des autres de sorte que c'est beaucoup plus notre perception de ce que les autres disent de nous que ce qu'ils disent vraiment qui détermine notre soi (Felson, 1981, 1985; O'Connor & Dyce, 1993). Une étude de Schafer et Keith (1985) illustre très bien ce fait. Les sujets étaient 333 couples mariés depuis 24 ans en moyenne. Chaque membre du couple évalua son estime de soi, l'estime de soi du conjoint et indiqua sa perception de la façon dont le conjoint le percevait. Les chercheurs effectuèrent une analyse acheminatoire (voir le chapitre 2) sur les données afin d'identifier les déterminants de l'estime de soi de chaque membre du couple. Les résultats sont présentés à la figure 3.2. On remarque que les résultats sont les mêmes pour l'estime de soi du mari et de la femme. Par exemple, l'évaluation du mari quant à l'estime de soi de sa femme détermine sa perception à elle de l'évaluation que son mari possède à son sujet. Toutefois, c'est la dernière perception (plutôt que la première) qui, en retour, détermine l'estime de soi de la conjointe. En d'autres mots, la perception du mari quant à l'estime de soi de sa femme ne produit aucun effet direct sur l'estime de soi de celle-ci. C'est plutôt la perception de la conjointe quant à ce que son mari pense d'elle qui compte. Il en est de même pour l'estime de soi du mari. On peut noter dans cette étude que l'impact de la perception du mari est filtré par la perception de la conjointe et vice versa. Il n'y a donc pas d'effet direct sur l'estime de soi de la personne.

Les influences interpersonnelles bloquées. L'information que nous recevons des autres n'est pas que filtrée. Parfois, elle est carrément rejetée. Comment réagiriez-vous si quelqu'un vous disait que vous êtes stupide ? Vous vous efforceriez sûrement de démontrer à cette personne que vous êtes plutôt intelligent et qu'elle s'est royalement trompée à votre égard. Du moins, c'est ce que laisse présager l'étude de Swann et Hill (1982). Dans cette étude, des sujets

FIGURE 3.2 **L'estime de soi et les perceptions dans les relations de couple**

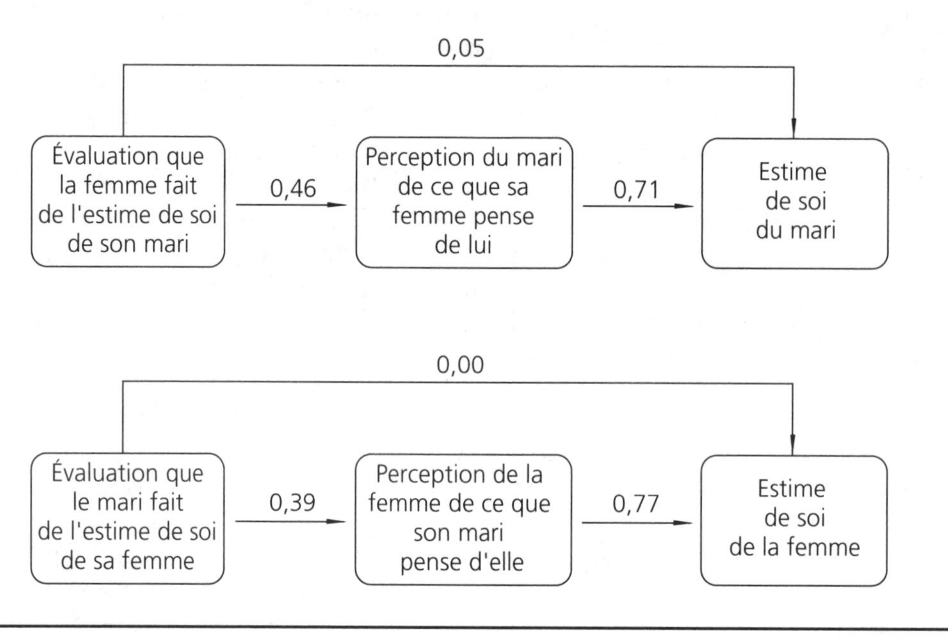

Adapté de Schafer et Keith (1985).

qui se percevaient comme des personnes dominatrices et d'autres comme des gens soumis travaillèrent avec un partenaire à une tâche relativement simple. Au milieu de l'expérience, le partenaire, qui était en réalité un complice de l'expérimentateur, émit l'une de ces deux rétroactions: il dit au sujet qu'il le trouvait dominateur ou qu'il le trouvait soumis. Par la suite, le comportement du sujet pour le reste de l'expérience fut observé et évalué par des juges afin de déterminer à quel point il dénotait de la domination. Comment ont réagi les sujets? Se sont-ils efforcés de démontrer à leur collègue qu'il avait tort? Les résultats, présentés au tableau 3.4, indiquent que ce fut effectivement le cas. Les sujets qui se percevaient comme des personnes dominatrices et qui reçurent le message qu'ils étaient du type soumis agirent par la suite de façon nettement plus dominatrice que lorsqu'ils furent informés que le collègue les trouvait dominateurs.

TABLEAU 3.4 **Réactions comportementales de domination à la suite d'une rétroaction verbale en accord ou en désaccord avec la perception que le sujet a de lui-même**

	Type de rétroaction	
	En accord	En désaccord
Perception de soi	avec la perception du sujet	
Personne dominatrice	36,00	46,29
Personne soumise	37,20	30,00

Note: Un score élevé indique un comportement de domination tel qu'il est évalué par des juges. Plus le score est élevé, plus le sujet est jugé dominateur (adapté de Swann & Hill, 1982).

Tout à fait l'inverse survint pour les sujets qui se percevaient comme des gens du type soumis : ils devinrent encore plus soumis (ou moins dominateurs) à la suite de la rétroaction selon laquelle ils étaient perçus comme des personnes dominatrices par le collègue.

Il semble donc légitime de déclarer que nous jouons un rôle actif dans l'élaboration de ce que nous sommes en acceptant, filtrant ou réfutant la rétroaction que nous recevons des autres. Nous serons plus enclins à accepter l'évaluation que les autres font de nous quant à une dimension donnée lorsque cette évaluation rejoint celle que nous avons de nous-mêmes ou lorsque nous sommes incertains quant à notre propre conception de cette dimension (Swann & Ely, 1984). Par contre, nous risquons fort de réagir contre la rétroaction des autres lorsqu'elle est négative et qu'elle concerne une dimension centrale pour notre personne (Markus & Wurf, 1987), et ce d'autant plus si nous nous connaissons bien quant à cette dimension (Swann & Ely, 1984). En fait, dans cette dernière situation, il semble que nous ayons plus de chances de convaincre ceux qui nous entourent d'accepter notre vision de nous qu'ils n'ont de chances de nous influencer dans notre perception de nous-mêmes (Swann & Ely, 1984).

Le contexte social et culturel

Selon le postulat de distinction (McGuire, 1984; McGuire & McGuire, 1981, 1988), une personne qui essaie de se connaître et de se définir prend bonne note des traits et caractéristiques qui lui sont propres, car ceux-ci sont beaucoup plus informatifs à son sujet et permettent de mieux distinguer son soi de celui des autres. Dans ce cadre, le contexte social et culturel dans lequel vit la personne peut représenter un ensemble de déterminants extrêmement puissants des caractéristiques distinctives de la personne et de son soi.

Une première variable contextuelle qui semble importante porte sur le genre (ou le sexe) des gens que nous côtoyons régulièrement, que ce soit dans notre famille, au travail ou à l'université. Par exemple, McGuire, McGuire et Winton (1979) ont démontré que les garçons et les filles étaient de plus en plus portés à souligner leur sexe comme une caractéristique d'eux-mêmes à mesure que la proportion des membres de l'autre sexe augmentait dans leur famille. Ces résultats furent également reproduits dans d'autres recherches (Cota & Dion, 1986; McGuire & Padawer- Singer, 1976).

Une deuxième variable issue du contexte social pouvant affecter notre soi réside dans le type et la concentration de groupes ethniques différents du nôtre. Ainsi, McGuire, McGuire, Child et Fujioka (1978) ont rapporté que, dans les classes d'écoles américaines, seulement 1 % des élèves de race blanche ont indiqué que leur ethnie représentait une caractéristique importante d'eux-mêmes, alors que 17 % des Noirs et 14 % des élèves d'origine latine l'ont fait. Dans une telle perspective, il ne serait pas surprenant que les anglophones et les francophones résidant au Québec et fréquentant les mêmes classes aient développé certains éléments différents de leur concept de soi (Taylor & Dubé, 1986).

Bon nombre d'autres variables contextuelles pourraient être mentionnées. Les caractéristiques physiques comme la couleur de la peau, la taille et le poids, la couleur et la longueur des cheveux et le port de verres sont évidemment importantes (McGuire & McGuire, 1982). Le concept de soi d'une personne obèse qui passe toute sa vie dans une famille où tous les membres sont sveltes risque fort de contenir une dimension reliée au poids ou à l'apparence corporelle. Dans la même veine, on peut facilement imaginer qu'une personne obèse en compagnie de personnes minces puisse se sentir différente des autres. Toutefois, cela ne semble pas toujours être le cas. En effet, dans la mesure où nous avons des affinités avec notre entourage il est possible que des sentiments de similitude aient préséance sur les sentiments de contraste (Brown, Novick, Lord & Richards, 1992, étude n° 2). Ainsi le type de relation qu'on a avec les autres et le degré d'affinité qu'on ressent à leur égard déterminent jusqu'à quel point leurs caractéristiques auront une influence sur notre perception de soi.

La culture à laquelle nous appartenons peut également avoir un impact sur notre perception de soi. En effet, Markus et Kitayama (1991) ont démontré que pour des personnes de culture américaine le concept de soi représentait davantage l'indépendance vis-à-vis des autres et une préoccupation pour soi, alors que pour des gens de culture asiatique la notion de soi représentait davantage une interdépendance harmonieuse et une attention orientée vers l'autre. Ceci a été soutenu dans une autre étude (Trafimow, Triandis & Goto, 1991), où il a été démontré que les gens issus d'une culture individualiste, telle la culture américaine, paraissent avoir plus de facilité à énumérer des éléments descriptifs d'un soi privé, alors que les gens provenant d'une culture asiatique, telle la culture chinoise, éprouvent plus de facilité à énumérer des caractéristiques d'un soi collectif.

Il semble également important de souligner que la culture peut, en plus, rendre saillantes les normes qui sont appropriées à son sexe. Ainsi, dans la culture nord-américaine, les femmes doivent faire preuve d'interdépendance, alors que les hommes doivent se montrer indépendants et individualistes vis-à-vis des autres (Josephs, Markus & Tafarodi, 1992). Puisque l'estime de soi des gens dépend généralement de l'intégration de ces normes dans notre soi et du développement de conceptions de soi conformes à ces normes, il devient plus facile de comprendre certaines différences entre les hommes et les femmes de ce point de vue, notamment au sujet des dimensions d'indépendance et d'individualisme.

L'observation de nous-mêmes

Une autre façon d'apprendre à se connaître consiste à s'observer soi-même. Ces observations peuvent porter sur nos comportements ainsi que sur nos pensées et sentiments.

L'observation de nos comportements. Daryl Bem (1967, 1972) a proposé la **théorie de la perception de soi** afin d'expliquer comment nous apprenons à nous connaître. Selon Bem, en temps normal nous avons très peu accès à nos états intérieurs pour déterminer nos goûts et intérêts personnels (voir également Nisbett & Wilson, 1977; Wilson, 1985, à cet effet). Ne pouvant nous servir de cette source interne d'information, nous devons agir de la même façon qu'un observateur le ferait afin d'apprendre à nous connaître, c'est-à-dire en nous observant agir. Bem (1972) propose que « les individus viennent à connaître leurs attitudes, émotions et autres états intérieurs partiellement en inférant ceux-ci des observations de leurs propres comportements ou des circonstances dans lesquelles ce comportement est adopté » (p. 5).

Par exemple, vous est-il déjà arrivé de vous présenter à table sans appétit apparent, puis de vous surprendre à tout dévorer devant vous ? Comment avez-vous réagi ? Il y a de fortes chances que vous vous soyez exclamé : « Eh bien ! Je devais avoir faim après tout. » Comme le suggère Bem, notre comportement peut, dans certaines situations, refléter nos états intérieurs et ainsi nous aider à mieux nous connaître. En nous observant agir en présence ou en l'absence de différentes contingences, nous trouvons le pourquoi de notre comportement. Ainsi, si vous mangez toute votre assiette sans aucune pression, vous pourrez inférer que vous aviez probablement plus faim que vous ne le pensiez. Par contre, si vous mangez pour faire plaisir à vos parents, qui vous ont préparé un « bon petit repas », alors vous pourriez inférer que ce n'était pas la faim qui vous a amené à manger, mais bien le désir de ne pas déplaire à vos parents.

Il serait opportun de souligner que Bem ne postule pas qu'on forme « toujours » notre concept de soi à partir des observations de notre comportement. En fait, deux conditions sont nécessaires afin qu'on puisse utiliser notre comportement comme source d'information sur nous-mêmes. Premièrement, les facteurs présents dans la situation ne doivent pas être les facteurs contrôlants de l'émission du comportement. Sinon, le comportement est attribué aux conditions environnementales et il ne peut pas apporter d'information sur les états intérieurs. Deuxièmement, les actions ne seront utilisées comme source d'information sur nous-mêmes que dans la mesure où nos états intérieurs sont « faibles, ambigus ou non interprétables ». Donc, lorsque nous savons qui nous sommes par rapport à une dimension donnée, il est peu probable que nous accordions de l'importance à l'observation de notre comportement comme déterminant de notre concept de soi. Ce second point soulève l'aspect de « développement » relié à la connaissance du soi. Les enfants semblent se retrouver souvent dans des situations où leurs états intérieurs sont « faibles, ambigus ou non interprétables ». Se connaissant peu, les enfants ont tendance non seulement à s'observer pour apprendre à se connaître, mais également à demander à leurs parents de les observer afin que ces derniers les aident à se connaître. Les parents entendent des phrases comme celles-ci à longueur de journée : « Papa, j'ai aidé Mathieu à serrer ses jouets ; je suis gentil, n'est-ce pas ? » Ou encore : « Maman, j'ai compté trois paniers au basket-ball ; je suis bon, non ? » À mesure que l'enfant vieillit, on devrait s'attendre à ce qu'il se connaisse mieux et ne fasse utilisation de l'observation de son comportement que lorsque ses états intérieurs sont flous et ne sont pas accessibles.

Une étude de Chaiken et Baldwin (1981), alors à l'Université de Toronto, a examiné le rôle de la clarté des états intérieurs (ou le fait de se connaître soi-même) et de l'information comportementale dans l'élaboration du concept de soi. Dans cette étude, les chercheurs ont identifié des individus qui avaient une attitude favorable à la conservation de l'environnement mais qui se voyaient différemment quant à cette dimension. La moitié se considéraient comme des environnementalistes alors que les autres avaient une vision ambiguë d'eux-mêmes par rapport à l'environnement, en dépit du fait que leur attitude vis-à-vis de la cause était favorable. Par la suite, ces deux types de sujets furent aléatoirement affectés à l'une des deux conditions suivantes : on leur demanda de se rappeler soit des comportements passés cohérents avec une approche privilégiant l'environnement, soit des comportements passés qui allaient à l'encontre du respect de l'environnement. Sur quel genre d'information les sujets se baseraient-ils pour se définir par rapport à la dimension reliée à l'environnement : leurs comportements passés ou leur états intérieurs ? Les résultats ont démontré que la réponse à cette question dépendait de la connaissance que les sujets avaient d'eux-mêmes vis-à-vis de l'environnement. Les sujets qui se percevaient comme des environnementalistes ne furent pas affectés par le rappel de comportements utiles ou contraires à la protection de l'environnement. Par contre, les sujets qui avaient une conception de soi ambiguë quant à la dimension de l'environnement furent fortement affectés par le rappel de comportements passés. Plus précisément, ceux qui se rappelèrent des comportements en faveur de l'environnement se perçurent comme des personnes beaucoup plus environnementalistes que les sujets s'étant rappelé des comportements contraires au respect de l'environnement. Ces résultats sont présentés à la figure 3.3.

Les sources cognitives et affectives. Notre recherche d'information sur nous-mêmes ne se limite pas à l'observation de nos comportements. Une autre source d'information provient de l'observation et de l'analyse de nos pensées et sentiments. Mais si nous avions le choix entre l'information issue de notre comportement et celle provenant de nos pensées et sentiments, laquelle choisirions-nous pour nous définir ? Une étude de Andersen et Ross (1984) révèle que des sujets de niveau universitaire jugent leur propre description sous forme de pensées et de sentiments plus précise, informative et complète sur eux-mêmes que celle provenant de source comportementale. Il semble donc que les cognitions et les sentiments soient préférés aux comportements. Mais en est-il toujours ainsi ? Les gens accordent-ils « toujours » plus d'importance à leurs pensées et à leurs sentiments qu'à leurs comportements lorsqu'ils essaient de se connaître ? C'est à cette question que Andersen et Williams (1985) ont tenté de répondre.

À la suite d'un prétest dans lequel les sujets avaient répondu à des mesures d'estime de soi, Andersen et Williams leur ont demandé de se rappeler soit des comportements passés positifs, soit des pensées et des sentiments positifs. Enfin, certains sujets ne reçurent aucune information. De plus, la moitié des sujets furent informés qu'ils effectueraient leur tâche de façon privée (dans leur tête, sans mot dire), alors que l'autre moitié des sujets l'accompliraient de façon

FIGURE 3.3 **L'effet de la réception d'une information comportementale sur notre concept de soi**

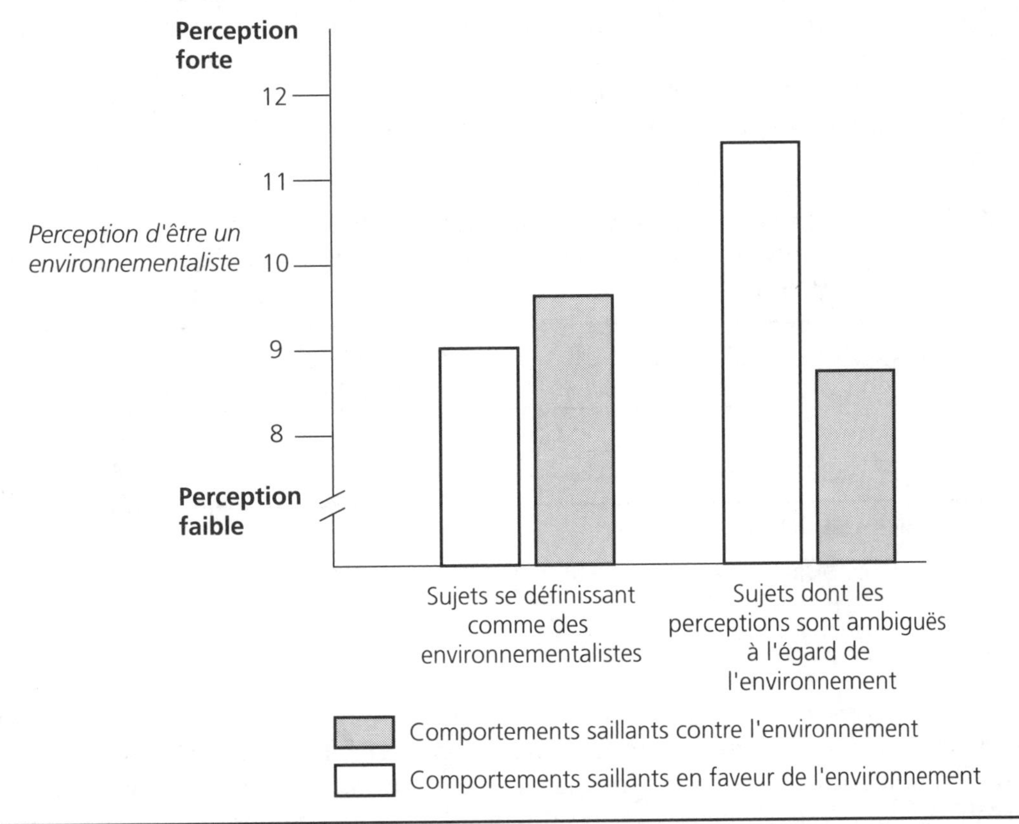

Lorsque des sujets qui se définissaient clairement comme des environnementalistes se rappelèrent certains de leurs comportements en faveur de la protection de l'environnement ou contraires à celle-ci, cette information n'eut aucun impact sur leurs perceptions d'eux-mêmes quant à la dimension en question. Par contre, les sujets ayant des perceptions ambiguës d'eux-mêmes à l'égard de l'environnement furent plus enclins à utiliser l'information comportementale afin de se définir vis-à-vis de la question de l'environnement (adapté de Chaiken & Baldwin, 1981).

publique (devant un magnétophone). Par la suite, les sujets répondirent une seconde fois à des mesures d'estime de soi. La variable dépendante d'intérêt était le changement d'estime de soi (le total des points au post-test moins le total des points au prétest). Les chercheures avaient prédit qu'en situation privée les pensées et les sentiments auraient un plus grand impact que l'information issue du comportement. Par contre, elles s'attendaient à ce que le contraire se produise en milieu public, les sujets devenant ainsi des observateurs de leurs propres comportements. Les résultats présentés au tableau 3.5 tendent à confirmer l'hypothèse des chercheuses. Précisément, on note que le changement positif d'estime de soi en condition privée est plus grand avec une information émanant de sources cognitive et affective plutôt que provenant du comportement et de sources non spécifiées (groupe témoin). Toutefois, en situation publique, l'estime de soi est plus élevée avec une information comportementale qu'avec une information cognitive et affective. Toutefois ces dernières différences ne sont pas significatives. Il semble donc que les deux processus, l'observation comportementale et l'observation d'éléments internes, puissent influencer le soi de manières différentes, selon que le contexte est public ou privé.

TABLEAU 3.5 **Rappels d'information comportementale ou cognitive-affective selon le type d'information présentée et l'expression privée ou publique du concept de soi**

Condition d'expression	Type d'information		
	Cognitive-affective	Comportementale	Non spécifiée
Privée	11,4	3,5	-0,04
Publique	5,2	6,8	7,4

Adapté de Andersen et Williams (1985).

L'évaluation de soi-même

Parfois nous apprenons à mieux nous connaître parce que, de façon délibérée, nous cherchons à savoir qui nous sommes vraiment. Dans de telles situations, nous allons souvent prendre des mesures additionnelles afin de nous évaluer. Selon plusieurs théoriciens (p. ex. Festinger, 1954; Suls & Miller, 1977), il y a deux façons d'évaluer nos habiletés, nos opinions et autres caractéristiques de nous-mêmes. Dans un premier temps, nous utilisons notre environnement physique. Ceci peut être fait en testant nos habiletés contre un ordinateur, par exemple, ou bien en répondant à des questions sur les dimensions qui nous intéressent. Cependant, de telles mesures d'évaluation objective ne sont pas toujours disponibles. C'est alors que les gens qui nous entourent peuvent servir d'unité de comparaison et nous permettre de nous évaluer afin d'avoir une meilleure idée de nous-mêmes. Nous considérons tour à tour ces deux types d'évaluation de notre soi.

Se tester soi-même vis-à-vis des critères objectifs. Imaginez que vous rencontriez un ami dans la rue. Après les échanges d'usage, il vous demande comment vont vos cours de guitare. Vous lui dites que tout va bien pour l'instant et que vous les trouvez intéressants. Peu après son départ, vous vous surprenez à réfléchir: «Je me demande bien si j'ai le talent nécessaire pour vraiment apprendre à jouer de façon convenable.» Qu'allez-vous faire pour répondre à votre question? Selon la **théorie de l'évaluation de soi,** de Yaacov Trope (1975, 1983), lorsque nous sommes incertains de nos caractéristiques ou habiletés, nous avons tendance à nous tester sur des tâches qui vont nous permettre de réduire notre incertitude et nous fournir l'information la plus claire possible sur les habiletés en question. Donc, dans la situation décrite ci-dessus, vous testeriez vos habiletés en essayant de jouer différents morceaux de musique. Mais pas n'importe lesquels ! Vous essaieriez de jouer des morceaux qui permettraient de déterminer si vous êtes bon ou pas en musique. Il pourrait s'agir de pièces que les musiciens habiles réussissent et que les musiciens moins doués ne parviennent pas à bien exécuter au niveau où vous êtes par exemple. C'est ce que Trope appelle des éléments qui possèdent un degré élevé de **diagnosticité.**

La théorie de Trope a été étudiée à maintes reprises et les résultats indiquent que lorsque les gens sont incertains de leurs habiletés ils se testent délibérément sur des tâches ayant un haut niveau de diagnosticité (Trope, 1975, 1980; Trope & Ben-Yair, 1982; Trope & Brickman, 1975). Fait intéressant à noter, cette recherche d'information sur nous-mêmes n'est pas limitée aux attributs positifs, mais se fait même si nous risquons de trouver des caractéristiques négatives (Trope, 1979). De plus, certaines personnes, et notamment celles qui ont de la difficulté à tolérer l'incertitude, sont plus portées que d'autres à rechercher de l'information sur elles-mêmes en situation d'incertitude (Sorrentino & Hewitt, 1984; Sorrentino & Short, 1986).

Enfin, le degré d'habileté objective de l'individu doit être considéré dans la prédiction de la tâche qu'il choisira dans sa recherche d'information sur soi. Par exemple, dans une étude sur le tir au pistolet chez des policiers, Meyer, Folkes et Weiner (1976) ont démontré que ceux-ci choisissaient de recevoir de l'information sur des cibles de difficulté modérée et variée en fonction de leur niveau d'habileté. Ainsi les policiers les plus expérimentés choisirent de recevoir de l'information sur des cibles très difficiles, alors que les recrues demandèrent de l'information sur des cibles plus faciles. Cette façon de procéder apportait ainsi le maximum de renseignements à chaque policier quant à son habileté personnelle au tir au pistolet.

S'évaluer en se comparant aux autres. Selon la **théorie de la comparaison sociale** (Festinger, 1954), il existe chez l'être humain une *drive* innée qui l'amène à évaluer ses opinions et habiletés. Lorsque des sources d'évaluation physiques ou objectives ne sont pas disponibles, nous comparons alors nos opinions et habiletés avec celles des gens qui nous entourent, que ce soit en matière de sport (« Le Canadien est-il vraiment meilleur que les Nordiques ? »), de musique (« Suis-je le seul à préférer la musique classique à la musique rock? ») ou de politique (« Je pense que le libre-échange entre le Canada, les États-Unis et le Mexique est une bonne chose. Ai-je raison ? ») (voir Goethals, 1986; Kruglanski & Mayseless, 1990; Latané, 1966; Suls & Miller, 1977; Suls & Wills, 1991; Wood, 1989, à ce sujet).

Si la comparaison sociale représente un aspect inhérent de l'interaction sociale, alors avec qui nous comparons-nous ? Il semble que des évaluations de nous-mêmes par le biais de la comparaison sociale sont plus efficaces lorsqu'elles mettent à contribution des personnes qui nous ressemblent (Castore & DeNinno, 1977; Goethals & Darley, 1977). Par exemple, lorsque des gens ont l'occasion de comparer leur performance dans une activité précise, la grande majorité des sujets préfèrent se comparer avec une personne du même sexe qu'eux (Suls, Gaes & Gastorf, 1979; Suls, Gastorf & Lawhorn, 1978; Zanna, Goethals & Hill, 1975). De plus, le choix de la personne avec qui l'on se compare s'effectue de sorte à maximiser l'information sur la dimension qui fait l'objet d'une comparaison (Goethals & Darley, 1977; Wheeler, Koestner & Driver, 1982). Ainsi, si vous désiriez évaluer vos habiletés comme joueur de tennis, vous ne voudriez pas vous comparer avec Pete Sampras, champion de Wimbledon en 1993. Vous ne choisiriez pas non plus un enfant de 10 ans. Il semble, au contraire, que vous vous compareriez avec quelqu'un de légèrement meilleur que vous (un de vos amis peut-être). C'est ce que Festinger appelle le **postulat de la *drive* unidirectionnelle vers le haut.** En vous comparant ainsi avec quelqu'un de sensiblement supérieur à vous, vous choisissez une norme que vous pourrez envisager atteindre dans l'avenir. À mesure que vous progresserez, votre standard de comparaison évoluera également vers le haut.

Cependant, nous ne nous comparons pas toujours avec les personnes qui sont meilleures que nous. Il nous arrive parfois de nous comparer avec des personnes qui sont égales ou même inférieures à nous. Tout dépend de la motivation sous-jacente au processus de comparaison (Wood, 1989; Wood & Taylor, 1991). À cet égard, Wood et Taylor (1991) proposent qu'il existe au moins trois formes de motivation. La première porte sur une évaluation de soi. Lorsqu'on veut vraiment savoir comment nous sommes par rapport à une dimension donnée, nous nous comparons alors avec des personnes semblables à nous quant à la dimension en question. Ceci correspond en quelque sorte au test le plus objectif possible de nos habiletés (Wheeler *et al.*, 1982). La deuxième motivation renvoie à un désir de s'améliorer. Dans un tel cas, les comparaisons les plus profitables pour la personne sont celles qui visent les gens qui nous sont supérieurs. Ce choix d'éléments de comparaison permet de nous améliorer en apprenant d'eux (Berger, 1977). De plus, il nous pousse à nous surpasser (Seta, 1982) et correspond à la *drive* unidirectionnelle vers le haut proposée par Festinger. Enfin, le rehaussement de soi représente la troisième forme de motivation comprise dans les comparaisons sociales. Elle se manifestera surtout dans des situations où notre estime de soi est menacée. Les gens cherchent alors à obtenir une évaluation favorable de soi. En nous comparant avec une personne qui est dans une pire position que la nôtre, il nous est possible d'obtenir une évaluation qui nous paraît favorable et ainsi de rehausser notre estime de soi (Taylor & Lobel, 1989; Taylor, Wood & Lichtman, 1983; Wheeler & Miyake, 1992; Wills, 1981).

Cette dernière façon de procéder a été révélée par Wood, Taylor et Lichtman (1985) dans une étude auprès de victimes du cancer du sein, où il a été démontré que ces personnes préfèrent se comparer avec des gens éprouvant des difficultés d'adaptation plutôt qu'avec des individus qui réussissent très bien à surmonter l'épreuve. D'autres études établissent que le fait de se comparer avec des personnes réussissant moins bien que nous peut effectivement réduire la dépression et la menace associées à des situations néfastes pour l'estime de soi (p. ex. Gibbons, 1986; Reis, Gerrard & Gibbons, 1993; Stanton, 1992). Toutefois, s'il n'est pas possible de nous comparer avec des individus réussissant moins bien que nous, nous chercherons alors à nous comparer avec quelqu'un à peu près égal à nous, tout en évitant une comparaison qui soulignerait notre faiblesse.

Il se peut également qu'à l'occasion nous n'ayons pas le choix et devions nous comparer avec les seules personnes disponibles. Une étude classique de Morse et Gergen (1970) démontre ce qu'il peut arriver dans une telle situation. Dans cette étude, des étudiants se présentèrent individuellement au laboratoire, croyant postuler un emploi d'été. À son arrivée, on demandait au sujet de remplir seul une série de questionnaires, dont un portait sur l'estime de soi et servait de variable dépendante. Après que le sujet avait répondu à la première partie de ce questionnaire, l'expérimentateur faisait entrer un second postulant pour l'emploi. Ce dernier était un complice de l'expérimentateur et apparaissait sous l'un des deux aspects suivants, selon la condition expérimentale dans laquelle se trouvait le sujet. Dans une première condition, le complice présentait une image très pauvre. Il portait un chandail malpropre, un pantalon déchiré et ne s'était pas rasé depuis quelques jours. Dans la seconde condition, le postulant présentait une image très soignée. Il portait un costume chic et avait une mallette à la main. Cette dernière comprenait maints objets (règle à calculer, livres, crayons, etc.) dénotant l'aspect minutieux et soigné de la personne. Une fois le nouveau complice installé sur sa chaise, le sujet répondait à la seconde partie du questionnaire d'estime de soi. En aucun cas le complice et le sujet n'échangèrent un mot. Un tel procédé expérimental permettrait de vérifier si le processus de comparaison sociale induirait des hausses ou des baisses d'estime de soi (le total des points de la seconde moitié du questionnaire moins le total des points de la première moitié).

Que démontrèrent les résultats ? Pour pouvoir répondre à cette question, il faut se mettre dans la peau du sujet. Celui-ci se présente à une entrevue pour un emploi d'été et, bien sûr, espère l'obtenir... quand, soudainement, un autre concurrent apparaît. Quelles sont ses chances d'obtenir l'emploi ? La seule façon de répondre à cette question consiste à se comparer avec le seul autre postulant qu'il connaît, en l'occurrence le complice de l'expérimentateur qui est en face de lui. Le sujet s'étant présenté avec un habillement à peu près normal, on devrait s'attendre à ce qu'il se trouve supérieur au postulant (complice) à l'image pauvre mais, par contre, qu'il se trouve inférieur au postulant (complice) à l'image soignée. Ces évaluations devraient transparaître sur l'échelle d'estime de soi. C'est exactement ce à quoi les résultats sont parvenus : les sujets dans la condition avec le complice « pauvre » manifestèrent une hausse de leur estime de soi alors que les sujets dans la condition avec un complice « soigné » démontrèrent une baisse d'estime de soi. Ces résultats prouvent donc que, dans certaines circonstances, nous pouvons obtenir de l'information sur nous-mêmes en nous comparant avec d'autres personnes qui ne sont pas nécessairement semblables à nous ; il leur suffit d'être saillantes ou disponibles. Nous ne pouvons alors pas contrôler les conséquences sur notre soi (voir Kenrick, Montello, Gutierres & Trost, 1993).

Le soi comme contenu : stabilité et changement

Dans la section précédente, nous avons présenté un grand nombre de déterminants du soi. L'image qui pourrait ressortir de notre discussion est que le soi est continuellement en évolution et change au gré de notre environnement social. Pourtant, cette variation semble contraire au sentiment de stabilité que nous vivons à l'intérieur de nous. En effet, d'aussi loin que nous nous souvenions, nous serions foncièrement la même personne. Il nous semble également qu'il y a un aspect de continuité dans notre soi. Certains changements mineurs se sont peut-être produits, mais en général nous sommes toujours les mêmes. Et bon nombre de recherches soulignent le bien-fondé de cette perception : nous recherchons une cohérence et une stabilité dans notre concept de soi, et résistons activement aux influences essayant de nous changer (Swann & Hill, 1982). Qu'en est-il dans les faits ? Sommes-nous immuables comme on pourrait le croire et comme le suggèrent certaines recherches ou sommes-nous changeants comme l'indiquent d'autres études ?

Selon les recherches dans le secteur (à cet effet, voir Markus & Kunda, 1986; Markus & Wurf, 1987), notre soi est à la fois stable et changeant. Notre concept de soi est stable en ce sens qu'à la suite de bien des influences sociales aucun changement n'est apparent quant à nos conceptions centrales. Nous sommes la même personne, avec notre même personnalité. Cependant, deux types de changements subtils peuvent se produire. Premièrement, après avoir subi des influences sociales, il arrive que certaines « nouvelles » conceptions sur nous-mêmes viennent s'ajouter à notre concept de soi. Ce type d'effet se produit surtout lorsque nous ne possédons aucune conception préalable sur nous-mêmes quant à une dimension donnée (p. ex. Markus, 1977). Par contre, à la suite d'événements importants qui viennent « mettre en question » des conceptions centrales de nous-mêmes, des variations dans le contenu du concept de soi en activité (c'est-à-dire les structures de notre concept de soi sollicitées par la situation ; Markus & Wurf, 1987) sont susceptibles d'avoir des conséquences puissantes, même si elles sont temporaires, sur notre estime de soi, nos humeurs et nos émotions ainsi que nos pensées et nos actions immédiates. Ces répercussions correspondent au second type de changement subtil du soi.

Il est important de noter que ce second type de changement est en général momentané. Peu de temps après l'incident, les conséquences disparaissent. Cependant, si la personne vit de telles conséquences de façon répétée, il se peut fort bien qu'à la longue elle vienne à les incorporer de façon permanente dans les structures stables de son concept de soi (Marsh *et al.*, 1986a, 1986b). Par exemple, un étudiant de première année en psychologie, ayant toujours obtenu de bonnes notes dans le passé, devrait recevoir son premier échec à un examen avec stupeur et une baisse temporaire d'estime de soi d'état devrait suivre. Cependant, si de tels résultats se produisent avec régularité, il y a des risques que cette perception négative de lui-même en tant qu'étudiant devienne plus stable et soit incorporée dans l'estime de soi dispositionnelle. Notons toutefois que ces changements ne devraient survenir que vis-à-vis d'une seule dimension de la personne, en l'occurrence la dimension reliée au domaine scolaire. Le reste des structures du soi devraient demeurer relativement intactes (on se souviendra de l'étude de Vallerand *et al.*, 1991, présentée au tableau 3.3). L'individu aurait donc une sensation de continuité et de stabilité même si des changements progressifs se produisent chez lui. On pourrait se demander si la personne ressentirait la même perception de continuité si les changements importants survenaient de façon instantanée. Fort probablement que non.

Il semble que la personne peut entretenir des perceptions soit de stabilité, soit de changement quant à son concept de soi, selon la phase de vie dans laquelle elle se trouve (Demo, 1992; McGue, Hirsch & Lykken, 1993). Ainsi, dans l'ensemble, il apparaît que les jeunes adultes et ceux d'âge moyen perçoivent leur concept de soi comme étant plus en évolution que les personnes âgées ne le ressentent (Ryff, 1991). De plus, notre perception de stabilité ou de changement de notre concept de soi semble influencée en partie par les théories implicites que nous entretenons concernant les dimensions du concept de soi évaluées. Ainsi notre évaluation de notre concept de soi sera plus stable quant aux dimensions vis-à-vis desquelles nous nous attendons à ne pas changer (efficacité, bonne humeur) comparativement à celles que nous nous attendons à voir augmenter (compréhension et affection) ou à voir diminuer (dynamisme, bonne mémoire) avec les années, même si ce n'est pas le cas objectivement (McFarland, Ross & Giltrow, 1992).

Bref, nos perceptions de stabilité de notre concept de soi peuvent être soumises à l'influence d'une foule de variables qui ne sont pas nécessairement objectives et qui peuvent être dictées par des théories implicites selon lesquelles il devrait y avoir changement ou non.

LE SOI COMME PROCESSUS

Dans cette section, nous nous attaquons à la seconde composante du soi, c'est-à-dire le soi comme processus. Déjà, par le biais de nos discussions antérieures, vous vous êtes fait une certaine idée de ce qu'est le soi comme processus. C'est la partie de nous qui prend connaissance de qui nous sommes, de ce que nous faisons, de ce que nous désirons devenir et de l'image que nous projetons aux autres. C'est aussi la partie de nous-mêmes qui nous évalue, qui règle nos efforts, qui ajuste notre motivation en fonction des demandes de l'environnement et de nos possibilités telles que nous les percevons. Bref, le soi comme processus est la partie du soi qui nous permet d'être en contact avec nous-mêmes et qui est aux commandes de notre personne.

La conscience de soi : la route permettant l'accès au soi

Lorsque nous dirigeons notre attention sur l'intérieur de nous-mêmes afin de nous concentrer sur le contenu de notre soi, nous sommes alors dans un état de **conscience de soi** (Carver & Scheier, 1981; Duval & Wicklund, 1972). Sans cette conscience de soi, il nous serait impossible d'avoir accès à notre soi comme contenu ; en d'autres termes, il nous serait impossible de savoir qui nous sommes. En plus, sans ce contact avec nous-mêmes, il devient plus difficile de contrôler notre comportement et de l'orienter selon nos standards ou nos critères personnels. Il semble donc évident que la conscience de soi joue un rôle important dans l'organisation, le développement et la régulation de notre soi (Hixon & Swann, 1993).

Malgré l'importance que revêt la conscience de soi, nous ne sommes pas toujours dans un tel état ; nous ne sommes pas toujours en contact avec nous-mêmes. La raison en est bien simple : il faut se concentrer sur l'environnement afin de fonctionner dans celui-ci. Vous est-il déjà arrivé de traverser la rue tout en réfléchissant à un événement que vous veniez de vivre dans la journée ? Il se peut fort bien que le klaxon d'une automobile vous ait alors ramené rapidement à la réalité : gare à celui qui ne se concentre pas sur l'environnement !

Bien que cette concentration sur l'environnement soit essentielle, elle comporte néanmoins un coût. Elle nous empêche d'être en contact avec nous-mêmes. Tel qu'il a été démontré par plusieurs chercheurs et théoriciens (p. ex. Duval & Wicklund, 1972; Wicklund, 1975, 1978), notre attention ne peut être orientée vers nous-mêmes et vers l'environnement simultanément. Il nous faut donc choisir entre les deux. Une attention accordée à l'environnement nous amène à être en contact avec celui-ci et à agir en fonction des règles implicites ou explicites inhérentes à la situation sociale donnée. Par contre, lorsque notre attention est orientée vers nous-mêmes, notre comportement sera réglé par nos standards personnels internes, par nos valeurs et par nos croyances. Examinons de plus près ce que nous entendons par le concept de conscience de soi.

Les types de conscience de soi

Duval et Wicklund (1972) proposent que lorsque notre attention est dirigée sur notre soi il en résulte un état de conscience de soi objective puisque le soi est alors l'objet de notre attention. Des travaux plus récents (Carver & Scheier, 1981, 1985; Fenigstein, Scheier & Buss, 1975; Gibbons, 1990, entre autres) ont démontré que la conscience de soi se subdivise en deux composantes, soit les éléments privés et les éléments publics. La **conscience de soi privée** a trait au fait d'être en contact avec les aspects intérieurs de soi, ceux qui ne sont pas accessibles aux autres, tels que les attitudes et sentiments, les pensées, les désirs, les motivations, les valeurs et autres éléments faisant partie de la vie intérieure de la personne. En revanche, la **conscience de soi publique** renvoie au soi tel qu'il apparaît aux yeux des autres. Dans ce cas, il s'agit d'éléments permettant aux autres de se faire une opinion de notre personne. Le comportement, nos manières, notre habillement et d'autres aspects reliés à la présentation sociale ou à notre description physique font l'objet d'attention de la conscience de soi publique.

Au même titre que nous ne pouvons pas être concentrés sur l'environnement et sur nous-mêmes en même temps, nous ne pouvons pas être concentrés en même temps sur les éléments privés et sur les éléments publics de notre soi (Scheier & Carver, 1983). Cela ne nous empêche pas pour autant de réfléchir aux deux aspects dans une situation donnée. Mais cette double réflexion doit se faire de façon séquentielle. L'individu doit décider sur quelle dimension de son soi il portera son attention et cette décision aura des répercussions importantes pour lui-même et pour les gens qui l'entourent, comme nous le verrons ci-dessous. Mais avant d'examiner ces conséquences, il semble opportun de désigner les déterminants de la conscience de soi.

Les déterminants de la conscience de soi privée et publique

Nous avons tous une idée de ce qui peut attirer notre attention sur l'environnement : un bruit soudain, un film intéressant ou tout simplement une activité nécessitant la plus grande concentration. Mais qu'est-ce qui détermine lequel des deux types de conscience de soi captera notre attention ? En d'autres termes, quels sont les déterminants de la conscience de soi privée et publique ? Il semble exister au moins deux sources d'influences de la conscience de soi : les influences situationnelles et les influences dispositionnelles.

Les influences situationnelles. Nous avons tendance à nous concentrer sur nous-mêmes lorsque des objets ou des personnes dans notre environnement nous font penser à nous-mêmes. Ainsi vous serez en état de conscience de soi si vous échappez votre café en pleine classe et que tous les regards se tournent vers vous ; ou encore si vous écrivez une lettre à un ami relatant vos expériences personnelles récentes. Vous serez également concentré sur vous si l'on vous pose une question personnelle ou si vous vous apprêtez à être photographié. Puisque les stimuli sociaux qui ont un sens pour nous sont relativement nombreux, il est tout à fait normal que nous soyons amenés à penser à notre personne assez fréquemment au cours d'une journée.

Toutefois, ces différents stimuli sociaux ne sont pas équivalents. En effet, certains nous incitent à orienter notre attention vers les aspects privés de nous-mêmes, alors que d'autres produisent une conscience de soi publique. Ainsi les caméras, les appareils de photographie et les spectateurs représentent autant de stimuli qui amènent la personne à se concentrer sur les éléments « publics » d'elle-même (Carver & Scheier, 1981). Ces variables suscitent chez la personne le désir de se présenter aux yeux des autres d'une certaine façon. Également les miroirs et le fait d'être interrogé sur nous-mêmes nous amènent à nous concentrer sur notre soi privé : les miroirs sont généralement placés dans des endroits privés (toilettes et salle de bain, chambre à coucher) alors que les questions sur nous-mêmes nous incitent à entrer en contact avec nos pensées et nos attitudes personnelles (Carver & Scheier, 1981).

Cette information devrait vous aider à saisir le comportement de Marc dans l'exemple du début du chapitre. Ainsi, en se regardant dans le miroir des toilettes, il s'était senti coupable d'avoir menti à ses amis. Ce sentiment de culpabilité avait été causé par une comparaison entre le comportement que Marc venait d'adopter et ses standards intérieurs d'honnêteté rendus accessibles par l'état de conscience de soi privée induit par le miroir. Il avait alors décidé d'aller s'excuser auprès de ses amis.

Les influences dispositionnelles. Des facteurs dispositionnels influent également sur la direction de notre attention. Certaines personnes sont plus orientées vers elles-mêmes alors que d'autres sont surtout orientées vers l'environnement. Qui plus est, les gens se distinguent également d'après leurs tendances à se concentrer sur les aspects publics ou privés d'eux-mêmes. En d'autres mots, les gens ont en quelque sorte intériorisé des façons de percevoir le contenu de leur soi qui modèlent les influences des variables situationnelles déclenchant la conscience de soi. Une personne ayant une tendance à se concentrer sur les aspects privés d'elle-même possède une **conscience dispositionnelle de soi privée** élevée par rapport à une autre n'ayant pas une telle tendance. De même, un individu ayant une forte tendance à se concentrer sur les éléments publics de lui-même sera perçu comme quelqu'un possédant une **conscience dispositionnelle de soi publique** élevée. Un autre n'ayant pas une telle orientation aura donc une faible conscience dispositionnelle de soi publique.

Fenigstein *et al.* (1975) ont conçu un instrument (l'échelle de conscience de soi) afin de mesurer ces dispositions publiques et privées. Ce questionnaire a été récemment modifié par Scheier et Carver (1985) afin d'être utilisé en recherche avec des populations diverses. Les résultats d'une récente étude (Britt, 1992) ont réaffirmé la validité de la structure de l'échelle de conscience de soi. Pelletier et Vallerand (1990) ont traduit et validé cet instrument en français. Certains des énoncés de l'échelle sont présentés au tableau 3.6. Vous pouvez répondre au questionnaire afin de voir quels sont vos pointages aux énoncés des sous-échelles de conscience de soi privée et publique.

Plusieurs questions peuvent être posées quant à l'état de conscience de soi : quels sont les effets de la conscience de soi privée ? Les effets sont-ils les mêmes pour les gens dans un état de conscience de soi privée et pour ceux dans un état de conscience de soi publique ? Et enfin, la conscience de soi dans une situation mène-t-elle aux mêmes effets que la conscience de soi dispositionnelle ? Une étude de Scheier et Carver (1977) répond à ces questions de façon éloquente. Dans cette étude, Scheier et Carver ont induit des émotions soit positives, soit négatives chez les sujets en leur faisant lire une série d'énoncés à cet effet. Puis les chercheurs ont demandé aux sujets d'évaluer leurs émotions sur un questionnaire. Certains sujets ont répondu en étant en condition de conscience de soi

TABLEAU 3.6 Énoncés tirés de la version canadienne-française (Pelletier & Vallerand, 1990) de l'échelle révisée de conscience de soi (Scheier & Carver, 1985)

	Pas du tout semblable à moi	Un peu semblable à moi	Assez semblable à moi	Très semblable à moi
	0	1	2	3
1. J'essaie continuellement de me comprendre.	0	1	2	3
2. Je réfléchis beaucoup sur moi-même.	0	1	2	3
3. Mes rêveries sont souvent à mon sujet.	0	1	2	3
4. Je suis généralement attentif à mes sentiments.	0	1	2	3
5. Je ne m'analyse jamais de près*.	0	1	2	3
6. Je me soucie généralement de faire bonne impression.	0	1	2	3
7. Je suis soucieux de mon apparence.	0	1	2	3
8. Avant de quitter la maison, je vérifie mon apparence.	0	1	2	3
9. D'habitude je suis conscient de mon apparence.	0	1	2	3
10. Je me préoccupe de ce que les gens pensent de moi.	0	1	2	3

* Pour cet énoncé, le pointage doit être inversé.
Note: Un score élevé sur les items 1 à 5 indique une forte conscience de soi privée, alors qu'un score élevé sur les items 6 à 10 indique une forte de conscience de soi publique.

privée (en face d'un miroir) alors que d'autres ont répondu sans être en condition de conscience de soi privée (en face d'un mur). Les résultats ont démontré que la conscience de soi privée amplifie les émotions positives et négatives. Les sujets «joyeux» se sont montrés plus joyeux en condition de conscience de soi privée (en face d'un miroir) que les sujets qui n'étaient pas en état de conscience de soi privée (en face d'un mur). De même, les sujets «tristes» ont déclaré s'être sentis plus tristes (ou moins joyeux) en condition de conscience de soi privée qu'en condition de non-conscience de soi privée (voir la figure 3.4).

Il est intéressant de noter que dans cette étude Scheier et Carver (1977) ont également analysé les résultats en divisant les sujets selon qu'ils avaient eu un score élevé ou faible sur l'échelle de conscience de soi privée. Les résultats obtenus avec la variable situationnelle (le miroir) ont essentiellement été reproduits. De plus, contrairement à l'échelle de conscience de soi privée, l'échelle de conscience de soi publique n'a eu aucun impact sur les émotions ressenties par les sujets. Dans l'ensemble, les résultats de l'étude de Scheier et Carver démontrent trois points importants. Premièrement, la dimension privée amplifie les émotions. Deuxièmement, la conscience de soi privée mène à des conséquences différentes de la dimension publique. Cette différence justifie la distinction entre les deux composantes de la conscience de soi. Et troisièmement, les déterminants situationnels (par exemple les miroirs) et dispositionnels (l'échelle de conscience de soi privée) conduisent à des résultats similaires. Ceci valide donc la perspective sur les déterminants de la conscience de soi.

Enfin, nous aimerions ajouter que le fait d'être centré sur l'environnement et de ne plus être en contact avec son soi pendant des périodes de temps prolongées peut engendrer, dans certaines conditions, des conséquences néfastes. La personne peut alors se trouver dans un état de **désindividuation** (Diener, 1979). Les

FIGURE 3.4 **L'état de conscience de soi privée intensifie les émotions**

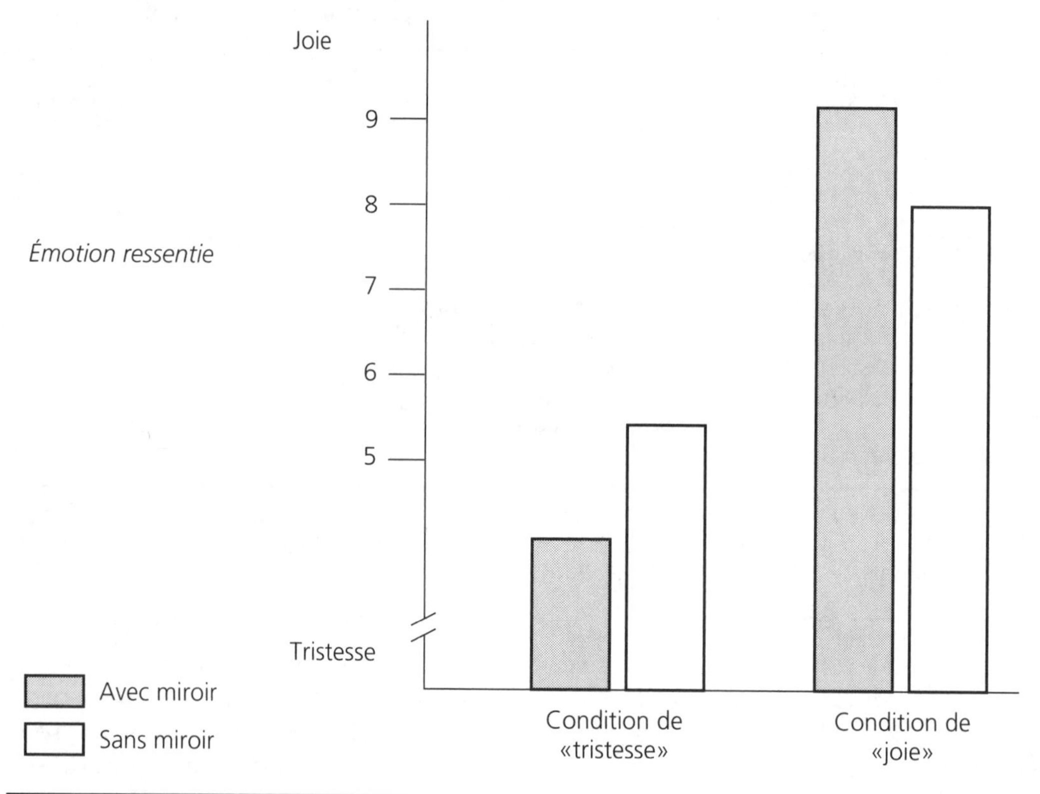

Assis en face d'un miroir, les sujets dans la condition de « tristesse » se sont sentis davantage tristes alors que ceux dans la condition de « joie » se sont sentis plus joyeux (adapté de Scheier & Carver, 1977).

conséquences de cet état sont souvent négatives. Par exemple, les actes de vandalisme (on se souviendra des comportements violents qui se sont manifestés après le spectacle du groupe rock Guns n' Roses à l'été 1992 au Stade olympique et de ceux qui ont suivi la victoire des Canadiens de Montréal lorsqu'ils ont remporté la Coupe Stanley en juin 1993) sont souvent dus à un tel état (Diener, 1976, 1980). Dans pareilles situations, ayant perdu contact avec leur soi privé et leurs standards intérieurs de conduite, les gens se tournent vers l'environnement comme point de référence qui dictera leur comportement. Si les indications qu'ils en retirent encouragent la violence, ils deviendront alors violents. Les conséquences d'un tel état sont traités davantage dans le chapitre 12.

Certains processus du soi

Le soi contrôle plusieurs processus qui peuvent mener à des conséquences importantes pour la personne ainsi que pour les gens qui l'entourent. Au moins cinq processus du soi ont été passés en revue jusqu'ici (voir Markus & Wurf, 1987; Tedeschi, Lindskold & Rosenfeld, 1985). Un premier processus dont nous avons déjà discuté dans la section précédente consiste en l'**évaluation de soi** que nous faisons afin de mieux nous connaître. Ce type de processus est important et peut mener à une clarification de ce que nous pouvons ressentir à un moment précis ainsi qu'à des changements de perceptions sur nous-mêmes tel qu'il a été mentionné précédemment. Les différents travaux sur la comparaison sociale (Suls & Wills, 1991) et sur la recherche de tests d'évaluation objectifs ou diagnostiques (Trope, 1975) soulignent l'importance de l'évaluation de soi pour l'être humain (voir aussi Tesser, 1988). De plus, les travaux de Baumgardner (1990), qui démontrent qu'une forte certitude vis-à-vis des caractéristiques décrivant notre soi serait associée à un affect positif à l'égard du soi, expliquent (du moins en partie) pourquoi nous investissons autant d'efforts dans une plus juste connaissance de nous-mêmes.

Parfois, cependant, plutôt que de recevoir de l'information véridique sur nous-mêmes, il arrive que nous désirions recevoir de l'information qui confirme notre perception positive de nous. Par exemple, si vous croyez que vous êtes une excellente joueuse de tennis, il vous sera assez difficile d'accepter le fait que vous avez gagné grâce à la chance. Vous finirez probablement par attribuer votre succès à votre habileté nettement supérieure à la moyenne (voir Weiner, 1986). Dans de telles situations, le processus d'**augmentation de soi** prendrait le dessus sur celui d'évaluation de soi.

Dans d'autres circonstances, par contre, nous ne sommes pas motivés autant par le désir de nous voir sous un jour positif que par le besoin de protéger notre estime de soi. Vous est-il déjà arrivé d'avoir échoué à un examen important ou encore de ne pas avoir été invité à une fête où toutes les personnes de votre entourage étaient présentes ? Comment avez-vous réagi ? Il va sans dire que de tels événements peuvent être menaçants pour votre estime de soi. Il arrive souvent que des situations semblables disposent l'individu à vouloir protéger son soi. Cette protection peut prendre plusieurs formes : les gens peuvent fournir des excuses pour une faible performance, attribuer l'échec à la malveillance des autres ou invoquer diverses raisons pouvant les exonérer de tout blâme et de toute responsabilité personnelle. Ce processus de **protection de soi** est souvent mis à contribution dans les situations publiques (Tice & Baumeister, 1990).

Les processus de protection de soi et d'augmentation de soi sont fréquemment interreliés. Ainsi, après un échec dans un domaine d'activité (par exemple les études), nous aurons tendance à protéger notre soi en nous valorisant dans un secteur différent (comme les relations interpersonnelles). En effet, en rehaussant notre soi dans un autre secteur, nous pouvons ainsi protéger notre estime de soi dispositionnelle, en dépit d'une baisse momentanée d'estime de soi, dans le secteur où nous venons de connaître des déboires. Le processus d'augmentation de soi est alors considéré comme compensatoire puisqu'il sert à rétablir l'estime de soi que l'échec cuisant aurait pu abaissée. Il semble que ce processus compensatoire soit surtout utilisé par les personnes ayant une estime de soi élevée (Brown & Smart, 1991).

Un quatrième processus du soi est issu du besoin que nous ressentons de conserver une vision cohérente de nous-mêmes. Selon Swann et ses collègues (p. ex. Swann, 1985, 1990; Swann, Griffin, Predmore & Gaines, 1987), ce besoin de cohérence du soi est particulièrement puissant. En effet, il faut bien comprendre que chaque situation que nous vivons vient s'ajouter à un long répertoire d'expériences passées, habituellement bien définies et intégrées dans notre soi. Notre perception de nous-mêmes ne se redéfinit donc pas à chaque nouvelle situation ; bien au contraire, généralement les nouvelles situations sont évaluées et intégrées dans notre soi à la lumière de notre soi actuel. Ainsi, si vous vous percevez comme un mauvais danseur, votre besoin de cohérence du soi vous amènera à rechercher l'information confirmant une telle vision de vous-même... même si ce n'est pas le cas objectivement. Ce faisant, vous éviterez de danser ou danserez sans vous forcer, ceci n'en valant pas la peine : vous vous croyez un mauvais danseur. Par conséquent, vous ne deviendrez probablement pas aussi bon danseur que vous pourriez l'être, ce qui soutiendra ainsi votre perception de vous-même en tant que piètre danseur. Le fait que le processus de **cohérence de soi** ait un impact considérable sur nos nouvelles expériences permet d'expliquer pourquoi il peut s'avérer si difficile de changer notre perception de nous-mêmes (au moins quant à certaines dimensions). Comme dirait le dicton : « Plus ça change, plus c'est pareil ! »

Enfin, un dernier processus renvoie à notre besoin de présenter aux autres une image pouvant correspondre soit à notre perception réelle de nous-mêmes, soit à celle que nous désirons créer chez les autres. La communication publique de notre perception de nous-mêmes se fait en accord avec le processus de présentation de soi. Si vous désirez que les autres voient à quel point vous êtes un étudiant hors pair ou encore un danseur émérite, il faut le leur montrer ou à tout le moins le dire de façon convaincante. Il est possible d'y parvenir en contrôlant les perceptions des autres par des tactiques efficaces de gestion d'impressions (Schlenker, 1985). De telles techniques nous permettent de créer une impression bien particulière aux yeux des autres. Nous reviendrons sur cet élément dans la section qui porte sur les conséquences interpersonnelles.

Les processus du soi jouent un rôle prépondérant dans notre vie. En effet, dans bon nombre d'occasions, ce sont ces processus qui influent sur nos pensées, émotions et comportements ainsi que nos relations interpersonnelles. Bien que le soi ne puisse être toujours tenu directement responsable de ces diverses influences, il est néanmoins prouvé que celui-ci se trouve souvent au cœur de plusieurs conséquences importantes pour la personne. Nous passons maintenant à l'étude de certaines des conséquences du soi. Dans les deux dernières sections du chapitre, les influences du soi sont considérées sous deux grands volets, en l'occurrence les conséquences intrapersonnelles et les conséquences interpersonnelles (Markus & Wurf, 1987).

CERTAINES CONSÉQUENCES INTRAPERSONNELLES DU SOI

Au cours des dernières années, un grand nombre de recherches ont souligné l'influence du soi quant à plusieurs conséquences intrapersonnelles. Parmi ces conséquences, les suivantes méritent notre attention : 1) le traitement de l'information, 2) la régulation des émotions et de la santé mentale, 3) la motivation et 4) la performance. Ces diverses conséquences et les recherches qui s'y rattachent sont discutées ci-dessous.

Le traitement de l'information

Notre soi est très actif dans le traitement de l'information pertinente pour notre personne. Cette activité a été démontrée de maintes façons.

Un traitement plus efficace de l'information reliée au soi. Un premier constat en ce qui concerne le traitement de l'information : nous sommes généralement très sensibles à l'information qui nous concerne. Vous est-il déjà arrivé d'entendre votre prénom dans une fête où pourtant il y avait beaucoup de bruit ? Probablement que oui ; et vous vous êtes sûrement demandé si l'on parlait de vous. Le simple fait que notre soi puisse être concerné nous amène à traiter l'information de façon bien différente. Cette constatation a été soutenue dans plusieurs études (p. ex. Bargh, 1982; Nuttin, 1985). Ainsi Nuttin (1985) a démontré que des sujets préféraient les lettres de leur prénom à d'autres lettres, même si elles étaient insérées dans une série de lettres de façon à ce que le prénom ne puisse être immédiatement reconnu ! Par exemple, une personne s'appelant Jean préférerait la première série de lettres à la seconde : H**J**CL**E**SM**A**VL**N**, HICLTNMRVLS.

Non seulement sommes-nous plus attirés par les stimuli qui sont reliés à notre soi, mais il apparaît également que ces stimuli sont traités de façon plus efficace lorsque nous sommes en état de conscience de soi. Ainsi les personnes en état de conscience de soi, comparativement à celles qui ne le sont pas, semblent résister davantage à la persuasion devant de l'information ayant pour but de les convaincre (Hutton & Baumeister, 1992).

De plus, les schémas sur le soi que nous avons élaborés nous aident à traiter l'information pertinente au soi plus rapidement et avec plus de confiance que les autres types de stimuli. Si quelqu'un vous demandait si vous êtes une bonne étudiante, vous ne devriez pas prendre une demi-heure pour répondre « Bien sûr ! » Par contre, si l'on vous demandait si votre voisin de droite, en classe, est un bon étudiant, il y a de fortes chances que vous preniez plus de temps pour répondre et que votre degré de certitude concernant votre réponse soit relativement plus faible que celui portant sur votre propre évaluation en tant qu'étudiante. Le fait d'avoir conçu un schéma sur vos aptitudes en tant qu'étudiante vous permet de répondre rapidement et avec plus de certitude que vous ne pouvez le faire en ce qui concerne votre voisin de classe. Ce phénomène a été démontré à plusieurs reprises et dans de nombreuses situations (à cet effet, voir Markus, 1977; Markus & Zajonc, 1985).

Les biais dans les processus de mémoire. Les stimuli reliés au soi reçoivent également un traitement de faveur en ce qui concerne la façon dont ils sont traités en mémoire. Ainsi nous nous rappelons beaucoup plus l'information reliée à notre soi que l'information associée à des objets ou à d'autres personnes (Rogers, Kuiper & Kirker, 1977). C'est ce qu'on appelle l'« effet de référence à soi » (Greenwald, 1980; Rogers *et al.*, 1977). Même si de tels résultats n'ont pas toujours été confirmés (voir Higgins & Bargh, 1987), la plupart des chercheurs reconnaissent la présence de cet effet mnémonique dû sans doute aux propriétés organisatrices du soi en mémoire, qui amènent l'information sur soi à être mieux traitée et donc mieux rappelée (voir Monteil, 1993, à cet effet).

Nous faisons également preuve d'**oubli sélectif** à l'occasion. Et ceci est fort compréhensible. Qui voudrait se souvenir d'avoir échoué à un examen alors que tous les étudiants du cours l'ont réussi ? Ou encore qui désirerait bien se remémorer des incidents malheureux, où nous avons été réprimandés ou insultés en public ? Il ne faut pas oublier que le rappel d'incidents fâcheux déclenche généralement l'émotion vécue dans la situation originale (Bower, 1981; Deci, 1980). Le désir de ne pas revivre cette émotion semble donc justifier un tel oubli. Ce phénomène d'oubli sélectif a été très bien documenté dans l'étude de Vreven et Nuttin (1976), où il fut démontré que les sujets se rappelèrent avoir connu un nombre d'échecs nettement au-dessous de celui objectivement atteint dans l'étude.

Enfin, nous faisons généralement preuve de **rappels sélectifs** par rapport à nos attributs personnels. Michael Ross (Ross, 1989; Ross & Conway, 1986), de l'Université de Waterloo, postule que, dans plusieurs situations, la mémoire fonctionne selon une théorie intuitive de stabilité. Dans la majorité des cas, la réaction d'une personne (généralement à son insu) à la suite de changements sera d'effectuer un rappel sélectif et de réviser le passé de façon à le rendre cohérent avec le présent. La personne niera alors qu'il y a eu changement. Par exemple, McFarland, Ross et Conway (1984) ont découvert que des sujets qui venaient de changer d'attitude sur un thème précis et qui devaient se rappeler leur attitude initiale manifestèrent une attitude initiale corroborant leur nouvelle attitude. En d'autres termes, les sujets niaient avoir changé d'attitude ! En accord avec la position de Ross, il semble que cette tendance conservatrice vis-à-vis du changement d'attitude soit particulièrement forte puisqu'elle semble persister même devant des explications claires témoignant d'un changement (Lepper, Ross & Lau, 1986).

Selon Michael Ross, il y aurait une exception à cette forte tendance au statu quo et ce serait lorsque justement la personne s'attend à changer. En fait, dans de telles situations, Ross (1989) propose qu'il puisse même y avoir exagération de la part de la personne de sorte qu'elle verrait plus de changements qu'il n'y en aurait en réalité. De telles attentes sont monnaie courante dans les divers programmes d'amélioration personnelle comme les thérapies populaires, les livres de changement autonome et même les pratiques religieuses. Selon Ross, les situations dans lesquelles on s'attend à changer nous poussent à inférer que nous avons effectivement changé, alors que ce changement n'est pas toujours survenu. Cette hypothèse fut vérifiée par Conway et Ross (1984) dans une étude fort intéressante.

Dans cette recherche, les auteurs ont décidé de comparer les effets d'un programme traditionnel d'amélioration des habiletés dans les études. La plupart des universités proposent de tels cours à leurs étudiants et la recherche démontre que ces cours ont peu d'impact sur les résultats scolaires. En revanche, les personnes ayant suivi ces cours croient subjectivement s'être améliorées. Il existe donc un écart entre la réalité et la subjectivité de l'individu. Celui-ci devra d'une façon ou d'une autre réduire cet écart de façon à clarifier cette situation ambiguë. Comme il s'attend à changer, il se peut fort bien qu'un rappel sélectif vienne modifier les perceptions du passé afin qu'elles s'harmonisent avec sa perception d'avoir réellement changé. Comment ce tour de force s'opère-t-il?

Dans l'étude de Conway et Ross (1984), ou les sujets ont participé à un programme expérimental durant lequel ils ont travaillé sur leurs habiletés dans la prise de notes et dans l'étude ou ils ont été affectés dans un groupe témoin. Tous les sujets ont évalué leurs habiletés dans les études au début et à la fin de la recherche. Comme on pouvait s'y attendre, aucune différence quant à la performance scolaire des deux groupes de sujets ne fut observée à la suite du programme. Cependant, après le programme de perfectionnement d'aptitudes, on demanda aux sujets de se rappeler leurs habiletés initiales. Une différence significative apparut alors: les sujets qui avaient participé à ce programme se rappelèrent avoir beaucoup moins d'habiletés que ce qu'ils avaient déclaré au début du programme. Aucun changement ne fut noté pour le groupe témoin. Les participants au programme avaient déformé leurs perceptions du passé en les rendant conformes à leurs attentes présentes de changement. En exagérant la situation passée dans laquelle ils se trouvaient («J'étais tellement mauvais étudiant avant!»), les étudiants ont rendu leur passé cohérent avec leurs attentes de changement (d'amélioration). De plus, quelques mois après la fin du trimestre, les expérimentateurs ont communiqué avec les étudiants afin de leur demander leur notes finales. Les sujets du groupe expérimental ont alors manifesté un autre biais en augmentant leurs notes comparativement à la réalité. Ce n'était pas le cas pour le groupe témoin. Ainsi, en dépréciant leurs habiletés avant le programme d'aide et en surévaluant les capacités acquises, les étudiants non seulement justifiaient leur participation au programme, mais également protégaient et rehaussaient leur soi.

La régulation des émotions et de la santé mentale

Au cours des dernières années, il est devenu de plus en plus clair que le soi est mis à contribution dans plusieurs états affectifs que nous ressentons (Carlson

& Hatfield, 1992; Izard, 1993). Nous discutons ci-dessous du rôle du soi, notamment en ce qui a trait aux processus attentionnels et aux structures du soi, dans la régulation des émotions et de la santé mentale.

La conscience de soi. Précédemment, dans la section sur le soi comme processus, il fut question des travaux de Duval et Wicklund (1972), qui suggèrent que la conscience de soi procure à la personne une route d'accès à ses états intérieurs ou son soi. Alors, il n'est pas étonnant de retrouver la conscience de soi au cœur de la régulation des émotions. En effet, selon Duval et Wicklund (1972), la conscience de soi permet à l'individu de comparer son soi réel avec des normes personnelles visées ou avec certains idéaux. Puisque peu d'aspects du soi réel correspondent aux idéaux de la personne, il est fort probable que celle-ci conclut qu'elle n'est pas à la hauteur ou qu'elle n'arrivera pas à atteindre l'objectif fixé. Par conséquent, la personne vient à éprouver un affect négatif (Duval & Wicklund, 1972). Ainsi, toujours selon ces auteurs, une concentration attentionnelle sur soi (ou la conscience de soi) est considérée comme néfaste puisqu'il en résulte un affect négatif.

Toutefois, Carver et Scheier (1981, 1990) ont proposé que la conscience de soi n'est pas toujours néfaste. En effet, selon ces théoriciens, si la personne croit qu'elle peut éventuellement atteindre son objectif, alors elle devrait ressentir un affect positif et persévérer davantage afin de rendre l'aspect du soi plus conforme à la norme visée (Carver & Scheier, 1981). Carver et Scheier (1990) suggèrent qu'un premier système guide l'action visant à atteindre l'objectif de la personne, alors qu'un second (à rétroaction) perçoit et règle le rythme de fonctionnement du premier. Selon ces auteurs, le second système est responsable de l'émotion produite puisqu'il est sensible à l'écart entre l'action destinée à atteindre un objectif et la norme visée.

Une récente étude de Sedikides (1992) permet d'élucider davantage la situation selon laquelle la conscience de soi peut mener à un affect positif ou négatif. Dans cette étude, des sujets possédant soit une conception positive, soit une image négative d'eux-mêmes ont été affectés à l'une des deux conditions expérimentales suivantes : l'expérimentateur créait chez le sujet un état de conscience de soi privée ou un état de conscience axé sur une autre personne (que le sujet avait rencontrée une ou deux fois). Les résultats révélèrent que lorsqu'ils étaient dans un état de conscience de soi privée les sujets ayant une vision positive d'eux-mêmes déclarèrent être plus heureux que leurs pairs qui possédaient une image négative d'eux-mêmes. En revanche, dans la condition de conscience de l'autre, il n'y avait pas de différence quant à l'affect ressenti entre les sujets ayant une conception positive d'eux-mêmes et ceux qui avaient une vision négative d'eux-mêmes. Ces résultats sont intéressants, car ils appuient ceux de Scheier et Carver (1977) en démontrant que la conscience de soi privée peut engendrer un affect positif ou négatif selon l'image que la personne a d'elle-même.

La conscience de soi semble ainsi jouer un rôle important dans la régulation des émotions et cette influence peut avoir des conséquences sur l'état de santé mentale de façon temporaire ou même permanente. Les résultats de plusieurs études suggèrent en général qu'une forte conscience dispositionnelle de soi privée (tel qu'elle est mesurée par l'échelle de conscience de soi) et une attention sur des aspects négatifs du soi ont des conséquences négatives pour la santé mentale des gens. Dans ce cadre, Pyszczynski et Greenberg (1987) ont proposé la **théorie de la dépression réactive de la conscience de soi.** Selon cette théorie, la dépression réactive résulterait de la perte d'une source importante d'estime de soi (comme la disparition d'un être cher peut en entraîner une) qui plongerait la personne dans un cercle vicieux d'autorégulation, où il n'y a aucun moyen de disponible pour arriver à réduire l'écart entre l'état réel et l'état souhaité (retrouver l'être cher). L'impossibilité de pouvoir réduire cet écart amène alors la personne à adopter un état de conscience de soi privée presque constant, ce qui intensifie l'affect négatif et conduit la personne à se déprécier davantage, provoquant ainsi d'autres conséquences négatives. Un style attentionnel dépressif en découlerait, selon lequel la personne oriente son attention vers elle-même surtout à la suite d'événements négatifs, mais très peu après des événements positifs (Greenberg & Pyszczynski, 1986). Éventuellement, ce style attentionnel dépressif perpétuerait la dépression.

La dépression n'est pas la seule conséquence au point de vue de la santé mentale qui puisse découler d'une conscience de soi privée néfaste. En effet, selon Roy Baumeister et ses collègues, un tel état incite la personne à vouloir réduire l'écart entre le soi réel et le soi idéal. Toutefois, dans la mesure où il lui est impossible d'y parvenir, l'individu cherchera alors à s'échapper de la conscience de soi en ayant recours à des comportements autodestructeurs, tels que l'abus d'alcool, la boulimie, le masochisme et même le suicide (Baumeister, 1990, 1991; Heatherton & Baumeister, 1991; Heatherton, Polivy, Herman & Baumeister, 1993).

Il est important de noter que la conscience de soi publique peut également jouer un rôle dans les troubles de santé mentale. En effet, des recherches récentes révèlent qu'une forte conscience dispositionnelle de soi publique serait associée à la paranoïa alors que la conscience de soi privée n'y est pas reliée (Fenigstein & Vanable, 1992). Ainsi, il apparaît que la conscience de soi autant privée que publique peut jouer un rôle dans la régulation des émotions et de la santé mentale.

Les structures du soi. Un autre type d'influence du soi sur les émotions provient des structures du soi. Trois positions récentes soulignent l'importance du cette source d'influence. La première position théorique appartient à Tory Higgins et ses collègues (Higgins, 1989; Higgins, Bond, Klein & Strauman, 1986; Higgins *et al.*, 1986). Selon Higgins, on peut distinguer au moins trois structures du soi, en l'occurrence le « soi idéal » (les attributs qu'on désirerait posséder), le « soi obligé » (les attributs qu'on sent devoir posséder) et le « soi réel » (les attributs qu'on croit posséder). D'après Higgins, nous sommes motivés à l'occasion à comparer ces trois types de perceptions de nous-mêmes et les comparaisons à la baisse créent des émotions négatives qui varient selon les types de conceptions du soi en cause. Ainsi, s'il y a un manque à gagner entre le soi réel et le soi idéal, la personne souffrira de dépression. En effet, le fait de ne pouvoir atteindre nos idéaux peut être démobilisant. Par ailleurs, une comparaison à la baisse entre le soi réel et le soi obligé mènera à de l'anxiété parce que le fait de ne pas pouvoir atteindre des objectifs imposés peut amener la personne à ressentir une pression additionnelle.

Higgins *et al.* (1986) ont effectué une étude afin de vérifier les hypothèses du modèle proposé. Des sujets ont répondu à un questionnaire sur le soi, procurant ainsi une mesure des trois types de soi et des deux types d'écart mentionnés ci-dessus. Quelques semaines plus tard, les chercheurs ont mesuré les niveaux de dépression et d'anxiété des sujets. Puis des analyses par équations structurelles furent faites. Celles-ci sont présentées à la figure 3.5. On remarque que plus l'écart entre le soi réel et le soi obligé est important, plus la personne est anxieuse. Par contre, plus l'écart entre le soi réel et le soi idéal est important, plus la personne est dépressive. Enfin, tel que prévu, l'écart entre le soi réel et le soi obligé ne prédisait pas la dépression et l'écart entre le soi réel et le soi idéal ne prédisait pas l'anxiété.

FIGURE 3.5 **Un modèle structurel confirmatif (LISREL) prédisant l'anxiété sociale et la dépression à partir des écarts, respectivement, entre les soi obligé et réel et entre les soi idéal et réel**

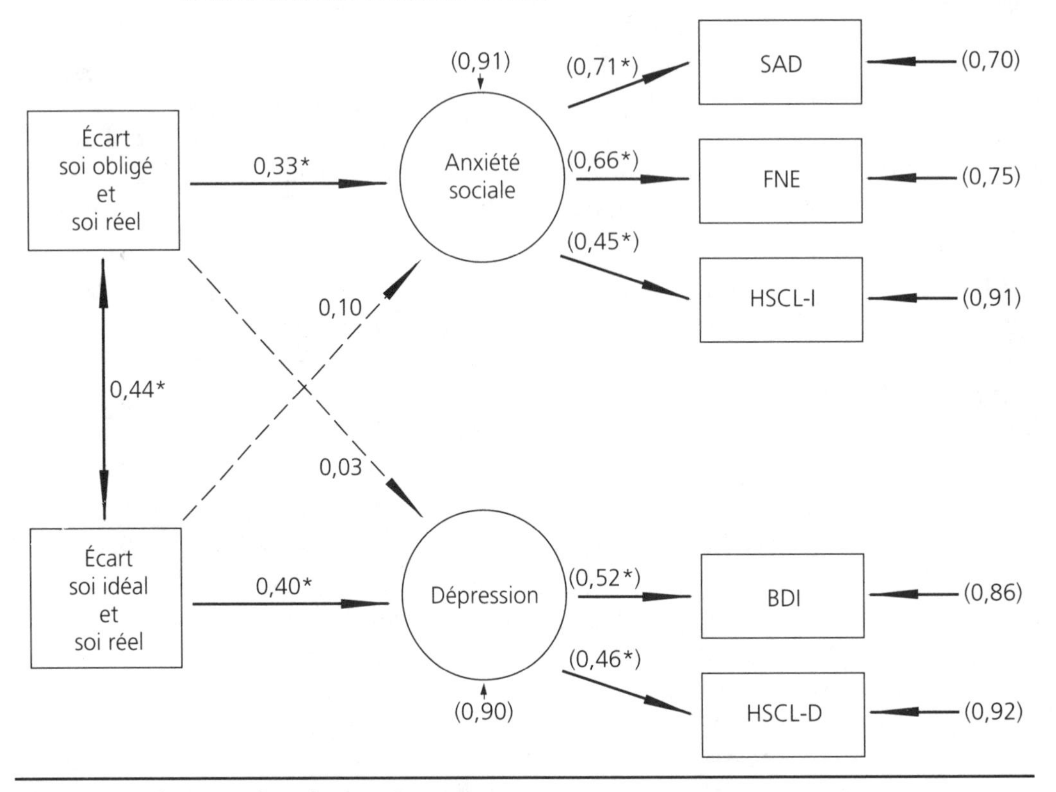

* Indique un lien significatif, p< 0,05.
Note: Les acronymes SAD, FNE et HSCL-1 renvoient à des échelles mesurant l'anxiété, alors que BDI et HSCL-D sont des échelles mesurant la dépression (adapté de Higgins *et al.*, 1986).

D'autres recherches révèlent que le modèle de Higgins peut être appliqué avec succès à la compréhension de désordres alimentaires. Dans ce cadre, il a été démontré qu'un écart important entre le soi réel et le soi idéal est associé à des comportements boulimiques, alors qu'un écart important entre le soi réel et le soi obligé est associé à des symptômes d'anorexie (Higgins, Vookles & Tykocinski, 1992; Strauman *et al.*, 1991). D'autres recherches ont également prouvé le bien-fondé du modèle d'Higgins en ce qui concerne la vulnérabilité des gens devant la détresse émotionnelle (Newman, Higgins & Vookles, 1992; Strauman, 1992).

Dans la deuxième position théorique sur les structures du soi, Patricia Linville (1987) propose un modèle selon lequel la complexité des structures du soi sert d'agent protecteur contre les conséquences négatives d'événements menaçants pour la personne. Selon ce modèle, plus une personne possède de représentations diverses d'elle-même (étudiant, travailleur à temps partiel, athlète, amateur de films, etc.) et plus ces structures sont distinctes, moins sa santé mentale pourra être affectée par les effets négatifs d'événements anxiogènes. D'après Linville, une personne ayant une faible complexité de soi serait plus sujette à vivre des troubles affectifs à la suite d'événements stressants parce que des sentiments négatifs vécus dans un secteur de sa vie peuvent se propager plus facilement aux autres secteurs. Il s'ensuit alors des émotions négatives généralisées et des problèmes de santé mentale. En revanche, une personne possédant des structures du soi nombreuses et diversifiées serait moins sujette à une telle ramification puisque ces structures permettraient d'atténuer l'impact d'un agent stresseur.

Par exemple, si le soi d'une personne se limite à deux éléments : être étudiant et vivre une relation amoureuse, il devient alors possible de comprendre pourquoi un événement stressant (par exemple son ami la laisse) peut avoir un effet désastreux sur les émotions et sur la santé mentale de cette personne. Un échec a été vécu dans l'un des deux seuls aspects de sa vie. L'impact négatif devrait être encore plus puissant si son ex-ami est aussi étudiant. En effet, ce manque de différenciation entre les deux secteurs devrait permettre à l'événement négatif vécu dans le secteur interpersonnel d'activer des émotions négatives dans le secteur scolaire uniquement par mécanisme d'association entre les deux secteurs. Un certain nombre d'études soutiennent la position de Linville (p. ex. Linville, 1987; Showers, 1992). Comme on dit souvent, il ne faut pas mettre tous ses œufs dans le même panier.

Enfin, une dernière position sur le soi a trait aux biais ou illusions du soi que manifestent les gens dans leur façon de se percevoir eux-mêmes et de percevoir leur environnement. Contrairement aux positions cliniques traditionnelles, cette position (relativement récente) propose qu'une vision réaliste de la vie ne mène pas nécessairement à une saine adaptation psychologique. Il semble plutôt que les personnes qui possèdent des illusions sont mieux adaptées psychologiquement (Taylor & Brown, 1988). Shelley Taylor et ses collègues ont découvert trois types d'illusions du soi qui semblent jouer un rôle dans la régulation des émotions et de la santé mentale des gens, en l'occurrence l'évaluation excessivement positive de soi, des perceptions de contrôle exagérées et un optimisme irréaliste (Taylor & Brown, 1988). Ces trois types de perceptions illusoires auraient un impact positif sur l'affect et sur la santé mentale notamment parce qu'ils permettent à la personne de préserver son estime de soi et de mobiliser sa motivation face à des événements négatifs (Brown, 1991; Taylor, 1989).

La perspective de Taylor a fait l'objet d'études récentes. L'une d'elles portait sur la période transitoire d'étudiants qui quittaient la demeure familiale pour aller poursuivre des études universitaires (Aspinwall & Taylor, 1992). Les résultats ont démontré que les sujets qui avaient des illusions positives quant à leur estime de soi, leur contrôle et leur optimisme faisaient usage de stratégies actives de *coping* au lieu de recourir à l'évitement. Cette façon de procéder les amenait à rechercher un soutien social approprié et à s'adapter à la vie universitaire. D'autres recherches ont révélé que les illusions jouaient un rôle positif dans l'adaptation psychologique de personnes atteintes du virus du sida (Taylor *et al.*, 1992) ainsi que chez celles atteintes du cancer (Thompson *et al.*, 1993).

Même si les illusions positives semblent avoir un effet favorable sur le bien-être de l'individu, il existerait un niveau optimal d'illusions de sorte que des illusions carrément irréalistes ne conviendraient pas davantage à l'équilibre de la personne que l'absence d'illusions (Baumeister, 1989).

Le soi et la motivation

Au cours des dernières années, les psychologues ont fait réapparaître le soi dans le processus de la motivation (voir Karoly, 1993). Deux thèmes méritent notre attention dans ce cadre: les tâches importantes et les soi possibles et les sentiments d'autoefficacité et d'autodétermination.

Les tâches importantes et les soi possibles. Hazel Markus et Nancy Cantor, de l'Université du Michigan, ont élaboré une approche cognitive de la motivation qui tient compte des tâches importantes dans la vie de la personne ainsi que des structures du soi orientées vers les possibilités futures s'offrant à elle. Une description linéaire du modèle est présentée à la figure 3.6. Selon les auteures (p. ex. Cantor, Markus, Niedenthal & Nurius, 1986), des transitions dans la vie, tel le passage du cégep à l'université, amènent la personne à sélectionner des **tâches importantes** (*life tasks*) à effectuer dans sa vie. Ces tâches peuvent être variées. Par exemple, un étudiant à l'université peut orienter cette partie de sa vie vers l'accomplissement scolaire, développer ses relations sociales, devenir plus autonome (Brower & Cantor, 1984). Et bien sûr l'importance de certains buts varie selon les étudiants. Ainsi, alors que des étudiants dirigeront leurs énergies vers la réussite scolaire, d'autres essaieront d'avoir le plus de plaisir possible dans des fêtes inoubliables (Zirkel & Cantor, 1990).

Cette orientation vis-à-vis des tâches à accomplir ne fait pas qu'indiquer les activités à effectuer. Le choix des tâches importantes à accomplir amène la

FIGURE 3.6 Le rôle des tâches importantes et des soi possibles dans la motivation

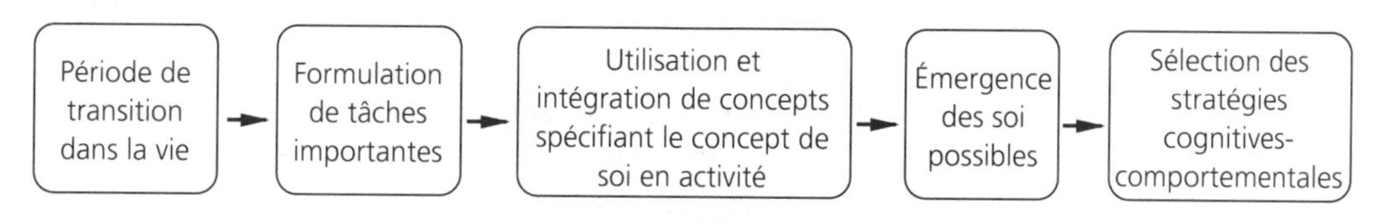

On remarque une progression à partir du moment où des tâches importantes sont formulées (à la suite de changements dans la vie de la personne) et où s'effectue la sélection des stratégies permettant d'accomplir ces tâches. Le concept de soi en activité ainsi que les soi possibles permettent de faire le pont entre ces deux étapes motivationnelles (adapté de Cantor *et al.*, 1986).

personne à chercher dans son soi les éléments requis pour la réalisation de ces tâches, lui procurant ainsi une source de motivation. En considérant les tâches à faire dans le contexte de notre vie actuelle, nous imaginons différents scénarios relatifs à ce qui pourrait arriver (de positif et de négatif) ainsi que les moyens à prendre pour obtenir les aspects positifs et pour éviter les éléments négatifs. En d'autres termes, nous activons alors un concept de soi qui sélectionne certaines conceptions de nous-mêmes en fonction des tâches visées. Ces conceptions du soi, comme nous l'avons vu précédemment, renvoient à ce qu'on appelle les **soi possibles.** Ces types de soi peuvent porter sur ce que nous voulons devenir (vivre une belle existence plus tard) et sur ce que nous voulons éviter (échouer dans nos études). Markus et Nurius (1986) ont démontré que les soi possibles étaient très vivides dans l'esprit des gens.

Le point majeur concernant les soi possibles a trait au fait qu'ils ne servent pas uniquement de buts, mais qu'ils contiennent aussi un ensemble de renseignements cognitifs, affectifs et comportementaux indiquant à la personne comment s'y prendre, en considérant ses expériences passées, pour atteindre (ou éviter selon le cas) les soi possibles. Ces derniers servent donc de source de motivation vis-à-vis des tâches que l'on désire mener à bien. Par exemple, si un étudiant désire obtenir son baccalauréat avec une forte moyenne cumulative, il pourra s'y prendre de bien des façons selon sa perception des stratégies à adopter pour atteindre cet objectif (ne faire rien d'autre qu'étudier, travailler en équipe ou peut-être même tricher). La perspective des tâches importantes et des soi possibles permet donc d'expliquer des différences individuelles quant aux types d'activités que les personnes accomplissent (les gens ont probablement à effectuer des tâches importantes différentes) ainsi qu'aux moyens employés pour exécuter les tâches en question (possédant des soi possibles différents, les personnes utiliseront des moyens différents).

La position de Markus et Cantor contribue considérablement à mieux saisir le rôle du soi dans la motivation de notre vie quotidienne. Par exemple, les soi possibles peuvent nous permettre de mieux comprendre le problème de la délinquance que vivent certains adolescents. Ainsi, il semble qu'un équilibre entre les soi possibles désirés (« Je pourrais cambrioler un dépanneur et me faire beaucoup d'argent.») et les soi possibles craints («Je pourrais me faire prendre.») s'avère essentiel pour tenir en échec la délinquance à l'adolescence (Oyserman & Markus, 1990).

Les sentiments d'autoefficacité et d'autodétermination. Nous avons vu ci-dessus que nous pouvons être motivés à poursuivre différentes tâches et activités. Une question qui devient alors essentielle a trait aux déterminants de notre choix de poursuivre telle ou telle activité. Les recherches au cours des récentes années démontrent que les sentiments d'autoefficacité (Bandura, 1977a, 1982, 1986a, 1986b) et d'autodétermination (Deci, 1980; Deci & Ryan, 1985, 1991) ressentis par une personne vis-à-vis d'une activité ont un impact déterminant sur sa motivation à l'égard de l'activité en question.

La théorie de l'**autoefficacité** (Bandura, 1977a, 1977b, 1982, 1986a, 1986b, 1989) postule que nous avons tous des attentes d'efficacité vis-à-vis de la réalisation de diverses activités. Ces attentes d'autoefficacité ou de compétence peuvent être issues de différentes sources d'information: les expériences passées, les expériences vicariantes (avoir vu les autres effectuer l'activité), la persuasion verbale des autres personnes et l'expérience émotionnelle ou physiologique. Ces différentes sources d'information amènent la personne à avoir diverses attentes d'autoefficacité vis-à-vis de l'activité. Des attentes d'autoefficacité élevées augmentent la motivation de la personne à persévérer dans l'activité, alors que des attentes faibles mèneront à l'abandon de l'activité.

Prenons l'exemple d'une personne qui n'aime pas les mathématiques. Selon Bandura, cette personne a probablement connu des échecs dans cette matière. De plus, elle aura généralement reçu des rétroactions verbales négatives («Comment se fait-il que tu ne comprennes pas alors que les autres sont capables de faire leurs problèmes?») et se sent mal à l'aise chaque fois qu'elle doit résoudre des problèmes. Ces sources d'information se complètent pour indiquer à la personne qu'elle est incompétente dans l'activité et que les attentes de succès futurs sont faibles. Dans une telle situation, la motivation de l'étudiant vis-à-vis des mathématiques sera faible et sa persévérance dans cette activité le sera également. On pourrait prédire qu'une personne avec un tel profil abandonnera les mathématiques aussitôt que ces cours ne seront plus exigés par son programme d'études. En fait, c'est exactement ce que les connaissances actuelles nous indiquent (Betz & Hackett, 1981; Hackett, 1985). Fait intéressant, Bandura et Schunk (1981) ont démontré qu'en aidant des jeunes à connaître des succès en mathématiques il était possible de rehausser leurs faibles attentes d'autoefficacité vis-à-vis de cette matière ainsi que d'augmenter leur motivation au point que les jeunes se montraient prêts à faire des problèmes durant la récréation! Les attentes d'autoefficacité ou de compétence semblent donc particulièrement importantes pour la motivation.

Deci (1980; Deci & Ryan, 1985, 1991) postule que les **sentiments d'autodétermination** représentent un autre déterminant majeur de la motivation. Ces derniers renvoient aux sentiments que ressent un individu lorsqu'il peut choisir librement l'action à exécuter. Selon Deci, l'être humain ressent le besoin de

« contrôler » et de pouvoir exercer un choix réel dans sa vie (être autodéterminé). Ce besoin constitue une source capitale de motivation. Lorsque les situations ou les gens autour de nous sont tels que notre autodétermination est minée, alors notre motivation pour l'activité que nous pratiquons diminue. En revanche, lorsque notre autodétermination est respectée et soutenue, notre motivation se maintient ou augmente même.

Prenons un exemple. Imaginez un instant que vous ayez un travail de fin de trimestre à réaliser. Alors que vous commencez votre réflexion sur le thème de votre travail, le professeur vous impose un sujet. Comment vous sentirez-vous ? Vous vous sentirez probablement contrôlé. On vous aura enlevé votre droit de décider. Vos sentiments d'autodétermination auront été diminués. À son tour, votre motivation sera également diminuée : votre travail sera moins exhaustif que si le thème avait été le vôtre. L'intensité et la qualité du travail pourront également en souffrir. En somme, cette perte d'autodétermination aura saboté votre motivation vis-à-vis de votre travail. En revanche, si le professeur vous laisse choisir le thème de votre travail et vous accorde son appui dans votre choix, il y a de fortes chances que cette attitude augmente ou du moins favorise vos sentiments d'autodétermination, qui, à leur tour, vous amèneront à être motivé à l'égard de votre travail.

Au cours des dernières années, Deci et Ryan (1985, 1991) ont développé leur position jusqu'à proposer que la motivation puisse varier selon le degré d'autodétermination. Ainsi certaines formes de motivation sont très autodéterminées (comme la motivation intrinsèque ; voir le chapitre 5) alors que d'autres sont très peu autodéterminées (comme la motivation extrinsèque de type régulation externe). À l'aide de divers instruments de mesure qui évaluent ces différents types de motivation (voir Vallerand, Blais, Brière & Pelletier, 1989, pour un exemple dans le secteur de l'éducation), il devient alors possible de déterminer le profil motivationnel des gens vis-à-vis des activités données. Selon la théorie de l'autodétermination de Deci et Ryan (1985, 1991), plus les gens possèdent un profil motivationnel autodéterminé, plus ils devraient vivre des conséquences positives alors qu'un profil motivationnel non autodéterminé mène généralement à des conséquences négatives.

Plusieurs recherches ont appliqué avec succès la perspective théorique de Deci et Ryan (1985, 1991). L'encadré 3.2 présente certaines de ces recherches. Comme on peut le noter, l'ensemble des études soutiennent les notions de la théorie. En effet, un profil motivationnel autodéterminé peut avoir des retombées positives sur plusieurs dimensions de la vie courante.

Le soi et la performance

Nous avons souligné dans la section précédente que le soi jouait un rôle prédominant dans la motivation des gens. Il semble donc normal que le soi joue aussi un rôle important en tant que déterminant de la performance. En effet, nous serions en droit de nous attendre à ce qu'une personne motivée performe

ENCADRÉ 3.2

APPLICATIONS DE LA THÉORIE DE L'AUTODÉTERMINATION EN CONTEXTE NATUREL

La théorie de l'autodétermination (Deci, 1975, 1980; Deci & Ryan, 1985, 1991) suggère généralement qu'un profil motivationnel autodéterminé mène à des conséquences positives pour la personne comparativement à un profil non autodéterminé. La perspective de Deci et Ryan fut appliquée avec succès à la compréhension et à la prédiction de certains phénomènes comportementaux auprès de populations canadiennes-françaises, et ce dans les domaines de l'éducation, des relations interpersonnelles, du travail ainsi que dans le secteur des sports et des loisirs (voir Vallerand, 1993).

L'éducation est sans doute le domaine où le plus grand nombre d'études fut effectué en vue d'appliquer la théorie de l'autodétermination à la compréhension de divers problèmes (voir Deci, Vallerand, Pelletier & Ryan, 1991). C'est notamment le cas pour la persévérance dans les études. Par exemple, dans une étude prospective, Vallerand et Bissonnette (1992) ont mesuré, au début de l'année scolaire, la motivation vis-à-vis des études chez 1 042 étudiants inscrits à leur première année collégiale dans un cégep de la région de Montréal. Le but de l'étude était de prédire la persévérance, mesurée à la fin du premier trimestre, dans un cours obligatoire de français. Les résultats ont démontré que ceux et celles qui ont persévéré dans le cours avaient, au début du trimestre, un profil motivationnel davantage autodéterminé par rapport aux études comparativement aux sujets qui ont abandonné le cours (Vallerand & Bissonnette, 1992).

Dans une même veine, les résultats de Daoust, Vallerand et Blais (1988) suggèrent qu'un profil motivationnel autodéterminé vis-à-vis des études soit associé positivement à la persévérance dans les études chez des élèves du secondaire. En fait, des taux plus élevés de perceptions d'autodétermination et de compétence ont été observés chez des élèves du secondaire qui avaient persévéré dans leurs études comparativement aux décrocheurs. De plus, les raccrocheurs (ex-décrocheurs revenus aux études) étaient ceux qui possédaient le profil motivationnel le plus autodéterminé par rapport aux études (Daoust *et al.*, 1988; voir aussi Vallerand & Senécal, 1992, pour plus d'information sur l'abandon scolaire).

L'utilité de la perspective de Deci et Ryan a également été démontrée dans le secteur des relations interpersonnelles. Par exemple, Blais, Sabourin, Boucher et Vallerand (1990) ont élaboré et testé avec succès un modèle motivationnel permettant de prédire le bonheur conjugal. Dans l'ensemble, ce modèle suggère que plus le profil motivationnel d'un conjoint vis-à-vis de la relation de couple est autodéterminé, plus il percevra les comportements dans le couple de façon positive et plus il éprouvera de bonheur conjugal.

→

ENCADRÉ 3.2 (suite)

Dans le domaine du travail, une étude (Blais, Lacombe, Vallerand & Pelletier, 1990) basée sur l'approche théorique de Deci et Ryan a examiné le profil motivationnel de 800 employés dans une entreprise offrant un service de livraison à travers le Québec. Les résultats ont démontré que les employés cadres et les secrétaires administratives avaient un profil motivationnel plus autodéterminé à l'égard de leur travail fort probablement parce que leurs tâches exigent plus d'autonomie et d'utilisation de compétences, alors que les employés de bureau et les livreurs possédaient un profil moins autodéterminé parce que leur travail consiste à exécuter les directives (Blais *et al.*, 1990). De plus, un profil motivationnel autodéterminé par rapport au travail était associé de manière positive à des conséquences positives, par exemple la satisfaction et l'intérêt au travail ainsi qu'à un désir moins marqué de changer d'emploi (Blais *et al.*, 1990). Par contre, un profil motivationnel non autodéterminé à l'égard du travail était généralement lié à un degré moindre de satisfaction et d'intérêt au travail, et à un degré plus élevé d'intention de changer d'emploi (Blais *et al.*, 1990).

Enfin, dans le cadre des sports et des loisirs, les résultats de recherches basées sur la perspective de Deci et Ryan ont révélé qu'un profil motivationnel autodéterminé vis-à-vis du sport était associé positivement à des émotions positives (Pelletier, Vallerand, Blais & Brière, 1993; Vallerand & Brière, 1990) et à la persévérance chez les nageurs (Pelletier, Blais & Vallerand, 1986; Pelletier, Brière, Blais & Vallerand, 1988). De plus, un profil motivationnel plus autodéterminé par rapport aux loisirs semble mener à des conséquences positives sur la santé mentale chez des étudiants du collégial (Pelletier, Vallerand, Blais & Brière, 1990).

Ainsi la théorie de l'autodétermination peut servir de cadre conceptuel permettant de mieux comprendre une variété de phénomènes dans divers secteurs de l'activité humaine. Les recherches démontrent également que cette perspective peut être appliquée auprès de populations étudiantes des niveaux primaire (Vallerand *et al.*, 1991), secondaire (Daoust *et al.*, 1988), collégial (Vallerand & Bissonnette, 1992) et universitaire (Senécal, Vallerand & Pelletier, 1992; Vallerand *et al.*, 1992), chez des adultes d'âge moyen (Blais *et al.*, 1990) et auprès de personnes âgées (Vallerand & O'Connor, 1989, 1991). Dans ce dernier cas, les résultats suggèrent qu'un profil motivationnel autodéterminé soit associé de façon positive, entre autres, à la satisfaction de vie (Vallerand & O'Connor, 1989) ainsi qu'à la satisfaction et à la participation dans les loisirs (Losier, Bourque & Vallerand, 1993). Enfin, il semble que la perspective de Deci et Ryan puisse être appliquée avec succès auprès de personnes souffrant de handicaps physiques et mentaux (Vallerand & Reid, 1990).

→

ENCADRÉ 3.2 (suite)

En somme, la théorie de l'autodétermination (Deci, 1975, 1980; Deci & Ryan, 1985, 1991) semble très heuristique et généralisable puisqu'elle peut nous aider à mieux comprendre une variété de phénomènes dans divers domaines de la vie, et ce auprès de diverses populations.

mieux qu'une personne faiblement motivée. En fait, c'est ce que les écrits sur le sujet indiquent de façon générale. Les gens qui possèdent de hautes attentes d'autoefficacité et des sentiments d'autodétermination élevés montrent généralement une plus grande motivation ainsi que des niveaux de performance (Bandura, 1986b; Bandura & Schunk, 1981; Hom & Murphy, 1985), de créativité (Amabile, 1983) et d'apprentissage (Grolnick & Ryan, 1987) plus élevés que les personnes ayant des niveaux faibles d'autoefficacité et d'autodétermination (voir Vallerand, 1993, pour une recension des écrits sur la motivation autodéterminée et la performance).

La situation est relativement similaire dans le cas des illusions sur le soi. En effet, dans l'étude de Aspinwall et Taylor (1992), il avait été démontré que les illusions influaient sur la motivation vis-à-vis des études, qui, à son tour, déterminait la performance à la fin de l'année scolaire. Par ailleurs, les soi possibles peuvent être aussi mis à contribution dans la performance. En effet, il a été prouvé que les sujets qui devaient s'imaginer accomplir une tâche avec succès (soi possible de réussite) ont mieux exécuté une tâche qui nécessitait un effort soutenu comparativement à ceux qui avaient imaginé qu'ils ne réussiraient pas la tâche (soi possible d'échec) ou à ceux d'un groupe témoin (Ruvolo & Markus, 1992).

Une question que le lecteur s'est peut-être posée à ce stade-ci a trait aux facteurs du soi qui permettent d'améliorer la performance. En d'autres termes, qu'est-ce qui fait qu'une personne avec des sentiments d'autoefficacité et d'autodétermination élevés, des illusions positives ou un soi possible favorable performera mieux qu'une autre personne avec des caractéristiques contraires? Selon Ellen Langer (1989a, 1989b), la réponse se situe dans les pouvoirs d'action de ces divers états. En effet, les diverses qualités décrites ci-dessus placent l'individu dans un état d'**attention flexible** (*mindfulness*) qui l'amène à être plus ouvert dans sa relation avec l'environnement et à pouvoir utiliser au maximum les diverses ressources du soi (son intelligence et ses habiletés). En revanche, un état d'**attention insouciante** (*mindlessness*) mène à une rigidité cognitive qui inhibe l'utilisation d'une bonne partie des ressources du soi.

Plusieurs recherches soutiennent la position de Langer. Ainsi les personnes dans un état d'attention flexible s'adaptent mieux à de nouvelles situations, montrent plus de créativité, font des choix plus judicieux pour maximiser leur performance et ont même des améliorations sur le plan de la santé que les individus dans un état d'attention insouciante (voir Langer, 1989a, 1989b, pour une recension des écrits à cet effet).

Même si la performance peut être promulguée par le soi, il arrive à l'occasion que ce dernier puisse nuire à la performance. Cette proposition a été élaborée par Roy Baumeister (1984) dans son analyse de la baisse de performance sous la pression. Selon Baumeister, le fait de vivre une situation exigeant une performance optimale produit de la pression, ce qui amène la personne à devenir consciente de ses processus internes reliés à la performance. Cet état de conscience accrue dérange le sain déroulement d'une tâche apprise, qui devrait s'effectuer de façon automatique, et engendre ainsi une baisse de performance. Baumeister appelle le processus, selon lequel il survient une diminution de la performance dans des conditions où une performance optimale est exigée, le fait de **craquer sous la pression.**

Baumeister (1984) a mené plusieurs études afin de valider son modèle. Dans une de ces études (étude n° 6), il a offert l'occasion à des joueurs de jeux vidéo dans une salle de jeux électroniques de gagner une partie gratuite s'ils réussissaient à obtenir pour leur partie suivante un score plus élevé que pour la précédente. Les résultats ont démontré que le seul fait d'avoir à battre leur score précédent et de n'avoir qu'une seule chance pour le faire a mené à une baisse de performance de l'ordre de 25 % chez les joueurs. D'autres études ont prouvé que des situations critiques dans le contexte d'une compétition sportive, comme le match décisif d'une série finale au hockey, amenaient aussi un surplus de pression qui pouvait faire craquer les joueurs, surtout ceux de l'équipe locale à cause de la pression additionnelle des partisans (Baumeister & Steinhilber, 1984; Heaton & Sigall, 1991).

D'autres résultats de Baumeister démontrent que des différences individuelles viennent modérer les effets de la pression sur la performance. Il semble ainsi que les personnes ayant une forte conscience de soi sont peu sujettes à ces baisses de performance possiblement parce qu'elles sont habituées à être conscientes de leurs processus et états intérieurs. Elles ne devraient donc pas être dérangées par l'augmentation de conscience de soi provoquée par la pression (Baumeister, 1984, étude n° 4). D'autres études prouvent que les individus possédant une estime de soi élevée peuvent aussi être soumis à l'effet de craquer sous la pression. En effet, ces personnes ont parfois tendance à surestimer leur performance, ce qui implique un élément de risque qui les oblige souvent à démontrer leur savoir-faire et à s'engager à relever des défis qui excèdent leurs habiletés. De telles situations semblent surtout se produire lorsque l'estime de soi de la personne est menacée (Baumeister, Heatherton & Tice, 1993).

En somme, le soi est au cœur de plusieurs processus qui influent sur nos perceptions, émotions et motivations ainsi que sur notre performance. Le soi mène également à des conséquences interpersonnelles importantes, comme le démontre la prochaine section.

CERTAINES CONSÉQUENCES INTERPERSONNELLES DU SOI

Le soi est présent dans une multitude de conséquences interpersonnelles (Markus & Cross, 1990). Il faudrait un volume entier pour traiter de toutes les influences interpersonnelles engendrées par le soi. Dans le cadre de ce chapitre, nous soulignerons quelques-unes de ces nombreuses influences. Nous traiterons des conséquences du soi vis-à-vis de trois grands types de situations interpersonnelles : 1) la perception des autres, 2) le choix de situations et d'interactions sociales et 3) la présentation de soi à autrui.

La perception des autres

Vous est-il déjà arrivé de porter un jugement sur une personne et de vous faire dire par un de vos amis : « Tu ne penses pas que tu fais de la projection ici ? » Dans un tel contexte, utilisant la notion freudienne, votre ami désirait vous indiquer que vos caractéristiques personnelles déterminaient votre perception de l'autre personne. Hazel Markus et ses collègues (Markus, Smith & Moreland, 1985) ont démontré que, dans la mesure où nous possédons peu d'information sur la personne faisant l'objet de notre évaluation quant à une dimension par rapport à laquelle nous nous connaissons bien, le soi devrait alors servir de point d'ancrage dans la perception de cette personne. Ainsi des sujets masculins se percevant comme des individus aux nombreux attributs masculins et ayant un schéma pour cette dimension ont attribué plus de caractéristiques masculines à un personnage masculin dans une bande vidéo et l'ont perçu comme plus semblable à eux que des sujets aschématiques (Markus *et al.*, 1985).

Parfois, notre perception ne porte pas sur une personne bien précise, mais plutôt sur un ensemble de personnes. Et encore ici, le soi peut influer sur notre perception des autres. En effet, notre propre position quant à une dimension quelconque nous amène souvent à amplifier notre perception du nombre de personnes professant une opinion semblable à la nôtre. Par exemple, si vous aimez la crème glacée, vous serez porté à penser que beaucoup plus de gens aiment également la crème glacée que le présumeront les gens qui n'aiment pas la crème glacée. Puisque les prédictions de ces deux groupes devraient être identiques, alors le manque d'équivalence dans les inférences révèle la présence d'un biais. C'est ce qu'on appelle le **biais de faux consensus** (Ross, Greene & House, 1977). Plusieurs recherches soutiennent cette perspective. Que leurs prédictions portent sur les attitudes, opinions ou comportements des autres, les gens ont tendance à exagérer le pourcentage de personnes qui partagent leur position (Mullen *et al.*, 1985; Nisbett & Kunda, 1985). L'encadré 3.3 présente des résultats récents d'une étude menée sur le biais de faux consensus et le référendum pancanadien de 1992 (Koestner *et al.*, 1993).

ENCADRÉ 3.3

LE BIAIS DE FAUX CONSENSUS ET LE RÉFÉRENDUM CANADIEN DE 1992

Dans le cas d'élections ou de votes quelconques, deux questions reviennent dans de nombreuses conversations : « Selon vous, quel sera le résultat du vote ? » et « Comment allez-vous voter ? » Ainsi ces deux questions ont souvent été entendues au moment du référendum historique pancanadien d'octobre 1992. Ce référendum demandait aux Canadiens s'ils étaient d'accord ou non pour modifier la Constitution canadienne selon les conditions de l'accord de Charlottetown signé en août 1992.

De prime abord, les deux questions précitées semblent bien distinctes. Avec la première, il est demandé à la personne d'estimer le résultat du vote, tandis que la seconde porte sur l'intention de vote de la personne. Cependant, ces deux questions ne seraient pas tout à fait indépendantes si l'on s'en tient aux études sur le biais de faux consensus. Le biais de faux consensus serait apparent lorsque l'évaluation des personnes quant au consensus sur leur position excède significativement l'évaluation de gens qui soutiennent la position inverse (Marks & Miller, 1987).

Ainsi, dans le cas du référendum canadien d'octobre 1992, il y aurait eu un biais de faux consensus dans la mesure où les gens qui avaient l'intention de voter « oui » estimaient que le pourcentage de personnes qui allaient également voter « oui » serait significativement plus grand que le pourcentage prédit par des gens qui avaient l'intention de voter « non ». En d'autres mots, si les personnes sont objectives dans leur prédiction, alors il n'y aura pas d'écart entre les pourcentages prédits par les tenants de l'une ou l'autre position. Toutefois, si un tel écart existe et se révèle significatif, alors nous pourrons conclure à la présence d'un biais.

Une étude récente visait à vérifier la présence du biais de faux consensus quant à la prédiction du résultat du vote référendaire pancanadien (Koestner *et al.*, 1993). Dans cette étude, 129 étudiants inscrits au premier cycle à l'Université McGill ont effectué leur prédiction quant au résultat du vote une semaine avant sa tenue. Les sujets devaient également indiquer leur intention de vote.

Tel que prévu, les sujets qui avaient l'intention de voter « oui » ont surestimé l'intention des autres personnes de voter « oui » comparativement aux sujets qui avaient l'intention de voter « non ». En effet, les sujets qui allaient voter « oui » ont prédit que 56 % des gens à travers le Canada voteraient « oui », alors que les sujets qui prévoyaient voter « non » ont estimé que seulement 51 % des personnes à travers le pays voteraient « oui » (Koestner *et al.*, 1993). Ces résultats démontrent donc la présence d'un biais chez les sujets qui

→

ENCADRÉ 3.3 (suite)

avaient l'intention de voter « oui » comparativement à ceux qui prévoyaient voter « non », car les premiers ont estimé qu'un pourcentage significativement plus élevé de personnes allaient voter « oui ». De plus, les résultats ont révélé que les sujets avec l'intention de voter « oui » étaient particulièrement enclins au biais de faux consensus s'ils étaient investis émotivement dans leur position, si leurs proches (parents et amis) étaient également des tenants du « oui » et s'ils considéraient que le rejet de l'accord de Charlottetown aurait des conséquences économiques sérieuses (Koestner *et al.*, 1993).

Lors d'une prochaine élection, vérifiez si vos amis sont sujets au biais de faux consensus en demandant leur prédiction concernant le résultat du vote et leur intention de vote. Qu'en sera-il pour vous-même ?

Si nous exagérons le nombre de personnes qui partagent nos opinions, il semble que nous soyons portés à sous-évaluer le nombre de personnes possédant les mêmes habiletés que nous. C'est ce que nous appelons le **biais de fausse perception d'unicité** (Frable, 1993; Suls & Wan, 1987). Ainsi l'étudiante qui est très bonne en statistique aura tendance à croire que peu d'étudiants sont aussi bons qu'elle dans cette matière. Ce biais se manifeste particulièrement lorsqu'il est question d'habiletés importantes pour nous.

Considérés conjointement, les biais de faux consensus et de fausse perception d'unicité peuvent sembler incompatibles. Cependant, si l'on convient que la personne est motivée à conserver une vision positive d'elle-même, alors l'opposition entre les deux phénomènes disparaît. En effet, quoi de plus satisfaisant que le fait de savoir que nous avons des habiletés que peu de gens possèdent et des opinions et goûts partagés par la plupart des gens ? Nos opinions sont correctes (approuvées par la plupart des gens) et nous avons des habiletés uniques. Nous avons alors ce qu'il y a de mieux. Cette tendance est particulièrement présente chez les individus normaux (Campbell, 1986), alors qu'elle est souvent absente chez les personnes atteintes de troubles psychologiques (Suls & Wan, 1987).

Le choix de situations et d'interactions sociales

Nous avons suffisamment vu de recherches en psychologie sociale jusqu'ici pour que vous ayez une bonne idée de l'ampleur des effets que peuvent engendrer les variables situationnelles sur la personne. Cependant, ceci ne représente qu'une partie des influences en jeu. La personne, par le biais des choix de situations qu'elle décide d'intégrer, a également une influence sur les situations. Ce jeu d'influences renvoie au concept d'**interactionnisme réciproque** (Bandura, 1977b, 1978; Emmons, Diener & Larsen, 1986). Plusieurs études démontrent qu'en effet l'être humain peut avoir un impact sur lui-même et sur les gens qui l'entourent en choisissant de participer à telle situation et en refusant d'aller dans tel autre contexte (Rotter, 1966; Snyder & Gangestad, 1982; Snyder & Ickes, 1985; Zuckerman, 1974). Par exemple, Furnham (1981) a prouvé que comparativement aux introvertis les individus extravertis passent plus de temps dans des situations sociales et préfèrent celles où règnent l'assertion, la compétition et l'intimité. Ce faisant, les extravertis nourrissent leur extraversion. Inversement, les personnes dépressives préfèrent rester seules, renforçant ainsi leur dépression (Argyle, 1987b).

Il peut arriver à l'occasion que le contexte social dans lequel nous interagissons soit négatif à notre endroit. Comment réagissons-nous dans de telles circonstances ? Allons-nous décider de poursuivre nos interactions avec ces mêmes personnes ou allons-nous choisir d'interagir avec d'autres personnes ? Fenigstein (1979) a étudié cette question en faisant ressortir le rôle de la conscience de soi publique dans cette analyse. Dans cette étude, une étudiante attendait dans une pièce en compagnie de deux autres personnes qui étaient des complices de l'expérimentateur. Dans une condition, les complices se parlèrent entre elles, négligeant totalement le sujet; dans l'autre condition, les complices se montrèrent sociables et interagirent avec le sujet. Par la suite, l'expérimentateur se présenta et indiqua que la recherche porterait sur un travail de groupe de trois personnes et qu'il était possible de former une équipe avec les deux autres personnes déjà rencontrées ou encore de travailler avec d'autres individus. La variable dépendante résidait dans le choix des sujets de demeurer ou non avec les deux personnes déjà rencontrées en fonction du degré de conscience de soi publique des sujets. Les résultats sont présentés à la figure 3.7. On remarque que lorsque les sujets ne sont pas rejetés ils choisissent de poursuivre la recherche avec les complices dans environ 75 % des cas. De plus, aucune différence n'est apparente entre les personnes ayant des degrés de conscience de soi différents. Par contre, chez les sujets qui avaient été ignorés, leur degré de conscience de soi publique a représenté un déterminant important du choix des partenaires. Particulièrement, alors que les sujets ayant une faible conscience de soi publique choisissent de poursuivre la recherche avec les complices dans 50 % des cas, les sujets possédant une conscience de soi publique élevée ne le font que dans 15 % des cas. En d'autres mots, les personnes sensibles à leur image publique (forte conscience de soi publique) ne sont pas portées à poursuivre des relations avec des gens les faisant mal paraître.

D'autres résultats viennent appuyer la notion selon laquelle nous choisissons les individus à fréquenter en fonction de notre soi. Entre autres, les travaux de Bill Swann et ses collègues (Swann, Hixon & De La Ronde, 1992) révèlent que les gens cherchent à confirmer leurs perceptions d'eux-mêmes en côtoyant les personnes qui les voient comme ils se perçoivent eux-mêmes. Par exemple,

FIGURE 3.7 **L'effet de la conscience de soi publique et du comportement de deux personnes (complices de l'expérimentateur) sur le choix de situations interpersonnelles**

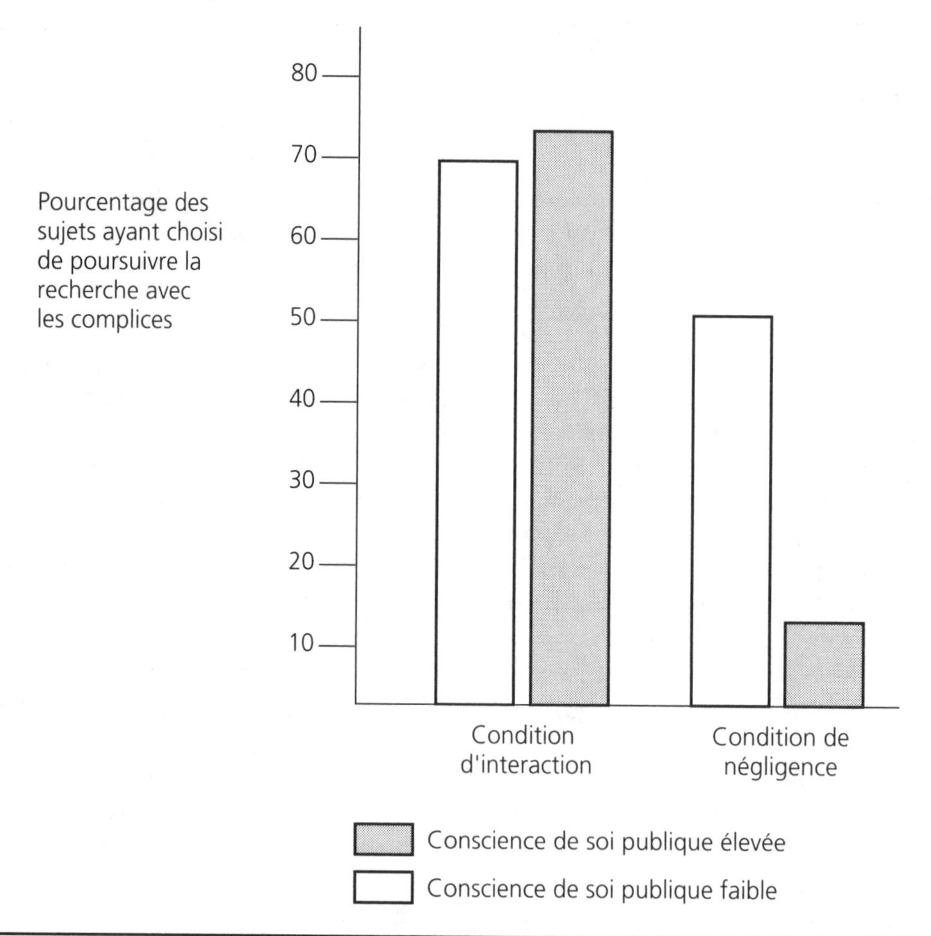

Les personnes avec une conscience de soi publique élevée sont très sensibles à la négligence des complices, ce qui les amènent à choisir des situations où elles interagiront avec des gens différents. Les sujets avec une conscience de soi publique faible sont beaucoup moins sensibles à une telle négligence (adapté de Fenigstein, 1979).

Swann *et al.* (1992) ont démontré que les gens qui ont une estime de soi négative vont préférer des conjoints qui les abaissent plutôt que des conjoints qui essaient de les valoriser, alors que c'est le contraire pour les individus qui ont une image positive d'eux-mêmes. Selon la **théorie de la vérification de soi** (Swann, 1983; Swann, Stein-Seroussi & Giesler, 1992), il semble que cette préférence pour des partenaires confirmant notre vision de nous-mêmes, même si ce choix implique un reflet négatif de notre personne, soit due à notre désir de prédire et de contrôler la façon dont les autres vont réagir envers nous. Puisque notre concept de soi reflète les réactions passées des autres à notre égard, interagir avec des gens qui nous perçoivent comme nous le faisons devrait mener à des interactions plus harmonieuses. Les personnes préféreraient alors avoir des interactions harmonieuses plutôt que des interactions où le conjoint les valorise sans que cela soit «mérité». Plusieurs recherches récentes de Swann et ses collègues soutiennent cette perspective théorique (voir Swann, 1992, à cet effet).

La présentation de soi

Une des tâches interpersonnelles qu'on remplit avec régularité consiste à se présenter socialement. Que ce soit à des personnes qu'on n'a jamais rencontrées (voir Gonzales & Meyers, 1993) ou encore à des gens que nous connaissons bien (Duck, 1986), la **présentation de soi** revêt toujours une certaine importance par rapport à l'image qu'on désire offrir aux autres. Il faut bien comprendre que nous seuls possèdons toute l'information relative à notre soi. Il nous revient donc de décider quels aspects de ce dernier nous voulons partager.

Cette présentation de soi est parfois faite dans un but avoué de contrôler les perceptions que les autres ont de nous. Un tel type de gestion d'impressions (Schlenker, 1980) est assimilée alors à la **présentation de soi stratégique.** Dans d'autres occasions, cependant, la présentation de notre personne a pour but de permettre aux autres de mieux connaître notre vrai soi, sans maquillage ou jeu théâtral. Nous effectuons alors une **présentation de soi authentique.**

Nous utilisons tous à l'occasion ces deux modes de présentation de soi (Baumeister, 1982; Jones & Pittman, 1982). Et parfois même, nous hésitons entre les deux formes de présentation. Vous rappelez-vous votre première sortie amoureuse? Bien sûr, vous vouliez être ouvert et franc dans votre présentation. Vous désiriez discuter de vos attitudes, de vos goûts ainsi que de vos aspirations. Mais il se trouvait également une partie de vous qui, un peu comme Marc dans l'exemple du début, désirait se présenter sous son jour le meilleur de sorte à être perçue de façon positive par l'autre personne. Il est facile de comprendre que dans une telle situation la plupart des gens hésitent avant de choisir leur mode de présentation de soi et valsent parfois entre la présentation de soi stratégique et la présentation de soi authentique. Dans cette section, nous traiterons de ces deux types de présentation. Nous traiterons également des différences individuelles dans la présentation de soi.

La présentation de soi stratégique. La présentation de soi stratégique consiste à adopter différents comportements sociaux ayant pour but de créer une impression bien précise chez ceux qui nous regardent. Il existe donc une motivation de la part de l'acteur à produire une impression particulière chez l'observateur ou chez l'autre personne (Leary & Kowalski, 1990). Dans certaines situations, nous désirons éviter de perdre la face devant les autres à la suite d'une piètre performance. Un ensemble de stratégies peut alors nous permettre d'y parvenir: ce sont les **stratégies autohandicapantes** (Berglas & Jones, 1978; Jones & Berglas, 1978). De telles stratégies consistent à préparer «à l'avance» des conditions qui serviront d'excuses en cas d'échec. Examinons de plus près un exemple de ces dernières stratégies.

Dans une étude sur les stratégies autohandicapantes, Berglas et Jones (1978) demandèrent à deux groupes d'étudiants de travailler sur une tâche de résolution de problèmes. À l'insu des sujets, les problèmes avaient été préparés de sorte que certains puissent être résolus alors que d'autres étaient en réalité insolubles. Peu importe le type de problèmes sur lesquels les sujets avaient travaillé, ils furent informés qu'ils avaient tous très bien fait. Avant de poursuivre avec la seconde partie des problèmes, les sujets furent informés que les expérimentateurs désiraient connaître les effets de deux drogues sur la performance intellectuelle. Les sujets pouvaient choisir entre Actavil, une substance reconnue pour améliorer le fonctionnement intellectuel, et Pandocrin, une drogue reconnue pour diminuer la performance. L'hypothèse de Berglas et Jones était que les sujets qui avaient travaillé sur les problèmes insolubles préféreraient Pandocrin. En effet, puisque leur succès dans la première phase de l'étude était probablement dû à la chance, en utilisant une stratégie autohandicapante (la prise de Pandocrin), ils protégeraient leur estime de soi en cas d'échec. Par contre, les sujets qui avaient travaillé sur des problèmes solubles devraient plutôt choisir la drogue facilitant la performance (Actavil) puisque leur succès dans la première phase avait été obtenu grâce à leur habileté; ils ne devraient alors pas sentir le besoin de se protéger. Les résultats de l'étude soutinrent les hypothèses des chercheurs.

Les recherches postérieures à celles de Berglas et Jones (1978) ont généralement confirmé leurs résultats et ont également permis de les préciser. À cet effet, il semble que des différences individuelles existent de sorte que certaines personnes sont plus enclines que d'autres à utiliser de telles stratégies (Hirt, Deppe & Gordon, 1991; Rhodewalt, 1990; Shepperd & Arkin, 1989). Ainsi il semble que ce soit surtout les gens qui ont connu des succès passés attribués à la chance ou à des éléments extérieurs à eux qui fassent usage de telles stratégies (Jones & Berglas, 1978). Ces personnes sont relativement incertaines quant à leur estime de soi (Harris & Snyder, 1986), ce qui les amène à se protéger contre des échecs potentiellement cuisants. De plus, les hommes seraient plus enclins que les femmes à utiliser les stratégies autohandicapantes (Harris & Snyder, 1986; Rhodewalt & Davison, 1986; Shepperd & Arkin, 1989; Snyder, Smith, Augelli & Ingram, 1985). Enfin, les personnes qui possèdent une conscience de soi publique élevée utiliseraient davantage les stratégies autohandicapantes que celles ayant une faible conscience de soi publique (Shepperd & Arkin, 1989). L'avenir paraît prometteur dans ce secteur de recherche, surtout que des retombées pratiques sont escomptées dans la mesure où il deviendrait possible de désigner les individus susceptibles d'utiliser l'alcool et la drogue aux fins de protection de l'estime de soi et de présentation stratégique.

Parfois notre désir de présenter une image de soi positive nous amène à nous associer avec des gens reconnus pour leur efficacité ou pour leurs succès. En nous associant avec de telles personnes, il est généralement espéré qu'une part de leur succès rejaillira sur nous. C'est ce qu'on appelle le fait de **se couvrir de**

gloire indirectement (Cialdini *et al.*, 1976). Il n'est pas rare au Québec d'entendre quelqu'un dire qu'il vient de la même ville que l'un des joueurs du Canadien de Montréal ou des Nordiques de Québec. Les comportements des gens se manifestent souvent au grand jour le lendemain d'événements importants, telle une élection politique ou encore une rencontre sportive. Par exemple, Cialdini *et al.* (1976) ont démontré qu'au lendemain de matchs où leur équipe avait gagné les gens portaient beaucoup plus de tee-shirts et d'articles à l'effigie de leur équipe que si cette dernière avait perdu. De plus, il semble que nous soyons prudents de ne pas nous associer publiquement outre mesure avec notre équipe dans la défaite. Ainsi, le «*On* a gagné hier soir!» après une victoire de notre équipe préférée devient le «*Ils* ont mal joué, c'est pas possible!» à la suite de la défaite de l'équipe (Cialdini *et al.*, 1976). À la lumière de cette information, on peut comprendre le comportement des partisans du Canadien et des Nordiques après un match entre les deux équipes!

Une autre série de techniques nous permet de nous attirer les bonnes grâces des gens en agissant de sorte à ce que ces derniers nous aiment ou nous apprécient (Jones, 1964; Jones & Wortman, 1973). Cette approche est communément appelée **stratégies de la manipulation.** Généralement quatre types de manipulation peuvent être utilisées (Jones & Pittman, 1982). Une première consiste à se présenter verbalement à son entourage de sorte à rehausser son image. Ce procédé peut être employé dans le cadre d'une entrevue pour un emploi par exemple. Alors que dans plusieurs cas il est approprié de «se vanter» quelque peu, dans d'autres situations il sera préférable de se présenter de façon modeste (Tetlock, 1980). En effet, à vouloir trop en mettre on peut risquer de créer une image négative dans la tête de l'évaluateur (p. ex. Baron, 1986).

Une deuxième stratégie consiste à flatter les qualités de l'autre personne. Lorsque perçue comme sincère, cette stratégie produit en général des conséquences positives pour le manipulateur. Par contre, si les compliments sont perçus comme un moyen d'essayer d'obtenir des faveurs, les conséquences pourraient s'avérer très néfastes pour le manipulateur (Dickoff, 1961). Dans une telle optique, il semble donc préférable de présenter des compliments sur des attributs dont la personne est incertaine (Schlenker, 1980). Ainsi cette dernière sera moins susceptible de douter de la bonne foi du message.

Une troisième approche manipulatrice consiste à accorder une faveur (ou à rendre un service) à quelqu'un. Celui qui agit de la sorte devrait un jour ou l'autre recevoir les dividendes de son geste pour au moins deux raisons: d'abord, il semble exister un principe ou une «norme de réciprocité» selon laquelle celui qui a aidé sera aidé à son tour (voir le chapitre 10 à cet effet); et ensuite, ceux qui accordent des faveurs gagnent généralement l'appréciation des autres.

Enfin, une dernière stratégie de manipulation consiste à se conformer (du moins ouvertement) à l'opinion de la personne cible. Une telle affinité peut être déclarée de façon directe ou indirecte. Mark Zanna, de l'Université de Waterloo, a étudié les effets des deux types de conformité. Dans une étude sur la conformité directe comme source de manipulation, Zanna et Pack (1975) ont démontré que les étudiantes qui anticipaient une interaction avec un partenaire désirable typiquement masculin se présentèrent comme plus dépendantes et moins autonomes (donc typiquement féminines) qu'elles ne l'avaient indiqué trois semaines plus tôt, alors que celles qui anticipaient interagir avec un partenaire désirable mais libéral se décrirent comme des femmes plus autonomes et moins dépendantes qu'elles ne l'avaient indiqué auparavant. Aucune différence dans les réponses ne fut observée chez les sujets ayant des partenaires non désirables.

Ces résultats ont été essentiellement reproduits par une étude de Von Baeyer, Sherk et Zanna (1981): ils ont démontré que des femmes sachant qu'elles seraient questionnées pour un emploi par des patrons « traditionnels » se sont présentées à l'entrevue davantage maquillées et avec une toilette comportant plus d'accessoires, donnèrent plus de réponses traditionnelles à propos du mariage et de la famille, furent jugées plus jolies par des juges indépendants, parlèrent moins et regardèrent l'intervieweur moins souvent que celles questionnées par des employeurs « non traditionnels ».

Dans l'ensemble, ces deux études révèlent que les gens sont capables de se présenter aux autres de façon conforme aux attentes de ces derniers. Ce type de manipulation est plus subtil que les autres, mais non moins efficace. Il n'est donc pas surprenant que les utilisateurs de cette technique obtiennent alors les dividendes escomptés, tel que l'emploi convoité.

Plusieurs autres techniques stratégiques peuvent être utilisées dans notre présentation de soi. Ainsi nous pouvons à l'occasion intimider les autres (« Tu es mieux de faire ce que je te dis ou bien ... »), nous montrer à leur merci (« Je ne suis vraiment pas bon là-dedans ; pourrais-tu m'aider ?), donner l'exemple (« Je sais que cela joue contre mes intérêts personnels, mais j'ai décidé d'aider Claude dans son examen. ») (voir Jones & Pittman, 1982; Tedeschi *et al.*, 1985, chapitre 3).

La présentation de soi authentique. Dans nos contacts avec les autres, il nous arrive de vouloir que les autres nous voient sous notre vrai jour. Pour y parvenir, nous divulguons de l'information réelle sur notre personne. C'est ce qu'on appelle la **révélation de soi** (Jourard, 1964, 1971, 1972; Derlega *et al.*, 1993). Nous avons tous une idée de ce que peut être ce concept de révélation de soi. Parler à un ami de choses intimes ou personnelles ou encore demander à un copain un conseil par rapport à un problème personnel en constituent des exemples.

Altman et Taylor (1973) ont proposé que la révélation de soi puisse être caractérisée par deux dimensions, soit la profondeur (ou le degré d'intimité) et la quantité de renseignements présentés. La variable de la quantité est assez facile à cerner : elle se rapporte au nombre de renseignements divulgués dans un même domaine (par exemple les relations avec les personnes de l'autre sexe) ainsi qu'au nombre de domaines concernés. Par contre, le degré d'intimité varie en fonction d'un certain nombre de variables. Plus particulièrement, l'information qui touche à des éléments uniques de la personne (comme des traits de personnalité), qui traite de faiblesses ou d'aspects socialement indésirables chez cette dernière ou encore qui ne sont pas directement accessibles aux autres (par exemple les motivations et les attitudes personnelles) est généralement perçue comme très intime et donc révélatrice (Derlega, Harris & Chaikin, 1973; Jones & Archer, 1976; Runge & Archer, 1981).

Quelles sont les conditions qui peuvent amener une personne à se révéler à une autre ? Les recherches sur le sujet confirment dans une large mesure les intuitions qu'on pourrait avoir à ce sujet. Ainsi le contexte social joue un rôle important dans la révélation de soi (Archer, 1980). Nous sommes plus portés à nous confier dans une pièce confortable et chaleureuse à éclairage tamisé que dans un local « froid » et très éclairé (Chaikin, Derlega & Miller, 1976). De même, nous nous révélons davantage lorsque nous sommes d'humeur positive que lorsque nous éprouvons un affect négatif (Cunningham, 1988). De plus, nous sommes plus enclins à nous confier après avoir pris de l'alcool (Rohrberg & Sousa-Poza, 1976). Nos attentes quant à l'acceptation de nous ouvrir à quelqu'un représentent un autre déterminant majeur de ce comportement : nous sommes portés à révéler de l'information sur nous-mêmes à une personne qui vient juste de le faire (Chaikin & Derlega, 1974). Une norme de réciprocité semble s'appliquer dans un tel contexte.

Mais si l'on décide de révéler de l'information sur soi-même, à qui se confie-t-on ? Et dans la mesure où nous divulguons de l'information, quel type d'information sommes-nous prêts à divulguer ? Afin de répondre à ces questions ainsi qu'à d'autres, Jourard et Lasakow (1958) ont comparé les modes de révélation de soi d'étudiants universitaires. Si l'on considère les personnes choisies comme confidentes, les résultats indiquent que les sujets étudiants se confiaient plus à leur mère et, de façon décroissante, moins à leur père, à leurs amis et à leurs amies. Parmi les thèmes les plus confiés on retrouvait les goûts et intérêts des sujets, leurs attitudes et opinions ainsi que des éléments relatifs à leur travail. Les thèmes évités incluaient l'argent, l'apparence corporelle ainsi que la personnalité. Des différences individuelles chez les sujets quant au taux de révélation ont-elles été notées ? Il semblerait que oui. En effet, les femmes divulguaient plus d'information sur elles-mêmes que les hommes. Aussi, alors que les sujets mariés ne divulguaient pas plus d'information que les sujets célibataires, leurs confidents toutefois étaient différents : les gens mariés préféraient se confier à leur conjoint et les célibataires à leurs parents et amis.

Les recherches plus récentes ont généralement confirmé ces premiers résultats (voir Archer, 1980; Jourard, 1971, 1972) et ont également permis de les préciser. Ainsi les résultats d'une méta-analyse de 205 études portant sur la révélation de soi indiquent que les femmes se confient davantage que les hommes et qu'elles le font davantage avec les femmes qu'avec les hommes (Dindia & Allen, 1992). De plus, Stokes, Fuehrer et Childs (1980) ont démontré que, si les hommes sont moins enclins à révéler de l'information sur eux-mêmes que les femmes, cette attitude se manifeste plutôt entre amis intimes. En fait, lorsque les confidents sont des inconnus ou de simples connaissances, les hommes ont en général tendance à divulguer plus d'information que les femmes ! Peut-être se sentent-ils alors moins menacés par une révélation faite à quelqu'un qu'ils connaissent peu.

Selon Sidney Jourard (1964, 1971, 1972), la révélation de soi sert plusieurs fonctions positives chez la personne. Dans un premier temps, la révélation de soi permet à la personne de mieux se connaître elle-même. Nous avons déjà indiqué dans une section antérieure que l'un des déterminants de notre soi de contenu était la comparaison sociale avec les gens qui nous entourent. Dans un contexte interpersonnel, la révélation de soi peut être vue comme un échange d'information entre deux personnes (ou plus) permettant à chacune de se comparer avec l'autre et ainsi de mieux se connaître, respectivement. De plus, en parlant de nous-mêmes, nous obtenons de l'information qui peut nous aider à résoudre certains de nos problèmes. Des liens ont été établis entre la santé mentale et des comportements appropriés de révélation de soi (p. ex. Chaikin, Derlega, Bayma & Shaw, 1975). Ceci semble d'autant plus le cas lorsqu'il s'agit de traumatismes que la personne juge sévères. En effet, dans pareilles situations, le fait d'en parler constituerait un moyen préventif pour la santé physique (Greenberg & Stone, 1992) et pour l'humeur (Mendolia & Kleck, 1993).

La révélation de soi ne rapporte pas que des dividendes personnels. Elle peut aussi comporter certains coûts. Un premier coût porte sur les émotions négatives qui sont vécues lorsque nous révélons des expériences passées pénibles (Archer, 1980; Gibbons *et al.*, 1985). Le rappel de souvenirs négatifs peut être troublant en lui-même. Si l'on y ajoute le fait d'avoir à les confier à quelqu'un qui pourrait nous rejeter et peut-être nous ridiculiser, on comprendra que la révélation de soi puisse être parfois pénible.

Quelles sont les conséquences interpersonnelles de nos révélations ? Il semble que la réponse à cette question dépende du degré de révélation de soi atteint. En effet, certaines recherches prouvent que, de façon globale, nous apprécions les gens qui révèlent de l'information sur eux-mêmes (Worthy, Gary & Kahn, 1969). Toutefois, ces révélations doivent être faites au bon moment dans la relation (ni trop tôt ni trop tard), sinon l'effet positif de la révélation se changerait en conséquence négative (Archer & Burleson, 1980). Par exemple, discuter de vos relations sexuelles antécédentes avec une personne de l'autre sexe que vous venez tout juste de rencontrer pourrait avoir pour effet de la rendre mal à l'aise et de mettre en péril votre nouvelle relation. De plus, la personne qui se confie apprécie généralement les gens qui prennent le temps d'écouter ses confidences (Archer & Berg, 1978). Donc, un lien d'amitié peut venir confirmer un épisode de révélation de soi. Enfin, la révélation de soi représente un excellent moyen de moduler le développement d'une relation interpersonnelle intime (Duck, 1986). En effet, puisque la révélation de soi constitue un message d'intimité à l'autre personne, le fait de ne pas vouloir révéler de l'information alors que celle-ci l'a fait peut être perçu par l'autre comme le message que vous ne voulez pas aller plus loin dans votre échange (Baxter & Wilmot, 1985).

En somme, la présentation de soi authentique mène à plusieurs conséquences positives. Il n'est donc pas surprenant que nous désirions adopter de tels comportements malgré les risques inhérents.

Les différences individuelles dans la présentation de soi. Plusieurs auteurs (p. ex. Goffman, 1959; Schlenker, 1985) soulignent que « la vie est une scène » dans laquelle nous sommes des acteurs. Comme dans toute pièce, certains d'entre nous sont meilleurs acteurs que d'autres. Ainsi les gens se distinguent dans la façon dont ils peuvent exercer leur contrôle sur leur présentation verbale et non verbale. Ces différences individuelles sont à la base du construit de **monitorage de soi** (Snyder, 1979, 1987). La théorie de Snyder distingue les personnes qui sont fortes de celles qui sont faibles quant à cette dimension. Les personnes fortes en monitorage de soi sont particulièrement sensibles aux expressions et aux présentations stratégiques de soi des gens en contexte social ainsi qu'à ce qui est approprié dans le contexte en question. Elles sont motivées à utiliser cette information à bon escient afin de contrôler leur propre présentation de soi dans le but d'influer sur la perception que les autres ont d'elles. Et en plus, elles possèdent les habiletés pour atteindre ce but. Les personnes faibles en monitorage de soi se voient comme des gens à la recherche de la cohérence entre leurs actions en situations sociales et leurs attitudes, sentiments ou dispositions intérieurs. En d'autres termes, les personnes fortes en monitorage de soi agissent selon ce qui semble approprié dans la situation, alors que les personnes faibles vis-à-vis de cette dimension se comportent de façon conforme à leurs propres dispositions personnelles, et ce peu importe la situation.

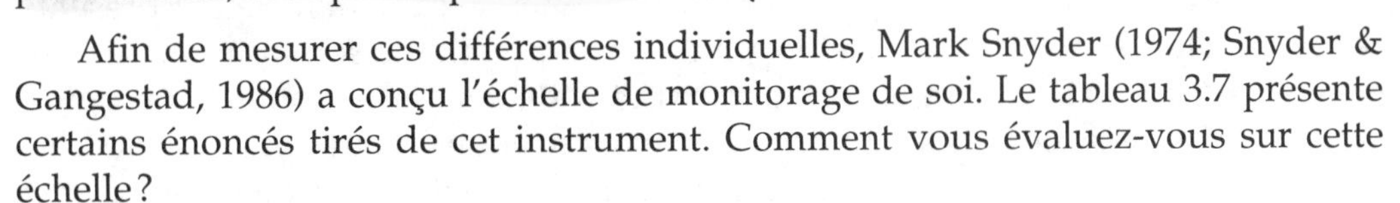

Afin de mesurer ces différences individuelles, Mark Snyder (1974; Snyder & Gangestad, 1986) a conçu l'échelle de monitorage de soi. Le tableau 3.7 présente certains énoncés tirés de cet instrument. Comment vous évaluez-vous sur cette échelle ?

TABLEAU 3.7 **Énoncés traduits librement de la version révisée de l'échelle de monitorage de soi (Snyder & Gangestad, 1986)**

1.	Je peux seulement défendre des points de vue auxquels je crois*.	Vrai ou faux
2.	J'imagine que je joue un peu la comédie pour impressionner ou pour divertir les autres.	Vrai ou faux
3.	Je pourrais probablement être bon comédien.	Vrai ou faux
4.	Dans des rencontres sociales, je n'essaie pas de dire ou de faire des choses que les autres aiment*.	Vrai ou faux
5.	Je ne suis pas toujours la personne que je parais être.	Vrai ou faux

Note : Accordez un point à chaque réponse notée « vrai ». Un score élevé indique un monitorage de soi élevé.
* Pour cet énoncé, le pointage doit être inversé.

Malgré certains désaccords à l'égard des origines et de la mesure du monitorage de soi (voir Gangestad & Snyder, 1991; Miller & Thayer, 1989), plusieurs études ont fourni des résultats intéressants. Entre autres, certaines recherches sur le monitorage de soi révèlent que les personnes fortes sur ce construit sont habiles à comprendre ce qui est approprié dans de nouvelles situations, possèdent un excellent contrôle de leurs émotions et peuvent utiliser leurs habiletés avec efficacité afin de créer les impressions qu'elles désirent (Snyder, 1987). En fait, ces individus sont tellement habiles en tant qu'« acteurs » des situations de tous les jours qu'ils peuvent adopter les manières d'une personne réservée et introvertie, et soudainement faire volte-face et se montrer entreprenants et extravertis (Lippa, 1976, 1978); on pourrait les qualifier de caméléon social. Dans des situations de présentation de soi, ils sont particulièrement orientés vers la recherche d'information par le biais de la comparaison sociale afin de déterminer les modes appropriés de présentation de soi. Enfin, les personnes fortes en monitorage de soi déploient des efforts importants dans le but de pouvoir mieux étudier et comprendre les autres (Berscheid, Graziano, Monson & Dermer, 1976; Jones & Baumeister, 1976).

Examinons une étude de Snyder et Monson (1975) afin de mieux saisir comment les personnes fortes et celles faibles en monitorage de soi opèrent en situations sociales. Dans cette étude, des sujets ayant obtenu soit de hauts, soit de faibles scores sur l'échelle de monitorage de soi participèrent à des groupes de discussion dont le but était d'échanger des points de vue sur les normes existant dans différents groupes de référence. Dans certains des groupes de discussion, les sujets devaient parler devant des caméras et des micros, et tenir si possible des propos conformes à l'esprit du groupe (condition de conformité). Dans d'autres groupes de discussion, aucun micro ni aucune caméra n'étaient présents et le sujet était encouragé à développer de façon autonome son opinion personnelle (condition d'autonomie). Les personnes fortes et celles faibles en monitorage de soi furent aléatoirement réparties dans les deux conditions. La variable d'intérêt était le comportement des sujets dans les situations en question. Il était attendu que les personnes fortes en monitorage de soi ajusteraient leurs comportements sociaux en fonction de la situation : leurs propos seraient conformes à l'esprit du groupe dans la situation favorisant la conformité et elles se montreraient autonomes dans la situation encourageant l'autonomie. Par contre, les personnes faibles en monitorage de soi devraient adopter sensiblement le même comportement dans les deux situations, leurs comportements n'étant pas régis par la situation mais plutôt par leurs attitudes et états intérieurs. Les résultats soutinrent ces hypothèses.

Nous avons vu que le monitorage de soi semble influer sur nos comportements en contexte social. Une question importante se pose donc : « Quelle est la nature des processus qui régissent les comportements des personnes ayant un fort monitorage de soi ? » Malgré le peu de recherches menées à cet effet, il semble que les personnes avec un monitorage de soi élevé utilisent l'imagerie et des scripts comportementaux pour régler leurs comportements en contexte social (Schwalbe, 1991). Ces gens posséderaient des stratégies en mémoire (ou scripts) leur permettant de choisir rapidement les comportements appropriés dans une situation donnée. Avec un éventail plus large de stratégies à leur disposition, il devient donc facile pour eux d'agir de diverses façons selon la situation.

Au cours des dernières années, le monitorage de soi a été étudié dans plusieurs sphères de la vie courante. L'un de ces secteurs a trait au choix de partenaires amoureux. Par exemple, dans une recherche portant sur l'attraction interpersonnelle, Snyder, Berscheid et Glick (1985) ont étudié les préférences des personnes ayant un monitorage de soi élevé ou faible. Les sujets masculins étaient des étudiants universitaires qui ne fréquentaient pas de femmes sur une base régulière. Dans le cadre de l'étude, les sujets avaient le choix de sortir un soir avec l'une des deux candidates suivantes : la première était décrite comme une femme possédant une belle personnalité, mais la photographie démontrait une apparence médiocre ; en revanche, la seconde était fort jolie mais semblait posséder une personnalité peu plaisante. Quelle candidate les sujets choisirent-ils ? Comme le démontre la figure 3.8, les sujets avec un fort monitorage de soi choisirent la candidate à l'apparence attirante malgré sa personnalité peu plaisante, alors que les sujets avec un faible monitorage de soi préférèrent la candidate possédant une personnalité intéressante malgré une apparence moins belle. Les sujets avec un monitorage de soi élevé semblent donc agir en fonction de ce qui est plus socialement valorisé, alors que ceux avec un faible monitorage de soi agissent en fonction de leur intérêt personnel.

FIGURE 3.8 **Les effets des dispositions élevées et faibles de monitorage de soi sur le choix d'un partenaire amoureux en fonction de l'apparence et de la personnalité du partenaire**

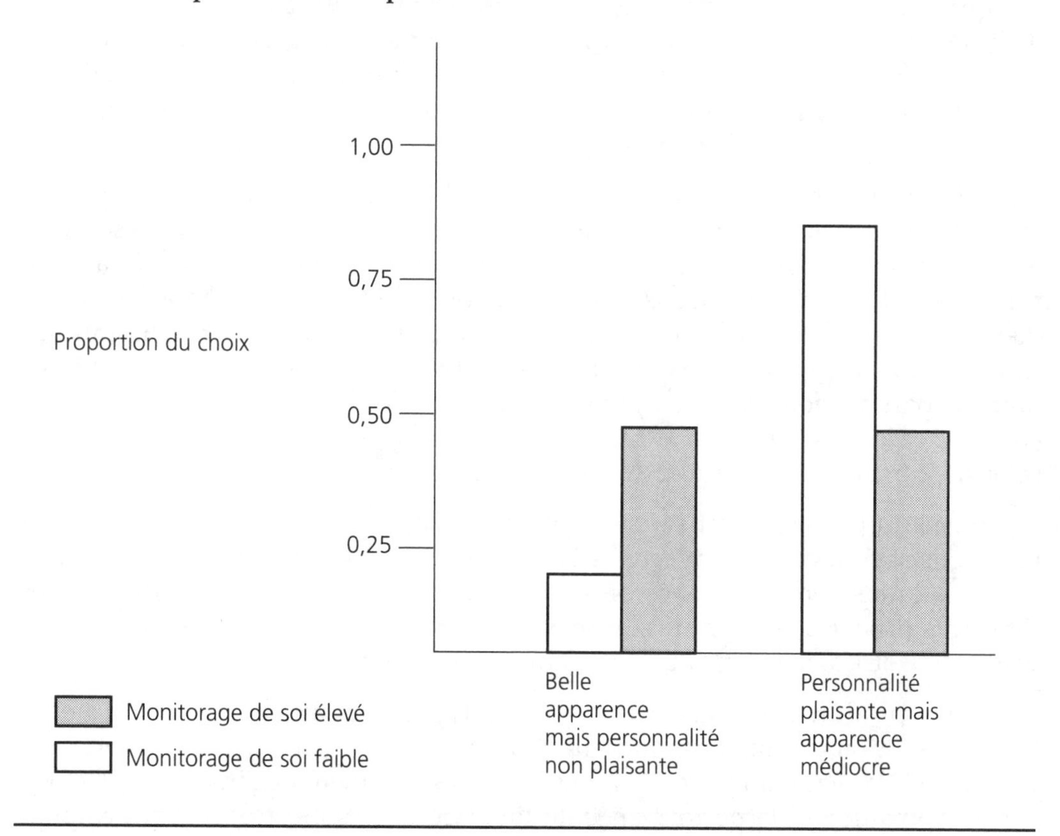

Adapté de Snyder, Berscheid et Glick (1985).

D'autres recherches appliquées ont aussi révélé que le monitorage de soi influait sur le choix de carrière (Snyder & Gangestad, 1982), la performance au travail (Caldwell & O'Reilly, 1982), la sélection du personnel lors d'entrevues (Snyder, Berscheid & Matwychuk, 1985, cité dans Snyder, 1987), les effets de la publicité (Snyder & DeBono, 1985), le style d'intervention du psychothérapeute (Mill, 1984) et les relations interpersonnelles avec les amis (Snyder, Gangestad & Simpson, 1983), le conjoint (Snyder & Simpson, 1984) et les partenaires sexuels (Snyder, Simpson & Gangestad, 1986). Comme on peut le voir, le construit de monitorage de soi joue un rôle important dans le comportement social, et ce à plusieurs égards.

RÉSUMÉ

Nous avons vu dans ce chapitre que le soi est à la fois contenu et processus. L'aspect contenu se compose du concept de soi, qui représente un résumé des perceptions que les gens ont de leurs qualités et caractéristiques. Le soi comme contenu inclut également l'estime de soi et d'autres représentations cognitives importantes du soi telles que les soi possibles (ce qu'on pourrait devenir plus tard) et les soi idéaux (ce qu'on voudrait être). Enfin, les schémas sur le soi nous permettent d'organiser ou de ranger l'information sur nous-mêmes. Le soi comme contenu est le fruit de plusieurs déterminants issus de sources multiples. Parmi celles-ci, on peut noter l'influence des autres, le contexte social, l'observation que nous faisons de notre propre comportement et l'évaluation de nous-mêmes.

Si le soi est contenu, il est également processus. Le soi comme processus est cette dimension du soi qui permet de prendre conscience de ce que nous sommes et qui remplit une foule de fonctions en ce qui concerne notre soi. L'accès à notre soi est permis par l'état de conscience de soi ou le fait d'être en contact avec soi-même. Cet état de conscience de soi peut être privé – l'accent est alors mis sur nos pensées, attitudes et états intérieurs – ou public – l'accent est plutôt mis sur notre apparence telle qu'elle apparaît aux yeux des autres. Ces deux états de conscience de soi peuvent être induits par des indices environnementaux (miroirs, caméras, auditoire) et dispositionnels (personnalité des gens).

Plusieurs processus du soi sont engendrés de façon coutumière. Parmi les processus majeurs on notera ceux d'évaluation de soi, d'augmentation de soi, de protection de soi, de cohérence de soi et enfin celui de présentation de soi. Ces différents processus du soi ne sont pas toujours indépendants et plusieurs peuvent même être activés simultanément dans une situation donnée.

Le soi produit des conséquences intra et interpersonnelles. Parmi les conséquences intrapersonnelles, on peut souligner un traitement accru d'information sur soi, la régulation des émotions et de la santé mentale ainsi que des effets sur la motivation et la performance de l'individu. Le soi est également responsable d'un grand nombre de conséquences interpersonnelles. Ainsi le soi peut influer sur notre perception des autres. Des biais se manifestent dès lors, notamment ceux de faux consensus (la perception erronée selon laquelle plus de gens partagent notre opinion que ce n'est effectivement le cas) et de fausse perception d'unicité (ou le fait de croire que nous possédons des habiletés uniques que peu de gens partagent). Notre soi agit également sur les situations dans lesquelles nous choisissons de nous engager. Enfin, un dernier volet rattaché aux conséquences interpersonnelles du soi concerne l'aspect de présentation de soi. Deux types de présentation de soi ont été étudiés. Un premier type renvoie à la présentation stratégique de soi. Celle-ci a pour but de créer une image publique bien précise dans l'esprit des autres et peut inclure différentes stratégies (stratégies autohandicapantes, se couvrir de gloire indirectement et la manipulation). Le second type de présentation de soi que nous avons vu est la présentation de soi authentique. Cette dernière consiste à nous montrer aux autres tels que nous sommes « vraiment ». Dans pareil cas, le soi est présenté par le moyen de la révélation de soi, où nous divulguons de l'information personnelle sur nous-mêmes.

Dans un dernier temps, nous avons vu que certaines personnes avaient des aptitudes plus développées que d'autres dans l'art de la présentation de soi. Les gens avec un fort monitorage de soi ont tendance à régler leurs comportements en fonction de la situation : de façon générale, ils utilisent la présentation de soi stratégique. Par contre, les personnes avec un faible monitorage de soi agissent en fonction de leurs états intérieurs et de leurs attitudes. Elles sont plutôt orientées vers une présentation de soi authentique.

En somme, notre soi est largement le fruit d'influences sociales et il représente un déterminant important de nos pensées, de nos sentiments et de nos comportements. Il se situe alors au cœur même de nos relations sociales. Il n'est donc pas surprenant de voir que, durant cette première partie des années 1990, le soi constitue l'un des concepts les plus étudiés en psychologie sociale. Nous serons d'ailleurs en mesure d'apprécier son rôle dans bon nombre de thèmes développés dans ce volume.

BIBLIOGRAPHIE SPÉCIALISÉE

Baumeister, R.F. (1993). *Self-esteem : The puzzle of low self-regard*. New York: Plenum.

Derlega, V.J., Metts, S., Petronio, S. & Margulis, S.T. (1993). *Self-disclosure*. Newbury Park, CA: Sage.

Gunnar, M.R., & Sroufe, A.L. (1991). *Self processes and development : The Minnesota symposium on child development* (Vol. 23). Hillsdale, NJ: Erlbaum.

Hattie, J. (1992). *Self-concept*. Hillsdale, NJ: Erlbaum.

Monteil, J.M. (1993). *Soi et le contexte : constructions autobiographiques, insertions sociales et performances cognitives*. Paris : Armand Colin.

Strauss, J. & Goethals, G.R. (1991). *The self: Interdisciplinary approaches*. New York: Springer-Verlag.

Suls, J. & Greenwald, A.G. (Eds.). (1982, 1983, 1986). *Psychological perspectives on the self* (Vols. 1, 2, 3). Hillsdale, NJ: Erlbaum.

Suls, J. & Wills, T.A. (1991). *Social comparison: Contemporary theory and research*. Hillsdale, NJ: Erlbaum.

CHAPITRE

4

LES PERCEPTIONS ET LES COGNITIONS SOCIALES : PERCEVOIR LES GENS QUI NOUS ENTOURENT ET PENSER À EUX

Luc G. Pelletier et Robert J. Vallerand
Université d'Ottawa
Université du Québec à Montréal

Mise en situation

Introduction

Qu'entendons-nous par l'étude des perceptions et des cognitions sociales ?

- Les perceptions des personnes et des objets diffèrent-elles ?
- L'évolution de l'étude des perceptions et des cognitions sociales
- Les facteurs à considérer dans l'étude des perceptions sociales
- Conclusion : qu'est-ce que l'étude des perceptions et des cognitions sociales ?

Les cognitions sociales : l'étude des processus par lesquels nous traitons l'information sur notre monde social

- Les schémas
- Les processus de base dans le traitement de l'information sociale
- Quels sont les schémas qui seront utilisés ?
- L'utilisation d'heuristiques mentales

Les perceptions sociales sans interaction avec la cible

- L'utilisation des schémas
- L'intégration de renseignements multiples sur la cible
- L'utilisation de schémas par opposition à l'intégration de renseignements multiples dans la formation d'une impression

Les perceptions sociales impliquant des interactions entre le percevant et la cible

- L'influence de la cible dans la formation des perceptions sociales
- La vérification confirmative des hypothèses
- Les prophéties qui s'autoréalisent et leurs effets : l'influence des perceptions initiales sur les comportements du percevant
- Le rôle de la cible dans la perception résultante : la négociation d'une identité entre la cible et le percevant

Résumé

Bibliographie spécialisée

Encadré 4.1 Comment les stéréotypes survivent-ils ?

Encadré 4.2 Cognitions sociales, illusions et santé mentale

Encadré 4.3 Appréciation globale d'un individu et rappel des faits justifiant l'appréciation

MISE EN SITUATION

En réponse à une petite annonce dans le journal local, quatre personnes se sont présentées à l'appartement de Michèle pour les deux places de colocataires. Michèle n'a pas entièrement déterminé le genre de personnes qu'elle recherche. Elle a toutefois établi préalablement certaines caractéristiques qui devraient lui permettre de choisir les candidats susceptibles de s'harmoniser avec son style de vie et avec sa situation d'étudiante en psychologie. La première personne à se présenter, Isabelle, est une femme d'une trentaine d'années nouvellement arrivée dans la région à la suite de l'acceptation d'un nouvel emploi. Elle est habillée impeccablement. Bien que d'apparence réservée et tranquille, elle n'hésite pas à poser plusieurs questions sur la propreté des lieux, sur le style de vie de Michèle et sur ses occupations. À première vue, Isabelle apparaît très déterminée. Il est clair qu'elle a déjà partagé un appartement avec d'autres personnes, ce qui inspire confiance à Michèle. Cette dernière en déduit qu'elle pourrait faire une très bonne colocataire. La deuxième personne à se présenter, Richard, vient tout juste de recevoir son diplôme en administration et d'accepter un poste dans la fonction publique. Il donne l'impression d'être très courtois. Il ose à peine examiner les lieux. Il se décrit comme quelqu'un de fiable et d'ordonné. Les tâches ménagères seraient pour lui monnaie courante. Michèle se rend vite compte que Richard semble intéressé par l'appartement, mais qu'il porte un jugement hâtif sans avoir pris le temps de réfléchir vraiment à leur entente future. De plus, Michèle a l'impression qu'il essaie de projeter une bonne image, car elle ne trouve pas naturel son enthousiasme envers les tâches ménagères. Michèle conclut, après sa rencontre avec Richard, que celui-ci est bien gentil, mais qu'il ne représente pas le type de colocataire qu'elle recherche. Le troisième candidat s'appelle Pierre. Il est journaliste. Il n'est pas sitôt entré qu'il commence à visiter le logement sans que Michèle l'ait invité à le faire. Bien qu'il soit normal pour un futur locataire de vouloir visiter les lieux, Michèle trouve son attitude plutôt impolie. Pierre mentionne que, comme Michèle, il aime que les pièces soient propres et en ordre, mais sa façon de communiquer ce message laisse Michèle perplexe. Après le départ de Pierre, Michèle conclut rapidement qu'il n'est pas du tout le type de colocataire qu'elle recherche. Finalement, une quatrième candidate se présente : Danielle. Comme Michèle, Danielle est étudiante à l'université. Avant de visiter l'appartement, Danielle et Michèle discutent longuement. Danielle donne l'impression de vouloir bien connaître les gens qu'elle rencontre, surtout s'il s'agit d'éventuels colocataires. Michèle semble s'entendre instantanément avec Danielle et le sentiment paraît réciproque.

Après avoir révisé ses impressions sur les quatre visiteurs, Michèle décide de communiquer avec Isabelle et Danielle, car celles-ci représentent clairement les meilleurs choix pour occuper les deux places disponibles. Michèle se promet d'avoir de longues conversations avec chacune d'elles. Danielle accepte l'offre de Michèle avec plaisir, tandis qu'Isabelle la décline puisqu'elle a déjà trouvé autre chose.

→

MISE EN SITUATION (SUITE)

Michèle doit donc chercher un autre colocataire ou choisir entre Richard et Pierre. Après réflexion, Michèle réexamine la candidature de Richard. Après tout, Richard n'est pas un si mauvais candidat que cela. Il semble courtois et respectueux. Qui n'a pas déjà essayé de faire bonne impression...? Michèle en vient à la conclusion qu'il devrait faire un bon colocataire.

INTRODUCTION

Cet exemple traite de **perceptions** et de **cognitions sociales.** Ces notions font référence à notre façon de percevoir les gens qui nous entourent et de penser à eux. Comme le suggère l'exemple ci-dessus, même lorsque nous ne connaissons pas bien quelqu'un, nous disposons généralement d'une grande quantité de renseignements sur cette personne. Nous savons à quoi elle ressemble, comment elle se présente, nous pouvons interpréter ses éléments de réponse aux questions que nous jugeons importantes. Nous pouvons voir comment elle agit dans différentes situations. Bien que l'ensemble de l'information recueillie soit très varié, nous essayons d'intégrer ces diverses sources d'information et de dégager quelques impressions essentielles sur la personne qui nous intéresse. Nous basons ensuite nos jugements sur ces dernières. Dans la mise en situation précédente, Michèle interprète les faits à propos des visiteurs d'une façon différente et arrive à des conclusions par conséquent différentes pour chacun d'entre eux. La perception de Michèle pour chacune de ces personnes ne s'arrête pas là. Michèle catégorise chacun des visiteurs selon le but poursuivi : le candidat est-il acceptable ou non ? Par la suite, les candidats jugés acceptables sont placés par ordre de préférence et deux d'entre eux sont choisis. Afin de justifier son choix, Michèle essaie même d'accentuer davantage les différences entre les candidats. Lorsque l'une des candidates décline l'offre de Michèle, cette dernière considère le troisième candidat d'un œil nouveau. Elle accorde alors de l'importance à des caractéristiques qui avaient été jugées préalablement moins importantes pour finalement conclure que le candidat choisi est malgré tout un excellent candidat. Pourquoi les gens procèdent-ils de la sorte ? Comment arrivent-ils à de telles conclusions ? C'est ce que les psychologues sociaux, qui étudient les perceptions et les cognitions sociales, essaient de déterminer.

La perception d'autrui se trouve au cœur des relations sociales. Quand nous rencontrons quelqu'un pour la première fois, nous l'observons afin de mieux scruter l'information qu'il peut nous divulguer – ce qu'il dit, ce qu'il fait, son apparence – et ainsi savoir de quel type de personne il s'agit : est-elle bonne, méchante, gentille, intelligente, stupide ou généreuse ? Lorsqu'on reverra la personne, on continuera à recueillir de l'information afin de préciser et de vérifier notre appréciation. Nous agirons par la suite vis-à-vis de cette personne en fonction de notre appréciation. Cette façon de faire aura parfois pour effet d'amener cette personne à agir en conformité avec la perception que nous nous étions faite d'elle.

Il va sans dire que nos perceptions des autres représentent une partie importante de notre vie sociale. Cette appréciation nous permet de comprendre, de prédire et de contrôler dans une certaine mesure nos interactions avec les autres. Sans cette compréhension des autres, nous éprouverions de sérieux problèmes dans nos relations. Tous les gens nous apparaîtraient identiques et nous ne pourrions pas faire la distinction entre nos amis et nos ennemis, nos proches et de simples connaissances. Sans notre habileté à percevoir les autres et à les apprécier, notre vie serait une série sans fin de rencontres avec des étrangers (McArthur & Baron, 1983). Devant l'importance des perceptions et des cognitions sociales dans la vie des gens, les psychologues sociaux se sont intéressés depuis fort longtemps à l'étude de ce phénomène.

Dans ce chapitre, nous allons étudier certains des travaux effectués dans ce secteur. Dans un premier temps, nous allons examiner ce que nous entendons par l'étude des perceptions et des cognitions sociales en nous penchant brièvement sur l'évolution de la recherche dans ce domaine. Dans un deuxième temps, nous allons étudier les différentes sources d'information qui amènent la personne à pouvoir émettre un jugement sur la **cible** (l'individu sur lequel nous désirons porter un jugement). Nous verrons alors que différents types d'information peuvent jouer un rôle lorsqu'on désire se faire une impression des autres. Nous étudierons dans un troisième temps la nature des processus qui conduisent la personne à traiter l'information sur la cible. Nous discuterons alors plus particulièrement de ce que nous appelons les « cognitions sociales », c'est-à-dire les phénomènes d'attention, d'entreposage d'information, de mémoire, de rappel et de jugement. Enfin, dans une quatrième section, nous analyserons les processus par lesquels le **percevant** en vient à se faire une impression de la cible. Nous examinerons alors les deux catégories de modèles théoriques qui ont été proposés pour expliquer ce phénomène, soit les modèles qui se sont concentrés sur les processus caractérisant les activités du percevant et les modèles qui ont pris en considération l'aspect dynamique des perceptions sociales et le rôle joué par la cible dans la perception résultante.

QU'ENTENDONS-NOUS PAR L'ÉTUDE DES PERCEPTIONS ET DES COGNITIONS SOCIALES ?

Lorsque nous demandons à des étudiants en psychologie de répondre à cette question, certains thèmes émergent de leurs réponses (Jones, 1990). Plusieurs croient que certains individus sont plus aptes que d'autres à percevoir une cible quelconque. D'autres croient que certains individus sont plus faciles à percevoir, tandis que certaines cibles sont très peu «lisibles» ou accessibles. Une troisième catégorie d'étudiants croient qu'une étape essentielle pour la perception d'un individu implique une certaine capacité à lire les états émotifs des cibles que nous tentons de comprendre. Finalement, certains s'entendent pour dire que la perception précise d'un individu nécessite une formation spécialisée, comme celle d'un psychologue, afin de bien comprendre le comportement de la cible perçue et les facteurs influant sur son comportement. Quand on prend en considération de telles réponses, il n'est pas surprenant de constater que les recherches effectuées dans le domaine des perceptions sociales représentent un vaste éventail de paradigmes différents qui reposent sur différentes notions théoriques. Dans cette section, nous allons tenter de définir ce que nous entendons par l'étude des perceptions et des cognitions sociales en discutant dans un premier temps des similitudes et des distinctions entre la perception d'un objet et la perception d'un individu, et en parlant dans un deuxième temps de l'évolution de l'étude des perceptions et des cognitions sociales.

Les perceptions des objets et des personnes diffèrent-elles ?

Une question qui vient souvent à l'esprit des gens au cours de discussions sur la formation des perceptions sociales consiste à se demander si la perception d'un individu est semblable à la perception d'un objet. L'une des premières stratégies proposées pour répondre à cette question résulta de l'application d'un modèle présenté par Brunswick (1934), le modèle de la lentille *(lens model)*, pour expliquer la perception d'un objet inanimé. Selon ce modèle, les objets physiques et les situations sociales ne font pas partie de l'individu. Ce dernier les ressent par l'intermédiaire des récepteurs sensoriels (p. ex. les yeux captent les ondes lumineuses, les oreilles captent les ondes sonores, les doigts permettent d'identifier les caractéristiques physiques d'un objet). Il est généralement accepté que les stimuli perçus sont des représentations incomplètes de l'objet réel. Une grande partie de l'information disponible n'est pas considérée par l'individu ou est éventuellement perdue. En effet, l'individu possède une capacité d'attention limitée, celle-ci est utilisée de façon sélective et la capacité de cet individu à traiter l'information disponible est également limitée. Par exemple, si vous regardez un vidéoclip sur la chaîne Musique Plus avec un groupe d'amis, l'image vidéo et le son sont accessibles à chacun d'entre vous. Par contre, il est possible que vous soyez concentré sur le rythme de la musique, tandis qu'un de vos amis le sera sur les mouvements des danseurs et un autre sur les paroles de la chanson. La perception résultante du vidéoclip risque donc d'être différente pour chacun d'entre vous, bien que vous ayez tous été exposés à la même source de stimulation externe.

Le modèle proposé par Brunswick offrit donc la première occasion de vérifier si les individus procédaient de la même façon pour percevoir un objet ou un autre individu. L'une des différences qui furent établies entre les deux types de perceptions était que la source d'information (provenant de la cible) était dynamique dans le cas de la perception d'une personne et stable dans le cas de la perception d'un objet. De plus, l'action ou le comportement d'un individu s'effectue dans un contexte qui permet de donner une signification à l'action manifestée par la cible. Par exemple, si vous voyez quelqu'un sortir de chez lui et se mettre à courir, vous pouvez inférer que la personne désire courir pour se garder en forme. Mais si, en plus du comportement observé, vous notez que la maison est en feu, vous allez probablement conclure que l'individu sort de chez lui et se met à courir pour sauver sa vie. En résumé, nos comportements ne sont pas perçus de façon passive par les individus. Le percevant interprète activement le comportement de la cible.

Un autre exemple est tiré d'une étude effectuée par Leeper (1935). Dans cette étude, Leeper présenta à des sujets un dessin ambigu qui pouvait être perçu par les sujets comme une vieille femme ou comme une jeune femme attirante (voir la figure 4.1b). Si vous observez avec attention la figure 4.1, vous verrez l'une ou l'autre de ces deux images. Leeper fit quelque peu modifier la figure en question de manière à produire deux versions plus distinctes, soit l'une mettant en relief l'image de la jeune femme (figure 4.1c) et une autre mettant l'accent sur la vieille femme (figure 4.1a). Leeper demanda alors à certains sujets de bien observer la figure 4.1c, représentant la jeune femme, et à d'autres d'observer attentivement la figure 4.la, présentant la vieille femme. Il demanda ensuite aux sujets de bien observer la figure ambiguë 4.1b pendant un certain temps et d'indiquer ce qu'ils

FIGURE 4.1 **La jeune femme et la vieille sorcière**

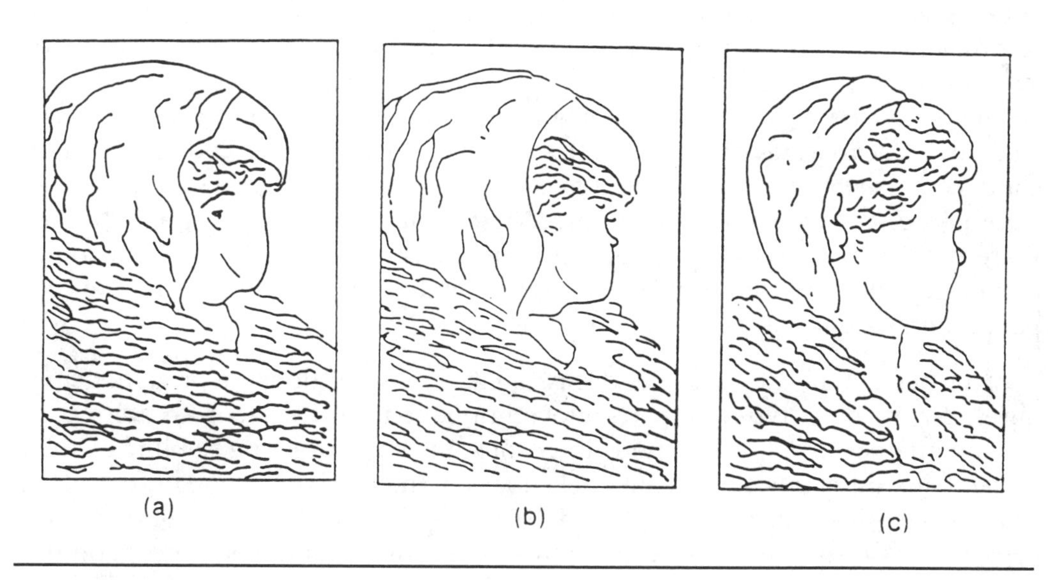

Adapté de Leeper (1935).

y voyaient. Tel que prévu, les sujets qui avaient vu la figure présentant la vieille femme indiquèrent dans 100 % des cas qu'ils ne voyaient que la vieille femme dans la figure ambiguë alors que 95 % des sujets qui avaient vu la jeune femme disaient également ne voir que la jeune femme dans la figure ambiguë 4.1b. Les résultats de cette étude classique démontrent donc que nous jouons un rôle actif dans la structure des stimuli que nous percevons dans notre environnement.

Une autre caractéristique de notre perception, que celle-ci s'applique aux objets ou aux personnes, réside dans sa stabilité. Par exemple, si vous regardez la figure 4.1b et que vous y voyez la vieille femme, il vous sera ensuite difficile d'observer la jeune femme dans cette même figure. Lorsque la perception d'une chose ou d'une personne s'est établie, elle devient relativement stable et il est plus difficile de la modifier. Une table demeurera une table, peu importe la façon dont vous la regarderez. Il en va de même pour la perception des individus. Cette stabilité inhérente à la perception des autres personnes semble être facilitée par la présence de trois facteurs. Premièrement, lorsque nous regardons les autres, il semble que nous portons notre attention sur des indices qui ne varient pas, tels que l'apparence physique, la couleur de la peau, le langage, etc. Ces indices relativement invariables nous incitent donc à maintenir notre perception initiale de la personne. Nous verrons un peu plus loin les conséquences associées à l'invariabilité de ces indices lorsque nous discuterons du rôle joué par les **stéréotypes** dans la perception des individus. Deuxièmement, nous classifions souvent les autres selon différentes catégories : une bonne personne, un méchant individu, un athlète, un chanteur, un étudiant, un professeur, etc. En classifiant ainsi les gens, ou en mettant l'accent sur leurs caractéristiques stables, on induit une certaine stabilité dans notre perception des autres. Troisièmement, la plupart des objets et des personnes que nous percevons s'insèrent dans une série d'événements qui s'enchaînent de façon cohérente. Par exemple, lorsque vous allez à vos cours le matin, vous entrez dans le pavillon, vous voyez des gens qui se promènent et qui se dirigent vers le local où leur cours aura lieu. Vous voyez les gens entrer dans les locaux, s'asseoir, prendre des feuilles, un crayon, écrire et écouter ce que le professeur a à leur dire. Sans le sens sous-jacent qui unit chacune de ces actions, les différents gestes qui font partie de l'action d'assister à un cours ne présenteraient aucune logique. Bien sûr, les éléments de structure et de stabilité dont nous avons discuté précédemment y sont pour beaucoup dans notre expérience du sens des événements auxquels nous participons. Cependant, nos perceptions des individus et des événements sont grandement influencées par le contexte dans lequel elles se produisent.

Nos perceptions des objets et des personnes relèvent donc de principes similaires, car ces deux types de perceptions impliquent un rôle actif de notre part. En tant que percevants actifs, nous imposons une structure, une stabilité et aussi un sens aux différents stimuli auxquels nous sommes exposés. Par contre, s'il est vrai que certains principes à la base de la perception des individus et de la perception des objets peuvent être similaires, il est aussi vrai que la perception des individus peut cependant différer de celle des objets sur certains points. Fiske et

Taylor (1991) présentent une liste des différences existant entre les perceptions des personnes et des objets en tant que cibles de perception. De cette liste, nous retiendrons cinq éléments principaux. Une première distinction entre la perception des objets et celle des personnes porte sur le fait qu'une personne peut changer après avoir été la cible d'une perception. Sensibles à l'appréciation d'autrui, les cibles des perceptions peuvent se modifier d'une situation à l'autre de façon à apparaître encore mieux aux yeux du percevant. Une deuxième distinction a trait au fait que les gens changent avec le temps et avec les circonstances beaucoup plus que les objets ne peuvent le faire. Un de vos amis que vous trouviez naïf au début de l'année universitaire peut, au fil des événements, devenir une personne beaucoup plus perspicace. On ne peut en dire autant d'un objet inanimé. Une troisième caractéristique des gens qui influe sur notre perception sociale réside dans leur désir de modifier l'environnement en essayant de le contrôler et souvent de mener à bien leurs objectifs; en d'autres mots, ils peuvent manipuler nos perceptions. Il n'en est pas ainsi pour les objets qui nous entourent. Une quatrième distinction d'importance concerne le fait que les cibles de nos perceptions sociales sont simultanément des percevants de nous-mêmes. Pendant que vous êtes occupé à apprécier les gens, ceux-ci sont exactement en train de faire la même chose sur votre compte. En réalité, les perceptions sociales constituent des perceptions mutuelles. Enfin, cinquièmement, les gens sont beaucoup plus complexes que les objets. Cette complexité rend la perception sociale beaucoup plus difficile et beaucoup plus approximative que la perception des objets. Lorsque vous étudiez un coucher de soleil par exemple, vous pouvez voir le ciel changer de couleur. Par contre, lorsque vous étudiez une personne, vous vous intéressez non pas à son apparence extérieure mais bien souvent aux traits de sa personnalité. Toute cette complexité amène souvent le percevant à faire des inférences qui ne sont pas évidentes à l'œil nu. Comme on le verra dans ce chapitre, ces déductions peuvent entraîner des perceptions erronées.

L'évolution de l'étude des perceptions et des cognitions sociales

Il est particulièrement intéressant d'analyser l'évolution de l'étude des perceptions et des cognitions sociales puisque plusieurs des approches utilisées initialement pour ce faire avaient pour but de répondre à des questions semblables à celles posées précédemment par des étudiants en psychologie. L'analyse de l'évolution de l'étude dans ce secteur de la psychologie sociale nous permet aussi de mieux saisir pourquoi ce secteur de recherche est devenu ce qu'il est aujourd'hui.

Il est souvent difficile de dire précisément à quel moment un secteur de recherche en psychologie a vraiment pris son envol. Jusqu'au milieu des années 1950, le secteur des perceptions sociales n'était pas un secteur très actif. Certains chercheurs effectuaient à l'occasion quelques études sur le sujet, mais il semble qu'aucun n'en a fait un secteur spécialisé de recherche. Selon Jones (1990), ce n'est qu'en 1957, dans le cadre d'un symposium tenu à l'Université Harvard, que l'étude des perceptions et des cognitions sociales émergea comme un domaine distinctif de la psychologie sociale. Dans le cadre de ce symposium, Jerome Bruner réussit à regrouper l'ensemble des chercheurs qui avaient manifesté un intérêt pour ce domaine. Ceux-ci allaient marquer ce secteur de recherche pour les années à venir, et ce dans six grandes lignes directrices. Ces lignes directrices sont présentées au tableau 4.1 et décrites de façon succincte ci-dessous.

TABLEAU 4.1 **Questions typiques permettant de tracer l'évolution de l'étude des perceptions sociales**

1. Quelles sont les capacités des individus à percevoir les émotions d'une cible?
2. Quelles sont les caractéristiques des individus qui perçoivent une cible avec précision?
3. Comment utilisons-nous l'ensemble de l'information sur une cible pour s'en faire une impression?
4. Quelles sont les causes du comportement d'une cible?
5. Quels sont les motifs ou facteurs qui influent sur la perception d'une cible?
6. Quels sont les mécanismes sous-jacents aux perceptions sociales?

Une première ligne directrice porte sur les capacités d'un individu à percevoir les émotions d'une cible. La question qui avait attiré l'attention des chercheurs à cette époque consistait à déterminer si les individus étaient aptes à définir les émotions ressenties par différents individus. Depuis les premiers travaux de Darwin (1872), plusieurs chercheurs croyaient que la perception des expressions faciales était universelle et innée. Ce phénomène serait le résultat d'un processus ayant marqué l'évolution de l'espèce humaine et qui se serait avéré nécessaire pour la survie de l'espèce. Cependant, à mesure que les études sur la nature des émotions commencèrent à incorporer certaines questions quant à la désignation et la discrimination des émotions, il est devenu de plus en plus évident que la capacité des individus à percevoir les émotions d'une cible était instable et grandement soumise à l'influence du contexte dans lequel l'émotion était vécue. Par exemple, une photographie d'une personne ayant les larmes aux yeux peut nous inciter à croire que la personne est triste. En revanche, si nous ajoutons que cette personne vient de gagner quelques millions à la loterie, nous pouvons facilement interpréter la présence des larmes comme l'indice d'un bonheur intense.

Une deuxième approche de l'étude des perceptions sociales consiste à déterminer ce qui faisait de certaines personnes des juges aptes à percevoir avec précision des cibles données. Cependant, les chercheurs ne tardèrent pas à découvrir plusieurs problèmes inhérents à cette approche. Le principal problème résidait dans la détermination ce qui est entendu par une perception ou un jugement précis (Cronbach, 1955). La plupart d'entre nous pourraient fort probablement déterminer avec assez de précision le type de film ou de musique que leur conjoint préfère ou encore affirmer son goût ou son aversion pour les émissions sportives à la télévision. Par contre, nous serions beaucoup moins précis au moment de déterminer ce que notre conjoint pourrait préparer comme repas demain soir ou de désigner les vêtements qu'il ou elle portera mercredi prochain. Dans un premier temps, il semble donc que nous pouvons être précis dans nos perceptions d'une cible donnée si de « bonnes » questions nous sont posées et si nous ne devons pas être trop précis dans nos réponses. Dans un second temps, la détermination de la capacité à désigner avec précision les caractéristiques, les valeurs ou les opinions d'un individu servant de cible implique que nous devons posséder une « vraie » mesure des caractéristiques de notre cible afin d'obtenir un critère objectif devant nous permettre de déterminer quels sont les juges précis et ceux qui le sont moins. Cette tâche est relativement complexe, car elle suppose que nous recourions d'une part aux perceptions que la cible a d'elle-même, ces perceptions étant clairement associées aux comportements adoptés par la cible, ou d'autre part à des perceptions de juges objectifs et qualifiés pour cette tâche. Dans le cadre du chapitre 6 sur la formation et le changement des attitudes, il vous sera possible de voir que, dans le premier cas, les perceptions que les individus ont d'eux-mêmes sont parfois faiblement corrélées à leurs comportements (Greenwald, 1989), ce qui laisse supposer que les cibles ne sont pas les individus les plus qualifiés pour déterminer les mesures de base qui les caractérisent (Swann, 1984). Dans le second cas, l'utilisation de juges qualifiés fait ressortir un problème cyclique requérant la désignation des caractéristiques qualifiant les juges précis sans connaître quelles sont ces caractéristiques. Ces deux problèmes sont à l'origine de l'abandon de l'étude de la précision des perceptions sociales.

Une troisième approche, la formation d'une impression, a été grandement influencée par les travaux de Solomon Asch. Ce dernier n'était pas intéressé par la précision des perceptions des individus. Il était tout simplement désireux d'examiner comment différents renseignements sur une cible étaient intégrés pour former une seule et unique impression de la cible. Asch croyait et désirait démontrer que, lorsque des traits ou caractéristiques variés étaient utilisés pour décrire une cible, les percevants réussissaient éventuellement à se faire une impression de la cible reliant les différents traits la caractérisant. Asch croyait que certaines caractéristiques étaient plus centrales que d'autres et que ces caractéristiques servaient à former un tout cohérent décrivant la personne visée. Il n'est pas surprenant de constater que des centaines d'études se soient greffées sur les travaux amorcés par Asch afin de mieux saisir les distinctions pouvant exister entre les traits centraux et les traits périphériques, les interactions entre certaines caractéristiques décrivant un individu ou les différentes impressions résultant de la présence de certaines caractéristiques. Nous verrons un peu plus loin certains des travaux qui ont résulté de l'utilisation de cette approche.

Une quatrième approche de l'étude des perceptions sociales, celle-ci fort populaire dans les années 1960 et 1970, est celle de l'analyse des causes du comportement de la cible (Heider 1958; Jones & Davis, 1965; Kelley, 1967, 1972a, 1972b). Comme nous le verrons au chapitre 5, nous sommes souvent appelés à émettre des attributions afin d'expliquer le comportement des individus qui nous entourent. Ce faisant, nous en venons également à nous faire une idée du type de personne qu'ils sont vraiment. Les attributions nous amènent donc à pouvoir percevoir les gens dans notre environnement. Cette approche est encore fort populaire aujourd'hui (Gilbert & Jones, 1986).

Une cinquième approche porte sur la motivation du percevant dans le contexte social où prend place la perception. Dans ce cas-ci, les chercheurs étaient principalement préoccupés par deux éléments précis. Le premier consistait dans le fait que les gens amorcent les processus de perceptions sociales en fonction de motifs ou d'attentes précises, ce qui les incite à sélectionner ou à déformer l'information pour la rendre compatible avec leurs attentes, objectifs et motifs personnels (Sears, 1968; Showers & Cantor, 1985). Le second point consistait dans le fait que les gens projettent souvent leurs propres caractéristiques sur autrui au moment de le percevoir (Markus, 1977; Markus, Hamill & Sentis, 1987). Ces deux points sur la motivation du percevant ont été présentés et discutés dans le cadre du chapitre sur le soi.

À ces cinq grandes catégories sur les perceptions sociales, il est possible d'ajouter une sixième et dernière approche, soit l'étude des mécanismes cognitifs sous-jacents aux perceptions sociales. Depuis une vingtaine d'années, avec l'apparition des approches cognitives et surtout celle du traitement de l'information, les recherches dans le domaine des perceptions sociales se sont tournées de plus en plus vers l'étude des processus menant aux perceptions sociales beaucoup plus que vers l'étude portant sur l'issue des perceptions sociales en tant que telles. Le but des chercheurs intéressés par cette approche est de comprendre comment un percevant reçoit l'information, l'entrepose en mémoire, la rappelle au besoin et comment il émet éventuellement un jugement, c'est-à-dire une perception sociale d'une personne en question. Cette approche qui, comme nous l'avons dit précédemment, s'appelle l'« étude des cognitions sociales », est présentement celle qui prime dans le domaine des perceptions sociales (voir Fiske & Taylor, 1991; Wyer & Srull, 1986).

Les facteurs à considérer dans l'étude des perceptions sociales

On peut aborder l'analyse de l'étude sur les perceptions sociales en considérant les différents facteurs caractérisant la recherche dans ce domaine. Ces facteurs sont les sources d'influence sur les perceptions sociales, le cas particulier des **comportements non verbaux,** la rapidité des jugements des percevants, le type de situations ou de contextes qui caractérisent les interactions entre la cible et le percevant et finalement la perception des situations de duperie ou tromperie.

Les sources d'influence sur les perceptions sociales. Une perspective importante dans l'étude des perceptions sociales consiste à désigner les sources susceptibles d'exercer une influence sur celles-ci. En d'autres termes, quels sont les éléments qui peuvent avoir un impact sur nos perceptions sociales ? Généralement, on en dénote trois principaux, soit la cible (l'objet de nos perceptions sociales), le percevant (celui qui émet les perceptions sociales) et enfin le contexte (c'est-à-dire les conditions dans lesquelles les perceptions sociales prennent place). Les renseignements sur la cible ont probablement constitué le sujet du plus grand nombre d'études dans le secteur. Que ce soit par rapport aux comportements, aux paroles ou encore à l'apparence de la cible, l'information exerce généralement une influence considérable sur les perceptions sociales que nous émettons sur la personne en question (voir Schneider, Hastorf & Ellsworth, 1979). Toutefois, le percevant a aussi un rôle à jouer dans les perceptions sociales. En effet, plusieurs recherches démontrent que les différences individuelles entre percevants, que ce soit sur les plans de la personnalité, de la motivation, des buts ou autres facteurs personnels, exercent une influence non négligeable sur la perception des autres (voir Fiske & Taylor, 1991; Schneider *et al.*, 1979). Le contexte dans lequel les perceptions sociales sont émises joue également un rôle important. Par exemple, il semble approprié d'embrasser une personne au cours d'un rendez-vous amoureux. Cependant, il en est autrement dans une classe ou encore dans une bibliothèque. Généralement, les comportements surprenants ou qui dévient des normes établies pour une telle situation mèneront à l'émission d'une attribution (voir le chapitre 5). Les attributions permettent alors de déterminer si les comportements adoptés reflètent une disposition de la personne. Notre perception de celle-ci en sera modifiée.

Les comportements non verbaux. Plusieurs des situations où nous percevons une cible se produisent sans qu'un seul mot soit prononcé. Dans ces situations, nous avons recours à l'observation des caractéristiques du visage de la cible ou de son langage corporel. Cette information nous permet non seulement de répertorier les comportements de la cible mais aussi de déterminer ses états intérieurs. À titre d'exemple, les réponses typiques pour cinq émotions de base (la peur, la tristesse, la colère, la joie et l'amour) sont présentées au tableau 4.2 (voir page suivante).

Darwin (1872), dans son livre *The Expression of the Emotions in Man and Animals*, proposait que l'expression de certaines émotions était innée et pouvait ainsi être comprise par les individus à travers le monde. Des études contemporaines sur ce sujet nous indiquent que Darwin avait raison. Une grande quantité de recherches ont démontré que des individus d'origines variées (p. ex. Russie, Allemagne, Grèce, Italie, Japon, Turquie et États-Unis) nommaient presque de la même façon six émotions primaires, soit la joie, la peur, la tristesse, la colère, la surprise et le dégoût (Ekman *et al.*, 1987). Darwin croyait que l'habileté à percevoir et à reconnaître certaines émotions chez les autres individus jouait un rôle important dans la survie de l'espèce. Par exemple, Hansen et Hansen (1988) ont démontré que nous pouvons repérer plus rapidement les individus en colère

TABLEAU 4.2 Description des réponses typiques pour cinq émotions de base

	Visage	Voix	Corps	Mouvement
Peur	Mouvements rapides des yeux	Tremblements, cris et pleurs	Tremblements, transpiration	Marcher rapidement, s'immobiliser
Tristesse	Contraction des sourcils	Sourde, monotone, débit lent	Amorphe	Pas lent, hésitant
Colère	Contraction des sourcils et de la mâchoire	Forte, stridente criarde	Poings fermés	Frapper, lancer des objets
Joie	Sourire éclatant, gai	Excitée, rieuse, beaucoup de paroles	Énergique	Sautiller
Amour	Contact visuel, sourire			Embrasser, serrer dans ses bras, toucher

Adapté de Zebrowitz (1990).

dans une foule que les gens de bonne humeur. Ce repérage sélectif serait adaptatif puisque lorsqu'ils sont en colère, et par le fait même prêts à réagir violemment, des individus peuvent représenter une plus grande menace pour notre survie.

La rapidité des jugements. Une autre caractéristique de nos perceptions sociales consiste dans la vitesse avec laquelle nous les émettons. Parfois, nos jugements sont émis à une rapidité incroyable. Immédiatement après avoir vu une personne marchant dans la rue par exemple, nous pouvons exprimer une opinion : la personne est gentille, aimable, douce, généreuse, etc. Par contre, il arrive que nos perceptions sociales soient émises après une mûre réflexion et de longues délibérations avec nos schèmes de pensée, comme dans le cas d'un membre d'un jury qui doit se faire une idée d'un individu accusé d'un crime. Nous examinerons chacun des détails et des renseignements que nous avons accumulés afin d'en arriver à une appréciation précise. Parfois de tels jugements vont prendre des journées, voire des semaines, avant d'être émis. Pourquoi cette différence dans le temps avant d'émettre les perceptions sociales ? Comme nous le verrons dans ce chapitre, certaines cibles se prêtent assez bien à des appréciations toutes prêtes d'avance que le percevant garde en mémoire (Schneider & Shiffrin, 1977). Mais il arrive également que la cible ne corresponde pas à ces schèmes préétablis. Le percevant doit alors analyser de façon plus détaillée les différents types d'information recueillie sur la cible afin d'en arriver à un jugement.

Les différents types d'interactions entre la cible et le percevant. Un facteur important à considérer dans l'étude des perceptions sociales concerne les différents types d'interactions qui peuvent exister entre la cible et le percevant. Cet aspect est d'autant plus important à considérer qu'il semble que les processus compris dans les perceptions sociales varieront selon le type d'interaction en cause. Ainsi les processus utilisés lorsque nous percevons une personne pour la première fois ne seraient pas les mêmes que lorsque nous rencontrons régulièrement la même personne (Srull & Wyer, 1986). Souvent, quand on voit une personne passer dans la rue, des caractéristiques saillantes dicteront notre perception à son égard. Cependant, au cours d'interactions répétées avec une même personne, nous serons plus portés à étudier ses gestes en profondeur. Finalement, il importe aussi de considérer que les objectifs poursuivis par le percevant (p. ex. percevoir, apprécier, porter un jugement ou sélectionner un candidat) vont déterminer la nature des interactions entre la cible et le percevant et, éventuellement, la perception résultante de la cible (Jones & Thibaut, 1958). Par exemple, les processus par lesquels vous percevez un autre étudiant de votre cours et les perceptions qui en résulteront seront probablement différents si a) vous percevez cette personne tout simplement, car elle a attiré votre attention, b) vous devez choisir de passer ou non vos notes de cours à cette personne ou c) vous devez décider d'accepter de faire un travail avec cette personne. Il va de soi que l'information que vous jugerez pertinente dans chacun de ces contextes et les perceptions qui en résulteront changeront en fonction du but poursuivi par votre perception dans ces différents contextes.

La duperie. Un dernier facteur pris en considération par plusieurs chercheurs dans l'étude des perceptions sociales concerne la notion de duperie ou tromperie. Nos perceptions sociales peuvent souvent nous jouer des tours. En effet, les gens que nous percevons jouent, selon l'avis de certains chercheurs (p. ex. Swann, 1984), un rôle actif dans les situations sociales où ils évoluent. Il est donc fréquent que des individus essaient de cacher ou de modifier la vérité à leur sujet. En se basant sur une revue d'un peu plus d'une trentaine d'études, Zuckerman, DePaulo et Rosenthal (1981) sont arrivés à la conclusion qu'il existait une disparité entre les comportements associés à la duperie et les comportements utilisés par les percevants pour détecter la duperie. Quatre canaux de communication sont en mesure de nous donner de l'information dans un contexte de duperie : les mots eux-mêmes, le visage (expressions), le corps (gestes) et la voix (intonations). Lorsque vient le temps de déterminer s'il y a duperie ou non, il semble que les percevants se concentrent sur les mauvais canaux de communication ; ils ont tendance à se laisser influencer par ce qui est dit et par des souvenirs alors que les indices les plus informatifs sont les gestes et les intonations de la voix. En fait, nous avons tendance à croire que les gens ne sourient pas lorsqu'ils mentent alors qu'il est fréquent dans le mensonge de sourire pour masquer ses vrais sentiments. Les mouvements corporels sont très révélateurs. Quand les gens mentent, ils ont tendance à avoir des mouvements saccadés des mains et des pieds, et à changer fréquemment de position. Finalement, la voix représente la source d'indices la plus révélatrice. Chez les gens qui mentent, principalement chez ceux qui sont très motivés pour le faire, des variations dans les intonations de la voix se produisent et leur discours devient hésitant.

Conclusion : qu'est-ce que l'étude des perceptions et des cognitions sociales ?

Nous avons vu jusqu'à maintenant que l'étude des perceptions et des cognitions sociales constitue un secteur de recherche qui a attiré l'attention des chercheurs en psychologie sociale à partir du milieu des années 1950. Globalement, les questions soulevées par les chercheurs dans ce secteur peuvent être regroupées selon deux grandes catégories. La première a trait aux résultats ou à l'issue de notre démarche d'appréciation des gens qui nous entourent. Ainsi vous percevez votre voisin en classe comme une personne intelligente, instruite, soucieuse, joviale mais paresseuse. Ces perceptions sociales peuvent être émises par rapport à une personne, un groupe d'individus ou même des citoyens d'une ville ou d'un pays. Elles représentent notre jugement ou encore notre impression de ce que sont ces personnes. La seconde catégorie renvoie aux processus psychologiques, ou plus particulièrement aux processus cognitifs, par lesquels nous émettons un jugement ou une perception sociale. Les perceptions et les cognitions sociales vont donc de pair. Elles concernent respectivement les conséquences et les processus de nos réflexions sur les gens faisant partie de notre environnement social et de nos appréciations à leur sujet.

Puisque les perceptions et les cognitions sociales sont intimement reliées, elles sont souvent influencées par les mêmes facteurs. Ainsi elles peuvent varier selon la cible, le percevant et le contexte ; elles peuvent être rapides ou réfléchies, et être aussi émises dans le cadre de différents types d'interactions. Quelles sont nos perceptions sociales et comment ces dernières sont-elles produites ? Voilà le domaine des perceptions et des cognitions sociales que nous étudierons plus en profondeur dans les sections suivantes de ce chapitre.

LES COGNITIONS SOCIALES : L'ÉTUDE DES PROCESSUS PAR LESQUELS NOUS TRAITONS L'INFORMATION SUR NOTRE MONDE SOCIAL

L'habileté à percevoir les autres et à interpréter leurs comportements constitue une habileté humaine importante. Cependant, nous ne possédons pas le temps requis afin d'examiner avec précision tous les nouveaux contextes sociaux ou tous les gens que nous rencontrons. Principalement à cause de la complexité de notre environnement social, nous nous devons d'être sélectifs dans ce que nous notons, ce que nous apprenons et ce que nous entreposons en mémoire sur les individus qui nous entourent. Comme nous l'avons déjà mentionné, les cognitions sociales représentent le processus par lequel nous percevons le monde et plus particulièrement les gens qui nous entourent (Fiske & Taylor, 1991; Higgins & Bargh, 1987). Ce processus a été étudié par les tenants de l'approche du traitement de l'information sociale. Plusieurs articles ont été écrits à ce sujet (voir Fiske & Taylor, 1991; Wyer & Srull, 1984). Dans cette section, nous discuterons des principaux processus et des principales structures en cause dans les cognitions sociales. Nous commencerons par discuter des **schémas** pour, par la suite, traiter des différents processus à la base du traitement de l'information sociale.

Les schémas

La notion de «schéma» a déjà été introduite au chapitre 3 avec la discussion sur le type de schéma bien particulier que représente le **schéma sur le soi.** Répétons seulement que les schémas sont des structures issues de notre expérience antécédente qui nous aident à créer un ordre et à organiser la nouvelle information qui nous parvient. De façon plus précise, les schémas sociaux peuvent être définis comme des organisations d'information étroitement interreliées et pertinentes pour différents concepts (Fiske & Linville, 1980). Les schémas sont à la fois une structure permettant d'emmagasiner l'information nouvelle et un processus dans la mesure où ils influent sur la façon dont nous recevons et traitons l'information nouvelle. Les psychologues sociaux s'accordent généralement pour dire qu'il existe au moins quatre types de schémas: les schémas sur le soi, les schémas sur la personne, les schémas sur les rôles et les schémas sur les événements.

Les schémas sur le soi. Comme il a été vu au chapitre 3, les schémas sur le soi consistent en des représentations que nous avons sur nous-mêmes et que nous avons entreposées en mémoire. Ainsi une personne peut se percevoir comme intelligente, habile, bonne étudiante, sportive, joyeuse, aimable, serviable et même enjouée. Par contre, dans certains secteurs, comme dans le milieu des affaires, la personne peut avoir une image plutôt floue d'elle-même et elle ne disposera pas de schéma sur cette dimension particulière. À mesure que la personne vivra différentes expériences, des schémas de plus en plus clairs se construiront quant à ces diverses dimensions et ces schémas amèneront la personne à percevoir le monde à la lumière de leur contenu. N'oublions pas que les schémas sur le soi jouent un rôle important dans la perception des gens qui nous entourent.

Les schémas sur la personne. Bien sûr, le soi n'est pas la seule personne sur laquelle nous possédions de l'information organisée en mémoire. Pour chaque individu que nous connaissons bien, nous avons conçu un schéma qui organise ce que nous savons, ce que nous ressentons à son égard. En plus d'entreposer de l'information précise sur différentes personnes que nous connaissons bien, nous entreposons également de l'information sur des catégories d'individus plus générales. Par exemple, nous avons tous une idée de ce qu'est une personne agressive, une personne prétentieuse, un étudiant brillant ou encore un bon professeur. Les schémas élaborés pour représenter ces types de personnes sont souvent appelés **prototypes**: ils comprennent des traits et des comportements ainsi que des sentiments que nous pouvons éprouver. Ce genre de schémas nous aide à catégoriser les autres et à mieux retenir l'information qui leur est pertinente.

Les schémas sur les rôles ou groupes sociaux. Les schémas sur les rôles représentent l'information que nous avons recueillie sur différents membres de minorités ethniques ou de groupes raciaux, sur les personnes des deux sexes ou encore qui possèdent diverses occupations. Ces schémas nous amènent à traiter l'information obtenue et créent des attentes bien précises par rapport au comportement qui devrait être exprimé par des personnes de ces différents groupes. On peut ainsi voir que les schémas sur les rôles constituent des structures cognitives importantes dans les perceptions intergroupes et dans l'utilisation de stéréotypes.

Comme les autres formes de schémas, les stéréotypes représentent une forme catégorisée d'information sur un groupe d'individus. D'une part, les stéréotypes facilitent la perception et le traitement de l'information d'individus appartenant à un groupe donné. Ils constituent donc des éléments utiles dans l'élaboration des perceptions sociales. D'autre part, les stéréotypes incitent les individus à percevoir les membres d'un groupe sans porter attention aux différences individuelles entre les membres du groupe. De plus, ils incitent les percevants à attribuer des caractéristiques à l'ensemble des membres de groupes sociaux sans pour autant que ces caractéristiques aient été observées chez chacun d'entre eux. Les caractéristiques contenues dans les stéréotypes peuvent donc influer sur les attentes que nous possédons à l'égard d'un individu faisant partie d'un groupe social et sur la façon dont nous allons traiter cet individu. Éventuellement, le développement de stéréotypes peut mener au développement de préjugés et à la discrimination des membres de certains groupes sociaux.

L'une des formes de discrimination basées sur le genre des individus est le sexisme. Quand vient le temps de nommer les caractéristiques de l'homme et de la femme typiques, les hommes sont généralement décrits comme des êtres dominants, affirmatifs, indépendants et portés sur le travail; les femmes, quant à elles, sont décrites comme des personnes sensibles, chaleureuses, dépendantes et préoccupées par les relations entre les gens (Ashmore, 1981). Deux particularités dans la formation des stéréotypes doivent être mentionnées. D'abord, la plupart des gens croient que certaines caractéristiques se retrouvent uniquement chez les hommes tandis que d'autres se rencontrent uniquement chez les femmes (Deaux & Lewis, 1984) alors qu'en réalité plusieurs individus disent posséder les caractéristiques associées aux hommes et aux femmes (Bem, 1974). Ensuite, les croyances attribuées au genre d'un individu sont si solidement ancrées qu'elles peuvent influer sur le comportement des adultes dès la naissance d'un enfant. Par exemple, au cours d'une étude effectuée par Condry et Condry (1976), il fut demandé à des sujets adultes des deux sexes de visionner un film où un bébé de neuf mois se mettait à pleurer lorsqu'une boîte à surprise s'ouvrait. La moitié des sujets croyait que le bébé était un garçon, l'autre moitié croyait que le bébé était une fille. Lorsqu'il fut demandé aux sujets d'interpréter le comportement du bébé, ils affirmèrent qu'*il* était *fâché* et qu'*elle* avait *peur*.

ENCADRÉ 4.1

COMMENT LES STÉRÉOTYPES SURVIVENT-ILS?

À titre de croyances généralisées sur un groupe d'individus, les stéréotypes procurent des résumés rapides et pratiques sur des groupes sociaux variés. Cependant, il arrive fréquemment que les stéréotypes représentent des croyances surgénéralisées incitant les individus à ne pas prendre en considération les distinctions ou différences individuelles existant entre les membres d'un groupe social. Les stéréotypes peuvent donc mener les percevants à se forger des impressions erronées des individus. Comment se fait-il que des stéréotypes puissent survivre et se perpétuer alors que souvent ils mènent à de fausses perceptions des individus et qu'ils augmentent le risque d'erreur dans les perceptions sociales ?

L'un des éléments de réponse à cette question peut être trouvé dans l'utilisation de **corrélations illusoires,** soit la tendance à surestimer l'association entre deux variables qui sont faiblement ou qui ne sont pas du tout reliées entre elles. Selon Hamilton (1981), les individus membres d'un groupe distinct favorisent la formation de corrélations illusoires, car les indices les caractérisant sont jugés comme nouveaux ou différents et ainsi attirent plus facilement l'attention des percevants. Afin de vérifier cette hypothèse, Hamilton et Gifford (1976) demandèrent à des sujets de lire une série d'énoncés décrivant une caractéristique désirable ou indésirable chez un individu appartenant à l'un des deux groupes, le groupe A ou le groupe B. Au total, les deux tiers des caractéristiques étaient désirables plutôt que non désirables et deux tiers de l'ensemble des caractéristiques décrivaient des individus du groupe A (majorité) plutôt que ceux du groupe B (minorité). Les proportions de caractéristiques désirables et indésirables étaient les mêmes pour les deux groupes. De façon objective, les sujets ne devaient donc pas se forger une impression plus favorable des membres d'un groupe en particulier. Cependant, ce ne fut pas le cas. Comme il est possible de le voir à la figure 4.2, les sujets surestimèrent le nombre de fois que deux variables objectivement peu reliées entre elles – les caractéristiques indésirables et les membres du groupe B – étaient associées entre elles. Apparemment, les sujets surestimèrent l'occurrence de comportements non désirables pour le groupe minoritaire. Au cours d'une étude suivante, Hamilton et Rose (1980) proposèrent que les stéréotypes ainsi formés incitaient les individus à croire que les membres d'un groupe possédaient des caractéristiques particulières. Dans

⟶

ENCADRÉ 4.1 (suite)

cette étude, les sujets devaient lire 24 énoncés où six travailleurs: comptable, médecin, vendeur, agent de bord, libraire, serveur, étaient associés à une caractéristique: perfectionniste, timide, riche, réfléchi, enthousiaste, sociable, productif, séduisant, sérieux, occupé. Chacune des professions était associée un nombre égal de fois à chacune des caractéristiques. Plus tard, il fut demandé aux sujets d'évaluer le nombre d'occurrences des associations comptable-timide, médecin-riche, vendeur-sociable, libraire-sérieux et agent

FIGURE 4.2 Corrélation illusoire

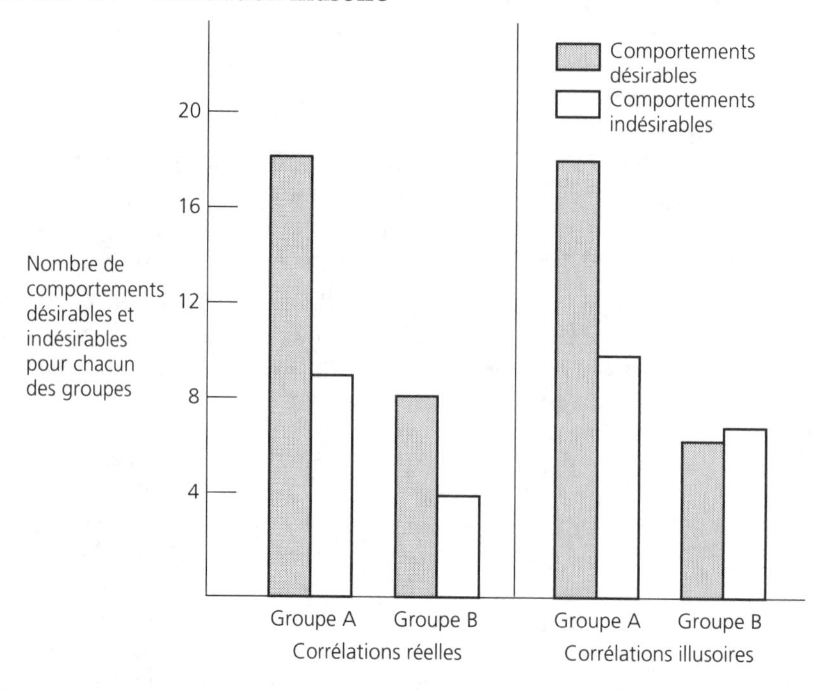

Les sujets devaient lire des énoncés où une personne du groupe A ou B était associée à un comportement désirable ou indésirable. Lorsque nous examinons les corrélations réelles (colonnes de gauche), il est possible de noter que 1) les deux tiers des personnes appartenaient au groupe A plutôt qu'au groupe B, 2) les deux tiers des comportements étaient désirables plutôt qu'indésirables et 3) les proportions de comportements désirables-indésirables étaient les mêmes pour les deux groupes. Cependant, si nous examinons les colonnes de droite, il est possible d'observer que les sujets ont surestimé le nombre de fois où les deux variables relativement moins fréquentes (membres du groupe B et comportements indésirables) apparaissaient ensemble. Ces résultats permettent de démontrer la tendance à percevoir des corrélations illusoires entre des variables qui ressortent plus que d'autres lorsque celles-ci sont inhabituelles ou déviantes (adapté de Hamilton & Gifford, 1976).

→

ENCADRÉ 4.1 (suite)

de bord-séduisant. Dans chacun des cas, les sujets surestimèrent l'occurrence de ces énoncés. Les sujets déjà familiarisés avec ces stéréotypes perçurent des corrélations qui étaient pressenties mais qui en réalité n'existaient pas.

Les études sur les illusions de corrélations peuvent s'avérer utiles pour mieux comprendre l'effet tenace des stéréotypes. Dans un premier temps, parce que les membres d'un groupe minoritaire représentent des individus distincts et que par le fait même ils sont plus facilement repérables, la fréquence de leurs actions est plus aisément surestimée. Dans un deuxième temps, l'existence de croyances stéréotypées est plus facilement confirmée. Si un individu croit que les politiciens sont malhonnêtes, il surévaluera le nombre de scandales impliquant les politiciens lorsqu'il s'agira d'établir une comparaison avec un autre groupe. En d'autres mots, lorsqu'un stéréotype est en place, les gens ont plus tendance à noter les situations qui appuient l'existence du stéréotype et en viennent même à imaginer des événements qui le confirment. Nous reviendrons sur les corrélations illusoires et les stéréotypes au chapitre 13.

Les schémas sur les événements. Ce dernier type de schémas, parfois appelé **script** (Schank & Abelson, 1977), renvoie à des structures cognitives nous aidant à faciliter l'entreposage d'information sur le déroulement chronologique habituel des événements dans diverses situations qui nous sont familières. Par exemple, nous connaissons pour la plupart les règles d'usage lorsque nous allons au restaurant : nous devons attendre qu'on nous assigne une table, nous recevons le menu, nous choisissons, nous recevons le repas, nous mangeons, puis nous payons l'addition. Cette séquence représente un tout logique qui est emmagasiné en mémoire et qui nous amène à comprendre les divers éléments qui en font partie. Si je vous demande de répéter les diverses actions que je viens d'énumérer ci-dessus, il se peut fort bien que vous ajoutiez que j'ai reçu l'addition et que je l'ai payée. Que vous ayez désigné cette étape comme une étape normale d'un événement tel un repas au restaurant indique la présence d'un schéma sur les événements. La description des règles d'usage au cours d'un repas au restaurant représente un exemple du rôle du schéma sur les événements qui amène une personne à ajouter un élément d'une séquence qui parfois ne s'est pas vraiment produit (Abelson, 1981).

Les schémas se révèlent fort utiles, car ils nous aident à percevoir l'environnement de façon simplifiée en nous amenant à simplifier un monde parfois très complexe, et ce de façon très rapide. Les schémas peuvent comporter cependant certains désavantages. En effet, il ne faut pas confondre efficacité et exactitude. Une réponse rapide n'est pas toujours exacte. Il se peut que nos schémas, tout en étant efficaces, nuisent à la précision de nos perceptions et par le fait même à notre jugement sur autrui. Nous verrons dans quelle mesure nos schémas sont susceptibles de nous induire en erreur dans une section ultérieure de ce chapitre. Une chose demeure certaine: les schémas jouent un rôle central dans les divers processus du traitement de l'information.

Les processus de base dans le traitement de l'information sociale

Quels sont les processus de base dans le traitement de l'information sociale? Quel est le rôle des schémas dans ces différents processus? Afin de répondre à ces questions, nous étudierons quatre principaux processus cognitifs et leur relation avec les schémas. Ces divers processus sont ceux de l'attention, de l'entreposage d'information, du rappel d'information et enfin du jugement social.

Il est un point important à noter en ce qui a trait au traitement de l'information: à mesure que nous progressons dans les processus cognitifs, de l'attention jusqu'au rappel, de plus en plus d'information se perd. Ainsi nous percevons seulement une partie de ce qui existe dans le monde extérieur, nous entreposons une partie seulement de ce que nous avons perçu et enfin nous nous rappelons seulement une partie de ce qui avait été placé en mémoire. Il est à souligner que ce qui est perçu, entreposé en mémoire et rappelé à la conscience est déterminé en bonne partie par les schémas que nous possédons. Nos schémas guident nos processus d'attention, d'entreposage et de rappel de façon sélective (Fiske & Taylor, 1991). Donc, cette perte d'information des différents stimuli environnementaux n'est pas nécessairement aléatoire. Elle se produit souvent sous l'influence des schémas. Il serait faux cependant de croire que nos schémas agissent seulement en tant que filtres cognitifs. Ils jouent aussi un rôle plus actif. Parfois ils changent notre perception de l'information, notre compréhension de cette dernière et parfois ils ajoutent des éléments d'information afin de nous permettre de donner un sens à celle-ci. Finalement, de façon plus générale, ils nous permettent de donner une signification à notre monde social. Nous étudierons ci-dessous cette relation entre les mécanismes cognitifs et les schémas.

L'attention. L'attention est un phénomène cognitif difficile à étudier parce qu'il est malaisé de préciser si une information a été perçue ou bien si elle a été perçue mais oubliée. Pour cette raison, nous savons beaucoup moins de choses à propos de l'attention que des autres phénomènes ou processus cognitifs. Nous savons cependant que l'attention implique une relation intime entre le percevant et l'environnement (Higgins & Bargh, 1987). En effet, l'attention perceptuelle suppose une interaction constante entre l'information environnementale inhérente au contexte social et les représentations mentales de cet environnement que le percevant a en tête (Bargh, Lombardi & Higgins, 1988; Neisser, 1976). Certains stimuli de notre environnement peuvent être captés par nos schémas ou structures internes, qui en retour nous amèneront à accorder beaucoup plus d'attention à ces stimuli. Donc, en fonction des stimuli ou encore du percevant, il y aura ou non attention sur le stimulus en question. Par conséquent, ce qui attire notre attention est fonction du stimulus et du percevant : ce qui peut attirer l'attention d'une personne ne le fera pas nécessairement pour une autre (Bargh *et al.*, 1988). Prenons par exemple les cas d'un individu qui mesure plus de deux mètres, d'une personne en chaise roulante et d'une femme sur le point d'accoucher. Ces individus devraient attirer notre attention dans la plupart des contextes. Toutefois, dans certaines circonstances (respectivement un match de basket-ball, une conférence sur les droits des personnes handicapées, la salle d'attente d'un gynécologue), ces personnes passeraient inaperçues parce que leur présence n'est pas inhabituelle dans ces contextes.

L'entreposage d'information en mémoire. De ce que nous percevons, seulement un certain pourcentage sera entreposé en mémoire. L'attention ne mène pas à l'entreposage dans tous les cas. Les schémas jouent, à deux niveaux, un rôle prépondérant dans l'entreposage de l'information en question. Dans un premier temps, les schémas sont importants parce qu'ils offrent une structure dans laquelle l'information peut être remisée. Par exemple, si vous êtes témoin d'une conversation entre un anglophone et un francophone, votre information sera emmagasinée dans un schéma sur les rôles (les rôles des groupes sociaux comme les anglophones, les italophones, etc.). Si une telle structure des schémas sur les rôles n'existe pas dans votre répertoire cognitif, alors cette information risque d'être éliminée. Dans un deuxième temps, les schémas dictent la forme sous laquelle l'information perçue sera entreposée en mémoire. L'information entreposée en mémoire dans nos schémas peut être de différents types : elle peut porter sur les comportements, les traits, l'apparence des gens et se révéler fort riche et diversifiée ou encore limitée, en fonction de nos relations avec la personne ou avec les groupes en question. Il semble également que cette information soit emmagasinée en mémoire de façon hiérarchique, c'est-à-dire du plus général au plus particulier (Hampson, John & Goldberg, 1986). De plus, il semble que l'information que nous possédons sur les autres soit emmagasinée séparément dans nos schémas sous deux formes distinctes, soit l'information de base initiale (comportements, traits, apparence, etc.) et l'appréciation ou l'impression que nous nous faisons de la personne (Pavelchak, 1989). Le fait d'entreposer également l'appréciation ou l'impression que nous nous forgeons sur les autres semble représenter une stratégie efficace dans les relations sociales. En effet, nous n'avons pas à recommencer chaque fois le processus de formation d'impressions. Il s'agit tout simplement de nous rappeler, comme nous le verrons ultérieurement, notre jugement initial de la personne. Par contre, ceci nous amène à souligner un point très important : une fois qu'une appréciation d'une personne est formée, elle devient extrêmement difficile à modifier.

Le rappel d'information. La récupération d'information a trait à l'information qui, une fois entreposée en mémoire, peut être récupérée par la personne. Comme il a été mentionné précédemment, ce que nous récupérons en mémoire est tributaire des processus d'attention et d'entreposage. De plus, nos structures cognitives (c.-à-d. les schémas) jouent un rôle important dans le rappel d'information relative aux autres. Il semble que généralement on se souviendra de l'information la plus conforme à nos structures cognitives encodées en mémoire (Higgins & Bargh, 1987). Toutefois, d'autres recherches suggèrent qu'à l'occasion l'information contraire à nos structures cognitives sera mieux rappelée que l'information conforme (Stern, Marrs, Millar & Cole, 1984). Afin que l'information non conforme aux schémas soit rappelée de façon préférentielle, il serait nécessaire que la personne ait pour objectif de se forger une impression de la cible en question et qu'elle ait le temps d'étudier chacun de ses comportements. Sans ces conditions, il semble que l'information conforme aux schémas sera rappelée de façon préférentielle (Higgins & Bargh, 1987).

S'il nous arrive de porter plus attention à l'information non conforme aux schémas, et ce dans certaines conditions seulement, il ne faudrait pas croire pour autant que cette information se révèle suffisante pour changer un schéma. En effet, certaines recherches (O'Sullivan & Durso, 1984) soulignent que, lorsque nous rencontrons de l'information non corforme à l'un de nos schémas, au lieu de changer ce dernier, nous nous concentrons alors et nous essayons de nous rappeler l'information qui soutient le schéma. Ce geste a un effet double. Dans un premier temps, nous avons tendance à oublier l'information contradictoire à cause du laps de temps considérable que nous accordons au rappel de l'information conforme au schéma. Dans un deuxième temps, nous conservons nos schémas initiaux puisque le rappel d'information conforme aux schémas a pour effet de soutenir plus fortement ces derniers. Par exemple, Lord, Ross et Lepper (1972) ont démontré que des sujets opposés à la peine capitale qui recevaient de l'information contraire à leur position, après étude de cette information, favorisaient une position encore plus forte contre la peine capitale. Le fait d'avoir rencontré de l'information allant à l'encontre de leurs convictions a probablement amené les sujets à réfléchir et à se rappeler l'information conforme à leur position initiale; ce rappel les a incités à soutenir et à renforcer leur schéma initial (Anderson, 1983; Hirt & Sherman, 1985).

Le jugement. Parfois, nous sommes appelés à porter un jugement sur une personne. On se souviendra de l'exemple du début du chapitre. Michèle devait porter un jugement sur chacun des candidats à la colocation de son appartement. De telles situations se produisent régulièrement. Que l'on pense au fait de choisir tel ou tel médecin pour nous soigner, ou d'accorder notre préférence à tel ou tel partenaire amoureux. Bien que nous traitions de ce phénomène cognitif en dernier lieu, il ne se produit pas nécessairement à la fin des diverses opérations cognitives. En effet, le jugement peut survenir à n'importe quel moment. Il n'implique pas obligatoirement l'opération de l'entreposage d'information ou encore du rappel d'information. Un certain nombre de recherches (Pennington & Hastie, 1988; Srull & Wyer, 1989) suggèrent que les jugements que nous portons sur les autres se font généralement de façon rapide et au fur et à mesure que la nouvelle information nous parvient. Récemment, Srull et Wyer (1989) ont proposé un modèle du jugement reposant sur différents processus cognitifs. D'après ce modèle, le jugement s'effectuerait en quatre étapes. Dans un premier temps, les sujets interprètent chacun des comportements de la cible en fonction d'un concept général. Si les sujets ont certaines attentes par rapport à des traits de la cible, ces traits servent à l'interprétation des comportements de cette dernière. Par contre, si aucune attente n'existe, les sujets interprètent les comportements de la cible par rapport au trait présent à l'esprit à ce moment-là. Dans un deuxième temps, en se basant partiellement sur les inférences par rapport aux traits qu'ils viennent de découvrir, les sujets essaient de se faire une impression générale de la cible, par exemple si elle est aimable ou désagréable. Si cette appréciation générale peut être faite facilement en fonction de l'information initiale, les autres renseignements qui parviendront par la suite n'auront qu'une faible influence sur ce jugement général. Dans un troisième temps, une fois que les sujets ont porté un jugement global sur la cible, ils interprètent ses comportements en fonction de l'appréciation. Enfin, quatrièmement, lorsque la personne doit porter un jugement sur la cible, elle cherchera dans sa mémoire afin de trouver le concept ou l'appréciation générale sur la cible qui soit pertinente à ce jugement. Si une telle appréciation générale existe, le percevant l'utilisera afin d'émettre son jugement sans réviser les comportements particuliers qui ont été emmagasinés en mémoire. Les comportements particuliers qui ont été entreposés en mémoire seront utilisés uniquement si aucune des appréciations générales faites sur la personne n'est pertinente au jugement en question. En somme, les jugements que nous porterons sur les autres, si ces derniers sont aptes à faire partie de notre groupe d'étude – coupables de telle ou telle faute, ou encore responsables d'un accident –, dépendent en grande partie des divers autres processus cognitifs compris dans le traitement de l'information sociale.

ENCADRÉ 4.2

COGNITIONS SOCIALES, ILLUSIONS ET SANTÉ MENTALE

La plupart des psychologues avaient jusqu'à très récemment tendance à croire que la perception précise de nos capacités et du monde qui nous entoure ainsi qu'une perception réaliste de notre avenir caractérisaient un esprit sain mentalement. Cependant, de plus en plus cette conception est mise en doute par les études sur les cognitions sociales et les mécanismes d'autoprotection. Il semble difficile de réfuter maintenant que les gens diminuent les caractéristiques d'autrui et augmentent les leurs en traitant l'information de façon biaisée, en se dévalorisant ou en se comparant avec moins fortuné que soi. Ces illusions et ces biais représentent-ils un signe de bien-être psychologique ou les symptômes d'un désordre psychologique ?

Lorsque Shelley Taylor et Jonathan Brown (1988) examinèrent la documentation sur ce sujet, ils observèrent les phénomènes suivants : 1) les individus

⟶

ENCADRÉ 4.2 (suite)

qui étaient dépressifs et qui possédaient une faible estime de soi avaient une vue plus réaliste d'eux-mêmes que les gens non dépressifs ou possédant une estime de soi élevée; 2) les perceptions que ces individus dépressifs avaient d'eux-mêmes correspondaient beaucoup plus aux perceptions que des observateurs neutres avaient d'eux; 3) les individus dépressifs et possédant une faible estime de soi avaient moins recours à des biais d'auto-augmentation ou d'autoprotection lors de la formulation d'attributions pour expliquer un succès ou un échec; 4) ils avaient moins tendance à exagérer les perceptions de contrôle qu'ils avaient pour des événements incontrôlables; et 5) ils faisaient des prédictions beaucoup plus réalistes quant à leur avenir.

Taylor et Brown en vinrent donc à la surprenante conclusion que les illusions positives que nous avons à notre égard nous permettaient d'être plus heureux, nous incitaient à nous soucier davantage des gens autour de nous et nous poussaient à maintenir une perception positive de notre capacité ou degré d'habileté à effectuer un travail productif et créatif. En somme, les biais et les illusions fonctionneraient comme des mécanismes filtrant l'information de tous les jours de façon à retenir principalement l'information positive et à traiter l'information négative ou menaçante pour notre estime personnelle de sorte qu'elle soit oubliée ou rendue plus rassurante.

Quels sont les schémas qui seront utilisés ?

Nous avons vu jusqu'à maintenant que les schémas jouaient un rôle prépondérant dans les divers processus de traitement de l'information sociale. Vu le grand nombre de schémas existant en mémoire chez le percevant, qu'est-ce qui déterminera la nature du schéma qui sera utilisé au cours de la formation d'une perception? Pourquoi un schéma sur les rôles sera-t-il employé au lieu d'un schéma sur les événements ou encore d'un schéma sur les personnes? Il est possible de nommer sept facteurs importants pour déterminer quel schéma sera utilisé à un moment bien précis.

Le premier facteur et probablement le plus puissant est le *contexte d'où provient l'information perçue*. Les schémas sont activés à la suite de la perception d'information issue du contexte dans lequel vous évoluez présentement. Par exemple, si vous êtes à une réception, vous allez utiliser vos schémas relatifs à l'habillement des gens, à la nourriture qui vous est servie, au type de conversation que vous entretenez avec les autres invités ou au déroulement des événements au cours de la réception elle-même. L'information en provenance du contexte fait en sorte que des schémas précis seront activés alors que vos schémas sur vos matchs de tennis, vos dernières vacances ou un match de football ne seront probablement pas activés pour interpréter ce qui se passe au moment présent.

Bien que les gens soient la plupart du temps concentrés sur le contexte social dans lequel ils évoluent, ils ne peuvent pas percevoir tout ce qui se passe et absorber toute l'information disponible. Un deuxième facteur en mesure d'influer sur le schéma qui sera activé réside dans l'*aspect du contexte social qui nous apparaît le plus saillant*. McArthur (1981) a désigné un certain nombre de caractéristiques des stimuli **saillants** (voir le tableau 4.3). Selon elle, les stimuli nouveaux attireront plus l'attention que les stimuli familiers. Il en est de même avec les stimuli extrêmes par opposition aux stimuli modérés. Également, des stimuli intenses (un gros bruit par exemple) pourront bien sûr attirer notre attention davantage que des stimuli limités. Enfin, des stimuli qui se produisent soudainement éveillent plus notre attention. Donc, de nombreuses caractéristiques des stimuli font que ceux-ci attireront ou n'attireront pas notre attention avec les conséquences que ceci peut entraîner pour les autres processus de traitement de l'information. Par exemple, une personne qui est l'objet de notre attention est généralement considérée comme plus responsable de l'issue d'une interaction sociale que celle que nous regardons peu ou pas (Taylor & Fiske, 1978) ou encore la personne qui est la cible d'un éclairage puissant est perçue comme jouant un rôle plus important au cours d'une interaction sociale que l'autre personne qui est moins éclairée (McArthur & Post, 1977). Bref, tel que le suggèrent de nombreux psychologues sociaux (p. ex. Heider, 1958; Fiske & Taylor, 1991), les stimuli auxquels nous accordons notre attention semblent devenir extrêmement importants dans notre perception des autres.

TABLEAU 4.3 **Facteurs saillants influant sur l'attention**

Une cible devient saillante aux yeux d'un percevant :
Contexte immédiat
La cible a des caractéristiques uniques parmi un groupe d'individus (la seule d'une race différente, la couleur des cheveux).
La cible a des caractéristiques qui ressortent dans ce contexte (l'habillement est coloré, la cible bouge lorsque tout le monde est immobile).
Attentes ou connaissance antérieures
La cible agit d'une façon inusitée ou inhabituelle, ou joue un rôle différent.
La cible adopte des comportements inhabituels (en étant constamment négative ou extrémiste).
Autres tâches attirant l'attention
La cible a un rôle relié à la tâche effectuée par le percevant (la cible est l'employeur, une caissière au supermarché).
La cible domine le champ visuel (la cible est un enseignant devant une classe, elle est assise au bout d'une table, elle apparaît sur un écran plus que les autres).
Il est demandé au percevant d'observer la cible.

Un autre élément important à considérer est l'intensité du *stimulus en question*. Selon Nisbett et Ross (1980), un stimulus est intense lorsqu'il provoque des émotions intenses, des imageries particulières et des sensations bien spéciales. Plus un stimulus est intense et plus il attirera notre attention. Par exemple, une personne qui vient de subir un accident de la route et qui saigne abondamment attirera beaucoup plus notre attention qu'une autre personne qui passe tout simplement dans la rue. Bien que les deux phénomènes, les éléments saillants et ceux intenses, puissent attirer notre attention, il semble que les éléments intenses aient plus d'impact. En effet, les stimuli intenses produisent des émotions souvent puissantes, ce qui a pour conséquence de détourner notre attention et d'entraîner la perte d'une partie de l'information reliée au stimulus.

Un quatrième facteur a trait au fait que lorsqu'un schéma a été utilisé récemment il est plus probable qu'il sera utilisé de nouveau pour interpréter une nouvelle situation. Cet effet est appelé *amorçage (priming)*. Supposons que vous veniez de lire un article sur les femmes médecins qui révèle que celles-ci sont plus attentionnées, qu'elles écoutent davantage leurs patients et qu'elles démontrent plus d'empathie vis-à-vis de ces derniers que les hommes médecins. Peu de temps après cette lecture, vous allez à l'hôpital rendre visite à un ami. Il est probable qu'une fois là-bas vous porterez plus attention aux distinctions entre les comportements des femmes médecins et ceux de leurs confrères. Plusieurs recherches (voir Higgins & Bargh, 1987) vont dans ce sens. Apparemment, lorsque nous rencontrons des gens, les caractéristiques que nous remarquons chez eux et dont nous nous souvenons peuvent être influencées de façon importante par nos structures cognitives (ou catégories) qui ont été activées ou rendues accessibles récemment.

Un cinquième facteur concerne l'*accessibilité à diverses structures cognitives*. Comme il a été mentionné précédemment, les structures cognitives accessibles en mémoire sont utilisées afin de permettre la perception et la formation des impressions au sujet des gens qui nous entourent (Higgins & Bargh, 1987; Higgins, Rholes & Jones, 1977). Donc, si à un moment donné un schéma sur les personnes est activé par un effet d'amorçage qui a eu lieu précédemment, ce schéma devrait alors passer devant d'autres structures cognitives. Par exemple, une campagne électorale a cours présentement afin d'élire des réprésentants étudiants et, dans le cadre d'une réception, vous êtes présenté à un étudiant dans la course. Le schéma que vous pourriez avoir sur les caractéristiques d'un candidat à des élections pourrait vous inciter à juger les actions ultérieures de cette personne en fonction des attentes induites par le schéma (comment un futur représentant des étudiants devrait se comporter dans une réception).

Un sixième facteur déterminant quelle structure cognitive sera utilisée dans la perception sociale est celui de la *représentativité*. Il existe une forte représentativité lorsque certaines structures cognitives de la personne sont conformes aux exigences d'une situation. Par exemple, si une personne décide de vérifier si le comportement d'une autre personne est cohérent dans une situation donnée, un schéma sur les événements serait à ce moment-là plus représentatif qu'un schéma sur les rôles ou sur la personne en question. Les attentes qu'entretient le percevant par rapport au contexte peuvent l'amener à concentrer son attention sur des stimuli qui dérogent à ces attentes (Higgins & Bargh, 1987; McArthur & Baron, 1983). À titre d'exemple, si au cours d'une manifestation pour la protection de la langue française vous vous rendez compte de la présence d'anglophones soutenant l'utilisation de la langue française, ces derniers devraient vous paraître beaucoup plus saillants (entendre un «We want a French Quebec» devrait attirer votre attention sur la personne qui vient briser vos attentes de voir uniquement des francophones à la manifestation).

Enfin, un septième et dernier facteur important est celui des *buts visés par le percevant* (Hastie, Park & Weber, 1984; Wyer & Srull, 1986). Comme il a été vu précédemment, les schémas ne sont pas de pâles reflets de l'information issue de notre environnement social. Afin de créer de tels schémas, un individu doit organiser et structurer l'information perçue en une structure cognitive abstraite. L'utilisation d'objectifs représente un moyen employé pour structurer cette information (p. ex. Trzebinski & Richards, 1986). Plus une structure cognitive peut s'avérer utile en fonction des buts du percevant, plus elle sera susceptible d'être utilisée par celui-ci au cours du processus de la perception sociale. Par exemple, si le but du percevant consiste à déterminer si un étudiant peut faire partie de son groupe de travail, il est possible que les structures portant sur les caractéristiques d'un bon étudiant soient alors employées. Par contre, si le percevant désire en savoir plus sur les possibilités que la cible en question puisse devenir un partenaire amoureux, alors il se peut que la structure cognitive sur les caractéristiques d'un partenaire amoureux influe sur l'information qui sera recueillie dans diverses situations (Glick, Zion & Nelson, 1988).

L'utilisation d'heuristiques mentales

Les processus décrits ci-dessus représentent des facteurs importants pouvant déterminer quel schéma sera utilisé dans le traitement de l'information sociale et, plus particulièrement, dans la formation des perceptions sociales. Parce que, typiquement, les activités de traitement de l'information sociale nécessitent beaucoup de temps et d'attention, les gens ont aussi souvent recours à des raccourcis mentaux qui réduisent ces activités complexes en des jugements simples. Ces raccourcis incitent les gens à employer leurs schémas afin de traiter plus rapidement et avec moins d'efforts l'information présente dans les différents contextes sociaux. Ces raccourcis sont appelés **heuristiques** (Tversky & Kahneman, 1974). Nous allons voir brièvement quatre types d'heuristiques, soit les **heuristiques de représentativité,** les **heuristiques de disponibilité,** les **heuristiques par simulation** et les **heuristiques d'ancrage.**

Les heuristiques de représentativité. L'une des tâches fréquemment effectuées dans la formation des perceptions sociales consiste à indiquer si un individu ou une situation sociale représente un exemple faisant partie d'un schéma en mémoire. Les heuristiques représentatives procurent une méthode très rapide pour effectuer cette tâche. De façon simple, les heuristiques de représentativité jumellent l'information dans notre environnement social avec les schémas déjà existants afin de déterminer si les deux correspondent. Prenons l'exemple suivant: «Paul est très gêné et retiré, il est toujours prêt à aider les gens dans le besoin, mais il éprouve très peu d'intérêt pour les activités sociales ou pour la réalité du monde actuel» (adapté de Tversky & Kahneman, 1974). Pouvez-vous maintenant répondre à la question suivante: quel est l'emploi de Paul? Est-il fermier, clown, bibliothécaire ou pédiatre?

Pour répondre à cette question, vous pourriez rechercher de l'information sur chacun des emplois et évaluer les probabilités que les caractéristiques de Paul correspondent aux renseignements recueillis. Cependant, cette tâche pourrait s'avérer trop longue et vous pourriez possiblement vous retrouver avec plus d'information sur certains emplois que sur d'autres. Dans de telles situations, la plupart des gens ont tendance à recourir à une stratégie plus rapide par le biais d'heuristiques de représentativité. Les étudiants ayant effectué cette tâche en laboratoire ont décidé si oui ou non Paul constituait un élément représentatif au moyen de chacun des schémas existant pour les emplois mentionnés et ont porté leur jugement sur l'occupation de Paul en fonction de ce schéma. En général, les étudiants sont arrivés à la conclusion que Paul est bibliothécaire, car les attributs décrits initialement sont associés de façon stéréotypée à cette profession.

Les heuristiques de disponibilité. Il est fréquent que nous soyons confrontés à des situations où nous devons répondre à des questions comme «Quel est le pourcentage d'étudiants qui pratiquent une activité physique quotidiennement? Combien d'individus recyclent les bouteilles ou les papiers journaux?» Une stratégie couramment utilisée pour répondre à ce genre de questions consiste à employer les exemples d'individus qui nous viennent à l'esprit. Que ce soit parce que vous venez de voir un individu pratiquant une activité physique, que vous pouvez penser à une grande quantité d'individus qui pratiquent une activité physique quotidiennement ou qui recyclent fréquemment bouteilles et papiers, vous allez inférer qu'une grande quantité de gens effectuent ces activités. Le processus par lequel vous utilisez l'information que vous pouvez vous rappeler rapidement afin de porter un jugement fait référence à l'utilisation d'heuristiques de disponibilité (Tversky & Kahneman, 1973).

Les heuristiques par simulation. Supposons que vous soyez en retard à un rendez-vous avec votre conjoint ou conjointe. Comment répondriez-vous à la question suivante: «Quelle sera la réaction de votre conjoint ou conjointe?» Vous pouvez penser à ce que vous savez sur votre conjoint ou conjointe et sur ses réactions dans des situations semblables pour finalement imaginer plusieurs éventualités. La facilité avec laquelle vous arrivez à certaines conclusions est utilisée afin de déterminer ce qui va se produire. Votre conjoint ou conjointe peut s'inquiéter, décider de vous bouder ou tout simplement choisir de ne pas vous attendre. Cette technique, appelée «heuristiques par simulation» (Kahneman & Tversky, 1982), est souvent employée pour déterminer ce qui va se passer dans l'avenir ou ce qui s'est passé antérieurement, et fait en sorte que les conséquences que nous prévoyons à la suite de l'utilisation de ce type d'heuristiques aient plus de chances de se produire (Anderson & Godfrey, 1987).

Les heuristiques d'ancrage. Imaginez-vous que quelqu'un vous demande quel était le nombre de spectateurs au dernier match des Expos au Stade olympique. Vous n'en avez aucune idée, mais vous savez que les matchs précédents ont attiré près de 25 000 spectateurs. En prenant en considération que les Expos jouent bien présentement, qu'ils se trouvent à quelques matchs de la tête de leur division et qu'ils rencontraient l'équipe de première position, vous pourriez arriver à la conclusion qu'ils ont probablement attiré près de 35 000 spectateurs. Dans ce cas précis, vous ne possédez aucune information sur l'événement en question, mais vous avez utilisé un événement similaire comme point de référence ou d'ancrage pour parvenir à une estimation (Tversky & Kahneman, 1974). Lorsque des individus doivent porter un jugement sur des situations ambiguës ou sur des situations pour lesquelles ils n'ont pas d'information, ils réduisent l'incertitude en commençant leur analyse à l'aide d'un point d'ancrage.

Ces techniques de traitement de l'information offrent l'avantage d'être rapides et souvent efficaces. Par contre, elles ne sont pas infaillibles parce que les gens ont tendance à mettre plusieurs éléments d'information de côté ou encore à inférer certains éléments en fonction de bases purement intuitives. Pour une description sommaire des différentes heuristiques, veuillez consulter le tableau 4.4.

TABLEAU 4.4 **Utilisation d'heuristiques en situation d'incertitude**

Heuristique	Jugement	Exemple
Représentativité	Probabilité	Vous décidez que Robert est avocat, car il agit et est vêtu comme un avocat.
Disponibilité	Fréquence-probabilité	Vous croyez qu'une marque de voiture est la plus populaire, car vous pouvez rapidement nommer quelques individus qui possèdent cette voiture.
Adaptation et ancrage	Position sur une dimension	Vous déterminez à quel point quelqu'un est actif physiquement d'après la fréquence de vos activités physiques.
Simulation	Ce qui va se produire	Vous décidez comment quelqu'un va réagir à un échec à un examen en fonction de la facilité que vous avez à vous imaginer différents scénarios.

LES PERCEPTIONS SOCIALES SANS INTERACTION AVEC LA CIBLE

Dans la section précédente, nous avons étudié les processus de base compris dans le traitement de l'information sociale. Dans cette section, nous allons voir

ENCADRÉ 4.3

APPRÉCIATION GLOBALE D'UN INDIVIDU ET RAPPEL DES FAITS JUSTIFIANT L'APPRÉCIATION

Notre appréciation globale d'un individu est-elle étroitement associée à l'information la justifiant ? Théoriquement, nous devrions nous attendre à ce que l'information que nous sommes en mesure de nous rappeler sur un individu soit en accord avec l'appréciation de cette personne. S'il vous est demandé d'indiquer ce que vous pensez de votre conjoint et pourquoi vous avez une telle opinion, vous devriez être en mesure de justifier facilement votre réponse. Mais est-ce bien le cas ? Si vous éprouvez de la difficulté à justifier votre réponse ou que très peu d'éléments de justification vous viennent à l'esprit, consolez-vous, vous n'êtes pas différent des autres individus.

Les raisons qui ont été élaborées pour justifier un tel phénomène sont basées sur la théorie de la représentation duale (*dual representation theory*; Srull & Wyer, 1989). Le principe de base de cette théorie est le suivant : lorsque nous considérons l'information qui servira à nous faire une impression globale d'un individu, nous entreposons de façon indépendante les caractéristiques appréciatives du comportement que nous observons en même temps que nous emmagasinons les comportements en mémoire (voir la figure 4.3).

FIGURE 4.3 Théorie de la représentation duale

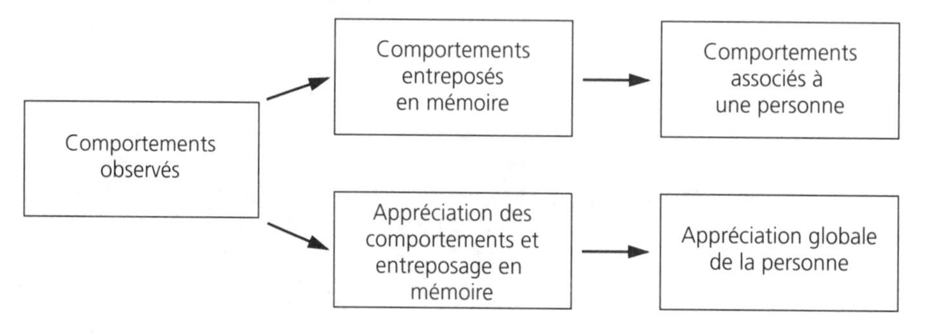

Donc, si quelqu'un se comporte d'une façon altruiste, nous entreposons de façon indépendante en mémoire notre appréciation de la personne et le comportement précis qui a été observé. À mesure que nous apprenons de nouvelles choses sur cette personne, nous mettons à jour notre impression de la personne et nous entreposons le comportement observé en mémoire.

ENCADRÉ 4.3 (suite)

Cependant, des mécanismes différents sont utilisés pour accomplir ces deux tâches. Dans le premier cas, l'appréciation globale de la personne se fait en tenant compte du jugement initial sur la personne comme point d'ancrage. Dans le second cas, les comportements sont entreposés l'un à la suite de l'autre de sorte que les comportements les plus récents deviennent plus accessibles que les comportements initialement observés. Par conséquent, lorsque nous demandons à quelqu'un ce qu'il pense d'un autre individu, l'appréciation globale est influencée par l'information initiale sur la personne (effet de primauté). Si nous demandons à cette personne de justifier son jugement, les comportements dont elle se souvient sont les plus récents comportements entreposés en mémoire (effet de récence). Ce phénomène fait que l'appréciation globale de la personne ne correspond pas toujours aux comportements qui nous viennent à l'esprit concernant cette personne.

quand ces divers mécanismes sont les plus susceptibles d'être utilisés et quelles sont les conséquences de leur utilisation sur nos perceptions des autres. Afin de pouvoir présenter cette information de la façon la plus intégrée possible, nous établirons une distinction entre deux grandes catégories de situations comprenant des perceptions sociales, soit les situations où nous voyons une personne sans toutefois interagir avec elle et les situations où nous interagissons avec la cible de nos perceptions sociales. À chacune de ces situations typiques correspondent certains processus prépondérants de perception sociale. Ainsi, en ce qui concerne le premier type de situations (perception d'une cible sans interaction), l'information est généralement traitée de façon très rapide et les perceptions sociales seront déterminées soit par schémas du percevant ou par les attributs de la cible. Dans le deuxième type de situations (perception sociale avec interaction), il y a négociation entre le percevant et la cible. Deux choses peuvent alors se produire : le percevant peut convaincre la cible de sa perception et inversement la cible peut également convaincre le percevant. Dans cette section, nous traiterons du premier type de situations, alors que le second type de situations sera discuté dans la prochaine section.

De nombreuses recherches ont été menées sur ce type de situations, où nous nous faisons une impression des autres sans pourtant interagir avec eux (Fiske & Taylor, 1991; Schneider *et al.*, 1979). En fait, la majeure partie des recherches sur les perceptions sociales porte sur ces situations où l'on présente un étranger sur vidéo ou par écrit et où l'on demande au sujet de s'en faire une idée (voir par exemple Schneider *et al.*, 1979, chap. 7). Cet intérêt se comprend, car ce type de situations représente une grande partie de notre vécu quotidien. La personne qui vient s'asseoir à côté de vous dans le métro ou le passant que vous croisez à une intersection constituent tous des cibles de vos perceptions sociales avec lesquelles vous allez vous faire une idée en intégrant différents aspects de l'information sociale disponible, et ceci sans interagir avec ces individus.

Mais comment procédez-vous pour transformer l'information perçue en une impression globale de la personne ? Quels sont les aspects les plus importants des impressions que nous nous faisons et comment réussissons-nous à combiner les aspects de l'information sociale qui nous apparaissent contradictoires ? Dans cette section, nous allons tenter de répondre à ces questions. Dans un premier temps, nous allons voir comment les schémas peuvent guider nos perceptions et mener à une impression très rapide des autres. Dans un deuxième temps, nous allons examiner comment nous jugeons les caractéristiques multiples et souvent contradictoires de la cible afin de transformer ces éléments en une impression générale de la personne. Enfin, dans un troisième et dernier temps, nous traiterons des facteurs menant à l'utilisation de l'un ou l'autre de ces processus.

L'utilisation des schémas

Tel qu'il a été mentionné précédemment dans la discussion sur les cognitions sociales, bien que l'être humain possède une grande capacité à traiter l'information qui lui est présentée, cette capacité n'est pas infinie. Nous ne pouvons absorber qu'une quantité limitée de l'information présente dans notre environnement et, lorsque nous devons récupérer l'information entreposée en mémoire, nous ne pouvons pas avoir accès à toute l'information en une fraction de seconde. Afin d'être plus efficaces dans le traitement de l'information sociale, les individus utilisent les schémas qu'ils ont conçus au cours de leurs expériences antérieures. Les schémas influent à la fois sur l'information que nous sélectionnons et sur son traitement. Finalement, les schémas nous aident à organiser l'information sociale en un tout cohérent afin de donner une signification à la situation dans laquelle nous nous trouvons. Bref, les individus sont des percevants actifs organisant l'information qu'ils perçoivent; ils sont motivés par un besoin de former des impressions cohérentes qui possèdent une signification. À cause de leurs capacités limitées de traiter l'information, ils utilisent plusieurs raccourcis cognitifs qui, bien qu'efficaces pour traiter l'information, peuvent aussi produire des biais et des erreurs.

Il a été mentionné dans la section sur les cognitions sociales que les gens étaient sensibles à plusieurs indices caractérisant les autres personnes et qu'ils utilisaient ces indices pour se faire une impression de celles-ci. Toutefois, les gens n'emploient pas tous les indices disponibles. Ils ont tendance à utiliser ceux qui ressortent le plus, c'est-à-dire les indices les plus saillants. Dans le cas plus particulier des perceptions sociales, la principale conséquence de ce principe est que l'indice le plus saillant sera l'indice le plus utilisé pour se faire une impression sur une autre personne.

De plus, nous ne percevons pas les stimuli saillants de façon isolée. Nous avons aussi tendance à les percevoir comme faisant partie d'un groupe, d'une catégorie ou, comme nous l'avons vu un peu plus tôt dans ce chapitre, d'un contexte. Par exemple, lorsque nous assistons à un match de hockey, nous catégorisons les gens que nous percevons selon des groupes sociaux que nous pourrions considérer comme objectifs tels les joueurs de l'équipe locale, ceux de l'équipe adverse, les arbitres, les spectateurs ou encore les vendeurs de boissons gazeuses. Il nous arrive de pousser un peu plus loin notre processus de catégorisation et d'inclure des groupes sociaux qui sont plus subjectifs en nous basant sur les différents types de schémas précédemment désignés (les schémas sur les personnes, les rôles et les événements). Ainsi, au cours de cette partie de hockey, nous pourrions aussi percevoir des spectateurs en fonction de leur classe sociale en nous fiant à la valeur des sièges où ils sont assis ou en fonction de leur habillement; nous pourrions aussi percevoir des spectateurs en fonction de leur personnalité en examinant s'ils sont partisans de l'équipe locale ou fanatiques de hockey. De plus, nous pourrions percevoir certains spectateurs comme des personnes curieuses à l'égard du sport lui-même tout simplement parce que, selon un script, ces spectateurs qui parlent une autre langue et qui portent un complet, sont accompagnés par un individu qui leur explique toutes les facettes du jeu.

Finalement, il est possible que l'information perçue et les schémas activés soient influencés par un facteur caractérisant le percevant, soit son humeur. Par exemple, nous pouvons tous observer que lorsque nous sommes de bonne humeur nous pensons à des choses plus positives. Ces pensées à leur tour nous incitent à voir le monde qui nous entoure de façon plus positive, influant par le fait même sur les perceptions que nous avons des gens autour de nous.

En somme, les schémas qui seront utilisés dans la formation de nos perceptions sociales peuvent être activés par plusieurs facteurs. Trois de ces facteurs seront examinés plus en détail. Il s'agit des caractéristiques de la cible, des caractéristiques du contexte dans lequel nous évoluons et de notre humeur.

Les caractéristiques de la cible

Imaginez la situation suivante: vous êtes assis dans un wagon de métro, quelqu'un y entre à son tour et vient s'asseoir à côté de vous. Il a un blouson de cuir et des cheveux longs, il n'est pas rasé, ses jeans paraissent sales et il semble cacher quelque chose dans la poche de son blouson. Au prochain arrêt, vous changez de wagon. Que s'est-il passé? Il semble que les caractéristiques saillantes de la cible (blouson de cuir, cheveux longs, jeans sales) aient activé une structure cognitive (un schéma sur les personnes, soit les agresseurs dans le métro). Cette structure cognitive vous a dicté alors le comportement à suivre, soit changer de wagon. Donc, certaines caractéristiques de la cible ont réveillé certaines structures cognitives chez le percevant, ce qui a amené un comportement particulier.

C'est souvent ainsi que les caractéristiques de la cible influent sur les perceptions sociales surtout lorsqu'on en est à une première perception. De tels processus nous permettent de nous faire une impression des gens, et ce de façon relativement rapide et efficace. Par contre, il faut être conscient du fait que de tels processus issus de généralisations emmagasinées en mémoire ne sont pas nécessairement précis. Il existe alors un éventail d'erreurs possibles. Ci-dessous, on discutera d'un certain nombre de caractéristiques de la cible qui modifient nos perceptions sociales.

L'apparence physique. Bien qu'on nous répète, et ce à maintes occasions, de ne pas nous fier aux apparences, l'apparence physique d'une personne représente l'un des déterminants les plus importants de notre perception sociale. Le genre de la personne, sa race, son âge, son physique, sa taille et ses autres caractéristiques visibles jouent un rôle capital dans l'impression que nous nous faisons d'elle (McArthur, 1981; McArthur & Baron, 1983). L'un des facteurs les plus étudiés est celui de la beauté physique. Les hommes et les femmes attirants physiquement sont jugés en général de façon plus positive que les personnes moins attirantes (Berscheid & Walster, 1978). Ces gens sont également perçus comme possédant des traits de personnalité plus positifs (Albright, Kenny & Malloy, 1988; Dion, Berscheid & Walster, 1972). Ils seront considérés comme modestes, sociables, gentils, intellectuels, heureux, affirmatifs et confiants (Berscheid & Walster, 1978).

Des recherches récentes ont étudié l'impact que pouvait avoir une apparence de jeunesse. Dans l'ensemble, ces recherches (voir Berry & McArthur, 1986) révèlent que les adultes avec un visage d'enfant sont perçus comme des personnes aux attributs psychologiques immatures ou semblables à ceux qu'on accorde aux enfants. De façon plus précise, un menton étroit (jeune) crée des impressions d'honnêteté, de bonté et de naïveté chez la cible ; de grands yeux (les enfants ont de très grands yeux pour la petitesse de leur visage) sont généralement associés avec des perceptions de faiblesse physique, de naïveté intellectuelle, de soumission, d'honnêteté et de chaleur humaine.

Un dernier aspect de l'apparence physique qui peut influer sur notre perception ou sur nos impressions réside dans le degré de ressemblance d'un étranger avec quelqu'un que l'on connaît bien. En effet, il semble que les étrangers qui ressemblent à des gens que l'on connaît soient considérés comme semblables à ces personnes sur plusieurs traits de personnalité (White & Shapiro, 1987).

La voix. La voix représente une autre caractéristique de la cible qui influe sur nos perceptions. Que pensez-vous par exemple d'un professeur qui parle d'une voix très basse ou très grave ? Ou d'un professeur à la voix lente et posée ? La voix peut-elle vous donner des indications sur ce qu'est la personne ? Des recherches indiqueraient que nous partageons certains stéréotypes par rapport aux attributs psychologiques auxquels correspondent différents types de voix. Ainsi des voix douces au ton élevé suscitent des impressions de soumission et de sincérité davantage que des voix plus fortes et basses (Robinson & McArthur, 1982). De plus, le débit, la variabilité, la clarté et la tension dans la voix influent sur nos perceptions de la cible. Enfin, les voix semblables à des voix d'enfants inciteraient à percevoir la cible comme une personne plus faible, plus incompétente et plus chaleureuse (Montepare & McArthur, 1988).

Certains d'entre vous se demanderont peut-être quelle est l'importance de la voix comparativement à l'apparence physique lorsque vient le temps de se faire une impression d'une personne. Zuckerman et ses collègues (Zuckerman & Driver, 1989; Zuckerman, Hodgins & Miyake, 1990; Zuckerman, Miyake & Hodgins, 1991) ont examiné plus en détail l'influence respective de ces deux facteurs. Ils ont observé que lorsque des individus devaient juger à quel point une cible était attirante physiquement ils avaient tendance à prendre en considération le degré d'attirance de sa voix. De façon inverse, lorsqu'ils devaient juger à quel point une cible avait une voix attirante, ils avaient tendance à prendre en considération le degré d'attirance physique de la cible. Un dernier aspect des résultats obtenus par Zuckerman *et al.* (1991) est que les conditions où il existait des différences entre les degrés d'attraction pour la voix et l'apparence physique, soit les conditions où il y avait attraction mixte, captaient davantage l'attention des percevants et influaient sur leurs perceptions des cibles. Par exemple, les gens jugés peu attirants physiquement mais ayant une voix attirante étaient considérés comme plus attirants quant à l'aspect vocal que les gens attirants physiquement. Un effet similaire fut aussi observé pour l'attirance physique. Les gens qui étaient attirants physiquement étaient jugés plus attirants lorsque leur voix était non attirante que lorsqu'elle était attirante.

La tenue vestimentaire. Nos impressions d'une personne sont également influencées par sa tenue vestimentaire. Par exemple, dans les années 1920, on disait souvent que les gens aux cheveux propres, aux dents propres et à l'haleine fraîche faisaient une meilleure impression que ceux qui ne possédaient pas ces caractéristiques. Et l'on pourrait dire que cette norme a toujours cours (avec certaines distinctions bien sûr). L'impact de différentes tenues vestimentaires peut varier considérablement selon la culture ou les années. Ainsi la mode des cheveux longs pour les hommes, des coupes courtes pour les femmes, des cheveux teints de différentes couleurs – rouge, jaune, vert, bleu – et même l'utilisation du rouge à lèvres, du parfum, de l'eau de cologne varient énormément. En général cependant, les individus qui présentent une tenue vestimentaire conforme aux attentes de leur groupe produisent de meilleures impressions que ceux qui dérogent à ce principe.

Parfois, l'habillement de la personne peut avoir des conséquences importantes sur le plan de son travail ou encore sur le plan amoureux. Par exemple, Forsythe, Drake et Cox (1985) ont démontré que lorsque des candidates à un poste de directeur se présentaient à l'entrevue habillées de façon masculine (tailleur de couleur foncée) il leur était attribué des traits beaucoup plus masculins (leadership, compétition, responsabilité, confiance en soi, objectivité et ambition). Dans la mesure où ces traits de personnalité sont importants pour un emploi comme celui de directeur, on peut ainsi voir que le vêtement porté par le candidat ou la candidate peut avoir un impact majeur sur l'issue de l'entrevue.

Également, Abbey, Cozzarelli, McLaughlin et Xharnish (1987) ont étudié l'impact d'un type de tenue vestimentaire, soit celui qui présente un certain attrait physique (une femme qui porte une jupe courte, un homme qui détache plusieurs de ses boutons de chemise), sur la formation d'impressions générales et sexuelles. Les résultats ont révélé que les femmes qui portaient de tels vêtements étaient perçues comme plus séduisantes et plus ouvertes sexuellement que celles qui portaient des vêtements non provocants. De plus, les femmes portant des vêtements plus aguichants étaient considérées également comme plus affirmatives, athlétiques, attirantes et sophistiquées que celles qui ne portaient pas de pareils vêtements. Par contre, les femmes portant des vêtements provocants étaient perçues comme des femmes moins gentilles, moins sincères et moins attentionnées que celles qui ne portaient pas de tels vêtements. Enfin, les résultats démontrèrent des tendances similaires pour les hommes s'habillant de façon aguichante même si les résultats n'ont pas été aussi probants que ceux obtenus avec les femmes. Il se pourrait donc que nous ayons façonné des stéréotypes concernant la tenue vestimentaire: le port de certains types de vêtements par certaines personnes mène à une perception et une première impression presque immédiate est déclenchée et entretenue par nos schémas.

Le comportement. Plusieurs recherches ont été menées afin d'étudier l'impact du comportement émis par la cible sur les impressions que pouvait se faire le percevant. D'ailleurs, dans le chapitre sur les attributions, nous verrons la théorie des inférences correspondantes de Jones et Davis (1965), qui propose le recours aux processus par lesquels nous en venons à émettre des attributions dispositionnelles (traits de personnalité de la personne) pour expliquer le comportement émis par la cible. En plus des attributions, le comportement de la cible va souvent déclencher ou activer un schéma en mémoire qui va permettre une appréciation, la formation très rapide d'une impression de la cible. Certaines études récentes se sont intéressées à l'effet provoqué par plusieurs de ces comportements. Par exemple, il semble que notre alimentation influe sur les impressions des autres à notre sujet. Particulièrement, les femmes qui mangent de petits repas sont perçues comme des personnes significativement plus féminines, moins masculines et plus soucieuses de leur apparence. On leur attribue donc davantage de traits de personnalité typiquement féminins qu'aux femmes qui mangent de gros repas (Mori, Chaiken & Pliner, 1987). Toutefois, le type de repas pris par les hommes n'influe pas sur les impressions à leur égard. Comme le veut l'adage anglais, il semble effectivement que les gens croient que les autres sont ce qu'ils mangent *(You are what you eat)*. Mais cette croyance ne prévaudrait que pour les femmes.

Souvent, ce n'est pas l'action comme telle que nous sommes en train d'accomplir qui nuance l'impression des autres, mais plutôt la façon dont cette action est accomplie. Dans de telles situations, notre corps envoie souvent un message aux autres (parfois sans qu'on s'en rende compte) et ce message est bel et bien capté par le percevant. Il en retire alors une impression de la cible. Ainsi le regard, la position du corps, les gestes de la main ou de l'avant-bras, le fait de toucher l'autre personne représentent des messages qui appartiennent au monde du comportement non verbal (Clark & Reis, 1988). (Le comportement non verbal sera vu plus en profondeur dans le chapitre sur la communication sociale.) Le comportement non verbal exerce une grande influence sur les impressions que le percevant se fait de la cible en raison de deux facteurs. Premièrement, nous avons élaboré des schémas sur le type de gestes, de communication non verbale qui sont appropriés. Des déviations quant à ces normes peuvent mener à des impressions négatives de la personne. Deuxièmement, nous avons également, avec l'expérience, conçu des schémas sur des rôles (stéréotypes), des traits psychologiques sous-jacents à tel ou tel autre geste ou type de communication non verbale (Clark & Reis, 1988). Par exemple, on se souviendra que lors des élections de 1984 Brian Mulroney avait défait facilement John Turner surtout grâce à une performance électrisante au cours du débat télévisé qui avait attiré l'attention de nombreux Canadiens. Lors des élections suivantes, on s'attendait encore à ce que John Turner fasse piètre figure à la télévision, à ce qu'il projette une image de perdant, image qui serait éventuellement captée par les téléspectateurs et qui pourrait se traduire dans une défaite cuisante de son parti. Quelques semaines avant le vote, John Turner a cependant embauché un spécialiste de l'image et de la communication non verbale, André Morrow. Sans perdre de temps, Morrow s'est attaqué au comportement non verbal de Turner. Il lui a appris à se tenir droit, les épaules rejetées en arrière dans une attitude de force, d'ouverture et de confiance. Puis il lui a montré à délier ses bras, à gesticuler, à donner l'impression de parler plus librement. Après de nombreuses séances de pratique, Turner était prêt et la critique a été unanime. Turner a fait meilleure impression que les autres candidats au poste de premier ministre (Broadbent et Mulroney). Turner n'a pas été élu, mais pour de nombreux Canadiens il a démontré une image de force, de confiance et de chef de son parti. Heureux celui qui possède les secrets de la communication non verbale, car il suscite généralement une impression très favorable.

La culture. Pour le meilleur ou pour le pire, nous avons tous façonné jusqu'à un certain point des stéréotypes (ou schémas sur les rôles) concernant les caractéristiques psychologiques ou autres associées à la culture ou à la race de la cible. Par exemple, on s'attend généralement à ce qu'une personne irlandaise ait les cheveux roux, qu'elle possède un caractère plutôt colérique et qu'elle aime consommer de l'alcool. On s'attend parfois aussi à ce que les anglophones soient orientés vers l'accomplissement dans leur travail et quelque peu distants dans leurs relations interpersonnelles. Par contre les anglophones ont souvent l'impression que les francophones sont plus religieux, moins instruits et moins engagés qu'eux dans leur travail. Les stéréotypes que nous entretenons à l'égard de certaines cultures et des différentes races s'avèrent utiles d'une certaine façon parce qu'ils nous aident à catégoriser les personnes que nous rencontrons en fonction de différents groupes bien établis. Cependant, ils influent sur la façon dont nous percevons les gens membres de ces groupes. Ainsi, dans une série d'études menées à l'Université McGill et portant sur la perception que les sujets anglophones avaient des cibles canadiennes-françaises (Anisfeld & Lambert, 1961; Taylor & Gardner, 1969), il a été trouvé que les Canadiens français étaient jugés en fonction du stéréotype sur leur groupe, c'est-à-dire considérés comme plus bavards, excitables, fiers, religieux, sensibles, émotifs, artistiques et agréables. De plus, il a également été démontré que ces impressions formées à partir de photographies ou de bandes sonores étaient très stables et demeuraient inchangées même lorsque des renseignements contraires au stéréotype étaient introduits dans le bloc informatif sur le sujet en observation (Taylor & Gardner, 1969).

Comme on peut le voir, les schémas que nous avons élaborés sur la culture influent énormément sur les perceptions que nous avons d'une personne membre d'un groupe en particulier. Malheureusement, de tels schémas ne sont pas toujours appropriés et cette inadéquation mène souvent à des situations de tension raciale pénibles.

Les ouï-dire. Un bon nombre de nos impressions des autres personnes reposent entièrement sur de l'information de second ordre, c'est-à-dire une information qui nous vient des autres. Par exemple, nous avons souvent de très fortes opinions de personnes célèbres que pourtant nous n'avons jamais rencontrées, si ce n'est par le biais de la télévision, de la radio et de la presse. On peut même avoir des impressions très vives, très claires du professeur d'un de nos amis, de l'ancien amoureux de notre meilleure amie, ou encore des amis de certains de nos propres amis, sans pour autant avoir jamais rencontré aucune de ces personnes. Nous nous sommes fait des impressions de ces gens par le biais de l'information qui nous est parvenue par nos amis, par d'autres personnes de notre entourage ou encore par les différents médias d'information. Thomas Gilovich (1987) a tenté de vérifier si l'information recueillie sous forme de ouï-dire produisait le même effet que l'information que nous recueillons nous-mêmes. Dans une première étude (Gilovich, 1987, étude 1), des sujets ont visionné un vidéo dans lequel une personne se présentait et révélait certains comportements négatifs qu'elle avait eus dans le passé. Par la suite, les sujets devaient juger la personne sur différents traits de caractère et faire un résumé verbal de ce qu'ils avaient vu sur le vidéo afin que ce résumé soit enregistré et présenté par la suite à une deuxième population de sujets qui, eux, se feraient une impression de la personne à partir de l'information véhiculée par les premiers sujets. Ces derniers sujets devaient juger la cible sur les mêmes dimensions psychologiques que l'avaient fait les premiers sujets. Les résultats de la recherche ont démontré que les sujets qui se sont basés sur l'information du ouï-dire pour apprécier la cible ont perçu cette dernière de façon beaucoup plus négative que les sujets qui avaient basé leur appréciation sur le visionnement direct du vidéo.

Ces premiers résultats laissaient suggérer que le jugement basé sur le ouï-dire avait pour effet de produire des impressions extrêmes ou polarisées de la cible. Dans le cadre d'une autre étude (Gilovich, 1987, étude 3), Gilovich a voulu vérifier si cet effet de polarisation pouvait se produire sur les plans tant positif que négatif. Dans cette étude, Gilovich a demandé à deux groupes de sujets de participer à une recherche sur les effets du ouï-dire. Le premier groupe de sujets représentait des personnes qui connaissaient la cible. Le deuxième groupe de sujets représentait des personnes qui avaient seulement entendu parler de la cible. La tâche consistait à juger les cibles en question sur 20 traits de personnalité (intelligent, intéressant, etc.). De plus, les sujets devaient apprécier les caractéristiques psychologiques d'une personne qu'ils aimaient ou qu'ils n'aimaient pas. L'analyse des résultats a montré que les sujets qui ne connaissaient pas personnellement la cible mais qui en avaient entendu parler par leurs amis ont présenté des appréciations plus extrêmes. Lorsqu'il s'agit d'une personne qui n'est pas aimée par les sujets qui connaissent la cible, le jugement est très négatif, alors que lorsqu'il s'agit d'une cible qui est aimée le jugement est plus positif. Il semble donc qu'effectivement le ouï-dire puisse polariser nos impressions de sorte que celles-ci sont plus extrêmes (d'un côté ou de l'autre, positif ou négatif).

L'influence du contexte

Quelques jours avant la fin de la saison régulière de la Ligue nationale de hockey au printemps 1989, Michel Bergeron a été remercié de ses services en tant qu'entraîneur des Rangers de New York. Ce renvoi a provoqué un tollé de protestations de différents coins de la province de Québec, y compris de Montréal. Pourtant, c'est la même personne qui, deux années auparavant, était détestée comme jamais à Montréal alors qu'elle était entraîneur des Nordiques de Québec. Pourquoi? Bergeron était-il moins menaçant pour les partisans du Canadien à New York qu'à Québec? Le fait que Bergeron a été placé dans une position de victime au lieu d'agresseur, comme le veut son image habituelle, aurait produit un changement important dans la perception sociale des gens. On peut voir que le contexte semble jouer un rôle majeur dans les perceptions sociales.

Le contexte a trait généralement à toutes les caractéristiques de la situation qui ne sont pas directement pertinentes au stimulus ou au percevant. Elles incluent donc les facteurs externes, le caractère social de la situation ou encore le contexte physique (et même le lieu géographique) dans lequel l'action se déroule. Bien qu'il ne soit pas utilisé de façon régulière en tant que tel, le contexte semble jouer un rôle prépondérant dans la formation des perceptions sociales (Markus & Zajonc, 1985). En effet, comme l'ont suggéré depuis fort longtemps les chercheurs empruntant une approche gestaltiste (Asch, 1946; Lewin, 1936), le contexte représente cette toile de fond qui permet au percevant de donner un sens à ce qu'il observe. De façon plus précise, le contexte semble jouer un rôle principalement en ce qui concerne l'activation de divers schémas chez le percevant.

Le contexte peut activer les schémas de maintes façons. Une première façon est représentée par l'effet du contexte sur l'amorce des schémas (Higgins *et al.*,

1977). Le fait de percevoir ou d'entendre divers éléments d'information dans un contexte bien précis peut activer différents schémas chez le percevant. Ces schémas seront ultérieurement utilisés même si la situation qui les a fait surgir n'est pas vraiment reliée à celle de leur création. Ainsi le contexte sert à préparer certains schémas qui seront plus susceptibles d'être utilisés dans la perception sociale par la suite. Par exemple, vous écoutez les nouvelles et on annonce qu'il vient de se produire une agression au couteau dans le métro de Montréal; si vous prenez le métro quelques heures plus tard, il y a de fortes chances pour que vous soyez attentif aux déplacements des gens que vous côtoyez. Le contexte (l'information reçue préalablement par le biais des nouvelles) a servi d'amorce aux schémas qui influent sur votre perception des gens dans le métro.

Dans la même veine, un second type d'influence issue du contexte qui peut activer des schémas particuliers prend en considération l'importance de l'information présentée en dehors du cercle d'attention consciente de la personne. Plusieurs recherches au cours de ces dernières années (Bargh, 1982; Bargh & Pietromonaco, 1982; Bower, 1987; Lewicki, 1985; Neuberg, 1988) ont démontré qu'il est possible de présenter de l'information aux sujets de façon subliminale (en dehors de leur champ d'attention consciente) et que cette information puisse influer sur la formation des perceptions sociales. Ainsi Bargh et Pietromonaco (1982) ont démontré que des sujets qui avaient reçu de l'information de façon subliminale comprenant en grande partie des mots reliés à l'hostilité ont par la suite décrit une personne de façon beaucoup plus négative que les sujets qui avaient reçu une information à caractère moins hostile.

Il est important de noter que les influences subliminales seront d'autant plus majeures que les schémas correspondants sont déjà présents chez le percevant. Par exemple, dans une récente étude, Neuberg (1988) a démontré que des incitations à la compétition présentées de façon subliminale n'étaient efficaces que chez les sujets qui possédaient déjà des tendances à la compétition. Les mêmes incitations avaient un effet contraire chez les sujets coopératifs. Ces derniers résultats laissent donc suggérer que les influences subliminales ne sont peut-être pas aussi prépondérantes qu'on voudrait le laisser croire. Par contre, dans la mesure où les influences subliminales issues du contexte sont en accord avec les schémas préexistants chez le percevant, cette information subliminale pourrait effectivement avoir une influence sur la formation des perceptions sociales.

Le contexte peut également influer sur les stimuli présents, qui seront perçus comme saillants. À titre d'exemple, un anglophone entouré de francophones sera perçu comme beaucoup plus saillant dans l'environnement qu'un anglophone parmi ses semblables. Comme on l'a vu précédemment, l'élément saillant peut ensuite activer des schémas entreposés en mémoire chez le percevant. Ainsi le percevant qui voudrait expliquer le comportement de l'anglophone dans un contexte francophone se servira probablement des schémas qu'il a élaborés concernant les stéréotypes anglophones. Plusieurs recherches appuient cette affirmation (McArthur, 1981; Taylor & Fiske, 1978, 1981).

Enfin, le contexte peut parfois produire de lui-même certains schémas qui nous permettront de nous faire une impression de la cible. En effet, le contexte nous permet généralement de nous faire une impression rapide des personnes qui en font partie surtout lorsqu'un script (ou schéma sur les événements) semble évident. Une étude de Langer et Abelson (1974) démontre ce phénomène de façon convaincante. Dans cette étude, des psychothérapeutes devaient visionner une bande vidéo sur laquelle apparaissait une personne. Ils reçurent l'une des deux indications suivantes: la personne sur la bande vidéo discute avec un thérapeute dans le cadre d'une session de thérapie ou la personne discute avec un conseiller d'orientation par rapport à son travail. Les sujets devaient juger de la santé psychologique de la cible. Bien sûr, une des hypothèses était que le contexte dans lequel se déroulait l'entrevue devrait avoir un effet prépondérant sur la perception de la santé psychologique de la cible. Tel que prévu, la personne observée dans le cadre d'une entrevue psychothérapeutique fut jugée en moins bonne santé psychologique que la personne présentée dans le cadre d'une session d'orientation.

L'influence de l'humeur du percevant

Le fait d'être de bonne ou de mauvaise humeur nuance-t-il la façon dont nous percevons le monde qui nous entoure? La plupart des individus sont conscients qu'ils pensent différemment selon qu'ils ressentent des émotions positives ou qu'ils sont déprimés. Par exemple, lorsque nous sommes de bonne humeur, les situations ou les tâches difficiles paraissent plus faciles à aborder que lorsque nous sommes de mauvaise humeur. Ces impressions sont-elles bien fondées? De plus en plus d'études suggèrent que oui.

Premièrement, il a été observé que les états émotifs nuançaient la perception de stimuli ambigus. En général, de tels stimuli sont perçus et jugés plus favorablement lorsque nous sommes de bonne humeur que lorsque nous sommes de mauvaise humeur (Isen & Shalker, 1982). Ainsi, lorsqu'il est demandé à des sujets d'apprécier des individus qui postulent un emploi alors que leurs compétences sont ambiguës, les sujets perçoivent plus favorablement les candidats lorsqu'ils sont de bonne humeur (ils viennent tout juste de recevoir une rétroaction positive) que lorsqu'ils sont d'humeur maussade (ils viennent tout juste de recevoir une rétroaction négative) (Baron, 1990).

Deuxièmement, l'humeur des individus influe fortement sur leur mémoire (Isen, 1987). En règle générale, il est plus aisé de se rappeler une information en accord avec notre humeur qu'une information en désaccord avec celle-ci. De plus, notre humeur semble modifier non seulement la perception de l'information mais aussi le codage (quand l'information est placée en mémoire) et le rappel de l'information en mémoire. Une étude menée par Forgas et Bower (1987) permet d'illustrer clairement ces effets.

Au cours de cette étude, une humeur positive ou négative fut induite chez des sujets à l'aide de rétroactions positives ou négatives pour une tâche devant mesurer la personnalité et le degré d'ajustement social des sujets. Les sujets dans la condition d'humeur positive recevaient des rétroactions leur indiquant que le total de leurs points était supérieur à la moyenne des individus ; les sujets dans la condition d'humeur négative recevaient des rétroactions les informant que le total de leurs points était inférieur à la moyenne des gens. Les sujets dans les deux conditions devaient alors lire une description réaliste des caractéristiques de quatre individus, qui comportait un nombre égal de traits positifs (ex.: Robert a toujours excellé dans la pratique d'activités sportives) et négatifs (ex.: Claire est petite et bien ordinaire). Après avoir lu ces descriptions, les sujets devaient apprécier les individus décrits selon plusieurs dimensions (ex.: intelligent-stupide, heureux-malheureux). Les sujets devaient aussi écrire tout ce qu'ils pouvaient se rappeler concernant les caractéristiques des quatre individus.

Il fut observé que les sujets de bonne humeur avaient une impression beaucoup plus favorable et positive des individus décrits que les sujets de mauvaise humeur. De plus, les sujets pouvaient se rappeler plus de caractéristiques sur les individus en accord avec leur humeur que de caractéristiques en désaccord avec leur humeur. Pourquoi en est-il ainsi ? Il serait en effet plus aisé de former des associations entre les éléments d'information cohérents avec notre humeur qu'entre les éléments d'information incohérents avec notre humeur. Par conséquent, lorsqu'il est demandé aux sujets de se rappeler l'information en mémoire, celle qui était cohérente avec leur humeur devient plus facilement accessible que celle qui était incohérente avec leur humeur (Isen, 1987).

L'intégration de renseignements multiples sur la cible

Les schémas influent sur la formation des perceptions sociales surtout lorsqu'on possède peu d'information sur la cible et que l'information perçue est cohérente avec certains de nos schémas (Markus & Zajonc, 1985). Mais que se passe-t-il lorsqu'on détient beaucoup d'information sur la cible et que nous devons intégrer cette information afin de nous faire une impression sur la personne en question ?

Selon plusieurs auteurs, dont Asch (1946) et Anderson (1981), dans de telles situations nous prenons en considération les attributs ou les caractéristiques de la cible pour en faire une appréciation globale qui constituera l'impression que nous avons de la personne. Dans la mesure où nous n'avons jamais rencontré la personne et que cette dernière présente de nombreuses caractéristiques qui ne renvoient pas nécessairement à des schémas que nous avons en mémoire, nous jugerons alors chacune de ces caractéristiques afin de nous en faire une impression globale. Dans un tel cadre, au moins deux approches ont été formulées et étudiées. Une première est représentative de l'approche phénoménologique de la Gestalt et a été proposée par Solomon Asch (1946). L'autre, par contre, est plus cognitive et se trouve à l'origine des positions du traitement de l'information. Cette dernière a été proposée par Norman Anderson (1974, 1981).

La position de la Gestalt de Asch

Selon Asch, les caractéristiques de la personne forment un tout, c'est-à-dire que ce n'est pas nécessairement l'une ou l'autre des caractéristiques de la cible qui détermine notre impression mais plutôt comment ces dernières s'agencent entre elles pour former un tout cohérent qui a un sens pour le percevant. On se souviendra de la figure 4.1 du début du chapitre. Selon l'information que nous avions reçue, nous pouvions percevoir soit une vieille femme ou une jeune femme dans cette figure. Il en est de même lorsque nous percevons des étrangers possédant divers types de caractéristiques. Donc, selon cette position de la Gestalt, nous nous faisons une impression de la cible à partir de l'ensemble des renseignements dont nous disposons et du tout cohérent qui en résulte. Cette position diffère des positions cognitives qui prônent l'organisation de la perception en fonction de la sélection d'éléments saillants. Selon la position de la Gestalt, « le tout est plus grand que la somme de ses parties ».

Asch (1946) a mené un grand nombre d'études afin de vérifier ses idées. Dans une de ses études, il a présenté une liste de traits de personnalité à deux groupes de sujets. Ces listes étaient identiques, sauf que sur l'une de celles-ci figurait le mot « chaleureux» alors que sur l'autre était inscrit le mot « froid». Les sujets devaient dans un premier temps indiquer leur impression générale de la cible. Les résultats furent étonnants. Des impressions très différentes de la cible furent obtenues uniquement à cause des mots « chaleureux» et « froid » qui avaient été introduits dans les deux listes. Ainsi les gens qui avaient reçu la liste avec le mot « chaleureux» percevaient la cible comme une personne qui croyait en certaines choses importantes, qui voulait présenter ses arguments aux autres et qui était sincère dans une telle discussion. Par contre, les gens qui avaient reçu la liste de traits comprenant le mot « froid » percevaient la cible comme une personne snob qui croyait que son succès et son intelligence la distinguaient des autres. On la voyait également comme quelqu'un d'antipathique.

De plus, Asch demanda aux sujets d'apprécier la personne sur d'autres traits de personnalité afin de vérifier dans quelle mesure l'impression qu'ils s'en étaient faite pouvait avoir un impact sur d'autres traits de la personnalité. Les résultats figurent au tableau 4.5. Comme on peut le remarquer dans les deux premières colonnes du tableau, le fait d'avoir inséré les mots « chaleureux» ou « froid » dans la liste a conduit à la perception de traits différents. Par exemple, la personne décrite comme quelqu'un de chaleureux a été perçue comme généreuse par 91 % des sujets alors que seulement 9 % des sujets ont perçu le même trait chez la personne décrite comme quelqu'un de froid. Il en a été de même pour plusieurs autres traits (intelligent, heureux et tempéré). En revanche, la perception des caractéristiques « fiable » et « important » n'a pas été influencée.

TABLEAU 4.5 **Résultats de l'étude de Asch (1946) sur la perception des caractéristiques chaleureux-froid**

Stimulus A	Stimulus B	Stimulus C	Stimulus D	Stimulus E
intelligent	intelligent	intelligent	intelligent	intelligent
habile	habile	habile	habile	habile
travailleur	travailleur	travailleur	travailleur	travailleur
chaleureux	**froid**	**poli**	**insensible**	
déterminé	déterminé	déterminé	déterminé	déterminé
pratique	pratique	pratique	pratique	pratique
prudent	prudent	prudent	prudent	prudent

	Pourcentage de sujets indiquant que chacun des traits caractérise la personne				
	A (chaleureux)	B (froid)	C (poli)	D (insensible)	E (aucun trait)
généreux	91	8	56	58	55
futé	65	25	30	50	49
heureux	90	34	75	65	71
bon vivant	94	17	87	56	69
fiable	94	99	95	100	96
important	88	99	94	96	88

Asch désirait aussi vérifier à quel point les mots «chaleureux» et «froid» étaient importants. Il décida donc de comparer leur effet à celui des mots «poli» et «insensible». Les résultats obtenus en fonction de ces deux derniers traits sont également présentés au tableau 4.5. Enfin, Asch avait aussi inclu aux fins de comparaison une liste où aucun trait autre que les six traits initiaux ne figurait. Comme on peut le remarquer, les mots «poli» et «insensible» sont beaucoup moins déterminants que les mots «froid» et «chaleureux». Si l'on compare les colonnes entre elles, on se rend compte que les mots «chaleureux» et «froid» produisent un profond changement dans l'impression que l'on se fait de la personne. Ces résultats représentent la base de la théorie des traits centraux de Asch, qui postule que certaines caractéristiques de la personnalité de la cible ont une importance capitale dans le processus de **formation d'impression.**

Plusieurs chercheurs ont donné suite aux travaux amorcés par Asch. Par exemple, dans une étude qui a suivi, Kelley (1950) a étudié l'impact des mots «chaleureux» et «froid» en contexte naturel. Dans le cadre de cette étude, on présenta des descriptions d'un professeur avant qu'il parle à des étudiants en psychologie. Ces descriptions incluaient sept caractéristiques semblables à celles étudiées par Asch. La moitié des étudiants reçurent l'information selon laquelle le professeur était froid, l'autre moitié reçurent la même information, mais le mot «froid» fut remplacé par le mot «chaleureux» sur la liste. Le professeur vint donc parler en classe environ 20 minutes et par la suite les étudiants donnèrent leur impression sur celui-ci. Les résultats corroborèrent ceux de Asch: les étudiants ayant reçu l'information selon laquelle le professeur était chaleureux perçurent ce dernier de façon beaucoup plus positive que ceux qui avaient reçu l'information selon laquelle le professeur était froid. De plus, les étudiants qui s'attendaient à écouter un professeur chaleureux interagirent avec celui-ci de façon beaucoup plus ouverte et beaucoup plus active. Il semble donc que l'information reçue par les étudiants a influé non seulement sur leur impression du professeur mais également sur leurs comportements vis-à-vis de ce dernier. Nous reviendrons sur ce point dans la section sur les perceptions sociales dans un contexte où le percevant et la cible interagissent l'un avec l'autre.

Les modèles additif et de la moyenne

Grâce surtout aux efforts de Norman Anderson (1974, 1981), de nombreuses recherches portant sur les mécanismes cognitifs par lesquels nous intégrons l'information sur la cible ont été menées. Deux modèles de base ont été proposés, soit le modèle additif et le modèle de la moyenne. Le modèle additif postule que l'impression que nous nous faisons de la cible est une résultante de la somme des caractéristiques de cette dernière. Donc, plus une personne possède de caractéristiques positives, plus nous la percevrons d'un œil positif. Par contre, le modèle de la moyenne propose que notre appréciation de la cible est une résultante de la somme des caractéristiques de cette dernière divisée par le nombre d'éléments d'information que nous avons sur celle-ci. Bien que ces deux modèles mènent généralement à des jugements similaires, ils peuvent parfois conduire à des appréciations différentes. Par exemple, au tableau 4.6, nous présentons deux personnes, Claude et Jean, avec diverses caractéristiques qui leur sont propres. Comme on peut le remarquer, selon le modèle additif, Jean est plus aimé que Claude puisque Jean obtient 16 points et Claude, 15. Par contre, selon le modèle de la moyenne, Claude est davantage aimé puisqu'il a une moyenne de 3,75 points contre 3,2 pour Jean.

Lequel de ces modèles est supérieur à l'autre ? Anderson (1965) a effectué une étude afin de répondre à cette question. Dans cette étude, quatre types de traits dont la positivité variait à divers degrés furent attribués à des sujets. Certains traits, comme la franchise, étaient fortement positifs (H) ; d'autres, tel le fait d'être travailleur, étaient modérément positifs (M+); d'autres, comme une trop grande popularité, étaient modérément négatifs (M-); et enfin d'autres étaient fortement négatifs (N). On retrouvait quatre conditions. Dans deux de ces conditions, Anderson avait regroupé deux caractéristiques très positives ou encore deux caractéristiques très négatives de la cible. Dans les deux autres conditions, Anderson avait regroupé les caractéristiques fortement positives avec des caractéristiques positives moyennes et les caractéristiques fortement négatives avec des caractéristiques modérément négatives. Dans la mesure où le modèle additif serait correct, les conditions comprenant les caractéristiques très positives et celles modérément positives devraient mener à l'appréciation la plus positive. Il

TABLEAU 4.6 L'addition par opposition à l'utilisation de la valeur moyenne des éléments d'information dans la formation d'une impression

Lorsque nous avons une liste de caractéristiques décrivant une cible, comment intégrons-nous l'information? Selon les modèles de l'addition et de la moyenne, nous donnons une valeur à chacune des caractéristiques. Cependant, les deux modèles diffèrent en ce qui a trait à la façon dont nous intégrons ces valeurs. Selon le modèle de l'addition, nous additionnons purement et simplement les valeurs attribuées à chacune des caractéristiques. Selon le modèle de la moyenne, nous additionnons les valeurs des caractéristiques et divisons le score total par le nombre de caractéristiques.

	Jean	**Claude**
	Intelligent (4) Sincère (4) Poli (4) Riche (6) Orgueilleux (-2)	Compréhensif (5) Patient (4) Ordonné (3) Bon vivant (3)
Addition:	16	15
Moyenne:	3,2	3,75

en irait inversement dans les conditions négatives. Par contre, si le modèle de la moyenne était correct, ce serait uniquement les conditions comprenant les traits extrêmes (soit exclusivement positifs ou exclusivement négatifs) qui produiraient les appréciations extrêmes. Les résultats obtenus par Anderson (1965) appuient l'utilisation du modèle de la moyenne. Le jugement le plus positif était produit par la présence de deux caractéristiques très positives ; le jugement le plus négatif était produit par la présence de caractéristiques très négatives seulement.

Le modèle de la moyenne pondérée

Le modèle de la moyenne décrit plusieurs types de jugements sociaux. Toutefois, dans plusieurs cas, certains types d'information sont jugés plus importants que d'autres. Il semble donc logique que lorsque nous jugeons une personne ces types d'information soient pondérés et reçoivent une cote supérieure aux autres types d'information dans notre intégration de l'information et la formation d'impression sur la personne. Ce mécanisme représente l'essence de l'approche de la moyenne pondérée proposée par Anderson (1968). Le modèle de la moyenne pondérée est semblable à celui de la moyenne, sauf que, avant d'établir la moyenne des diverses caractéristiques qui nous intéressent, nous multiplions chaque caractéristique par un poids subjectif en fonction de l'importance que nous lui accordons. Une telle perspective permet donc de prendre en considération le fait que pour certaines personnes certaines caractéristiques de la cible sont plus essentielles que d'autres. Plusieurs recherches d'Anderson (voir Anderson, 1981) soutiennent ce modèle de la moyenne pondérée.

Le modèle de la moyenne pondérée se révèle important parce qu'il permet d'expliquer que certains éléments d'information ou caractéristiques de la cible sont jugées plus essentielles que d'autres dans notre formation d'impression sur cette dernière. Par exemple, si vous parlez d'un étudiant qui est peu intelligent, peu travailleur mais agressif, il se peut fort bien que cette dernière caractéristique joue un rôle beaucoup plus important que les deux autres dans votre formation d'impression. Cette mise en relief est en accord avec certains résultats qui indiquent que le poids accordé à chaque caractéristique de la cible est directement relié à l'importance du trait considéré: les traits extrêmes recevraient beaucoup plus de poids que les traits modérés. Il en serait de même pour l'information négative sur la cible. Plusieurs recherches sur la formation d'impression (voir Skowronski & Carlston, 1987, 1989) révèlent que nous accordons plus de poids à l'information négative que nous possédons sur une cible qu'à l'information positive. Selon Skowronski et Carlston, l'information extrême et négative reçoit un poids supérieur parce qu'elle est perçue comme de l'information plus diagnostique sur la personne. Par conséquent, si l'on croit que de tels indices nous apportent une information accrue sur la cible, il est normal que nous lui accordions plus de poids.

Le biais de la positivité

Jusqu'ici, nous avons traité de l'appréciation que nous faisons de la cible sans pour autant indiquer si les appréciations positives et négatives sont plus fréquentes les unes que les autres. En fait, les recherches dans ce secteur révèlent que les jugements positifs sont beaucoup plus communs que les jugements négatifs (Sears, 1983). Par exemple, dans une recherche, des étudiants qui jugeaient leurs professeurs ont indiqué que 97 % de ces derniers étaient supérieurs à la moyenne des autres professeurs. Cette tendance à émettre plus d'appréciations positives que négatives en considérant les autres éléments est appelé **biais** de la positivité (Sears, 1983).

Mais pourquoi portons-nous des jugements positifs sur les gens ? Un élément de réponse issu des travaux de Matlin et Stang (1978) s'appelle « principe de Pollyanna ». Ils suggèrent que les gens se sentent mieux s'ils sont entourés de bonnes choses, de personnes agréables, s'ils vivent des expériences plaisantes, etc. Il semble même que lorsqu'ils sont malades, lorsque les voisins sont agaçants et même lorsqu'ils sont sur le point de perdre leur maison les gens vont avoir tendance à juger quand même la situation de façon favorable. En effet, la plupart des événements sont considérés comme plus positifs que la moyenne des événements comparables. Les événements plaisants sont perçus comme généralement plus communs que les événements déplaisants et les bonnes nouvelles sont communiquées plus fréquemment que les mauvaises nouvelles (voir Argyle, 1987b, pour plus d'information à ce sujet).

Par contre, Sears (1983) suggère que nous possédons un biais de positivité bien particulier par rapport à l'appréciation des êtres humains. Selon lui, nous nous comparons à la personne que nous jugeons et conséquemment nous émettons une appréciation plus généreuse que nous ne le ferions pour des objets. Afin de vérifier cette hypothèse, Sears a demandé aux étudiants de juger leur professeur et la qualité de ses cours. Les résultats ont confirmé le biais de la positivité de la personne : 97 % des étudiants jugeaient leur professeur supérieur à la moyenne ; par contre, les cours étaient perçus comme meilleurs que la moyenne dans seulement 74 % des cas. L'existence du biais de la positivité envers la personne ne veut pas dire que nous émettons uniquement des jugements positifs sur les gens qui nous entourent. Nous sommes tous conscients que des appréciations négatives sont souvent émises. Cependant, tel que le suggère Sears, il se peut fort bien que plus de jugements positifs que négatifs soient portés.

L'utilisation de schémas par opposition à l'intégration de renseignements multiples dans la formation d'une impression

Jusqu'ici, nous avons vu que l'impression que nous nous faisons des autres peut être issue de deux types de processus. Dans un premier temps, les schémas peuvent mener à une impression très rapide des autres ; dans un deuxième temps, il arrive souvent que nous jugions des différentes caractéristiques de la cible afin d'intégrer cette information en une impression générale de la personne. Quel mécanisme est le plus utilisé ? Quand utilise-t-on un mécanisme et quand utilise-t-on l'autre ?

Nous allons voir dans cette section comment deux facteurs, le degré d'occupation cognitive du percevant et sa motivation, peuvent modifier le mécanisme qui sera employé. Pour terminer, nous examinerons plus en détail un modèle selon lequel il est proposé que les processus utilisés pour percevoir les autres peuvent se placer sur un continuum allant des processus reposant principalement sur les schémas aux processus reposant principalement sur les attributs de la personne. Nous verrons alors que les processus employés dépendent partiellement de la configuration de l'information disponible, des motifs du percevant et des exigences de la situation.

Le degré d'occupation cognitive du percevant

Dans la plupart des circonstances, les comportements que nous observons chez autrui peuvent être le résultat de l'influence de facteurs caractérisant l'individu observé ou la situation dans laquelle les comportements observés prennent place. Au cours d'une réception, la plupart des individus présents se tiennent debout, un verre à la main. Nous nous attendons à entretenir des conversations plaisantes et polies avec les gens que nous rencontrons au fil de la soirée. Quels sont les facteurs qui devraient faire en sorte que les individus présents à la réception soient perçus rapidement à l'aide de nos schémas ou que nos perceptions soient le fruit d'un examen plus systématique et de l'intégration de l'information présente ? L'un de ces facteurs a été désigné par Gilbert, Pelham et Krull (1988) comme le « degré d'occupation cognitive du percevant ».

Un percevant actif ou occupé sur le plan cognitif est un percevant essayant à la fois, par exemple, de se faire une impression d'un individu, de prédire le comportement d'un autre individu, d'apprécier ce qui se produit au moment présent et même de faire bonne impression, tout ceci au même moment. L'attention du percevant se porte alors sur plusieurs tâches à la fois. Par opposition, un percevant faiblement actif sur le plan cognitif est un percevant dont l'attention se porte uniquement sur l'interaction dans laquelle il est engagé.

Gilbert, Pelham et Krull ont proposé que lorsqu'un percevant était actif sur le plan cognitif il faisait appel à des processus comprenant des structures cognitives déjà organisées (p. ex. un schéma) et n'était pas en mesure de prendre en considération l'information propre au contexte ou ne pouvait utiliser de l'information additionnelle permettant de nuancer la perception d'une cible. Par conséquent, les individus actifs sur le plan cognitif devraient plus facilement expliquer le comportement d'une cible selon des dispositions. À l'opposé, les individus moins actifs sur le plan cognitif devraient utiliser plus d'information sur le comportement de la cible et les caractéristiques de la situation. La perception résultante devrait donc prendre en considération l'interaction entre les caractéristiques de la cible et celles de la situation.

Afin de vérifier ces hypothèses, il fut demandé à des sujets d'écouter une personne à qui l'on avait demandé de lire un discours en faveur de l'avortement ou contre l'avortement et de juger de la position de cette personne sur la question de l'avortement. Les sujets dans la condition de faible degré d'activité cognitive devaient tout simplement écouter le discours. Les sujets dans la condition de haut degré d'activité cognitive devait écouter le discours tout en sachant qu'ils devraient eux aussi préparer et lire un discours un peu plus tard.

Il fut observé que les sujets moins actifs sur le plan cognitif prirent en considération la nature du contexte, c'est-à-dire le fait qu'il avait été demandé à la personne de lire un discours sur une position qui n'était pas nécessairement la sienne. En conséquence, l'appréciation du lecteur fut beaucoup moins extrême que les jugements portés par les individus cognitivement actifs. Ces différences reflètent par le fait même l'utilisation, dans le cas des percevants moins actifs, de l'ensemble de l'information disponible (c.-à-d. celle sur le contexte et la cible), tandis que dans le cas des percevants actifs uniquement l'information sur le comportement de la cible a été prise en considération.

La motivation du percevant

Un deuxième facteur modifiant le processus utilisé pour percevoir une cible réside dans la nature des objectifs visés par le percevant. Les objectifs poursuivis par les individus dans la formation de perceptions sociales s'avèrent aussi importants que l'information elle-même (Fiske & Taylor, 1991). Les variations dans les buts poursuivis par les percevants et la nature de la situation peuvent stimuler l'utilisation rapide de schémas déjà entreposés en mémoire ou l'utilisation systématique de toute l'information disponible. Par exemple, il est facile d'imaginer une personne se faisant une impression rapide, à l'aide d'un schéma, d'une cible qui a attiré son attention dans la rue. Il est par contre plus difficile d'imaginer un individu membre d'un jury juger de la culpabilité d'un accusé de façon désinvolte lorsque le jugement en question peut entraîner la condamnation de l'accusé ou son exécution!

Les principes justifiant l'utilisation de schémas par opposition à la recherche d'information semblent être associés principalement à la nature des relations entre le percevant et la cible, et au coût qui peut résulter d'une perception erronée. Dans plusieurs situations, les éléments d'information contenus dans nos schémas nous permettent de percevoir une cible avec assez de précision pour combler les besoins de la situation. Quelquefois cependant, l'établissement d'interactions entre le percevant et la cible nécessite une analyse plus détaillée de la cible à cause principalement du coût potentiel associé au fait de se trouver dans l'erreur. En somme, dans les deux cas, les perceptions des individus sont typiquement fonctionnelles et assez précises pour satisfaire les besoins de la situation.

Plusieurs caractéristiques de la situation peuvent augmenter le coût associé à une perception erronée et ainsi motiver les gens à examiner plus systématiquement l'information présente. Les individus analysent l'information disponible plus minutieusement lorsque les conséquences pour le percevant dépendent de la cible, lorsque les percevants sont responsables de leurs jugements, lorsque les percevants sont préoccupés par la crainte d'une erreur et, finalement, lorsque les cibles insistent pour adopter un comportement qui contredit le schéma utilisé. Bien sûr, la prudence dans la formation de nos perceptions sociales ne garantit pas la précision des perceptions, mais elle réduit les risques d'erreurs.

Les conséquences pour le percevant dépendent de la cible. Si la conclusion d'une situation (récompense, bénéfice, coût, punition) dépend de vos actions aussi bien que des actions d'une autre personne, il est dit que les conséquences de cette situation dépendent de cette personne. Dès lors, les individus portent plus attention à la cible (Berscheid, Graziano, Monson & Dermer, 1976) et prennent en considération l'information qui est en désaccord avec leurs schémas (Erber & Fiske, 1984). Une action à venir peut susciter un intérêt nouveau à propos d'une autre personne, incitant un individu à aller au-delà d'un stéréotype initial (Neuberg & Fiske, 1987). Par exemple, il est fort probable qu'un étudiant devienne motivé à examiner plus sérieusement l'information sur un autre étudiant désigné initialement comme paresseux lorsque vient le moment de former une équipe pour effectuer un travail pour lequel vous risquez d'être pénalisé si vous êtes en retard.

Le percevant est responsable de ses jugements. Lorsque les gens doivent justifier une décision ou un jugement à une autre personne, ils se montrent plus prudents dans la formation de leurs perceptions. Comme il a été dit un peu plus haut, un individu a moins tendance à se fier à une première impression et considérera davantage l'ensemble de l'information disponible lorsqu'il est membre d'un jury devant se prononcer sur la culpabilité d'une cible accusée de meurtre (Tetlock, 1983).

Le percevant est préoccupé par la crainte d'une erreur. Le fait d'augmenter les conséquences de se trouver dans l'erreur incite les individus à se montrer plus prudents. Par exemple, lors d'une série d'études, des sujets furent amenés à croire que leurs jugements refléteraient des habiletés importantes pour eux, que leurs jugements seraient comparés avec ceux des autres juges ou avec des critères objectifs, ou qu'ils devraient justifier leurs jugements à d'autres individus (Freund, Kruglanski & Shpitzajzen, 1985; Kruglanski & Freund, 1983; Kruglanski & Mayseless, 1988). Mis dans de telles conditions et sans aucune limite de temps imposée, les sujets avaient tendance à moins se fier à leurs schémas et à davantage considérer l'ensemble de l'information disponible.

La cible adopte une identité qui ne correspond pas au schéma utilisé. Il est fréquent d'observer que les individus coopèrent entre eux dans des situations de perceptions sociales. Les percevants sont généralement motivés à percevoir les cibles selon des caractéristiques ou des termes que les cibles veulent bien accepter (Swann, 1984). Toutefois, dans certaines situations, les cibles peuvent inciter les percevants à porter attention à certaines caractéristiques en désaccord avec leurs schémas et même à changer leur perception initiale en résistant à des jugements erronés. Par exemple, lorsque les cibles se montrent certaines de leur concept de soi, les percevants éprouvent beaucoup de difficultés à agir en fonction d'une impression initiale erronée. Il devient alors plus probable que la cible incite le percevant à reconsidérer sa perception initiale et à adopter une perception en accord avec le concept de soi de la cible (Swann & Ely, 1984; Swann, Pelham & Chidester, 1988).

Un continuum de processus perceptuels

Au cours des dernières années, les psychologues sociaux se sont penchés sur l'étude des mécanismes schématiques et sur les attributs de la personne comme déterminants de la formation d'impression (voir Fiske & Neuberg, 1990; Fiske & Pavelchak, 1986; Pavelchak, 1989; Srull & Wyer, 1989). Ces auteurs s'entendent pour dire que nous pouvons nous faire des impressions des autres de plusieurs façons. Ces façons peuvent se placer sur un continuum allant des processus reposant principalement sur les schémas aux processus reposant principalement sur les attributs de la personne et ces processus dépendent partiellement de la configuration de l'information disponible. Les stimuli facilement classables en schémas devraient déclencher des processus schématiques alors que les stimuli difficilement classables devraient déclencher des processus reposant sur les attributs (processus d'intégration de l'information). Fiske et Neuberg (1990) ont proposé un modèle qui tient compte de ces deux perspectives dans la formation d'impression. Ce modèle peut être représenté en quatre étapes principales (voir la figure 4.4). Après avoir perçu une personne, la première étape consiste à prendre certains des attributs de la cible et à essayer de les catégoriser à l'aide de schémas. Il s'agit ici de vérifier s'il est possible de catégoriser la personne à l'aide de schémas existant déjà chez le percevant. Une fois le schéma choisi (même s'il l'est uniquement de façon préliminaire), dans une deuxième étape nous étudions des attributs additionnels afin de vérifier l'exactitude du schéma initial choisi. Si le schéma est jugé correct et qu'il permet d'expliquer l'ensemble ou la plupart des attributs de la personne, notre perception de la personne et nos réponses vis-à-vis de celle-ci seront déterminées exclusivement par nos schémas. Ce mécanisme représente le mode préféré de traitement de l'information sur la cible (*top down*, Fiske & Neuberg, 1990).

FIGURE 4.4 **Continuum de processus de formation d'impression**

Continuum des processus	Exemples de renseignements utilisés
1. Catégorisation initiale	
a) Étiquette seulement (aucune donnée)	Paul C., étudiant en génie Les Allemands en général
b) Données facilement catégorisées	Un étudiant toujours en retard et qui ne comprend pas le contenu du cours Un individu athlétique, à l'esprit de compétition et non intellectuel
2. Catégorisation confirmative	
a) Étiquette et données en accord avec la catégorie	Un vendeur opportuniste et sans cœur Un homme fort et affirmatif
b) Étiquette et données mixtes	Un étudiant désavantagé qui quelquefois réussit bien et quelquefois réussit moins bien Une femme à l'occasion affirmative et à l'occasion passive
c) Étiquette et données non associées avec la catégorie	Un criminel qui a plusieurs enfants Un individu d'origine asiatique qui conduit une voiture
3. Recatégorisation	
a) Faible étiquette et données non associées	Un artiste qui a un emploi à temps plein et qui regarde la télévision Un violeur qui administre une quincaillerie
b) Étiquette et données non associées	Un homme divorcé qui a la garde de ses deux enfants Une femme qui réagit toujours de façon agressive Un médecin ignorant, inefficace et non entreprenant
4. Intégration de l'information	
Percevant motivé à bien évaluer la cible	Un postulant pour un emploi en informatique qui est intelligent, travailleur, mais peu sympathique

Ce processus va de l'utilisation de renseignements basés sur une catégorie à l'utilisation d'information basée sur l'individu (adapté du modèle proposé par Fiske & Neuberg, 1990).

Par contre, si notre appréciation de l'exactitude du schéma se révèle négative, dans une troisième étape le percevant essaiera d'utiliser des sous-catégories qui lui permettront alors de catégoriser la cible. La sous-catégorisation représente un genre d'hybride entre une analyse schématique et une analyse reposant sur les attributs. Par exemple, si vous possédez des schémas au contenu négatif sur les rôles des politiciens et que vous recevez de l'information sur un politicien qui fait preuve d'honnêteté et d'intégrité, il se peut fort bien que vous vous fassiez une impression sur cette personne qui soit mitigée. Ainsi vous pourriez dire que « c'est un politicien *intègre* et *honnête* ». Une telle perspective de sous-catégorisation permet l'utilisation des schémas mais également des attributs de la personne. L'appréciation est donc issue d'une interaction entre les deux perspectives. Enfin, dans une quatrième étape, si la sous-catégorisation s'avère impossible, alors l'impression suscitée par la cible reposera entièrement sur ses attributs. Les processus d'intégration de l'information (de moyenne ou de moyenne pondérée) seront alors utilisés. Ce phénomène est appelé « influence provenant du bas » *(bottom up)*.

Pavelchak (1989) a mené une étude afin de vérifier certains des postulats du modèle présenté ci-dessus. De façon plus précise, il désirait vérifier si les deux points extrêmes du continuum des processus de perception sociale, soit les processus schématiques d'une part et les processus relatifs aux attributs de la cible d'autre part, constituaient effectivement des processus différents. Cette étude se divisait en deux phases. Dans la première phase, les sujets devaient juger de 35 domaines d'études (le droit, la médecine, l'administration, etc.) et de 50 traits de personnalité (hostile, généreux, intelligent, etc.). Puis deux semaines plus tard, au cours de la seconde session, on présenta aux sujets six personnes (cibles) différentes possédant chacune quatre traits de personnalité distincts (parmi ceux présentés à la première phase de l'étude). Deux conditions expérimentales furent utilisées. Dans la condition schématique, les sujets devaient essayer de deviner le domaine d'études de chacune des six personnes stimuli (les cibles) et par la suite indiquer à quel point ils aimaient la personne en question. L'hypothèse était qu'afin de pouvoir deviner le domaine d'études de la cible les sujets utiliseraient ses attributs (traits de personnalité) et essaieraient de les associer à un schéma préexistant, leur permettant ainsi de détecter avec plus ou moins de certitude le domaine d'études de la personne. Dans la seconde condition expérimentale, celle des attributs, les sujets devaient en premier lieu indiquer à quel point ils aimaient la personne et essayer par la suite de deviner son domaine d'études. L'hypothèse était ici que le processus qui mènerait le percevant à aimer la cible reposerait sur les attributs de cette dernière. Donc, la première condition devait engendrer une impression de la personne reposant sur les processus schématiques, alors que la seconde condition de l'étude devait mener à une formation d'impression reposant sur les attributs de la cible. Les résultats de l'étude ont révélé un modèle en accord avec la position théorique de Fiske et Neuberg (1990). Effectivement, pour les sujets dans la condition schématique, leur impression générale de la personne résultait surtout de leurs schémas ainsi que légèrement des attributs de la cible. Par contre, pour les sujets dans la condition des attributs, l'impression qu'ils se faisaient des différentes cibles résultait surtout des différents attributs de la cible ainsi que légèrement des schémas. Il semble donc que les deux processus puissent être utilisés dans la formation d'impression sur une personne. Toutefois, plus de recherches doivent être effectuées afin de déterminer plus clairement quand l'un et l'autre des processus sont utilisés et quand il y a intégration des deux processus dans la formation d'impression.

LES PERCEPTIONS SOCIALES IMPLIQUANT DES INTERACTIONS ENTRE LE PERCEVANT ET LA CIBLE

L'utilisation de schémas pour traiter l'information se révèle importante non seulement parce qu'ils aident les gens à porter des jugements et à prendre des décisions, mais aussi parce qu'ils fournissent certaines indications pour nos interactions avec les individus perçus. Nous pouvons obtenir des renseignements sur les cibles de nos perceptions de plusieurs façons. À l'occasion, nous pouvons entendre parler d'elles avant même de les rencontrer ou nous pouvons avoir des indices sur le genre de personnes qu'elles représentent d'après l'observation de leurs comportements initiaux. Cependant, peu importe la manière utilisée pour nous faire une impression d'une autre personne, nous pouvons imaginer assez rapidement les réactions de la cible dans certains contextes sociaux. Lorsque nous avons l'occasion d'interagir avec la cible, quel est son rôle dans la formation d'une impression ? Lorsque nous utilisons nos schémas, comment ces idées ou schémas influent-ils sur notre comportement envers la cible ? Quelles sont les conséquences de nos actions sur le comportement de la cible et, éventuellement, les perceptions ultérieures de la cible sur nous-mêmes ? Dans cette section, nous allons jeter un coup d'œil sur les études qui ont pris en considération le rôle joué par la cible dans la formation d'une perception, l'influence des interactions entre un percevant et une cible sur les comportements manifestés par les deux parties et les conséquences de ces interactions sur les perceptions qui en résultent.

L'influence de la cible dans la formation des perceptions sociales

La plupart des travaux cités jusqu'à maintenant laissent sous-entendre que les cibles jouent un rôle passif dans la formation des perceptions sociales, c'est-à-dire qu'elles se laissent percevoir sans tenter d'influencer le percevant. Cette prémisse reflète-t-elle bien la réalité ? Selon plusieurs auteurs, les cibles jouent un rôle très actif dans la formation des perceptions sociales, c'est-à-dire qu'elles désirent être perçues comme elles se perçoivent elles-mêmes (Lecky, 1945; Secord & Backman, 1965; Swann, 1987).

Dans le cadre du chapitre sur le soi, il était mentionné que les individus possèdent la capacité d'observer leur propre comportement et les réactions des gens qui les entourent devant leurs propres comportements, et qu'ils comparent leurs performances avec celles des autres. Graduellement, ils utilisent ces observations pour se former un concept de soi. À mesure que nous construisons un concept de soi, nous commençons aussi à agir de façon à vérifier et à confirmer les perceptions que nous avons de nous-mêmes. Il en résulte une série d'activités comportementales au cours desquelles la cible tente d'influer sur l'image du percevant. Selon Swann (1987), ces activités consistent à entretenir certaines interactions de façon sélective, à déployer un éventail d'indices correspondant à la façon dont nous désirons être perçus et à interagir avec autrui de manière à influer sur ses perceptions.

Le maintien d'interactions sélectives. L'idée que les individus décident d'interagir avec autrui ou d'entretenir certaines relations de façon sélective a été soutenue dans plusieurs contextes. Par exemple, Pervin et Rubin (1967) ont observé que des élèves avaient tendance à décrocher du milieu scolaire s'ils allaient dans une école incompatible avec l'image qu'ils avaient d'eux-mêmes. Swann et Predmore (1985) ont découvert que des étudiants du collégial avaient tendance à changer de colocataires lorsque ceux-ci avaient une perception différente d'eux, que cette perception soit positive ou négative. D'une façon similaire, il a été observé que lorsque des individus dépressifs avaient le choix d'interagir avec un partenaire les percevant positivement ou quelqu'un les percevant négativement, ils démontraient une nette préférence pour la personne les percevant négativement (Swann, 1987). Une caractéristique importante de cette stratégie est qu'en décidant d'interagir avec des individus semblables à nous nous contribuons au développement d'une situation facilitant le maintien de l'image que nous avons de nous-mêmes.

Le dévoilement d'indices sur notre identité. Une deuxième stratégie utilisée pour nuancer les perceptions des gens qui nous entourent consiste à relever certains indices correspondant à l'image ou à l'identité que nous voulons adopter. Ces indices peuvent caractériser notre habillement (le type de vêtements portés pour une allure sportive, décontractée, méticuleuse, avant-gardiste, etc.), notre apparence physique (l'utilisation de maquillage, le port d'une perruque) ou les postures ou manières que nous adoptons. Ces indices peuvent même aller jusqu'à la modification de certaines caractéristiques de notre apparence physique. Ce sont les cas par exemple de l'athlète qui lève des poids afin de développer une forte musculature, des individus qui suivent des régimes sévères afin de projeter l'image d'une personne svelte, de ceux qui teignent leurs cheveux afin de paraître plus jeunes ou qui subissent des opérations chirurgicales (pose d'implants mammaires, reconstruction du visage, liposuccion...) afin de changer radicalement leur apparence physique. Finalement, si ces indices ne suffisent pas, certains ont recours à l'emploi de titres ou d'étiquettes caractérisant leur occupation, indiquant par le fait même l'identité qu'ils désirent adopter.

L'adoption de stratégies appropriées dans les interactions. Les deux stratégies décrites ci-dessus ne permettent cependant pas d'envisager les possibilités qu'un individu perçoive une cible selon une caractéristique non désirée par la cible ou une caractéristique ne correspondant pas à l'image que la cible se fait d'elle-même. Lorsque de tels scénarios se présentent, les cibles ont alors tendance à intensifier leurs efforts pour inciter le percevant à modifier l'image qui a été construite. Afin de mieux saisir le fonctionnement d'une telle stratégie, examinons plus en détail une étude effectuée par Swann et Read (1981). Ces chercheurs informèrent des sujets se percevant eux-mêmes comme des gens agréables ou désagréables qu'ils auraient à interagir avec des percevants qui s'étaient déjà fait une impression d'eux. Certains sujets apprirent que les percevants avaient une perception positive d'eux ; quelques sujets apprirent que les percevants avaient une perception négative d'eux ; et finalement d'autres sujets ne surent rien de la perception des percevants. Comme il est possible de l'observer à la figure 4.5, les cibles tentèrent globalement de solliciter des réactions qui confirmaient la perception qu'elles avaient d'elles-mêmes. En revanche, ce qui est plus intéressant, les moyennes à la figure 4.5 indiquent que cette tendance était principalement prononcée lorsque les cibles croyaient que l'impression des percevants était différente de celle qu'elles avaient d'elles-mêmes. Les cibles qui

FIGURE 4.5 **Autovérification au cours d'interactions sociales**

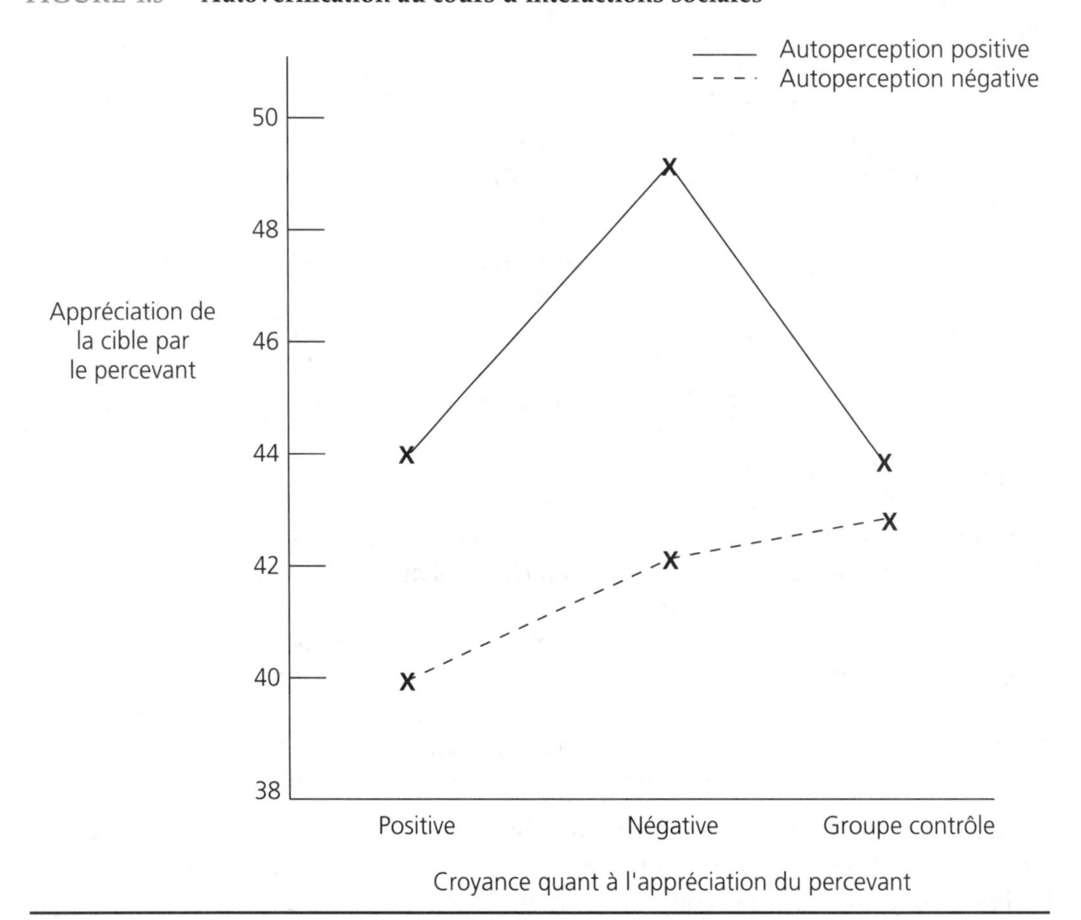

Adapté de Swann et Read (1981).

se percevaient comme des personnes agréables sollicitèrent des réactions positives principalement lorsqu'elles crurent que les percevants avaient une image négative d'elles et les cibles qui possédaient une image négative d'elles-mêmes sollicitèrent plus de réactions lorsqu'elles crurent que les percevants avaient une image positive d'elles.

La vérification confirmative des hypothèses

Une quantité considérable d'études indiquent que chacun d'entre nous interagit avec autrui de façon à confirmer les croyances qu'il a par rapport aux gens qui l'entourent. Nous utilisons donc des stratégies particulières qui ont pour effet de solliciter de l'information sur les autres qui augmente les probabilités que nos croyances (ou schémas) sur nous-mêmes (Swann, 1987) ou sur les autres (Snyder & Gangestad, 1981) soient confirmées. Tel qu'il est indiqué ci-dessus, nous agissons de la sorte de façon à former des perceptions de sécurité et de contrôle sur le monde qui nous entoure. En somme, nous agissons ainsi dans le but de mieux comprendre et de prédire les activités se produisant autour de nous. Nous venons de voir, dans la section précédente, que nos comportements pouvaient nous permettre de vérifier et de confirmer les perceptions que nous avions de nous-mêmes, et que celles-ci nuançaient la manière dont les autres individus nous percevaient. Dans cette section, nous allons voir que les croyances ou schémas conçus sur le monde qui nous entoure peuvent aussi influer sur nos comportements avec autrui pour éventuellement créer un contexte où nous incitons la cible à confirmer nos hypothèses à son égard.

Comment un tel phénomène peut-il se produire ? Prenons un exemple. Vous apprenez que Marie, une étudiante d'un de vos cours de psychologie et qui est une femme très attirante physiquement, est membre de l'équipe de basket-ball de l'université et qu'elle est toujours entourée d'amis ou d'admirateurs. Vous vous faites donc rapidement une image de Marie comme étant une personne sociable, athlétique et enthousiaste. Lorsque vous observez Marie avant ou après les cours ou encore au moment des pauses, vous voyez des gens lui demander les résultats du dernier match de basket-ball, ce qui ne manque pas d'intéresser plusieurs personnes dans la classe. En passant près du gymnase quelques jours plus tard, vous en profitez pour jeter un coup d'œil sur l'entraînement des joueuses de l'équipe de basket-ball. Encore une fois, vous observez Marie en pleine action, courant et encourageant ses coéquipières. Vous en venez vite à la conclusion qu'effectivement Marie est enthousiaste, athlétique et qu'elle se débrouille très bien sur le plan social. Dans un cours, vous avez l'occasion de jaser avec elle. Vous lui posez des questions à propos de l'équipe de basket-ball, des autres sports qu'elle pratique, des nombreuses occasions qu'elle a de rencontrer des gens et de socialiser avec eux. Toute cette information vient confirmer votre idée initiale sur Marie, à savoir qu'elle est une personne avec qui il est agréable de jaser, active physiquement et extravertie. Cependant, au cours d'une de vos discussions avec l'un de vos meilleurs amis demeurant dans un appartement avoisinant celui de Marie, vous lui demandez s'il connaît Marie et ce qu'il pense d'elle. À votre grande surprise, il décrit Marie comme une personne tranquille, introvertie et qui ne semble pas très active physiquement. Comment deux personnes peuvent-elles arriver à des perceptions si différentes de Marie ?

Lorsque nous examinons le déroulement des événements, nous pouvons nous rendre compte que Marie n'est pas du tout responsable de la confirmation des perceptions à son égard. Il semble plutôt que vous vous soyez trompé en recherchant de l'information qui biaisait votre perception de Marie et confirmait vos croyances initiales. Par exemple, en décidant de jeter un coup d'œil sur l'entraînement de l'équipe de basket-ball, quelles étaient les chances de voir Marie inactive physiquement et socialement, ne jouant pas au basket-ball? En posant des questions précises à Marie en rapport avec ses activités et associées à vos croyances, quelle occasion avait-elle de vous donner une image différente d'elle ? Probablement aucune. Ce processus, désigné comme la **vérification confirmative de nos hypothèses,** peut être constitué de deux types de comportements, la perception biaisée de certains comportements adoptés par la cible et la manifestation de comportements particuliers nous amenant à aller chercher l'information confirmant nos croyances. Ce phénomène a été observé dans une grande variété de contextes sociaux (voir Higgins & Bargh, 1987; Snyder, 1984). Par exemple, Snyder et Swann (1978) avaient indiqué à des étudiants qu'ils allaient interviewer d'autres étudiants dans le cadre d'une étude en laboratoire. Il fut demandé à la moitié des sujets de vérifier si les personnes interviewées étaient extraverties, tandis que l'autre moitié des sujets reçurent la consigne de vérifier si les individus interviewés étaient introvertis. Tous les sujets reçurent un ensemble de questions portant sur des comportements extravertis et des comportements introvertis, et il leur fut demandé de choisir des questions pouvant permettre de déterminer le caractère introverti ou extraverti de l'autre personne. Les sujets qui avaient reçu la consigne de vérifier si la personne interviewée était extravertie choisirent de poser des questions portant sur les comportements extravertis (« Que feriez-vous pour mettre un peu d'entrain dans une fête ?»), tandis que ceux qui devaient déterminer si la personne était introvertie posèrent des questions relatives aux comportements introvertis (« Quels sont les facteurs qui font qu'il vous est difficile de discuter ouvertement avec les autres ?»). Ces questions firent en sorte que les sujets interviewés apparurent comme extravertis ou introvertis, respectivement, simplement parce qu'ils répondirent aux questions qui leur étaient posées.

Bien qu'un grand nombre d'études soutiennent le phénomène de la vérification confirmative de nos hypothèses, il existe des situations au cours desquelles les percevants sont moins susceptibles d'utiliser des questions menant les cibles à confirmer leurs croyances initiales. Le fait de posséder une hypothèse de remplacement ou d'avoir un besoin d'information valide réduit l'envie chez les individus de confirmer sélectivement leur hypothèse (Kruglanski & Mayseless, 1988; Skov & Sherman, 1986; Trope & Mackie, 1987). Par exemple, lorsque des individus prévoient de travailler avec la cible ultérieurement, ils posent des questions plus précises et il devient moins probable qu'ils vont s'engager dans des processus les amenant à confirmer sélectivement leurs croyances initiales (Darley, Fleming, Hilton & Swann, 1988).

Les prophéties qui s'autoréalisent et leurs effets : l'influence des perceptions initiales sur les comportements du percevant

À l'occasion, le schéma que vous possédez sur un autre individu influera non seulement sur le type d'information que vous allez rechercher au sujet de la cible et sur les jugements que vous allez porter sur elle, mais aussi sur vos comportements envers elle, sur ses réactions vis-à-vis de vos comportements et même sur les perceptions que la cible aura d'elle-même. Comme l'illustre la figure 4.6, lorsque les croyances erronées du percevant incitent la cible à adopter les comportements caractérisant les attributs devinés par le percevant, nous pouvons observer un phénomène appelé « prophéties qui s'autoréalisent » *(self-fulfilling prophecies).*

Le concept de la **prophétie qui s'autoréalise** a été introduit dans un article percutant de Merton en 1948. Selon lui, une prophétie qui s'autoréalise représente, à l'origine, une définition erronée d'une situation qui provoque un nouveau comportement qui, une fois manifesté, fait en sorte que la définition erronée originale devient vraie. En conséquence, une prophétie qui s'autoréalise perpétue une croyance erronée. Les prophéties qui s'autoréalisent ont constitué l'objet d'analyses dans plusieurs situations sociales allant des variations dans les valeurs boursières aux cycles d'escalade dans la course aux armements à l'origine de conflits internationaux (Allport, 1954). Dans de tels cas, les attentes d'une

FIGURE 4.6 **Modèle sur les prophéties qui s'autoréalisent**

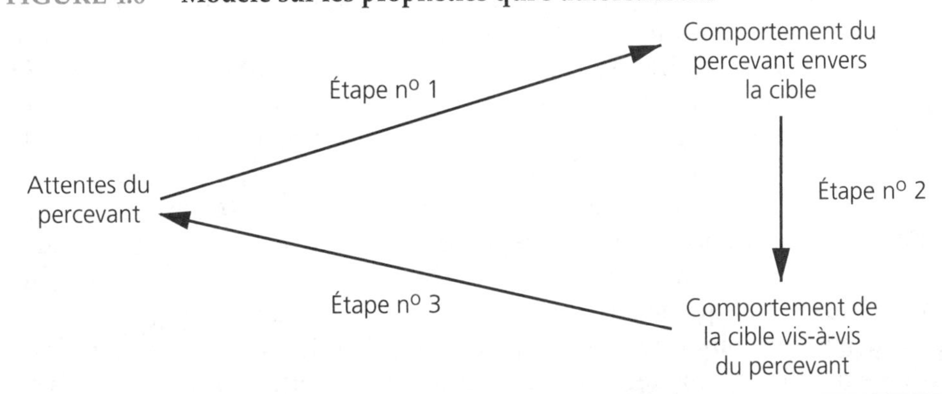

Selon le modèle des prophéties qui s'autoréalisent, 1) un percevant se crée des attentes quant aux caractéristiques d'une cible, 2) le percevant agit en fonction des attentes créées quant à la cible, 3) la cible réagit ou ajuste son comportement en fonction des actions du percevant, confirmant ainsi ses attentes initiales.

nation amorcent un ensemble de réactions confirmatives. Ainsi, lorsque le pays A s'attend à ce que le pays B se montre hostile et menaçant, le pays A peut se mettre à augmenter son armement. Le pays B interprète les actions du pays A comme une menace pour sa sécurité et à son tour il augmente son armement. La réaction du pays B est finalement interprétée par le pays A comme une confirmation indépendante de ses attentes initiales.

Dans le contexte du paradigme sur les prophéties qui s'autoréalisent, tel que le définit Merton, des percevants reçoivent de l'information les incitant à se créer des attentes erronées sur la cible. Il est important de préciser que parfois les prophéties qui s'autoréalisent peuvent être basées sur des faits réels.

Rosenthal et Jacobson (1968) furent les premiers à vérifier l'existence de prophéties qui s'autoréalisent dans un contexte scolaire en prenant bien soin d'inclure dans le paradigme la présence d'une condition où aucune attente erronée n'était introduite. Les enseignants de leur étude furent amenés à croire que certains de leurs élèves étaient plus lents que d'autres à comprendre la matière. Même si cette information était fausse, les élèves désignés comme retardataires obtinrent de moins bonnes notes que les autres. Cette étude fut très controversée et elle fut critiquée sur plusieurs aspects méthodologiques. Les études qui suivirent ne reproduisirent pas toujours les résultats obtenus par Rosenthal et Jacobson. Cependant, un fait demeura dans l'esprit des chercheurs : la performance des élèves pouvait être influencée par les attentes des enseignants. Au cours d'une revue des études effectuées dans les années 1960 et 1970 sur ce sujet, Rosenthal et Rubin (1978) conclurent que l'existence de différentes formes d'attentes chez des enseignants avait provoqué des prophéties qui s'autoréalisaient dans les deux tiers des 345 études qu'ils avaient recensées.

Très peu de ces recherches avaient porté sur les processus médiateurs sous-jacents à ce phénomène. Ce n'est que vers la fin des années 1970 que Snyder et ses collègues (Snyder & Swann, 1978; Snyder, Tanke & Berscheid, 1977) se mirent à examiner en détail certains de ces processus sous-jacents. Ils nommèrent « paradigme de la confirmation béhavioriste » le phénomène des prophéties qui s'autoréalisent pour faire ressortir la nature des processus comportementaux à la base de la confirmation des attentes initiales des percevants et pour distinguer les circonstances où il y avait interaction entre un percevant et une cible (le cas du paradigme de la confirmation béhavioriste) des circonstances où des prophéties pouvaient se réaliser sans interaction entre deux individus. Par exemple, si vous croyez en l'astrologie et que selon votre horoscope cette journée est une journée idéale pour acheter un billet de loterie, en achetant un billet vous augmentez vos chances de gagner. En n'achetant pas de billet les autres journées, vos chances de gagner sont complètement nulles. Si vous gagnez (!), vos croyances quant à la valeur prédictive des horoscopes seront confirmées. Dans le cas de cet exemple, une prophétie pourrait s'autoréaliser sans que celle-ci implique une interaction avec une autre personne.

Afin d'étudier les processus menant à une confirmation béhavioriste des attentes des percevants, Snyder *et al.* (1977) donnèrent à des étudiants masculins de l'information sur une femme travaillant sur le campus. Cette information incluait une photographie qui représentait cette femme comme une personne soit très attirante ou peu attirante physiquement. Les photographies étaient fausses et n'avaient rien à voir avec la véritable apparence physique de la femme en question. Il fut alors demandé à ces étudiants de téléphoner à cette femme et de jaser avec elle pendant 10 minutes. Les conversations téléphoniques furent enregistrées. Il fut observé que les hommes qui croyaient interagir avec une femme attirante physiquement se comportèrent d'une manière beaucoup plus amicale et chaleureuse que les hommes qui croyaient interagir avec une femme non attrayante physiquement. Ce qui fut encore plus intéressant, c'est que les comportements des hommes eurent pour effet d'inciter les femmes à réagir de façon à confirmer les attentes initiales des hommes. Les femmes qui avaient été catégorisées aléatoirement comme des personnes attirantes, comparativement à celles non attirantes, devinrent plus amicales, aimables et sociables au cours de leur interaction téléphonique avec les sujets masculins. Cette réaction de leur part eut pour conséquence d'inciter les sujets masculins à croire qu'effectivement l'attirance physique des femmes correspondait aux attentes créées initialement, confirmant ainsi les croyances initiales des hommes et soutenant implicitement un stéréotype quant aux comportements interpersonnels des femmes attirantes et non attirantes physiquement (Snyder, 1984).

Le rôle de la cible dans la perception résultante : la négociation d'une identité entre la cible et le percevant

La conclusion de la discussion présentée jusqu'à maintenant est que les schémas constituent des structures cognitives puissantes qui influent non seulement sur la façon dont l'information est perçue, mais aussi sur le déroulement des interactions dans des contextes sociaux. Lorsque nos interactions avec les gens qui nous entourent sont influencées de la sorte, notre perception initiale se trouve confirmée, ce qui a pour effet de nous inciter à forger une croyance (souvent erronée) sur les gens de notre entourage. Quelquefois cependant, les gens qui ont des perceptions erronées des autres rencontrent des individus qui considèrent ces croyances à propos d'eux comme incorrectes. Qu'advient-il alors des croyances du percevant ? En d'autres mots, qui, du percevant ou de la cible, va réussir à changer la perception de l'autre ?

Swann et Ely (1984) ont proposé que la capacité des individus de résister aux influences des percevants pouvait être expliquée par le degré de certitude que les gens ont quant à leurs propres perceptions. Selon Swann (1987), à mesure que les gens deviennent certains de leurs propres caractéristiques, ils ont tendance à se fier à celles-ci pour organiser leurs expériences et pour prédire les événements futurs, et ils défendent activement celles-ci face à des perceptions erronées sur eux. Les individus certains de leurs autoperceptions cherchent à confirmer leurs perceptions d'eux-mêmes dans leurs interactions sociales.

Par exemple, au cours d'une étude effectuée par Swann et Ely (1984), des percevants ont été amenés à se créer des attentes certaines ou incertaines qui étaient opposées aux perceptions que les cibles avaient d'elles-mêmes. Ainsi quelques percevants furent amenés à croire qu'une cible était extravertie ou à douter de cette caractéristique (alors que la cible se percevait comme une personne introvertie), tandis que d'autres percevants furent amenés à croire qu'une cible était introvertie ou à douter de ce fait (alors que la cible se percevait comme une personne extravertie). Les percevants ont alors interagi avec des cibles qui possédaient des perceptions certaines ou incertaines de leur introversion ou de leur extraversion. Les résultats de cette étude ont indiqué que les autoperceptions de la cible constituaient des déterminants plus puissants que les attentes des percevants quant au comportement de la cible. Après que le percevant eut interagi avec la cible, ses impressions étaient plus en accord avec les autoperceptions de la cible qu'avec ses croyances initiales à son sujet. Les confirmations béhavioristes se produisaient seulement lorsque les cibles étaient incertaines de leur introversion ou de leur extraversion, et que les percevants étaient certains de leurs croyances. En d'autres mots, lorsque les percevants étaient certains de leur attribut et les cibles incertaines, les percevants réussissaient à influencer la cible de façon à ce que celle-ci se comporte selon leurs croyances. Le point essentiel à retenir ici est que les attentes des percevants peuvent exercer une influence sur les comportements des cibles, mais elles n'incitent pas les cibles à agir en opposition avec des conceptions d'elles-mêmes qui sont profondément ancrées en elles.

Une autre caractéristique de la cible pouvant modifier l'issue de la négociation entre elle et le percevant réside dans son degré de motivation à repousser les attentes du percevant. Habituellement, les attentes des percevants ne sont pas déclarées publiquement, elles sont subtilement incluses dans le processus de la négociation d'une identité. Dans une étude effectuée par Hilton et Darley (1985), quelques percevants furent amenés à croire que des cibles avaient une personnalité froide, tandis que d'autres percevants ne furent pas informés des caractéristiques de la cible. Parallèlement à ces conditions, des cibles furent informées que des percevants s'attendaient à ce qu'elles réagissent de façon froide, tandis que d'autres cibles ne reçurent pas cette information. Les résultats de cette étude ont démontré que les cibles informées du fait que les percevants avaient des attentes particulières quant à leur comportement furent en mesure de renverser les impressions des percevants. Les cibles qui ne furent pas informées des attentes des percevants furent incapables de détecter les indices des percevants et se comportèrent conformément à leurs attentes.

Le degré de certitude des autoperceptions de la cible et la motivation à repousser les attentes du percevant ne constituent que deux exemples de variables nous informant sur le rôle actif de la cible dans les processus de perceptions sociales. Selon Swann (1987), les individus jouent un rôle très actif dans les contextes de perceptions sociales afin de s'assurer qu'ils sont perçus conformément à leurs propres croyances. Pour ce faire, les individus peuvent 1) choisir les partenaires avec qui ils veulent interagir de façon à s'assurer que ceux-ci les perçoivent selon leurs autoconceptions (ainsi, bien que nous entretenions des relations avec plusieurs personnes, nous choisissons de maintenir des relations intimes avec celles qui se trouvent en accord avec nous [Swann, 1987, 1990]); 2) dévoiler publiquement ou clairement certains indices (coupe de cheveux, boucles d'oreilles, vêtements particuliers) afin de favoriser encore une fois des perceptions et des interactions sociales en accord avec leurs propres perceptions; et 3) adopter des stratégies au cours d'interactions avec d'autres individus de façon à ce que ceux-ci les perçoivent de la façon désirée (par exemple adopter une mine triste ou déprimée afin que nos amis nous demandent ce qui ne va pas et nous donnent ainsi l'occasion de parler de nous).

Bref, les gens que nous percevons ne sont pas, comme nous le mentionnions au début du chapitre, des objets inertes. Ils jouent un rôle actif dans des situations où il y a perception sociale et par le fait même ils influent grandement sur la perception sociale dont ils sont l'objet.

RÉSUMÉ

L'étude des cognitions sociales a trait à l'étude des processus utilisés par les gens pour interpréter, analyser, se remémorer et traiter l'information provenant de leur environnement social. Nous avons vu dans ce chapitre qu'à cause principalement des capacités limitées de l'individu de traiter l'information sociale il lui est nécessaire d'élaborer des stratégies afin d'utiliser l'information disponible efficacement et de porter des jugements rapidement. Ces stratégies cognitives consistent en l'utilisation d'heuristiques et de schémas. Les heuristiques représentent des règles décisionnelles rapidement applicables, faciles à utiliser et la plupart du temps correctes, bien qu'à l'occasion elles mènent à des erreurs. Les schémas servent à emmagasiner l'information perçue et à la traiter. Les schémas servent aussi à déterminer ce à quoi le percevant peut s'attendre des individus autour de lui ou des contextes dans lesquels il se trouve. L'utilisation des schémas peut elle aussi conduire à la formation de croyances erronées, à l'introduction de biais dans l'information perçue et retenue en mémoire et à des erreurs perceptuelles. La plupart des situations où il y a perception sociale peuvent être catégorisées d'une part selon un contexte où un individu perçoit une cible sans avoir à entrer en interaction avec elle. La tâche du percevant consiste alors à traiter l'information provenant de la cible afin de se faire une première impression ou d'essayer d'intégrer plusieurs caractéristiques de la cible en une seule perception. Dans ces contextes, une multitude de facteurs peuvent modifier les perceptions des individus. Ces facteurs peuvent être regroupés selon trois catégories: les caractéristiques de la cible (par exemple ses aspects saillants), les caractéristiques du contexte (la définition du contexte social ou les aspects saillants du contexte) et les caractéristiques du percevant (par exemple les buts visés dans la formation des perceptions). D'autre part, les situations où il y a perception sociale peuvent aussi impliquer des interactions entre le percevant et la cible. Dans de tels contextes, il a été observé que le percevant tentait de vérifier de façon confirmative ses croyances initiales et que les croyances du percevant pouvaient influer sur les comportements adoptés pour interagir avec la cible de telle façon que la cible puisse éventuellement confirmer les attentes initiales du percevant. Bien que relativement fréquentes, ces prophéties qui autoréalisent ou confirmations béhavioristes ne se produisent pas tout le temps. Une analyse du rôle joué par la cible dans les contextes où il y a perception sociale indique qu'elle joue un rôle dynamique dans ce contexte. Principalement lorsque les cibles sont certaines de leur propres caractéristiques ou qu'elles sont conscientes des attentes des percevants, elles peuvent les inciter à changer leur croyance initiale sur elles-mêmes. Les cibles peuvent aussi jouer un rôle actif en projetant une image désirée ou en adoptant des comportements particuliers qui ont pour but d'inciter les percevants à les voir selon l'identité souhaitée.

BIBLIOGRAPHIE SPÉCIALISÉE

Fiske, S.T. & Taylor, S.E. (1991). *Social cognition* (2nd ed.). New York: McGraw-Hill.

Higgins E.T. & Sorrentino, R.M. (Eds.). (1986). *Handbook of motivation and cognition : Foundations of social behavior*. New York: Guilford.

Jones, E.E. (1990). *Interpersonal perception*. New York, NY: W.H. Freeman.

Schneider, D.J., Hastorf, A.H. & Ellsworth, P.C. (1979). *Person perception*. Reading, MA: Addison-Wesley.

Sorrentino, R.M. & Higgins, E.T. (Eds.). (1990). *Handbook of motivation and cognition : Foundations of social behavior*. (Vol. 2). New York: Guilford.

Taylor, S.E. (1989). *Positive illusions : Creative self-deception and the healthy mind*. New York: Basic Books.

Wyer, R.S., Jr. & Srull, T.K. (Eds.). (1984). *Handbook of social cognition* (Vols. 1-3). Hillsdale, NJ: Erlbaum.

Zebrowitz, L. (1990). *Social perception*. Pacific Grove, CA: Brooks/Cole.

CHAPITRE

5

LES ATTRIBUTIONS EN PSYCHOLOGIE SOCIALE

Robert J. Vallerand
Université du Québec à Montréal

Mise en situation

Introduction

Qu'est-ce qu'une attribution ?

- Définition
- Les types d'attributions
- Comment mesure-t-on les attributions ?

Les attributions : qui, quand et pourquoi

- Pourquoi faire des attributions ?
- Quand fait-on des attributions ?
- Qui fait des attributions ?

Comment on fait des attributions : les théories de l'attribution

- La théorie naïve de Heider
- La théorie des inférences correspondantes de Jones et Davis
- La théorie de la perception de soi de Bem
- Les théories de Kelley
- Les approches récentes

Les biais attributionnels

- Les biais dans les attributions des acteurs
- Les biais dans les attributions des observateurs
- Les différences entre les attributions émises par les acteurs et par les observateurs
- Les différences entre les sexes
- L'effet temporel

Les théories attributionnelles : l'étude des conséquences des attributions

- Les attributions et les émotions
- Les attributions et la motivation
- Les attributions et l'adaptation psychologique à la suite d'événements négatifs
- Modifier les attributions

Résumé

Bibliographie spécialisée

Encadré 5.1 Développement des mesures des attributions

Encadré 5.2 Attributions et santé

Encadré 5.3 Attributions et conséquences interpersonnelles

MISE EN SITUATION

Voilà arrivé le jour du résultat de l'examen de mi-session en psychologie de la personnalité. Claude se demande bien quelle sera sa note. Il en va de même pour Luc, son ami. Même si les deux amis croient que tout s'est bien passé, bien malin celui qui pourrait deviner sa note dès un premier examen. Ils repensent aux questions auxquelles ils se sont attardés durant l'examen, au comportement affable du professeur durant l'examen et ils ont même des souvenirs d'examens passés durant leurs cours antérieurs.

Claude est toujours perdu dans ses pensées lorsque soudainement il reçoit un coup de coude à l'estomac. Luc lui indique que la remise des notes a débuté. Claude ne peut s'empêcher de regarder les visages des autres étudiants: certains déploient un large sourire alors que d'autres font vraiment pitié. Puis Luc reçoit sa copie. Son expression en dit long: il a obtenu 57 %. Vous l'entendez marmonner: « Je le savais. Je ne suis pas bon en personnalité. Et puis, je ne suis pas un étudiant si intelligent que ça. Regarde-moi ça, pas capable de répondre aux trois premières questions "comme du monde". T'es vraiment nul, mon vieux. Je me demande si ça vaut la peine de continuer le cours. »

Et c'est au tour de Claude. Il a obtenu 59 %. Il se demande ce qui a bien pu se passer. Il avait pourtant assez bien étudié. En repassant les diverses questions, il se rend compte que le professeur s'est montré particulièrement sévère à son endroit. De plus, il semble que celui-ci a posé un certain nombre de questions qui n'étaient pas censées figurer à l'examen. Plus il pense à ceci et plus il devient en colère. Finalement, quand le professeur ajoute qu'il a été sévère dans le premier examen afin de « donner le ton » du cours, alors là il a le goût de lui dire sa façon de penser.

Dès la fin du cours, Claude se raidit sur sa chaise et se dirige vers le professeur afin de lui faire part de ses doléances. Ce faisant, il accroche Luc, par inadvertance, qui sortait de la classe la tête basse. Il lui demande où il va. Luc lui répond tout penaud qu'il va signer ses papiers d'abandon de cours. « T'es pas sérieux? répond Claude. Voyons donc, ce n'est pas de ta faute. C'est le professeur. Il a été sévère, ça n'a pas de bon sens. » Luc rétorque que le professeur n'est pas en cause, que c'est lui qui n'est pas bon et il quitte le local de classe. « Quel lâcheur ! » pense Claude à l'intérieur de lui-même. Les paroles de Luc font tout de même réfléchir Claude. Se pourrait-il que le professeur n'y soit pour rien dans les mauvaises notes et que celles-ci incombent uniquement aux étudiants ? Après tout, le professeur connaît bien sa matière. Pourtant, il semble que l'examen et la façon dont il a été corrigé soient injustes. Comment Luc peut-il se tenir responsable de sa mauvaise note ? Sans être parvenu à répondre à cette question, Claude se rend compte soudainement que le professeur vient juste de quitter le local et il se met à courir après lui. Il tient absolument à lui dire sa façon de penser : c'est de sa faute s'il a obtenu une

→

MISE EN SITUATION (suite)

mauvaise note à l'examen. Qui sait, peut-être saura-t-il apporter les mesures correctives qui s'imposent.

INTRODUCTION

Les comportements de Claude et de Luc dans l'exemple précédent sont intéressants, car ils démontrent qu'il nous arrive souvent de chercher la cause de divers événements de notre vie. L'explication ou la raison obtenue représente une **attribution.** Ainsi Luc a attribué son échec à son manque d'habiletés (et même d'intelligence) alors que Claude rend le professeur responsable de sa faible note. Une telle recherche d'information est tout à fait naturelle, car, comme l'a si bien mentionné Heider (1958), nous désirons connaître et contrôler notre environnement. Une pareille compréhension s'avère essentielle à notre « survie sociale », que ce soit dans la décision de poursuivre ou non un cours, comme dans l'exemple ci-dessus, ou dans tout autre secteur de notre vie.

Les attributions émises ne sont pas à coup sûr objectivement « correctes » et il se peut que des situations très similaires engendrent des attributions distinctes selon les individus ou les circonstances. À la lecture de l'exemple, n'avez-vous pas trouvé surprenant que deux étudiants, et par surcroît des amis, en arrivent à émettre des attributions différentes pour un même événement ? Une telle situation ne devrait plus vous surprendre. Comme nous l'avons vu dans les chapitres précédents, nous avons tous notre façon propre de percevoir notre environnement social. Munis de filtres et de schémas distincts, nous parvenons, dans notre recherche causale, à des résultats différents à l'occasion.

Qui plus est, des attributions différentes mènent généralement à des conséquences distinctes. Par exemple, l'attribution de Luc (il se rend responsable de sa mauvaise note) l'amène à vouloir abandonner le cours ; en revanche, l'attribution de Claude (il rend le professeur responsable de sa faible note) l'amène à aller le voir afin au moins de lui dire sa façon de penser et peut-être de l'inciter à modifier sa note.

Enfin, nous désirons non seulement trouver les causes des événements qui nous arrivent, mais également découvrir les causes du comportement des autres. Ainsi, dans l'exemple précédent, Claude a cherché à comprendre pourquoi Luc était parvenu à une raison (ou attribution) différente de la sienne. Comme nous le verrons dans ce chapitre, les attributions émises pour expliquer le comportement d'autrui peuvent jouer un rôle important dans notre propre comportement vis-à-vis des autres. Claude n'a-t-il pas traité Luc de lâcheur ?

Ce chapitre a pour but de brosser un tableau le plus fidèle possible des recherches et théories dans le secteur des attributions, et ainsi de permettre une compréhension plus éclairée de ce phénomène fascinant qui se situe au cœur de nos comportements sociaux de tous les jours. Nous commencerons donc par définir ce qu'est une attribution. Puis nous essaierons de déterminer quand et pourquoi des attributions sont effectuées ainsi que le type de personne la plus susceptible d'émettre des raisonnements causals. Par la suite, une présentation des principales théories de l'attribution permettra de saisir la nature des mécanismes qui nous amènent à émettre une attribution plutôt qu'une autre. Dans la quatrième section, nous traiterons d'une question connexe à la précédente, soit les divers biais qui influent sur l'issue de notre réflexion causale. Dans un cinquième temps, nous présenterons diverses théories attributionnelles, plus particulièrement celles qui cherchent à expliquer et à prédire les conséquences des attributions. Dans ce cadre, nous traiterons des conséquences de nature émotionnelle, motivationnelle et adaptative. Enfin, un résumé viendra clore le chapitre.

QU'EST-CE QU'UNE ATTRIBUTION?

Définition

Une attribution est une inférence ayant pour but d'expliquer *pourquoi* un événement a eu lieu ou encore qui essaie de déterminer les dispositions d'une personne (Harvey & Weary, 1981). La question «pourquoi?» que l'on se pose peut porter autant sur nos propres comportements que sur ceux des autres. L'explication donnée devient alors la cause perçue d'un événement ou d'un comportement, et correspond à une attribution. Il est important de souligner que l'attribution peut très bien être erronée. Une attribution représente une cause *perçue* et une telle perception n'assure en rien l'objectivité de la recherche attributionnelle.

Un étudiant qui se demande pourquoi il a échoué à son dernier examen (comme dans l'exemple précédent) et une femme cherchant à comprendre pourquoi son conjoint l'a frappée se posent tous deux des questions qui vont mener à des attributions. Les attributions émises par ces deux personnes auront un effet déterminant sur leurs comportements à venir. Si l'étudiant croit que son échec est dû à son manque de talent dans la matière en question, il se peut fort bien qu'il abandonne le cours (comme l'a fait Luc dans l'exemple du début); en revanche, s'il attribue son échec à une malchance, il pourrait poursuivre le cours tout en espérant être plus chanceux la prochaine fois. De façon analogue, si la femme violentée attribue les actions de son conjoint à des dispositions de ce dernier (par exemple la folie), elle pourrait le quitter; par contre, si elle s'attribue les événements (c'est-à-dire la provocation), elle pourrait fort bien poursuivre la relation, acceptant son sort avec résignation puisqu'elle se sent responsable de ce qui s'est passé. Les attributions jouent donc un rôle prépondérant dans nos comportements sociaux.

Les types d'attributions

Les attributions émises peuvent être regroupées en trois types principaux, soit les **attributions causales,** les **attributions dispositionnelles** et les **attributions de responsabilité.**

Les attributions causales. Ce premier type d'attributions porte sur la recherche poussée des causes d'un événement. Les raisons utilisées afin d'expliquer un succès ou un échec (p. ex. Weiner, 1979, 1985a, 1986) ou encore afin d'expliquer un manque de contrôle sur l'environnement (Abramson, Seligman & Teasdale, 1978) constituent des attributions causales.

Dans le cadre de ce type d'attributions, la théorie de Weiner se révèle prépondérante. Cette théorie, que nous verrons plus en détail dans une section ultérieure de ce chapitre, postule que les attributions causales peuvent être *perçues* comme se distinguant sur trois dimensions : le lieu de causalité, la stabilité temporelle et le contrôle. Le **lieu de causalité** permet de distinguer la perception de l'origine de la cause de l'action. Prenons le cas de deux employés qui viennent de perdre leur travail. Le premier déclare : « J'aurais dû travailler plus fort. » L'autre attribue ce malheureux événement à son employeur : « C'est de la faute du patron, il ne m'aime pas du tout. » La première attribution est interne (le manque d'effort) alors que la seconde attribution (la faute de l'employeur) est externe à l'employé.

Les attributions causales se distinguent également sur une deuxième dimension, soit celle de la **stabilité.** En effet, le manque d'effort implique une cause instable qui pourrait changer éventuellement (en travaillant plus fort). Cependant, le fait de ne pas être aimé par son employeur représente une cause stable qui risque peu de changer dans l'avenir (du moins avec cet employeur-là).

Enfin, les deux causes se distinguent également sur le plan de la **contrôlabilité.** La première attribution (le manque d'effort) est perçue comme un élément contrôlable par l'**attributeur.** En effet, il y a possibilité de contrôler son effort, éventuellement de travailler plus fort et ainsi (peut-être) de trouver un autre emploi. Par contre, la seconde attribution est perçue comme un élément incontrôlable puisque l'employé ne peut pour ainsi dire pas contrôler le fait que l'employeur ne l'aime pas. Le tableau 5.1 présente différentes attributions représentant les trois **dimensions causales** de la théorie de Weiner.

En plus des trois dimensions causales proposées par Weiner, Abramson *et al.* (1978) ont proposé une quatrième dimension causale, soit celle de la **globalité.** Cette dimension fait référence à une généralisation intersituationnelle. Une cause

TABLEAU 5.1 Les trois dimensions causales de Weiner appliquées à un succès scolaire

Lieu de causalité	Stabilité	Contrôlabilité	Exemple
Interne	Stable	Contrôlable	«J'étudie toujours fort.»
Interne	Stable	Incontrôlable	«J'ai beaucoup d'habileté dans ce champ d'études.»
Interne	Instable	Contrôlable	«Cette fois-là j'ai étudié fort.»
Interne	Instable	Incontrôlable	«J'étais dans une bonne période.»
Externe	Stable	Contrôlable	«Le professeur m'a aidé.»
Externe	Stable	Incontrôlable	«La question était facile.»
Externe	Instable	Contrôlable	«J'ai réussi à convaincre un ami de m'aider.»
Externe	Instable	Incontrôlable	«J'ai été chanceux.»

sera globale si elle est perçue comme récurrente de situation en situation; elle sera considérée comme spécifique si elle est limitée à une situation bien précise. Ainsi une agression due à la personnalité d'un individu sera perçue comme globale, alors qu'une agression provoquée par autrui sera perçue comme une cause spécifique. Nous traiterons plus en profondeur de la dimension de la globalité dans une section ultérieure portant sur la résignation acquise.

La catégorisation des attributions selon les trois dimensions de Weiner se révèle très utile sur au moins deux plans. Dans un premier temps, elle permet de regrouper une myriade d'attributions. Imaginez le professeur qui essaie de comprendre les attributions de ses élèves à la suite d'un échec. Il se retrouvera devant pas moins de 30 attributions distinctes. En utilisant les dimensions causales, il sera en mesure de mieux comprendre le type d'attributions émises par ses élèves (voir le tableau 5.1). En plus de les regrouper, il devient également possible de comparer les conséquences des divers types d'attributions causales. Le fait de pouvoir établir des comparaisons s'avère particulièrement important, car, selon Weiner (1985a), les dimensions causales mènent à différentes conséquences (diminution de l'estime personnelle, d'attentes de succès futurs, etc.). Nous reviendrons sur ce point un peu plus tard dans le cadre de la théorie de Weiner. Enfin, on notera que les recherches actuelles démontrent que les gens utilisent effectivement les trois dimensions causales lorsqu'ils émettent des attributions de façon spontanée (Weiner, 1985b).

Les attributions dispositionnelles. Dans le cas d'attributions dispositionnelles, on cherche à déterminer dans quelle mesure l'action que vient d'accomplir un individu nous permet d'inférer des caractéristiques sur celui-ci. Dans la mesure où les caractéristiques de la personne permettent d'expliquer le comportement adopté, nous possédons alors une attribution pour l'action ainsi que des inférences relatives à la personnalité réelle de l'individu.

Par exemple, si une personne frappe soudainement un individu, on sera porté à juger la situation entourant cet acte afin de découvrir si la personne possède une prédisposition à la violence (cette appréciation sera d'autant plus importante si nous devons interagir avec cette personne). Pour répondre à cette question, on essaiera de déterminer si l'action violente découlait des traits de la personne. Dans la mesure où l'on peut répondre dans l'affirmative, on pourra juger la personne sur diverses composantes reliées au comportement émis. Ces composantes représentent des attributions dispositionnelles puisqu'elles sont issues d'un processus attributionnel.

Les attributions de responsabilité. Ce troisième et dernier type d'attributions est peut-être le plus difficile à cerner, car il revêt au moins trois significations, soit les aspects de responsabilité relative à un effet produit, la responsabilité légale (on peut commettre un délit sans en être responsable, comme dans des cas d'autodéfense et de folie passagère) et la responsabilité morale (Shaver, 1975). Les attributions de responsabilité morale portent surtout sur un jugement de valeur fait par une personne concernant la responsabilité d'une autre personne, jugement qui n'est pas nécessairement conforme aux faits. Ainsi un conjoint peut tenir sa partenaire responsable de sa mauvaise humeur même s'il lui est impossible de prouver ses dires. Au cours des dernières années, plusieurs recherches ont porté sur les attributions de blâme personnel (p. ex. Janoff-Bulman, 1979). Ces dernières attributions, qui sont effectuées lorsque la personne se juge coupable de ce qui vient de lui arriver, s'insèrent dans les attributions de responsabilité morale.

Comment mesure-t-on les attributions ?

Dans la mise en situation du début du chapitre, Claude et Luc ont effectué des attributions causales. Si on leur avait demandé à ce moment pourquoi ils ont obtenu une faible note à leur examen, ils auraient dû être en mesure de nous répondre. Cette réflexion logique représente en essence la stratégie utilisée par les chercheurs afin de découvrir les attributions émises par les sujets. Par exemple, en ce qui a trait aux attributions causales, les sujets doivent généralement répondre par écrit à des questionnaires (ou à l'occasion verbalement dans des entrevues) préparés par les chercheurs dans le but de mesurer les attributions utilisées par les sujets dans l'explication des événements. Les sujets peuvent alors indiquer sur une échelle à quel point les raisons (ou attributions) proposées par les chercheurs expliquent l'événement qui vient de se produire.

De nos jours, ce sont surtout les dimensions causales sous-jacentes aux attributions, telles que celles proposées par Weiner, qui sont employées en recherche, c'est-à-dire que les chercheurs ne mesurent pas directement les attributions mais plutôt les dimensions causales décrivant l'attribution en question. À cette fin, Russell (1982) a conçu la *Causal Dimension Scale* (CDS). Cette échelle comprend neuf énoncés qui servent à mesurer les trois dimensions causales postulées par Weiner (1979, 1985a), soit le lieu de causalité, la stabilité et la contrôlabilité de la cause (voir l'encadré 5.1 pour plus d'information sur la mesure des attributions).

ENCADRÉ 5.1

DÉVELOPPEMENT DES MESURES DES ATTRIBUTIONS

Au fil des ans, plusieurs approches ont été utilisées pour mesurer les attributions. Ainsi, pendant longtemps, on a demandé aux sujets, après leur avoir fait effectuer une tâche, d'indiquer jusqu'à quel point les quatre attributions de la chance, de la difficulté de la tâche, de l'effort et de l'habileté expliquaient leur performance. Cette façon de procéder permettait de déterminer quelles attributions étaient prépondérantes selon la situation. Plusieurs recherches ont démontré l'utilité de ces quatre attributions, surtout dans le secteur de l'éducation (voir Weiner, 1983).

Une autre variante de la technique précédente consistait à mesurer les quatre attributions précédentes, à faire la somme des attributions externes (la chance et la difficulté de la tâche) et à la soustraire de la somme des attributions internes (l'effort et l'habileté). Ce procédé permettait de calculer un index d'« internalité ». Plus le total des points était élevé, plus les sujets avaient effectué des attributions internes.

Les chercheurs se sont vite rendu compte que ces quatre attributions ne pouvaient être représentatives de toutes les attributions émises dans divers contextes (Weiner, 1983). De plus, si l'accent était mis sur les attributions (et non sur les dimensions causales qui les sous-tendent), il survenait alors certains problèmes de présentation des causes elles-mêmes, le tout menant à des résultats divergents selon le type de formulation utilisée (voir Howard, 1987; Whitley, 1987). Enfin, il fut démontré qu'une attribution pouvait être perçue de façon différente selon le contexte dans lequel elle était effectuée. Par exemple, une attribution de l'habileté peut être considérée comme stable en contexte éducationnel mais instable (et donc susceptible de changer) dans le milieu sportif (voir Weiner, 1983).

Devant les divers problèmes associés à la mesure des simples attributions, les chercheurs optent de plus en plus pour la mesure des dimensions causales proposées par Weiner. À cette fin, Russell (1982) a conçu la *Causal Dimension Scale* (CDS). Cette échelle comprend neuf énoncés qui servent à mesurer les trois dimensions causales d'une attribution postulées par Weiner (1979, 1985a). Ainsi, après avoir effectué une activité quelconque, les sujets sont appelés à désigner la raison principale de leur performance. Cette cause

→

ENCADRÉ 5.1 (suite)

est par la suite appréciée par le sujet selon ses propriétés sur les dimensions du lieu interne, de la stabilité et de la contrôlabilité (voir le tableau 5.2 pour un exemple de la CDS). Les recherches actuelles démontrent que, bien qu'imparfaite (voir Schaufeli, 1988; Vallerand & Richer, 1988), la CDS représente une perspective intéressante et fort utile pour mesurer les dimensions causales dans un cadre théorique établi.

Parfois, les chercheurs ne désirent pas mesurer les attributions émises à un moment particulier, mais plutôt définir le style attributionnel des sujets. Ils demanderont alors aux sujets de dire comment ils expliquent différents événements de façon coutumière par le biais de l'*Attributional Style Questionnaire* (ASQ) élaboré par Seligman et ses collègues et fort populaire dans ce cadre. En accord avec le modèle attributionnel de la résignation acquise (Abramson, Seligman & Teasdale, 1978), l'ASQ mesure les dimensions causales de lieu de causalité, de stabilité et de globalité pour plusieurs situations hypothétiques issues de divers domaines de la vie, permettant ainsi de décrire un style attributionnel. L'ASQ a été utilisé dans plusieurs centaines d'études qui ont mené à bien des résultats intéressants. Par exemple, il a été démontré qu'un style attributionnel optimiste (attribution externe, instable et spécifique pour expliquer des événements négatifs) conduit à une meilleure performance chez les sportifs (Seligman, 1992), les étudiants au baccalauréat (Peterson & Barrett, 1987) et même les vendeurs d'assurances (Seligman & Schuman, 1986).

Une autre technique de mesure des attributions porte sur les attributions émises *spontanément* contrairement aux attributions obtenues par le biais de questionnaires. Lorsque cette technique est employée, l'expérimentateur demande au sujet de verbaliser ses pensées, sentiments et autres idées, ou encore il code des éléments d'information écrits par la personne. Les réponses du sujet sont soit notées sur papier par le sujet lui-même ou encore enregistrées sur bande sonore. Il devient alors possible pour les chercheurs de repérer les attributions du sujet et de les coder en fonction de leurs propriétés psychologiques. Ce type de mesure est de plus en plus utilisé pour évaluer autant les attributions situationnelles (p. ex. Holtzworth-Munroe & Jacobson, 1985, 1988) que le style attributionnel (p. ex. Burns & Seligman, 1989). Une telle perspective peut mener à des recherches fort intéressantes. Ainsi Peterson, Seligman et Vaillant (1988) ont démontré que le style attributionnel tel qu'il était déterminé par une analyse des écrits des sujets lorsqu'ils avaient 25 ans permettait de prédire leur état de santé à l'âge de 45 et 65 ans !

En somme, les chercheurs ont conçu une pléiade de façons de mesurer les attributions. Vous serez à même de vous en rendre compte dans le cadre de ce chapitre.

TABLEAU 5.2 **Quelques énoncés de la *Causal Dimension Scale* appliquée à un résultat scolaire**

Quelle serait, selon toi, la raison principale qui pourrait expliquer ton résultat scolaire? ______________________

Évalue la raison donnée précédemment selon les énoncés ci-dessous:

1) Est-ce que la cause:								
Reflétait un aspect de la situation	1	2	3	4	5	6	7	Reflétait un aspect de toi-même
2) Est-ce que la cause était:								
Temporaire	1	2	3	4	5	6	7	Permanente
3) Est-ce que la cause était:								
Contrôlable par toi ou par d'autres gens	1	2	3	4	5	6	7	Incontrôlable par toi ou par d'autres gens

Note: 1) dimension du lieu de causalité; 2) dimension de la stabilité; 3) dimension de la contrôlabilité.

Enfin, notons que les attributions dispositionnelles et de responsabilité sont également mesurées par l'entremise de questionnaires et à l'occasion par le codage de verbalisations. Tel qu'il a été mentionné précédemment, les attributions dispositionnelles cherchent à déterminer si les caractéristiques de la personne correspondent à l'action qui vient d'être accomplie. Ainsi on demandera au sujet de juger de la personnalité réelle de l'individu en appréciant ce dernier sur une série de traits qui peuvent le caractériser. Enfin, les questions relatives aux attributions de responsabilité sont plus directes (ex.: «Jusqu'à quel point pensez-vous que votre locataire est responsable des dégâts commis dans votre appartement?») et impliquent la notion de blâme (voir Shaver, 1975).

LES ATTRIBUTIONS: QUI, QUAND ET POURQUOI

Pourquoi faire des attributions?

Pourquoi nous posons-nous des questions sur les événements qui nous touchent ou qui touchent les autres? Lorsqu'on sait que le résultat de telles recherches cognitives peut être parfois douloureux (pensons à la personne violentée qui cherche à comprendre pourquoi une telle chose lui est arrivée), il peut paraître surprenant qu'on fasse des attributions au lieu de tout simplement tourner la page et d'oublier le tout.

Fritz Heider (1944, 1958) fut l'un des premiers à relever le fait que les gens ressentent une motivation profonde à comprendre leur environnement, et ce faisant à se poser plusieurs questions relatives aux causes des événements et comportements observés. Les réponses (attributions) qu'ils apportent à ces questions les amènent à comprendre, à organiser et à concevoir des croyances et schémas leur permettant de donner un sens à leur environnement social. Donc, le but le plus fondamental des attributions consiste à permettre aux gens de *comprendre* ce qui serait, sans attributions, un environnement contenant un amas de stimuli souvent désorganisés.

Le fait de mieux saisir notre environnement nous permet en plus de pouvoir prédire les événements et les comportements des gens qui nous entourent. Dans la mesure où les attributions émises sont « correctes », nos prédictions se révèlent justes et nos interactions et comportements sociaux sont plus adaptés. Par contre, si nos attributions sont erronées, notre compréhension du monde l'est également, ce qui rend nos comportements beaucoup moins efficaces. La compréhension apportée par les attributions nous permet également de *contrôler* les événements ou le comportement d'autrui. Les attributions s'avèrent donc très importantes pour notre « survie » sociale (voir Pittman & Pittman, 1980). Il n'est alors pas surprenant que nous commencions tôt dans notre vie (dès l'âge de trois mois, selon White, 1988) à émettre des balbutiements attributionnels.

D'autres théoriciens (Forsyth, 1980; Kelley, 1982) ont proposé que les attributions pouvaient servir d'autres fonctions, en plus des deux rôles précédents. Une de ces fonctions consiste à protéger, maintenir ou augmenter nos perceptions sur nous-mêmes ainsi que notre estime personnelle. Par exemple, dans le scénario du début du chapitre, Claude avait attribué sa mauvaise note à la faute du professeur et non à son manque d'étude ou autres caractéristiques personnelles. En faisant une telle attribution, il protégeait son estime personnelle (ce n'est pas lui qui n'est pas bon mais bien le professeur). On peut ainsi voir que dans cette situation l'attribution sert à protéger le soi de Claude.

Enfin, il ne faut pas oublier que les attributions émises sont souvent communiquées à ceux qui nous entourent. Les attributions jouent alors un rôle interpersonnel dans un cadre de communication. Par exemple, les recherches dans le cadre des relations intimes révèlent que les attributions sont faites couramment et peuvent favoriser ou miner l'harmonie entre les deux partenaires (Fincham, 1985; Orvis, Kelley & Butler, 1976). En effectuant une attribution positive sur nous-mêmes, nous nous présentons sous un jour meilleur aux yeux des autres. Par contre, l'inverse peut être également vrai : accepter le blâme pour un échec et donner le crédit aux autres pour un succès peut aussi les amener à nous percevoir comme une personne responsable et honnête et donc de façon positive (Tetlock, 1980). Il faut ainsi savoir dans quelle mesure utiliser tel ou tel type d'attributions selon la situation, car les conséquences interpersonnelles peuvent se révéler importantes. Les attributions peuvent dès lors jouer un rôle de premier plan dans les relations interpersonnelles, comme nous le verrons dans l'encadré 5.3.

Quand fait-on des attributions ?

Le fait que les attributions possèdent de multiples fonctions signifie-t-il que nous sommes constamment en train d'effectuer des attributions ? Comme la réflexion causale est exigeante sur le plan cognitif, il est impensable que nous soyons constamment, ou même souvent, en train de faire des attributions. Vous voyez-vous en train de traverser la rue tout en vous demandant pourquoi vous n'avez pas attendu le feu vert ? Une réflexion causale à un tel moment peut s'avérer extrêmement coûteuse, voire fatale, et il est donc fort peu probable que nous la fassions. Alors, si nous sommes sélectifs quant aux circonstances qui nous amènent à effectuer des attributions, quelles sont ces circonstances ?

Une situation de tous les jours consiste à effectuer une attribution lorsque quelqu'un nous demande notre perception des causes d'un événement donné. L'attribution se trouve alors engendrée par la demande de la personne en question. Outre cette situation, on peut noter selon Weiner (1985b) trois facteurs qui semblent avoir un effet direct sur la recherche *spontanée* d'information causale. L'incertitude représente le premier de ces facteurs. L'incertitude peut nous amener à scruter l'information de sorte à mieux comprendre la situation et à nous permettre ainsi de préciser l'émotion que nous vivons. Les recherches de Schachter et Singer (1962), comme nous le verrons dans ce chapitre, soutiennent ce fait.

De plus, les travaux de Wong et Weiner (1981) indiquent que les événements inattendus et les échecs constituent les deux autres facteurs amenant la production d'attributions spontanées (voir Weiner, 1985b, pour une recension des écrits à cet effet). Si vous voyez une personne nu-jambes se promener dans la rue en plein hiver, il y a de bonnes chances que vous vous demandiez, après avoir ri, pourquoi diable quelqu'un ferait une chose pareille. Les échecs produisent aussi l'émission d'attributions probablement parce qu'elles répondent à plusieurs besoins ou fonctions. En effet, en effectuant une attribution à la suite d'un échec, vous pouvez sans doute mieux comprendre ce qui s'est passé. Vous pouvez également mieux prédire, contrôler et prévenir un échec futur. De plus, faire une attribution dans de telles circonstances pourrait vous permettre aussi de protéger votre estime personnelle ainsi que de « sauver la face » devant les autres. Il n'est donc pas surprenant que nous soyons plus portés à faire des attributions à la suite d'un échec qu'à la suite d'un succès.

Ainsi nous serions particulièrement portés à faire spontanément des attributions en situation d'incertitude, d'échec et d'événements inattendus. Toutefois, ceci ne veut pas nécessairement dire que des attributions ne sont pas effectuées à la suite d'événements prévus ou encore à la suite d'un succès. Elles sont seulement moins fréquentes. De plus, bien que la plupart des recherches qui ont étudié les situations promulguant la recherche causale aient été menées en laboratoire, il est intéressant de noter que les recherches faites dans des conditions naturelles reproduisent les résultats des études en laboratoire (p. ex. Holtzworth-Munroe & Jacobson,1985; Peterson, 1980). On peut donc se montrer confiant dans les facteurs favorisant l'émission des attributions.

Qui fait des attributions ?

Même si toutes les personnes peuvent émettre des attributions selon les situations, on pourrait aussi se demander si de façon générale il n'existerait pas des types de personnes plus susceptibles que d'autres de faire des attributions. La réponse à cette question est « oui ». En effet, de façon conforme au « pourquoi » et au « quand » des attributions discutés précédemment, on peut distinguer quatre types de personnes plus disposées à effectuer des attributions. Ainsi les individus possédant un **désir de contrôle** élevé (Burger & Hemans, 1988), ceux démontrant des caractéristiques autohandicapantes élevées (voir le chapitre 3; Strube, 1986) et ceux qui ont une personnalité de type A (soit les personnes impulsives, à l'esprit de compétition et hostiles; Strube, 1986) émettent généralement plus d'attributions que la moyenne des gens probablement parce qu'ils tiennent à contrôler la situation.

Enfin, la quatrième catégorie de personnes susceptibles de faire plus d'attributions est quelque peu différente des précédentes. Elle touche à la **complexité attributionnelle** (Fletcher *et al.*, 1986). Comparons par exemple deux personnes: Michelle et Joanne. Michelle aime les choses simples. Elle préfère qu'on lui dise blanc ou noir, mais pas gris. Elle aime « caser» les choses là où elles vont. Elle croit généralement qu'il n'existe qu'une seule réponse à ses questions. Joanne est tout le contraire: elle aime les choses complexes; elle aime envisager diverses possibilités et apprécie le fait de pouvoir réfléchir sur les causes des événements; elle croit que ces derniers sont généralement le fruit de causes multiples. Selon la perspective de la complexité attributionnelle, Michelle serait plutôt de nature simpliste alors que Joanne démontrerait un degré élevé de complexité attributionnelle.

Récemment, Fletcher *et al.* (1986) ont conçu une échelle de complexité attributionnelle qui mesure ces dispositions. Les résultats de plusieurs études révèlent que les individus obtenant beaucoup de points sur cette échelle émettent non seulement davantage d'attributions, mais également des attributions plus complexes que les personnes obtenant moins de points. (Le tableau 5.3 présente certains des énoncés de cette échelle. Où vous situez-vous sur cette échelle ?)

En somme, nous faisons des attributions dans une foule de situations, et ce de façon spontanée. Bien que certaines personnes soient plus susceptibles que d'autres d'émettre des attributions, il n'en demeure pas moins que la recherche des causes de nos comportements et de ceux des autres fait partie intégrante de notre vie quotidienne. Mais comment en vient-on à faire des attributions ? Quels sont les mécanismes psychologiques qui mènent à l'émission d'attributions ? C'est à ces questions que nous tenterons de répondre dans la prochaine section.

COMMENT ON FAIT DES ATTRIBUTIONS : LES THÉORIES DE L'ATTRIBUTION

Kelley et Michela (1980) ont proposé que les théories dans les secteurs des attributions pouvaient être regroupées sous deux grandes enseignes, soit les théories de l'attribution et les théories attributionnelles. Les **théories de l'attribution** sont

TABLEAU 5.3 **Quelques énoncés de l'échelle de complexité attributionnelle**

1. Généralement, je ne cherche pas à analyser et à expliquer le comportement des gens (-).

Fortement en désaccord	Modérément en désaccord	Légèrement en désaccord	Ni en accord Ni en désaccord	Légèrement en accord	Modérément en accord	Fortement en accord
-3	-2	-1	0	+1	+2	+3

2. Lorsque j'ai trouvé une cause au comportement d'une personne, je ne vais généralement pas plus loin (-).

Fortement en désaccord	Modérément en désaccord	Légèrement en désaccord	Ni en accord Ni en désaccord	Légèrement en accord	Modérément en accord	Fortement en accord
-3	-2	-1	0	+1	+2	+3

3. Selon moi, les causes du comportement des gens sont généralement complexes (+).

Fortement en désaccord	Modérément en désaccord	Légèrement en désaccord	Ni en accord Ni en désaccord	Légèrement en accord	Modérément en accord	Fortement en accord
-3	-2	-1	0	+1	+2	+3

4. J'aime analyser les raisons ou les causes du comportement des gens (+).

Fortement en désaccord	Modérément en désaccord	Légèrement en désaccord	Ni en accord Ni en désaccord	Légèrement en accord	Modérément en accord	Fortement en accord
-3	-2	-1	0	+1	+2	+3

Le signe (-) indique un énoncé mesurant un faible degré de complexité attributionnelle.
Le signe (+) indique un énoncé mesurant un degré élevé de complexité attributionnelle.

Pour obtenir une idée de votre degré de complexité attributionnelle, inversez les points des deux premiers énoncés (c.-à-d. -3 devient +3, -2 devient +2, etc.) et faites le total des points obtenus aux quatre énoncés. Plus le total est élevé et plus vous avez un degré élevé de complexité attributionnelle.

celles postulant la nature des processus qui mènent à la formation d'attributions. Par contre, les **théories attributionnelles** ont pour but de prédire et d'expliquer la nature des conséquences psychologiques (par exemple les attentes, émotions et comportements) émanant de l'émission de différentes attributions. Les théories de l'attribution portent sur les antécédents des attributions, alors que les théories attributionnelles se concentrent sur les conséquences des attributions. Ce modèle général du secteur de l'attribution ainsi que les noms des principaux théoriciens de chacune des orientations sont présentés à la figure 5.1. Les théories attributionnelles présentées à la figure 5.1, soit celles de Weiner (1979, 1986), Schachter (1964) et Abramson *et al.* (1978), seront discutées dans la dernière section du chapitre. Dans le cadre de cette section, nous nous limitons à une présentation des théories de l'attribution.

La théorie naïve de Heider

Fritz Heider fut l'un des premiers théoriciens à souligner le fait que les gens cherchent à comprendre pourquoi certaines choses se produisent. D'après lui, «l'homme de la rue» cherche à expliquer de façon aussi valide que possible (tel

FIGURE 5.1 **Théories de l'attribution et théories attributionnelles**

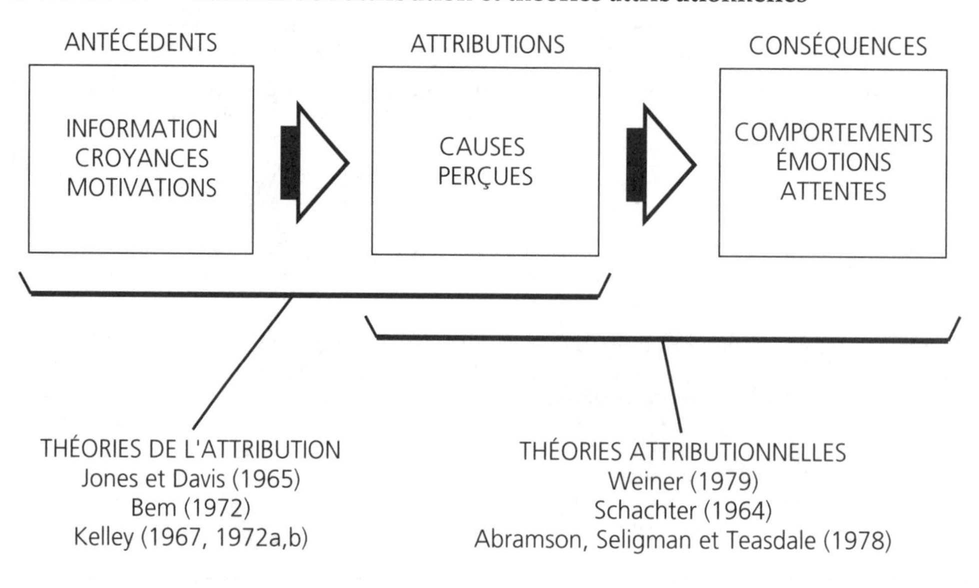

Adapté de Kelley et Michela (1980).

un scientifique) les comportements et les événements qu'il observe dans son environnement social. À cette fin, Heider présente dans son livre classique de 1958, *The Psychology of Interpersonal Relations*, une analyse naïve de l'action qui offre une vision phénoménologique des causes menant à l'action.

Selon Heider (1958), l'attributeur joue un rôle analogue à un philosophe essayant de désigner les facteurs qui seraient logiquement nécessaires pour qu'une action se produise. L'attributeur observe les actions d'une personne donnée (soit elle-même ou une autre) et en déduit les facteurs qui doivent avoir été présents pour que l'action ait pu être accomplie. Par exemple, si un professeur désire savoir pourquoi un étudiant a obtenu une forte note dans un examen difficile, il lui faudra, selon Heider, analyser les différentes causes en jeu. Dans le cadre de cette analyse causale, il faut considérer certaines variables clés. Ainsi, afin d'émettre l'action (réussir l'examen), il devait y avoir *intention* de la part de l'étudiant (on ne réussit pas un examen difficile sans le vouloir); de plus, celui-ci doit avoir *déployé* de l'énergie (il y a donc présence de motivation) afin de réussir l'examen (la matière ne s'apprend pas toute seule) et l'*habileté* de l'étudiant devait être suffisamment grande pour lui permettre de vaincre la *difficulté de la tâche* (en l'occurrence l'examen). Ce dernier point implique une relation entre un élément de *force personnelle* (habileté) et un élément de *force environnementale* (difficulté de la tâche): si les forces personnelles se montrent plus puissantes que les forces environnementales, la personne (l'étudiant) *peut* accomplir la tâche. Par contre, si la personne ne possède pas l'habileté nécessaire (ici l'intelligence), elle ne pourra réussir, peu importe l'effort (ou l'étude) déployé.

Les différents éléments compris dans la théorie de Heider sont présentés à la figure 5.2. Ceux-ci sont reliés logiquement de sorte à démontrer leur relation avec l'action. Il est possible de voir que les éléments sont regroupés selon qu'ils représentent des forces personnelles ou des forces environnementales. Les forces personnelles incluent l'habileté et la motivation *(trying)*. Toujours selon Heider (1958), l'habileté et la difficulté de la tâche se combinent pour déterminer la possibilité de l'action, ce qu'il appelle la «capacité» *(can)*. De plus, le facteur général de la motivation se scinde en deux composantes, soit l'intention et l'effort, et ces dernières, conjointement avec la capacité, mènent à l'action. L'attribution réalisée par la personne, à la suite de cette analyse causale, dépendra de la contribution *relative* des forces environnementales et personnelles au résultat final. Le terme «contribution relative» est important pour Heider puisque ce dernier proposait que l'être humain verrait la cause ou dans l'environnement ou chez la personne mais pas dans les deux entités. En effet, selon lui, une relation hydraulique reliait les forces personnelles et les forces environnementales: lorsque les premières forces étaient perçues comme élevées, les secondes étaient perçues comme faibles.

FIGURE 5.2 **Le modèle attributionnel naïf de Heider**

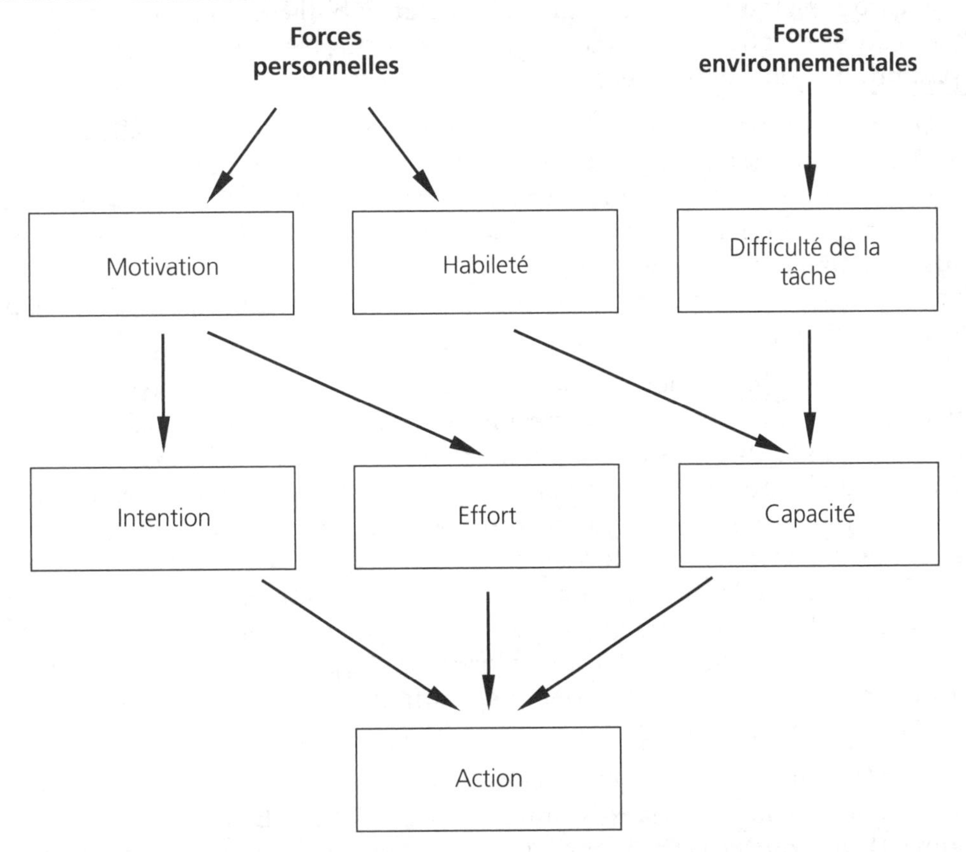

Adapté de Shaver (1975).

La théorie de Heider eut un impact majeur, car elle représentait un premier effort d'analyse théorique des causes sous-jacentes au comportement ou événement. Cependant, comme nous l'avons vu ci-dessus, la position de Heider n'était pas présentée sous une forme théorique formelle et son analyse attributionnelle n'a pas eu d'effet appréciable immédiat sur le développement du secteur de recherche en attribution. La tâche revint donc à d'autres psychologues sociaux de formuler des théories pouvant mener l'approche des attributions à l'expérimentation. Les principaux théoriciens qui ont suivi la voie tracée par Heider sont Jones et Davis (1965) et leur théorie des inférences correspondantes, Bem (1967, 1972) et sa théorie de la perception de soi et enfin Kelley (1967, 1972a, 1972b) et ses analyses de covariation et des schémas de causalité. Ces diverses théories sont présentées ci-dessous.

La théorie des inférences correspondantes de Jones et Davis

Jones et Davis (1965) furent les premiers à prolonger les travaux de Heider (1958). Ces théoriciens restreignirent l'analyse de Heider de trois façons : a) ils ne s'intéressèrent qu'aux attributions faites par un **observateur** (c'est-à-dire celui qui regarde quelqu'un d'autre agir, soit l'**acteur**); b) ils se limitèrent aux attributions de type dispositionnel seulement; et c) ils analysèrent les attributions faites à partir d'une seule observation.

Le concept central de la théorie est celui de la **correspondance.** Il a trait à la clarté de l'attribution de disposition en relation avec le comportement observé. Si l'observateur croit que l'action peut être le résultat de plusieurs dispositions de l'acteur, alors le degré de correspondance de l'action est faible. En revanche, si l'observateur perçoit l'action comme un élément résultant d'une seule disposition de l'acteur, le comportement possède alors un haut degré de correspondance, car le comportement correspond à la disposition inférée.

Par exemple, vous vous promenez avec un ami quand tout à coup une tierce personne se présente et frappe votre ami. Vous vous demandez quel type de personne peut faire une chose semblable. Dans la mesure où il vous est possible d'établir que l'agresseur a agi ainsi à cause de sa personnalité « violente », vous effectuez alors une attribution de correspondance. Par contre, s'il vous est impossible de déterminer si le comportement est dû à une disposition menant à l'agressivité chez l'acteur, la correspondance entre les dispositions de l'acteur et l'action est faible, et il devient alors impossible de faire une attribution dispositionnelle. L'analyse attributionnelle se termine alors là puisque Jones et Davis (1965) ne se sont intéressés qu'aux attributions dispositionnelles et non aux autres causes possibles (tel l'environnement).

Trois facteurs sont proposés dans la théorie comme déterminants de l'attribution de correspondance : la « désirabilité sociale » *(social desirability)*, les effets distinctifs *(non-common effects)* et le choix dont dispose l'acteur quant à l'émission de l'action. Le facteur *choix* représente un genre de préalable de l'analyse attributionnelle de correspondance. En effet, dans la mesure où l'action a été accomplie par l'individu en toute liberté, il est possible de passer à l'analyse des deux autres facteurs afin de déterminer s'il y a correspondance. Par contre, si l'individu a été forcé d'adopter le comportement observé, il ne devrait pas y avoir lieu de chercher à établir un lien entre ses actions et une disposition sous-jacente. Un fait intéressant à noter, l'observateur est souvent porté à inférer que l'acteur avait le choix d'accomplir l'action alors que ce n'était pas nécessairement le cas (voir Jones & Harris, 1967). Cette croyance se traduit par une analyse de correspondance menant à des inférences erronées.

La *désirabilité sociale* représente un facteur pouvant influer directement sur l'attribution de correspondance émise. Selon Jones et Davis (1965), plus un comportement est adopté en accord avec une norme de désirabilité sociale, moins l'observateur peut faire une attribution de correspondance. Ce ne sont que les actions qui diffèrent des attentes usuelles dans une situation donnée qui apportent l'information nécessaire à l'émission d'une attribution dispositionnelle. Par exemple, si votre conjoint vous offre un cadeau à Noël, pouvez-vous inférer qu'il est généreux? Non, car la norme de désirabilité sociale présuppose qu'il est usuel d'offrir des cadeaux à Noël. On ne peut donc attribuer un tel comportement à une disposition particulière de l'acteur. Cependant, si le cadeau vous est offert un mardi du mois de juin (alors que rien n'indique que c'est ce qu'il faut faire), il est alors probable que vous perceviez votre conjoint comme une personne effectivement généreuse.

L'étude la plus populaire sur le rôle de la désirabilité sociale dans l'émission d'attributions de correspondance est certes celle de Jones, Davis et Gergen (1961). Dans cette étude, des sujets devaient juger des individus postulant un emploi. Il y avait deux types d'emplois: un poste d'astronaute et un poste d'équipier dans un sous-marin. Grâce à de l'information manipulée, Jones *et al.* ont amené les sujets à percevoir des normes particulières (ou désirabilité) pour chacun des emplois. Ainsi les sujets furent informés qu'un poste d'astronaute nécessite des qualités permettant à la personne de travailler seule (introversion) alors que travailler dans un sous-marin implique un contact étroit et soutenu avec les autres (extraversion). Par la suite, les sujets ont visionné un vidéo dans lequel le candidat disait être au courant des exigences (interpersonnelles) de l'emploi et se décrivait. Dans la première description, le postulant se présenta de façon conforme aux exigences du poste (soit de façon extravertie pour le poste d'équipier et de façon introvertie pour le poste d'astronaute); dans la seconde description, il se présenta de façon contraire aux exigences de l'emploi (condition «antirôle»). La tâche des sujets consistait à juger le postulant afin de pouvoir déterminer sa véritable personnalité sur les dimensions d'affiliation et de conformité ainsi qu'à indiquer les degrés de confiance de leur jugement.

Selon la théorie de Jones et Davis (1965), les attributions de correspondance devraient être plus extrêmes et confiantes dans les conditions antirôles parce qu'on s'attend à ce qu'à peu près n'importe quel postulant pour un emploi donné se présente de façon conforme aux exigences commandées par celui-ci. Or, les personnes qui se présentent de façon *contraire* aux exigences de la tâche doivent être vraiment comme elles se décrivent, sinon pourquoi diable se présenteraient-elles de cette façon (elles n'ont rien à gagner à se présenter de façon contraire aux exigences de l'emploi, bien au contraire)? On devrait donc s'attendre à ce que les postulants dans la condition antirôle soient perçus de façon conforme à leur présentation d'eux-mêmes, et ce beaucoup plus que les postulants dans la condition conforme au rôle ou exigences de l'emploi. Les résultats confirmèrent les hypothèses.

Dans une reformulation de la théorie, Jones et McGillis (1976) ont apporté certains changements au concept de la désirabilité sociale. Ce dernier concept renvoie maintenant au construit d'attentes. Deux types d'attentes sont distinguées. Les attentes peuvent être formulées vis-à-vis de la catégorie de comportements adoptés, ce qui correspond en substance à l'ancien concept de la désirabilité sociale; le second type d'attentes porte sur la cible ou sur la personne qui accomplit l'acte. Cet élément représente un ajout important à la théorie. Selon Jones (voir Jones, 1979), plus nos attentes (autant pour la catégorie que pour la cible) envers l'émission d'un comportement sont faibles, plus on devrait émettre des attributions de correspondance, si le comportement est effectivement adopté.

Une telle proposition, en ce qui concerne les attentes reliées à la catégorie du comportement en question, demeure fidèle à l'ancienne proposition sur la désirabilité sociale (moins on s'attend à ce qu'un comportement soit adopté et plus on fera une attribution de correspondance si l'action est accomplie). Par contre, en ce qui concerne les attentes reliées à la cible, la proposition semble quelque peu surprenante. Comment des attentes basées sur une personne, et nous indiquant que cette dernière ne devrait pas avoir un comportement quelconque, peuvent-elles nous amener à émettre une attribution de correspondance à la suite de l'adoption du comportement? L'explication tient au fait que, comme il a été mentionné précédemment, la théorie ne s'applique qu'aux attributions effectuées à partir d'une seule observation. L'observateur ne peut donc avoir d'attentes solidement ancrées au sujet de cette personne. En fait, les attentes vis-à-vis de la cible dont parle Jones et McGillis reposent essentiellement sur les stéréotypes que nous possédons vis-à-vis des autres.

Par exemple, si un étudiant francophone ne s'attend vraiment pas à ce qu'un anglophone vienne étudier à l'Université du Québec à Montréal (faibles attentes à l'égard de la cible) et qu'il se rende compte qu'il y en a un dans sa classe, alors il y a de fortes chances qu'il effectue une attribution de correspondance : il aime vraiment la langue française. Ce nouvel ajout dans la théorie permet donc d'expliquer les attributions de correspondance effectuées en ce qui concerne les personnes sur qui nous possédons très peu d'information et envers qui nous entretenons des attentes préliminaires.

Les *effets distinctifs* représentent le troisième facteur dans l'analyse des attributions correspondantes. Ce facteur est peut-être le plus complexe de la théorie. Selon celle-ci, l'observateur juge des conséquences de l'action choisie et les compare avec celles découlant des solutions délaissées. De cette analyse ressortent les effets (ou conséquences) distinctifs, c'est-à-dire les conséquences associées uniquement avec la solution choisie. Moins il y a d'effets distinctifs résultant du comportement de l'acteur, plus on peut émettre une attribution fortement correspondante. Toutefois, si de nombreux effets distinctifs sont associés avec la solution choisie par l'acteur, il devient alors impossible d'inférer une disposition, trop de raisons pouvant être invoquées pour expliquer le comportement.

Prenons l'exemple de l'étudiant ayant à décider quoi faire un vendredi soir (exemple adapté de West & Wicklund, 1980, p. 121). Cet exemple figure au tableau 5.4. On peut y voir que l'étudiant possède trois choix : a) aller dans une discothèque, b) aller au casse-croûte du coin ou c) aller au cinéma. À chacun de ces choix sont associés des effets. En examinant, parmi ces effets, uniquement ceux qui sont distinctifs, il devient alors possible d'effectuer les attributions dispositionnelles suivantes. S'il choisit d'aller dans une discothèque, les effets distinctifs ou *propres* à cette option étant d'écouter de la musique et de rencontrer des amis, l'étudiant sera perçu comme une personne sociable ; s'il choisit d'aller au casse-croûte, il sera perçu comme un amateur de nourriture, car seul l'effet « nourriture » distingue ce choix des autres ; enfin, si l'étudiant décide d'aller au cinéma, il sera perçu comme un intellectuel peu sociable, car l'aspect « intellectuel » et le fait de ne pas sembler vouloir rencontrer d'autres gens sont associés à son choix.

TABLEAU 5.4 **La sortie du vendredi soir : analyse des effets distinctifs**

Discothèque	Casse-croûte	Cinéma
• Ne pas étudier	• Ne pas étudier	• Ne pas étudier
• Écouter de la musique	• Manger	• Stimulation intellectuelle
• Rencontrer des personnes de l'autre sexe	• Rencontrer des personnes de l'autre sexe	
• Rencontrer des amis		

Adapté de West et Wicklund (1980), et reproduit de Vallerand et Bouffard (1985), avec permission.

Très peu de chercheurs ont étudié les effets distinctifs de la théorie. Celles qui l'ont fait cependant, ont démontré, conformément à la théorie, que les attributions de correspondance sont plus extrêmes et confiantes lorsque le nombre d'effets distinctifs est faible (Ajzen & Holmes, 1976; Newtson, 1974). De plus, il semble que nos jugements sur la personne soient plus influencés par les effets distinctifs associés au comportement choisi que par ceux reliés aux comportements (ou options) rejetés (Newtson, 1974).

Comme on peut le constater, la théorie des inférences correspondantes propose un processus d'analyse très rationnel. En fait, le processus d'analyse est si exigeant cognitivement qu'il semble que seules les personnes ayant atteint un niveau de développement cognitif relativement élevé puissent émettre des attributions de correspondance à la suite de l'observation du comportement (Allen & Schroeder, 1988). Cependant, Jones et Davis proposent que des attributions de correspondance peuvent être également le fruit de processus motivationnels. Deux processus (ou biais) motivationnels peuvent influer sur l'attribution émise, soit la pertinence hédonique *(hedonic relevance)* et le personnalisme *(personalism)*. Lorsque le comportement de l'acteur a des conséquences (positives ou négatives) pour l'observateur, il y a alors **pertinence hédonique** et l'attribution risque d'être biaisée. Par exemple, si un individu insulte votre conjoint, il ne serait pas surprenant que vous le traitiez d'abruti ! Si le même individu vous insulte aussi, il y a alors condition de **personnalisme** et la même attribution dispositionnelle sera émise. Dans les deux cas, cette attribution dispositionnelle de « personne abrutie » pourrait être fort différente de celle émise par un observateur non concerné personnellement. Un certain nombre d'études soutiennent cette analyse motivationnelle de l'attribution de correspondance (Chaikin & Cooper, 1973; voir aussi Jones & Davis, 1965).

La théorie de la perception de soi de Bem

Darryl Bem (1967, 1972) a probablement proposé la théorie de l'attribution la plus simple. Comme nous l'avons vu au chapitre 3, Bem désirait déterminer comment les gens en viennent à connaître leurs propres attitudes et états intérieurs dans de nouvelles situations. La théorie postule deux propositions fondamentales : 1) les individus en viennent à connaître leurs attitudes, émotions et autres états intérieurs *partiellement* en les inférant des observations de leurs comportements ou des circonstances dans lesquelles le comportement a eu lieu ; et 2) dans la mesure où les indices internes sont faibles, ambigus ou non interprétables, l'individu est fonctionnellement dans la même position qu'un observateur qui doit nécessairement se fier aux indices externes afin d'inférer ses états intérieurs (tiré de Bem, 1972).

Par exemple, vous consultez un thérapeute une fois par semaine afin qu'il vous aide à devenir plus affirmatif. Après quelques rencontres vous acceptez, à la demande du thérapeute, de participer à des jeux de rôles. Vous engagez alors une conversation avec une autre personne qui, sans que vous le sachiez, est de connivence avec le thérapeute. Elle s'arrange pour faciliter votre affirmation de soi à l'intérieur de la discussion. Elle vous demande de lui prêter 75 $ et vous refusez. Elle vous demande également de venir garder ses enfants pour la soirée, car elle doit sortir, mais vous refusez de nouveau. La personne en question vous remercie tout de même et le jeu de rôles se termine ainsi. Par la suite, le thérapeute vous demande de vous remémorer la situation vécue et d'expliquer ce qui s'est passé. En réfléchissant, vous vous surprenez à penser : « C'est drôle, je ne croyais pas être capable de m'affirmer de la sorte ! Pourtant cela n'a pas été facile. L'autre personne était assez convaincante. J'ai été quand même à la hauteur. Je dois être plus affirmatif que je ne le croyais. Je suis sur la bonne voie. »

Selon Bem, vous avez apprécié votre disposition d'affirmation en étudiant votre comportement dans la situation en cause. Personne ne vous a forcé à être affirmatif. Bien au contraire, l'autre personne se montrait très convaincante. Vous attribuez donc le fait d'avoir résisté aux demandes d'une autre personne à vos propres capacités et vous vous percevez comme quelqu'un d'affirmatif (du moins plus qu'avant).

De façon générale, les recherches portant sur la théorie de la **perception de soi** confirment cette dernière. En effet, dans des situations nouvelles, nos attitudes peuvent être inférées à partir de notre comportement (p. ex. Lepper, Greene & Nisbett, 1973). De plus, des acteurs peuvent faire parfois les mêmes attributions que des observateurs. La théorie de la perception de soi continue d'être une des formulations d'autoattribution les plus populaires en psychologie sociale (à cet effet, voir Fazio, 1987). Cependant, il existe des exceptions à ces derniers résultats, comme nous le verrons dans une section ultérieure de ce chapitre (voir Fazio, Zanna & Cooper, 1977; Jones & Nisbett, 1972; Watson, 1982).

Les théories de Kelley

La position de Kelley comprend deux théories distinctes: la première (Kelley, 1967) cherche à expliquer comment les attributions sont formées lorsqu'une analyse est menée de façon très réfléchie, incorporant de nombreuses sources d'information, et la seconde (Kelley, 1972a, 1972b) porte sur les attributions émises lorsqu'une seule observation est disponible (par exemple dans des situations nouvelles). La première théorie de Kelley est basée sur le **principe de covariation** et permet d'expliquer surtout comment des attributions sont émises lorsque plusieurs sources d'information se trouvent à notre disposition. Le principe de covariation propose qu'un effet est attribué à l'une des causes plausibles avec laquelle il covarie. Par exemple, si chaque fois que vous portez votre complet neuf les personnes de l'autre sexe se retournent sur votre passage et que lorsque vous ne le portez pas personne ne porte attention à votre personne, alors, en vous basant sur le principe de covariation, vous établirez que c'est votre complet neuf qui fait se retourner les gens sur votre passage.

Selon Kelley, on se sert de trois dimensions d'information afin d'analyser la covariation perçue. Ces trois dimensions sont celles de consensus, de distinction et de consistance. La dimension de **consensus** *(consensus)* réside dans l'ensemble de l'information recueillie en comparant le comportement de la personne étudiée avec celui d'autres personnes. La dimension de **distinction** *(distinctiveness)* porte sur le comportement de la personne en interaction avec des entités ou activités autres que celles en cause. Enfin, dans la dimension de **consistance** *(consistency)*, l'attributeur compare le comportement de la personne étudiée dans la situation en cause avec celui adopté par cette personne à d'autres moments dans le temps ou selon d'autres circonstances (ou modalités).

Dans l'analyse attributionnelle, l'attributeur compare les trois dimensions d'information présentées ci-dessus avec le comportement observé. De cette analyse ressort l'attribution causale responsable du comportement ou de l'événement observé. L'attribution peut alors être faite à la personne, à l'entité, aux modalités ou encore à l'interaction entre ces facteurs. De par la ressemblance avec une analyse de variance (ANOVA) à trois facteurs (donc trois effets principaux et quatre interactions possibles), cette théorie de Kelley a été surnommée « théorie ANOVA de l'attribution ».

Dans l'exemple du tableau 5.5, Claude assiste à un match de basket-ball auquel participent deux équipes qu'il ne connaît pas et il agit de façon très émotionnelle (il crie, gesticule et fait du tapage tout le long du match). Vous désirez savoir pourquoi Claude s'est comporté de cette façon. Sept attributions sont alors possibles. Si vous jugez que Claude n'agit pas comme Jean et Pierre (consensus bas) et qu'il se comporte toujours ainsi (consistance élevée) peu importe l'activité (distinction basse) et les modalités (assister au match ou le regarder à la télé), vous attribuerez le comportement de Claude à une disposition particulière chez lui : il est une personne très émotive. Par contre, si Claude, Jean et Pierre réagissent également de façon émotionnelle au match de basket-ball (consensus élevé), mais ne se comportent pas de cette façon à un match de hockey (distinction élevée), et ce peu importe les modalités (consistance élevée), une attribution au basket-ball serait faite : ce sport doit être excitant au possible. La même logique s'applique à l'attribution de modalité. Les interactions, quant à elles, prennent en considération le jeu de plus d'une dimension. Par exemple, si Claude est le seul à agir de façon émotionnelle (consensus bas), mais que ce comportement ne se produit que lorsqu'il regarde un match de basket-ball (distinction élevée), et ce peu importe les modalités (consistance élevée), on attribuera son comportement à une interaction particulière entre Claude et ce sport : Claude est un fanatique du basket-ball. La même analyse causale se fait pour les autres interactions présentées au tableau 5.5.

Plusieurs études ont testé la théorie de Kelley. Dans l'ensemble, ces études ont constitué un soutien important pour la théorie. Par exemple, McArthur (1972) a présenté à des sujets différents scénarios hypothétiques qui contenaient de l'information relative au consensus, à la distinction et à la consistance du comportement. En accord avec la théorie de Kelley, les résultats démontrèrent que des attributions à la personne étaient effectuées plus souvent lorsque le consensus et la distinction étaient faibles et la consistance élevée. Par contre, des attributions à l'entité (activité ou objet) étaient émises plus souvent lorsque le consensus, la distinction et la consistance étaient élevés.

Toutefois, certaines recherches ne soutiennent pas la théorie. Ainsi le fait que les gens peuvent, dans certaines circonstances, sous-utiliser la dimension de consensus dans leurs attributions (Nisbett & Borgida, 1975; voir aussi Ross & Fletcher, 1985) et le fait que certains biais semblent exister dans les attributions émises à la suite d'un succès et d'un échec ne sont pas postulés dans la théorie rationnelle de Kelley.

TABLEAU 5.5 **Rôle joué par les trois dimensions de Kelley dans divers types d'attributions**

ATTRIBUTION	CONSENSUS	DIMENSIONS DISTINCTION	CONSISTANCE
Personne (Claude)	B	B	H
Entité (match de basket-ball)	H	H	H
Modalité (spectateur au match)	H	B	B
Interaction personne - entité (Claude - basket-ball)	B	H	H
Interaction entité - modalité (basket-ball - spectateur au match)	H	H	B
Interaction personne - modalité (Claude - spectateur au match)	B	B	B
Interaction personne - entité - modalité (Claude - basket-ball - spectateur)	B	H	B

Note: B = bas, H = haut niveau de la dimension. Plus particulièrement, un bas niveau de consensus équivaut à un manque de consensus, alors qu'un haut niveau de consensus renvoie à un consensus élevé entre les différentes personnes comparées. Un haut niveau de distinction dénote la particularité de l'entité en cause, alors qu'un bas niveau de distinction indique que l'entité ne se distingue pas d'autres entités. Enfin, un haut niveau de consistance révèle que le comportement observé est peu variable à travers les modalités, alors qu'un bas niveau indique que le comportement peut varier selon la modalité où le comportement est observé (reproduction de Vallerand & Bouffard, 1985, avec permission).

Plus récemment, Kelley (1972a) a suggéré que sa théorie ANOVA se révélait appropriée dans certaines situations, mais ne saurait être représentative de tous ou même de la majorité des raisonnements attributionnels. Selon lui, il devient très onéreux pour l'individu de se servir d'une analyse attributionnelle si poussée. Il propose plutôt que nous faisons souvent appel à des raccourcis, qu'il appelle «schémas causals». Ceux-ci représentent de l'information conservée en mémoire concernant les relations causales dans notre environnement social. Cette information est tirée de nos expériences passées et permet d'émettre rapidement des attributions sans pour autant passer par une analyse exhaustive de la situation.

Dans sa deuxième théorie, Kelley (1972a, 1973) propose deux schémas causals: le schéma de causalité «nécessaire» et celui de causalité «suffisante». Comme il serait trop long de les présenter ici, nous nous contenterons de discuter de deux principes dérivant de ces deux schémas causals, soit le principe d'ignorement et le principe d'augmentation. Le **principe d'ignorement** *(discounting principle)* se produit dans la mesure où «le rôle d'une cause donnée dans la production d'un effet est ignoré si d'autres causes plausibles sont aussi présentes» (Kelley, 1972b, p. 8, traduction libre). L'effet négatif des récompenses extrinsèques sur la motivation intrinsèque (p. ex. Lepper *et al.*, 1973) représente un bon exemple de ce principe. Un individu rémunéré pour participer à une activité plaisante fera utilisation du principe d'ignorement en ignorant les raisons intrinsèques qui peuvent expliquer sa participation et en inférant qu'il participa à l'activité pour des raisons extrinsèques (l'argent). Il y aura alors baisse de motivation intrinsèque.

Le **principe d'augmentation** se produit généralement lorsque, pour un effet donné, une cause inhibitrice et une cause facilitante sont présentes. La cause facilitante sera jugée alors plus importante que si elle avait été présentée comme seule cause du comportement (Kelley, 1972b, p. 12). Par exemple, si un étudiant se présente très malade à un examen difficile et le réussit avec succès, on attribuera alors son succès à son intelligence, et ce encore plus que s'il avait réussi l'examen en bonne santé. La cause inhibitrice (maladie) a pour effet de rendre la cause facilitante (intelligence) encore plus importante.

Plusieurs recherches ont été menées afin de vérifier la viabilité de ces deux principes (voir Harvey & Weary, 1981, 1984). La grande majorité de ces études ont cependant porté sur le principe d'ignorement. Ainsi, dans une étude fort intéressante, Enzle, Hansen et Lowe (1975) ont démontré une spécification du principe d'ignorement : lorsque des causes internes et externes sont présentées et peuvent toutes deux expliquer le comportement, les causes internes seront ignorées et les causes externes seront retenues par l'observateur comme explication du comportement de l'acteur. Mais ceci ne veut pas nécessairement dire que les causes internes sont les seules à être ignorées. En effet, certaines recherches (Fazio, 1981) prouvent que lorsqu'une cause interne est très saillante les causes externes peuvent également être ignorées à leur tour. Ce phénomène se produira surtout lorsque le comportement adopté se révèle essentiel pour l'identité de la personne (Braun & Wicklund, 1989). Enfin, certaines évidences démontrent que le principe d'ignorement est plus puissant que celui d'augmentation (Hansen & Hall, 1985).

Les approches récentes

Les théories que nous avons vues jusqu'ici présentent, dans l'ensemble, des mécanismes relativement complexes afin d'expliquer le processus d'inférences causales. Est-ce bien ce qui se passe dans la vie courante ? Sommes-nous aussi consciencieux dans notre recherche causale ? Certains théoriciens ont récemment proposé que, dans la vie de tous les jours, nous sommes loin de raisonner tels des scientifiques qui analysent toute l'information à leur disposition afin de pouvoir obtenir l'attribution la plus juste. Selon ces théoriciens, notre recherche des attributions est beaucoup moins délibérée et approfondie que les théories « classiques » ne pourraient nous le laisser croire. Les propositions théoriques récentes qui ont été avancées pour expliquer un tel phénomène peuvent être classées dans deux groupes, soit les approches pragmatiques et celles du traitement de l'information.

L'approche pragmatique. En général, les tenants de l'**approche pragmatique** proposent que, dans notre analyse causale de tous les jours, nous ne pensons pas comme des scientifiques qui essaient d'analyser les causes de façon précise en se servant de principes établis. Nous agissons plutôt de la façon la plus efficace possible, en fonction de la situation dans laquelle l'attribution doit être émise.

Différentes positions pragmatiques ont été formulées. Une première approche postule que la causalité (et donc l'attribution) est inhérente au processus perceptuel, c'est-à-dire que la perception d'un événement peut mener automatiquement (White, 1988) à une attribution. Ceci se produirait surtout lorsqu'un schéma préexistant dirige notre processus perceptuel (Wyer & Srull, 1986).

Une deuxième position, celle de Hansen (1980, 1985), stipule que le principe utilisé couramment dans notre recherche causale est celui de l'**économie cognitive.** Selon ce principe, lorsqu'on essaie de déterminer la cause d'un événement, on commence par proposer une cause préliminaire plausible. Par la suite, cette première attribution sert de point d'ancrage afin de faire une recherche d'information. Cette recherche d'information est rarement poussée, la personne essayant de confirmer l'attribution initiale au lieu de tester réellement sa véracité ou encore d'infirmer des causes rivales (on se souviendra du biais confirmatif [Snyder, 1984] vu dans le chapitre précédent). En accord avec Kelley (1972a), Hansen suggère qu'afin de confirmer l'attribution initiale le principe de covariation est utilisé. Donc, si la cause initiale est perçue comme un élément covariant avec l'effet, l'attributeur peut alors émettre cette attribution sans détours inutiles.

Considérons l'exemple suivant. Vous marchez dans la rue quand tout à coup vous entendez un gros bruit, tel celui d'un gros accident de voiture. Vous tournez le coin de la rue afin de voir ce qui s'est passé et, sans distinguer parfaitement, vous voyez au loin un gros camion et deux voitures qui bouchent l'entrée de la rue suivante. Vous vous dites que le camion a frappé l'une des deux voitures et a causé l'accident. Vous attribuez donc l'accident au camion. Pourquoi? Généralement, lorsqu'on entend un gros bruit, il se trouve une importante cause sous-jacente, c'est-à-dire que les causes majeures covarient avec les effets majeurs. Quand vous avez vu le gros camion, vous avez formé une attribution initiale au camion qui fut rapidement confirmée par votre expérience antérieure. Vous avez donc conclu que le camion avait frappé l'une des deux voitures. Les résultats de plusieurs études soutiennent la position de l'économie cognitive de Hansen (p. ex. Hansen, 1980).

Une troisième position pragmatique est celle qui postule que le processus attributionnel porte surtout sur une simulation mentale de type «contre-factuel» («counter-factual») (Kahneman & Miller, 1986; Miller, Turnbull & McFarland, 1989; Wells & Gavanski, 1989). Dans un tel processus, la personne compare la condition passée avec d'autres conditions qui auraient pu se produire. Dans la mesure où d'autres conditions auraient changé l'issue de l'événement, alors les conditions originelles seront perçues comme des éléments ayant causé l'événement en question. Ainsi, dans l'une des études de Wells et Gavanski (1989, étude n° 1), on présenta un scénario à des sujets dans lequel on indiquait qu'une employée était morte à la suite d'une réaction allergique à un repas commandé par son patron. Ce dernier fut jugé plus responsable de l'incident lorsqu'on informa les sujets qu'il avait envisagé le choix d'un autre met ne contenant pas l'ingrédient allergique que lorsqu'il avait envisagé une autre met contenant également l'ingrédient allergique. Dans le premier cas, les sujets avaient pu modifier l'issue de l'événement tragique en changeant le comportement (ou choix) du patron. Celui-ci était donc responsable du drame.

On a pu voir qu'une attribution causale peut être émise sans pour autant qu'un attributeur se serve de principes attributionnels complexes. Pourtant les travaux sur les théories de l'attribution démontrent que nous pouvons à l'occasion utiliser de tels mécanismes. Alors quand utilise-t-on les deux types de processus ? Selon la théorie de l'épistémologie naïve (Kruglanski, 1980, 1989), notre recherche d'information sera rapide ou très poussée suivant deux facteurs : le besoin de structure cognitive et la peur de se tromper de l'attributeur. Ces deux motivations peuvent être induites par la situation ou peuvent exister chez la personne sous forme de traits de personnalité. Le premier facteur correspond à un besoin chez la personne d'obtenir une réponse rapidement à sa question ; le second facteur (la peur de se tromper dans la recherche épistémique) amène la personne à sous-peser les différentes hypothèses plausibles de sorte à choisir la plus appropriée. Comme on peut le voir, ces deux motivations jouent des rôles opposés.

Selon Kruglanski, lorsqu'une personne ressent un fort besoin de structure (par exemple vous devez prendre une décision très rapidement) et une faible peur de se tromper (et ce sans conséquence grave), elle émettrait une attribution très rapidement. Par contre, lorsque la personne a un faible besoin de structure cognitive mais une grande peur de se tromper (par exemple vous devez décider si vous aimez la psychologie au point de faire carrière dans cette branche), elle serait plus encline à formuler différentes hypothèses et à conserver la plus probable à la suite d'une recherche des plus complètes. La théorie de Kelley pourrait alors être utilisée. Bien qu'ayant suscité plusieurs études dans le secteur des perceptions sociales (p. ex. Kruglanski, Peri & Zakai, 1991) et dans diverses sphères de la psychologie sociale, la théorie de l'épistémologie naïve n'a pas encore été testée dans le cadre des attributions. On peut toutefois prédire, sans se tromper, que la théorie de l'épistémologie devrait conduire à beaucoup de recherches dans le secteur de l'attribution au cours des prochaines années (voir Kruglanski, 1989, chapitre 4, à cet effet).

L'approche du traitement de l'information. Une autre position critique les théories classiques de l'attribution, celle du traitement de l'information (p. ex. Wyer, 1981; Wyer & Srull, 1986). Selon les théoriciens du traitement de l'information, les renseignements que nous possédons sur notre environnement social sont influencés par différents processus cognitifs, soit l'attention, l'entreposage en mémoire, le rappel et le jugement, qui nous ont amenés à emmagasiner en mémoire de l'information sur les causes probables d'événements. Lorsqu'une situation correspond à l'information en mémoire, alors une attribution peut être effectuée presque automatiquement (Wyer, 1981).

Ainsi certains auteurs (Reeder, 1985; Reeder & Brewer, 1979) proposent que nous avons des schémas préétablis qui nous amènent à effectuer des attributions dispositionnelles sur autrui dès que le comportement en question est adopté. On se souviendra que les résultats des études sur la théorie des inférences de correspondance (Jones & Davis, 1965) ont démontré que les attributeurs ont tendance à effectuer des attributions dispositionnelles même lorsque l'acteur n'a pas eu le choix d'accomplir l'action. Ce résultat est contraire à la théorie. En revanche, la position schématique de Reeder permet d'expliquer ce résultat: nous avons élaboré des schémas dans lesquels des relations comportements-causes dispositionnelles sont entreposées en mémoire; lorsque le comportement est adopté, l'attribution dispositionnelle est émise automatiquement, indépendamment des contraintes situationnelles auxquelles l'acteur aurait pu être soumis (voir aussi Sedikides & Anderson, 1992, pour une position similaire où l'on postule la présence de structures de connaissances causales gardées en mémoire et prêtes à être utilisées pour expliquer différents comportements d'autrui dans des circonstances bien précises).

Par exemple, il se pourrait qu'on ait conservé de l'information en mémoire selon laquelle le fait qu'un automobiliste grille un feu rouge est causé par une caractérisque dispositionnelle du conducteur (il est négligent). Donc, lorsque cette situation se présente, nous ferions une attribution dispositionnelle pour expliquer le comportement même si des causes situationnelles pouvaient l'expliquer (la chaussée est glissante et le conducteur ne peut arrêter le véhicule).

La position du traitement de l'information postule que les attributions que nous formulons sont soumises aux mêmes influences cognitives que les autres cognitions sociales, soit les phénomènes d'attention, d'entreposage en mémoire, de rappel et de jugement. On devrait donc s'attendre à ce que ces diverses étapes du processus cognitif influent sur l'issue de la démarche causale. Plusieurs recherches soutiennent ce point. Par exemple, il a été démontré que l'attention des gens est déterminante dans le choix des attributions choisies pour expliquer une action. En observant une interaction entre diverses personnes, l'attributeur accordera un plus grand rôle causal dans les échanges verbaux à la personne qui lui paraît la plus saillante ou visuellement la plus observable (Taylor & Fiske, 1975, 1978). De plus, Rholes et Pryor (1982) ont démontré que les causes les plus accessibles en mémoire sont perçues comme des attributions plus importantes que les causes peu accessibles dans la mesure où la relation de cause à effet est plausible. Lorsque cette relation est peu probable, les attributions plus accessibles ne sont pas plus choisies que les autres. Donc, si vous venez d'inférer qu'une personne vient de brûler un feu rouge sciemment (attribution dispositionnelle de négligence), vous serez enclin à refaire la même attribution si le même comportement est observé peu de temps après, l'attribution étant très accessible en mémoire (voir Wyer & Srull, 1986, à cet effet).

Chose intéressante, Hastie (1984) propose et démontre que les attributions ont également un effet causal sur les mécanismes de mémoire. En effet, il apparaît que lors d'événements inattendus les attributions produisent des représentations en mémoire très élaborées qui amènent l'attributeur à se rappeler par la suite ces événements beaucoup plus que des événements ne menant pas à des attributions. Il semble donc exister une relation bidirectionnelle entre les mécanismes de mémoire et les attributions: les attributions émises dans certaines situations créeront des unités de représentation saillantes en mémoire qui, en retour, seront plus susceptibles d'être utilisées au moment de faire une attribution.

En somme, les positions récentes dans le secteur de l'attribution soulignent que les attributions que nous faisons ne sont pas toujours le fruit de processus complexes, comme le proposent les théories classiques. Les recherches futures s'attarderont sûrement à déterminer quand les théories «classiques» sont employées et quand les principes pragmatiques et cognitifs rapides le sont.

LES BIAIS ATTRIBUTIONNELS

Les attributions que nous faisons à notre sujet et à celui des autres ne sont pas toujours effectuées de façon objective. Comme le mentionnait Fritz Heider il y a maintenant 35 ans, l'attributeur est sujet à plusieurs sources de biais motivationnels et cognitifs. C'est de ces biais dont nous allons traiter dans cette section. Nous allons débuter par les biais impliqués dans les attributions que nous faisons à notre sujet. On dira alors que l'attributeur agit en tant qu'acteur. Il sera surtout question du biais égocentrique. Puis nous traiterons des biais qui influent sur les attributions émises au sujet des autres. L'attributeur représente alors un observateur. Les différences d'attributions entre les acteurs et les observateurs seront ensuite discutées. Enfin, nous terminerons notre discussion en traitant des différences dans les attributions émises par les hommes et par les femmes ainsi que des effets du temps sur les attributions choisies.

Les biais dans les attributions des acteurs

Il ne se passe pas un jour dans notre vie sans que divers événements qui nous paraissent importants se produisent. Certains sont positifs, d'autres négatifs: vous tombez amoureux; vous obtenez une faible note dans l'un de vos examens; vous vous chicanez avec vos parents; vous réussissez à vous dénicher un emploi d'été. Normalement, nous effectuons des attributions pour déterminer les causes de ces divers événements positifs et négatifs. Ce faisant, nous faisons généralement preuve d'un biais très intéressant: nous attribuons nos succès (ou événements plaisants) à des causes qui nous sont propres mais nos échecs à des causes qui sont externes à notre personne. Par exemple, si vous venez d'obtenir 90 % à votre examen de psychologie sociale, il y a de fortes chances qu'on vous entende dire: «C'est vrai que je suis particulièrement doué pour cette matière.» Par contre, si vous obtenez une faible note au même examen, on ne serait pas surpris de vous entendre dire que le professeur a été trop sévère ou encore que l'examen ne comprenait pas les questions que vous aviez étudiées. Cette tendance à attribuer nos succès à des causes internes et nos échecs à des causes externes a été appelé **biais égocentrique.**

Une étude de Lau et Russell (1980) démontre ce phénomène. Dans cette étude, les auteurs ont recueilli les articles de journaux dans lesquels les athlètes et entraîneurs expliquaient les succès et les échecs de leur équipe. Les attributions furent alors analysées afin de déterminer si elles représentaient des causes internes ou externes aux équipes. Les résultats sont présentés à la figure 5.3. Il est possible de voir que les joueurs et entraîneurs émirent beaucoup plus d'attributions internes à la suite d'un succès qu'à la suite d'un échec. Toutefois, le phénomène contraire se produit en ce qui concerne les attributions externes : ces dernières ont été émises beaucoup plus pour expliquer un échec que pour expliquer un succès.

Les résultats de plusieurs autres études vont dans le même sens, et ce autant en laboratoire qu'en milieu naturel. Que ce soit à la suite d'examens, de compétitions sportives, de paris ou d'élections, le résultat est généralement identique : nous attribuons nos succès à des causes internes et nos échecs à des causes externes (p. ex. Forsyth & McMillan, 1981; Gilovich, 1983; Grove, Hanrahan & McInman, 1991; Lau, 1984). Enfin, notons que de tels résultats ont été obtenus dans des recherches menées dans plusieurs cultures (voir Nurmi, 1991; Weiner, 1980).

FIGURE 5.3 **Le biais égocentrique : attributions internes (figure 5.3a) et attributions externes (figure 5.3b) à la suite des succès et des échecs sportifs**

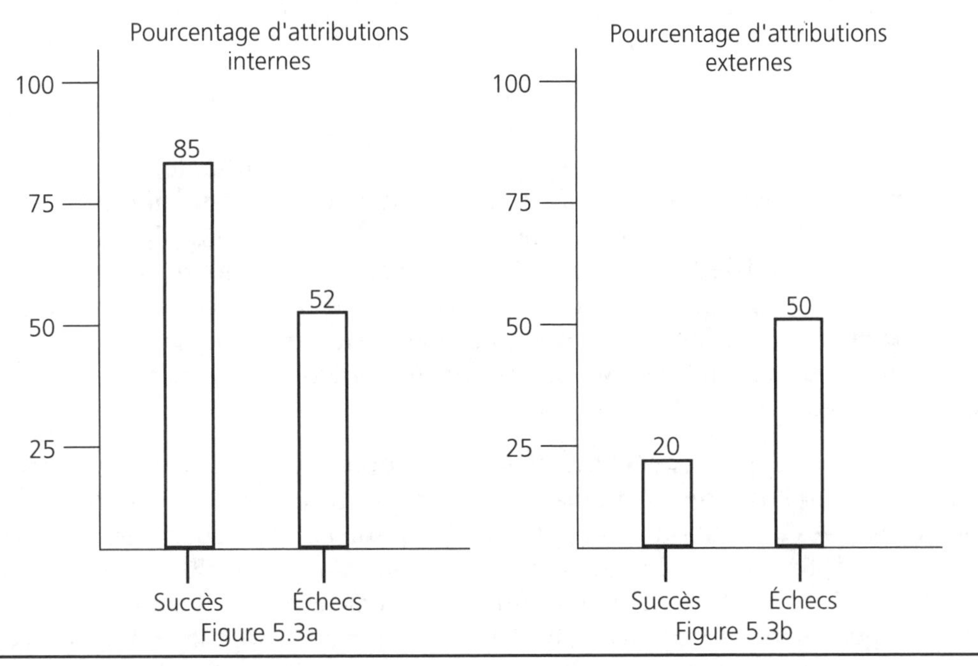

Adapté de Lau et Russell (1980).

Mais pourquoi sommes-nous sujets à ce biais égocentrique? Quatre explications ont été présentées à cet effet. Une première explication porte sur le désir de la personne de protéger son estime de soi. Si la personne se blâmait pour son échec, elle ressentirait des émotions négatives et son estime de soi serait diminuée. Dans une telle situation, la personne aura tendance à attribuer l'échec à des causes externes et protégera ainsi son estime de soi.

Plusieurs études ont confirmé de façon empirique la position de la protection de l'estime de soi. Ainsi, à la suite d'un succès, les attributions internes augmentent les émotions reliées à l'estime de soi comparativement à des attributions externes alors que l'inverse se produit à la suite d'un échec (McFarland & Ross, 1982). De plus, un certain nombre d'études démontrent que le biais égocentrique est beaucoup plus fort lorsque les gens croient ressentir une forte activation, indiquant en principe que le soi est rehaussé (condition de succès) ou menacé (condition d'échec) (p. ex. Brown & Rogers, 1991; Gollwitzer, Earle & Stephan, 1982). Enfin, lorsqu'on est engagé profondément dans l'activité ou qu'on ressent un besoin important d'accomplissement, nos attributions seront alors biaisées par ces motivations (Miller, 1976; Weary, 1980).

Une seconde explication met l'accent sur les conséquences interpersonnelles anticipées de nos attributions. Ainsi, lorsque nos comportements sont publics, nous voulons nous assurer que les autres ne nous rendront pas responsables de nos échecs mais voudront bien nous accorder le crédit de nos succès. Donc, en effectuant des attributions internes pour nos succès mais des attributions externes pour nos échecs, nous protégeons notre image publique aux yeux des autres. Encore ici, de nombreuses études corroborent cette position du rôle de la présentation de soi dans l'émission d'attributions à la suite d'un succès et d'un échec (Bradley, 1978; Weary, 1980; Weary & Arkin, 1981).

Une troisième explication du phénomène du biais égocentrique propose que les attributions que nous faisons sont influencées par nos attentes (p. ex. Miller & Ross, 1975). Ainsi, comme la majeure partie des gens s'attendent à réussir ce qu'ils entreprennent, ils émettront des attributions internes et stables à la suite d'un succès. Par contre, lorsqu'ils échouent (ce qui est contraire à leurs attentes), ils effectuent des attributions externes et instables pour expliquer cet événement plutôt surprenant qui déroge à leurs habitudes. Donc, dans le cas présent, le biais égocentrique n'est pas perçu comme un élément causé par une motivation de la part du sujet mais plutôt comme un élément fort logique, basé sur l'information que possède la personne.

Enfin, Kulik, Sledge et Mahler (1986) ont proposé le **biais confirmatif de soi** afin d'expliquer l'occurrence du biais égocentrique. Selon ces auteurs, l'acteur est porté à faire des attributions dispositionnelles si son comportement est en accord avec la conception qu'il a de lui-même, mais il émettra des attributions situationnelles si son comportement est contraire à ses conceptions personnelles. Dans l'une des études menées par Kulik *et al.* (1986, étude n° 2), des sujets choisis selon qu'ils se considéraient comme introvertis ou extravertis furent placés dans une situation dans laquelle ils avaient l'occasion d'agir de façon sociable avec une autre personne. À leur insu, cependant, la situation avait été manipulée de sorte qu'il était presque impossible d'interagir avec cette autre personne (cette dernière, qui était en réalité complice de l'expérimentateur, est restée le nez dans son livre et n'a jamais regardé le sujet). Par la suite, on demanda aux sujets d'expliquer pourquoi ils n'avaient pas agi de façon sociable avec l'autre personne. Les résultats ont démontré que les sujets introvertis ont expliqué leur comportement non sociable (qui était conforme à leur perception d'eux-mêmes) en fonction de leurs propres dispositions, alors que les sujets extravertis expliquèrent leur comportement non sociable (qui était contraire à leur perception d'eux-mêmes) en fonction de la situation. La position de Kulik et ses collègues se trouvait donc soutenue.

Les explications présentées pour le phénomène du biais égocentrique peuvent être regroupées de façon globale sous la rubrique de la motivation (protection et présentation de soi, réduction de l'activation physiologique à la suite d'un échec) et des cognitions (traitement de l'information ou attentes et biais confirmatif de soi). Plusieurs études ont été menées afin de prouver la suprématie de l'une ou de l'autre position. Après une recension des écrits sur le sujet, Tetlock et Levi (1982) concluaient que les deux positions étaient probablement correctes et que les recherches futures devraient s'attarder à démontrer comment les deux positions pouvaient s'intégrer dans une approche plus complète, permettant ainsi d'établir quand chacune des deux approches entre en opération. Dans un tel cadre, la position de Anderson et Slusher (1986) est particulièrement intéressante puisqu'elle propose un modèle à deux temps du biais égocentrique qui incorpore les perspectives motivationnelle et cognitive. Selon ce modèle, au premier stade, l'acteur essaie de définir l'événement qui vient de se produire. Les processus motivationnels amènent alors la personne à choisir les structures d'information nécessaires pouvant expliquer l'événement en question. Certains types d'information (ou d'attributions) seront choisis alors que d'autres seront mis de côté. La motivation joue donc un rôle dans le choix des structures cognitives qui seront conservées pour analyse au second stade. Dans celui-ci, les éléments d'information sont alors comparés et une explication est choisie de façon logique et rationnelle. La cause choisie sera celle qui s'avérera la plus probable parmi celles qui avaient été sélectionnées à la phase précédente.

Considérons l'exemple suivant. Vous venez d'obtenir la note A dans votre premier examen de psychologie de la personnalité. Dans un premier temps, cet examen étant très important pour vous (source de motivation), vous commencez à émettre des hypothèses quant aux causes responsables de votre succès. Cette information peut venir de la situation même ou encore de vos expériences passées entreposées en mémoire dans vos schémas. Ainsi vous pouvez penser que ce succès est dû à votre intelligence (vous étudiez à présent à l'université et vous avez obtenu une très bonne note), à votre effort (vous avez étudié très fort la veille de l'examen et ce travail effectué est très saillant en mémoire) et à votre intérêt pour la matière (c'est votre cours préféré). Par la suite, dans la seconde phase proposée par Anderson et Slusher, vous choisissez comme attribution votre intérêt pour la psychologie de la personnalité, car selon vous il est la cause la plus plausible de votre succès. Vous attribuez donc finalement votre succès à votre intérêt pour la matière. Les résultats de trois études (Anderson & Slusher, 1986) soutiennent le modèle à deux temps des attributions égocentriques.

Cet amalgame des positions motivationnelle et cognitive se révèle fort intéressant, et permet de mieux comprendre le rôle de chacune des perspectives dans le processus de réflexion causale (voir Kunda, 1987, et Pyszczynski & Greenberg, 1987, pour des positions semblables à celle d'Anderson & Slusher, 1986).

Les biais dans les attributions des observateurs

Nous pouvons être biaisés non seulement lorsque nous faisons des attributions sur nous-mêmes, mais également lorsque nous effectuons des attributions pour expliquer le comportement des autres. Étudions quelques-uns de ces biais.

L'erreur attributionnelle fondamentale. Une personne qui traverse la rue sans attendre le feu vert agit de la sorte (selon nous) parce qu'elle est négligente, mais non parce qu'elle est en retard à un rendez-vous. La personne qui répond sèchement à un commentaire de l'un de ses amis semble l'avoir fait parce qu'elle possède un mauvais caractère, mais non parce que son ami l'a exaspérée par sa question. Au bureau le patron demande à ses employés de travailler plus fort parce qu'il possède un caractère intransigeant, mais non parce que son entreprise éprouve des problèmes financiers. Enfin, le professeur n'accepte pas de s'amuser en classe parce qu'il possède une personnalité plutôt froide, mais non parce qu'il doit présenter toute la matière avant la tenue du prochain examen. Ces exemples, et l'on pourrait en présenter plusieurs autres, ont tous un point en commun, ils démontrent notre tendance à expliquer le comportement des autres par leurs caractéristiques dispositionnelles, même si d'autres explications situationnelles seraient plausibles.

Cette tendance à surestimer l'influence causale des facteurs dispositionnels et à déprécier le rôle des facteurs situationnels dans l'explication du comportement d'autrui est si puissante qu'elle a été surnommée l'**erreur attributionnelle fondamentale** par Lee Ross (1977). Plusieurs études démontrent l'existence de ce biais. Par exemple, dans l'étude de Jones et Harris (1967), certains sujets furent informés que la personne qui avait écrit un essai en faveur de Fidel Castro avait eu le choix d'écrire ce qu'elle pensait alors que d'autres sujets furent informés que la personne en question n'avait pas eu ce choix. Les sujets devaient par la suite déterminer la véritable attitude de l'auteur vis-à-vis de Fidel Castro. Les résultats révélèrent que les sujets crurent que l'essai reflétait la véritable attitude de la personne à l'égard de Castro même si cette dernière n'avait pas eu le choix d'écrire ce qu'elle voulait !

Jones (1979) a utilisé l'expression « surattribution » pour expliquer ce biais de l'observateur à négliger les pressions de la situation dans l'explication du comportement d'autrui et à utiliser les dispositions de l'acteur pour expliquer le comportement de ce dernier. On surutilise alors les attributions dispositionnelles au détriment des attributions situationnelles.

Ce biais a été retrouvé dans de nombreuses études (voir Jones, 1979; Ross, 1977) et se révèle très puissant. Ainsi il apparaît que des attributions dispositionnelles seront émises même dans des conditions où l'attributeur est responsable du comportement de l'acteur (Gilbert & Jones, 1986; Snyder & Jones, 1974). Par exemple, dans l'étude de Gilbert et Jones (1986), même si les sujets avaient dicté aux répondants ce qu'il fallait écrire dans un essai sur l'avortement, les sujets inférèrent tout de même que l'essai en question reflétait l'attitude des répondants ! Le biais semble donc assez puissant pour que nous ne nous rendions pas compte de notre propre influence sur le comportement d'autrui (voir Gilbert, Krull & Pelham, 1988, à cet effet).

L'attribution de responsabilité injustifiée. Non seulement faisons-nous des attributions dispositionnelles pour expliquer le comportement d'autrui, mais nous émettons également des attributions de responsabilité pour expliquer le sort de victimes d'accident. En d'autres termes, nous blâmons souvent la victime pour ce qui lui est arrivé, et ceci est d'autant plus le cas lorsque les conséquences de l'accident sont graves (Chaiken & Darley, 1973; Phares & Wilson, 1972; Walster, 1966).

Considérons l'exemple suivant. On se souviendra qu'à l'été 1988 les citoyens de Saint-Basile-le-Grand, au Québec, ont été victimes d'un accident environnemental où des BPC (substances toxiques) s'échappèrent dans l'atmosphère. Cet accident causa de sérieux problèmes aux citoyens, qui durent évacuer leur demeure et s'en absenter pendant plusieurs jours. L'accident fut expliqué de plusieurs façons alors qu'on accusa le gouvernement de négligence, le propriétaire de l'entrepôt où se trouvaient les barils de BPC d'irresponsabilité, etc. Cependant, on entendit à l'occasion des attributions de ce type : « C'est de leur faute. Les résidents (les victimes) n'avaient qu'à aller vivre ailleurs. » Ou encore : « Les résidents n'avaient qu'à s'arranger pour que les barils de BPC soient enlevés de là (Saint-Basile). » En faisant de telles attributions, les observateurs oubliaient que les citoyens de Saint-Basile ne pouvaient prévoir qu'un tel accident se produirait (alors pourquoi déménager ?) et même que certains d'entre eux avaient tenté, sans succès, de s'assurer que les barils de BPC soient entreposés hors de leur municipalité. Comme on peut le voir, les attributions de responsabilité vis-à-vis des citoyens de Saint-Basile furent injustes. Alors pourquoi furent-elles émises ?

Une première explication est offerte par certains auteurs qui postulent qu'en blâmant la victime l'observateur se rassure en se disant que lui-même ne pourrait pas être victime d'un tel accident (Shaver, 1975; Walster, 1966). En effet, si l'observateur attribuait l'accident au destin, il pourrait bien devenir sa prochaine victime. En revanche, en blâmant la victime, l'observateur se protège de l'anxiété associée à la croyance selon laquelle les événements catastrophiques ne peuvent pas toujours être évités (Burger, 1981; Shaver, 1970). Les attributions de responsabilité ont alors une fonction défensive ou de protection pour l'attributeur.

Selon la position de l'**attribution défensive,** tout facteur qui augmentera chez l'observateur l'anxiété associée à la pensée que l'événement pourrait lui arriver l'amènera à émettre des attributions défensives. Trois facteurs ont été désignés (voir Shaver, 1970, 1975; Walster, 1966): la gravité de l'accident, la similitude entre la situation en question et celle de l'attributeur et enfin la ressemblance entre la victime et l'attributeur. Plusieurs recherches soutiennent l'importance de ces facteurs dans l'émission d'attributions défensives (voir Burger, 1981).

Une deuxième explication, reliée à la précédente, est proposée par Michael Sullivan et Michael Conway (1989), de l'Université Concordia, au Québec. Selon ces chercheurs, le fait de ressentir des émotions négatives (telle l'anxiété par exemple) amène l'observateur à effectuer une recherche attributionnelle moins poussée. L'émission d'attributions dispositionnelles étant moins exigeante que celle d'attributions situationnelles ou circonstancielles, les observateurs auront alors tendance à effectuer de telles attributions pour expliquer le comportement de l'acteur. Puisque nous ressentons souvent des émotions négatives à la vue de victimes de divers accidents, il n'est donc pas surprenant que nous soyons prêts à blâmer les victimes.

Une troisième explication pour l'émission d'attributions de responsabilité à la victime est celle de l'**hypothèse du monde juste,** de Melvin Lerner (1970), de l'Université de Waterloo, en Ontario. Selon lui, les gens croient qu'ils vivent dans un monde où ils méritent ce qui leur arrive et où ce qui leur arrive est mérité. Donc, au lieu de penser que certaines victimes souffrent injustement (ce qui attaque notre croyance selon laquelle nous vivons dans un monde juste et ordonné), nous attribuons l'accident à la victime. Le fait de ne pas rendre les victimes responsables des drames qu'elles vivent équivaudrait également à accepter que le monde est injuste et que d'innocentes personnes (comme nous-mêmes) peuvent souffrir. L'attributeur protège donc ses propres croyances en blâmant les victimes d'un accident.

Par exemple, une étude de MacLean et Chown (1988) a révélé que les étudiants qui croyaient en un monde juste blâmaient les personnes âgées pour leurs problèmes financiers et de santé. Probablement afin d'être cohérents avec leur croyance suivant laquelle ce qui survient dans ce bas monde est juste et mérité, ces étudiants considéraient que les personnes âgées méritaient ce qui leur arrivait. Bon nombre d'autres recherches soutiennent la position de Lerner (voir Jose, 1991; Lerner & Miller, 1978).

Enfin, une dernière explication de l'attribution de responsabilité injustifiée prend naissance dans le biais de connaissance après les faits (*hindsight bias;* Fischhoff, 1975). Janoff-Bulman, Timko et Carli (1985) ont démontré que le fait d'être mis au courant de ce qui est survenu à une victime (un viol par exemple) rend l'issue de l'événement plus prévisible aux yeux de l'attributeur, ce qui amène ce dernier à blâmer la victime pour ne pas avoir été plus prévoyante et ne pas avoir évité l'événement en question. De plus, cet effet semble très puissant puisque même un ajout d'information selon laquelle le sort de la victime aurait pu être fort différent ne suffit pas à l'éliminer.

Même si nous émettons généralement des attributions dispositionnelles pour expliquer le comportement d'autrui, il ne faudrait pas croire que ce biais survient toujours. Il peut arriver, dans certaines conditions, que les observateurs biaisés que nous sommes deviennent plus objectifs. Ainsi nous sommes moins portés à émettre des attributions dispositionnelles lorsque nous devons répondre de nos jugements attributionnels (Tetlock, 1985), lorsque nous sommes émotionnellement concernés par l'action de l'acteur (Ungar & Sev'er, 1989) et lorsque les conséquences de l'action sont présentées de façon globale et non concrète (Vallacher & Selz, 1991). De plus, les personnes démontrant une complexité attributionnelle élevée sont moins susceptibles de commettre une erreur attributionnelle fondamentale (Fletcher, Reeder & Bull, 1990). Donc, même s'il se révèle fort tenace, le biais attributionnel de l'observateur n'est pas incontournable (voir Jones, 1990, à cet effet).

Les différences entre les attributions émises par les acteurs et par les observateurs

Un des résultats intéressants des recherches sur les attributions réside dans le fait que les acteurs, comparativement aux observateurs, émettent des attributions différentes pour leur comportement. Jones et Nisbett (1972) expliquent le **biais acteur-observateur** de la façon suivante : « Il y a une tendance importante chez les acteurs à attribuer leurs actions aux pressions de la situation alors que chez les observateurs il y a une tendance à attribuer ces mêmes comportements à des dispositions personnelles des acteurs » (p. 80).

Ces différences dans les attributions émises par les acteurs et par les observateurs sont intéressantes autant sur le plan théorique que sur le plan appliqué. Ainsi, sur le plan appliqué, de telles différences dans les attributions peuvent mener à des conflits interpersonnels majeurs. Par exemple, vous étiez censé(e) téléphoner à votre petit(e) ami(e) hier soir, mais vous ne l'avez pas fait. Soudainement, il (ou elle) vous téléphone et vous dit : « Tu ne m'as pas appelé(e) hier soir ? » Vous répondez que vous avez complètement oublié, que vous étiez trop occupé(e) à étudier (attribution situationnelle). Votre petit(e) ami(e) vous dit alors que vous êtes négligent(e) (attribution dispositionnelle) et une discussion houleuse s'ensuit. Comme on peut le voir, des attributions différentes sont émises par l'acteur et par l'observateur pour le même comportement, et le conflit attributionnel engendre une dispute. Donc, les attributions peuvent avoir des conséquences importantes sur le plan interpersonnel (voir Harvey, Orbuch & Weber, 1991, à ce sujet) et sur bien d'autres plans.

Plusieurs études ont étayé cette différence entre acteurs et observateurs. Une des premières études est celle de Nisbett, Caputo, Legant et Marecek (1973). Dans cette recherche, des étudiants devaient expliquer dans de brefs paragraphes pourquoi ils avaient choisi d'étudier à l'université dans leur domaine d'études et pourquoi ils aimaient la jeune fille qu'ils fréquentaient. Par la suite, ils devaient répondre à ces deux mêmes questions, mais cette fois-ci afin d'expliquer les choix de leurs meilleurs amis. Les auteurs ont comparé les réponses des étudiants selon qu'ils avaient répondu pour eux (acteurs) ou pour leurs amis (observateurs).

Les résultats figurent au tableau 5.6. On remarque que les sujets ont émis plus d'attributions situationnelles afin d'expliquer pourquoi ils aimaient leur petite amie qu'ils n'en ont fait pour expliquer le même comportement chez leur meilleur ami. En ce qui concerne les résultats pour le choix du domaine d'études, on remarque que, même si les étudiants n'effectuent pas plus d'attributions situationnelles que dispositionnelles pour expliquer leur propre choix de domaine d'études, il y a beaucoup plus d'attributions dispositionnelles pour expliquer le choix du domaine d'études de leur meilleur ami. Dans l'ensemble, ces résultats soutiennent la position de Jones et Nisbett selon laquelle les acteurs émettent plus d'attributions situationnelles pour expliquer leur comportement alors que les observateurs font plus d'attributions dispositionnelles pour expliquer les mêmes comportements chez autrui. Ces résultats ont été reproduits à de nombreuses reprises (voir Watson, 1982, pour une recension des écrits à cet effet).

TABLEAU 5.6 Le biais acteur-observateur

Attribution	Raison pour aimer leur petite amie		Raison qui motive le choix de leur programme de formation	
	Situationnelle	Dispositionnelle	Situationnelle	Dispositionnelle
Leur propre comportement (acteurs)	**4,61**	**2,04**	**1,52**	**1,83**
Le comportement de leur ami (observateurs)	**2,70**	**2,57**	**0,43**	**1,70**

Nombre d'attributions dispositionnelles et situationnelles émises par des étudiants pour expliquer leur propre choix et celui de leur meilleur ami en ce qui concerne leur petite amie et leur programme de formation (adapté de Nisbett *et al.*, 1973).

Quels sont les processus psychologiques responsables du biais acteur-observateur? Selon Jones et Nisbett (1972), il existerait deux regroupements de facteurs majeurs pouvant expliquer de telles différences, soit les facteurs cognitifs et les facteurs motivationnels (voir Monson & Snyder, 1977, à ce sujet).

Les facteurs cognitifs. La quantité d'information à la disposition des deux attributeurs peut expliquer pourquoi des attributions différentes sont émises par l'acteur et par l'observateur. Ainsi un observateur qui ne connaît pas l'acteur et qui n'observe que le comportement de ce dernier dans une situation donnée pourrait inférer par erreur que le comportement de celui-ci est adopté selon les dispositions de l'acteur. En revanche, l'acteur qui, lui, se connaît bien peut très bien voir que le comportement qu'il adopte n'est pas dû à sa propre personne mais bien à la nouvelle situation dans laquelle il se trouve. Donc, dans ce cas-ci, les différences dans les attributions émises par l'acteur et par l'observateur pourraient être dues à la quantité d'information possédée par les deux personnes.

Un second facteur cognitif d'importance porte sur le centre d'attention des deux personnes émettant l'attribution. Lorsqu'il accomplit l'action, l'acteur dirige son attention sur l'environnement. Il n'est donc pas surprenant que les attributions qu'il émette concernent ce dernier facteur. Par contre, l'attention de l'observateur est généralement dirigée sur l'acteur. Il est donc raisonnable et compréhensible que les attributions de l'observateur portent sur l'acteur.

Un certain nombre d'études soutiennent cette analyse. Ainsi une étude de Storms (1973) a démontré que le biais acteur-observateur était complètement inversé lorsque les acteurs et les observateurs émettaient leurs attributions après avoir visionné une bande vidéo présentant la perspective de l'autre groupe (c'est-à-dire que les acteurs se regardaient eux-mêmes en train d'agir, alors que les observateurs voyaient l'environnement dans lequel les acteurs interagissaient). Des résultats similaires ont été aussi obtenus avec un autre facteur cognitif: la perspective d'empathie. En effet, lorsqu'on demande à des sujets observateurs de se mettre à la place de l'acteur, les observateurs font alors beaucoup moins d'attributions dispositionnelles que des sujets observateurs à qui l'on demande tout simplement d'observer le comportement de l'acteur (Gould & Sigall, 1977; Regan & Totten, 1975).

Les facteurs motivationnels. Une autre source potentielle de différences entre les attributions émises par les acteurs et par les observateurs réside dans leur motivation à expliquer le résultat d'une action donnée. Ainsi, en ce qui concerne l'acteur, on devrait s'attendre à ce que le biais d'égocentrisme interagisse avec le biais acteur-observateur. De façon plus précise, l'acteur devrait effectuer plus d'attributions de type situationnel après un échec et plus d'attributions dispositionnelles après un succès. Certaines recherches soutiennent cette hypothèse (voir Taylor & Koivumaki, 1976, étude n° 1, à cet effet).

D'autres études (Snyder, Stephan & Rosenfield, 1976) ont soutenu l'hypothèse voulant que la motivation joue un rôle important dans l'émission d'attributions par les acteurs et par les observateurs. En effet, dans ces recherches, les attributions émises par le perdant d'une compétition (ou l'observateur du comportement du gagnant) afin d'expliquer le succès de l'acteur étaient beaucoup plus externes (la chance) que les attributions émises par le gagnant ou par l'acteur lui-même. Il semble donc que la motivation à protéger l'estime de soi joue un rôle majeur dans les attributions faites par l'observateur afin d'expliquer le comportement de l'acteur.

Cependant, ce phénomène ne veut pas dire pour autant que les attributions des acteurs et des observateurs seront toujours différentes à la suite d'un succès et d'un échec. En effet, Chen, Yates et McGinnies (1988) ont démontré que lorsque des observateurs étaient informés qu'ils auraient à effectuer la même tâche que les acteurs qu'ils observaient, leurs attributions devenaient semblables à celles des acteurs, et ce autant en condition de succès que d'échec. Les résultats de ces dernières études font ressortir clairement le rôle de la motivation dans l'émission des attributions des acteurs et des observateurs (voir aussi Grove *et al.*, 1991, pour des résultats similaires en contexte sportif).

Les différences entre les sexes

Un autre biais attributionnel observé réside dans le fait que les hommes et les femmes ne semblent pas toujours émettre les mêmes attributions. Kay Deaux (1976, 1984) propose que trois facteurs devraient être pris en considération afin de pouvoir déterminer la nature des attributions émises par les hommes et par les femmes. Ces facteurs sont 1) le sexe de l'acteur, 2) le sexe de l'acteur tel qu'il est perçu par l'observateur et enfin 3) le genre perçu de la tâche (masculine ou féminine). En ce qui concerne le sexe de l'acteur, les résultats révèlent que seulement de faibles différences semblent exister entre les hommes et les femmes, et que plus souvent qu'autrement ils émettent les mêmes types d'attributions pour expliquer leur propre performance (Callagan & Manstead, 1983). Ces résultats vont généralement dans le sens proposé par le biais d'égocentrisme.

Toutefois, les attributions des hommes et des femmes interagissent avec le genre de la tâche. Ainsi Deaux et Farris (1977) ont démontré que pour une tâche présentée comme étant masculine, alors qu'elle était en réalité neutre (des anagrammes), des sujets masculins s'attendaient à performer beaucoup mieux, évaluaient leur performance de façon plus favorable et faisaient beaucoup plus d'attributions à l'habileté et beaucoup moins d'attributions à la chance pour leur bonne performance que les femmes. Par contre, lorsqu'on informa les sujets que la même tâche était de nature féminine, le résultat inverse ne fut pas obtenu auprès des femmes, c'est-à-dire qu'aucune différence ne fut obtenue entre les hommes et les femmes en ce qui concerne les attributions à l'habileté et à la chance.

Les résultats avec le sexe de l'acteur tel qu'il est perçu par l'observateur doivent être aussi étudiés à la lumière du genre perçu de la tâche afin de pouvoir mieux cerner la situation. Les résultats révèlent généralement une interaction entre les deux variables. Une étude de Deaux et Emswiller (1974) est représentative des recherches menées dans ce secteur. Dans cette étude, on demandait à des observateurs d'expliquer la réussite d'hommes et de femmes quant à une tâche de désignation d'objets. En plus du sexe de la personne observée, la nature de la tâche fut manipulée de sorte que celle-ci était présentée comme étant de type masculin (pouvoir reconnaître des outils mécaniques) ou de type féminin (pouvoir reconnaître des ustensiles). Les observateurs devaient expliquer la bonne performance des hommes et des femmes avec une échelle allant de la chance à l'habileté. Les résultats sont présentés à la figure 5.4.

FIGURE 5.4 **Attributions émises par des observateurs pour expliquer la réussite d'hommes et de femmes à des tâches masculines ou féminines**

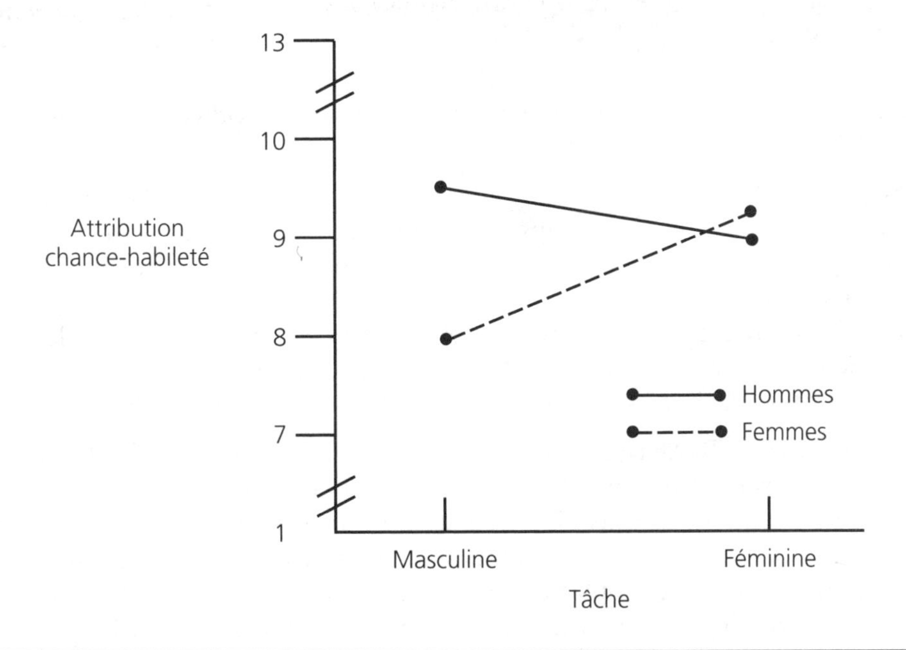

Plus l'attribution est élevée et plus l'attribution est faite à l'habileté (adapté de Deaux & Emswiller, 1974).

On remarque que le jugement des observateurs a différé significativement lorsque la tâche était perçue comme masculine. Plus particulièrement, alors que les observateurs croyaient que les hommes avaient bien fait à cause de leurs habiletés, la performance des femmes, par contre, était attribuée à la chance. En revanche, lorsque la tâche était perçue comme étant de nature féminine, aucune différence n'est apparue dans les attributions des sujets.

Ces résultats obtenus auprès d'observateurs présentent un parallèle étonnant avec ceux de Deaux et Farris (1977) obtenus auprès d'acteurs. Cette similitude a amené Deaux (1984) à proposer que ce sont les croyances et attentes que les gens entretiennent quant à la performance des hommes et des femmes qui déterminent les attributions qui seront émises. Puisque ces croyances peuvent être influencées par les trois facteurs énumérés par Deaux, on peut aisément comprendre qu'il soit complexe de prédire quelles attributions seront émises dans une situation donnée. Dans une telle perspective, on serait en droit de s'attendre à ce que des hommes et des femmes possédant des croyances et perceptions similaires quant aux facteurs invoqués par Deaux émettent des attributions relativement similaires.

L'effet temporel

Un dernier biais attributionnel auquel nous sommes soumis est celui dû à l'effet du temps. En effet, certains résultats indiquent que le passage du temps influe sur les attributions émises. Ce phénomène semble variable, diversifié et soumis à l'influence de plusieurs facteurs (Burger, 1991). Bien que les résultats ne soient pas tous concluants à cet effet, il semble qu'avec le passage du temps les attributions émises par l'acteur deviennent plus situationnelles (Miller & Porter, 1980).

Plusieurs explications du phénomène ont été présentées. Par exemple, il se pourrait d'une part qu'avec le temps nos souvenirs se modifient et, tel qu'il a été mentionné précédemment, parce que l'acteur concentre son attention sur la situation, les facteurs situationnels deviennent encore plus saillants. Il se pourrait d'autre part, comme il a été postulé par Miller et Porter (1980), qu'avec le temps le besoin de contrôler la situation s'atténue et que l'acteur en vienne à accepter le fait que son comportement se trouvait sous l'emprise des facteurs de la situation.

Par contre, selon Burger (1986b), cette tendance de l'acteur à faire des attributions de plus en plus situationnelles avec le temps ne se produirait pas dans des conditions de succès et d'échec. L'influence du temps sur les attributions serait due à un facteur motivationnel qui amène les individus à vouloir protéger leur estime de soi. Ce faisant, nous nous souvenons beaucoup plus d'attributions positives vis-à-vis de nous-mêmes alors que nous oublions les attributions plus négatives. Donc, à la suite d'un succès et avec le passage du temps, nous devrions nous souvenir beaucoup plus d'attributions dispositionnelles alors que quelque temps après un échec nous devrions nous souvenir beaucoup plus d'attributions situationnelles pour expliquer ce résultat. Des études de Burger et de ses collègues soutiennent cette interprétation (Burger, 1985, 1986b, 1987; Burger & Huntzinger, 1985).

D'autres recherches ont étudié les attributions des observateurs avec le passage du temps. Ainsi Burger (1991) a démontré que le passage du temps avait un impact tel que même l'effet robuste de l'erreur attributionnelle fondamentale était éliminé. Il se pourrait donc que les attributions des observateurs au même titre que celles des acteurs non concernés par des situations de succès ou d'échec deviennent de plus en plus situationnelles. Enfin, il semble bon de souligner que les attributions et des acteurs et des observateurs risquent de devenir de moins en moins valides à mesure que le temps passe (Funder & Van Ness, 1983).

LES THÉORIES ATTRIBUTIONNELLES : L'ÉTUDE DES CONSÉQUENCES DES ATTRIBUTIONS

Au cours des dernières années, les chercheurs se sont également intéressés aux conséquences des attributions. Plusieurs théories ont été postulées à cet effet (voir la figure 5.1). Les théories et recherches auxquelles nous porterons attention traitent des émotions, de la motivation, de l'adaptation psychologique et du mécanisme de réattribution.

Les attributions et les émotions

Nous avons déjà traité des émotions dans le cadre du chapitre 3 et point n'est besoin de s'attarder encore ici à l'importance qu'elles ont dans notre vie. Comment sont produites ces diverses émotions qui jouent un rôle si important dans notre vie quotidienne ? Plusieurs théories ont été présentées à cet effet (voir Carlson & Hatfield, 1992; Kirouac, 1993, pour des recensions récentes). Sauf certaines exceptions (Zajonc, 1980, 1984), les psychologues sociaux s'entendent pour dire que les cognitions jouent un rôle causal et déterminant dans la production des émotions (voir Lazarus, 1991). Dans un tel cadre, les attributions ont reçu la faveur des chercheurs et sont au cœur de plusieurs théories des émotions.

La théorie bifactorielle de Schachter. Une première théorie attributionnelle des émotions est celle de Schachter (1964; Schachter & Singer, 1962). Selon lui, l'émotion résulte de deux composantes, soit l'activation physiologique et les cognitions expliquant l'activation physiologique en question. L'activation physiologique se traduit par une augmentation du rythme cardiaque, la transpiration, une sensation de nœud dans l'estomac, etc. Les cognitions cherchent à expliquer pourquoi l'individu ressent l'activation physiologique en question. Les cognitions, dans ce cas-ci, deviennent donc des attributions. Selon Schachter, nous ressentons tout d'abord une augmentation d'activation physiologique. Par la suite, nous effectuons une recherche épistémique ou attributionnelle afin de pouvoir expliquer pourquoi nous ressentons l'activation physiologique. Enfin, la présence conjointe de l'activation physiologique et des attributions mène à l'expérience de l'émotion. Il est un point important à noter : d'après Schachter, l'activation physiologique et les cognitions représentent des causes nécessaires et non suffisantes de l'émotion, c'est-à-dire que si l'une de ces deux variables est absente il n'y aura pas d'émotion. C'est la combinaison des deux composantes qui produit l'émotion.

Prenons un exemple. Le 26 novembre 1988, à l'heure du souper, pendant que nous mangions et discutions, tout à coup la table s'est mise à bouger. Nous nous sommes tous regardés, puis la table a bougé de nouveau. Nous nous sommes levés ; les enfants nous ont regardés, mon épouse et moi, et soudainement celle-ci a dit : « C'est un tremblement de terre. » En effet, le Québec était en train de vivre l'un de ses tremblements de terre les plus importants du XXe siècle. À ces mots, les enfants, les yeux déjà grands ouverts et un peu incertains de ce qu'ils ressentaient, se sont dit en même temps : « J'ai peur ! »

On remarque dans cet exemple que premièrement les enfants ont ressenti une augmentation d'activation physiologique évidente de par leurs yeux ouverts et le raidissement de leur corps. Deuxièmement, ils se sont mis par la suite à chercher une explication à cette activation physiologique. L'attribution qu'ils ont émise fut suggérée par l'environnement (plus particulièrement par leur mère, qui a déclaré que c'était un tremblement de terre). Enfin, troisièmement, conjointement avec l'activation physiologique déjà ressentie, cette explication (ou attribution) a mené à l'émotion de la peur.

La théorie bifactorielle de Schachter et Singer se révèle une théorie importante en psychologie sociale, expliquant plusieurs émotions, dont celles de l'amour (Dutton & Aron, 1974), de l'encombrement (*crowding*, Worchel & Teddlie, 1976), de la peur, de la colère et même de l'excitation sexuelle (Scheier, Carver & Gibbons, 1979). Cependant, il faut noter que la théorie n'est pas sans critique (Marshall & Zimbardo, 1979; Maslach, 1979; voir Schachter & Singer, 1979, pour une réplique convaincante) et demeure quelque peu restreinte, se limitant aux situations où nous ressentons une activation physiologique sans cause préalable apparente. De plus, il se peut que parfois, au lieu de nous tourner vers l'environnement pour de l'information sur notre état émotionnel, nous nous tournions plutôt vers nous-mêmes (Carver & Scheier, 1981; Maslach, 1979). En effet, comme nous l'avons vu au chapitre 3, par le biais de l'information qu'il a accumulée en mémoire, le soi peut également procurer de l'information émotionnelle.

Ce dernier constat mène à l'hypothèse intéressante qui propose que l'émotion d'une personne peut être produite par de l'information issue de l'environnement (selon la théorie de Schachter) ou de la personne (selon les théories sur le soi). Il devient alors possible d'étudier la part de chaque déterminant dans la production de l'émotion dans une situation bien précise. Scheier *et al.* (1979) ont effectué un certain nombre d'études afin de vérifier cette hypothèse. Leurs travaux démontrent que, lorsque la personne est dans un état de conscience de soi privée, alors ses émotions sont déterminées par ses états intérieurs, comme le proposent les théories sur le soi. Par contre, lorsque la personne ne se trouve pas dans un état de conscience de soi privée, les émotions sont alors fonction de l'information provenant de l'environnement social, comme le propose Schachter. En somme, la recherche d'information externe (dans l'environnement) et interne (par le biais de notre soi privé) représente donc deux types de déterminants de nos émotions. L'utilisation de l'un ou l'autre de ces types d'information dépend de la situation ou de la personne en question. La théorie de Schachter demande donc d'être précisée à la lumière des études plus récentes sur le soi.

La théorie cognitive de l'émotion de Valins. Valins (1966) a poursuivi les travaux de Schachter en introduisant une modification majeure : selon lui, l'activation physiologique réelle n'est pas nécessaire à l'expérience de l'émotion. Ce qui importe, c'est de croire qu'on est activé physiologiquement. Cette impression mène alors la personne à une recherche de la cognition pouvant servir d'étiquette à la présumée activation physiologique, ce qui produit enfin l'émotion.

Afin de vérifier cette variation de la théorie de Schachter, Valins a demandé à des sujets universitaires de participer à une étude dans laquelle ils visionnèrent 10 diapositives érotiques pendant qu'ils entendaient, par le biais d'écouteurs, le son de leur rythme cardiaque. En réalité, il s'agissait d'enregistrements qui n'avaient rien à voir avec le rythme cardiaque des sujets. À la vue de certaines diapositives, les sujets entendaient leurs pulsations accélérer alors qu'à d'autres leur rythme cardiaque décroissait ou demeurait stable. À la fin de l'étude, ils devaient apprécier chacune des diapositives par rapport à leur attirance. Les résultats ont démontré que les sujets trouvaient les diapositives associées à des changements de rythme cardiaque beaucoup plus attrayantes que les diapositives associées à un rythme cardiaque stable. Ces résultats ont été reproduits par la suite par Valins (1972) dans une étude où il a même démontré qu'à la suite d'une session d'information postexpérimentale (ou de désengagement) les sujets continuaient toujours à croire que les diapositives associées à un rythme cardiaque changeant étaient plus attrayantes que les diapositives associées à un rythme cardiaque stable.

De nombreuses autres études ont reproduit ces résultats (voir Parkinson, 1985, pour une recension des écrits à cet effet). Malgré le soutien empirique à l'effet Valins, certains résultats laissent suggérer que le processus psychologique en cause est plus complexe que celui proposé par Valins (Parkinson & Colgan, 1988). Par exemple, il se peut que le simple fait de se croire activé physiologiquement induise à l'occasion une réelle hausse d'activation (voir Weiner, 1980).

Malgré tout, il semble fort probable que la perception ou la croyance d'être activé physiologiquement pourrait être suffisante pour mener à la recherche d'explications cognitives ou attributionnelles et cette dernière attribution pourrait venir déterminer l'émotion ressentie par la personne à cet instant.

La théorie attributionnelle des émotions de Weiner. La théorie des émotions de Weiner s'inscrit dans le même courant cognitif et attributionnel que celle de Valins : les cognitions sont suffisantes pour mener à l'émotion et point n'est besoin d'activation physiologique préexistante. Weiner s'est surtout intéressé à la motivation et aux émotions ressenties en situation d'accomplissement, bien que plusieurs de ses recherches aient porté sur d'autres comportements, tels l'agression, les relations interpersonnelles et le comportement d'aide.

Dans une première recherche, Weiner, Russell et Lerman (1978) ont étudié les émotions spécifiques ressenties à la suite de la perception des causes d'un succès et d'un échec. Dans cette étude, les chercheurs ont établi une liste de 250 émotions pouvant être ressenties à la suite d'un succès et d'un échec dans le domaine scolaire. Par la suite, des scénarios hypothétiques présentant un succès ou un échec dû à des attributions spécifiques furent présentés aux sujets. Ces derniers devaient indiquer l'intensité de l'émotion qu'ils ressentiraient dans de telles situations. Deux résultats intéressants furent obtenus. Premièrement, on nota la présence d'émotions dépendantes du résultat et indépendantes des attributions. Ces émotions étaient générales et soit positives, soit négatives, selon l'issue de la performance. Par exemple, à la suite d'un succès, les gens se sentent heureux, joyeux, positifs, etc., alors qu'à la suite d'un échec les gens se sentent malheureux, désolés, déçus et négatifs, et ce indépendamment des attributions émises. Deuxièmement, on remarqua, autant en condition de succès que d'échec, que des émotions bien spécifiques étaient reliées à certaines attributions. Le tableau 5.7 démontre les liens entre les attributions et les émotions bien spécifiques pour le succès et pour l'échec. Certains résultats peuvent être expliqués assez facilement. Par exemple, le succès dû à l'habileté mène à des sentiments de confiance et de compétence ; la gratitude est vécue lorsqu'on attribue le succès à l'aide des autres et la chance mène généralement à des sentiments de surprise, etc. Un résultat non prévisible, par contre, est que l'effort instable (à court terme) mène à une augmentation de l'activation (des émotions comme le délire, une joie intense) alors que l'effort plus stable (à long terme) mène au calme et à la relaxation à la suite du succès.

TABLEAU 5.7 **Relations entre les attributions et les émotions à la suite d'un succès ou d'un échec**

Attributions	Émotions
Succès	
Habileté	Confiance (et compétence)
Effort instable	Haute activation
Effort stable	Relaxation
Personnalité propre à soi	Sentiment de grandeur
Effort et personnalité des autres	Gratitude
Chance	Surprise
Échec	
Habileté	Incompétence
Effort stable	Culpabilité (et honte)
Personnalité propre à soi	Résignation
Effort et personnalité des autres	Agression
Chance	Surprise

Adapté de Weiner (1980, p. 336).

Les résultats de l'étude de Weiner *et al.* (1978) ont été reproduits dans une seconde recherche de Weiner, Russell et Lerman (1979) dans laquelle les procédés méthodologiques étaient différents de sorte qu'on demandait aux sujets de se rappeler un succès ou un échec qui avait été dû aux différentes attributions énumérées précédemment (voir aussi Zaleski, 1988). Plus récemment, d'autres études (Russel & McAuley, 1986; Vallerand, 1987) ont démontré que non seulement les attributions mais également les dimensions causales, sous-jacentes aux attributions, influent sur les émotions ressenties par les personnes en contexte d'accomplissement tel qu'il a été postulé par Weiner.

À la lumière de l'ensemble de ces résultats, Weiner (1985a) a proposé la séquence causale suivante en ce qui concerne la production des émotions. Premièrement, la personne juge le résultat ou l'événement comme positif ou négatif. À la suite de cette appréciation, la personne ressent presque automatiquement une émotion générale et globale positive ou négative selon qu'il y a perception de succès ou d'échec. Dans un deuxième temps, une appréciation plus appronfondie de la situation mène à une attribution précise qui produit une émotion distincte. Par exemple, une attribution à l'habileté par suite d'un succès conduit à des sentiments de compétence alors qu'une attribution au manque d'habileté par suite d'un échec mène à des sentiments d'incompétence. Et troisièmement, ces attributions sont codées de façon plus globale selon les dimensions attributionnelles de Weiner (lieu de causalité, stabilité et contrôlabilité de la cause). Ces différentes dimensions causales conduisent par la suite à d'autres émotions plus stables que celles engendrées par les attributions elles-mêmes, comme l'estime de soi et la confiance en soi.

Weiner propose donc que les cognitions, en l'occurrence les attributions causales, représentent des causes nécessaires et suffisantes de l'émotion. Toutefois, il semble bon de noter que certains psychologues sociaux, le plus célèbre étant Robert Zajonc, ne sont pas d'accord avec une telle perspective. Zajonc (1984) croit plutôt que les processus affectifs et cognitifs sont indépendants et qu'ils peuvent s'interinfluencer ou encore être tout à fait indépendants. D'autres psychologues sociaux, dont Richard Lazarus (1984, 1991), tout en acceptant que les émotions peuvent influer sur les cognitions, accordent priorité aux cognitions. En effet, selon eux, s'il y a émotion, c'est qu'il y a eu cognition auparavant. Sans cognition, point d'émotion. La différence entre les deux perspectives dépend fort probablement de leur définition respective du terme « cognition ». Alors que pour Zajonc une cognition représente un traitement d'information relativement détaillé, Lazarus inclut également dans cette définition toute forme de perception subjective, même la plus intuitive concernant la personne.

En somme, les psychologues sociaux s'entendent pour dire que les cognitions peuvent produire l'émotion. Là où il y a désaccord, c'est à savoir si les cognitions précèdent toujours les émotions ou si les émotions peuvent être ressenties avant les cognitions ou en même temps que celles-ci. Des travaux intéressants portent présentement sur ces questions (voir Lazarus, 1991; Zajonc & McIntosh, 1992).

Les attributions et la motivation

Au cours des dernières décennies, plusieurs recherches ont démontré que les attributions pouvaient influer sur le comportement motivé. En d'autres termes, l'explication donnée pour un événement peut dicter notre comportement dans de telles conditions. Par exemple, si vous croyez n'avoir pas obtenu l'emploi d'été désiré parce que vous ne vous êtes pas habillé de façon convenable, il est fort probable que vous vous mettrez sur votre trente et un pour la prochaine entrevue. Ainsi l'attribution que vous avez faite pour expliquer votre échec dans l'obtention de l'emploi convoité dicte le comportement futur que vous adopterez dans une situation similaire à l'avenir. Un certain nombre de théories ont été proposées afin d'expliquer la relation attribution-comportement motivé (voir Weiner 1980, 1986). Ci-dessous, nous présentons deux théories importantes qui traitent de deux types de motivation, soit la **motivation à l'accomplissement** et la **motivation intrinsèque.** Chose intéressante, les théories que nous discuterons accordent une place considérable aux émotions dans la séquence motivationnelle proposée. Il s'agit de la théorie attributionnelle de la motivation à l'accomplissement de Weiner et de la théorie de l'évaluation cognitive de Deci et Ryan (1985).

La théorie attributionnelle de la motivation à l'accomplissement de Weiner. La théorie de Weiner porte sur les comportements motivés des gens en condition d'accomplissement, c'est-à-dire des conditions dans lesquelles les gens essaient de faire de leur mieux afin d'atteindre un succès (ou d'éviter un échec). La théorie s'inscrit dans une orientation théorique «attente-valeur» (voir aussi Atkinson, 1964; McClelland, 1985) où la motivation de l'individu résulte des attentes (ou probabilités) vis-à-vis de l'objectif visé ainsi que de la valeur (les émotions) associées à l'atteinte de l'objectif en question.

Plusieurs versions de la théorie ont été présentées au fil des ans (Weiner, 1972, 1974, 1979, 1986). Dans sa plus récente version, la théorie attributionnelle de l'accomplissement propose la séquence motivationnelle présentée à la figure 5.5. À la suite d'un événement, l'individu juge le résultat comme un succès ou un échec subjectif. Après cette appréciation, l'individu effectue une recherche causale et émet une attribution pour expliquer son succès ou son échec. Par la suite, cette cause est placée dans les dimensions causales qui représentent des dimensions plus fondamentales de l'attribution en question. Comme nous l'avons vu précédemment, Weiner propose la présence de trois dimensions causales fondamentales, soit le lieu de causalité (la cause est perçue comme un élément interne ou externe à l'acteur), la stabilité de la cause (la cause est vue comme permanente ou changeante) et la contrôlabilité de la cause, c'est-à-dire le degré de contrôle de l'acteur sur la cause. Ces dimensions causales sont importantes, car elles mènent à des conséquences psychologiques diverses. Ainsi la stabilité de la cause joue un rôle prépondérant en ce qui concerne les attentes de la personne relatives au succès ou à l'échec futur dans l'activité en question ou dans une activité similaire. De plus, le lieu de causalité influe de façon importante sur les émotions reliées à l'estime personnelle (fierté, sentiments de compétence, de confiance) qui sont ressenties par suite d'un succès ou d'un échec. Les dimensions de stabilité et de contrôle peuvent également jouer un rôle non négligeable sur diverses émotions ressenties par la personne (voir Weiner, 1985a). Ensuite, les attentes quant à un succès ou à un échec futur ainsi que les émotions ressenties par les personnes mènent conjointement à un comportement motivé.

FIGURE 5.5 **La théorie attributionnelle de la motivation à l'accomplissement de Weiner appliquée à un échec en statistique**

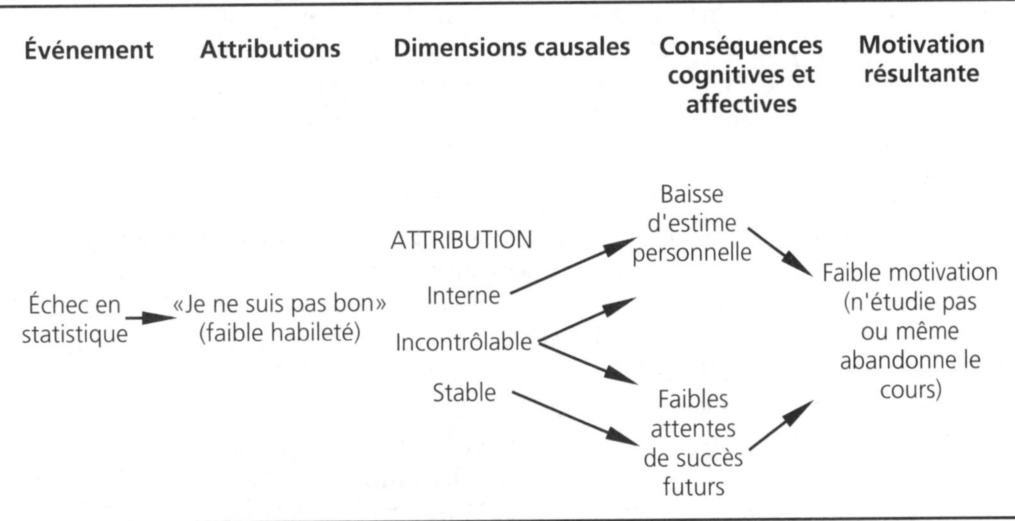

Adapté de Weiner (1985a).

Par exemple, une étudiante vient d'obtenir 52 % dans son dernier examen de statistique. Elle considère cette note comme un échec cuisant. Sa recherche attributionnelle l'amène à attribuer son échec à un manque d'effort. Elle peut alors coder implicitement la cause perçue (l'effort) selon les dimensions causales suivantes : il s'agit d'une cause interne, instable et contrôlable. Une telle caractérisation de la cause selon les dimensions causales présentées ici mène à différentes conséquences psychologiques pour l'étudiante. Comme la cause est interne, l'étudiante pourrait se sentir quelque peu incompétente et même avoir honte de sa performance, et donc ressentir des émotions relativement négatives. Par contre, le fait que l'attribution au manque d'effort est une attribution instable indique que les attentes de l'étudiante, vis-à-vis d'un échec similaire dans l'avenir, devraient être faibles. En effet, si la personne déploie un effort plus grand dans l'avenir, l'échec pourrait être évité et un succès pourrait même en résulter. Par conséquent, des succès futurs, moyennant un effort raisonnable, peuvent être escomptés. Dans un dernier temps, les attentes de succès futurs et les émotions ressenties à la suite de l'échec (la honte) mènent à un comportement motivé orienté vers le succès à venir (étudier plus fort pour le prochain examen, mieux se préparer en classe, etc.).

Toutefois, si l'étudiante avait émis une attribution au manque d'habileté pour expliquer son échec, des effets différents auraient été obtenus en ce qui concerne sa motivation. En effet, une attribution au manque d'habileté se situe sur les pôles interne, stable et incontrôlable des diverses dimensions causales postulées par Weiner. Dans de telles circonstances, des conséquences psychologiques très néfastes s'ensuivent: les attentes sont très faibles vis-à-vis d'un succès futur et les émotions ressenties, très négatives (sentiment d'incompétence, manque de confiance, etc.). À leur tour, des émotions et des attentes négatives diminuent la motivation et mènent à l'absence de comportement positif en ce qui concerne l'action en question (ne pas étudier pour le prochain examen ou même vouloir se retirer et abandonner le cours, comme Luc dans l'exemple du début du chapitre). Comme on peut le voir, les attributions émises par la personne pour expliquer un succès ou un échec jouent un rôle prépondérant dans la motivation à l'accomplissement.

Dans l'ensemble, les recherches effectuées pour vérifier les divers liens postulés par la théorie de Weiner soutiennent cette dernière (voir Weiner, 1985a, 1986) et elle semble vouée à un avenir fort prometteur. En effet, la théorie semble coller à une réalité vécue par la plupart d'entre nous, et ce dans une foule de situations. Aussi, au cours des dernières années, elle a été appliquée à divers phénomènes très intéressants comme l'affiliation (Sobol & Earn, 1987), les processus de libération conditionnelle en milieu pénitentiaire (Carroll, 1978), la solitude (Peplau, Russell & Heim, 1979), la violence (Betancourt & Blair, 1992), le comportement d'aide (Meyer & Mulherin, 1980; Schmidt & Weiner, 1988; Weiner, 1980) et le désir de cesser de fumer (Eiser, Van der Pligt, Raw & Sutton, 1985). La théorie attributionnelle de Weiner pourrait donc représenter une théorie générale de la motivation humaine et sociale.

La motivation intrinsèque. Il existe une foule d'activités auxquelles nous aimons prendre part pour le plaisir que nous en retirons. Nos passe-temps préférés comme jouer de la guitare, pratiquer un sport ou encore peindre ne représentent que quelques-unes de ces activités. De tels comportements sont décrits comme étant issus de la motivation intrinsèque, c'est-à-dire que les individus prennent part à ces activités parce qu'ils les trouvent plaisantes et non pas dans le but de recevoir des récompenses qui seraient extérieures à l'activité en question, comme de l'argent ou toute autre source de renforcement (voir Vallerand & Halliwell, 1983).

Mais qu'arriverait-il justement si les personnes recevaient des récompenses extérieures à l'activité pour participer à une activité intrinsèquement motivante? La théorie de l'évaluation cognitive de Deci (1975; Deci & Ryan, 1980, 1985, 1991) suggère une réponse très intéressante à cette question. En effet, cette théorie prédit que, dans certaines conditions, le fait de se faire offrir des récompenses extrinsèques pour participer à une activité déjà plaisante peut induire une perte de motivation intrinsèque et d'intérêt vis-à-vis de l'activité en question. C'est ce qu'on appelle l'« effet de surjustification ».

Selon la théorie de l'évaluation cognitive, cet effet se produit parce que l'individu attribue l'origine de l'action (ou lieu de causalité) non pas à lui-même mais bien à la récompense proposée: la personne accomplit l'action pour recevoir la récompense et non pas pour éprouver du plaisir à participer à l'activité. Cette attribution au lieu de causalité externe introduit une perte de **sentiment**

d'autodétermination chez la personne. Cette dernière se sent alors en quelque sorte forcée d'adopter le comportement, et les sentiments négatifs de perte d'autodétermination engendrent une diminution d'intérêt et de motivation intrinsèque pour l'activité.

Plusieurs études ont été effectuées afin de vérifier cette proposition de la théorie de l'évaluation cognitive. Les premières études se sont principalement attardées à l'effet des récompenses financières sur la motivation intrinsèque des participants. Par exemple, dans l'une de ces études, Deci (1972) a accordé 1 $ aux sujets pour chacun des quatre casse-tête qu'ils réussissaient à faire à l'intérieur d'un laps de temps donné. En revanche, les sujets du groupe témoin ne recevaient aucune récompense matérielle. À la suite de la participation à cette activité, les sujets avaient l'occasion de participer pendant huit minutes à une activité libre qui consistait à résoudre d'autres types de casse-tête. Le temps passé sur les casse-tête en question durant la période libre fut mesuré et servit de mesure de motivation intrinsèque. Plus la personne passait de temps sur l'activité et plus sa motivation intrinsèque vis-à-vis des casse-tête était élevée. Les résultats ont démontré que les sujets qui avaient reçu une récompense financière pour faire les casse-tête passèrent beaucoup moins de temps (109 secondes) en période libre sur les nouveaux casse-tête que les sujets du groupe témoin (208 secondes). La récompense matérielle avait diminué la motivation intrinsèque des sujets. De nombreuses autres études ont reproduit ces résultats (voir Deci & Ryan, 1980, 1985).

Au cours des dernières années, les chercheurs se sont rendu compte que non seulement les récompenses financières mais également de nombreuses autres variables situationnelles pouvaient diminuer la motivation intrinsèque des sujets. Ainsi les prix, les bonbons, les jouets, une surveillance étroite, des temps limites explicites pour effectuer l'activité, un contexte évaluatif, l'imposition de buts à atteindre et même la compétition représentent des variables situationnelles ayant engendré des baisses de motivation intrinsèque (voir Deci & Ryan, 1985).

Il est important de noter que les variables situationnelles ne font pas que diminuer la motivation intrinsèque. Ainsi, dans la mesure où ces variables amènent la personne à attribuer son comportement à des causes internes, il y aura alors une augmentation de son sentiment d'autodétermination qui engendrera des hausses de motivation intrinsèque. Par exemple, Zuckerman *et al.* (1978) ont démontré que le fait de pouvoir choisir la façon dont on effectue une activité augmente la motivation intrinsèque. Donc, les variables de l'environnement peuvent produire des hausses ou des baisses de la motivation intrinsèque selon l'influence qu'elles exerceront sur la perception du lieu de causalité de l'action (interne ou externe) et des effets de ce dernier sur le sentiment d'autodétermination de la personne (voir Deci & Ryan, 1985).

La théorie de l'évaluation cognitive propose un second processus par lequel la motivation intrinsèque peut être modifiée : les perceptions ou **sentiments de compétence.** Selon Deci et Ryan, nous ressentons tous un besoin de nous sentir compétents et nous serons donc portés à retourner de nous-mêmes sur les activités qui nourrissent ce besoin. Ainsi Vallerand et Reid (1984, 1988) ont démontré que la rétroaction positive de performance augmente les sentiments de compétence, qui eux, à leur tour, favorisent la motivation intrinsèque. Par contre, la rétroaction négative produit les effets inverses. Ces résultats et bien d'autres (voir Deci & Ryan, 1985; Vallerand & Reid, 1990) prouvent que les récompenses matérielles et sociales ne mènent pas invariablement à une diminution de motivation intrinsèque. Tout dépend de la perception du récipiendaire.

Les attributions et l'adaptation psychologique à la suite d'événements négatifs

Imaginez que vous veniez de vivre un événement extrêmement négatif, tel qu'une très grave maladie, un vol ou encore un accident d'automobile très grave. Comment réagiriez-vous face à ces divers événements? De quelle façon vous adapteriez-vous psychologiquement à votre vie quotidienne à la suite de ces événements négatifs? Les théories attributionnelles sur la résignation acquise, les excuses et l'attribution de blâme personnel proposent que les attributions que nous émettons pour expliquer ces divers événements négatifs jouent un rôle crucial dans notre adaptation psychologique conséquente à ces événements.

Les attributions et la résignation acquise. Dans le cadre d'études portant sur l'apprentissage chez le chien, Martin E.P. Seligman (Seligman & Maier, 1967) s'était rendu compte que, dans certaines situations, les animaux n'essaient pas d'éviter un événement négatif, mais le subissent passivement. Dans l'une de ces études, certains chiens apprirent à éviter des chocs électriques en sautant de l'autre côté d'une clôture à l'abri de ces chocs. Par contre, d'autres chiens reçurent les chocs électriques sans pouvoir les éviter. Par la suite, lorsque ces derniers chiens eurent la possibilité d'éviter les chocs électriques en sautant de l'autre côté de la barrière, ils n'en firent rien: ils acceptèrent les chocs électriques passivement. Les chiens avaient appris à se résigner à l'événement négatif qui survenait.

Seligman basa sa théorie de la **résignation acquise** sur cette découverte. Selon lui, la résignation acquise représente «un état psychologique qui résulte fréquemment de la venue d'événements incontrôlables menant à des états émotionnels, cognitifs et motivationnels déficitaires» (Seligman, 1975, p. 9, traduction libre). D'après Seligman (1975), l'état de résignation acquise se produit lorsque la personne sait ne pouvoir contrôler l'événement négatif ou stressant qui se produit dans les situations où elle se trouve. En fonction de l'ampleur des attentes d'incontrôlabilité de la personne, cette perte de contrôle peut se généraliser à d'autres situations plus ou moins similaires.

Les résultats initiaux obtenus auprès des animaux ont été reproduits dans de nombreuses études auprès de sujets humains (Glass & Singer, 1972; Hiroto, 1974; Hiroto & Seligman, 1975; Klein, Fencil-Morse & Seligman, 1976). L'ensemble de ces résultats amena Seligman (1975) à proposer que la résignation acquise représentait une forme de dépression réactive (dépression vécue à la suite d'un événement négatif). Le fait d'entretenir des attentes d'incontrôlabilité (ou de non-contingence) vis-à-vis des actions futures engendre chez la personne des conséquences psychologiques semblables à celles produites par la dépression réactive.

Même si la théorie de la résignation acquise sous sa formulation initiale permettait d'expliquer l'état de résignation acquise démontré par les sujets humains dans certaines situations, plusieurs critiques ont été formulées à son endroit (Blaney, 1977; Golin & Terrell, 1977; Wortman & Brehm, 1975). À la suite de ces critiques, Seligman et ses collègues (Abramson *et al.*, 1978) ont présenté une reformulation de la théorie qui prend en considération le potentiel cognitif de la personne. Selon la théorie, la présence d'une situation incontrôlable (ou non contingente) mène à la perception que la situation est effectivement incontrôlable. Cette perception en elle-même n'est pas suffisante cependant pour conduire aux diverses conséquences psychologiques néfastes qui caractérisent la résignation acquise. En effet, selon la théorie, ce sont les attributions émises pour expliquer la non-contingence de la situation qui mèneront (ou pas) à ces diverses conséquences. D'après Abramson *et al.* (1978), trois types d'attributions peuvent être émises: des attributions internes ou externes, stables ou instables et globales ou spécifiques. Une plus grande résignation acquise sera vécue par la personne lorsque cette dernière émet des attributions internes, stables et globales pour expliquer la non-contingence ou incontrôlabilité de la situation. Dans de telles circonstances, des attentes de non-contingence future seront ressenties et la personne pourra vivre un état relié à la dépression réactive ainsi que des sentiments de faible estime personnelle, et ce non seulement dans la situation immédiate mais également dans d'autres situations. En revanche, lorsque des attributions externes, instables et spécifiques sont émises pour expliquer la non-contingence, alors les symptômes de la résignation acquise seront très faibles et moins susceptibles de réapparaître dans une nouvelle situation. Comme on peut le voir, les attributions jouent donc un rôle médiateur crucial entre la perception de situations incontrôlables et l'adaptation psychologique à de telles situations.

Plusieurs études ont été menées afin de vérifier la reformulation de la théorie de la résignation acquise. Plusieurs de ces études soutiennent effectivement les propositions de la théorie (voir Brewin, 1985; Peterson & Seligman, 1984; Sweeney, Anderson & Bailey, 1986). Alors que certaines de ces recherches ont manipulé les attributions émises par les sujets en contexte de laboratoire, la plupart des études ont utilisé une approche méthodologique dans laquelle on mesure le **style attributionnel** de la personne, soit sa façon habituelle de juger des causes des événements positifs ou négatifs qui surviennent dans sa vie. Dans un tel cadre, ces études ont employé l'*Attributional Style Questionnaire* (ASQ) élaboré par Seligman et ses collègues (Peterson *et al.*, 1982). D'autres instruments s'inspirant de l'ASQ ont également été conçus (Peterson & Villanova, 1988; Whitley, 1987).

FIGURE 5.6 **Test de la reformulation de la théorie de la résignation acquise**

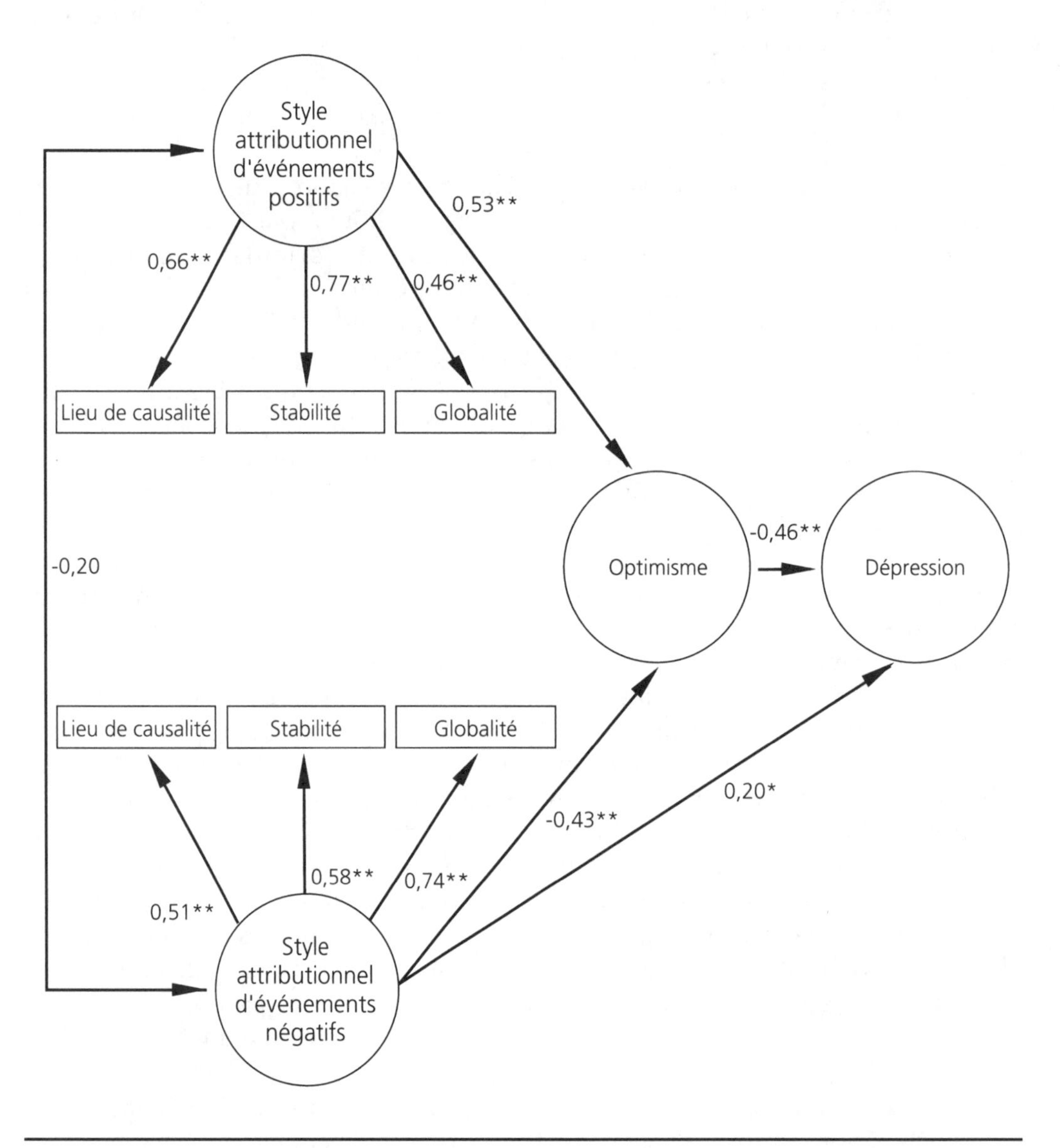

Note: *p< 0,05; **p< 0,001 (adapté de Hull & Mendolia, 1991)

Selon la théorie attributionnelle de la résignation acquise, les conséquences psychologiques les plus négatives devraient être vécues par la personne possédant un style attributionnel interne, stable et global pour les événements négatifs. Les résultats confirment généralement cette proposition (voir Brewin, 1985; Peterson & Seligman, 1984; Sweeney *et al.*, 1986). Les gens ayant un tel style attributionnel souffrent le plus de symptômes de dépression et autres déficits psychologiques associés à l'état de la résignation acquise.

La théorie d'Abramson *et al.* (1978) postule toutefois que les attributions devraient avoir seulement un impact indirect sur la dépression. En effet, les attributions devraient influer sur les attentes de contrôlabilité future, qui, elles, devraient déterminer les sentiments de dépression. Donc, on devrait s'attendre à une relation minime entre les attributions et la dépression mais à une relation beaucoup plus forte entre les attentes et la dépression. À notre connaissance, une seule étude a vérifié l'ensemble de cette hypothèse. Dans cette recherche, Hull et Mendolia (1991) ont mesuré le style attributionnel pour des événements positifs et négatifs, le degré d'optimisme (attentes futures positives) et la dépression, et ont effectué une analyse de modelage par équations structurelles. Les résultats furent les mêmes dans deux études. Les résultats de l'étude n° 2 sont présentés sous une forme simplifiée à la figure 5.6. On remarque qu'un style attributionnel interne, stable et global pour des événements négatifs influe négativement sur les attentes (optimisme), qui à leur tour déterminent négativement les sentiments de dépression. Le résultat contraire est obtenu avec le style attributionnel positif. Le modèle théorique de Abramson *et al.* (1978) est donc soutenu. (Il est à noter que les attributions jouent également un rôle important en ce qui concerne la santé physique [voir l'encadré 5.2].)

Les excuses et leurs conséquences psychologiques. Plusieurs modèles normatifs proposent qu'un lien étroit existe entre la santé mentale positive et la réalité (Beck, Rush, Shaw & Emery, 1979; Erikson, 1950). Cependant, au cours des

ENCADRÉ 5.2

ATTRIBUTIONS ET SANTÉ

Vous est-il déjà arrivé de tomber malade et de vous demander pourquoi ? Si oui, vous n'êtes pas le seul ! En effet, plusieurs recherches révèlent que la grande majorité des gens émettent des attributions pour comprendre ce qu'il leur arrive. Par exemple, Taylor, Lichtman et Wood (1984) ont démontré que pas moins de 95 % des victimes d'un cancer du sein avaient trouvé une ou plusieurs attributions afin d'expliquer leur état de santé.

Il semble que nous émettions des attributions dans de telles situations afin de comprendre pourquoi la maladie nous a frappés et par la suite de pouvoir mieux guérir ou encore de pouvoir empêcher la maladie de frapper de nouveau (Michela & Wood, 1986).

→

ENCADRÉ 5.2 (suite)

Plusieurs facteurs peuvent influer sur les attributions qui seront émises. Ainsi les personnes possédant un faible niveau d'études sont plus portées à effectuer des attributions non reliées à la réalité que des personnes plus instruites. Par exemple, si un individu rend le stress responsable de ses problèmes de santé, il peut encoder l'information de façon conforme à cette hypothèse et se souvenir qu'effectivement la querelle de la semaine dernière avec l'un de ses amis est responsable de son rhume ! Un autre facteur influant sur les attributions émises a trait à la réalité. Ainsi la victime d'un accident de la route qui a été frappée par un automobiliste en état d'ébriété attribuera fort probablement l'accident au conducteur et non à la chaussée glissante.

Même s'il s'avère intéressant de savoir que nous faisons des attributions pour expliquer notre état de santé, il devient tout de même important de pouvoir déterminer si ces attributions ont un impact réel sur notre santé. Les recherches à ce sujet indiquent que c'est effectivement le cas, et ce pour une foule de problèmes de santé. Ainsi les personnes au style attributionnel pessimiste (attributions internes, stables et globales pour expliquer des événements négatifs) sont plus portées à développer par la suite différentes maladies à court terme, tel un rhume (Peterson, 1988), et à souffrir de problèmes plus chroniques selon une perspective à long terme, parfois durant plusieurs années (Peterson *et al.*, 1988). Dans ce cadre, il semble que l'influence des attributions sur la santé soit médiatisée par un processus physiologique de base, plus précisément par une baisse d'efficacité du système immunitaire *(immunocompetence)*. Les gens au style attributionnel pessimiste connaissent une baisse d'efficacité du système immunitaire, ce qui leur fait courir le risque de développer certaines maladies où le système immunitaire sera touché (Kamen-Siegel, Rodin, Seligman & Dwyer, 1991).

De plus, le style attributionnel pessimiste semble jouer un rôle également dans le cas des comportements de santé. En effet, le style attributionnel pessimiste des personnes aux prises avec un problème de poids permet de prédire leurs difficultés à suivre leur régime (Ogden & Wardle, 1990) et conséquemment la perte de poids qui en résulte (Hospers, Kok & Strecher, 1990).

Enfin, les attributions semblent aussi avoir un impact sur l'issue du processus de guérison. Par exemple, une recherche de Affleck, Tennen, Pfeiffer et Fifield (1987) a démontré que le fait de blâmer les autres pour expliquer une crise cardiaque amène les malades à percevoir une diminution du contrôle futur sur d'éventuelles attaques. Par contre, le fait d'attribuer la crise cardiaque à leur comportement et au stress qu'ils vivent était relié aux croyances selon lesquelles de nouvelles attaques étaient évitables et pouvaient être prévenues par leurs propres actions. Une telle perspective devrait amener ces gens à se prendre en main et à se rétablir beaucoup plus vite que d'autres qui ne perçoivent pas que leur guérison dépend de leurs comportements.

→

ENCADRÉ 5.2 (suite)

En somme, les attributions semblent jouer un rôle majeur en santé, et ce sur plus d'un plan. La prochaine fois que vous tomberez malade, essayez donc de savoir pourquoi. Peut-être cela vous aidera-t-il à vous rétablir !

dernières années, plusieurs recherches en psychologie sociale ont démontré que, dans plusieurs cas, certaines illusions pouvaient favoriser l'adaptation en santé mentale. Par exemple, les recherches de Alloy et Abramson (1979) ont prouvé que les personnes dépressives s'approchaient beaucoup plus de la réalité lorsque venait le temps de juger leur perception de contrôle sur différentes tâches expérimentales que des sujets normaux, qui démontraient un biais positif favorisant une perception de contrôle irréaliste, du moins dans le contexte expérimental de l'étude en question. Taylor (1989; Taylor & Brown, 1988) présente plusieurs évidences suivant lesquelles les illusions que nous entretenons quant à notre contrôle sur l'environnement sont associées, dans plusieurs cas, à une bonne santé mentale (voir aussi l'encadré 4.2 du chapitre 4 à cet effet).

Une des façons par lesquelles nous conservons ces illusions positives sur nous-mêmes réside dans l'utilisation d'excuses. Qu'est-ce qu'une excuse ? Selon Snyder, Higgins et Stucky (1983), les excuses représentent un processus motivé qui nous amène à déplacer les attributions causales, émises afin d'expliquer un événement ou un résultat négatif, des sources qui sont centrales à notre personne vers d'autres sources moins centrales ou encore extérieures. Considérons l'exemple suivant. Vous venez d'échouer à votre examen dans le cours de statistique. Un de vos amis vous demande votre note et vous lui répondez : « Ah ! j'ai seulement eu 58 % cette fois-ci; c'est parce que je n'ai pas eu le temps d'étudier, je devais aider ma sœur à déménager. » En émettant une attribution de type externe, qui semble constituer une excuse dans ce cas-ci, vous déplacez ainsi la cause de votre piètre performance d'une dimension centrale de votre personne (manque d'habileté en statistique) vers un élément moins central de votre personne (manque de temps pour étudier).

Selon Snyder et Higgins (1988), le fait d'utiliser des excuses pour décentraliser des résultats négatifs amène la personne à réduire au minimum l'attention sur le soi et à la diriger sur la tâche à effectuer, maintenant ainsi une image positive d'elle-même et des perceptions de contrôle sur la situation en question. Une telle stratégie entraîne des bénéfices pour l'estime personnelle, les émotions, la santé et la performance de la personne (Snyder & Higgins, 1988). Par contre, lorsque la personne n'utilise pas d'excuses, des conséquences négatives peuvent alors survenir : elle dirige son attention sur elle-même, sur ses incapacités, le tout menant à des émotions négatives susceptibles d'engendrer des effets négatifs sur la santé et sur la performance. Toutefois, l'existence de ce processus ne veut pas nécessairement dire que les gens les plus adaptés sont ceux qui utilisent constamment des excuses. En effet, selon l'avis de plusieurs chercheurs, il existerait un niveau optimal dans l'utilisation d'excuses (Baumeister, 1989). Donc, une exagération au point de perdre contact avec la réalité pourrait entraîner des conséquences néfastes pour la santé mentale de l'attributeur.

Weiner, Figueroa-Munoz et Kakihara (1991) ont démontré que les excuses présentées à autrui pour expliquer nos actions sont motivées par trois raisons: préserver notre estime personnelle, diminuer la colère de l'autre personne et modifier ses attentes. Ce sont ces motifs qui dicteront le type d'excuses ou attributions qui seront utilisées. En effet, à chacun de ces motifs est associé un type de dimension causale particulière, soit respectivement les dimensions de lieu de causalité (cause interne ou externe), de contrôlabilité (cause contrôlable ou incontrôlable) et de stabilité (cause stable ou instable). Par exemple, si je désire adoucir la colère de mon ami qui m'attend depuis deux heures, j'emploierai une attribution de type incontrôlable («Ce n'est pas de ma faute, il y a eu une panne dans le métro.»), car cette dimension détermine les émotions interpersonnelles.

Mais les excuses fonctionnent-elles toujours? Pas nécessairement, affirment Snyder et Higgins. Selon ces auteurs, les excuses vont avoir des conséquences positives dans la mesure où les gens auxquels nous les offrons, pour notre piètre performance ou pour l'événement négatif qui est survenu, ne peuvent avoir accès aux vraies raisons expliquant la situation en question. Par contre, dans la mesure où ces personnes ont accès aux véritables raisons de nos échecs, l'utilisation d'excuses peut amener une réaction négative de la part d'autrui.

Une étude de Mehlman et Snyder (1985) confirme ce point. Dans cette recherche, les sujets effectuèrent une tâche d'analogie, puis reçurent des résultats indiquant qu'ils avaient obtenu un échec. Par la suite, les sujets utilisèrent ou non des excuses pour expliquer leur performance. De plus, une moitié des sujets furent informés que les observateurs qui recevraient leur explication pour leur performance auraient accès aux vraies raisons expliquant leur échec, alors qu'aucun commentaire ne fut présenté à cet effet à l'autre moitié des sujets. Enfin, les sujets durent répondre à un questionnaire mesurant diverses émotions psychologiques, dont l'anxiété, l'hostilité et la dépression.

Comme on peut le remarquer à la figure 5.7, les résultats ont confirmé l'hypothèse de Mehlman et Snyder. Plus particulièrement, les excuses ont permis de diminuer les émotions négatives à la suite de l'échec dans la condition où les sujets s'attendaient à ce que les observateurs ne soient pas au courant des vraies raisons de leur échec. Par contre, dans la condition où les sujets furent informés que les observateurs auraient accès aux véritables raisons pouvant expliquer leur performance, il y a eu une augmentation des émotions négatives.

Le blâme personnel et l'adaptation psychologique. À la lumière de plusieurs modèles théoriques sur la santé mentale (Beck *et al.*, 1979) et des

FIGURE 5.7 **Effet des excuses et de la connaissance que les observateurs ont des vraies raisons de l'échec du sujet sur l'anxiété vécue par ce dernier**

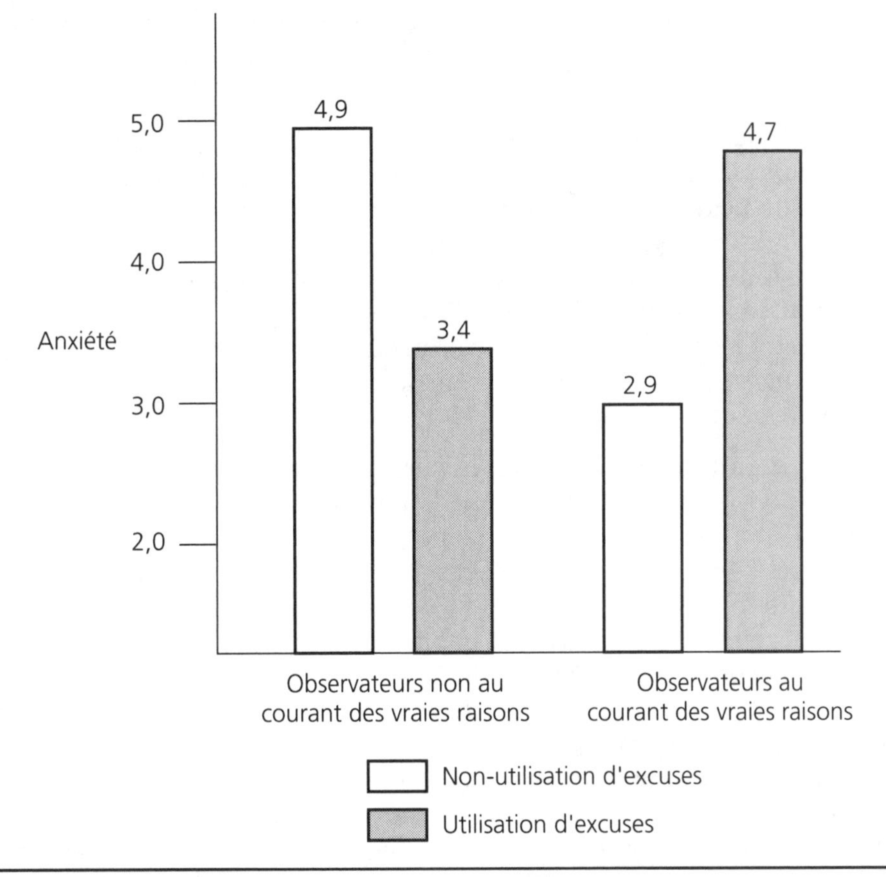

Note : Plus le total des points est élevé et plus la personne est anxieuse (adapté de Mehlman & Snyder, 1985).

théories que nous avons vues précédemment sur la résignation acquise et les excuses, il semblerait que les attributions de blâme personnel pour expliquer un événement négatif puissent mener à des conséquences néfastes pour la santé psychologique de l'individu. Cependant, contre toute attente, Bulman et Wortman (1977) ont démontré qu'à la suite d'accidents d'automobile qui les avaient rendues paraplégiques les victimes qui s'adaptaient le mieux psychologiquement à leur situation étaient celles qui se blâmaient pour l'événement qui était arrivé. On comprendra que ce résultat fut tout à fait surprenant et a mené à des recherches supplémentaires qui ont permis de clarifier pourquoi le blâme personnel pouvait avoir des effets positifs sur la santé psychologique des gens.

Dans une recherche qui a suivi, Janoff-Bulman (1979) a démontré qu'il existait deux types de blâme personnel : le blâme personnel caractériel et le blâme personnel comportemental. Le **blâme personnel caractériel** consiste à blâmer des aspects stables de notre personnalité pour expliquer l'événement négatif qui survient. Par exemple, une personne peut déclarer: «Je me suis fait voler mon portefeuille parce que je suis stupide.» Le **blâme personnel comportemental** consiste à blâmer le comportement que nous avons adopté et non notre personnalité. Ainsi la victime du vol pourrait dire: «C'est de ma faute, je n'aurais pas dû sortir si tard ce soir-là.»

Dans ses études, Janoff-Bulman (1979) a prouvé que les personnes qui s'adaptaient le mieux psychologiquement à la suite d'un événement négatif étaient celles qui effectuaient des attributions de blâme personnel comportemental, alors que celles qui effectuaient des attributions de blâme personnel caractériel manifestaient une faible adaptation psychologique. D'autres recherches menées auprès de patients atteints de cancer (Timko & Janoff-Bulman, 1985) et de victimes de désastre technologique tel que celui survenu à Three Mile Island (Baum, Fleming & Singer, 1983) ont procuré par la suite un soutien additionnel à la proposition de Janoff-Bulman.

Pourquoi les attributions de blâme personnel comportemental favorisent-elles l'adaptation psychologique? Selon Janoff-Bulman (1992; Janoff-Bulman & Lang-Gunn, 1988), par suite d'un événement aussi intense et négatif qu'un viol ou qu'une agression, trois croyances centrales chez la personne sont attaquées et parfois même détruites: la croyance dans une invulnérabilité relative, une image positive de soi comprenant le contrôle et l'autonomie et enfin le fait de comprendre pourquoi l'événement s'est produit. La personne qui réussit à restaurer ces trois croyances parviendra à s'adapter psychologiquement à son environnement à la suite de l'événement traumatisant. Lorsque la personne émet des attributions de blâme personnel comportemental, elle est en mesure d'expliquer ou de comprendre pourquoi l'événement a eu lieu, et peut également reconstruire une image positive d'elle-même puisque l'événement n'est pas dû à sa personnalité mais plutôt à un comportement qui pourra être modifié et changé dans l'avenir. Du même coup, elle est en mesure de restaurer cette croyance en l'invulnérabilité puisqu'en modifiant son comportement futur elle se protège ainsi d'autres situations négatives qui pourraient survenir. Par contre, l'individu qui émet des attributions de blâme personnel caractériel admet, par le fait même, que l'événement qui vient de survenir est dû à quelque chose de stable, soit sa personnalité. Conséquemment, il perd tout contrôle sur la situation future même si l'attribution en question lui permet de comprendre pourquoi l'événement s'est produit. L'événement traumatisant risque donc de se reproduire dans l'avenir et l'individu ne se sentira pas à l'abri de tels événements. Les croyances quant à son invulnérabilité et son image positive de lui-même, et par rapport au contrôle qu'il peut exercer sur l'événement futur, ne se voient donc pas rétablies (voir Mueller & Mayor, 1989; Tennen, Affleck & Gershman, 1986, pour des recherches confirmant l'interprétation de Janoff-Bulman).

En somme, plusieurs types d'attributions peuvent être émises, par suite d'événements négatifs, et ces attributions peuvent engendrer des conséquences majeures pour la santé psychologique de la personne. En fait, les attributions sont tellement importantes pour notre adaptation psychologique que certaines recherches révèlent que les personnes qui s'adaptent le moins bien à leur vie à la suite d'événements traumatisants, tel l'inceste, sont celles qui ne réussissent pas à émettre des attributions pour expliquer l'événement (Silver, Boon & Stones, 1983). De plus, certaines indications existent selon lesquelles les attributions peuvent également influer sur la performance (Anderson, Horowitz & French, 1983; Peterson & Barrett, 1987; Seligman & Schuman, 1986) ainsi que mener à certaines conséquences interpersonnelles (voir l'encadré 5.3).

ENCADRÉ 5.3

ATTRIBUTIONS ET CONSÉQUENCES INTERPERSONNELLES

Peut-être pensez-vous que les attributions ne mènent qu'à des conséquences intrapersonnelles. Pourtant rien n'est plus faux. En fait, les attributions engendrent une foule de conséquences interpersonnelles. Ainsi, comme le proposent les théories de l'attribution, les attributions que nous émettons en tant qu'observateurs nous aident à nous créer une impression des autres. Par exemple, si vous faites des inférences de correspondance (Jones & Davis, 1965) quant à la personnalité d'un individu pour expliquer son comportement agressif, vous le percevrez dorénavant comme une personne agressive et violente. De même, si quelqu'un adopte des comportements complètement stupides, vous le considérerez comme fou ou du moins stupide, et ainsi de suite.

Parfois, les inférences et attributions effectuées par l'observateur sur une personne peuvent aller au-delà du comportement et être dictées par certaines croyances associées au comportement en question. Par exemple, certaines recherches démontrent que les fumeurs sont perçus comme des gens plus sexuellement actifs que les non-fumeurs, et ce autant pour les femmes que pour les hommes (Clark, Klesges & Neimeyer, 1992). Le fait de fumer provoque donc certaines perceptions bien particulières chez l'observateur.

Il est important de préciser que les conséquences interpersonnelles ne se limitent pas à la simple perception des gens, mais englobent également les émotions et comportements à l'égard de ces derniers. Les attributions effectuées ont des relations bien précises avec nos émotions interpersonnelles. Ainsi, selon Weiner (1986), si quelqu'un nous heurte sciemment (attribution interne et contrôlable), nous serons en colère, alors que si ce geste est fait par inadvertance (attribution interne mais incontrôlable), nous pourrons même éprouver de la sympathie pour la personne! Qui plus est, les émotions ressenties envers un individu dictent nos comportements vis-à-vis de celui-ci. Ainsi, dans l'exemple précédent, nous pourrions ressentir de la colère et apostropher la personne, alors que si nous éprouvons de la sympathie à son égard nous pourrions nous lancer dans une discussion amicale! Une recherche de

→

ENCADRÉ 5.3 (suite)

Betancourt et Blair (1992) a d'ailleurs démontré ce lien attributions ➔ émotions ➔ comportement en condition de conflit interpersonnel.

Les attributions ne font pas qu'influer sur nos émotions et comportements violents, elles peuvent également dicter notre réaction face à la violence des autres. Andrews et Brewin (1990) ont comparé les attributions de femmes battues par leur mari avec celles de femmes qui ont déjà été battues, mais qui ont quitté leur mari. Les résultats ont révélé que les femmes qui ont quitté leur mari faisaient maintenant plus d'attributions au partenaire pour expliquer les incidents violents que celles qui sont toujours avec leur mari violent. De plus, tel qu'il a été postulé par Janoff-Bulman (1979, 1992), les femmes qui effectuaient des attributions de blâme personnel caractériel étaient celles qui étaient les plus brutalisées durant la relation et qui vivaient le plus de dépression même une fois la relation terminée. À n'en pas douter, les attributions peuvent exercer une influence majeure sur le plan interpersonnel et notre survie peut même dépendre de ces dernières !

Enfin, par nos attributions, nous pouvons manipuler les émotions et comportements des autres vis-à-vis de notre personne (Weiner, 1991; Weiner, Figueroa-Munoz & Kakihara, 1991). Par exemple, si vous expliquez à votre petit(e) ami(e) que vous êtes en retard parce que vous aviez quelque chose de plus important à faire, il se peut fort bien qu'il (elle) se choque et vous quitte sur-le-champ! En revanche, si vous vous justifiez en disant que vous avez été coincé(e) dans la circulation (attribution externe), il y a de bonnes chances que votre petit(e) ami(e) vous comprenne et vous excuse sans se fâcher.

En somme, les attributions se situent au cœur des relations interpersonnelles. Elles dictent nos perceptions des autres, nos émotions et nos comportements vis-à-vis de ceux-ci. Il n'est donc pas surprenant que, comme le mentionnent Vallerand et Bouffard (1985), les attributions jouent un rôle prépondérant dans notre survie sociale.

Modifier les attributions

Au cours des dernières années, les chercheurs ont étudié différentes façons de modifier les attributions. Une telle approche s'avère intéressante pour des raisons théoriques et pratiques. Si nos théories sont correctes, faire les «bonnes» attributions à la suite d'événements négatifs pourrait permettre à la personne de mieux s'adapter psychologiquement. Des résultats probants permettraient donc de vérifier nos théories tout en aidant les gens à faire face à des événements traumatisants. Deux techniques ont surtout été utilisées dans la modification des attributions : la **mésattribution** et la **réattribution.**

La mésattribution. Il y a mésattribution lorsque le sujet attribue la hausse d'activation ou de stress provoquée par un stimulus à une cause autre que celle responsable de l'activation de sorte que la réaction émotionnelle à ce stimulus stressant est réduite. Par exemple, des recherches effectuées par Storms et ses collègues (Storms & McCaul, 1976; Storms & Nisbett, 1970; Storms, Denney, McCaul & Lowery, 1979) démontrent qu'il est possible de réduire l'insomnie en amenant les personnes qui en souffrent à mésattribuer la cause de l'insomnie à des somnifères qui en fait sont des placebos. Ainsi, dans l'étude de Storms et Nisbett (1970), des sujets insomniaques reçurent des pilules placebos qu'ils devaient prendre avant de se coucher. Certains sujets furent informés que les pilules les amèneraient à se détendre alors que d'autres sujets furent informés que les pilules produiraient une augmentation d'activation physiologique. Toutes les pilules étaient en fait des placebos. L'hypothèse des auteurs était que, pour les sujets informés de l'effet activant des pilules, l'activation physiologique induite par l'insomnie serait mésattribuée aux pilules. Une telle attribution empêcherait la personne de s'attribuer l'activation physiologique due au fait de ne pas dormir, diminuant ainsi son anxiété quant au sommeil et l'aidant à s'endormir. Les sujets dans cette condition s'endormiraient donc plus facilement que les sujets ayant reçu des pilules qui devaient, en fait, les aider à dormir. Les résultats ont confirmé l'hypothèse des auteurs.

Bien qu'un certain nombre d'études aient soutenu les résultats obtenus par Storms et ses collaborateurs (voir Cotton, 1981; Reisenzein, 1983; Ross & Olson, 1981), d'autres recherches ont démontré que l'effet de la mésattribution ne se produisait pas toujours (voir Reisenzein, 1983; Ross & Olson, 1981). Afin de pouvoir expliquer les incohérences de ces résultats, Michael Ross, de l'Université de Waterloo, et Jim Olson, de l'Université Western Ontario (1981), ont proposé un modèle d'attente-attribution permettant de désigner plusieurs préconditions nécessaires pour que l'effet de mésattribution se produise. Ces préconditions sont au nombre de quatre : 1) la cause de l'activation doit être évidente, 2) la source de la mésattribution doit être également saillante, 3) les sujets doivent pouvoir considérer le stimulus servant à la mésattribution comme une cause possible de l'activation et 4) les sujets doivent croire que la source de la mésattribution a un impact plus grand sur les symptômes que ce n'est actuellement le cas (l'impact attribué excède les effets réels du placebo sur les symptômes des sujets). Des recherches d'Olson et Ross (Olson, 1988; Olson & Ross, 1988) soutiennent les propositions principales du modèle.

Il semble donc que la mésattribution puisse parfois être utilisée afin de pouvoir produire une relaxation ou du moins une diminution d'un problème psychologique face à un stimulus qui peut, en temps normal, s'avérer stressant. La mésattribution représenterait un procédé qui pourrait s'avérer utile auprès de certains types de personnes. Toutefois, cette utilité demeure limitée, car un certain nombre d'études montrent que, si l'activation physiologique ou le problème émotionnel est trop intense, la mésattribution se révélera inefficace (Bootzin, Herman & Nicassio, 1976; Kellogg & Baron, 1975; Singerman, Borkovec & Baron, 1976).

La réattribution. Bon nombre d'individus ont appris à se servir des « bonnes » attributions afin de protéger leur estime personnelle et leur santé psychologique. Par contre, d'autres personnes n'ont pas appris à utiliser les attributions bénéfiques à leur développement et adaptation psychologiques. Serait-il possible de réduire au minimum les problèmes psychologiques des gens en leur apprenant de façon systématique à se servir des attributions adéquates? Forsterling (1985) soutient que oui. Selon cet auteur, qui a effectué une recension des écrits sur le sujet, les processus de réattribution qui amènent la personne à apprendre à utiliser les attributions plus positives à la suite d'un échec lui permettent de mieux s'adapter psychologiquement à la suite de ces événements négatifs.

Plusieurs études ont été effectuées afin de vérifier les effets de la réattribution. Un grand nombre d'entre elles ont amené les gens à attribuer leur échec à un manque d'effort au lieu d'un manque d'habileté. Le fait d'amener les gens à expliquer leur échec par un manque d'effort les aiderait à percevoir un changement pour l'avenir, qui entraînerait une augmentation du contrôle et un changement réel dans les situations ultérieures. Par exemple, Dweck (1975) a démontré que les étudiants qui avaient été amenés à expliquer leur échec par un manque d'effort ont mieux réussi des anagrammes difficiles comparativement à des sujets qui n'avaient connu que des succès!

Dans une autre perspective, Wilson et Linville (1982, 1985) ont démontré qu'amener des étudiants de premier trimestre à attribuer leurs difficultés scolaires à des causes temporaires les a conduits à mieux réussir des examens distribués par les auteurs et à obtenir de meilleures notes au trimestre suivant par rapport aux étudiants qui n'ont pas reçu pareille information.

Finalement, Van Overwalle et deMetsenaere (1990) ont prouvé dans le cadre de deux études qu'un programme d'intervention dans lequel les étudiants apprennent à faire des attributions instables et contrôlables pour expliquer leur piètre performance de première année avait permis d'augmenter le pourcentage d'étudiants qui ont réussi leurs examens de fin d'année (augmentation de 19 % en moyenne). De plus, un tel programme s'est avéré plus efficace qu'un programme scolaire basé sur les habitudes et habiletés relatives à la prise de notes et à l'étude. Il semble donc que la réattribution soit fort efficace en milieu scolaire.

Les processus de réattribution ont été aussi utilisés avec succès auprès des personnes âgées dans des centres d'accueil (Rodin & Langer, 1980), des individus souffrant d'anxiété sociale (Forsyth & Forsyth, 1982), des enfants vivant des problèmes dans leurs relations sociales et des patients dépressifs en traitement psychothérapeutique, et ce autant chez les adultes (Seligman *et al.*, 1988) que chez les enfants (Benfield, Palmer, Pfefferbaum & Stowe, 1988).

Peut-être vous demandez-vous si les changements induits par les processus de réattribution sont durables. Un certain nombre de chercheurs se sont également posé la question et la réponse semble positive. En effet, les processus de réattribution peuvent amener des changements relativement stables, notamment en ce qui concerne les habiletés de lecture (Borkowski, Weyhing & Carr, 1988) et le fait de cesser de fumer (Harackiewicz *et al.*, 1987). Dans l'ensemble, ces résultats semblent encourageants pour ce qui est du rôle potentiel de la réattribution dans la résolution de certains problèmes psychologiques et de l'appartenance possible de cette stratégie aux thérapies cognitives reconnues.

RÉSUMÉ

Les attributions représentent des inférences que nous émettons à propos de nos comportements, de ceux des autres ou encore des événements qui surviennent. Trois principaux types d'attributions sont généralement émises, soit les attributions causales, les attributions dispositionnelles et les attributions de responsabilité. Les attributions s'avèrent importantes parce qu'elles nous permettent de comprendre notre environnement social, de prédire les événements qui s'y produisent, de maintenir notre estime personnelle et de communiquer aux autres notre vision des événements. Deux types de théories ont été formulées dans le secteur des attributions, selon qu'elles essaient d'indiquer comment les attributions sont faites ou qu'elles portent sur les conséquences des attributions. Le premier type de théories correspond aux théories de l'attribution, alors que le second renvoie aux théories attributionnelles.

Parmi les théories de l'attribution, celle des inférences corrrespondantes (Jones & Davis, 1965) ne s'intéresse qu'aux attributions émises par l'observateur (celui qui observe l'action) et tente d'inférer des caractéristiques dispositionnelles de l'acteur (celui qui émet l'action) à partir de son comportement. À cette fin, l'observateur se sert de trois facteurs, soit la désirabilité sociale, les effets distinctifs et le choix dont dispose l'acteur quant à l'accomplissement de l'action. Plus une personne a le choix d'accomplir l'action, moins l'action est désirable socialement et moins il y a d'effets distinctifs rattachés au comportement, plus il est facile d'émettre une attribution dispositionnelle pour expliquer l'action.

La théorie de la perception de soi de Bem s'intéresse uniquement aux attributions émises par l'acteur. Plus précisément, la théorie s'intéresse aux processus par lesquels nous venons à connaître nos attitudes et états intérieurs en cas d'incertitude. Selon la théorie, dans de telles situations, nous nous trouvons dans la même position qu'un observateur et inférons nos dispositions à partir de l'observation de notre comportement.

Harold Kelley a proposé deux théories. Toutes deux tentent d'expliquer les attributions émises par l'acteur et par l'observateur. La première repose sur le principe de la covariation, où un effet est attribué à l'une des causes plausibles avec laquelle il covarie. Dans l'étude de la covariation, trois dimensions d'information sont utilisées : le consensus (comparaison entre le comportement de l'acteur et celui d'autres personnes), la distinction (comparaison du comportement de l'acteur sur différentes entités) et la consistance (comparaison entre les comportements de la personne à différents moments ou modalités). L'attributeur combine l'information issue de ces trois sources et émet l'attribution. Cette dernière peut porter sur la personne, l'entité, les modalités ou encore les interactions entre ces divers facteurs. Selon Kelley, notre raisonnement causal n'est pas toujours aussi exhaustif. Nous utilisons alors des schémas causals afin de trouver une cause à l'effet observé. Les principes d'ignorement (le fait d'ignorer une cause si une cause plus probable est présentée) et d'augmentation (le fait de juger une cause facilitante plus importante en présence d'une cause inhibitrice) sont fort employés à cette fin et représentent les éléments de base de la deuxième théorie de Kelley.

Enfin, d'autres positions récentes ont également été étudiées. Notons celle de l'économie cognitive, celle de l'épistémologie naïve et celle de la simulation mentale, qui s'inscrivent dans une approche pragmatique, et celle du traitement de l'information, qui propose que l'émission des attributions peut être expliquée par l'étude des fonctions cognitives.

Un grand nombre de biais déforment nos inférences causales. Lorsque nous émettons des attributions à notre sujet, nous sommes souvent victimes du biais égocentrique. Nous effectuons alors des attributions internes pour expliquer nos succès, mais des attributions externes pour expliquer nos échecs. Par contre, lorsque nous faisons des attributions pour expliquer le comportement des autres, nous sous-estimons généralement le rôle de la situation et surestimons le rôle des dispositions de l'acteur dans l'adoption du comportement. Ce phénomène est appelé «erreur attributionnelle fondamentale». À la lumière des biais précédents, il n'est pas surprenant que les acteurs et les observateurs ne s'entendent pas lorsque vient le temps d'émettre des attributions pour expliquer le comportement de l'acteur. Ce dernier attribue son comportement à la situation alors que l'observateur attribue le comportement à des dispositions de l'acteur. C'est ce qu'on appelle le «biais acteur-observateur». De plus, les hommes et les femmes n'émettent pas toujours les mêmes attributions, ces dernières pouvant être influencées par de multiples facteurs. Enfin, un biais temporel vient également perturber le processus attributionnel: nos attributions deviennent imprécises avec le passage du temps.

En ce qui concerne les théories attributionnelles, elles ont été appliquées à de nombreux phénomènes. Dans le secteur des émotions, le rôle des attributions varie. Ainsi, selon la théorie épousée, les émotions sont le fruit de l'activation physiologique préexistante et des attributions expliquant l'origine de l'activation (théorie de Schachter), des attributions expliquant la croyance de l'activation (théorie de Valins) ou des attributions directement (théorie de Weiner). Les attributions influent également sur notre motivation. Ainsi, selon Weiner, les attributions émises pour expliquer nos résultats déterminent nos attentes et émotions qui, à leur tour, dictent le degré de motivation qui suit. Qui plus est, les raisons ou attributions émises pour expliquer notre participation à une activité influent sur notre motivation intrinsèque. Dans la mesure où un individu attribue sa participation à des causes externes à l'activité (des récompenses par exemple), il se sentira contrôlé, ressentira une diminution d'autodétermination et son intérêt pour l'activité diminuera (effet de surjustification). En revanche, lorsque l'individu émet des attributions internes pour expliquer sa participation ou sa bonne peformance, il s'ensuit une augmentation de la motivation intrinsèque vis-à-vis de l'activité.

Les attributions jouent également un rôle crucial dans notre adaptation psychologique à la suite d'événements incontrôlables ou négatifs. Martin Seligman et ses collègues, dans leur théorie de la résignation acquise, proposent que lorsqu'on ne peut contrôler des événements les attributions émises pour expliquer ce manque de contrôle auront des effets importants sur l'adaptation psychologique. Si ce manque de contrôle est attribué à des causes internes, stables et globales, alors plusieurs conséquences négatives, incluant la dépression, seront vécues par la personne. Une autre façon de s'adapter psychologiquement consiste à présenter des excuses pour une piètre performance ou pour un événement négatif qui est survenu. Les excuses s'avéreront efficaces si elles nous permettent de déplacer la cause de l'événement vers une cause moins centrale de notre personne et si les vraies causes sont inaccessibles à notre entourage. Parfois, à la suite d'événements tragiques, nous émettons des attributions de blâme personnel pour les expliquer. Les recherches auprès de victimes révèlent que les attributions de blâme personnel comportemental peuvent mener à une saine adaptation parce qu'elles permettent à ces gens de comprendre l'événement, de restaurer leur croyance en leur invulnérabilité et de rehausser leur estime personnelle. Par contre, les attributions de blâme personnel caractériel ne sont pas adaptatives.

Enfin, les psychologues sociaux ont également étudié les propriétés bienfaisantes des mécanismes de changement des attributions non adaptatives. Les recherches effectuées sur deux approches, soit la mésattribution et la réattribution, attestent leur potentiel : le fait d'amener les gens à émettre des attributions plus positives peut engendrer non seulement une meilleure adaptation psychologique mais également une meilleure performance et une meilleure santé physique.

En somme, les attributions jouent un rôle capital dans les diverses sphères de notre vie sociale. Comme vous avez pu vous en rendre compte, une meilleure compréhension des processus attributionnels permet de faire avancer les connaissances scientifiques en psychologie sociale et de contribuer à la résolution de certains problèmes sociaux.

BIBLIOGRAPHIE SPÉCIALISÉE

Antaki, C. & Brewin, C. (Eds.). (1982). *Attributions and psychological change.* New York: John Wiley and Sons.

Deci, E.L. & Ryan, R.M. (1985). *Intrinsic motivation and self-determination in human behavior*. New York: Plenum.

Harvey, J.H., Ickes, W. & Kidd, R.F. (Eds.). (1976, 1978, 1981). *New directions in attribution research* (Vols. 1, 2, 3). Hillsdale, NJ: Erlbaum.

Harvey, J.H., Orbuch, T.L. & Weber, A.L. (Eds.). (1992). *Attributions, accounts, and close relationships*. New York: Springer-Verlag.

Harvey, J.H. & Weary, G. (Eds.). (1985). *Attribution : Basic issues and applications*. New York: Academic Press.

Hewstone, M. (1989). *Causal attribution : From cognitive processes to collective beliefs*. Oxford : Basic Blackwell.

Vallerand, R.J. & Bouffard, L. (Eds.). (1985). L'attribution et ses applications. *Revue québécoise de psychologie*, *6* (2) . Un numéro spécial (en français) sur les théories de l'attribution et sur les théories attributionnelles les plus importantes.

Weiner, B. (1986). *An attributional theory of achievement motivation and emotion*. New York: Springer-Verlag.

CHAPITRE 6

LES ATTITUDES ET LE CHANGEMENT DES ATTITUDES

Yves Lafrenaye
Université du Québec à Montréal

Mise en situation
Introduction
Qu'est-ce qu'une attitude ?
- Définition
- Les caractéristiques de l'attitude
- Les modèles de la structure attitudinale

Comment mesure-t-on les attitudes ?
- Les mesures verbales de l'attitude
- Les méthodes indirectes de mesure de l'attitude

À quoi les attitudes servent-elles ?
- Les fonctions des attitudes
- Les valeurs
- Les relations valeurs-attitudes

La formation des attitudes
- Les sources affectives
- Les sources comportementales
- Les sources cognitives

Conclusion
Comment changer les attitudes ?
- Les théories de la consistance cognitive
- L'approche de l'apprentissage du message
- L'approche de la réponse cognitive
- Le modèle de la vraisemblance d'élaboration cognitive

Les attitudes prédisent-elles le comportement ?
- Le dilemme de la consistance attitude-comportement
- Les conditions méthodologiques de prédiction attitude-comportement
- Les modèles théoriques de prédiction du comportement

Résumé
Bibliographie spécialisée
Encadré 6.1 Peut-on changer les attitudes de personnes fortement convaincues ?
Encadré 6.2 L'effet d'assoupissement : une augmentation de l'efficacité persuasive à retardement

MISE EN SITUATION

En guise d'initiation à la mesure en sciences humaines, un professeur de cégep avait demandé à ses étudiants d'exprimer leurs opinions sur certains énoncés extraits d'une échelle d'attitude vis-à-vis de la psychologie objective (Lemaine, 1971-1972). Suzanne et Denise avaient obtenu le même score à cette échelle ; par exemple, toutes les deux étaient d'accord avec les items suivants : le caractère des humains n'est accessible qu'à des méthodes intuitives ; les autres sciences ne peuvent servir de modèle aux sciences de l'homme ; l'observation objective nous apprend peu de choses sur la vie mentale, car cette dernière ne s'extériorise qu'en partie.

Par la suite, ces étudiantes ont suivi le même cheminement universitaire ; elles détiennent maintenant une maîtrise en psychologie. Par un concours de circonstances, elles ont effectué la recherche requise pour leur mémoire sous la supervision d'un même professeur dont les exigences vis-à-vis de la méthodologie scientifique étaient élevées.

Aujourd'hui, elles se retrouvent à un congrès. Suzanne est inscrite à un atelier sur les méthodes récentes de recherche en sciences sociales ; quant à Denise, elle participe à un atelier sur les nouvelles thérapies phénoménologiques. Au souper, ce sont les retrouvailles ; une dizaine de camarades de classe parlent de la belle époque de leurs études universitaires. Puis on échange ses impressions sur le congrès. Tout enthousiaste, Suzanne parle de l'utilisation de la technique de la régression multiple comme moyen de tester des modèles de causalité. Plus réservée, Denise mentionne qu'on a discuté ferme d'une version singulière du principe de causalité, soit la synchronicité. À un certain moment, Suzanne évoque une tante qui lui prêtait des romans psychologiques qu'elle lisait avec plaisir durant son adolescence. De son côté, Denise parle longuement des nombreuses fins de semaine passées chez un couple dont l'épouse était une travailleuse sociale très informée des approches humanistes et une praticienne dévouée. À plusieurs reprises, Denise affirme qu'elle a adoré ces échanges. Elle avoue aussi qu'elle aimait beaucoup partager ses nouvelles idées avec Suzanne.

Vers la fin du repas, la conversation prend une tournure inattendue. Pierre, qui a toujours été un cartésien imperturbable, s'adresse à Suzanne : « Toi, tu as beaucoup changé depuis ton entrée en psychologie. Te souviens-tu de ces interminables discussions où tu combattais si vivement toute approche scientifique de l'étude du comportement humain ? Quand tu étais en compagnie de Denise, nous, valeureux protagonistes, pouvions à peine nous exprimer ! » Plutôt songeuse, Denise acquiesce, semblant regretter cette époque où toutes deux partageaient des valeurs similaires. Puis la réponse de Suzanne vint. Quel ne fut pas l'étonnement des convives face à ses protestations. Elle contesta vivement les affirmations de Pierre, se réclama avec passion

→

MISE EN SITUATION (suite)

d'auteurs prônant une approche rigoureuse et scientifique de la psychologie, exprima avec véhémence des intérêts tellement nouveaux que les commensaux, interloqués, se turent pendant plusieurs secondes et n'osèrent plus insister.

Comment expliquer un tel revirement? Deux amies inséparables au cégep, un score identique à une échelle d'attitude; un partage des mêmes valeurs (par exemple l'amitié véritable) à l'inventaire de valeurs (Rokeach, 1973). En un mot, une socialisation qui semblait les avoir menées à des intérêts similaires. Comme l'attitude et les valeurs constituent des réalités psychologiques durables censées prédire le comportement, on devrait s'attendre à un développement de carrière identique chez les deux amies. À l'université, un même directeur de recherche exigeant en méthodologie de la recherche. Denise appréciait l'encadrement rigoureux de son directeur, sans pour autant sentir le besoin de mettre en cause ses convictions personnelles: pour elle, le mémoire de recherche fut une corvée scolaire, certes formatrice, mais sans plus. Pour Suzanne, au contraire, sa recherche de maîtrise a remis en question des croyances et des attitudes centrales dans sa conception de la vie: elle s'interrogea sur la causalité, les préalables pour établir des preuves irréfutables, le contrôle de l'erreur... D'ailleurs, c'est de cette dernière période que datent les moins bonnes relations entre Suzanne et Denise. Ainsi l'attitude de Denise est demeurée stable; en revanche, Suzanne a subi une sorte de «conversion», c'est-à-dire un changement d'attitude comprenant de nouvelles croyances associées à de l'émotivité, qui s'est exprimée par des paroles blessantes à l'égard de ses camarades de jadis. Cette transformation semble même avoir modifié le souvenir des attitudes passées de Suzanne, aux dépens de ses anciens liens d'amitié.

INTRODUCTION

Cette anecdote met en relief quelques-uns des aspects de notre vie courante qui seront éclairés par l'étude des **attitudes.** D'abord les attitudes nous distinguent les uns des autres et nous aident à définir notre identité sociale. Puis il y a le rôle des attitudes et des valeurs comme variables prédictives des conduites. On note aussi le changement des attitudes, dont un des effets est de modifier notre souvenir: quels peuvent être ces facteurs qui influent sur la formation et sur le changement des attitudes? Plus précisément, dans ce chapitre, nous étudierons six facettes importantes du construit psychologique que représente l'attitude. D'abord, dans une première partie très inspirée par les approches cognitives, nous examinerons les aspects saillants de l'attitude à partir de la définition classique d'Allport (1935) et d'une description des principales propriétés de l'attitude. En second lieu, nous effectuerons un survol des principales techniques de mesure de l'attitude; cette brève revue nous aidera à saisir comment les attitudes nous différencient les uns des autres. Puis les fonctions de l'attitude comme facteur organisateur de notre expérience psychologique et le rôle des valeurs seront exposés. La quatrième section de notre étude portera sur la formation de l'attitude et ses fondements affectifs, comportementaux et cognitifs. La facette la plus développée de ce chapitre concerne le changement des attitudes. Pour survivre dans un contexte social où chacun doit satisfaire une quantité minimale de besoins, il faut négocier avec autrui, c'est-à-dire tenter de changer les **croyances** ou de modifier les attitudes d'autres personnes. L'examen des principales théories du changement des attitudes nous permettra d'analyser cette modalité non contraignante d'influence sociale qu'est la persuasion et de mieux la distinguer par rapport à d'autres sortes d'influences, telles la manipulation et la coercition. Une dernière partie porte sur la capacité de l'attitude à prédire le comportement. Nous considérerons alors les facteurs méthodologiques et les apports théoriques qui font de l'attitude un élément prédictif de choix de l'action.

QU'EST-CE QU'UNE ATTITUDE?

Définition

Déjà dans les années 1930, la psychologie sociale se définissait très largement par l'étude des attitudes (Allport, 1935). Depuis, dans la seule décennie 1970-1979, Dawes et Smith (1985) ont recensé quelque 20 209 volumes et articles sous l'unique rubrique des attitudes. De plus, une estimation récente évalue à plus de 1 000 les publications annuelles reliées aux seules recherches sur le changement d'attitude (McGuire, 1985). Cette abondance de recherches a donné une multiplicité de définitions, à cause surtout du fait que les attitudes ne peuvent être observées directement. Nous avons tous regardé des reportages sur des manifestations relatives à l'avortement, mais personne n'a pu voir ou toucher ce qu'est une attitude provie ou prochoix. Pour cette raison, l'attitude est considérée comme un construit hypothétique que les chercheurs, tant bien que mal, tentent de cerner à l'aide de définitions conceptuelles et de techniques ingénieuses de mesure.

En 1935, Gordon W. Allport a proposé une définition générale de l'attitude qui est devenue classique. Outre son intérêt historique, la formulation d'Allport offre l'avantage de délimiter les frontières de la notion d'attitude par rapport à d'autres concepts motivationnels de la psychologie et d'expliciter les principales facettes qui la caractérisent encore aujourd'hui :

> Une attitude représente un état mental et neuropsychologique de préparation à répondre, organisé à la suite de l'expérience et qui exerce une influence

directrice ou dynamique sur la réponse de l'individu à tous les objets et à toutes les situations qui s'y rapportent (traduction libre).

Comme cette formulation désigne les aspects distinctifs de l'attitude, nous la reprendrons point par point.

L'attitude représente un état mental et neuropsychologique. Il s'agit donc d'une expérience privée, propre à la personne, reposant sur des éléments du système nerveux. On ne peut ressentir directement l'attitude d'autrui. Pour l'observer, il faut la surprendre dans des manifestations extérieures. Bien sûr, on pourrait interroger les gens, mais cette simple approche introspective comporte des limites importantes (Nisbett & Wilson, 1977). Afin d'atteindre l'attitude par des voies indirectes, des techniques standardisées de mesure ont été élaborées. Comme nous le verrons plus loin, des mesures tant verbales que comportementales ou psychophysiologiques nous assurent une représentation du vécu phénoménologique de l'attitude avec une validité parfois étonnante.

L'attitude représente un état [...] de préparation à répondre [...] qui exerce une influence directrice ou dynamique. Cet aspect met en relief le côté motivationnel ou conatif de l'attitude, c'est-à-dire l'intention d'agir. L'attitude comporterait ainsi une composante de préréponse. Selon certains béhavioristes (p. ex. Doob, 1947), elle serait une réponse implicite annonciatrice d'une réponse publiquement observable, si la situation le permettait. De plus, pour le meilleur ou pour le pire, les attitudes comportent une composante motivationnelle (ou dynamique) qui pousse à l'action (p. ex. Ajzen, 1989; Newcomb, Turner & Converse, 1970; Rajecki, 1990). Si un individu ressent des frustrations à l'égard des minorités ethniques, il sera pressé de traduire ses attitudes racistes en votant pour un candidat politique favorable à des lois restrictives sur l'immigration. En plus de motiver à l'action, l'attitude oriente vers certaines actions particulières. Par « direction », on entend le choix d'une réponse parmi un répertoire de réponses associées à l'objet attitudinal. Nos réactions attitudinales devant les minorités ethniques peuvent nous inciter à favoriser l'égalité des chances d'emploi ou des conduites de discrimination.

L'attitude représente un état [...] organisé. Selon les approches cognitives contemporaines, l'attitude est une représentation en mémoire de cognitions associées à des affects négatifs ou positifs vis-à-vis d'un objet donné (p. ex. Fazio, 1989). Cette connexion cognition-affect caractérise particulièrement l'attitude. Cependant, comme nous le verrons au long de ce chapitre, les chercheurs ont distingué au moins trois modèles de structuration de l'attitude. Par exemple, selon une conception plus traditionnelle, l'attitude est une entité composée d'aspects cognitifs, affectifs et conatifs fortement interreliés (Rosenberg & Hovland, 1960). Toutefois, bien qu'encore très populaire, ce modèle tripartite classique de l'organisation de l'attitude est de plus en plus controversé.

L'attitude représente un état [...] organisé à la suite de l'expérience. Probablement que l'aversion pour les araignées et les serpents, le goût pour l'alcool ou encore, sur un plan plus social, des attitudes à l'égard de l'autorité, de la censure ou de la peine de mort (p. ex. Tesser, 1993) comportent une composante héréditaire importante. Récemment, une recherche portant sur les attitudes vis-à-vis du travail chez 34 jumeaux identiques a mis en relief une composante génétique de l'ordre de 30 % (Arvey, Bouchard, Segal & Abraham, 1989). Cependant, faute de méthodes suffisamment prometteuses et non controversées (p. ex. Cropanzano & James, 1990), les chercheurs se sont peu attardés à investiguer les bases innées de l'attitude. Plutôt, la formation de l'attitude a été largement étudiée dans le contexte des théories de l'apprentissage. Ainsi Campbell (1963) considère l'attitude comme le résidu d'expériences passées. De son côté, Greenwald (1968) a proposé que le développement des composantes cognitive, affective et comportementale de l'attitude résulte de processus décrits par trois théories distinctes de l'apprentissage. Des processus plus cognitifs d'organisation attitudinale ont aussi été analysés. Citons les recherches sur l'**effet de simple exposition** (Zajonc, 1968).

L'attitude [...] exerce une influence [...] sur la réponse de l'individu à tous les objets et à toutes les situations qui s'y rapportent. Recoupant le postulat de consistance comportementale, cette facette de l'attitude est considérée par plusieurs théoriciens (p. ex. Ajzen, 1988; Campbell, 1963) comme la preuve de l'existence *(evidence)* de l'attitude. Selon ce postulat, l'attitude vis-à-vis d'un objet serait une appréciation affective se manifestant de façon régulière dans diverses actions et situations reliées à l'objet. L'individu qui se sent attiré par l'activité boursière appréciera la lecture des pages financières des quotidiens, se préoccupera de se procurer des logiciels de calcul d'indices d'achat et de vente de titres, achètera des actions comme cadeau pour ses enfants ; il serait étonnant de retrouver ce même sujet en dénonciateur virulent de la bourse désignée, cette fois, comme la quintessence du capitalisme ou de le voir participer à une manifestation des chômeurs devant la tour de la Bourse.

Les caractéristiques de l'attitude

Pour compléter la définition éclectique d'Allport, nous considérerons quatre propriétés couramment évoquées dans les ouvrages sur les attitudes : la direction, l'intensité, la centralité et l'**accessibilité.** En outre, ce survol offrira une familiarisation avec certaines contributions récentes de la psychologie cognitive à l'étude des attitudes.

La direction. Cette première propriété de direction (ou valence) a trait à la position de l'attitude, qui peut être négative ou positive vis-à-vis d'un objet, défavorable ou favorable à un objet. Ainsi, dans l'exemple du début du chapitre, Denise et Suzanne exprimaient une réaction positive uniquement vis-à-vis des énoncés favorables à l'approche intuitive de la psychologie. Comme il a déjà été mentionné, des recherches récentes en psychologie cognitive indiquent que l'attitude est basée sur un ensemble d'éléments cognitifs (cognitions ou croyances) associés à des étiquettes affectives, négatives ou positives. De plus, ces cognitions ainsi couplées présenteraient une organisation polarisée selon une structure cognitive bipolaire ou unipolaire (Pratkanis, 1989). Les objets d'attitude controversés (par exemple la peine de mort, le service militaire obligatoire, l'avortement) s'apparenteraient à une structure à deux extrémités, représentant les aspects à la fois favorables et défavorables envers l'objet. La figure 6.1 illustre une telle organisation bipolaire pour l'énergie nucléaire. Ainsi, au pôle pronucléaire, on note un ensemble d'idées ou croyances qui mettent en évidence les avantages de l'énergie nucléaire; à l'autre extrémité, l'information est organisée de façon à inciter au rejet du nucléaire. Pratkanis et Greenwald (1989) ont aussi émis l'hypothèse de structures unipolaires cognitives sous-jacentes à l'attitude. Par exemple, l'activité sportive préférée d'un amateur de sport, ou notre attitude à l'égard des membres de notre groupe d'appartenance, revêtirait l'aspect d'une structure unipolaire ne contenant que de l'information positive confirmative. Comme le suggère le modèle de Pratkanis, la propriété de direction de l'attitude renverrait à un schème dans lequel l'information relative à un objet est organisée en fonction de pôles.

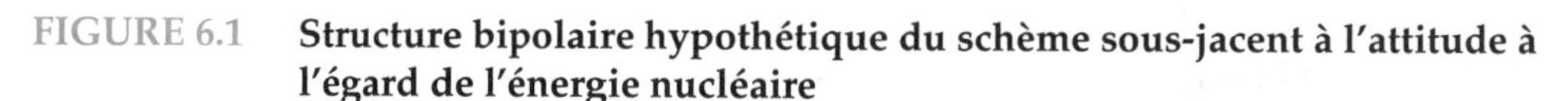

FIGURE 6.1 **Structure bipolaire hypothétique du schème sous-jacent à l'attitude à l'égard de l'énergie nucléaire**

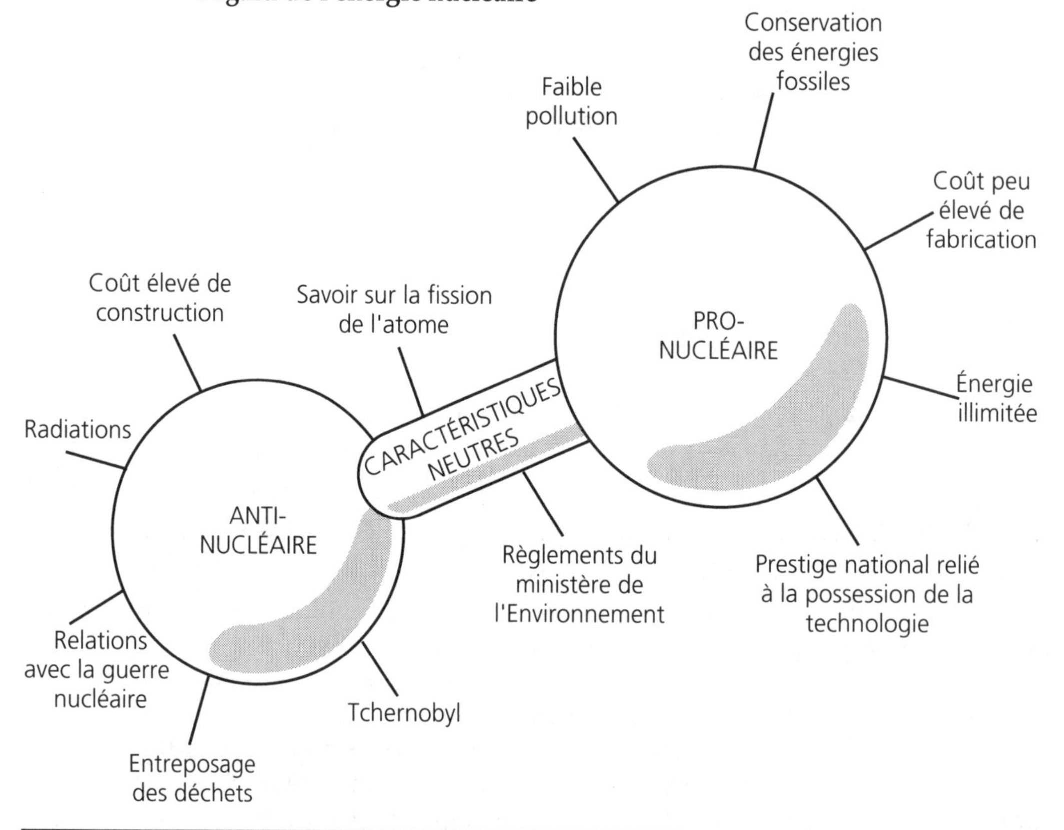

Adapté de Pratkanis (1989).

L'intensité. L'intensité fut et demeure la propriété privilégiée des chercheurs. Elle fait l'objet des théories des échelles classiques de mesure et est utilisée pour déterminer le degré de changement d'attitude. Dès 1929, Thurstone et Chave définissaient l'attitude par l'intensité de l'affect négatif ou positif ressenti à l'égard d'un objet. En fait, il s'agit d'une grandeur d'affect qu'on peut évaluer sur un continuum gradué dont les pôles sont « défavorable-favorable ». Sur une échelle de -3 (défavorable) et +3 (favorable), certains situeront le vin comme une divine boisson (+3) ou comme un aigre liquide (-3) ne pouvant jamais faire le poids devant une bière à la riche saveur de houblon. La section sur la mesure des attitudes couvre largement la dimension d'intensité.

Une sous-propriété reliée à l'intensité est l'extrémité. Depuis de nombreuses années, cette caractéristique a attiré l'attention des chercheurs et elle a été l'objet de clarifications récentes importantes. Si des individus ressentent un sentiment positif, ils peuvent l'exprimer à l'aide d'une attitude positive allant de « légèrement » à « extrêmement positive ». Plus l'affect exprimé se rapproche des catégories extrêmes du continuum « tout à fait contre » ou « tout à fait pour», plus il s'agit d'une attitude polarisée. De façon générale, détenir une attitude polarisée présente un impact psychologique intéressant. Depuis plus de 50 ans, de nombreuses recherches ont démontré qu'une attitude bien définie tend à être extrême (p. ex. Allport & Hartman, 1925).

Plusieurs facteurs influent sur l'extrémité attitudinale. Nous considérerons deux d'entre eux : le **simple fait d'y penser** et la **complexité intégrative.** Le groupe d'étude dirigé par Tesser (p. ex. Tesser, 1978) a démontré l'effet polarisant du simple fait de penser à un objet. En d'autres mots, si l'on accorde à des sujets du temps pour réfléchir à un thème, leur attitude, initialement positive, tendra à devenir plus positive tandis que l'attitude initiale négative tendra à devenir plus négative. Tentez l'expérience : repensez à d'anciennes amours et observez l'état attitudinal qui en résulte !

Plusieurs études ont considéré l'extrémité attitudinale en relation avec la complexité intégrative. Plus un individu possède un nombre élevé de croyances différentes vis-à-vis d'un thème et plus ces idées sont reliées entre elles, plus cette personne fait preuve de complexité intégrative. Or, cette complexité cognitive influerait sur l'attitude de la façon suivante : d'abord, nous possédons des croyances variées à l'égard d'un objet, puis ces idées sont organisées sous forme de schème attitudinal qui est projeté sur le continuum « défavorable-favorable », déterminant ainsi une position attitudinale extrême ou modérée. À cet égard, Tetlock, un Canadien maintenant à l'Université de Californie à Berkeley, a analysé des documents d'archives comme des jugements de la Cour suprême des États-Unis, des discours de sénateurs américains, des entrevues de parlementaires britanniques, ces documents ayant été évalués quantitativement à l'aide d'une grille de codage de la complexité intégrative (Schroder, Driver & Streufert, 1967). Ces études, notamment celle à partir du codage des entrevues de parlementaires (Tetlock, 1984), ont permis de dégager certaines conclusions pouvant nous aider à comprendre les attitudes des personnages politiques. Par exemple, plus un politicien possède des points de vue variés, convergents ou contradictoires, au sujet d'un problème (par exemple le contrôle des armes) et plus ces idées sont organisées en regroupements homogènes, plus il adoptera des positions modérées typiques de partis centristes. Comme le décrit Tetlock (1989), ce représentant de parti, quasi non partisan, tendra à atténuer les différences entre les partis politiques majeurs, à faire preuve de tolérance devant des opinions contradictoires, à penser les problèmes controversés en termes relativement non idéologiques. Par contre, des attitudes extrêmes se retrouvent plutôt chez les membres de partis dits de droite ou d'extrême gauche.

La centralité. La troisième caractéristique renvoie à l'importance de l'attitude. Elle est aussi associée à l'implication du soi *(ego-involvement)* en présence de l'objet d'attitude. Selon ce point de vue, nos positions attitudinales témoignent d'un engagement personnel et de notre appartenance à des groupes sociaux émotionnellement significatifs. Les attitudes centrales se rattachent donc à l'image du soi, privé ou public, et à la limite elles fusionnent avec les valeurs. Comme l'expriment Sherif et Cantril (1947), les attitudes « possèdent la caractéristique de nous appartenir, de faire partie de nous, d'être ressenties psychologiquement ». Abelson (1986) compare nos croyances et nos attitudes à des possessions. À l'instar de biens matériels, elles présentent un coût psychologique d'acquisition, de remplacement ; on les défend face à des attaques, on en fait la promotion, on les affiche publiquement comme des macarons symboliques de nos valeurs. Certaines de ces attitudes auront ainsi plus de valeur affective que d'autres. Comme il sera exposé dans la section sur les fonctions, les attitudes remplissent des rôles importants dans notre vie psychique. Par conséquent, certaines attitudes seront liées à des aspects affectivement chargés de notre personnalité et de notre enracinement social.

Encore ici, les chercheurs ont démontré empiriquement un lien entre la centralité (c'est-à-dire l'implication du soi) et l'extrémité du jugement attitudinal : plus un objet sollicite un complexe cognitif-affectif proche des valeurs, plus l'expression de l'attitude tendra à être polarisée (Sherif, Sherif & Nebergall, 1965). Toutefois, il faut prendre garde de ne pas confondre les deux concepts de centralité et d'extrémité. Ainsi une journaliste peut rédiger un éditorial fort convaincant contre le terrorisme tout en étant peu impliquée émotivement dans sa dénonciation. Par ailleurs, un autre journaliste peut écrire un article très proféministe en étant très engagé personnellement dans cette cause. De même, un troisième journaliste pourrait écrire un plaidoyer modérément proavortement tout en défendant ardemment sa position.

De nombreuses études ont porté sur cet état motivationnel typique, résultant de l'association entre une attitude et le soi. Il en est ressorti une proposition théorique de première importance concernant l'effet de la centralité de l'attitude sur le traitement de l'information. Comme nous le verrons lors de l'étude de la théorie de la **vraisemblance d'élaboration cognitive** (Petty & Cacioppo, 1990), l'implication du soi constitue un facteur qui affecte l'intensité du traitement de l'information et dont les conséquences influent particulièrement sur les résultats visés par les stratégies de persuasion (voir l'encadré 6.1).

ENCADRÉ 6.1

PEUT-ON CHANGER LES ATTITUDES DE PERSONNES FORTEMENT CONVAINCUES?

Nous avons mentionné que la centralité de l'attitude prédispose à des attitudes extrêmes; en outre, une telle attitude offre une résistance plus grande au changement. À cet égard, Sherif, Sherif et Nebergall (1965) ont proposé la théorie du jugement social. Selon cette approche, l'attitude fournit un cadre de référence interne pour juger les objets d'attitude et y réagir. Dans ce cadre de référence, la position attitudinale personnelle sert de point d'ancrage et définit le degré de centralité de l'attitude. Par conséquent, plus l'implication du soi sera intense, plus il y aura d'effets sur les autres positions attitudinales du continuum. De fait, les théoriciens du jugement social prétendent que le continuum attitudinal se divise en trois zones ou latitudes: a) la latitude d'acceptation, comprenant notre propre attitude et les positions attitudinales voisines qui nous paraissent acceptables; b) la latitude de rejet, comprenant les positions inacceptables; et c) la zone d'indifférence, contenant les degrés plus ou moins acceptables de l'attitude. Ainsi la détermination de la position attitudinale personnelle implique également une appréciation de toutes les autres positions du continuum.

Selon la théorie du jugement social, l'implication du soi influe sur la persuasion à deux niveaux. En premier lieu, il y aura persuasion pour les messages qui tombent dans la latitude d'acceptation; en fait, les messages qui soutiennent des positions pas tout à fait identiques à l'attitude du récepteur seront quand même acceptés via un mécanisme de distorsion cognitive appelé «assimilation». Dans ce cas, le récepteur fera sienne l'attitude correspondant à une position voisine de son attitude initiale mais située dans la latitude d'acceptation: «Bien sûr, j'ai toujours pensé comme ça», s'exclamera-t-il candidement, tout en affichant bien haut son biais. Quant aux messages se situant au-delà de la zone d'indifférence, ils sont perçus comme plus divergents de la position du récepteur qu'ils ne sont en réalité, donc de faible potentiel persuasif: ce type de distorsion de jugement est appelé «contraste».

En second lieu, l'implication influe sur la persuasion via la largeur des latitudes. Ainsi les sujets fortement impliqués ont tendance à découper une large latitude de rejet ou aucune zone d'indifférence; les individus faiblement impliqués vis-à-vis d'un objet d'attitude produisent une latitude plus étroite de rejet et une latitude large d'indifférence. Par conséquent, on observera peu

→

ENCADRÉ 6.1 (suite)

de changements d'attitude chez les sujets fortement engagés parce que les probabilités sont élevées que le message contre-attitudinal tombe dans la large latitude de rejet observée chez le récepteur. Comme le confirme la méta-analyse de Johnson et Eagly (1989), il est ainsi plus difficile de changer les attitudes à forte centralité que les attitudes de sujets faiblement impliqués : en effet, les attitudes centrales déterminent une zone de rejet plus étendue et favorisent moins l'acceptation des messages différents de la position attitudinale du récepteur. Faut-il alors conclure qu'il n'existe pas de tactique susceptible de changer l'attitude des gens convaincus ? Comme nous l'avons vu, les inclinations de ces personnes sont très accessibles à partir de leur mémoire : leur attitude s'exprime de façon quasi automatique.

Swann, Pelham et Chidester (1988) ont conçu une stratégie prometteuse pour de telles situations. À cette fin, le communicateur présente des énoncés plus extrêmes que ce que représente la position attitudinale réelle des sujets. Ces énoncés tendancieux rejoignent donc le point de vue du récepteur, mais sont plus extrêmes. Pour ne pas paraître extrémiste, ce dernier devra exprimer un certain désaccord avec le communicateur et adopter une position plus modérée.

Afin de déterminer l'efficacité de cette méthode des énoncés hyperattitudinaux, Swann et ses collègues ont identifié un groupe d'étudiantes qui possédaient une conception conservatrice du rôle féminin. Par exemple, elles étaient d'accord avec l'énoncé suivant : « Si jamais mon mari et moi sommes engagés dans une activité professionnelle, la carrière de mon mari sera prioritaire. » De plus, le degré de certitude vis-à-vis de chacun des énoncés fut évalué. Les sujets, répartis en deux groupes, furent ensuite exposés à l'un des deux procédés suivants. Dans la première condition, on leur demanda de répondre à 10 questions contraires à leurs idées conservatrices (ex.: « Pour quelles raisons les femmes sont-elles de meilleures administratrices que les hommes ? »). Dans la deuxième condition, les étudiantes furent invitées à répondre à des questions tendancieuses suggestives de réponses plus extrêmes (ex.: « Pourquoi partagez-vous le point de vue de certains hommes selon lequel il est préférable de garder les femmes à la maison, dans un état d'indigence, occupées à faire des enfants ? »). L'hypothèse des chercheurs était que les questions tendancieuses hyperattitudinales provoqueraient plus de changements contre-attitudinaux que l'approche traditionnelle basée sur des énoncés opposés aux idées des sujets. De fait, les résultats ont révélé un changement d'attitude plus de deux fois supérieur au changement observé avec la méthode traditionnelle.

En conclusion, à l'encontre d'une « dérivation » de la théorie du jugement social, les personnes aux fortes convictions ne sont donc pas imperméables à toute tentative de persuasion. Pour les influencer, on peut recourir à des

→

ENCADRÉ 6.1 (suite)

énoncés tendancieux extrêmes. Conformément aux règles minimales de politesse, devant une question ou en présence d'un énoncé, il est requis de fournir une réponse. Comme les personnes convaincues refusent d'acquiescer à toute position attitudinale différente de leur position personnelle, elles auront tendance à rejeter la position légèrement plus extrême. De plus, elles désireront montrer qu'elles ne sont pas aussi extrémistes que le suggère l'énoncé superattitudinal. Elles s'engagent ainsi dans un processus de perception de soi (Bem, 1972) se traduisant par une nouvelle attitude plus modérée. Détail intéressant : devant la stratégie des questions tendancieuses, les individus au monitorage de soi élevé (Snyder, 1974) sont plus susceptibles d'être déjoués que les sujets de faible monitorage. Par exemple, dans des comparutions à la cour de justice, les individus qui ont un monitorage élevé peuvent plus aisément être entraînés sur de fausses pistes, précisément parce qu'ils sont plus attentifs aux attentes des avocats (Lassiter, Stone & Weigold, 1987).

L'accessibilité. Une dernière caractéristique très étudiée au cours de la dernière décennie, l'accessibilité de l'attitude, a trait à la solidité de l'association entre l'objet d'attitude et son évaluation affective. On doit largement au programme de recherche dirigé par Fazio (p. ex. Fazio, 1989) d'avoir apporté des clarifications importantes au sujet de cette propriété, surtout grâce à une habile utilisation de mesures empruntées à la psychologie cognitive. Par exemple, la mesure de la facilité d'accès de l'attitude a été opérationnalisée à l'aide du temps de latence (ou vitesse de réponse) que prend un objet à provoquer une réaction d'attrait ou de répulsion. Ainsi les plats de viande crue (steak tartare) provoquent instantanément une mimique de dégoût chez les inconditionnels du cuit ; par contre, si ce plat n'évoque rien chez le sujet, peu d'expression affective se manifestera, ce qui se reflétera par une latence plus longue.

Le groupe de Fazio apporte une définition plus pratique à la notion encore mal comprise de « non-attitude ». En effet, les chercheurs ont souvent démontré la remarquable habileté des gens à répondre à des énoncés d'échelles d'attitude ou de sondages même si, préalablement, ils ne possédaient pas d'attitude vis-à-vis de l'objet. Fazio, Sanbonmatsu, Powell et Kardes (1986) ont proposé un continuum « non-attitude–attitude ». À l'un des bouts du continuum, on retrouve la « non-attitude », c'est-à-dire qu'aucune évaluation à priori de l'objet d'attitude n'existe dans la mémoire. Puis, à mesure qu'on se déplace le long du continuum, l'appréciation affective croît et son accessibilité devient plus probable. Enfin, à l'autre extrémité du continuum s'observe une attitude bien définie, négative ou positive, qui se trouve fortement accessible à partir de la mémoire, de façon spontanée et automatique. Plus la réponse est automatique, plus il est permis de conclure que l'attitude est cristallisée et, par conséquent, susceptible de prédire la conduite.

Comme les théories de l'apprentissage associationniste l'ont prévu, la force de la connexion objet-évaluation variera selon des conditions facilitantes. Mentionnons deux facteurs: l'expérience directe et la manipulation de l'attention. Les attitudes sont plus stables, plus résistantes au changement et plus prédictives du comportement si elles sont acquises par contact personnel et direct plutôt que de façon indirecte, comme dans des situations de persuasion ou d'observation (p. ex. Fazio & Zanna, 1981). On reconnaît ici une application de ce facteur lorsque les fabricants remettent aux consommateurs un échantillon de leur produit aux fins d'essai. Selon Smith et Swinyard (1983), l'attitude à l'égard des produits à l'essai prédit mieux le comportement que les attitudes créées à partir de la publicité.

La facilité d'accès à l'attitude variera également selon certaines manipulations de l'attention: le résultat de ces manipulations consiste en l'augmentation de la probabilité que l'affect relié à l'objet soit activé à partir de la mémoire au moment de la simple apparition de l'objet d'attitude (Fazio, 1989). Ainsi, lorsqu'on répète à des sujets de l'information relative à un thème (Powell & Fazio, 1984) ou lorsqu'on leur demande de répondre à une échelle d'attitude en présence d'un stimulus inducteur de la conscience du soi privée, tel un miroir (Gibbons, 1978), ou, plus simplement, si on leur donne la consigne de prendre quelques minutes pour penser à l'objet d'attitude avant de répondre à une échelle d'attitude (Snyder & Swann, 1976), il en résulte une accessibilité plus grande à l'information affective avec pour conséquence une force d'attitude plus caractérisée et une prédiction plus précise du comportement.

Lors d'une élection présidentielle américaine, Fazio et Williams (1986) ont utilisé cette propriété d'accessibilité mesurée à l'aide de la latence de réponse pour prédire les résultats du scrutin. L'évaluation des attitudes fut recueillie environ trois mois et demi avant la période de scrutin. Les attitudes des répondants ayant une latence de réponse rapide s'avérèrent grandement plus prédictives de l'issue du vote que celles des gens à latence de réponse lente. Récemment, à l'Université de Toronto, Bassili et Fletcher (1991), tout en adaptant la technique élaborée par Fazio pour des entrevues téléphoniques assistées par ordinateur *(computer-assisted telephone interviewing)*, ont confirmé les résultats reliés au continuum « non-attitude–attitude ». Ainsi ils ont placé des sujets devant des alternatives de la forme suivante: « Doit-on imposer aux grandes entreprises l'obligation d'engager un pourcentage déterminé de femmes ou bien laisser l'embauchage s'effectuer selon la compétence ? » Immédiatement après avoir noté la réponse des sujets, les chercheurs confrontaient le choix des répondants à l'argument contraire. Ainsi on demanda aux sujets favorables à l'embauchage d'un pourcentage obligatoire de femmes s'ils conservaient la même attitude après une réflexion sur l'engagement de personnes qui ne sont pas les plus compétentes pour les postes affichés. Quant aux gens non favorables à un quota minimal fixe, ils furent invités à réexprimer leur attitude en tenant compte de l'argument de la persistance de l'inégalité sociale des femmes. À la suite de cette confrontation, on observa que des individus persistèrent dans leur choix tandis que d'autres affichèrent une nouvelle attitude; de plus, la latence moyenne de réponse des sujets stables fut de 1,74 seconde et de 2,78 pour les sujets instables. En conséquence, il semble bien que les répondants stables ne soient pas perturbés par les arguments opposés, précisément parce que leur attitude est déjà toute préfabriquée, facilement accessible, en quelque sorte cristallisée; par contre, les instables révèlent une attitude non encore définitive, voire une « non-attitude ».

Dans la foulée de ces expériences, Bassili et Fletcher (1991) ont déjà suggéré des normes pour les latences associées à diverses sortes de questions (voir la figure 6.2). Ainsi la réponse à des questions factuelles (par exemple la religion pratiquée) requerrait une latence d'environ 0,5 à 1 seconde; l'intervalle de la latence pour les items d'attitude simple s'étendrait de 1 à 2 secondes. Quant aux questions ambiguës et aux attitudes relatives à des choix conflictuels, comme il a été mentionné au paragraphe précédent, la latence de réponse dépasserait 2 secondes. Pour conclure, notons que cette technologie de mesure est non envahissante, discrète et peut être utilisée à l'insu du sujet, ce dernier pouvant être interrogé sur une diversité de thèmes sans qu'il puisse deviner lequel des objets d'attitude préoccupe l'enquêteur. Bien sûr, on voit poindre de nouveaux problèmes éthiques !

FIGURE 6.2 **Propriété d'accessibilité mesurée par la latence de réponse dans la présentation de différents types d'énoncés**

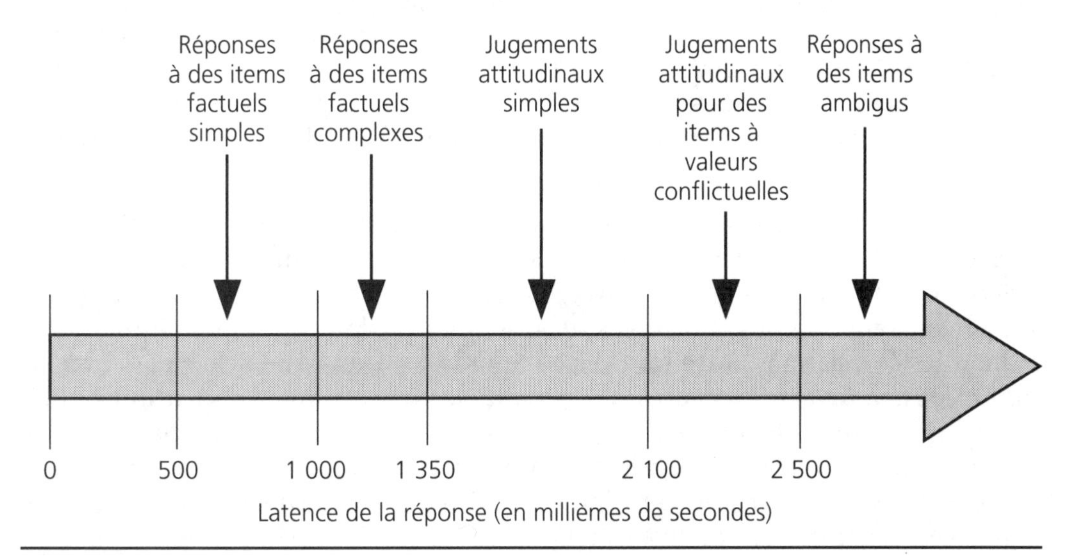

Adapté de Bassili et Fletcher (1991).

Les modèles de la structure attitudinale

Jusqu'à présent, nous avons circonscrit l'attitude à l'aide de définitions descriptives. Or, l'attitude représente une structure mentale abstraite, intermédiaire entre les objets attitudinaux et les réponses des individus, et postulée pour permettre une meilleure compréhension de certaines régularités dans les réponses des gens à des classes d'objets. Afin d'atteindre ce construit hypothétique, des modèles, plutôt que des définitions, sont élaborés. Les modèles constituent des sortes de plans d'architecte qui ont la propriété d'être plus facilement opérationnalisables; par conséquent, il est plus aisé de tester empiriquement des modèles et, ainsi, de les déclarer falsifiés ou non. À la lumière de ces modèles, les relations entre diverses sortes de stimuli et de réponses sont étudiées. Si plusieurs des relations postulées sont confirmées, il en résulte un ensemble de variables du type antécédents-conséquents qui forment un réseau théorique organisé de relations. Lorsqu'un concept comme l'attitude est suffisamment inséré dans un tel réseau de relations prévisibles et contrôlables, les chercheurs parlent alors de «validité de construit du concept». À cette fin, comme l'illustre la figure 6.3, trois modèles principaux se disputent l'attention des chercheurs.

Le modèle tripartite classique. Puisant aux vénérables sources de notre lointain héritage indo-européen, notamment dans la philosophie grecque (McGuire, 1985), ce modèle affirme que l'attitude est une disposition résultant de l'organisation de trois composantes: une composante cognitive, une composante affective et une composante comportementale (ou conative). Proposé par Rosenberg et Hovland (1960), il présente l'avantage de suffisamment distinguer les trois dimensions de façon à en permettre l'opérationnalisation. La composante cognitive renvoie aux croyances ou opinions évoquées par un objet d'attitude; la composante affective est associée à l'affect ou émotion suscitée; enfin, la composante conative a trait au plan d'action. Par exemple, par rapport à un programme d'études de baccalauréat, vous pouvez croire que le programme mène à une profession prestigieuse (aspect cognitif), ressentir des émotions plaisantes dues à la satisfaction du besoin d'actualisation de soi (aspect affectif) et aussi être poussé à adopter diverses conduites pour bien le réussir (aspect conatif).

Comme les trois composantes reflètent la même attitude, elles devraient corréler entre elles; par ailleurs, puisqu'elles mesurent des entités psychologiques différentes, les composantes cognitive, affective et conative ne devraient pas être totalement redondantes. Breckler (1984) a conduit des expérimentations pour évaluer les corrélations entre les trois composantes. Dans une des expériences, il a eu recours à diverses mesures de chacune des composantes de l'attitude chez des sujets en présence d'un serpent. Pour l'aspect affectif, la fréquence cardiaque fut enregistrée; on demanda également aux sujets d'estimer leur humeur sur une échelle de points. Pour la composante cognitive, les croyances quant aux conséquences négatives et positives de la présence d'un serpent furent recueillies ainsi que les pensées suscitées par le reptile. Du côté conatif, on mesura la distance

FIGURE 6.3 **Représentation de la structure de l'attitude selon trois des modèles les plus couramment utilisés**

Stimulus | Variables intermédiaires | Réponse

A. Modèle tripartite classique de l'attitude

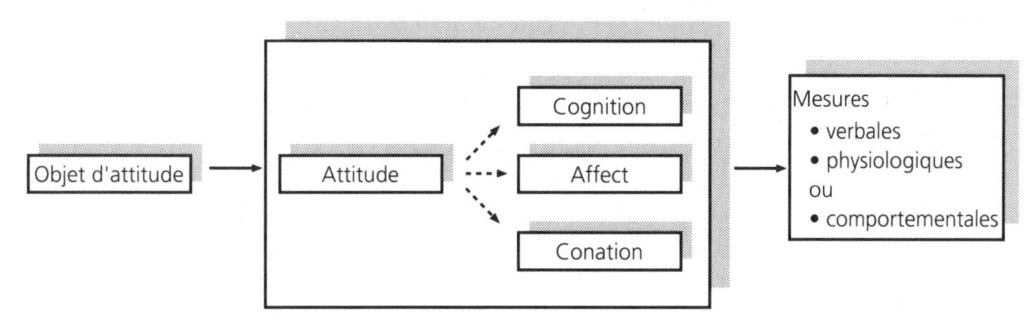

B. Modèle unidimensionnel classique de l'attitude

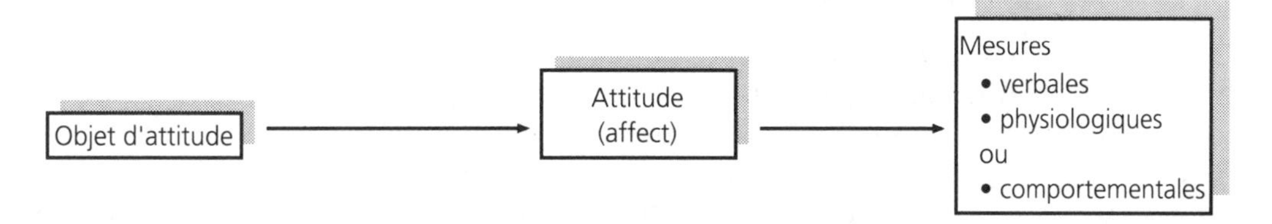

C. Modèle tripartite révisé de l'attitude

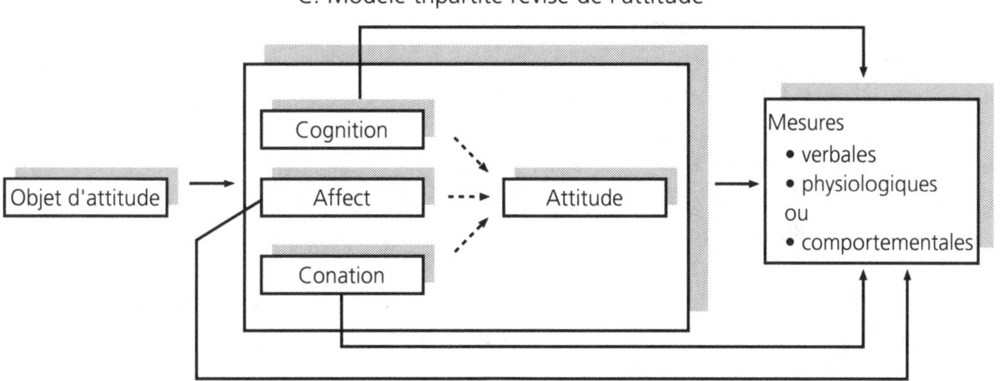

à laquelle les sujets acceptaient de s'approcher du serpent ainsi que les actions qu'ils accepteraient d'effectuer en sa présence. Les analyses indiquèrent que les croyances, les affects et les comportements étaient modérément corrélés, ce qui définit la partie commune de l'attitude ; de plus, une contribution unique caractérisait chaque composante. Les trois dimensions convergent donc suffisamment pour assurer une signification commune, mais par ailleurs il existe aussi une validité discriminante entre chacune d'elles.

Malgré un certain nombre d'expériences confirmatives semblables à celle de Breckler, plusieurs critiques ont néanmoins été formulées à l'égard du modèle classique. Par exemple, sur le plan théorique, des chercheurs (p. ex. Cacioppo, Petty & Geen, 1989; Greenwald, 1989a) reprochent à ce modèle d'être peu parcimonieux et ainsi de présenter des obstacles à la vérification empirique. Sur le plan méthodologique, Dawes et Smith (1985) considèrent que les corrélations ne peuvent suffire pour déterminer la validité de construit du modèle.

Le modèle unidimensionnel classique. Le modèle d'attitude le plus courant énonce que l'attitude représente la réponse évaluative (affect), défavorable ou favorable, à l'objet d'attitude. L'attitude constitue ainsi la réponse situant l'objet sur une position du continuum d'évaluation. Ce modèle dit « unidimensionnel » (voir la figure 6.3b) est sous-jacent à la majorité des échelles de mesure de l'attitude. De plus, comme on le signalera au fil des pages, les approches cognitives définissent aussi l'attitude comme un affect associé à la représentation mentale d'un objet (p. ex. Breckler & Wiggins, 1989; Greenwald, 1989b). Le concept d'attitude à l'intérieur des modèles de l'action raisonnée (Fishbein & Ajzen, 1975) et de l'action planifiée (Ajzen, 1987), discutés plus loin, se rapproche également de ce modèle unidimensionnel.

Le modèle tripartite révisé. Récemment, Zanna et Rempel (1988) ont proposé une version modifiée du modèle tripartite classique, tout en y intégrant le modèle unidimensionnel (voir la figure 6.3c). En premier lieu, l'attitude est définie comme une catégorisation de l'objet attitudinal sur la dimension évaluative « défavorable-favorable ». Dans ce modèle, l'attitude devient donc un jugement (c.-à-d. une opinion) exprimant un degré d'aversion ou d'attirance sur un axe bipolaire. En second lieu, cette attitude-jugement est vue comme un élément prenant appui sur trois sortes d'information : une information cognitive, une information affective et une information basée sur le comportement antérieur ou l'intention d'agir. On distingue ainsi l'attitude, qui consiste en un jugement « froid » sur ce qu'on aime ou déteste ; l'affect, qui fait référence à l'émotion ressentie ; les croyances, qui sont les conséquences négatives ou positives associées à l'objet ; et la structure cognitive d'anticipation de l'action. Zanna et Rempel donnent l'exemple d'un parent dont l'enfant a été tué par un conducteur en état d'ébriété. Lors de la passation d'une échelle d'attitude vis-à-vis de l'ivresse au volant, le résultat obtenu par le parent indiquera une position (un chiffre de 1 à 7) sur un continuum « contre-pour »: cependant, cette attitude-jugement ne reflétera vraisemblablement pas toute la réaction physiologique (par exemple la fréquence cardiaque) associée à l'information de type émotionnel ressentie par le parent.

En fait, les auteurs suggèrent que les trois sortes d'information, séparément ou conjointement, peuvent déterminer l'attitude-jugement. Il en découle une « dérivation » intéressante : nous pourrions posséder plusieurs attitudes différentes à l'égard d'un même objet selon les situations. Ainsi, par rapport au condom, une attitude positive peut être exprimée si l'on considère le moyen de protection qu'il représente contre les MTS (information cognitive); par contre, dans une perspective plus émotionnelle, hédoniste (par exemple l'interruption des ébats sexuels pour mettre le condom), l'attitude, basée sur une information plus affective, sera probablement négative. À cet égard, comme l'indiquent les flèches de la figure 6.3c, il est recommandé de mesurer les quatre composantes du modèle. Dans une récente recherche, Zanna, Haddock et Esses (1990) ont utilisé ce modèle pour déterminer la contribution des composantes cognitive et affective dans la prédiction de l'attitude à l'égard de groupes minoritaires (Amérindiens, Canadiens français, Pakistanais, homosexuels par exemple). Les résultats suggèrent que l'attitude-jugement (ou préjugé) repose plus sur une information cognitive (c.-à-d. les stéréotypes) à l'égard de certains groupes alors que la composante affective (soit l'intensité de diverses émotions ressenties) est plus saillante en présence d'autres minorités. Aussi la mesure particulière de chacune des composantes de l'attitude permet une description plus précise. Par exemple, l'attitude-jugement vis-à-vis des Canadiens français est expliquée par le résultat obtenu à la composante cognitive dans une proportion de 24 %; l'ajout du score à la composante affective fait passer cette proportion à 44 %. Bref, ce modèle présente une intéressante synthèse des modèles précédents et suggère des pistes stimulantes de recherche.

COMMENT MESURE-T-ON LES ATTITUDES?

D'aucuns nient le recul du sexisme dans notre société. Pourtant, Archer, Iritani, Kimes et Barrios (1983), à l'aide d'un indice de « face-isme », ont pu déceler un nouveau déguisement de cette attitude discriminatoire. Pour ces chercheurs, le « face-isme » permet de mesurer la surface du visage des femmes et des hommes telle qu'elle est représentée dans les photos de magazines d'actualité. Cette mesure met en lumière une prédominance du visage masculin tandis que les femmes sont plus souvent montrées corps-buste et visage. Comme l'intelligence semble plus souvent liée à la tête qu'au buste, on peut croire que ces représentations comportent un relent de discrimination. Cet exemple suggère l'importance d'instruments de mesure. Il sera ainsi plus aisé de comparer les groupes en fonction d'indices statistiques (comme le pourcentage, la moyenne, l'écart type...), de suivre l'évolution des attitudes vis-à-vis d'un objet donné, de déterminer la validité prédictive de l'attitude en relation avec des comportements généraux ou particuliers ainsi que de juger s'il y a changement d'attitude véritable ou illusoire (Nuttin, 1975).

En guise de familiarisation avec la mesure des attitudes, nous ne retiendrons que certaines techniques classiques greffées sur les propriétés de direction et d'intensité. Mais il ne faudrait pas conclure que les échelles de mesure fondées sur les autres caractéristiques de l'attitude détiennent une position secondaire. Nous avons déjà mis en lumière les mérites de la mesure de la latence de réponse au regard de l'accessibilité de l'attitude : on retrouve de plus en plus cette mesure dans les études de marketing (p. ex. Fazio, Powell & Williams, 1989). Quant aux échelles relatives à la propriété de centralité, elles offrent un potentiel théorique élevé, mais leurs propriétés psychométriques sont moins démontrées. Par exemple, la méthode des catégories personnelles *(own-categories procedure)* de Sherif *et al.* (1965) constitue une ingénieuse approche pour étudier les effets de l'implication attitudinale, mais sa validité de construit fait encore problème (O'Keefe, 1990). Au regard des fonctions, on note des tentatives prometteuses de mesure (p. ex. Herek, 1987). Il existe aussi des modèles de mesure dont les fondements axiomatiques semblent plus rigoureux (consulter le chapitre de Dawes & Smith, 1985), mais ils dépassent la simple introduction à la mesure des attitudes.

Les mesures verbales de l'attitude

Trois des échelles d'attitude les plus couramment utilisées seront brièvement présentées : toutes utilisent des réponses à des énoncés verbaux. D'abord, nous verrons la technique de l'addition des estimations (*methods of summated ratings* de Likert, 1932-1933) illustrée à l'aide de l'échelle d'attitudes envers les homosexuel(le)s (Bégin, Tremblay & Lavoie, 1981). En second lieu, nous aborderons la méthode des intervalles d'égalité apparente (*method of equal-appearing intervals* de Thurstone, 1931) – dans la mise en situation du début du chapitre, Denise et Suzanne ont répondu à une version préliminaire d'une échelle d'attitudes vis-à-vis de la psychologie objective (Lemaine, 1971-1972) construite selon la méthode de Thurstone. Enfin, l'échelle évaluative du différenciateur sémantique (*method of semantic differential scaling* d'Osgood, Suci & Tannenbaum, 1957) sera présentée.

La technique de l'addition des estimations (Likert). Après avoir déterminé l'objet d'attitude, il importe d'élaborer le plus d'énoncés possible qui soient reliés sémantiquement au concept étudié ; on doit s'efforcer de repérer tous les arguments « anti » et « pro ». Autant que faire se peut, le langage des énoncés doit se rapprocher du niveau de langue de la population cible. Edwards (1957) relève 14 règles à respecter pour la phraséologie des items. Ainsi les énoncés doivent être courts et n'exprimer qu'une seule idée à la fois ; il faut éviter les formulations qui renvoient au passé ou qui relatent des faits. Mentionnons encore que les items doivent tendre à couvrir surtout les catégories extrêmes du continuum « défavorable-favorable ». À cette première étape, Bégin *et al.* (1981) ont retenu 55 énoncés qu'ils avaient élaborés intuitivement ou puisés dans la documentation empirique sur l'homosexualité. Cette liste d'items ne contient que les énoncés non ambigus, non redondants, non neutres et reliés à l'objet d'attitude. Afin de contrer le biais d'acquiescement, il est aussi recommandé de retenir des énoncés rédigés de façon tant négative que positive.

C'est à la seconde étape de la construction de l'échelle, l'étape de la sélection des items, que s'affirme l'originalité de la technique de Likert. D'abord, il s'agit de soumettre à des sujets la liste des items déjà sélectionnés. Leur tâche consiste à déterminer leur degré d'accord ou de désaccord avec chaque item et de l'indiquer sur une échelle de points. Pour l'énoncé « Je me sentirais mal à l'aise d'être sous les ordres d'un(e) supérieur(e) immédiat(e) homosexuel(le) », les sujets ont été invités à exprimer leur réaction affective selon un format de réponse en cinq points :

1. _____ Fortement en désaccord
2. _____ En désaccord
3. _____ Neutre ou indécis
4. _____ En accord
5. _____ Fortement en accord

Lorsque les sujets ont terminé leur évaluation de tous les énoncés, on additionne les valeurs cochées. Il ne faut pas oublier d'inverser les chiffres pour les items rédigés à la voie négative. Le total des points permettra de créer trois catégories de sujets : 25 % de l'échantillon s'avère favorable à l'homosexualité ; 25 % des sujets sont défavorables à l'objet d'attitude ; 50 % de l'échantillon est plus ou moins neutre.

Comme ce sont les deux groupes extrêmes (25 % dont le score est élevé ou faible) qui possèdent les sentiments négatifs ou positifs les plus marqués vis-à-vis de l'objet d'attitude, il suffit de ne tenir compte que de ces sujets extrêmes pour élaborer la liste finale des énoncés de l'échelle. En effet, si un item exprime bien un degré d'attitude, il devrait établir une distinction entre les deux groupes. En d'autres mots, quand tous les sujets favorables à l'homosexualité se trouvent d'accord avec un item, il s'ensuit que les gens défavorables à l'homosexualité devraient manifester un désaccord sur ce même item. Si un item est accepté par les individus des deux groupes, il ne permet pas de les séparer. Par conséquent, seuls seront retenus les énoncés qui indiquent une différence élevée entre les deux groupes.

Pour l'échelle vis-à-vis de l'homosexualité, Bégin *et al.* ont utilisé une procédure équivalant à la méthode de sélection des items à l'aide des groupes extrêmes : il s'agit de la corrélation item-échelle globale. Ainsi ils ont retenu les 32 énoncés qui obtiennent, chacun, les corrélations les plus élevées avec le score total. Ces énoncés sont considérés comme les meilleurs indicateurs de l'attitude parce qu'ils sont les items les plus fortement associés à l'échelle totale. Comme le montre le tableau 6.1, les exemples d'énoncés affichent des corrélations item-échelle globale appréciables, allant de 0,56 à 0,71. Il est à noter que les échelles finales d'attitude comportent habituellement environ une dizaine d'items. En répondant aux énoncés du tableau 6.1, le lecteur pourra évaluer son degré de tolérance à l'égard de l'homosexualité.

La méthode des intervalles d'égalité apparente (Thurstone). C'est à Thurstone (Thurstone & Chave, 1929) qu'on doit la première tentative majeure de mesurer les attitudes. Déjà, dans un article maintenant classique : « Attitudes

TABLEAU 6.1 **Énoncés extraits de l'échelle d'attitudes envers les homosexuel(le)s**

	Énoncés	(Corrélation item-score total)
1	L'homosexualité est une maladie mentale*.	(0,64)
2	L'homosexualité n'est pas une maladie, mais reflète un choix personnel.	(0,60)
3	Si j'apprenais que mon (ou ma) meilleur(e) ami(e) est homosexuel(le), cela ne changerait rien à notre amitié.	(0,56)
4	Les communautés homosexuelles sont un ramassis de pervers sexuels*.	(0,59)
5	La majorité des homosexuel(le)s sont des obsédé(e)s sexuel(le)s*.	(0,59)
6	J'accepterais de côtoyer des homosexuel(le)s.	(0,71)
*Inverser le score.		

Adapté de Bégin, Tremblay et Lavoie (1981).

can be measured», Thurstone (1928) avait démontré que les gens peuvent être évalués en fonction d'un continuum d'affect en présence des objets.

Thurstone a conçu plusieurs méthodes de mesure de l'attitude: la plus utilisée est celle des intervalles d'égalité apparente. La particularité de cette méthode consiste à soumettre les items à des juges afin qu'ils évaluent le degré d'attitude objectivement négative ou positive de ces items à l'égard de l'objet. Si l'objet d'attitude était le hockey, l'affirmation «Le hockey est le jeu le plus barbare jamais inventé» serait classée «très défavorable» puisqu'elle indique une représentation très négative de ce sport. Même un adepte du hockey devrait juger un tel item défavorable. Ainsi, à l'échelle d'attitude vis-à-vis de la psychologie objective (voir le tableau 6.2), l'item «Dans son travail, le psychologue doit s'inspirer du physicien plutôt que du romancier» est indexé par une valeur d'échelle de 5,52. Comme Lemaine n'avait soumis à ses juges (entre 180 et 190 juges) que six catégories d'énoncés («1» indiquant la position la plus défavorable à la psychologie objective et «6» signifiant la plus favorable), la valeur d'échelle de 5,52 indique donc que les juges ont majoritairement estimé l'énoncé très favorable à la psychologie objective. Le chercheur doit s'efforcer de retenir des énoncés qui recouvrent l'ensemble du continuum «défavorable-neutre-favorable» selon des intervalles assez égaux. Enfin, lors de la passation de l'échelle finale, les sujets n'ont à cocher que les affirmations avec lesquelles ils sont d'accord. Le total des points du partipant est alors la médiane des valeurs d'échelle des items

TABLEAU 6.2 **Énoncés extraits de l'échelle d'attitude vis-à-vis de la psychologie objective**

Énoncé	Position
Le caractère des humains n'est accessible qu'à des méthodes intuitives.	(Accord; 1,32)
Les autres sciences ne peuvent servir de modèle aux sciences de l'homme.	(Accord; 1,47)
L'observation objective nous apprend peu de choses sur la vie mentale, car cette dernière ne s'extériorise qu'en partie.	(Accord; 2,13)
Tout est mesurable en droit dans la nature, y compris les conduites humaines.	(Désaccord; 5,48)
Dans son travail, le psychologue doit s'inspirer du physicien plutôt que du romancier.	(Désaccord; 5,52)
La seule exactitude en psychologie est celle que donnent l'application des mathématiques et l'usage de la méthode expérimentale.	(Désaccord; 5,70)

Adapté de Lemaine (1971-1972).

favorables ainsi cochés. Comme Denise et Suzanne avaient coché tous les items du tableau 6.2, elles obtiennent donc une valeur médiane de 1,47, qui est révélatrice d'une attitude très défavorable à l'égard de l'étude scientifique de la psychologie.

L'échelle évaluative du différenciateur sémantique (Osgood *et al.*). Les techniques de Likert et de Thurstone exigent l'élaboration d'une échelle originale pour chaque nouveau contenu d'attitude. En revanche, l'échelle évaluative du différenciateur sémantique est une sorte de méthode «tout usage» qui offre la possibilité de mesurer différentes attitudes à l'aide d'une échelle unique.

Selon Osgood *et al.* (1957), le différenciateur sémantique vise à déterminer la signification qu'un individu attache à un objet, ce qui est désigné par la valeur connotative d'un objet. Selon les résultats obtenus par les auteurs, les gens perçoivent la plupart des choses selon trois dimensions ou facteurs. Le premier facteur est l'évaluation (négatif-positif); le deuxième est le facteur de l'activité (passif-actif); le troisième facteur est celui de la puissance (faible-fort). Comme la dimension de l'évaluation recoupe l'attitude, il devint pertinent d'adapter le différenciateur sémantique à la mesure de l'attitude; pour ce faire, on ne conserva que la dimension de l'évaluation.

Comme mesure d'attitude, l'échelle évaluative du différenciateur sémantique consiste en un ensemble d'échelles constituées d'adjectifs antonymes. Généralement, il s'agit d'échelles à sept points, allant de -3 à +3. Le total des points vis-à-vis de l'objet attitudinal est la somme ou la moyenne des évaluations sur les échelles bipolaires. Il est à noter qu'il est devenu courant de désigner sous le vocable « différenciateur sémantique » tout instrument de mesure d'attitude élaboré à partir de la sous-échelle évaluative du différenciateur sémantique.

L'évaluation critique des échelles verbales d'attitude. Les trois techniques de construction d'échelles de mesure que nous avons exposées produisent des échelles équivalentes de mesure de l'attitude : en fait, la corrélation entre les diverses échelles est très élevée (Fishbein & Ajzen, 1974). Toutefois, il ne faut pas oublier que les trois types d'échelles reposent sur des autoestimations verbales. Nous avons déjà signalé le paradoxe de la « non-attitude ». Pour certains contenus attitudinaux, les gens peuvent ne pas disposer d'attitudes clairement définies. Pourtant, en présence d'une échelle d'attitude papier-crayon, ils s'exprimeront comme s'ils possédaient une attitude bien déterminée. Comme il est indiqué plus haut, il est présumé que la technique non verbale de la latence de réponse utilisée par le groupe de recherche de Fazio (1989) contrecarre cette réaction particulière à l'échelle.

Dans la même veine, il est plausible que des sujets cachent leur véritable attitude ou mentent afin de bien paraître aux yeux des enquêteurs. Cette tendance à répondre de façon socialement désirable est appelée biais de **désirabilité sociale** et constitue une menace pour la validité de l'échelle. Une façon simple de vérifier la présence d'un tel biais est de recourir à une échelle de désirabilité sociale (p. ex. Crowne & Marlowe, 1960). Ainsi la corrélation entre l'échelle d'attitudes envers les homosexuel(le)s et l'échelle de désirabilité sociale n'est que de 0,07, ce qui indique que la mesure de l'attitude n'est pas faussée par une variable parasite tel le désir de faire bonne impression.

Comme autre solution, on peut utiliser un **pipeline bidon** *(bogus pipeline)*. Cette méthode combat la tromperie par la tromperie. Présentée par Jones et Sigall (1971), elle consiste à demander aux sujets d'exprimer leur attitude en même temps que des électrodes, appliquées sur leur avant-bras, sont reliées à un appareil qui, à partir de micromouvements musculaires, est censé enregistrer la pensée (sorte de détecteur de mensonges de type électromyographique). Au cours d'essais de pratique, le chercheur, disposant d'une information attitudinale recueillie préalablement, montre aux sujets que l'aiguille d'un cadran de l'appareil varie selon la direction et l'intensité de leur véritable attitude. Dans une telle situation, les participants considèrent qu'il est plus gênant d'être déclarés menteurs par une machine que d'exprimer leur véritable attitude, aussi peu populaire soit-elle. Dans ces circonstances, les sujets en présence du matériel bidon, plus que ceux de groupes témoins, révèlent des attitudes davantage racistes. Dans une étude, deux fois plus de femmes enceintes ont admis avoir consommé de l'alcool durant leur grossesse que ce ne fut le cas pour le groupe contrôle (Lowe *et al.*, 1986).

Les méthodes indirectes de mesure de l'attitude

Les techniques indirectes d'estimation de l'attitude sont considérées comme moins directes que les mesures verbales parce que leur connexion avec l'attitude implique un processus théorique intermédiaire justifiant le lien (Aronson, Brewer & Carlsmith, 1985). De plus, leur qualité métrologique est souvent inférieure à celle des mesures verbales : certaines de ces méthodes révèlent une sensibilité moindre pour détecter de petites différences d'attitude (Petty & Cacioppo, 1981). En revanche, elles présentent l'avantage de fournir des renseignements attitudinaux à l'insu des sujets. Les illustrations suivantes attestent l'imagination des psychologues sociaux dans l'usage des méthodes indirectes ; il en est résulté des éclairages inattendus de certains phénomènes.

Les indicateurs comportementaux de l'attitude. Nous avons déjà mentionné le « face-isme », ce biais sexiste subtil des médias écrits qui publient des photos où le visage des hommes occupe une aire plus grande que la surface utilisée dans la représentation du visage des femmes. Ironiquement, le quotidien *Le Devoir* (12 avril 1991) se permettait de titrer : « Fini le sexisme, sus à l'**âgéisme**! » De fait, les recherches démontrent également une attitude négative croissante vis-à-vis des personnes vieillissantes. Une opérationnalisation de ce sentiment a été effectuée à l'aide du relevé de l'âge des personnages d'émissions télévisuelles américaines, de 1969 à 1978. Ainsi, alors que les gens de plus de 65 ans constituaient environ 11 % de la population, ils n'occupaient que 2,3 % de la population des émissions de fiction (Gerbner, Gross, Signorielli & Morgan, 1980a). Récemment, Purdue et Gurtman (1990) ont démontré que cette association de traits évaluatifs négatifs avec les personnes âgées était automatique, et ce à partir d'un échantillon d'étudiants.

Milgram (1972) a élaboré la technique de la lettre perdue. Par exemple, vous êtes consulté par un parti politique afin de vérifier l'hypothèse selon laquelle, au Québec, certaines villes de taille moyenne sont plus favorables que d'autres au rappel de la peine de mort. On peut penser que les gens accepteront plus volontiers de poster une lettre perdue, adressée à un groupe correspondant à leur attitude, et seront moins disposés à acheminer à une boîte postale une lettre adressée à un organisme opposé. Pour tester l'hypothèse, vous préparerez des enveloppes-réponses, dont une moitié à l'attention d'un organisme pour le rappel de la peine de mort et l'autre moitié à l'attention d'un organisme pour l'abolition de la peine capitale (en fait, il s'agira de votre adresse postale). Après y avoir apposé un timbre, vous déposerez ces enveloppes dans les endroits passants des villes échantillonnées. Le compte des lettres postées pour chacun des organismes devrait vous permettre de déterminer s'il existe des différences significatives entre les villes au regard de leur attitude vis-à-vis de la peine de mort. Par ailleurs, vous constaterez sans doute que plusieurs facteurs parasites non contrôlés sont susceptibles d'avoir également influé sur vos résultats. De plus, comme l'observent Dawes et Smith (1985), les résultats recueillis à l'aide de cette technique démontrent une répartition des positions attitudinales « anti » et « pro » plus proche de 50-50, ce qui ne serait pas le cas avec l'utilisation de mesures verbales. Par exemple, lors d'un référendum, si les citoyens d'une ville s'étaient prononcés contre la peine de mort dans une proportion de 80 % (c.-à-d. 80-20), il est vraisemblable qu'un sondage préréférendaire à l'aide de la technique de la lettre perdue aurait donné des résultats se rapprochant d'une répartition aléatoire 50-50.

Des mouvements corporels, comme le hochement de tête, peuvent aussi servir d'indicateurs de l'attitude. Ainsi Wells et Petty (1980) ont enregistré sur ruban magnétoscopique des étudiants en situation d'écoute d'un message persuasif. Les résultats indiquent que, lorsque l'émetteur du message défend une position en accord avec les auditeurs (baisse des droits de scolarité), la plupart d'entre eux hochent la tête de haut en bas; par contre, quand il s'est agi de la hausse des droits, les hochements se sont effectués de droite à gauche, comme en signe de dénégation. Plusieurs autres indices non verbaux, tels le contact visuel, le sourire, l'hésitation de la voix, pourraient constituer des mesures possibles de l'attitude. Malheureusement, les recherches dans ce domaine, de plus en plus nombreuses, sont encore peu systématisées.

Les indicateurs psychophysiologiques de l'attitude. Les indices psychophysiologiques les plus utilisés (à l'exception de l'électromyographie) relèvent plutôt du système nerveux autonome et, en conséquence, ils échappent largement à l'influence de la volonté. Alors que les gens peuvent contrôler leur conduite ou encore répondre verbalement de façon polie, les patrons *(patterns)* des réponses psychophysiologiques apportent une information moins confondue par les facteurs volontaires.

Traditionnellement, les indices les plus employés ont été la réaction psychogalvanique, la fréquence cardiaque et la réponse pupillaire (dilatation ou contraction de la pupille). Cependant, on considérait que ces mesures étaient uniquement porteuses d'une information relative à l'intensité de l'attitude. Supposons que vous vous abandonniez à rêvasser à une vedette. Votre rythme cardiaque s'accélère, votre pupille s'agrandit, votre sudation permet une conduction plus rapide du courant électrique à travers votre peau. Peut-on conclure que vous aimez ou détestez cette vedette? En fait, selon l'analyse traditionnelle, les observations faites à l'aide de telles mesures physiologiques établissaient qu'il y avait une activation physiologique élevée. Par conséquent, on peut dire que votre vedette suscite une réaction intense. Toutefois, on ne peut affirmer s'il s'agit d'attirance ou de rejet. Ainsi les mesures déterminaient l'intensité mais non la direction de l'attitude.

Depuis une décennie, cette interprétation restreinte des mesures physiologiques a été durement attaquée, notamment par le groupe de recherche de Cacioppo et Petty (p. ex. Cacioppo *et al.*, 1989). En premier lieu, le groupe retient une approche tripartite de l'attitude, selon une version semblable au modèle révisé de Zanna et Rempel (1988) (voir la figure 6.3c), et postule que les composantes cognitive, affective et conative de l'attitude – et non la seule composante affective, comme c'était le cas – sont susceptibles d'être évaluées par les diverses mesures psychophysiologiques. Par exemple, Cacioppo *et al.* (1989) citent des études où la réaction pupillaire est influencée par l'effort mental requis par une tâche ou encore des recherches dans lesquelles le rythme cardiaque s'accélère en situation de concentration intellectuelle.

Sur un deuxième front, le groupe de Cacioppo a réussi à démontrer qu'au moins une mesure psychophysiologique, la réaction électromyographique, peut enregistrer la direction de l'attitude. À l'aide de l'électromyographe (EMG), cet appareil qui enregistre les potentiels électriques des microcontractions musculaires, Schwartz *et al.* (1976) avaient mis en relief le fait que certains muscles du visage ont une plus grande activité électrique lorsque nous pensons à des événements heureux tandis que d'autres muscles sont plus actifs quand nous évoquons des souvenirs tristes. Cacioppo et Petty (1979) demandèrent à des étudiants d'écouter soit un message en accord avec leur attitude, soit un message contre-attitudinal durant un enregistrement électromyographique. Les sujets soumis au message proattitudinal révélèrent un patron musculaire associé au plaisir alors que les individus exposés au message contre-attitudinal exhibèrent un patron d'activité musculaire typique du déplaisir. Donc, au moins une mesure psychophysiologique permet de distinguer l'aspect négatif de l'aspect positif de l'attitude.

Plus récemment, Cacioppo, Petty, Losch et Kim (1986) ont montré que l'EMG assure la mesure simultanée de la valence et de l'intensité de l'attitude. On enregistra l'activité musculaire de sujets au cours du visionnement de diapositives légèrement ou modérément agréables ou bien de diapositives d'affects légèrement ou modérément négatifs. Les résultats de l'électromyographie faciale ont confirmé l'association de certains ensembles musculaires avec la direction et l'intensité attitudinales. De plus, l'EMG a détecté les différences dans les expressions faciales, ce qu'aucun des observateurs-juges n'a pu effectuer, les micromouvements musculaires étant trop subtils pour être visibles à l'œil nu. Ainsi l'approche contemporaine des mesures électrophysiologiques semble réhabiliter la conception de l'attitude de Darwin, selon laquelle l'attitude se rapporterait à l'expression faciale de l'émotion.

À QUOI LES ATTITUDES SERVENT-ELLES?

Pour composer avec notre environnement, nous disposons d'une variété de structures cognitives comme les schèmes, les croyances, les heuristiques (voir les chapitres 3 et 4) de même que de structures plus évaluatives ou affectives telles que les attitudes et les valeurs. Rappelons que, selon les approches cognitives, l'attitude constitue une association entre une évaluation affective et la représentation d'un objet dans notre mémoire. Or, ces structures remplissent un rôle particulier dans notre vie psychique. Comme l'exprimait Allport (1935), « les attitudes déterminent pour chaque individu ce qu'il verra et entendra, ce qu'il pensera et exécutera». Les attitudes sont une sorte de «prêt-à-faire» nous aidant à trouver notre chemin dans un monde complexe. Toutefois, devant un même thème, ces structures diffèrent selon les individus. En effet, divers facteurs régissent la formation d'une attitude, d'où sa variation interindividuelle. Cependant, une fois l'attitude créée, on observera qu'une même attitude peut répondre à des besoins variés pour chacun d'entre nous.

Les fonctions des attitudes

L'étude des bases motivationnelles des attitudes (ou de leurs fonctions) fait l'objet de l'approche fonctionnaliste des attitudes (Katz, 1960; Smith, Bruner & White, 1956). Ainsi l'attitude est une organisation cognitive dotée d'une étiquette défavorable ou favorable et elle prédispose à l'action tout en répondant à des besoins motivationnels. La proposition centrale de l'approche fonctionnaliste énonce qu'une même attitude peut remplir des fonctions différentes chez différents individus. Une conséquence importante pour le changement d'attitude découle de cette proposition: avant de tenter un changement d'attitude, il faudrait préalablement déterminer le besoin que satisfait l'attitude initiale. En effet, même si des sujets manifestent une intensité similaire d'attitude à une échelle de mesure, il n'est pas assuré qu'en présence d'un message persuasif ils réagiront de façon semblable, précisément à cause du rôle de l'attitude dans les systèmes psychologiques respectifs des sujets.

Dans leur formulation, Smith *et al.* (1956) assigne trois fonctions aux attitudes: adaptation sociale, extériorisation et évaluation de l'objet d'attitude. Quant à Katz (1960), il mentionne les quatre fonctions suivantes: connaissance, adaptation, défense du moi et expression des valeurs. Nous commenterons brièvement la taxinomie de Katz. Grâce à la prépondérance de l'approche cognitive des dernières décennies, la fonction de connaissance a bénéficié d'une attention privilégiée. Nous y consacrerons donc un plus long développement.

La fonction de connaissance. Cette fonction de connaissance semble présentement susciter une grande préoccupation de recherche (p. ex. Fazio, 1989; Pratkanis & Greenwald, 1989). Nous avons déjà signalé que l'attitude sert de cadre interne de référence; elle est une sorte d'échelle évaluative indiquant la latitude acceptable et la latitude inacceptable pour juger les stimuli associés à l'objet d'attitude et y réagir (Sherif & Sherif, 1967; voir aussi l'encadré 6.1). À la manière de mini-théories qui établissent des liens entre diverses observations, les attitudes permettent une organisation des connaissances. Ces connaissances (croyances, arguments, information neutre...) constituent la composante cognitive emmagasinée dans le schème de façon bipolaire ou unipolaire. C'est cette représentation cognitive qui est évaluée, aboutissant à un résumé affectif du type défavorable-favorable à l'égard de l'objet. Or, ce rôle de connaissance se manifestera de façon différente, selon les cas où l'objet d'attitude est nouveau ou familier. Dans le but de mieux saisir l'originalité du rôle épistémique de l'attitude, confrontons les deux situations de nouveauté et de familiarité avec l'objet.

Gerard et Orive (1987) font bien comprendre ce qu'il y a de particulier dans le rôle de connaissance de l'attitude vis-à-vis des objets nouveaux. Dans de telles situations, l'individu ressentirait un impérieux besoin de formation d'attitude puisqu'il ne dispose pas d'une attitude toute prête. Dès lors, il s'efforcera de recueillir de l'information afin d'en arriver à l'impression de pouvoir réagir de façon non ambivalente vis-à-vis de l'objet. Selon cette perspective, l'information première, et aussi la plus nécessaire, serait de type affectif (Zajonc, 1980). En d'autres mots, cet objet lui est-il bénéfique ou dommageable, lui inspire-t-il des émotions plaisantes ou déplaisantes ? Selon Gerard et Orive (1987), le résultat de cette saisie émotionnelle rapide de l'objet constitue la détermination d'une orientation non équivoque vers l'action *(unequivocal behavioral orientation)* ou, selon Kruglanski (1989), une structuration cognitive achevée (*closure*). Tout se passerait un peu comme si, en voyage à l'étranger, nous assistions à un match sportif et qu'en peu de temps nous nous découvrions partisans d'une des équipes. À cet égard, Greenwald (1989b) fait une observation intéressante : peut-être qu'une des raisons de l'attrait des spectacles (films, drames...) réside dans l'occasion de s'abandonner à la formation d'attitude vis-à-vis des personnages et de tester ces mêmes attitudes, de façon vicariante, au cours du déroulement des péripéties ! Bref, une contribution de l'attitude à nos connaissances, c'est d'encoder les affects « anti » et « pro » à l'égard d'objets non familiers.

Dans les situations d'objets familiers, le sujet détient déjà des attitudes toutes faites, plus facilement accessibles, n'attendant qu'à être activées *(primed)* par le contexte. Dans ces cas, l'évaluation affective en mémoire sera recouvrée afin de classifier l'objet comme bon ou mauvais et de décider d'un comportement d'approche ou d'évitement. Jamieson et Zanna (1989) rapportent une expérience qui illustre bien le rôle de guide quasi automatique que jouent les attitudes. Des sujets devaient agir à titre de jurés et prononcer un verdict sur des cas ambigus de discrimination sexuelle ou d'actes criminels justifiant le recours à la peine de mort. De plus, on détermina deux groupes (scores faible et élevé) à partir du trait de monitorage de soi (Snyder, 1974, 1979). Au chapitre 3, nous avons vu que Snyder a démontré que les sujets à monitorage élevé sont portés à utiliser des indices contextuels et sociaux pour décider de leur façon d'agir ; en revanche, les sujets à monitorage faible déterminent leur perception, leur jugement et leur comportement en se référant à leurs états intérieurs. En outre, afin de mettre en lumière le rôle adaptatif de l'attitude, les expérimentateurs ont créé deux niveaux de pression pour l'émission de la réponse : une condition où les sujets disposaient de tout le temps requis pour élaborer leur verdict et une condition qui n'accordait aux sujets que trois minutes. Les résultats indiquent des corrélations significatives entre les attitudes préalables des sujets (vis-à-vis des programmes d'égalité des chances en emploi ou de la peine de mort) et la qualité des verdicts rendus pour les sujets à monitorage de soi faible, mais seulement dans la condition de trois minutes (voir le tableau 6.3). Comme les attitudes des personnes à monitorage faible sont plus accessibles à partir de la mémoire (Fazio, 1989) et que, de plus, le temps manquait pour effectuer une analyse qui pondère tous les facteurs en jeu, on a constaté que les individus à monitorage peu élevé se sont rabattus sur la façon la plus aisée de prononcer leur jugement: ils ont utilisé leur attitude préalable toute faite. Quant aux sujets à monitorage élevé, ils ont adopté leur mode habituel de fonctionnement: ils ont repéré et assumé l'attitude la plus fréquente dans le contexte, à savoir le rejet de la peine de mort, peu importe les contraintes de temps. Bref, en l'absence de temps, les sujets à monitorage faible ont eu recours à leur attitude préalable toute faite plutôt que d'effectuer une analyse cognitive plus exhaustive. En condition de temps illimité, les sujets ont exprimé une position tenant compte des divers éléments du cas à juger, indépendamment de leur attitude antérieure. Par conséquent, dans certaines circonstances, l'attitude jouera un rôle de fonction cognitive.

TABLEAU 6.3 **Corrélations entre l'attitude générale préalable vis-à-vis de la peine de mort et le jugement de peine de mort en présence d'un cas de meurtre**

Conditions de temps pour le jugement	Monitorage de soi	
	Faible	**Élevé**
Illimité	0,05	-0,02
Limité à trois minutes	0,69*	0,14

*p<0 ,001

Adapté de Jamieson et Zanna (1989).

La fonction d'adaptation. La fonction d'adaptation est une reconnaissance du fait que les gens élaborent des attitudes favorables à l'égard des objets qui satisfont leurs besoins et des attitudes négatives vis-à-vis de ceux qui sont associés à des frustrations. Aussi désignée « fonction utilitaire ou instrumentale », elle vise donc les attitudes qui maximisent les récompenses et réduisent au minimum les punitions. On verra plus loin que le modèle de l'attitude proposé par Fishbein et Ajzen (1975) permet de mesurer les conséquences prévues, négatives et positives, d'un comportement donné quant à un objet cible.

Les attitudes jouent un rôle d'adaptation sociale en permettant la maximisation de l'acceptation et de l'approbation des autres. Elles aident à adopter des stratégies appropriées d'échange social. Ainsi certains individus affectionnent les belles actrices et les beaux acteurs: une telle attitude contribue à renforcer l'identité personnelle par l'identification à des modèles attrayants. On peut exprimer des attitudes complaisantes à l'égard d'un candidat politique dans le but de pénétrer son groupe de proches.

Selon Snyder et DeBono (1989), les personnes dont le trait de monitorage de soi est élevé ont tendance à adopter des attitudes dont la fonction dominante est l'adaptation sociale. Comme les sujets de monitorage élevé sont très attentifs aux indices situationnels pour définir leur présentation sociale, ils préfèrent les annonces publicitaires qui présentent l'image sociale associée à l'utilisateur du produit ; en revanche, les individus dont le trait est peu élevé prêtent plus attention aux annonces qui mettent en relief la qualité et les valeurs évoquées par le produit. En présence de l'annonce d'une boisson alcoolisée, les sujets de monitorage élevé seront plus sensibles à l'aspect de la promotion sociale suggérée par le message tandis que la composante « qualité du goût » sollicitera plutôt les gens de monitorage peu élevé. Snyder et DeBono (1989) ont aussi mis en lumière le fait que les personnes de monitorage élevé sont plus réceptives aux messages mettant en scène des communicateurs attrayants de même qu'aux annonces publicitaires comportant des témoignages de vedettes ; par contre, les communicateurs de forte **crédibilité** et les témoignages d'experts constituent le choix des gens de faible monitorage.

La fonction d'expression. Le troisième rôle rempli par l'attitude concerne l'extériorisation des croyances et des valeurs centrales ainsi que de l'image de soi. Selon l'approche fonctionnaliste, une gratification est ainsi obtenue par la simple expression d'attitudes qui nous distinguent d'autrui. Soutenir une position controversée témoigne souvent d'attitudes centrées sur des valeurs. Par exemple, l'attitude provie d'un individu peut n'avoir aucun lien avec la connaissance de femmes ayant eu recours à l'avortement ; une telle attitude peut simplement être l'affirmation de valeurs religieuses. Plusieurs recherches effectuées au regard de la propriété de centralité recoupent donc les études qui ont révélé le rôle expressif de l'attitude.

De plus, comme le démontre Shavitt (1989, 1990), certains objets induisent des attitudes facilitantes de l'expression des valeurs. On pense à un drapeau piétiné ou à une bague de fiançailles. Nous avons déjà rapporté l'observation d'Abelson (1986) selon laquelle nos attitudes et nos croyances sont comme des possessions. Prentice (1987) rapporte une corrélation entre nos préférences pour des biens matériels utilitaires (voiture, ordinateur...) et des attitudes de type instrumental, orientées vers l'estimation du coût et des bénéfices, par opposition à la préférence de possessions symboliques (photos, lettres de proches...) et des attitudes axées sur des valeurs abstraites (amour, justice...). Soulignons également que les sujets à faible monitorage de soi expriment souvent des attitudes révélatrices de leur soi véritable (Snyder & DeBono, 1989).

La fonction de défense du soi. D'inspiration psychanalytique, la fonction de défense du soi est aujourd'hui plutôt considérée sous la rubrique du maintien de l'estime de soi (p. ex. Greenwald, 1989b ; Shavitt, 1990). À l'occasion, nos attitudes peuvent augmenter ou protéger notre estime de soi contre des menaces extérieures ou des conflits internes. Ainsi on peut posséder des attitudes négatives à l'égard de certaines personnes non à cause de frustrations de leur part, mais comme moyen de satisfaire un besoin de se sentir bon ou supérieur à elles. Parfois, l'attitude consistera en une expression incompatible avec des états intérieurs d'anxiété, permettant ainsi à l'individu de ne pas en prendre conscience. Par exemple, Herek (1987) observa, chez les sujets affichant des attitudes négatives envers les homosexuels, une personnalité plutôt défensive et plus d'anxiété relative à l'identité hétérosexuelle : exprimer une attitude homophobe diminuerait l'anxiété en distanciant le soi par rapport aux homosexuels.

Les valeurs

Depuis le début de ce chapitre, nous avons évoqué l'idée de valeurs à plusieurs reprises. D'abord, nous possédons de nombreuses attitudes ; certaines d'entre elles sont centrales de par des valeurs intimement reliées à notre soi. Deuxièmement, selon l'approche fonctionnaliste, des attitudes diverses répondent à des motivations variées et expriment des valeurs différentes. De plus, à l'instar de possessions, l'affichage d'attitudes contribue à définir notre identité.

Définition. On peut dire qu'un adulte possède des dizaines ou des centaines de milliers de croyances, des milliers d'attitudes mais environ une douzaine de valeurs. À la différence des attitudes, qui sont associées à des objets particuliers, les valeurs sont plus globales, à la façon de principes abstraits. Ce sont des préférences concernant ce qui est désirable, idéal, moral, important pour un individu. Après une analyse des diverses approches des valeurs (p. ex. Schwartz & Bilsky, 1987), les facettes suivantes ressortent comme des éléments propres aux valeurs :

a) Les valeurs sont des croyances persistantes.
b) Elles visent des états désirables portant sur des buts de l'existence (valeurs terminales) ou sur des modes précis de conduite menant à des fins (valeurs instrumentales).
c) Elles transcendent les objets et les situations particulières.
d) Elles guident la sélection et l'appréciation du comportement et des événements : elles sont donc préalables à l'attitude.
e) Elles sont ordonnées selon un continuum d'importance. Contrairement aux attitudes, qui peuvent être plus ou moins positives ou négatives (bipolaires), les valeurs sont intrinsèquement positives et ne varient que selon des degrés de désirabilité.
f) Elles se regroupent en valeurs individuelles et collectives.

Les typologies des valeurs. Rokeach (1973) a proposé une typologie des valeurs selon qu'il s'agit de buts dans la vie ou de modes préférés de conduite. Parmi les 18 valeurs terminales, on retrouve des fins comme l'amour, la justice, le salut éternel, la sagesse, le plaisir, un monde beau... De plus, un ensemble de 18 valeurs instrumentales recouvre les modes d'action comme l'ambition, l'affection, la maîtrise de soi, la logique... Toutes ces valeurs font l'objet d'un inventaire, le *Rokeach value survey* (Rokeach, 1967). Bien que l'instrument ait été la cible de plusieurs critiques – on reproche à l'échelle de se situer à un niveau ordinal de mesure (p. ex. Clawson & Vinson, 1978; Ng, 1982a) –, il possède néanmoins des propriétés psychométriques intéressantes et il a permis la cueillette de nombreuses données de qualité. Ainsi, récemment, Schwartz et Bilsky (1987) ont présenté, à partir des 36 valeurs de l'inventaire de Rokeach, une structure des valeurs s'appliquant à huit champs motivationnels (la maturité, le pouvoir social, etc.). Dans une perspective plus appliquée, le *Journal of Business Research* (1990) a consacré un numéro complet à l'étude des valeurs dans la consommation et les affaires, avec l'approche de Rokeach à l'arrière-plan. L'inventaire des valeurs est aussi utilisé dans les recherches interculturelles; toutefois, avec ce procédé, des lacunes ont été relevées. Par exemple (Lee, 1991), les Asiatiques déplorent l'absence de valeurs typiques des sociétés inspirées par la pensée de Confucius (piété filiale, frugalité, unité avec autrui...). Il existe d'autres typologies des valeurs, plus spécialisées. Citons un instrument pour investiguer sur les valeurs liées à la consommation: la *list of values* (Kahle, Beatty & Homer, 1986). Saluons aussi la grille des valeurs de Bouchard (1978), dénommée Les 36 cordes sensibles des Québécois. Peu orthodoxe au regard de la psychométrie, la grille recelle toutefois des dimensions originales (la fidélité au patrimoine, la finasserie, le bas de laine, l'esprit moutonnier, la vantardise...).

Les relations valeurs-attitudes

Les valeurs comme antécédents de l'attitude. Selon Rokeach (1973), les valeurs sont des antécédents des attitudes et des conduites: les valeurs sont donc plus centrales dans la personnalité que ne le sont les attitudes. De nombreuses recherches ont établi une corrélation entre les valeurs et les attitudes, toutes se conformant aux attentes du sens commun. Ainsi les fumeurs de cigarettes privilégient la liberté, une vie passionnante, le bonheur tandis que les non-fumeurs favorisent l'accomplissement de soi, un monde beau et la sécurité familiale (Grube, Weir, Getzlaf & Rokeach, 1984). Les opposants à l'utilisation de l'énergie nucléaire insistent sur le respect de l'environnement tandis que ses défenseurs privilégient la prospérité économique (p. ex. Eiser & Van der Pligt, 1988). Rokeach (1973) rapporte une étude où les préférences vis-à-vis du détergent Ivory reposaient sur la valeur instrumentale de propreté ainsi que sur le salut éternel (Ces résultats semblaient être reliés au slogan d'Ivory «Pur à 99,44 %»!).

Les valeurs comme facteurs prédictifs de l'attitude et de la conduite. Homer et Kahle (1988) ont eu recours à un modèle de régression basé sur les équations structurelles (Jöreskog & Sörbom, 1985; voir le chapitre 2) pour démontrer que les valeurs sont des croyances abstraites qui influent sur les attitudes, lesquelles influent ultérieurement sur les comportements. Il est bien connu que les gens qui refusent de dépendre des autres (rejet de valeurs externes) tendent à exercer un contrôle sur tous les aspects de leur vie, y compris l'alimentation. Selon l'hypothèse de Homer et Kahle, les consommateurs d'aliments naturels accorderaient plus d'importance à des valeurs dites internes, tels l'accomplissement de soi, une vie saine..., qu'à des valeurs externes, comme la sécurité sociale, le respect des autres... À partir d'un échantillon de 831 acheteurs (54 % d'acheteurs dans les supermarchés et 46 % dans les magasins d'aliments naturels), les résultats confirmèrent l'attente des chercheurs. En effet, ce sont les valeurs internes plutôt qu'externes qui prédisent des attitudes favorables vis-à-vis de l'alimentation naturelle; de plus, ce sont les attitudes, et non les valeurs, qui prédisent directement le degré de fréquentation des magasins d'alimentation naturelle et l'importance des sommes qui y sont dépensées.

Le changement des valeurs. Vu le rôle central des valeurs dans la séquence valeur-attitude-comportement, il est judicieux de s'interroger sur le potentiel de changement des valeurs. Puisque les valeurs sont les cognitions sociales les plus abstraites, elles semblent présenter plus de stabilité et de résistance au changement. D'ailleurs, les chercheurs ont eu tendance à éviter les études sur le changement des valeurs, précisément à cause du faible espoir de pouvoir les modifier. Pourtant, les investigations dans ce sens sont encourageantes : malgré leur présumée stabilité, les valeurs aussi changeraient. Rokeach et Ball-Rokeach (1989), à l'aide de l'inventaire des valeurs (Rokeach, 1967), ont recueilli des données américaines pour quatre années différentes, soit 1968, 1971, 1974 et 1981. Les résultats indiquent une grande persistance des valeurs terminales au cours de cette période de 13 années. Toutefois, une valeur collective a subi un net recul : il s'agit de l'égalité sociale, qui passe du quatrième rang en 1971 au douzième rang pour les années 1974 et 1981. Cette dépréciation du souci de justice sociale est compensée par une hausse du rang de valeurs individuelles comme une « vie aisée » ainsi que le « sentiment d'accomplissement », cette dernière valeur abandonnant le onzième rang détenu en 1971 pour grimper au septième rang en 1981.

Plusieurs recherches de type expérimental ont également démontré que les valeurs peuvent changer. À ce propos, Rokeach (1973) a élaboré la technique de la confrontation des valeurs *(value-self confrontation)*. L'approche consiste à susciter une prise de conscience des effets consécutifs à l'écart entre certaines valeurs. Par exemple, si vous avez classé la liberté individuelle au premier rang et l'égalité sociale en dixième position alors que votre groupe de référence a fait l'inverse en plaçant l'égalité au premier rang, il en résultera une insatisfaction psychologique susceptible d'engendrer un changement de valeurs. Schwartz et Inbar-Saban (1988) ont appliqué la technique de la confrontation des valeurs à la perte de poids chez les obèses. À la suite de trois séances centrées sur les valeurs typiques d'obèses ayant réussi à mener à terme un régime amaigrissant (par exemple la prédominance de la sagesse sur le bonheur), on observa une perte de poids significative chez un plus grand nombre d'obèses dans la condition expérimentale de confrontation comparativement à ceux d'une condition témoin. Ball-Rokeach, Rokeach et Grube (1984) ont audacieusement utilisé la technique de la confrontation au cours d'une émission télévisée, l'évaluation des résultats ayant été préparée à l'aide d'un schème expérimental avec groupe témoin. Les observations effectuées, même trois mois après l'expérience, ont confirmé une différence significative entre les deux groupes par rapport au changement des valeurs.

LA FORMATION DES ATTITUDES

Greenwald (1968) a formulé l'hypothèse que les trois composantes du modèle tripartite de l'attitude (voir la figure 6.3a) seraient le résultat, pour une large part, de l'action de trois processus d'apprentissage: le conditionnement classique pour la composante affective, le conditionnement opérant pour la composante conative et l'apprentissage social pour la composante cognitive. Certes, une telle hypothèse s'avère très spéculative, d'autant plus qu'il existe plusieurs autres théories de l'apprentissage dont le statut empirique et la valeur heuristique sont comparables (p. ex. Gazda & Corsini, 1980) à celles retenues par Greenwald. Néanmoins, l'étude de la formation de l'attitude à partir du cadre conceptuel tripartite, où chacune des trois composantes s'appuie particulièrement sur un processus d'apprentissage, offre un avantage: ce procédé aide à mettre en lumière le fait que des attitudes similaires, à la suite de la passation d'une échelle d'attitude, peuvent dissimuler d'importantes distinctions à cause notamment de l'histoire différente de leur conditionnement. C'est sur ce plan que l'attitude semblable de Denise et Suzanne envers la psychologie scientifique (dans l'exemple du début du chapitre) sous-tend des divergences qui se révéleront dans la persistance ou non de leurs attitudes initiales. Par conséquent, les attitudes ne naissent pas identiques. En conformité avec le modèle tripartite de l'attitude (voir la figure 6.3a), nous considérerons quelques processus psychologiques classiques de formation de l'attitude selon les trois composantes, en favorisant toutefois les processus d'apprentissage.

Les sources affectives

Le conditionnement classique ou pavlovien. Cette modalité d'apprentissage vise l'établissement d'associations stimulus-réponse à la suite de présentations répétées d'une paire de stimuli. L'un de ces stimuli est neutre (stimulus conditionnel: SC) tandis que le second est un déclencheur régulier (stimulus inconditionnel: SI) d'une réponse particulière (réponse inconditionnelle: RI). Considérons la situation dans laquelle un son (SC) précède de quelques secondes l'envoi d'un fin jet d'air (SI) dans l'œil, ce qui déclenche le réflexe palpébral de fermeture de la paupière (RI); après plusieurs couplages des deux stimuli, l'unique présence du son déclenchera la réaction de fermeture. Cette théorie du conditionnement, élaborée à partir d'un chien célèbre qui apprit à saliver au son d'une cloche, explique plusieurs des comportements de la vie courante présumés automatiques, non volontaires, non conscients (par exemple les réactions psychosomatiques).

Au regard des attitudes, Staats et Staats (1958) ont démontré que des mots aux significations affectives fortes peuvent produire des attitudes positives ou négatives envers un stimulus neutre, seulement par simple couplage avec ce stimulus. Dans une expérience, il a été demandé à des sujets de mémoriser deux séries de mots: une série de noms de nationalités était présentée sur écran tandis qu'une autre série, composée d'adjectifs, était présentée à l'aide d'écouteurs. Comme stimuli neutres, deux noms de nationalités (« Suédois » et « Hollandais ») furent choisis. Les mots affectifs étaient positifs (« heureux», «doués ») ou négatifs (« acerbes », « laids »). La moitié des sujets fut exposée aux mots positifs associés à « Suédois » et aux mots négatifs reliés à « Hollandais »; on présenta l'arrangement inverse à l'autre moitié des sujets. Plus tard, les participants évaluèrent leur attitude à l'égard de nations, dont la Suède et la Hollande. Les résultats confirmèrent la liaison nationalité-mot affectif: les nationalités couplées avec les mots positifs furent évaluées favorablement et inversement pour les nationalités couplées avec des mots négatifs. En conséquence, il est possible de conditionner des attitudes. D'ailleurs, ce processus sous-tend les messages publicitaires qui ont recours aux vedettes ravissantes pour mousser les qualités de produits de consommation.

Les expériences sur la formation des attitudes par conditionnement pavlovien ont soulevé deux sortes de difficultés. En premier lieu, comme les sujets humains en situation de recherche ne sont pas passifs, il est plausible qu'ils formulent des hypothèses vis-à-vis des attentes des chercheurs. Dans un tel cas, les résultats de Staats et Staats seraient artefactuels: ils ne seraient plus attribuables au couplage strict des stimuli conditionnel et inconditionnel. De fait, certains chercheurs (comme Page, 1969) ont démontré l'influence des attentes de l'expérimentateur. Cependant, Zanna, Kiesler et Pilkonis (1970) ont repris une expérience semblable à celle de Staats et Staats, mais en l'effectuant comme deux recherches distinctes; en effet, la seconde recherche était non liée à la première et portait uniquement sur la mesure de l'attitude vis-à-vis du stimulus conditionnel. Dans la première expérience, les sujets, à la suite de chocs électriques, furent conditionnés à ressentir des émotions négatives à l'écoute de certains mots (par exemple *light*, *dark*). Dans la deuxième recherche exécutée dans un autre contexte expérimental par un chercheur ignorant des contingences SC-SI, les sujets manifestèrent une réaction d'activation émotionnelle aux mots de la première expérience; de plus, cette réaction se généralisa à des mots sémantiquement proches (*white*, *black*). Un tel procédé étant censé atténuer l'effet des attentes de l'expérimentateur, les résultats de Zanna *et al.* confirment donc que le conditionnement attitudinal peut être obtenu en l'absence d'attentes interpersonnelles.

La deuxième difficulté cerne plus sérieusement le problème de la conscience dans le conditionnement pavlovien d'attitudes: il s'agit de la conscience des contingences SC-SI. Nous avons déjà vu que certains modèles de l'attitude comportaient une composante cognitive (voir la figure 6.3). La formation d'attitudes nouvelles est donc susceptible d'être influencée par l'activité cognitive. De plus, selon Rescorla (1988), un des théoriciens actuels du conditionnement classique, le conditionnement ne doit plus être considéré comme un phénomène ne s'appliquant qu'à des activités réflexes, non complexes et de peu de conséquence. Au lieu de simple contiguïté, il est question de covariation entre SC-SI; un concept cognitif comme l'attente est même pris en considération par les modèles théoriques récents du conditionnement.

Peut-il y avoir conditionnement d'attitudes sans conscience des contingences SC-SI? Cette question est encore l'objet de controverses. D'une part, certaines recherches suggèrent une réponse affirmative. Par exemple, Stuart, Shimp et Engle (1987) ont couplé des marques de produits à des peintures agréables (telle une chute d'eau en montagne) ou neutres. Afin de vérifier l'effet de contingence, les participants furent partagés en sujets conscients et non conscients de la contingence marques-peintures à partir de l'enquête postexpérimentale. Même si 48 % des sujets exprimèrent une certaine conscience de la contingence, l'effet de conditionnement se trouvait présent dans les deux groupes. D'autre part, plusieurs études démontrent l'absence de réponses conditionnelles quand il n'y a pas de traitement attentionnel des relations SC-SI (consulter le chapitre de Perruchet, 1988). Des recherches ont même démontré que des sujets rapportaient des hypothèses inexactes au sujet du couplage des stimuli tout en créant un effet de conditionnement (Hare, 1965).

Ces dernières constatations corroborent la position péremptoire de Bandura (1974): selon ce théoricien, c'est un mythe de croire que le conditionnement chez les humains est automatique; il serait plutôt médiatisé par une activité cognitive. (Voir les positions similaires de Kruglanski [1989] et Nisbett et Ross [1980] relatives à l'apprentissage de covariations entre deux séries de stimuli.)

L'effet de simple exposition. De nombreuses recherches ont mis en lumière le fait que l'exposition répétée à un stimulus accroît notre attirance pour ce stimulus (Zajonc, 1968). Il s'agit d'un processus de formation de l'attitude qui ne recourt pas aux notions de renforcement ou de réduction de tension. Ainsi Kunst-Wilson et Zajonc (1980) ont soumis des sujets à une tâche d'écoute dichotique. Munis d'écouteurs, ils entendaient d'une oreille une série de mots qu'ils devaient comparer avec un texte écrit placé devant eux; de l'autre oreille, ils entendaient une série de mélodies qui, selon toutes les apparences, n'étaient pas reliées à la tâche. Plus tard, les sujets durent écouter une série d'airs afin d'indiquer si les mélodies leur étaient familières ainsi que leur attitude à leur égard. Même s'ils ne furent pas reconnus, les airs préférés s'avérèrent ceux qui avait été précédemment entendus. En d'autres mots, le simple fait d'être exposé aux mélodies, sans être conscient de l'exposition, a suffit à créer une attirance.

L'effet de simple exposition a été démontré en présence de nombreux types d'objets: des idéogrammes chinois, des mots de langues étrangères, des visages, des mélodies. À la suite d'une méta-analyse portant sur 208 études, Bornstein (1989) conclut que l'effet est plus évident lorsque le nombre de présentations du stimulus se situe entre un et neuf, et que la durée d'exposition est inférieure à une seconde. En fait, l'effet se produit même dans des situations où le sujet n'est pas conscient d'avoir été soumis au stimulus.

Plusieurs recherches sur le terrain ont aussi permis d'observer la formation d'attitudes résultant de la simple exposition. Par exemple, le nombre de fois que le nom d'un candidat est entendu peut constituer un facteur prédictif important des résultats d'une élection (p. ex. Grush, 1980). De même, on peut espérer que les chats développeront une attitude positive devant de nouveaux aliments à la suite d'une exposition répétée à l'odeur de ces mets inconnus (Bradshaw, 1986). Enfin, mentionnons notre préférence pour les médicaments sous étiquette de sociétés pharmaceutiques. Depuis notre tendre enfance, nous avons été l'objet d'une surexposition passive répétée à ces médicaments, soit par la voie de la publicité ou par leur disponibilité à domicile. On peut présumer que cette exposition peut expliquer partiellement notre fidélité à ces produits. En effet, pour quelles raisons les préférer à des médicaments génériques qui se vendent à un prix moindre et qui sont d'efficacité et de goût comparables ?

Les sources comportementales

Le conditionnement opérant ou skinnerien. Ce processus associatif d'apprentissage est le préféré des nouveaux thérapeutes : il s'agit de la technique du « Hum ! » en vue d'encourager les attitudes attendues (p. ex. Greenspoon, 1955). C'est aussi la technique des parents pour socialiser les enfants aux « bons sentiments ». Le seul fait qu'un événement positif (renforcement) soit consécutif à une réponse entraîne une hausse de la probabilité d'apparition de cette réponse (effet de renforcement); à l'inverse, une réponse suivie d'un événement désagréable entraîne une diminution de sa probabilité d'apparition (effet de punition). Ainsi une attitude associée avec un comportement renforcé tendra à se développer. En d'autres mots, la formation d'attitudes est plus probable quand elle mène à des récompenses que lorsqu'elle est liée à des punitions.

Scott (1957) a démontré le processus d'association comportement-renforcement-attitude. Des sujets furent invités à défendre une position attitudinale dans un débat. Puis on les informa qu'ils étaient « gagnants » ou « perdants ». Les résultats montrent que, ultérieurement, les sujets « gagnants » adoptèrent davantage l'attitude défendue au cours du débat que les « perdants » ne le firent. Ainsi le fait d'être victorieux incitera les sujets à réexprimer la nouvelle attitude. Diamond et Loewy (1991) ont obtenu des résultats similaires au regard de l'attitude et du comportement de recyclage des déchets domestiques. Ils ont comparé, entre autres, deux méthodes de renforcement : l'une consistait en la remise d'une petite somme d'argent (une sorte d'opération Re-sac, soit cinq sous par sac retourné à l'épicerie), l'autre en la remise d'un billet de loterie. La conclusion suivante est ressortie : une attitude et des comportements plus favorables au recyclage furent notés chez les sujets ayant gagné des billets de loterie !

Comme pour le conditionnement classique, le problème de la conscience de la contingence comportement-renforcement (par exemple, quand un client relate des événements d'affirmation de soi, le thérapeute le félicite) a été soulevé. Brewer (1974) a effectué un recensement convaincant d'écrits qui démontrent la présence de processus attentionnels dans le conditionnement. À cet égard, une question intéressante, en partie abordée par la théorie de la perception de soi, serait de déterminer si la conscience de la contingence est un résultat de l'instauration de la réponse conditionnée ou si elle assume un rôle causal.

La perception de soi. Au chapitre 5, il a été question de la théorie attributionnelle de la perception de soi (Bem, 1972). La proposition centrale de cette approche est la suivante: l'accès à nos états intérieurs s'effectue partiellement à partir des mêmes indices extérieurs qu'un étranger utiliserait pour nous observer. Malgré un certain vague dans la formulation, la perception de soi s'est avérée féconde pour la recherche. Il est aisé d'évoquer des circonstances où l'acceptation de nouveaux comportements suscite l'expression d'attitudes inédites. Songeons aux employés promus au poste de contremaître dans une entreprise: ce rôle impose l'adoption rapide de nouveaux comportements conformes à la tâche. Or, les contremaîtres ne tardent pas à manifester les attitudes et les croyances de l'administration (Lieberman, 1956). En fait, le succès de la promotion repose sur la formation d'attitudes originales en accord avec les comportements exigés par le nouveau poste.

Salancik (1982) a inventé un ingénieux paradigme méthodologique démontrant l'effet subtil du comportement passé sur la formation des attitudes. Afin de démontrer que nos attitudes sont façonnées à partir d'une réflexion sur nos comportements antérieurs, Salancik et Conway (1975) ont créé un environnement comportemental à l'aide d'un ensemble d'énoncés relatifs à des actions vis-à-vis d'un objet d'attitude. Ainsi deux groupes d'étudiants remplirent un questionnaire de 24 énoncés portant sur des conduites anti ou proreligieuses. Chacun des deux groupes reçut une version légèrement différente du questionnaire. Pour le premier groupe, la plupart des énoncés proreligieux contenaient l'expression « à l'occasion » (« À l'occasion, je me rends à l'église ou à la synagogue. »); de plus, les items reliés à des actions antireligieuses comprenaient l'adverbe « fréquemment » (« Je refuse fréquemment de discuter religion avec des amis. »). Le procédé inverse fut appliqué au second groupe: les énoncés proreligieux étaient associés à l'adverbe « fréquemment » et les items antireligieux à la locution « à l'occasion ».

Il était présumé que les étudiants seraient peu enclins à répondre affirmativement aux énoncés contenant l'adverbe « fréquemment »: les étudiants de cette époque paraissaient tout aussi peu religieux qu'antireligieux! Quant aux items du type « à l'occasion », ils offraient l'occasion de tester la proposition centrale de la théorie de la perception de soi. En effet, on communiqua ultérieurement avec les sujets pour une appréciation de leur sentiment religieux. Comme prévu, les étudiants du premier groupe (énoncés proreligieux) estimèrent posséder des attitudes religieuses plus extrêmes que ceux du deuxième groupe; et les étudiants du second groupe se déclarèrent moins religieux que ceux du premier groupe puisque en répondant à des énoncés antireligieux ils activèrent dans leur mémoire des concepts plutôt antireligieux. Par conséquent, des attitudes nouvelles furent fabriquées, à l'insu des sujets, par l'effet trivial des deux locutions adverbiales différemment associées à des comportements passés.

Les sources cognitives

La formation de l'attitude par le biais des deux composantes affective et comportementale a mis en lumière la façon dont un objet peut devenir associé à une étiquette affective. En d'autres mots, nous apprenons à aimer les objets couplés à des conséquences positives et développons des appréciations négatives envers les objets associés à des conséquences négatives. On peut aussi démontrer que des indices affectifs peuvent devenir associés à un objet par voie symbolique impliquant un traitement plus actif de l'information.

L'apprentissage social ou apprentissage par observation. Bandura (1977) a élaboré une troisième théorie de l'apprentissage, celle de l'apprentissage social. Selon cette approche, le renforcement ne s'avère pas un élément indispensable de l'apprentissage: le simple fait d'observer une autre personne accomplir une action constitue une condition suffisante d'apprentissage. Un tel processus s'appelle « apprentissage par observation » ou imitation. Cette approche explique un certain effet des mass media dans l'apprentissage des comportements violents par imitation de même que la formation d'attitudes plus tolérantes à l'égard de la violence. Phillips (1979) soutient que plus de 2 300 recherches ont démontré le rôle des mass media et de l'imitation dans des cas de suicides et d'accidents de véhicules motorisés. Weimann et Brosius (1989), en utilisant le procédé statistique des séries chronologiques, rapportent des indices de probabilité de comportements terroristes par unité (standardisée) de programmation d'émissions télévisées portant sur le terrorisme. Eiser, Morgan, Gammage et Gray (1989) ont confirmé que la probabilité de voir des enfants devenir fumeurs est plus élevée dans les familles de parents qui fument. Toutefois, observation intéressante, ils ont aussi mis en relief que les attitudes d'opposition des parents vis-à-vis de la cigarette produisent un effet dissuasif plus marqué chez les enfants que l'effet favorable à la cigarette passivement suscité par le fait de fumer des parents.

L'efficacité de l'apprentissage sera plus grande s'il s'agit de l'observation de conduites renforcées chez des congénères (soit l'apprentissage vicariant). Les annonces publicitaires qui présentent les témoignages de personnes tout heureuses d'avoir utilisé un produit de consommation sollicitent ce type d'apprentissage.

Le modèle croyance-évaluation de l'attitude. Un bon ami vous recommande la lecture d'un poème au symbolisme hermétique. À la première lecture, à l'exception de l'harmonie et du rythme des phrases, vous n'y comprenez rien. Vous reprenez votre lecture, puis vous commencez à discerner le référent ou thème du sonnet (objet d'attitude). Au fur et à mesure que vous relisez le texte, des idées se dégagent, c'est-à-dire que certaines caractéristiques deviennent associées à l'objet (croyances) et le thème du poème prend forme. Vous notez de plus en plus que certaines idées vous plaisent, d'autres moins (évaluation positive ou négative des croyances). À la fin, vous êtes ravi par le sonnet: vous éprouvez une émotion esthétique intense (attitude globale devant l'objet d'attitude).

Cet épisode décrit le processus du traitement actif de l'information menant à la formation de l'attitude selon l'approche de Fishbein (1967; Fishbein & Ajzen, 1975). Pour ce théoricien, l'attitude est formée à partir des croyances saillantes vis-à-vis de l'objet et des évaluations de ces croyances. Les croyances constituent des énoncés portant sur les relations perçues entre l'objet et des propriétés associées à l'objet d'attitude. En d'autres mots, les propriétés (ou conséquences) reliées à l'objet sont analysées en fonction de deux dimensions: la vraisemblance de l'association entre la propriété ou la conséquence et l'objet ainsi que la désirabilité affective de la caractéristique ou de la conséquence. Ainsi un individu peut croire que l'utilisation de préservatifs diminue le plaisir sexuel (probabilité très élevée de +2 sur une échelle de -3 à +3) et, de plus, considérer que cette croyance est associée à un affect très négatif (-3 sur une échelle d'évaluation aux extrémités «mauvais» et «bon»). Il manifesterait donc une attitude négative vis-à-vis de l'objet.

En général, plus le nombre de croyances associées à des affects positifs est élevé et moins il y a de croyances associées à des affects négatifs, plus l'attitude sera favorable à l'objet. Il est intéressant de signaler que la corrélation entre les points obtenus à une échelle indirecte d'attitude comme celle de Fishbein et les points obtenus à l'une des échelles classiques de mesure directe (par exemple Likert, Thurstone...) est élevée, habituellement supérieure à 0,50 (Fishbein & Ajzen, 1975). Plus loin, nous étudierons plus longuement l'approche de Fishbein et Ajzen.

Conclusion

En guise de conclusion, nous formulerons deux remarques. Rappelons d'abord que les processus d'apprentissage peuvent influer également sur chacune des trois composantes de l'attitude. Ainsi la composante cognitive n'est pas la seule à pouvoir subir l'effet des communications symboliques. En second lieu, nous ne nous contentons pas de développer des attitudes une à la fois, sans relation les unes avec les autres. L'approche de Fishbein a déjà proposé un modèle de formation d'attitudes par addition des évaluations de croyances. Nous verrons plus loin des modèles plus exigeants de consistance intra et interattitudinale.

COMMENT CHANGER LES ATTITUDES?

Vous vous souvenez d'un ami de cégep, Ronald, très doué pour l'organisation de comités et vous vous demandez comment le convaincre de se joindre à votre regroupement en écologie. En effet cet ami aurait récemment affirmé: « Pas d'écologie sans le plein emploi!» Bien sûr, il ne s'agit que d'une croyance, mais qui rassure peu quant à l'adhésion éventuelle de votre ami à un parti vert! Comme le suggère la métaphore de Kruglanski (1989), prenons une allumette et examinons les pièces du jeu de lego cognitif de cette personne. Dans la zone éclairée de la conscience, on observe un schème attitudinal bien structuré à l'égard de l'écologie, avec des énoncés du genre: « Je crois que les scientifiques n'ont pas démontré qu'il existe une menace contre l'environnement. » On note aussi des croyances évaluatives: « Je déteste les écolos de tout acabit. » On devine une attitude de direction négative, facilement accessible et bien structurée. En partant de techniques de persuasion, comment amener Ronald à des attitudes plus vertes? À cette fin, nous examinerons les principales théories de la consistance cognitive, l'approche de l'apprentissage du message, l'approche de la réponse cognitive et le modèle de la vraisemblance d'élaboration cognitive.

Les théories de la consistance cognitive

Bien sûr, les philosophes affirment depuis des siècles que les humains sont rationnels et cohérents dans leurs pensées et leurs actions. Pourtant, c'est Heider (1958; voir aussi le chapitre 5) qui a présenté une première formulation théorique de la consistance rationnelle, empiriquement testable. La généralité de la théorie de l'équilibre cognitif (Heider, 1958) a permis la dérivation de nombreuses variations théoriques employées pour expliquer le changement des attitudes. De fait, McGuire (1985) a dénombré près d'une dizaine de théories de la consistance cognitive. Parmi les plus courantes, on retrouve la théorie de la congruité, proposée par les inventeurs de la technique du différenciateur sémantique (Osgood & Tannenbaum, 1955), la théorie psycho-logique (Abelson & Rosenberg, 1958), la théorie probabi-logique des relations cognitives (McGuire, 1960), la théorie de la consistance affective-cognitive (Rosenberg, 1960) et, la plus connue, la théorie de la **dissonance cognitive** (Festinger, 1957). Ces approches postulent que, chez tout individu, la consistance est descriptive de l'organisation des éléments cognitifs entre eux (soit les attitudes, croyances, comportements, besoins, souvenirs...) et, de plus, que toute rupture d'équilibre suscitera une action en vue de réduire l'inconsistance entre les éléments.

La théorie de l'équilibre de Heider

Théoricien de la tradition de la Gestalt, Heider a appliqué les lois de la perception physique à l'univers cognitif. Selon cette approche, les individus recherchent l'ordre, la symétrie et la cohérence: l'unité d'analyse est la « bonne forme », la « bonne figure ». Ainsi, en présence d'un triangle dont un des côtés est incomplètement dessiné, nous percevons quand même un triangle et non trois segments d'une droite.

FIGURE 6.4 **Diagrammes de triades p-o-x illustrant l'équilibre cognitif**

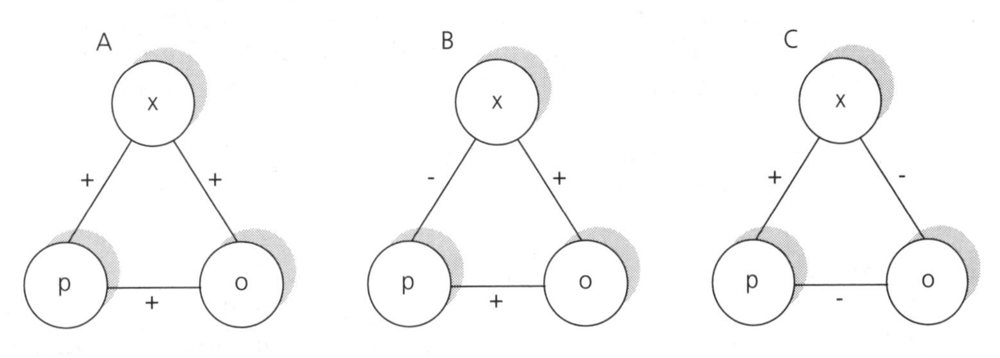

p et o sont des individus en relation d'attirance (+) ou d'aversion (-), tous deux pouvant posséder une attitude positive (+) ou négative (-) envers l'objet x. Selon la règle multiplicative, seule la triade B serait non équilibrée.

Considérons une situation typique étudiée par Heider, celle de la triade: elle comprend la personne (p) qui ressent l'effet d'équilibre, une autre personne avec laquelle il y a relation (o) et l'objet d'attitude (x) auquel p et o sont reliés. Si les deux personnes sont en relation d'admiration, d'amitié ou d'amour (+), p ressentira un état d'équilibre lorsqu'il percevra le partage d'attitudes importantes (voir la figure 6.4a) ou il éprouvera un déséquilibre s'il observe des attitudes différentes (voir la figure 6.4b). La situation où un conjoint désire un enfant alors que le partenaire s'y oppose illustre la triade non balancée de la figure 6.4b. Aussi la théorie prédit la stabilité de la triade lorsque deux sujets se détestent (-), mais expriment des attitudes différentes à l'égard d'un objet (voir la figure 6.4c). Évidemment, le cas d'ennemis possédant des attitudes similaires face à une même cible produira une triade non équilibrée.

Cartwright et Harary (1956) ont proposé une règle facile pour déterminer si une configuration d'éléments cognitifs (dont les triades) est balancée ou non. Il s'agit d'une multiplication algébrique des signes affectifs des trois relations. Par exemple, à la figure 6.4c, où p déteste (-) o, on obtient:

$$(-) \times (+) \times (-) = +$$

En général, les relations humaines sont équilibrées. Kinder (1978) a observé que les électeurs perçoivent leur candidat politique favori comme un promoteur des positions qu'ils privilégient eux-mêmes. (Rappelons que le bon politicien sait également suggérer que ses positions sont voisines de la latitude d'acceptation attitudinale de ses électeurs; voir l'encadré 6.1.) Dans une telle situation, on obtient donc la triade suivante: l'électeur aime son politicien favori; l'électeur favorise une attitude positive (par exemple à l'endroit du nucléaire); l'électeur présume, sans vérification logique, que son candidat favorise le nucléaire. En d'autres mots, l'électeur a créé une «bonne forme» cognitive. (Il est à noter qu'il s'agit aussi d'une sorte de projection.)

De plus, les gens préfèrent les triades balancées; ces triades sont également mieux mémorisées. Selon Fiske et Taylor (1991), les ensembles équilibrés sont codés en mémoire comme une seule unité tandis que les configurations non balancées sont emmagasinées en pièces. Il est en effet plus aisé de se souvenir de l'accord de deux amis ou du désaccord de deux ennemis que de se rappeler qui, de deux personnes, aime ou n'aime pas un objet litigieux. En fait, les recherches ont suffisamment confirmé cette tendance à l'équilibre des relations pour pouvoir parler d'un « principe de l'équilibre ».

Une difficulté de la théorie de l'équilibre réside dans son incapacité à prédire comment se rétablira la consistance à la suite d'une rupture d'équilibre. À la figure 6.4b, trois modalités de résolution efficaces sont disponibles pour soulager la tension : p peut interrompre son amitié avec o ou changer d'attitude envers x ou, encore, convaincre o de changer d'attitude. Laquelle choisir ? Selon Abelson et Rosenberg (1958), le critère qui préside au choix d'un mode de résolution est celui du moindre coût psychologique. Par exemple, une solution aisée est l'évitement, c'est-à-dire cesser de penser à l'inconsistance. Abelson (1959) a proposé d'autres modes parmi lesquels on retrouve la négation. Cette dernière serait la modalité prédominante prédite de résolution du déséquilibre structurel puisqu'elle porte précisément sur la contradiction logique comprise dans l'ensemble des relations.

Soulignons que ces considérations sur la consistance ne sont pas totalement futiles. À cet égard, Bronowski (1978) rapporte une anecdote amusante à propos du logicien et philosophe Bertrand Russell. Au cours d'un dîner, Russell se serait exprimé sur la consistance dans les termes suivants :

> – Oh, il est inutile de parler de choses inconsistantes ; à partir d'une proposition inconsistante vous pouvez prouver tout ce que vous désirez !
> – Quand même !
> – Donnez-moi une proposition inconsistante.
> – Bien. Voyons... 2 = 1.
> – Très bien. Que voulez-vous que je démontre ?
> – Je veux que vous prouviez que vous êtes le pape.
> – Le pape et moi sommes deux, mais deux égale un, par conséquent le pape et moi sommes un.
> (Traduction libre, p. 78-79.)

La dissonance cognitive

Peu de théories ont connu autant de retentissements en psychologie sociale que la théorie de la dissonance cognitive de Festinger (1957). Comme son discours porte sur le comportement cognitif en général plutôt que sur des contenus cognitifs particuliers (Kruglanski, 1989), son influence s'est révélée grandement plus étendue que celle des autres théories de la consistance cognitive. De plus, croyant que les termes « consistance » et « inconsistance » comportaient des connotations problématiques lorsqu'il s'agissait de relations entre cognitions, Festinger les remplaça par les termes « consonance » et « dissonance ».

Selon cette approche, une cognition représente un élément de connaissance. Une cognition peut donc être une idée (« Il fait chaud. »), une croyance (« La chaleur me rend léthargique. »), une attitude (« J'abhorre la chaleur. »), un comportement (« Lors de la canicule, je m'en vais dans le Nord. »), voire une valeur ou une émotion. Les cognitions peuvent se trouver dans une relation de non-pertinence ou de pertinence l'une par rapport à l'autre. En relation de pertinence, elles peuvent interagir, s'impliquer, se contredire, former des « bonnes formes ». La théorie s'intéresse aux cognitions pertinentes qui peuvent être consonantes (c.-à-d. consistantes) ou dissonantes (c.-à-d. inconsistantes). Plus particulièrement, « deux éléments sont en relation dissonante si, en les considérant isolément, l'inverse de l'un va découler de l'autre. En termes plus formels, x et y sont dissonants si non-x découle de y» (Festinger, 1957, p. 13, traduction libre). Ainsi l'opposition comprise entre l'attitude « J'aime m'exposer au soleil » et la croyance « L'exposition au soleil est un facteur associé au cancer de la peau » représente un état de dissonance. De plus, à l'instar des états motivationnels de soif ou de faim, la dissonance engendre un état d'activation physiologique désagréable qui incite l'individu à rechercher des façons de la réduire. Certaines de ces façons engendrent des changements d'attitudes.

Afin de mieux comprendre les modes de réduction de la dissonance, il importe de mentionner certains facteurs qui influent sur l'amplitude de l'activation résultant de la dissonance. La dissonance est fonction de trois variables: l'écart entre les cognitions, l'importance des cognitions et le nombre de cognitions dissonantes en présence. En fait, la dissonance est inversement proportionnelle au nombre de cognitions consonantes détenues, phénomène qui peut être représenté par le rapport suivant:

$$\text{taux de dissonance} = \frac{\text{importance x nombre de cognitions dissonantes}}{\text{importance x nombre de cognitions consonantes}}$$

Comme pour la théorie de l'équilibre, les théoriciens de la dissonance se sont interrogés sur ses modes de réduction. On peut parler de trois grandes catégories de stratégies de réduction de l'état pénible de dissonance: les stratégies d'évitement ou de fuite de la dissonance, la négation d'une des cognitions et, si les cognitions sont toutes importantes, des modes d'élaboration cognitive. Dans le cas de l'évitement, il s'agit de ne pas y penser, de chasser de la conscience ces idées qui engendrent l'état de tension ressentie. Selon Steele, Southwick et Critchlow (1981), l'alcool peut atténuer notre conscience de la dissonance, ce qui peut, en outre, avoir l'effet pernicieux de renforcer positivement la consommation de boissons alcoolisées. Mais la dissonance comporte une contradiction logique: par conséquent, la négation d'une des cognitions inconsistantes doit constituer la modalité première de réduction. Ainsi il est dissonant de fumer tout en sachant que la cigarette est associée au cancer du poumon. Comme cesser de fumer est exigeant, il est plus aisé de nier la véracité des études démontrant un lien entre la cigarette et le cancer. Selon une enquête de Kassarjian et Cohen (1965), 40 % des fumeurs contestaient l'effet cancérigène de la cigarette comparativement à 10 % des non-fumeurs. Enfin, s'il advient qu'un individu, incapable de cesser de fumer, soit également convaincu de la nocivité de la cigarette, il tentera d'atténuer le malaise de l'inconsistance en recourant à des modes complexes d'élaboration cognitive, comme l'ajout de cognitions consonantes (« Fumer donne de la contenance. ») ou la modulation de l'importance des cognitions en présence (réduire la quantité de cigarettes consommées). Selon Kruglanski (1989), ces modes découleraient du mécanisme premier de négation.

La théorie de la dissonance a ouvert de nombreuses pistes ou paradigmes de recherche ; elle a aussi provoqué plusieurs controverses théoriques constructives. Nous ferons un survol de quatre paradigmes qui ont mobilisé les chercheurs et nous présenterons les controverses soulevées par le paradigme de la soumission induite.

La dissonance postdécisionnelle. La recherche (p. ex. O'Keefe, 1990; Wicklund & Brehm, 1976) a distingué plusieurs moments psychologiques consécutifs à une prise de décision. Afin de mieux situer la place de la dissonance, nous procéderons par étapes.

Phase 1: conflit. La prise d'une décision requiert un choix parmi deux ou plusieurs options. Comme il est rare que, dans une alternative, une proposition soit tout à fait satisfaisante et que l'autre détienne toutes les caractéristiques négatives, il y a conflit. Le choix porte davantage sur des éventualités d'attirance équivalente mais dont les points forts et les points faibles sont répartis différemment. La fable de l'âne de Buridan illustre cette situation : pressé tout autant par la faim que par la soif et placé à égale distance d'une botte de foin et d'un seau d'eau, il ne sait que choisir et peut-être hésitera jusqu'à ce que mort s'ensuive.

Phase 2: décision et dissonance postdécisionnelle. Par exemple, vous vous êtes finalement décidé à acheter un micro-ordinateur. Votre appareil possède sans doute de nombreuses qualités mais aussi quelques caractéristiques qui vous déplaisent ; quant au micro-ordinateur non retenu, il possédait également plusieurs attraits. Plus la proportion des éléments dissonants par rapport aux éléments consonants est voisine de 50-50, plus la dissonance est élevée. Un choix entre deux propositions d'égale attirance d'une alternative suscite donc une forte dissonance.

Phase 3: première tentative de réduction de la dissonance. Lorsque la décision est prise, l'attitude tend à s'accorder avec la décision prise. En appréciant plus positivement la proposition retenue et plus négativement celle rejetée, vous réduirez la dissonance. En conséquence, les propositions de l'alternative initiale seront désormais perçues comme moins similaires : on parle d'écartement des propositions de l'alternative, l'une étant valorisée et l'autre dénigrée.

Une expérience classique (Brehm, 1956) illustre ce phénomène. Sous prétexte d'aider une firme de commercialisation, on demanda à des femmes d'apprécier des articles ménagers. Par la suite, en guise de remerciements, on les invita à choisir un de ces articles. Dans la condition de dissonance élevée, les sujets choisissaient parmi deux produits d'évaluation similaire; dans la condition de faible dissonance, le choix s'effectuait à partir de deux articles d'évaluation différente. Dans la condition contrôle, un article était choisi par l'expérimentateur et donné en cadeau. Par la suite, les femmes eurent à lire de brefs rapports techniques du manufacturier, puis furent à nouveau invitées à juger les articles. Les résultats indiquèrent un changement important d'attitude dans la condition de dissonance élevée, où se retrouvaient les produits similaires, confirmant ainsi l'écartement de l'évaluation des produits similaires (condition de forte dissonance).

Phase 4: regret. Généralement, lorsqu'une décision est prise, les modes de réduction de la dissonance se chargent de notre future satisfaction quant à cette décision. Toutefois, à cause d'une sorte d'inertie psychologique, on peut noter des retours à des états de dissonance où, temporairement, les options similaires sont à nouveau considérées comme également attirantes: ce sont des moments de regret. Afin d'éviter que ce regret ne conduise à un renversement de la décision, il est recommandé aux intervenants en relations humaines d'exercer un suivi qui renforce la personne dans le bien-fondé de sa décision. On retrouve souvent cette courtoisie empressée chez les vendeurs de voitures et les courtiers en immeubles (p. ex. Donnelly & Ivancevich, 1970).

Phase 5: réduction définitive de la dissonance. À cette étape, l'écartement des positions attitudinales vis-à-vis des propositions initiales d'égale attirance est achevé. Il est à noter que cette élimination de la dissonance peut s'effectuer rapidement. Ainsi Knox et Inkster (1968) se sont rendus à l'hippodrome et ont interrogé les gens qui attendaient en ligne pour engager leur mise et ceux qui venaient tout juste de parier. Ces deux groupes d'individus se trouvaient à des étapes différentes du processus de décision. Les résultats indiquent un optimisme moindre chez les gens en ligne que chez ceux qui avaient déjà parié. Pour ces derniers, la dissonance était dissipée et l'écartement entre les options était accompli.

La perception sélective de l'information. La théorie de la dissonance prédit une tendance à porter davantage attention à l'information qui appuie nos attitudes et à éviter celle qui les heurte de même qu'à choisir notre environnement social selon sa compatibilité avec nos attitudes. Ce mode d'adaptation assure une proportion plus élevée de cognitions consonantes par rapport aux cognitions dissonantes. Cette proposition suscita un grand intérêt lorsque les recherches mirent en évidence l'efficacité persuasive restreinte des médias de masse. Quand les chercheurs s'interrogèrent sur les raisons de ce phénomène, l'hypothèse de l'attention sélective s'imposa à eux: si les gens n'écoutent que les messages qui renforcent leurs croyances et leurs attitudes préexistantes, alors chaque message attirerait l'attention d'un auditoire précis et prêcherait à des convertis! De fait, l'effet de sélection est observable dans plusieurs situations.

Une astucieuse recherche (Kleinhesselink & Edwards, 1975) a mis en lumière l'exposition involontaire à l'information confirmative. On présenta à des sujets un message en faveur de la marijuana. Le message comportait 14 arguments, dont 7 étaient convaincants et difficiles à réfuter, et les 7 autres ridicules et aisément réfutables. Présenté par le biais d'écouteurs, le message était accompagné d'un bruit statique constant qui en rendait l'audition pénible. L'expérimentateur, tout en s'excusant, expliquait que le trouble résultait de difficultés techniques, mais qu'un bouton permettait d'interrompre le bruit cinq secondes durant. Le sujet pouvait y recourir aussi souvent qu'il le désirait. En réalité, ce bouton constituait la mesure de la variable dépendante: plus le sujet poussait sur le bouton pour arrêter le bruit, plus il prêtait attention à des parties du message. Les résultats sont révélateurs: les sujets favorables à la marijuana interrompaient davantage le bruit lorsque les arguments étaient très favorables à la légalisation de cette drogue; les sujets opposés à l'attitude prônée par le message firent exactement le contraire: ils pressèrent sur le bouton plus souvent en présence des arguments qui étaient facilement réfutables et futiles. Chacun des groupes s'est donc exposé, sans contrôle intentionnel de l'attention, à de l'information qui a renforcé ses attitudes préalables.

Heureusement, la perception sélective de l'information ne constitue pas un phénomène généralisé: la curiosité, l'impartialité, la préoccupation d'évaluer le coût et les avantages d'un message... en sont une preuve.

La justification de l'effort. Qu'implique le fait de travailler intensément pour atteindre un but? Est-ce travailler ferme à cause de la valeur intrinsèque de l'objectif ou bien le but sera-t-il plus valorisé précisément à cause de l'effort intense déployé pour s'en rapprocher? La théorie de la dissonance prédit qu'un but atteint au terme d'efforts intenses sera jugé plus favorablement qu'un objectif atteint avec peu d'efforts ou sans effort. Si nous dépensons beaucoup d'énergie pour atteindre l'objectif visé et que, à la fin, nous l'évaluons négativement, il va de soi qu'un état de dissonance sera créé. On peut toujours se convaincre que, au fond, l'effort investi fut négligeable. Mais il est plus aisé d'élever notre appréciation de l'objectif atteint et, ainsi, de justifier l'effort accompli.

De nombreuses recherches ont confirmé cette prédiction. Des sujets ont été soumis à des sessions pénibles d'initiation (telles des sessions de chocs électriques) préalablement à leur admission dans des groupes convoités (p. ex. Gerard & Mathewson, 1966); même si ces groupes étaient vraiment ennuyeux, les sujets de l'initiation déplaisante les jugeaient plus positivement que ceux reliés aux conditions où l'initiation était peu exigeante. Dans une autre recherche, des individus devaient présenter un exposé contraire à leur attitude en écoutant leur voix décalée d'une fraction de seconde dans des écouteurs (Zimbardo, 1965). Les sujets de cette condition se révélèrent plus convaincus que ceux qui furent soumis à la condition contrôle moins pénible, où la rétroaction auditive différée était supprimée.

Des chercheurs ont tenté d'expliquer l'efficacité de la psychothérapie à l'aide du rationnel de la justification de l'effort. En effet, une thérapie exige du temps, de l'argent et un investissement émotionnel. Afin de justifier ces divers coûts, le client en viendra à évaluer positivement les tâches et le but thérapeutiques. Dans une recherche, Axsom et Cooper (1985) ont soumis des sujets obèses à une thérapie basée sur des tâches cognitives difficiles mais ne requérant pas d'effort physique. Il est à noter que ces exercices ne pouvaient aucunement les aider à perdre du poids. Pourtant, après trois mois, les sujets du groupe à l'effort considérable perdirent nettement plus de poids que les sujets de la condition d'effort minime. De plus, cette différence s'est accrue au cours des six mois suivants. Fait encore plus surprenant: Axsom (1989) a pu démontrer que l'anticipation de l'effort est suffisante pour engendrer une dissonance susceptible d'être réduite par le changement thérapeutique.

Souvenons-nous de Suzanne au début du chapitre. Ses amis exprimèrent leur étonnement devant son nouvel enthousiasme pour une psychologie rigoureusement scientifique. Elle protesta vivement et affirma avec fermeté qu'il en avait toujours été ainsi. De fait, au prix de multiples efforts, Suzanne a remis plusieurs de ses croyances passées en question, contrairement à Denise, qui n'a qu'approfondi les notions de psychologie acquises durant son adolescence. Faut-il se surprendre que le souvenir de Suzanne diffère de celui de ses amis de jadis? Bem et McConnell (1970) ont observé que, à la suite d'un changement d'attitude consécutif à la dissonance, les sujets n'avaient pas conscience d'avoir modifié leur attitude, même s'ils s'étaient conformés exactement aux prédictions de la théorie de la dissonance. Par conséquent, dans certaines situations, les gens pourraient difficilement se rappeler une attitude antérieure qui diffère de celle liée à leur comportement actuel.

Conway et Ross (1984) ont démontré qu'un autre moyen de justifier l'effort repose sur une révision de notre attitude passée. Dans leur recherche, un groupe d'étudiants participèrent à un programme d'acquisition d'habiletés supposément utile pour mieux réussir à étudier mais d'aucune efficacité démontrée. Au terme de l'expérience, ces sujets surévaluèrent l'efficacité du programme; de fait, leur performance avant le test était équivalente à celle après le test. De plus, invités à se remémorer leur appréciation d'avant l'expérience, ils sous-estimèrent leurs habiletés antérieures, considérant leur performance d'alors comme beaucoup moins bonne. Chez les sujets du groupe témoin, les évaluations s'avérèrent exactes. La distorsion du rappel permet ainsi de justifier nos efforts lorsque, selon toute apparence, le but visé n'a pas été atteint. Comme l'expriment Conway et Ross, une façon d'obtenir ce qu'on désire consiste à réviser notre conception de ce qu'on avait auparavant.

La soumission induite. On doit à Festinger et Carlsmith (1959) l'expérience classique sur la soumission induite à partir d'une justification insuffisante. Rappelons cette recherche célèbre sur l'effet du «moins qui mène à plus», aussi désigné «effet inverse de renforcement» *(reverse incentive effect).* Festinger et Carlsmith ont testé les hypothèses suivantes de la dissonance: 1) si un individu est amené à s'exprimer ou à agir de façon contraire à son attitude, il ressentira un état de dissonance l'incitant à changer son attitude de manière à la faire correspondre à ce qu'il a dit ou fait; 2) plus les déterminants externes susceptibles

FIGURE 6.5 Mentir pour des dollars

	A Étapes			B Degré d'attitude positive vis-à-vis de la tâche
	I Attitude envers la tâche ennuyeuse	II Comportement contre-attitudinal	III Mesure du changement d'attitude	0 2 4 6 8 10
Groupe A	- - -	+ + + (1 $)	+ + +	
Groupe B	- - -	+ + + (20 $)	+ - -	
Groupe C	- - -	(contrôle)	- - -	

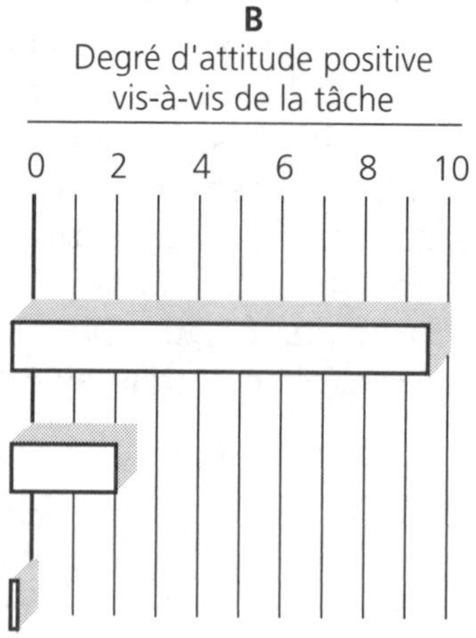

A: déroulement en trois temps de l'expérience de dissonance cognitive induite à partir d'une conduite contre-attitudinale faiblement ou fortement rémunérée ;

B: résultats confirmant le changement d'attitude consécutif à la soumission librement consentie.

Adapté de Festinger et Carlsmith (1959).

d'inciter à l'action sont forts, plus faible sera le changement d'attitude. Dans ce but, des sujets ont été soumis à des tâches ennuyeuses (par exemple tourner des chevilles de bois d'un quart de tour). À la moitié d'entre eux, on offrit une faible rémunération (1 dollar); pour l'autre moitié, la compensation était plus appréciable (20 dollars). En retour, ils devaient informer un autre sujet que la tâche expérimentale était très intéressante. À la suite de cette conduite contre-attitudinale, on notait l'attitude réelle des sujets à l'égard de la tâche. Conformément à l'effet du « moins qui mène à plus », les sujets manifestèrent une attitude plus favorable dans la condition de faible récompense que dans celle de récompense élevée (voir la figure 6.5).

Ces résultats ont été confirmés à maintes reprises, selon presque toutes les modalités sensorielles (En 1984, Cooper & Croyle estimaient à près de 1 000 le nombre de publications portant sur la dissonance cognitive). Question de goût, mentionnons l'« appétissante » recherche de Zimbardo, Weisenberg, Firestone et Levy (1965). Des soldats étaient invités à déguster des sauterelles grillées, l'invitation émanant d'un expérimentateur soit sympathique ou antipathique. Les résultats ont soutenu la théorie de la dissonance cognitive. Même si autant de sujets dans les deux conditions se sont soumis à l'expérience, seulement ceux de la condition où les déterminants externes étaient peu incitatifs (condition de l'expérimentateur antipathique) manifestèrent une appréciation élogieuse envers cette sorte de « croustilles proprettes ». En effet, on peut s'astreindre à une tâche déplaisante pour faire plaisir à un expérimentateur aimable. Mais quelles raisons évoquer pour, de plein gré, acquiescer aux demandes d'une expérimentateur antipathique ? Une façon de résoudre la dissonance ressentie est de changer son attitude vis-à-vis de l'objet en question. D'autres résultats similaires ont été obtenus à partir de simples communications verbales persuasives émises par des vendeurs sympathiques ou antipathiques, les communicateurs non attirants se révélant plus persuasifs (p. ex. Cooper, Darley & Henderson, 1974).

On le devine, les expériences suscitées par le paradigme de la soumission induite ont créé de nombreuses controverses, particulièrement à cause de l'effet inverse de renforcement. Grâce aux approches de l'attribution, notamment de la perception de soi (Bem, 1972; voir le chapitre 5), il est maintenant clair que l'effet de renforcement est obtenu lorsque le sujet, en situation contre-attitudinale, attribue son comportement à des facteurs externes; toutefois, lorsqu'il est amené à se percevoir comme la cause du comportement, l'effet du « moins qui mène à plus » est obtenu. Dans cette perspective, la théorie de la dissonance exige une justification insuffisante, c'est-à-dire qu'il faut des inducteurs à la fois « juste suffisants » pour susciter un comportement et insuffisants pour servir de facteur externe explicatif du comportement. Afin d'assurer une attribution à une causalité interne (autoattribution), le sujet doit pouvoir ressentir l'impression de libre choix. Par conséquent, la relation entre le changement d'attitude et le renforcement (facteurs d'induction) prend l'allure d'une courbe en U renversé. En deçà d'un certain seuil, le renforcement est insuffisant pour inciter à l'action. À mesure que la justification augmente, la dissonance croît également, d'où la zone de changement maximal d'attitude; enfin, au-delà d'un certain point, le renforcement

FIGURE 6.6 **Modèle séquentiel intégrant les facteurs facilitants de l'effet inverse de renforcement**

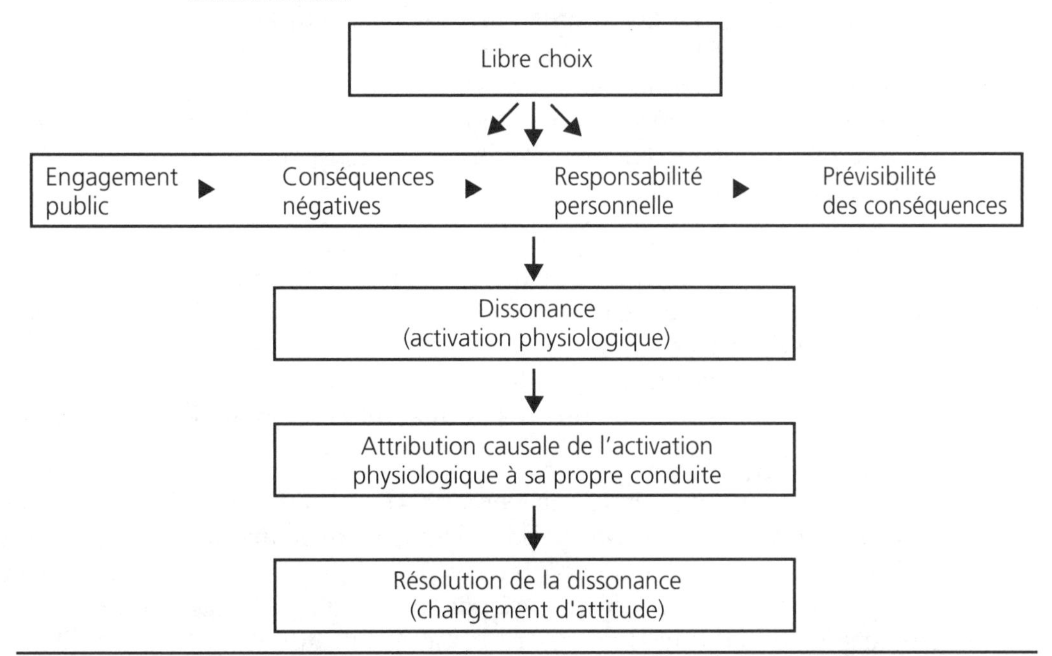

Adapté de Cooper et Fazio (1984).

devient une justification externe suffisante de la conduite, annulant ainsi le besoin de modification de l'attitude. Lorsque les chercheurs ont échoué dans leur tentative d'intégrer cette condition d'illusion de liberté dans leurs manipulations expérimentales, les résultats ont démontré une plus grande soumission externe et un changement d'attitude peu significatif (p. ex. Rosenberg, 1965).

D'autres conditions critiques facilitent l'effet de justification insuffisante. Ainsi Cooper et Fazio (1984) ont présenté une sorte d'arbre de décisions qui regroupe d'une façon cohérente les variables modératrices conduisant à la modification de l'attitude (voir la figure 6.6 à la page précédente). Vous y reconnaîtrez des emprunts à la théorie attributionnelle de l'émotion (Schachter, 1964; voir le chapitre 5). Outre l'impression de choix qui est fondamentale, plusieurs autres conditions facilitantes ont été désignées. Comme le suggèrent les flèches, ces conditions peuvent apporter une contribution unique ou encore additionner leurs effets. Le facteur de l'engagement est associé à des décisions publiques plutôt qu'anonymes.

Les interprétations alternatives. Le phénomène du changement d'attitude en situation de soumission induite à l'aide d'une faible justification est empiriquement bien démontré. Toutefois, il existe plusieurs interprétations théoriques rivales de la théorie de la dissonance. Nous considérerons brièvement trois de ces interprétations : la théorie de la perception de soi, les théories de la gestion de l'impression et la théorie de l'autoaffirmation.

La théorie de la perception de soi (Bem, 1972) considère qu'il est plus parcimonieux de proposer une interprétation strictement inférentielle de la soumission induite et d'éviter le recours à la dissonance comme état désagréable et motivant. Comme il a été indiqué plus haut, la théorie de la perception de soi postule que nous inférons nos attitudes à partir de nos comportements et du contexte, à la façon d'un observateur extérieur. Ainsi le sujet dans la condition de mensonge pour 20 dollars (Festinger & Carlsmith, 1959) se dira qu'il ment parce qu'il est bien rémunéré et il ne se sentira donc pas obligé de changer d'attitude ; par contre, recevoir 1 dollar pour mentir constitue une bien pauvre justification. Mieux vaut changer d'attitude !

Bem est parvenu à démontrer son point de vue à partir de simulations interpersonnelles : il a fait la narration d'une expérience de plaidoyer contre-attitudinal. Ensuite, il a demandé aux sujets-observateurs d'apprécier la véritable attitude des participants à l'expérience originale. Les jugements des sujets-observateurs étaient très proches des attitudes réelles des sujets-acteurs. Les sujets réels infèreraient donc leur attitude selon des processus inférentiels semblables à ceux des observateurs.

Malheureusement, l'approche de la perception de soi comporte également des lacunes. Mentionnons-en deux. Premièrement, il est maintenant bien établi que l'état de dissonance représente un état physiologique de tension, mesurable directement à l'aide de mesures physiologiques (p. ex. Croyle & Cooper, 1983) ou indirectement par le biais de la mésattribution émotionnelle (p. ex. Losch & Cacioppo, 1990). Deuxièmement, l'inférence dont il est question dans les simulations interpersonnelles donne des résultats équivalant à ceux des sujets réels observés dans les expériences seulement lorsque les sujets-acteurs sont peu conscients de leur attitude préalable. Un individu fortement provie n'a pas à inférer son attitude à partir de ses comportements passés : il en est convaincu. Jones *et al.* (1968) ont repris la simulation interpersonnelle en ajoutant l'information quant à l'attitude préalable du sujet-acteur avant le jeu de rôles contre-attitudinal. Lorsque le sujet-observateur devait tenir compte à la fois de l'attitude préalable et du comportement réel du sujet-acteur, les jugements des sujets-observateurs ne coïncidaient plus avec ceux de Bem.

Malgré ces critiques, la théorie de la perception de soi a ouvert la voie à des clarifications théoriques décisives. À la suite d'une revue des écrits, Fazio, Zanna et Cooper (1977) en arrivèrent à la conclusion que les deux théories étaient correctes, sauf qu'elles s'appliquaient à des situations différentes. Rappelons que, selon la théorie du jugement social (voir l'encadré 6.1), l'attitude est considérée comme un continuum qui se partage en zones ou latitudes. D'une part, il y a l'étendue des positions attitudinales acceptables, incluant la position la plus acceptable pour le sujet (latitude d'acceptation) et, d'autre part, on retrouve l'étendue des positions inacceptables (latitude de rejet). La conclusion de Fazio *et al.* est la suivante : quand l'écart entre le comportement contre-attitudinal et l'attitude est grand (latitude de rejet), le phénomène du changement d'attitude est expliqué par la théorie de la dissonance ; en revanche, la théorie de la perception de soi s'applique lorsque la conduite et l'attitude se situent dans la latitude d'acceptation. Bref, ce sont les zones de l'attitude de chaque sujet qui délimitent l'application de l'une ou l'autre des théories : la théorie de la dissonance propose une description plus adéquate lorsque la position attitudinale ciblée se situe dans la latitude de rejet (forte dissonance) tandis que la théorie de Bem s'avère plus pertinente lorsque la position ciblée se situe dans la latitude d'acceptation (légère dissonance).

Une autre interprétation porte sur la gestion de l'impression. Selon Tedeschi, Schlenker et Bonoma (1971), les gens sont socialisés de façon à paraître d'accord avec les attentes d'autrui, beaucoup plus qu'à être cohérents logiquement. En conséquence, la théorie postule un état motivationnel désagréable qui consiste en l'appréhension d'être jugé négativement, c'est-à-dire un état semblable à la désirabilité sociale mentionnée plus haut. Dans le paradigme de la soumission induite, les sujets feraient semblant d'être cohérents dans leur attitude face au comportement contre-attitudinal. Ils adopteraient une attitude qui les protègent de l'accusation d'être non sincères et hypocrites.

Des recherches ont confirmé les hypothèses de la théorie de l'impression. Gaes, Kalle et Tedeschi (1978) trouvèrent que, lorsque l'attitude était mesurée à l'aide de l'appareillage bidon (c.-à-d. un appareil qui, supposément, mesure l'attitude à l'insu des sujets ; voir la section sur la mesure des attitudes), le jeu de rôles contre-attitudinal ne produisait pas de changement d'attitude. Il en est ainsi pour les sujets dont la conscience du soi privée est élevée (Scheier & Carver, 1980) : chez ces sujets, le changement d'attitude en situation de soumission induite s'avère très faible comparativement à celui observé chez les sujets dont la conscience du soi publique est élevée.

Toutefois, cette version de la théorie va peut-être trop loin en affirmant que le changement d'attitude est feint. Par exemple, en situation de plaidoyer contre-attitudinal concernant la pédophilie, les tenants avoueraient-ils posséder une attitude propédophile seulement pour répondre aux attentes sociales de peur de passer pour des menteurs ? Plus récemment, Schlenker (1982) a proposé une version révisée de la gestion de l'impression, qu'il désigne « théorie de la justification de l'identité » *(identity-analytic theory)*. Selon cette approche, les gens ont recours à diverses stratégies comportementales pour maintenir et créer leur identité sociale idéale (excuses, justifications...). Pour la soumission induite, Schlenker met l'accent sur le besoin d'éviter d'être tenu pour responsable de toute conséquence négative résultant de nos actions. Quelques recherches (p. ex. Baumeister & Tice, 1984; Paulhus, 1982) ont confronté les hypothèses des théories de la gestion de l'impression et de la dissonance. Les résultats ne mettent pas en relief une forte opposition entre les deux approches. À l'exception de la conception relative à la qualité du changement d'attitude (c.-à-d. illusoire parce que feint), il semble que, dans les expériences de soumission induite, on retrouve à des degrés divers les motivations de réduction d'inconsistance cognitive et d'évitement de conséquences négatives susceptibles de menacer notre identité sociale.

Enfin, une dernière interprétation rivale de la théorie de la dissonance cognitive a trait à l'autoaffirmation. Selon certains auteurs (tel Aronson, 1969), Festinger aurait mal cerné la source de la dissonance. Ce qui est critique, c'est la dissonance entre le comportement et le concept de soi. La dissonance ne résulterait donc pas d'une contradiction logique entre deux cognitions ; elle se manifesterait plutôt lorsqu'une conduite menace de diminuer notre estime de soi. Dans l'expérimentation de Festinger et Carlsmith (1959), l'inconsistance ne se situerait pas entre la croyance « Cette tâche est vraiment ennuyeuse » et la croyance « J'ai dit que cette tâche était intéressante ». D'après Aronson, il faut repérer la dissonance entre les croyances « Je suis une bonne personne » et « J'ai menti ». Des recherches confirment cette interprétation. Ainsi l'effet de dissonance est observé quand des sujets sont amenés à mentir à quelqu'un qu'ils aiment mais non dans le cas d'un mensonge à une personne détestée (Cooper, Zanna & Goethals, 1974).

En proposant la théorie de l'autoaffirmation, Steele (1988) a prolongé la réflexion des théoriciens sur une dissonance évaluée par rapport au soi *(ego-dissonance)*. Selon cette approche, il n'est pas requis de transiger directement avec l'inconsistance qui menace le soi. En fait, toute action ou pensée susceptible d'affirmer des aspects importants du soi pourra servir à réduire l'inconsistance. Par exemple, Luce, une fille très rationnelle, connaît les effets cancérigènes de la cigarette, mais pourtant elle fume. Luce est agacée de se percevoir impuissante à contrôler cette dépendance. Elle compense cette désagréable sensation par des dons à des fonds de recherche sur le cancer. De même, au cours d'une expérimentation, Steele et Liu (1983) trouvèrent que les sujets qui acceptèrent de rédiger un plaidoyer contre-attitudinal en vue d'interdire les collectes de fonds d'aide aux handicapés ont exprimé par la suite une attitude négative vis-à-vis des collectes de fonds; ce résultat est prédit par la théorie de la dissonance. En revanche, les sujets soumis à la rédaction du même plaidoyer mais à qui on avait proposé une action d'affirmation de soi, comme celle d'être bénévoles auprès d'étudiants aveugles, ne modifièrent pas leur attitude envers la tâche. Selon la perspective de l'autoaffirmation, ce sont les menaces à notre image de soi qui suscitent la dissonance. La réduction de cette dissonance peut s'effectuer par le changement d'attitude mais aussi par toute action susceptible d'affirmer des valeurs centrales de la personne.

En guise de conclusion, soulignons l'impressionnante valeur heuristique du paradigme de la soumission induite. On lui doit de décisives clarifications du changement d'attitude par la voie de l'autopersuasion. Cette approche expérimentale met bien en lumière le rôle du sujet comme agent qui, grâce à l'impression (illusoire) de liberté, effectue d'abord une attribution de causalité interne à l'égard du comportement contre-attitudinal faiblement rémunéré. Par la suite, il justifie son changement d'attitude en recourant à diverses rationalisations (autojustifications). En conséquence, le sujet est l'agent qui persuade une cible qui n'est autre que lui-même. Brehm et Kassin (1990) présentent une comparaison des quatre théories de l'autopersuasion en situation d'inconsistance cognitive lors de la soumission induite. Nous avons vu qu'elles différaient au regard des

FIGURE 6.7 Comparaison des trois principales théories rivales de la dissonance cognitive dans l'explication de l'effet inverse de renforcement

	Théories			
	Dissonance cognitive	Perception de soi	Contrôle d'impression	Affirmation de soi
Source du changement d'attitude: motivationnelle?	OUI	NON	OUI	OUI
Qualité du changement d'attitude: réelle?	OUI	OUI	NON	OUI
Visée du changement d'attitude: reliée directement à la réduction d'une inconsistance logique entre l'attitude initiale et l'attitude associée au jeu de rôles contre-attitudinal?	OUI	OUI	OUI	NON

Ainsi, selon les trois dimensions indiquées, la théorie de l'affirmation de soi comporte un aspect motivationnel de réduction de tension, soutient l'idée d'un changement réel d'attitude et propose que la réduction de l'inconsistance entre le comportement et l'attitude n'est pas requise s'il existe d'autres stratégies d'affirmation de soi (adapté de Brehm & Kassin, 1990).

médiateurs responsables de la réduction de la dissonance. À l'exception de la perception de soi, les trois autres théories postulent des états désagréables d'activation physiologique résultant d'inconsistance d'origines différentes. La figure 6.7 (voir page précédente) illustre trois dimensions permettant de mieux caractériser les théories.

L'approche de l'apprentissage du message

Le programme de recherche sur la communication de l'Université Yale, dirigé par Hovland (Hovland, Janis & Kelley, 1953), est l'un des premiers programmes systématiques d'analyse des effets sur les attitudes de différents types de communications. Ce groupe n'a pas proposé une théorie formelle de la persuasion; cependant, certains principes des théories de l'apprentissage, moteur et verbal, furent transposés à l'apprentissage des croyances contenues dans un message. Selon cette approche, les croyances et les attitudes représentent des variables intermédiaires, donc non observables (p. ex. Doob, 1947), en interaction mutuelle. Le changement d'attitude résulterait du changement des croyances à la suite de l'exposition à des messages. Pour faciliter un changement d'attitude, quoi de mieux alors que la répétition mentale *(mental rehearsal)* suivie d'une expression comportementale ou de renforcements, ou encore accompagnée de l'anticipation de récompenses? En effet, comme il ne suffit pas à un pianiste de bien connaître sa partition pour faire montre de virtuosité, de même la seule mémorisation des arguments du message s'avère insuffisante pour assurer la modification de l'attitude. Des conditions motivantes sont aussi requises. Outre les renforcements matériels, on eut recours à des mesures incitatives abstraites comme des arguments ou des justifications pour une conclusion, ou encore à des sentiments comme ceux de se sentir traité avec respect ou d'être manipulé. La position théorique du groupe de Yale peut être résumée de la façon suivante: il y a changement d'attitude, persistance de la persuasion et résistance de cette persuasion à d'autres influences si les renforcements consécutifs aux changements sont supérieurs aux renforcements associés à la position attitudinale qui précède le changement (p. ex. Insko, 1967).

Cette proximité de l'approche de Yale avec le béhaviorisme a canalisé l'attention des chercheurs sur l'étude d'une multitude de variables indépendantes (stimuli) en rapport avec des mesures de l'apprentissage du contenu de messages (réponses) supposément médiateurs du changement d'attitude. Ces facteurs se regroupent aisément sous l'énoncé suivant: qui (émetteur) dit quoi (message) à qui (récepteur), dans quel but (visée), à travers quoi (canal). La plupart des facteurs se sont avérés plus complexes à opérationnaliser que ce qu'il avait été initialement prévu. Par exemple, la présentation des arguments d'un message peut être effectuée selon un ordre croissant, les arguments les plus convaincants à la fin du message (climax) ou au début (anticlimax); lors d'une recherche visant à évaluer ces effets, comment prévenir la contamination par l'effet de primauté (influence prédominante des premiers arguments) ou de récence (influence

ENCADRÉ 6.2

L'EFFET D'ASSOUPISSEMENT : UNE AUGMENTATION DE L'EFFICACITÉ PERSUASIVE À RETARDEMENT

De façon générale, l'impact des messages persuasifs se dissipe avec le temps. En fait, les courbes d'oubli relatives aux effets de la persuasion varient selon les situations, allant de courtes périodes à des durées de plusieurs mois (McGuire, 1985). Pourtant, des chercheurs ont observé une interaction entre certains facteurs (par exemple la crédibilité d'un communicateur) et le passage du temps en rapport avec le changement d'attitude. Ainsi il a été démontré que des messages émis par des communicateurs à crédibilité élevée suscitaient plus de persuasion immédiate que les messages de communicateurs de faible crédibilité, mais avec le passage du temps, les effets de cette faible crédibilité pouvaient tantôt disparaître, tantôt réapparaître. En d'autres mots, le degré de changement d'attitude induit par un émetteur fortement crédible s'estompait avec le temps, conformément aux courbes classiques d'oubli, tandis que l'ampleur du changement d'attitude engendrée par les communicateurs de crédibilité faible, à l'occasion, augmentait avec le passage du temps. Cet accroissement du changement d'attitude, à retardement, dans des situations de communicateur faiblement crédible fut désigné **effet d'assoupissement.** Comme on le constate, un tel effet semble aller à l'encontre des courbes générales d'oubli.

En 1933, Peterson et Thurstone projetèrent des films muets à des enfants dans le but de réduire leurs attitudes négatives (préjugés) envers certaines minorités ethniques. Trois des quatre films eurent un impact notable consécutivement à leur projection, puis l'effet se dissipa ; en revanche, pour l'un des films, l'impact observé s'avéra plus important six mois après le visionnement du film. De même, Hovland, Lumsdaine et Sheffield (1949) constatèrent une influence plus grande de films persuasifs après un délai de neuf semaines plutôt que dans la semaine qui suivit la projection. Toutefois, au cours d'expérimentations plus rigoureuses, cet effet persuasif à retardement s'avéra difficile à reproduire. Exaspérés par leurs échecs, certains chercheurs (p. ex. Gillig & Greenwald, 1974) suggérèrent de laisser somnoler l'effet d'assoupissement.

Ce n'est que récemment que les conditions d'apparition de l'effet d'assoupissement ont été clairement identifiées. S'inspirant des grandes lignes théoriques du groupe de recherche de Gruder *et al.* (1978), Pratkanis, Greenwald, Leippe et Baumgardner (1988) ont effectué 16 recherches différentes avec près de 500 sujets. L'idée centrale de ces études visait l'identification des circonstances susceptibles d'amplifier (indices amplificateurs) ou d'atténuer (indices atténuateurs) la portée persuasive des messages. Ainsi, à

→

ENCADRÉ 6.2 (suite)

la suite de l'émission d'un message, laisser entendre à un récepteur que le communicateur est manipulateur ou que la conclusion du message est fausse déterminera un indice atténuateur. Il ressort que l'effet persuasif à retardement est observé lorsque: a) l'indice atténuateur *(discounting cue)* de la portée persuasive du message (telle une faible crédibilité) est suffisamment robuste pour éliminer l'impact immédiat du message; b) les arguments du message sont suffisamment convaincants de sorte qu'ils peuvent persuader le sujet en l'absence de l'indice atténuateur; c) l'intervalle temporel est suffisamment long (des semaines) pour permettre à l'indice atténuateur de se dissocier du message; et d) l'indice atténuateur est, de préférence, consécutif au message.

Voici la description de l'expérimentation typique qui assure l'obtention de l'effet d'assoupissement (p. ex. Gruder *et al.*, 1978). Les sujets sont d'abord invités à lire, à deux reprises, un message d'environ 1 000 mots visant à les convaincre par rapport à un objet d'attitude (comme rejeter la semaine de travail de quatre jours). Le premier groupe ne lit que le message persuasif tandis que le second groupe, qui a lu également le message, prend connaissance de l'indice atténuateur (condition: indice atténuateur-après message): par exemple, ce groupe est informé que le message est erroné. Pour la troisième condition expérimentale, les sujets prennent connaissance de l'indice atténuateur avant de lire le message (condition: indice atténuateur-avant message). Dans la condition témoin, les sujets n'ont pas à lire le message. Quelques semaines plus tard, on demande aux sujets d'apprécier leur attitude. Les résultats suivants sont obtenus: au terme d'une période d'environ cinq semaines, seule la condition de l'indice atténuateur consécutif au message révèle un accroissement de la persuasion.

Comment expliquer l'effet empiriquement démontré de messages présumés inertes qui, avec le temps, deviennent opérants? De plus, cet effet est-il en contradiction avec les courbes d'oubli? Selon l'explication de la théorie de l'apprentissage du message (p. ex. Hovland *et al.*, 1949), le message et l'indice atténuateur se dissocient avec le passage du temps. En d'autres mots, le sujet peut se rappeler plus facilement les arguments du message que les raisons du rejet initial du message. Ainsi le changement d'attitude à retardement résulterait non pas d'un accroissement de l'efficacité des arguments du message, mais de l'élimination de l'effet contrariant de l'indice atténuateur post-message.

Cependant, une explication selon la disparition différentielle des effets *(differential decay interpretation)*, telle que l'ont proposée Pratkanis *et al.* (1988), semble plus proche des faits. Selon ce point de vue, l'information attitudinale et l'information cognitive sont codées, en mémoire à long terme, dans des systèmes indépendants. En d'autres mots, le sujet disposerait de deux mémoires: une mémoire des arguments du message et une mémoire relative

→

ENCADRÉ 6.2 (suite)

à l'indice atténuateur. Ainsi l'effet d'assoupissement résulterait de la disparition plus rapide des indices atténuateurs de sorte qu'avec le temps l'effet résiduel du message non complètement oublié exercerait une action persuasive. Par conséquent, les deux types d'information se conformeraient à la loi de l'oubli, mais il s'agirait de deux courbes différentes, celle de l'information cognitive associée au message s'estompant plus lentement.

Pour conclure, il est bon de rappeler que des formats d'annonces publicitaires favorisent l'effet d'assoupissement. Par exemple, certains magazines présentent parfois leurs annonces à la façon d'un long document d'information factuelle. Le lecteur qui s'est studieusement engagé dans la lecture du texte découvre, à la toute fin et à sa grande stupéfaction, qu'il s'agit d'un message faisant la promotion d'un article de consommation. Qu'importe la réaction négative du lecteur bien intentionné qui se voit ainsi dupé, l'information cognitive est maintenant codée. Au détour, lorsque les raisons de rejeter cette information auront été oubliées, l'information résiduelle pourra sourdre, avec l'allure d'une irrépressible information spontanée.

prédominante des derniers arguments de la série)? Oskamp (1991) a recensé près d'une centaine de ces variables (voir l'encadré 6.2).

Dès les années 1950, le béhaviorisme éclectique du groupe de Yale a permis de postuler des variables cognitives typiques du traitement de l'information. Ainsi la persuasion était censée suivre une série d'étapes. D'abord, il y a l'attention prêtée au message, puis la compréhension de la position attitudinale recommandée et des arguments qui l'étaient, et, finalement, l'approbation du contenu du message. Récemment, McGuire (1985) a proposé un modèle séquentiel plus détaillé du traitement de l'information qui contient 12 étapes (voir le tableau 6.4).

Les sept premières étapes conduisent au changement d'attitude. Grâce aux mesures élaborées par la psychologie cognitive, chacune des étapes peut être considérée comme une variable dépendante mesurable avec précision. Prenons à titre d'exemple la compréhension, un processus qui implique un encodage de l'information en mémoire après interprétation du contenu: on peut l'évaluer à l'aide de tests de reconnaissance du contenu du message ou, mieux, par l'analyse de l'enregistrement d'ondes cérébrales à l'électroencéphalogramme (p. ex. Cacioppo *et al.*, 1989; Rothschild & Hyun, 1990). Pour parvenir à l'étape de la compréhension, le passage de trois étapes intermédiaires est requis: l'exposition, l'attention et l'intérêt. Bien qu'un Nord-Américain soit exposé à quelque 1 000 à 1 500 messages quotidiennement, il prête attention (durée du contact) à peu

TABLEAU 6.4 **Modèle séquentiel des variables intermédiaires et dépendantes comprises dans un processus de persuasion**

Attention	Mémoire à court terme	Mémoire à long terme	Conduite
1. Exposition 2. Attention	3. Réaction affective d'intérêt 4. Compréhension 5. Mise en relation avec cognitions connexes 6. (Acquisitions des procédés de changement) 7. • Acceptation de la position du message • CHANGEMENT D'ATTITUDE	8. Rétention 9. Recouvrement	10. Prise de décision 11. Action 12. Consolidation

Adapté de McGuire (1985).

d'entre eux et seuls certains messages suscitent spontanément son intérêt (dilatation pupillaire). Eagly et Chaiken (1984) citent des recherches concluant que seulement 30 à 40 % de l'information des messages est comprise. Même les bulletins télévisés de nouvelles sont si peu compris qu'il faudrait les considérer comme des communications divertissantes plutôt qu'informatives (Oskamp, 1991). La cinquière étape (voir le tableau 6.4) consiste en l'insertion des éléments de connaissance de la quatrième étape dans le réseau des cognitions sémantiquement proches. La sixième étape (pertinente selon les circonstances) renvoie aux situations où le message présente de l'information sur les modalités de passage à l'acte. Par exemple, il est préférable d'accompagner les messages couplés à une forte peur avec une recommandation suggérant une façon de se soustraire à l'émotion désagréable (Leventhal, 1970). Bref, le modèle postule que, avant d'atteindre le changement d'attitude, au moins six moments psychologiques seront traversés.

De plus, ces moments dépendent de ceux qui les précèdent, ce qui s'évalue à l'aide de la loi des probabilités composées. Si l'on ne tient compte que des étapes saillantes du traitement de l'information (étape n° 1: exposition; étape n° 2: attention; étape n° 4: compréhension) et qu'on assigne à chaque étape une probabilité arbitraire de 0,80, il en résultera une probabilité maximale de 0,51 d'obtenir un changement d'attitude (0,80 x 0,80 x 0,80 = 0,51). Environ la moitié d'un auditoire de un million de personnes est susceptible d'accepter la position attitudinale du message. Comme la visée du changement d'attitude est le passage à l'acte, McGuire a aussi désigné les étapes médiatrices indiquées dans les troisième et quatrième colonnes du tableau 6.4. Enfin, signalons l'exigeant postulat unidirectionnel compris dans le modèle de McGuire: les croyances, le changement d'attitude, puis le comportement. Mais dans le paradigme de la soumission induite étudié par la théorie de la dissonance, la séquence n'était-elle pas inversée ?

L'approche de la réponse cognitive

Selon l'approche de la réponse cognitive, le sujet en présence d'une communication traite l'information de façon active. L'impact persuasif d'un message dépend principalement des pensées ou cognitions (« réponses cognitives ») que le sujet génère spontanément au fur et à mesure qu'il est exposé à l'information : il ne s'agit donc plus de simple répétition de contenu. Il conviendrait alors d'ajouter une étape au modèle de McGuire (1985), celle de l'élaboration cognitive. Si la communication suscite des pensées favorables (arguments pour), il y a hausse de la persuasion ; si la communication engendre des pensées non favorables (arguments contre), il y a inhibition de la persuasion. De plus, la quantité de temps allouée au message influe sur l'intensité du changement d'attitude. En présence d'un message qui suscite des arguments pour, une durée plus grande du traitement de l'information produit plus de réponses cognitives et donc accroît la persuasion. En situation d'arguments contre, la durée du traitement entraîne une baisse de la persuasion. Selon Petty et Cacioppo (1981), il s'agit d'une approche d'autopersuasion.

Pour analyser les pensées d'argumentation pour et contre, les chercheurs recourent à la technique de la pensée à voix haute *(thought-listing technique)*. Durant une période particulière de temps, les sujets doivent exprimer, sous forme de courts énoncés, les pensées que suscite le stimulus persuasif. Ces énoncés sont ultérieurement classés par des juges dans l'une des catégories suivantes : énoncés favorables, défavorables ou neutres par rapport à la position attitudinale du message. Cette approche s'est révélée très pertinente pour éclairer deux paradigmes de la psychologie de la persuasion : l'effet de distraction et la résistance à la persuasion.

L'effet de distraction

Tout ce qui détourne l'attention de l'analyse stricte des arguments du message est considéré comme distrayant : la musique d'ambiance, les interpellateurs qui clament vivement leur approbation ou leur désapprobation à l'égard d'un député au cours d'un discours public, les scènes idylliques en arrière d'un ministre qui s'adresse à la caméra, les messages à connotation sexuelle et même les séduisants annonceurs de bulletins de nouvelles. L'impact de la distraction sur la persuasion est subtil. Si une personne se montre attentive, elle peut contre-argumenter et résister à l'induction persuasive ; par contre, si elle est distraite, elle ne contre-argumentera pas et ne recevra pas le message, d'où une absence de persuasion. Par conséquent, le changement d'attitude est facilité lorsque la distraction est tout juste suffisante pour inhiber l'argumentation contre mais également insuffisante pour empêcher la compréhension.

Une expérience classique de Petty, Wells et Brock (1976) illustre le rôle de la réponse cognitive en fonction de la qualité attitudinale du message. Des étudiants devaient porter attention à un message transmis par des écouteurs tout en surveillant dans lequel des quatre quadrants d'un écran un stimulus visuel était projeté (tâche inductrice de distraction). Dans la condition expérimentale de faible distraction, les images étaient présentées toutes les 15 secondes alors que dans la condition de distraction élevée ces images paraissaient toutes les 5 secondes. On avait préalablement évalué que ces vitesses de présentation n'interféraient pas avec la réception des messages bien que la capacité d'élaboration cognitive fût sûrement plus diminuée dans la condition de distraction élevée. Les résultats indiquèrent qu'en situation de forte distraction les sujets furent moins persuadés par le message aux arguments convaincants mais plus persuadés par le message aux arguments faibles. En d'autres mots, dans la condition de faible distraction, les sujets étaient plus persuadés par le message convaincant et moins persuadés par le message faible. Dans cette dernière condition, les sujets eurent l'occasion de contre-argumenter davantage. Ironiquement, la distraction peut permettre un changement d'attitude favorable à un message contre-attitudinal qui serait rejeté si le sujet n'avait pas été distrait.

La résistance à la persuasion

L'avertissement de persuasion. Votre professeur vous informe qu'une sommité en matière judiciaire va venir vous rencontrer pour vous convaincre des avantages de la peine de mort. Qu'arrivera-t-il avec vos réponses cognitives ? Si ce thème vous préoccupe peu, vous ferez preuve d'une faible élaboration cognitive et vous demeurerez modéré dans votre attitude. En revanche, si le respect de la vie représente une valeur importante, vous renforcerez votre attitude dans la direction de votre position initiale. Comme avec « le fait d'y penser », vous sélectionnerez vos arguments pour et vous astiquerez vos arguments contre, vous procéderez à une répétition mentale pour tester leur efficacité : il s'agit d'un changement d'attitude anticipatoire. Ne dit-on pas « Une personne avertie en vaut deux » ? Les publicitaires tentent par divers stratagèmes de contourner cette anticipation de persuasion en recourant à des attaques sournoises : ainsi les meilleures annonces sont souvent celles dont la portée publicitaire n'est découverte qu'à la toute dernière minute du message.

L'inoculation psychosociale. McGuire (1964) a démontré que les gens peuvent être incités à résister à des influences persuasives au moyen d'une inoculation argumentative de type réfutationnel. L'inoculation médicale, à l'aide de vaccins, introduit dans l'organisme des variétés microbiennes faibles dans l'espoir de lui conférer une immunité future en provoquant la formation d'anticorps. De même, l'**inoculation psychosociale** constitue une menace argumentative faible à l'encontre des attitudes et des croyances initiales de l'individu dans le but de créer un potentiel de résistance à d'éventuelles attaques plus vigoureuses. McGuire a comparé deux méthodes d'induction de la résistance: la méthode d'imperméabilisation par renforcement et la méthode d'inoculation par réfutation argumentative. On utilise l'imperméabilisation par renforcement lorsqu'on conforte quelqu'un dans ses opinions (procédé analogue à la prise de vitamines). Par exemple, c'est dire à un enfant: «C'est bien, les bons enfants sont polis avec les visiteurs.» Quant à l'inoculation par réfutation, elle consiste d'abord à exposer les sujets à des arguments faibles invalidant leur position attitudinale (c.-à-d. le vaccin) envers l'objet d'attitude, puis à réfuter ces arguments d'invalidation à l'aide d'arguments contre. L'approche de la réponse cognitive prédit que la condition de réfutation incite le sujet à s'engager dans sa défense argumentative et à se préparer à contre-argumenter. Pour les sujets confrontés à des attaques ultérieures, l'immunisation par réfutation se révéla plus efficace pour résister à des tentatives de persuasion que l'approche par renforcement. Flay *et al.* (1985) ont intégré la méthode de l'immunisation par réfutation dans un programme d'acquisition d'attitudes antitabagiques. L'ajout de ce procédé à d'autres techniques de prévention s'est avéré une contribution appréciable. Bref, le médiateur de l'autopersuasion mis en lumière par l'approche de la réponse cognitive explique donc autant l'effet de changement d'attitude que la résistance à la persuasion.

Le modèle de la vraisemblance d'élaboration cognitive

Petty et Cacioppo (1986) ont proposé un cadre théorique inclusif permettant de comprendre que le changement et la formation d'attitude peuvent, à certaines occasions, s'effectuer de façon réfléchie après considération des arguments pertinents ou que, en d'autres circonstances, ils sont le résultat d'un conditionnement, d'une simple inférence ou d'une association avec des indices externes positifs ou négatifs connexes au message. À la base du modèle de la vraisemblance d'élaboration cognitive proposé par Petty et Cacioppo, on retrouve un postulat de différences individuelles dans la probabilité d'engagement des sujets à traiter attentivement l'information contenue dans les messages persuasifs. Il s'agit d'un continuum dont l'une des extrémités recouvre les situations de faible vraisemblance d'élaboration et l'autre, les cas de forte élaboration. De plus, selon le modèle, la persuasion peut s'observer sur tout point du continuum, sauf que les processus de persuasion seront différents selon le degré d'élaboration cognitive. Au pôle de faible élaboration correspond la route périphérique de la persuasion tandis qu'au pôle de forte élaboration cognitive se trouve la route centrale. Il faut donc prendre garde de ne pas conclure à une persuasion nulle dans les cas de faible engagement cognitif: en effet, dans ce dernier cas, le changement d'attitude est tout aussi probable qu'en situation de forte vraisemblance d'élaboration, mais il se produira par le biais de processus différents (voir aussi Chaiken, 1987, pour un modèle similaire).

La route centrale (ou traitement systématique) implique une prise en considération minutieuse et rationnelle de l'information pertinente: c'est avec une attention contrôlée (Sherman, 1987) que le sujet analyse le contenu du message, le compare à ses connaissances, à ses croyances et à ses attitudes préalables. Comme pour l'approche de la réponse cognitive, le receveur du message élabore les arguments pour et contre pour en arriver à une position attitudinale dérivée de ses pensées. Pour ce faire, des facteurs facilitants d'ordre motivationnel (besoin de connaître, engagement du moi...) ou relatifs aux habiletés (intelligence, absence de distraction, répétition des arguments, multiplicité des sources et des arguments...) constituent des préalables. C'est ici qu'on retrouve les théories cognitives du changement d'attitude (comme la dissonance cognitive) (voir le tableau 6.5).

De son côté, la route périphérique (ou traitement heuristique) recouvre les processus non cognitifs de formation et de changement d'attitude, comme la simple exposition, le conditionnement (en passant sous silence les réinterprétations cognitives récentes de ces théories) ainsi que les règles simples de décision que représentent les heuristiques. Ces heuristiques, apprises et disponibles en mémoire, peuvent être évoquées par des indices inclus dans le message ou préactivées *(primed)* par des tâches préalables (Sherman, 1987).

TABLEAU 6.5 **Répartition des variables et des théories reliées au changement d'attitude en fonction du continuum périphérique-central du modèle de la vraisemblance d'élaboration cognitive**

Faible ◄ Vraisemblance d'élaboration ► Forte	
Persuasion par la route	
Périphérique	Centrale
Variables typiques	
Crédibilité, attirance, similarité du communicateur avec le récepteur Émotions (positive-négative) associées au message Quantité élevée de détails Attaque sournoise Réactions de l'auditoire (applaudissements...) Effet de l'interpellateur	Communicateurs multiples - arguments multiples Qualité des arguments Répétition des arguments Degré de difficulté du message
Théories typiques du changement d'attitude	
Conditionnement classique et instrumental Perception de soi Simple exposition Traitement de l'information par heuristiques	Apprentissage du message Dissonance cognitive Jugement social (latitude d'acceptation-rejet) Réponse cognitive Composante croyance-évaluation du modèle de l'action raisonnée

Si un communicateur est attirant (« Les gens qui m'attirent ont de bonnes idées. ») ou s'il possède une forte crédibilité (« Les experts n'ont jamais tort. »), s'il parle rapidement, s'il paraît argumenter contre son propre intérêt, il devient difficile de ne pas souscrire à la visée de son message. De même, le simple fait qu'un message comporte de nombreux arguments implique l'idée selon laquelle les messages longs sont sans doute meilleurs que les messages courts. Plus subtile est la réaction à la présentation d'une communication bilatérale (soit l'exposé des deux côtés de la médaille) plutôt qu'unilatérale : elle donne l'impression d'un émetteur plus honnête et donc d'un message non biaisé (p. ex. Kamins & Assael, 1987; Sorrentino *et al.*, 1988). Axsom, Yates et Chaiken (1987) ont montré que la réponse de l'auditoire peut être utilisée dans un but persuasif. C'est comme si l'observation d'une réaction enthousiaste de la part de spectateurs suscitait chez les receveurs la pensée suivante : « Si ces gens pensent que c'est bon, cela doit bien l'être. » Axsom *et al.* ont démontré des effets persuasifs similaires (mais inverses) avec des auditoires où quelques interpellateurs chahutaient et apostrophaient le communicateur. Bref, il est souhaitable que le lecteur s'exerce à déceler par lui-même les nombreuses heuristiques sous-jacentes au millier de messages persuasifs qui assaillent chacun de nous.

Cacioppo et Petty (1982) ont aussi mis en relief un trait de personnalité qui prédispose au traitement intrinsèque du message. Mesuré à l'aide de l'échelle du besoin de cognition (voir le tableau 6.6), ce trait renvoie à la tendance à s'engager dans des activités cognitives qui exigent un effort et à en retirer du plaisir. Le lecteur est invité à évaluer l'intensité de son **besoin de cognition** à l'aide du tableau 6.6. Il est à noter que ce trait est faiblement corrélé avec l'intelligence générale. Les personnes qui possèdent un fort besoin de cognition produisent plus de réponses cognitives en présence de messages persuasifs, que les arguments soient pour ou contre. De plus, elles préfèrent l'information extraite des journaux et des magazines plutôt que celle des médias électroniques. Par contre,

TABLEAU 6.6 **Énoncés extraits de l'échelle du besoin de cognition**

	Énoncés
1	Je prends vraiment plaisir à exécuter une tâche qui demande de nouvelles solutions à un problème.
2	Je préfère une tâche intellectuelle difficile et importante à une autre aussi importante mais qui requiert moins de réflexion.
3	Je ne réfléchis que dans la mesure où je dois le faire*.
4	Je préfère réfléchir à de petites tâches quotidiennes plutôt qu'à de grands projets à long terme*.
5	Je trouve peu de satisfaction à délibérer intensément et pendant de longues heures*.
*Inverser le score.	

Adapté de Cacioppo et Petty (1982).

dans le cas d'un faible besoin de cognition, les messages sont préférablement traités de façon heuristique. Selon Cacioppo, Petty, Kao et Rodriguez (1986), l'attitude de ces derniers sujets, comparativement à celle de sujets au fort besoin de cognition, se révèle moins persistante et aussi moins corrélée avec l'intention d'agir, et, par conséquent, moins prédictive du comportement futur.

Avant de conclure, il est utile de préciser que le changement d'attitude résulte souvent d'un compromis entre les indices périphériques et l'élaboration cognitive. En effet, rares sont les cas où la persuasion n'emprunte qu'une des routes extrêmes du continuum de la vraisemblance d'élaboration cognitive. Par exemple, vu le coût croissant des annonces publicitaires, les concepteurs s'efforcent de raccourcir la durée des messages. Moore, Hausknecht et Thamodaran (1986) ont montré que la réduction temporelle du message augmente l'impact persuasif d'indices contextuels, telle l'attirance du communicateur, et réduit l'attention portée aux arguments du message. Donc, ce qui est visé, c'est une sorte d'effet optimal qui se situe à un point idéal du continuum de la vraisemblance d'élaboration. Également, il est à propos de mentionner que l'élaboration cognitive n'a pas trait uniquement à un traitement objectif et rationnel de l'information. Certes, il s'agira souvent d'une analyse des arguments pour déterminer leur degré de vérité. En d'autres occasions, il sera plutôt question d'élaboration cognitive biaisée, guidée par une pensée désireuse de confirmer des idées préfabriquées et des préjugés au lieu de se soumettre à une analyse impartiale des faits. Enfin, il faut souligner que la tentation est grande de sous-estimer l'efficacité de la persuasion par la route périphérique. Bien sûr, le changement d'attitude qui en découle est moins persistant et plus susceptible d'être modifié à la suite d'autres influences. Mais cet « apprentissage non impliqué » ou cet « apprentissage sans l'implication véritable du soi » *(uninvolved learning)*, qui résulte d'un traitement non systématique de l'information (Krugman, 1965), conduit souvent à un changement de comportement ponctuel. Or, comme le suggère la théorie de la dissonance cognitive, dès lors qu'un comportement est affirmé publiquement la probabilité de s'engager dans un processus d'autopersuasion est élevée, surtout s'il s'agit d'un comportement dissonant.

LES ATTITUDES PRÉDISENT-ELLES LE COMPORTEMENT?

Comme il a été mentionné dans l'introduction, avec la présentation de la définition de l'attitude selon Allport (1935), la relation attitude-comportement est partie intégrante de la définition de l'attitude, notamment dans la composante conative. De plus, le postulat de la consistance attitude-comportement est sous-jacent aux théories du changement d'attitude. Pourquoi s'efforcer de changer des attitudes si l'on ne vise pas une modification ultérieure de la conduite? Mais, curieusement, il y a quelques décennies, cette pétition de principe fut sérieusement mise en question, au point de s'interroger sur l'utilité du concept d'attitude (p. ex. Abelson, 1972).

Le dilemme de la consistance attitude-comportement

D'abord, une recherche sur le terrain, devenue classique malgré un plan expérimental discutable, a suscité de vives réactions à l'endroit du postulat de la consistance attitude-comportement. LaPiere (1934) a analysé la relation entre le comportement de propriétaires d'hôtels et de restaurants et leur attitude envers les Chinois. À cette fin, l'auteur s'est rendu avec un couple chinois dans 200 restaurants et hôtels. À l'exception d'un seul endroit, les visiteurs furent accueillis avec courtoisie. Quelques mois plus tard, LaPiere fit parvenir une lettre à tous les établissements visités, leur demandant s'ils accepteraient deux Chinois comme clients. Plus de 90 % des réponses furent négatives.

Cette étude, toute critiquable qu'elle puisse être, fut confirmée par des recensements exhaustifs d'écrits concernant la consistance attitude-comportement (p. ex. Deutscher, 1966; Wicker, 1969). Leur conclusion: en moyenne, l'attitude n'expliquerait qu'environ 10 % de la variable comportementale. À la même période, Mischel (1968) rassembla aussi les recherches concernant la valeur du trait de personnalité comme facteur prédictif du comportement pour conclure à la fameuse corrélation de 0,30, c'est-à-dire que la corrélation moyenne était approximativement de 0,30 entre le trait et la conduite.

Pourtant, sur le plan empirique, on retrouve des indices robustes de la validité prédictive de l'attitude au regard du comportement. Par exemple, Rajecki (1990) rapporte une analyse des sondages effectués par la firme Gallup de 1936 à 1984 relativement aux élections présidentielles américaines, soit 25 élections. L'écart moyen en pourcentage entre les résultats des sondages précédant immédiatement l'élection et les résultats lors des élections est de 2,1 points; cet écart pour les cinq élections les plus récentes se rétrécit et atteint une marge de 1,2 point.

Les conditions méthodologiques de prédiction attitude-comportement

Un premier effort pour réévaluer la consistance de l'attitude avec la conduite porta sur les aspects méthodologiques des recherches. Nous présenterons trois clarifications qui en constituent l'aboutissement: le principe d'agrégation des conduites, le principe de correspondance et le principe du comportement prototypique.

Le principe d'agrégation des conduites. Dans la section sur la mesure des attitudes, nous avons étudié quelques-unes de ces techniques. Construites selon des méthodes éprouvées, ces échelles contiennent plusieurs énoncés qui sont corrélés entre eux de manière à former une échelle de mesure stable (fidèle) et unidimensionnelle. Malheureusement, les chercheurs ne manifestèrent pas une préoccupation similaire à l'égard de la mesure du comportement. Par exemple, Bickman (1972) questionna des sujets sur leurs attitudes quant au ramassage de papiers traînant par terre; 94 % des participants déclarèrent avoir des attitudes positives à cet égard. Cependant, après l'entrevue, seuls 2 % d'entre eux firent l'effort de ramasser un papier déposé bien à la vue par le chercheur. De tels résultats permettent-ils de conclure à l'absence de relation attitude-comportement?

Certes non, répondent Fishbein et Ajzen (1974). En effet, ces chercheurs postulent que certains comportements ne devraient pas être considérés comme des actions uniques *(single acts)* mais comme des classes de comportements. Ainsi l'attitude raciste est verbalement mesurée à l'aide de nombreux items couvrant plusieurs facettes du racisme; de même, le comportement de discrimination raciale comporte plusieurs aspects (discrimination dans la location de logements, refus de voter pour un candidat d'une autre ethnie...) (voir le chapitre 13 pour plus d'information sur la discrimination et les préjugés sociaux).

Afin de démontrer que la construction d'un **indice comportemental composite** *(multiple-act criteria)* peut accroître la corrélation attitude-comportement, Fishbein et Ajzen (1974) étudièrent la prédiction du comportement religieux à partir d'échelles classiques de mesure de l'attitude (celles de Thurstone, de Likert...). De façon générale, ces échelles définissent une attitude globale, un sentiment général. Après que des sujets eurent répondu à des échelles d'attitude à l'égard de la religion, on leur demanda d'indiquer la fréquence de 100 conduites religieuses (par exemple faire une prière avant ou après le repas). La corrélation moyenne entre les points obtenus à chaque échelle d'attitude et chacune des 100 conduites est de 0,15 alors que la corrélation s'élève à 0,71 si un indice comportemental composite est créé à partir des 100 actions. Plusieurs recherches subséquentes ont confirmé l'intérêt du principe d'agrégation des actions en un indice composite (p. ex. Weigel & Newman, 1976).

Le principe de correspondance. Rappelons que, selon Pratkanis (1989), il est possible d'identifier un schème attitudinal à la base de l'attitude (voir la section sur les caractéristiques de l'attitude). Les divers éléments d'information constitutifs de ce schème peuvent être considérés comme des composantes situées de part et d'autre d'un continuum allant du particulier au général ou à l'abstrait. Ainsi les sentiments mesurés par les échelles classiques d'attitude, qui sont souvent très générales, exigent une mesure générale qu'un indice comportemental composite tente de refléter avec le plus d'exactitude possible. Il s'agit d'une correspondance attitude générale-comportement général. Selon Ajzen et Fishbein (1977), l'extension de ce cas constitue le principe de correspondance: les composantes prédictives du comportement (attitude ou croyance, ou intention...) et le comportement prédit devraient être mesurés à des niveaux correspondants de spécificité. L'application de ce principe requiert de préciser les niveaux de correspondance attitude-comportement à l'aide de quatre marqueurs: une action (fumer), une cible (fumer la cigarette), une situation (dans les établissements publics) et le temps (au cours des deux prochains mois). À cette fin, Ajzen et Fishbein (1977) ont recensé 109 études qui rapportèrent les analyses de 142 relations attitude-comportement. Les résultats confirmèrent les avantages de l'application du principe de correspondance: les corrélations importantes attitude-comportement se retrouvaient parmi les recherches en accord avec le principe de correspondance. Cette conclusion fut aussi corroborée par d'autres recherches (voir le recensement d'écrits d'Ajzen, 1988). En conséquence, plus les quatre marqueurs de la mesure de l'attitude sont semblables aux marqueurs du comportement, plus la relation attitude-comportement sera solide.

Le principe du comportement prototypique. Certains objets déclenchent plus facilement que d'autres une réaction attitudinale. Cette situation s'observe particulièrement lorsque nous sommes en présence d'objets représentatifs d'une classe d'objets. Par exemple, une attitude à l'égard d'une minorité ethnique est susceptible d'une activation rapide et automatique lorsque nous interagirons avec un membre qui nous apparaît comme un représentant type de cette minorité. Lord, Lepper et Mackie (1984) ont montré que les attitudes d'étudiants envers des personnes décrites comme des homosexuelles ne prédisaient leur comportement vis-à-vis des homosexuels que si les homosexuels cadraient avec le prototype que l'étudiant possédait de l'homosexuel typique. Dans la mesure où un individu homosexuel différait du prototype, la relation attitude-comportement n'était plus consistante. Par conséquent, lorsqu'il s'agit d'un objet d'attitude portant sur des groupes, il peut être avantageux d'analyser, au préalable, la représentation que l'échantillon cible s'en fait. Dans l'étude de LaPiere (1934), il y a fort à parier qu'il existait un écart appréciable entre la représentation du Chinois type imaginé par les hôteliers lors de la réception de la lettre et l'image du couple affable qui se présenta sur les lieux.

Les modèles théoriques de prédiction du comportement

Afin de dénouer l'épineux dilemme de la consistance, des chercheurs explorèrent l'« approche des autres variables » (p. ex. Wicker, 1971). En effet, malgré les améliorations d'ordre méthodologique, il est plausible que des facteurs puissent contrecarrer le passage à l'acte impliqué par une attitude. Par exemple, une mère peut se déclarer favorable à l'allaitement de son nourrisson mais en être empêchée pour des raisons de santé. De même, le résidant d'un village perdu peut acheter quotidiennement un journal qu'il abhorre à cause de l'absence d'autres quotidiens dans sa localité. Les pressions sociales peuvent inciter à des conduites en discordance avec les attitudes: on peut adorer une activité de loisir mais la taire parce que son patron la réprouve. Une attitude vis-à-vis d'une minorité ethnique, mesurée à l'aide du pipeline bidon, sera peu annonciatrice de discrimination dans une discussion de groupe. Parfois, il s'agit d'attitudes en concurrence: la santé constitue une valeur prioritaire, mais l'exercice physique paraît pénible.

Deux approches théoriques ont systématiquement analysé l'influence des facteurs autres que l'attitude sur la prédiction du comportement. La première de ces approches traite les autres facteurs comme des variables modératrices; la deuxième approche porte sur des modèles intégrés de l'attitude avec d'autres facteurs. La théorie de l'action raisonnée (Fishbein & Ajzen, 1975) a été l'un des premiers modèles à proposer une intégration de facteurs additionnels à l'attitude en vue de prédire le comportement. Dans la même veine, nous examinerons brièvement la contribution d'Ajzen (1985, 1987).

L'approche des variables modératrices. Selon Baron et Kenny (1986), une variable modératrice représente une variable qui influe sur la direction ou sur l'intensité de la relation entre une variable prédictive ou indépendante et une variable critère ou dépendante; il s'agit d'une troisième variable agissant sur la corrélation simple entre deux autres variables. Or, dans la prédiction du comportement, il a été démontré que des traits de personnalité prédisposent certains individus à manifester une relation consistante entre l'attitude et le comportement, et d'autres individus à présenter une relation instable entre ces mêmes éléments, et ce peu importe le domaine comportemental étudié. À cet égard, nous avons déjà évoqué le besoin de cognition. Nous examinerons deux autres traits généraux de personnalité: la conscience de soi, dans ses dimensions du soi privé et du soi public (Fenigstein, Scheier & Buss, 1975), et le monitorage de soi (Snyder, 1974; voir le chapitre 3).

Rappelons que la conscience de soi est une caractéristique dispositionnelle à prêter attention au soi dans diverses situations (Fenigstein *et al.*, 1975), d'où des variations chroniques des individus dans leurs styles d'attention vis-à-vis du soi. Elle assure le processus de régulation du comportement dans la mesure où l'individu centre son attention sur certains aspects saillants du soi. Les dimensions privée et publique de la conscience de soi permettent différentes prédictions de consistance entre les attitudes et le comportement. De façon plus particulière, la conscience du soi privée renvoie aux cognitions, attitudes et besoins intérieurs; les sujets dont le degré de conscience du soi privée est élevé révèlent une attention plus intense vis-à-vis de leurs prédispositions à l'action. Empiriquement, ils présentent une plus grande consistance dans les attitudes selon divers contextes et une plus grande correspondance entre les attitudes et les comportements (Carver & Scheier, 1981). La conscience du soi publique a trait au soi socialement visible, à la présentation sociale du soi. Les sujets possédant une cote élevée à l'égard du soi public se perçoivent selon la perspective des autres. Comme ils sont donc plus sociables, plus fréquemment en interaction avec les autres et plus exposés aux jugements d'autrui, il en résulte une tendance manifeste à la conformité aux normes et standards contextuels (Tunnel, 1984). Précisément, les sujets dont le score pour le soi public est élevé se révèlent plus susceptibles de modifier leur comportement pour le rendre conforme aux normes et opinions des autres, d'où une faible relation attitude-comportement (Carver & Scheier, 1981).

Quant au monitorage de soi, il consiste en une capacité d'auto-observation et d'autocontrôle des comportements verbaux et non verbaux en fonction des indices situationnels (Snyder, 1974). Puisque les sujets à monitorage de soi élevé sont pragmatiques, allant d'une situation à l'autre à la manière d'un caméléon, et que les individus à faible monitorage de soi guident leur comportement à partir de leurs valeurs, leurs attitudes et leurs convictions personnelles, il en résulte que la consistance attitude-comportement se trouve davantage présente chez les sujets à faible monitorage de soi (p. ex. Snyder & Kendzierski, 1982; Snyder & Swann, 1976).

Cependant, cet effet modérateur du monitorage de soi, malgré sa constance, s'avère d'une intensité modérée (p. ex. Kline, 1987; O'Keefe, 1990). Pour en accroître l'efficacité, Zanna, Olson et Fazio (1980) ont étudié le monitorage en conjonction avec la variabilité comportementale. La variabilité représente une propriété décrivant la flexibilité du comportement passé (variabilité forte) ou sa stabilité (variabilité faible) vis-à-vis d'un objet d'attitude. Ils observèrent que le monitorage et la variabilité constituaient des propriétés indépendantes : les individus à monitorage faible ne révèlent pas nécessairement moins de variabilité dans leurs conduites que les sujets à monitorage élevé. Toutefois, les résultats indiquèrent une forte consistance attitude-comportement chez les sujets qui étaient en même temps de faible variabilité comportementale et de monitorage peu élevé.

Deux observations sont de mise en guise de conclusion pour cette brève incursion dans les variables modératrices. D'abord, comme le signale Ajzen (1988), sur le plan empirique, cette piste ne s'est pas révélée très fructueuse ; de façon générale, les relations obtenues sont plutôt ténues. En revanche, sur le plan de la compréhension théorique, cette recherche a fait ressortir le rôle central de la propriété d'accessibilité à l'attitude dans la prédiction de la conduite (Fazio, 1989). L'approche des variables modératrices visait à spécifier les facteurs (c.-à-d. les autres variables) qui augmentent l'influence prédictive de l'attitude. Or, les variables modératrices qui contribuent à la consistance attitude-comportement, à l'instar d'autres facteurs déjà mentionnés au cours de ce chapitre, favorisent également l'accessibilité à l'attitude. À cet effet, comme le suggère Oskamp (1991), il est bon de rappeler quelques résultats. Ainsi une consistance attitude-comportement est plus probable lorsque les conditions suivantes assurent une plus grande accessibilité à l'attitude : a) l'objet d'attitude évoque des valeurs centrales ; b) l'expérience avec l'objet a été directe plutôt que vicariante ; c) l'objet d'attitude s'apparente au prototype plutôt qu'aux membres peu caractéristiques d'un groupe ; d) les participants détiennent un degré élevé de la conscience du soi privée ; et e) les sujets manifestent un monitorage de soi peu prononcé. Comme on peut s'en rendre compte, ces observations partagent un commun dénominateur : plus une attitude est accessible, plus elle est prédictive de la conduite.

La théorie de l'action raisonnée. Dans la section sur la formation des attitudes, nous avons déjà abordé l'approche de Fishbein (1967) à partir du modèle de la composante croyance-évaluation de l'attitude. Plus tard, Fishbein et Ajzen (1975; Ajzen & Fishbein, 1980) ont intégré cette composante dans un modèle élargi de prédiction du comportement : il s'agit de la théorie de l'action raisonnée. Cette théorie est aussi fondée sur le postulat selon lequel l'attitude dérive des croyances (c.-à-d. raisons) et de l'information disponible, sans pour autant impliquer que les gens effectuent une analyse systématique et judicieuse de toute cette information. Selon Fishbein (1980), la majorité des conduites sociales qui intéressent les spécialistes des sciences sociales relèvent d'un contrôle volontaire. Toutefois, le modèle de l'action raisonnée vise quand même la prédiction et l'explication de la plupart des comportements sociaux à l'aide d'un nombre limité de construits théoriques insérés dans une « chaîne causale » (Ajzen, 1989) de relations logiques.

Le construit central de la théorie est l'**intention comportementale.** Se situant à un niveau intermédiaire d'abstraction entre les conduites observables et les concepts hypothétiques comme les attitudes et les normes, l'intention reflète les facteurs motivationnels qui mènent à l'action. Elle indique l'intensité de la volonté pour l'accomplissement des actions requises afin d'atteindre des buts précis. En conséquence, la théorie considère l'intention d'effectuer ou non un comportement comme le « déterminant immédiat » de ce comportement (Fishbein, 1980). L'intention comportementale constitue donc le seul construit de la théorie pour prédire l'action.

Deux construits clés agissent comme déterminants de l'intention : l'attitude vis-à-vis du comportement et la norme subjective. Conformément à l'un des trois modèles courants de la représentation de l'attitude, tel qu'il a été exposé plus haut (voir la figure 6.3b), l'attitude consiste en l'évaluation favorable ou défavorable d'un individu à l'égard d'un objet donné, excepté que, chez Ajzen et Fishbein (1980), l'objet particulier d'attitude est l'accomplissement ou non d'un comportement. Ainsi l'attitude ne représente un élément annonciateur d'un comportement que dans la mesure où elle influe sur l'intention de façon indirecte. Le second déterminant de l'intention évoque une causalité plus sociale que celle de l'attitude. En effet, la norme subjective reflète la perception de l'individu relativement aux pressions sociales saillantes ressenties (comme les parents, amis, partenaire) quant à l'exécution d'un comportement.

À leur tour, l'attitude et les normes sont constituées de deux ensembles de croyances qui se mesurent séparément. Ainsi l'attitude est conceptualisée selon le modèle générique de la valeur de l'attente *(expectancy-value models)*. À cet égard, l'attitude quant à l'accomplissement d'une action est fonction des attentes ou croyances relatives aux résultats prévus de l'exécution du comportement ainsi que de la valeur accordée à ces conséquences. L'individu qui a la possibilité d'accomplir une action possède plusieurs croyances sur les conséquences que peut entraîner l'exécution de cette action. Ces croyances sont autant d'hypothèses sur la probabilité que telle conséquence soit associée à l'action donnée. De plus, l'individu évalue qualitativement chacune de ces croyances en lui attribuant une valeur subjective, ce qui constitue l'évaluation. C'est la somme de toutes ces croyances, multipliées par leurs évaluations respectives, qui constitue l'attitude à l'égard de l'accomplissement d'une action donnée. Fishbein (1980) représente la relation multiplicative entre croyances et valeurs par l'équation suivante :

$$A_{act} = \sum_{i=1}^{n} b_i \times e_i$$

où

Aact = attitude quant à l'accomplissement d'une action;

b_i = croyance que l'action va aboutir à la conséquence i;

e_i = évaluation favorable ou défavorable de la conséquence i;

n = nombre de croyances au sujet de l'action.

La norme subjective attachée à l'accomplissement de l'action cible est fonction: a) des croyances que possède l'individu selon lesquelles des personnes ou des groupes de personnes importants attendent un comportement donné de sa part; et b) de sa motivation à se soumettre à ces attentes. Selon Fishbein et Ajzen (1975), l'individu croit non seulement que certaines conséquences sont associées à l'accomplissement d'une action, mais également que certaines personnes ou groupes de personnes attendent de lui un comportement précis en relation avec cette action. Le poids de ces attentes, l'importance que leur accorde l'individu vont influer sur son intention d'accomplir ou non l'action donnée. C'est en mesurant sa motivation à se soumettre à ces attentes qu'on va pouvoir le mieux juger de cette influence. Ici encore, c'est la somme de toutes ces croyances normatives, multipliées par la motivation à se soumettre à chacune d'elles, qui constitue la norme subjective attachée à l'accomplissement d'une action précise. La relation multiplicative entre attentes et motivation à se soumettre est représentée par l'équation suivante:

$$SN = \sum_{i=1}^{n} NB_i \times Mc_i$$

où

SN = norme subjective;

NB_i = croyance du sujet selon laquelle la personne ou le groupe de référence i pense qu'il devrait ou ne devrait pas accomplir l'action donnée;

Mc_i = motivation du sujet à se soumettre aux attentes de la personne ou du groupe de référence i;

n = nombre de personnes ou de groupes de référence.

Finalement, la relation additive entre les deux composantes du modèle, c'est-à-dire l'attitude et la norme subjective, est représentée par l'équation suivante:

$$B \approx I = w_1 A_{act} + w_2 SN$$

où

B = comportement manifeste;

I = intention comportementale;

Aact = attitude quant à l'accomplissement d'une action;
SN = norme subjective;
$w_1 w_2$ = pondérations déterminées de façon empirique.

Pour Ajzen et Fishbein (1980), seules les composantes du modèle dites endogènes influent directement sur l'intention et, par le fait même, sur le comportement. Selon la théorie, l'intention comportementale est sous l'influence immédiate des composantes de l'attitude et de la norme subjective, qui, toutes deux, se trouvent sous l'influence des composantes qui les constituent, c'est-à-dire les croyances et l'évaluation des conséquences pour l'attitude, les croyances normatives et la motivation à se soumettre pour la norme subjective. Ainsi l'attitude doit être traduite en intention afin d'exercer une influence sur la conduite.

De façon générale, l'intention d'effectuer un comportement sera en relation directe avec la sommation des produits des croyances, multipliées par leur évaluation, ainsi qu'avec la sommation des produits des croyances normatives (NB), multipliées par la motivation à s'y conformer. Toutefois, la théorie postule que l'importance relative des deux facteurs dépend de la nature du comportement cible. Par conséquent, pour certaines intentions, la composante de l'attitude ou de la norme sera prédominante; dans d'autres situations, les deux composantes peuvent contribuer à la production de l'intention de façon égale. La valeur explicative de la théorie est augmentée par la possibilité d'assigner empiriquement des pondérations (coefficients de régression) aux deux déterminants de l'intention.

Certaines variables extérieures au modèle peuvent également influer sur l'intention d'agir mais de façon indirecte, par le biais des autres composantes du modèle. Ces variables agissent sur l'intention et sur le comportement par l'effet qu'elles exercent sur les croyances, sur l'évaluation des conséquences, sur les croyances normatives, sur la motivation à se soumettre et sur le poids relatif des composantes de l'attitude et de la norme subjective (w_1 et w_2). Cette aptitude des facteurs prédictifs endogènes du modèle à médiatiser les effets de variables externes constitue le postulat de suffisance. Parmi ces variables externes se retrouvent des traits de personnalité, des données sociodémographiques (sexe, âge, éducation...), le comportement antérieur ou l'habitude. La figure 6.8a illustre la configuration des composantes du modèle de l'action raisonnée.

Comme le démontre une récente méta-analyse portant sur 87 études (Sheppard, Hartwick & Warshaw, 1988), de nombreuses recherches empiriques ont confirmé la robustesse du modèle de Fishbein et Ajzen. En fait, plus il y a correspondance entre l'intention et le comportement pour ce qui est de l'action, de la cible, du contexte et du temps, plus la probabilité que l'intention soit corrélée avec le comportement est élevée (Ajzen & Fishbein, 1980). Toutefois, certaines difficultés demandent encore à être résolues. Ainsi la définition opérationnelle de l'intention et de son rôle suscite des questions. Selon Fishbein et Stasson (1990), le concept d'intention doit se rapprocher de la notion de désir («Je veux.») plutôt que d'une prédiction probable de la conduite *(self-prediction)*. De plus, des

FIGURE 6.8 **Modèles de prédiction de la conduite**

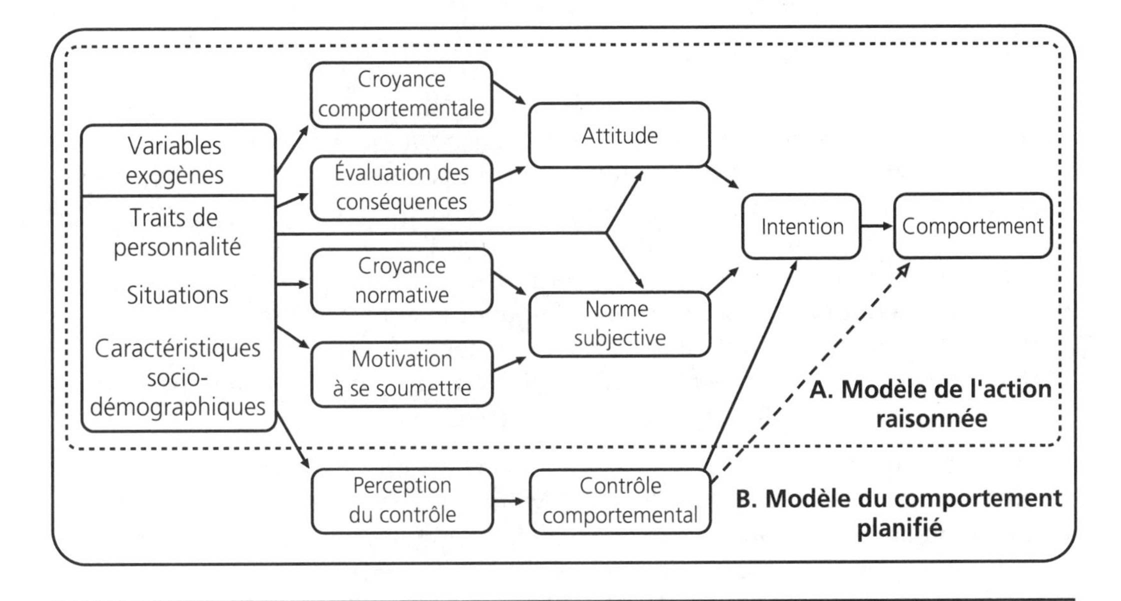

A: Adapté de Fishbein et Ajzen (1975).
B: Adapté d'Ajzen (1987).

recherches (p. ex. Bentler & Speckart, 1979; Fredricks & Dossett, 1983) ont établi que l'attitude peut exercer une action causale directe sur le comportement, sans l'intermédiaire de l'intention: ces résultats suggèrent la nécessité d'études futures afin de préciser les conditions qui garantissent à l'intention son rôle médiateur (p. ex. Bagozzi & Yi, 1989).

Une deuxième difficulté porte sur le postulat d'indépendance de l'attitude et de la norme subjective. Ainsi Vallerand *et al.* (1992), dans l'application du modèle de l'action raisonnée à la prédiction du comportement moral dans le sport, ont confirmé les résultats d'études antérieures concernant la présence d'une corrélation significative entre les deux facteurs prédictifs. Bien que la présence d'une telle corrélation ne soit pas alarmante, tant pour les analyses statistiques (p. ex. Bagozzi, 1981) que pour la théorie (Fishbein & Ajzen, 1981), on recense des recherches où la norme subjective est plus en corrélation avec l'attitude qu'avec l'intention (Warshaw, 1980). De plus, les croyances comportementales sous-jacentes à l'attitude et les croyances relatives aux attentes sociales sous-jacentes à la norme subjective se sont parfois révélées (p. ex. Miniard & Cohen, 1981) des croyances similaires sous des formes syntaxiques différentes. Or, Vallerand *et al.* ont également mis en relief que les croyances normatives prédisent autant l'attitude que la norme subjective. Un tel effet croisé n'a pas été prévu par la théorie de Fishbein et Ajzen. Ces trois considérations prises ensemble constituent un problème théorique.

Le consensus est passablement acquis relativement à la robustesse de la théorie de l'action raisonnée en vue de prédire le comportement volontaire. Mais qu'arrive-t-il lorsque le comportement cible n'est que partiellement volontaire comme avec des actions en vue de perdre du poids ou d'obtenir le résultat scolaire A? Afin de rendre compte des déterminants qui échappent à la volonté, Ajzen (1985, 1987) a proposé la théorie du comportement planifié, ce qui ajoute une variable prédictive au modèle de l'action raisonnée (voir la figure 6.8b). Ce facteur, le contrôle comportemental perçu, reflète l'expérience passée, les obstacles et les barrières ressenties face à la réalisation de l'action cible. En conséquence, plus l'attitude et la norme subjective seront favorables à un comportement et plus grande sera l'impression de contrôle quant à ce même comportement, plus l'intention d'agir sera forte. Quant au comportement, bien sûr, il est prédit par l'intention. Mais quel rôle peut exercer le facteur du contrôle perçu, en particulier, si cette impression de contrôle s'avérait irréaliste?

Il arrive que le sujet puisse sous-estimer les barrières menant à l'accomplissement d'un acte. Par exemple, Beale et Manstead (1991) ont étudié, chez des mères, l'intention de limiter le sucre dans les régimes pour bébés. Les résultats indiquent qu'une mère qui a élevé plusieurs enfants affiche une impression de contrôle moins élevée vis-à-vis de l'intention de limiter l'ingestion de sucre chez son dernier-né qu'une mère primipare. La contribution d'un contrôle comportemental perçu peu réaliste sera donc négligeable dans la prédiction de la conduite. À la figure 6.8b, la ligne brisée indique que la route allant du contrôle perçu au comportement jouera un rôle causal seulement lorsque le contrôle perçu et le contrôle effectif coïncident. Malgré sa nouveauté, la théorie du comportement planifié a déjà suscité plus d'une douzaine de recherches publiées. Les résultats indiquent une augmentation du pourcentage d'explication de l'intention d'agir; par contre, les résultats sont plus mitigés au regard du comportement. Toutefois, une recherche portant sur l'obtention de la note A chez des étudiants démontre clairement l'efficacité de la théorie du comportement planifié (Ajzen & Madden, 1986), en fonction tant de l'intention que de la conduite. Bref, le premier bilan est encourageant, mais, comme le soulignent Fishbein et Stasson (1990), le concept du contrôle comportemental perçu devra être opérationnalisé avec plus de précision avant que sa contribution définitive soit évaluée.

RÉSUMÉ

La majorité des psychologues sociaux partagent l'idée que l'attitude comporte des composantes cognitive (croyances), affective (émotions) et comportementale (intentions d'agir). Toutefois, ils considèrent souvent l'attitude comme un affect associé à la représentation cognitive d'un objet ou, plus couramment, comme un sentiment positif ou négatif vis-à-vis d'un objet ou d'une classe d'objets. L'attitude est perçue comme un état interne résultant de l'apprentissage; persistante, elle exerce une influence directrice et dynamique sur la conduite.

Quatre propriétés de l'attitude ont été désignées et mises en relation avec d'autres phénomènes : l'attitude est positive ou négative (direction); l'intensité de l'attitude est influencée par divers facteurs, dont l'effet du simple fait d'y penser ; la centralité constitue une caractéristique de l'attitude qui la rend imperméable à la persuasion : toutefois, dans certaines circonstances, la méthode des questions tendancieuses supra-attitudinales suggère qu'un changement d'attitude peut quand même se produire en présence d'attitudes centrales ; et la propriété d'accessibilité est associée à la force de l'attitude : plus l'attitude est accessible, plus la latence de réponse est brève et plus cette attitude se révèle prédictive du comportement.

Les échelles d'addition des estimations (Likert), les échelles d'intervalles d'égalité apparente (Thurstone) et le différenciateur sémantique représentent des techniques de mesure de l'attitude à partir d'autoévaluations verbales. Pour contrecarrer le biais de désirabilité sociale, on peut informer les sujets que leur attitude est enregistrée physiologiquement par le pipeline bidon. On peut aussi mesurer l'attitude de façon indirecte, notamment à l'aide de mesures physiologiques (par exemple l'électromyographe ou EMG).

Les attitudes remplissent quatre fonctions. L'attitude exerce une fonction de connaissance : il s'agit d'un mode de traitement de l'information qui utilise l'information évaluative en mémoire pour classer les objets en éléments défavorables ou favorables, souvent aux dépens de stratégies cognitives. La fonction d'adaptation est privilégiée par les individus à monitorage de soi élevé tandis que les sujets à faible monitorage favorisent la fonction d'expression. La fonction de défense du soi contribue au maintien de l'estime de soi.

En comparaison des attitudes, les valeurs sont des croyances situées à un niveau supérieur d'abstraction. Elles visent des états désirables portant sur les buts de l'existence (valeurs terminales). Contrairement aux attitudes, qui sont bipolaires, les valeurs sont positives et varient selon des degrés de désirabilité. Malgré leur résistance au changement, les valeurs peuvent être modifiées par le biais de la technique de la confrontation des valeurs, élaborée par Rokeach.

La formation des attitudes est grandement redevable aux trois types classiques d'apprentissage : le conditionnement classique, le conditionnement instrumental et l'apprentissage social. De plus, des approches cognitives, dont le modèle croyance-évaluation de Fishbein, postulent que l'attitude dérive de croyances.

Selon les théories de la consistance cognitive, l'être humain recherche l'équilibre entre les éléments cognitifs : toute rupture de l'équilibre déclenche une action en vue de réduire l'incohérence entre les éléments cognitifs. Parmi les théories de la consistance cognitive, la théorie de la dissonance cognitive s'est avérée l'une des plus fécondes. On lui doit plusieurs paradigmes de recherche, dont les quatre suivants : la dissonance postdécisionnelle assimilable aux sentiments consécutifs à un achat, où l'on remet en question la décision prise ; la perception sélective de l'information, ce processus d'évitement d'information infirmante ; la justification de l'effort ou la façon dont on valorise les buts atteints au prix d'un investissement coûteux; et, finalement, la soumission induite, aussi désigné « effet inverse de renforcement ». Plusieurs interprétations rivales de la théorie de la dissonance cognitive ont été proposées pour expliquer la soumission induite : la théorie de la perception de soi, la théorie de la présentation sociale et la théorie de l'autoaffirmation.

Alors que les théories de la consistance portent sur les processus de l'autopersuasion, les théories de la persuasion étudient les processus de changement des attitudes à partir d'une information externe présentée de diverses façons. Selon l'approche de l'apprentissage du message, les éléments principaux de la persuasion sont le communicateur, le message, le récepteur et le média. D'inspiration béhavioriste, cette approche insiste sur les facteurs qui augmentent ou diminuent l'apprentissage des arguments du message. L'approche de la réponse cognitive met l'accent sur les processus de pensée du récepteur, qui traiterait les arguments pour et contre du message sur leur fond. Le modèle de la vraisemblance d'élaboration cognitive distingue deux routes menant à la persuasion : la route centrale (qualité des arguments), associée à un traitement systématique de l'information, et la route périphérique (propriétés externes du message comme les qualités du communicateur), où l'information est traitée à l'aide d'heuristiques. La persistance du changement, la résistance à des messages contraires et la consistance attitude-comportement sont plus assurées lorsque le message persuasif a été traité par la route centrale.

Les attitudes sont réliées aux conduites, mais l'établissement de cette relation requiert certaines conditions d'ordre méthodologique. Ainsi une attitude générale assure la prédiction non pas d'une action singulière mais d'une catégorie de conduites, qui forment l'indice comportemental composite. Selon le principe de correspondance, une attitude particulière peut prédire une conduite particulière si l'attitude et la conduite sont spécifiées à l'aide des quatre marqueurs suivants : action, cible, situation et temps.

Afin de tenir compte des nombreuses variables autres que l'attitude, toutes susceptibles d'influer sur le passage à l'acte, des modèles théoriques ont été proposés. Le modèle de l'action raisonnée énonce que le déterminant immédiat du comportement est l'intention ou le désir d'agir. À son tour, l'intention est prédite par l'attitude (modèle croyance-évaluation) et par la norme subjective. Dans le modèle du comportement planifié, le facteur du contrôle comportemental perçu est ajouté à l'attitude et à la norme. Il est présumé que ce modèle s'avère d'une efficacité prédictive supérieure pour les situations où le comportement n'est que faiblement sous contrôle volontaire.

BIBLIOGRAPHIE SPÉCIALISÉE

Dawes, R.M. & Smith, T.L. (1985). Attitude and opinion measurement. In G. Lindzey & E. Aronson (Eds.), *The handbook of social psychology* (Vol. 1, pp. 509-566). New York: Random House.

Fishbein, M. & Ajzen, I. (1975). *Belief, attitude, intention, and behavior: An introduction to theory and research.* Reading, MA: Addison-Wesley.

McGuire, W.J. (1985). Attitudes and attitudinal change. In G. Lindzey & E. Aronson (Eds.), *The handbook of social psychology* (Vol. 2, pp. 233-246). Reading, MA: Addison-Wesley.

O'Keefe, D.J. (1990). *Persuasion: Theory and research.* Newbury Park, CA: Sage.

Petty, R.E. & Cacioppo, J.T. (1981). *Attitudes and persuasion: Classic and contemporary approaches.* Dubuque, IA: Brown.

Pratkanis, A.R., Breckler, S.J. & Greenwald, A.G. (1989). *Attitude structure and function.* Hillsdale, NJ: Erlbaum.

Rajecki, D.W. (1990). *Attitudes.* Sunderland, MA: Sinauer Associates.

Zimbardo, P.G. & Leippe, M.R. (1991). *The psychology of attitude change and social influence.* New York: McGraw-Hill.

TROISIÈME
PARTIE

LA COMMUNICATION ET LES INTERACTIONS SOCIALES

Chapitre 7

La communication sociale : aspects interpersonnels et intergroupes

Chapitre 8

Les relations interpersonnelles

Chapitre 9

Une analyse psychosociale de l'agression

Chapitre 10

Le comportement d'aide : perspectives classiques et contemporaines

CHAPITRE 7

LA COMMUNICATION SOCIALE : ASPECTS INTERPERSONNELS ET INTERGROUPES

Richard Clément et Kimberly A. Noels
Université d'Ottawa

Mise en situation
Introduction
Les symboles et la coordination
La communication non verbale
- Les expressions faciales
- Le regard
- Le langage du corps
- Le toucher

La communication verbale
- À propos de la langue
- Langage et communication
- Paralangage et prosodie

Les modes de communication combinés
- La tromperie

Communication et société
- L'acquisition d'une langue seconde
- Les codes et leur usage
- Quelques conséquences du choix et de l'usage des codes

Résumé
Bibliographie spécialisée
Encadré 7.1 À propos des théories de la communication
Encadré 7.2 La langue et le genre
Encadré 7.3 La langue et la loi

MISE EN SITUATION

Vous conviez à une soirée certains de vos amis et amies mélomanes que vous avez rencontrés pendant vos études universitaires. Plusieurs d'entre eux ne se connaissent pas. C'est le cas de Louise (qui est originaire du Lac-Saint-Jean) et de Robert (qui vient de Paris) que vous apercevez actuellement en grande conversation sur le sofa. La position de leurs corps, orientés l'un vers l'autre et légèrement penchés en avant, vous laisse supposer qu'ils s'entendent déjà très bien. Vous vous approchez discrètement et vous écoutez leurs propos : l'augmentation des taxes et ses effets sur le prix des vins importés. De toute évidence, une conversation très ennuyeuse. Vous révisez donc votre première impression jusqu'au moment où vous vous souvenez que vos deux amis sont de fins gourmets – dans leur cas, il s'agit d'une conversation passionnante. Mais vous savez par ailleurs que ces deux personnes ont un conjoint depuis longtemps et que ces relations sont très stables. Vous vous préparez à vous éloigner en pensant que vous n'assisterez pas à l'éclosion d'une idylle lorsque Louise passe sa main ouverte dans ses propres cheveux en regardant Robert pendant quatre ou cinq secondes...

INTRODUCTION

Ce court passage illustre bien la complexité de l'acte de communication. Les comportements dont vous êtes témoin vous paraissent ambigus parce que leur signification est changeante – elle est continuellement modifiée en fonction de nouveaux renseignements et de nouvelles perspectives. De plus, la communication s'opère tout autant au moyen de gestes que de paroles ainsi que par l'interaction de ces modalités. Dans le décodage des signaux, le « récepteur » d'une communication a donc tout autant que l'émetteur un rôle actif à jouer (voir Bowers & Bradac, 1982). On peut alors définir comme pertinents à la **communication** l'ensemble des comportements et des processus psychologiques qui permettent de transmettre et de recevoir de l'information dans un contexte donné.

Après une brève présentation de la perspective dans laquelle s'inscrit ce chapitre, nous aborderons tour à tour la communication non verbale et la communication verbale. Une courte section se penchera ensuite sur la combinaison de ces deux modalités. Enfin, une section examinera le lien entre la langue et l'appartenance à un groupe linguistique particulier. Cette façon de décrire le phénomène permet, selon nous, de rendre compte de façon détaillée de l'état des connaissances dans ce domaine. Cela ne veut pas dire pour autant qu'il n'existe pas d'approche globale de la communication. Au contraire, comme l'illustre l'encadré 7.1 sur les positions théoriques, les perspectives d'ensemble ont évolué rapidement au cours des dernières années.

ENCADRÉ 7.1

À PROPOS DES THÉORIES DE LA COMMUNICATION

Au cours des 40 dernières années, plusieurs modèles de la communication ont vu le jour. Certains modèles sont dérivés de celui proposé originalement par Shannon et Weaver (1949; voir la figure 7.1). Ces chercheurs représentent la communication comme un acte par lequel une source quelconque communique de l'information à un récepteur par le biais d'un transmetteur. La communication est donc décrite ici comme un processus semblable au transport de l'eau dans un seau d'un point à un autre.

FIGURE 7.1 **Représentation schématique du modèle de Shannon et Weaver**

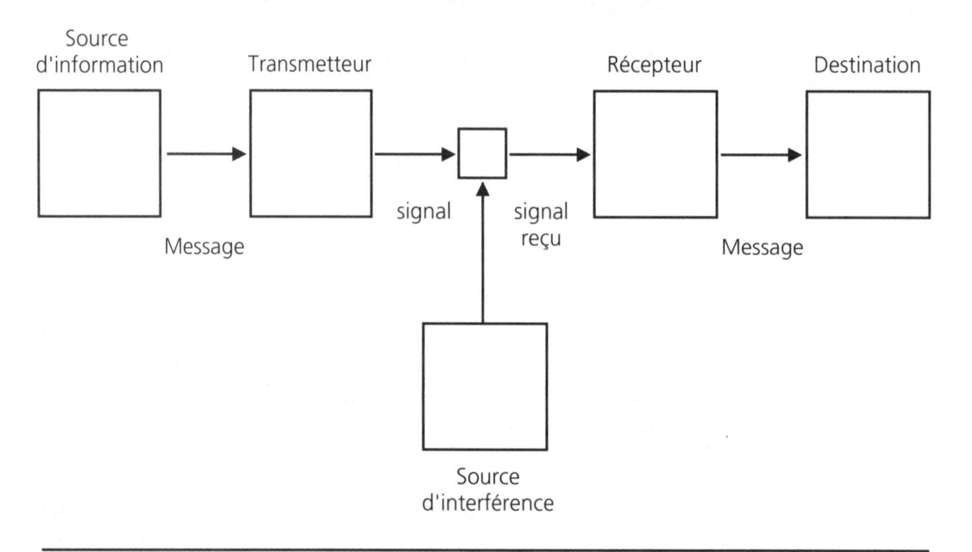

Adapté de Shannon et Weaver (1949, p. 34).

Bien que le modèle de Shannon et Weaver ait eu une grande influence sur la recherche en communication, certains chercheurs ont souligné que plusieurs aspects de la communication humaine ne correspondent pas au modèle proposé. D'après Adler, Rosenfeld et Towne (1986), ce modèle linéaire présume que la communication ne se produit que dans un sens, soit de

→

ENCADRÉ 7.1 (suite)

l'émetteur au récepteur. Or, dans la plupart des interactions sociales, l'émetteur d'un message est aussi le récepteur de la réaction provoquée chez son interlocuteur. Cette approche interactive de la communication suggère que celle-ci est un échange bidirectionnel qui ressemble davantage à un match de ping-pong qu'au transport d'une substance de la source au récepteur. De plus, l'information qui est échangée par les interlocuteurs n'est pas nécessairement perçue de la même manière par chacun d'entre eux. L'information, qui n'est pas un objet, est traitée de façon différente en fonction des motivations et des contextes dans lesquels se trouvent les émetteurs et les récepteurs.

Toujours d'après Adler *et al.* (1986), d'autres chercheurs ont poussé plus loin leur critique du modèle linéaire de Shannon et Weaver. Ils prétendent en effet que la communication est un phénomène non pas interactif mais plutôt transactionnel (p. ex. Rogers & Kincaid, 1981). D'après ces derniers, la communication ne consiste pas en des actes isolés limités dans le temps, mais en des actes d'émission et de réception simultanées. De plus, il semble difficile d'isoler un acte de communication particulier de ceux qui le précèdent et qui le suivent puisque la réaction à un message reçu est fonction des réactions antérieures à des messages semblables. Il est donc pertinent de considérer non seulement l'historique d'un individu, mais aussi l'historique de la relation entre les interlocuteurs en présence. Par conséquent, la communication n'est pas une chose que les individus accomplissent de l'un à l'autre ; elle est plutôt un processus par lequel une relation interpersonnelle est créée avec un interlocuteur.

Les théories contemporaines de la communication diffèrent également des approches antérieures en ceci que la plupart considèrent la communication comme un processus impliquant de multiples modalités. On présume effectivement que les aspects verbal, paraverbal et non verbal de la communication font tous partie du même système (p. ex. Ghiglione, 1985). Ces trois sous-systèmes peuvent cependant être utilisés de façon complémentaire ou en contradiction les uns avec les autres. En fait, Argyle et Dean (1965) proposent une théorie selon laquelle une modalité (p. ex. l'aspect verbal) pourrait compenser un message communiqué de façon inadéquate par une autre modalité (comme l'aspect non verbal). Par exemple, si les circonstances font que vous vous trouvez à proximité d'une personne avec laquelle vous n'avez pas de relation intime, vous aurez tendance à détourner le regard ou encore à utiliser des formules verbales très distantes et polies. Argyle et Dean voient l'interaction des modalités lors d'une communication selon leur rôle compensatoire ; pour cette raison, leur théorie est appelée « théorie de l'équilibre ».

⟶

ENCADRÉ 7.1 (suite)

En évaluant les fondements empiriques de la théorie de l'équilibre, Patterson (1976; voir aussi Patterson, 1990) constate qu'elle obtient un appui relatif. S'inspirant de la théorie des émotions de Schachter (1964; voir le chapitre 5), Patterson suggère que la réponse de compensation n'est pas la seule possible lors d'une interaction intime. Dans bien des cas, la réponse est caractérisée par une réciprocité visant à augmenter l'intimité. Patterson propose donc le modèle de l'activation (voir la figure 7.2), selon lequel une composante préliminaire essentielle serait le changement d'activation de l'interlocuteur B provoqué par le changement du degré d'intimité du locuteur A (ce dernier fait une confidence, par exemple). Si cette activation n'est pas ressentie par l'interlocuteur, il n'y aura aucune conséquence. Si ce changement est noté, deux réactions sont possibles. Dans un premier cas, B pourra évaluer son niveau d'activation comme étant de l'embarras ou de l'anxiété. Il en résultera une tentative de compensation, comme le prédisent Argyle et Dean. Dans un second cas, l'activation sera interprétée comme étant due à une émotion positive telle que l'attrait ou le soulagement et elle entraînera alors un comportement réciproque (une confidence) visant à augmenter l'intimité. Comme l'illustrent les pointillés de la figure 7.2, les comportements de compensation ou de réciprocité influent par rétroaction sur le comportement du locuteur A. La théorie de l'activation repose donc sur l'interaction de deux facteurs: le niveau d'activation perçue (c.-à-d. la motivation) et l'interprétation cognitive de cette activation.

FIGURE 7.2 **Représentation schématique du modèle d'activation de Patterson**

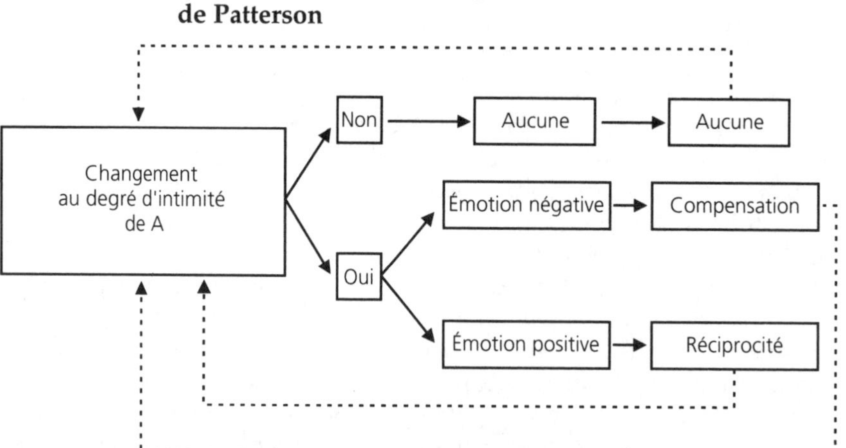

Adapté de Patterson (1976). Reproduit avec la permission de l'American Psychological Association.

ENCADRÉ 7.1 (suite)

L'interaction interpersonnelle (Rogers & Kincaid, 1981), l'interaction de modalités multiples (Argyle & Dean, 1965) et l'influence réciproque des facteurs motivationnels et cognitifs (Patterson, 1976) sont des caractéristiques importantes des théories modernes de la communication.

LES SYMBOLES ET LA COORDINATION

On nomme **symboles** les comportements porteurs de sens. Ce sont des actions (comme un clin d'œil) ou les conséquences d'une action (comme le son de la voix) auxquelles on attribue une signification différente de ce qu'elles sont réellement. Leur sélection est arbitraire et leur signification dépend essentiellement de conventions établies dans une société donnée. Ainsi le pouce levé de César pour gracier les gladiateurs est-il adopté par les aviateurs pour signifier que tout se déroule bien, alors qu'en Sardaigne ce geste équivaut à la présentation du majeur en position verticale en Occident (Ekman, Friesen & Bear, 1984). La décision d'utiliser un symbole, verbal ou autre, dépend de l'accord social régissant la relation entre le symbole et sa signification.

S'inspirant de Schelling (1960) et de Lewis (1969), Clark (1985) décrit cet accord social sur la signification des symboles comme répondant au « problème de coordination ». Supposons qu'au cours de leur conversation Louise, sans s'adresser directement à Robert, remarque à voix haute que son verre est vide. Que devrait être la réaction de Robert ? Cette remarque peut être une invitation à lui procurer une boisson comme elle est susceptible de signifier que la conversation est terminée. D'après Clark, le message ne sera compris que si le problème de coordination entre le symbole et sa signification est résolu. Cette résolution ne peut avoir lieu que si les interlocuteurs partagent au préalable un *terrain d'entente* relié à trois aspects de leur interaction :

1. *L'expérience langagière*. Robert et Louise ont comme terrain d'entente les éléments linguistiques déjà définis dans la conversation (Louise a peut-être déjà demandé à Robert de lui renouveler sa consommation).
2. *L'expérience perceptuelle*. Le terrain d'entente est aussi fait de tous les aspects paraverbaux de la conversation (Robert a peut-être déjà esquissé un geste en direction du verre de Louise).
3. *L'appartenance à la même communauté*. Robert et Louise partagent la connaissance des règles d'usage du français. En tant qu'individus ayant fréquenté l'université, ils partagent aussi une connaissance des faits et des personnages

publics commune aux personnes qui ont la même instruction. En tant que membres de la classe moyenne nord-américaine, ils partagent un certain nombre de croyances à propos de la nutrition, de la santé, de l'écologie, de l'exercice physique, etc. Ils partagent également un certain nombre de « scénarios » (voir Schank & Abelson, 1977) quant aux comportements appropriés en différentes occasions, incluant les réunions d'amis et les rapports hétérosexuels. Enfin, dans le cadre de cette rencontre, ils font partie d'un sous-groupe de gourmets qui savent ce que veut dire « déglacer une poêle » ainsi que d'une communauté montréalaise qui sait où se trouvent les restaurants « branchés ».

L'effet de l'appartenance à la même communauté sur la résolution du problème de coordination a au moins deux conséquences pour notre compréhension des phénomènes de communication. La première est que l'analyse et la connaissance de la structure et des mécanismes d'une **langue** particulière (dans le sens de système codifié et répertorié) ne peuvent rendre compte du phénomène de la coordination. Un symbole ne prend une signification que dans le terrain d'entente créé par son contexte social plus large. La deuxième conséquence est que la solution quant aux bris de communication auxquels on impute les problèmes graves de notre société (la violence, le divorce, la guerre, etc.) n'est pas réductible à une intervention purement linguistique. Elle requiert une compréhension du contexte social dans lequel baigne la communication de même qu'une action sur celui-ci.

Nous passerons en revue un certain nombre de comportements utilisés comme véhicules de communication. Il devrait cependant être clair, au regard de ce qui précède, qu'il n'existe pas de correspondance unique entre un symbole et sa signification. Variant d'une culture à une autre, d'un groupe à un autre et à la rigueur d'une situation de communication à une autre, les interprétations proposées ici sont donc relatives.

LA COMMUNICATION NON VERBALE

Par « communication non verbale », on désigne habituellement toute forme de communication utilisant un véhicule autre que la voix. Selon Patterson (1983), cette forme de communication remplit plusieurs fonctions : 1) elle véhicule nos sentiments ; 2) elle régularise les conversations ; 3) elle exprime l'intimité ; 4) elle exprime la volonté de contrôle ; enfin, 5) elle sert de support à la communication verbale. Nous examinerons tour à tour le rôle des expressions faciales, du regard, du langage du corps et du toucher dans la communication.

Les expressions faciales

Les expressions du visage jouent un rôle des plus importants dans la communication. En fait, d'après Bugental, Kaswan et Love (1970), lorsque le message verbal et l'expression du visage se contredisent, c'est habituellement l'expression du visage qui est jugée le reflet le plus exact de la signification du message. Cela est sans doute relié au fait que les expressions du visage se produisent en général de façon automatique et involontaire (Ekman & Friesen, 1975).

Si l'on s'en tient à l'époque contemporaine, l'étude des expressions faciales remonte aux travaux de Darwin (1872), dont la thèse stipule que l'expression des émotions est universelle. Selon lui, cette caractéristique particulière est rattachée à la nécessité pour différentes espèces de pouvoir communiquer entre elles pour des questions de survie (Hansen & Hansen, 1988; Zajonc, 1985). Cet impératif lié à l'origine aux conditions créées par l'environnement s'est transmis au cours de l'évolution et ferait maintenant partie du bagage génétique humain.

La plupart des recherches récentes menées auprès de sujets humains portent leur attention sur six émotions primaires : la surprise, la peur, la haine, le dégoût, la joie et la tristesse (voir la figure 7.3). Le programme de recherche mené par Ekman (1982) et ses collègues a débouché sur une description précise de l'expression faciale accompagnant chacune de ces émotions. Une personne surprise, par exemple, lèvera les sourcils, entrouvrira la bouche ; des rides horizontales apparaîtront sur son front ; les paupières s'écarteront et le blanc des yeux paraîtra audessus et au-dessous de l'iris (Ekman & Friesen, 1975). Des résultats plus récents démontrent de plus que le sourire associé à la communication d'une joie véritable est sensiblement différent de celui associé à une joie feinte (Ekman, Friesen & O'Sullivan, 1988). Le sourire accompagnant la joie correspond d'ailleurs à une activation cérébrale différente de celle des autres sourires (Ekman, Davidson & Friesen, 1990).

La technique de l'« électromyographie faciale » (Hess *et al.*, 1989; Rinn, 1984), qui donne un relevé des moindres mouvements des muscles du visage, permet également de décrire avec beaucoup de précision les mouvements musculaires du visage associés à chaque émotion et de découvrir les composantes d'une expression qui sont essentielles à la communication de l'émotion correspondante. Généralement, les trois parties du visage (front et sourcils ; yeux et nez ; bouche et joues) participent à l'expression d'une émotion. La peur et la tristesse, par exemple, sont cependant communiquées plus particulièrement par les yeux et les paupières.

Ces recherches sur les composantes des émotions, qui ont été menées dans plusieurs pays, avaient pour but d'évaluer leur universalité. Les travaux d'Ekman et de ses collègues montrent que des résidants du Japon, des États-Unis, de Bornéo, d'Europe et d'Amérique du Sud nomment tous correctement l'émotion exprimée par des photos d'individus appartenant à d'autres cultures que la leur. Des étudiants américains n'ont eu aucune difficulté à reconnaître l'émotion montrée par des habitants de Nouvelle-Guinée à qui on avait demandé d'exprimer l'émotion ressentie par les personnages d'une histoire. De plus, il semble que l'expression très brève d'une émotion faciale suffise pour qu'on la reconnaisse (Kirouac & Doré, 1984). Tant du côté de la reconnaissance que de

FIGURE 7.3 **Les six émotions primaires exprimées par le visage**

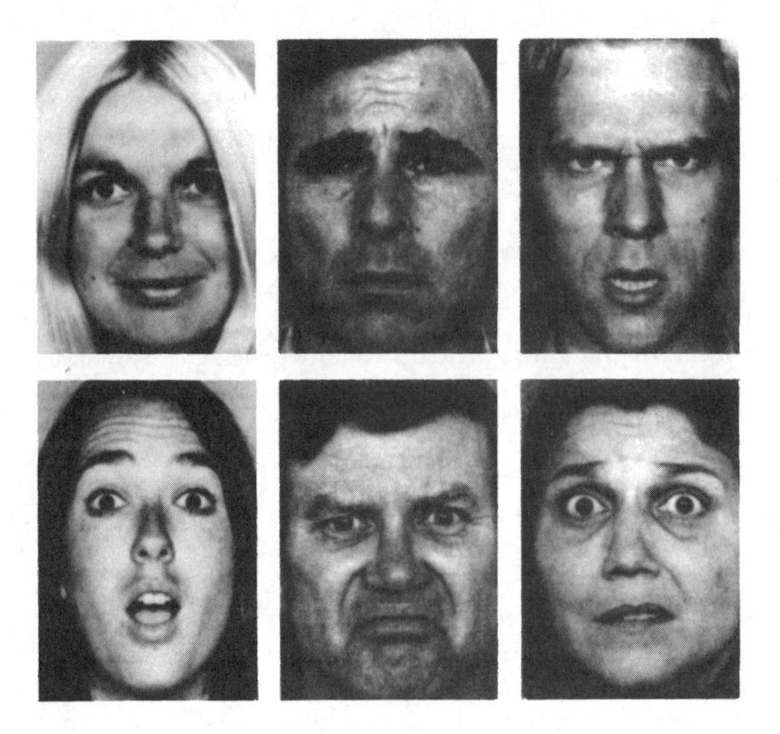

De gauche à droite, rangée du haut : la joie, la tristesse, la haine ; rangée du bas : la surprise, le dégoût, la peur (adapté d'Ekman & Friesen, 1975).

l'expression, les résultats des recherches tendent à confirmer l'universalité de l'expression des six émotions de base (Ekman, 1992; Izard, 1992). Des recherches portant sur de très jeunes enfants (Izard *et al.*, 1980) et sur des enfants aveugles (Boucher, 1974) viennent corroborer cette conclusion. Cela ne signifie pas pour autant qu'il y ait l'uniformité : chez des enfants, on note par exemple une amélioration de la perception avec l'âge (Tremblay, Kirouac & Doré, 1987) ainsi que des différences importantes dans la vitesse de reconnaissance des différentes émotions (Kirouac & Doré, 1985). Les femmes sont également de meilleurs juges de l'expression du visage que les hommes (Rotter & Rotter, 1988).

D'autres variations ont été observées. Ainsi, même si leur manifestation est universelle, la *production* des expressions faciales n'est pas identique dans toutes les occasions et dans toutes les cultures. Dans certaines cultures, il n'est pas bien vu de montrer ses émotions, particulièrement si elles sont négatives. Des normes sociales guident ce qu'Ekman a appelé des **règles de manifestation des émotions du visage,** lesquelles dictent le moment et le lieu où certaines expressions peuvent être extériorisées. Pour démontrer la relativité culturelle de ces normes, Argyle (1987a) a présenté à des juges italiens, anglais et japonais les émotions exprimées par des acteurs de ces mêmes pays. Les juges italiens, anglais et japonais n'ont eu aucune difficulté à reconnaître les émotions des acteurs italien et anglais. Tous, y compris les juges japonais, ont cependant eu du mal à déterminer les émotions de l'acteur japonais (voir aussi Matsumoto, 1992).

Outre les règles de manifestation, la motivation sociale influe sur l'extériorisation des émotions par le biais d'expressions faciales volontaires. Ainsi la grimace qu'on montre lorsqu'on assiste à un accident a pour but de témoigner une certaine sympathie à la victime (Bavelas, Black, Lemery & Mullett, 1986). De leur enquête portant sur le sourire, Kraut et Johnston (1979) concluent que celui-ci est utilisé plus fréquemment pour communiquer la joie ou le bonheur que pour manifester une réaction involontaire à un événement.

Hormis l'effet des expressions faciales sur l'interlocuteur, il semble de plus en plus évident que ces expressions influent sur l'humeur de celui ou celle qui les produit. Zuckerman, Klorman, Larrance et Spiegel (1981) ont demandé à des participants auxquels on présentait une comédie, un documentaire neutre ou des scènes d'accident déplaisantes d'exagérer ou de supprimer l'expression du visage de leurs émotions. Un autre groupe ne recevait aucune directive particulière. Les résultats indiquent que les participants auxquels on avait demandé d'exagérer l'expression faciale de leurs émotions ont manifesté une activation physiologique plus élevée et des réactions affectives plus positives ou plus négatives, selon le cas, que les participants des deux autres groupes. Une explication possible de ce phénomène, la théorie de la rétroaction du visage (Tomkins, 1962, 1963), suggère que la contraction des muscles du visage est une réaction du système autonome. L'agencement des contractions propre à chaque émotion permet à l'individu de reconnaître celle-ci et de la distinguer des autres émotions.

Le regard

Le regard est bien sûr partie intégrante de l'expression faciale. À cause de son importance dans la communication, il a suscité un grand nombre de recherches empiriques. Celles-ci permettent d'identifier trois fonctions du regard : communiquer l'information, régler l'interaction et exercer une domination (Kleinke, 1986).

Communiquer l'information. Les premières recherches sur le sujet suggèrent que le temps passé à regarder une personne est directement relié à l'attrait ressenti pour cette personne. On regarde davantage un collègue qui nous approuve qu'un collègue qui nous désapprouve (Exline & Winters, 1965) et on pense que des couples sont plus amoureux si les partenaires se regardent davantage (Kleinke, Meeker & La Fong, 1974). D'autres recherches, dont certaines plus récentes, proposent cependant que le fait de regarder quelqu'un fixement provoque chez cette personne un malaise et des réactions déplaisantes. En fait, Ellsworth (1975), Kimble, Forte et Yoshikawa (1981) et Matsumoto (1989) concluent que le regard traduit l'intensité du message plutôt que son intention positive.

Il sert à souligner ce qui est transmis de façon verbale ou non verbale, que ce soit de l'intimité ou de l'hostilité.

Régler l'interaction. Une autre fonction importante du regard consiste à permettre à des interlocuteurs de synchroniser leur interaction. Par exemple, Duncan (1972) rapporte qu'un regard dirigé vers l'interlocuteur est habituellement le signal qu'on lui laisse la parole. Par ailleurs, lorsque la personne qui écoute détourne le regard, cela signifie en général qu'elle veut prendre la parole (Duncan & Niederehe, 1974). Argyle (1987a) rapporte que les «coups d'œil» (qui n'impliquent pas de contact visuel avec l'interlocuteur) comptaient pour 60 % de tous les regards dans une conversation sur un sujet neutre entre deux personnes distante de six pieds (environ deux mètres). Dans 75 % des cas, ces regards coïncidaient avec le fait d'écouter l'interlocuteur. Dans 40 % des cas, le regard correspondait au fait de parler. La longueur moyenne des regards était de trois secondes. Les contacts visuels mutuels étaient moins fréquents: ils représentaient 30 % des cas et duraient en moyenne 1,5 seconde. Ces chiffres peuvent évidemment varier selon le type de situation, la relation entre les interlocuteurs et nombre d'autres facteurs. Il est toutefois important de souligner qu'un écart des normes est jugé significatif: ce peut être une façon de communiquer de l'hostilité ou la volonté d'augmenter l'intimité, par exemple.

On ne peut cependant supposer que les normes sont les mêmes pour toutes les cultures. Des différences marquées entre Blancs et Noirs font que ces derniers n'ont pas tendance à regarder leurs interlocuteurs blancs lorsque ces derniers ont la parole (La France & Mayo, 1976). Le Blanc aura donc l'impression que son interlocuteur ne l'écoute pas. Cela aura des conséquences négatives sur la perception réciproque des deux interlocuteurs.

Exercer le contrôle. Le regard fixe peut également servir à exprimer la volonté de contrôler l'interlocuteur. Par exemple, un professeur fixera un étudiant tapageur tout en continuant à donner son cours pour l'intimider et lui signifier que son comportement est déplacé. De même, on regarde avec plus d'intensité quelqu'un qu'on voudrait persuader ou dont on voudrait obtenir les faveurs (Kleinke, 1986). D'après leur étude sur les interactions entre militaires de grades différents, Exline, Ellyson et Long (1975) proposent également que le fait de fixer son interlocuteur lorsqu'on parle est une façon de préserver sa domination sur lui. Ils avancent une définition du **comportement de domination visuelle** (CDV), qui peut être exprimée de la façon suivante:

$$\text{CDV} = \frac{\text{temps passé à regarder en parlant/temps total de parole}}{\text{temps passé à regarder en écoutant/temps total d'écoute}}$$

Un résultat supérieur à 1 indiquerait la domination, tandis qu'une fraction de 1 montrerait la soumission. Le CDV est supérieur chez les individus dont la position sociale est relativement élevée par rapport à leur interlocuteur. Le fait de regarder quelqu'un en lui parlant serait donc un signal de domination, alors que le fait de regarder quelqu'un en l'écoutant serait un signal d'attention soumise.

L'effet incitatif du regard est également évident dans le cas d'une demande d'aide. Par exemple, les automobilistes s'arrêtent plus volontiers pour faire monter des auto-stoppeurs qui fixent les yeux sur eux (Snyder, Grether & Keller, 1974) et on aide plus volontiers quelqu'un qui a laissé échapper sa monnaie (Valentine, 1980) ou ses questionnaires (Goldman & Fordyce, 1983) lorsque cette personne nous regarde.

Même si la transmission de l'information, la synchronisation de l'échange et la domination sociale sont les fonctions principales exercées par le regard, il apparaît de plus en plus clairement que la signification précise d'un regard à un moment particulier varie selon le contexte et la relation interpersonnelle. Pour comprendre un comportement non verbal, il est nécessaire, selon Patterson (1982) et Kleinke (1986), d'analyser les antécédents des interlocuteurs (leur âge, leur sexe, leur personnalité, leur culture), les facteurs précédant l'interaction (l'activation physiologique et l'évaluation cognitive et affective de la situation) ainsi que les autres aspects de l'interaction (le contenu verbal, le message véhiculé par les autres modes de communication, etc.). Il y a donc peu d'espoir pour les individus qui rêveraient d'élaborer un « dictionnaire » des regards.

Le langage du corps

Lorsque vous avez observé l'interaction entre Louise et Robert présentée au début du chapitre, vous avez dû utiliser (et probablement sans le réaliser) la position de leurs corps comme indice d'intimité. Les deux personnes étant assises droites, les reins légèrement cambrés, le torse quelque peu incliné vers l'avant et les jambes parallèles, vous avez sans doute conclu à une meilleure relation que si elles avaient été dans une position asymétrique et fermée. Un des premiers chercheurs à aborder ce sujet fut Ray Birdwhistell (1970), qui a proposé une description des postures et des mouvements du corps selon des « kinèmes » et des « kinémorphes », soit des concepts analogues à ceux de « phonème » et de « morphème » en linguistique. Malgré les effets de cette proposition, la théorie « linguistique » du langage du corps a fait l'objet de plusieurs critiques. La plus importante remet en question la validité de la prémisse selon laquelle la posture constitue un langage autonome et indépendant du langage verbal.

Les postures. Quoi qu'il en soit, les postures ont donné lieu à de nombreuses recherches de la part des psychologues. Rosenberg et Langer (1965) ont, il y a plusieurs années, demandé à des étudiants et des étudiantes d'évaluer sur plusieurs dimensions une série de dessins représentant différentes postures. Les dimensions en question comprenaient la couleur, le sentiment exprimé, la stabilité et l'orientation dans l'espace. Dans presque tous les cas, et particulièrement dans celui des postures illustrées à la figure 7.4, l'accord des participants au sujet de leur signification a été suffisamment grand pour qu'on ne puisse l'attribuer à la chance seule. On a donc reconnu relativement tôt dans l'étude du langage non verbal que les postures constituaient une gamme de signaux valides et partagés.

FIGURE 7.4 **Différentes postures et leur interprétation**

Adapté de Rosenberg et Langer (1965, p. 594). Reproduit avec la permission de l'American Psychological Association.

Dans la foulée de cette recherche, les principales dimensions étudiées sont l'inclinaison (vers l'avant, vers l'arrière, sur le côté), la position des bras (ouverts, croisés, sur les hanches), la position de la tête (baissée, relevée, inclinée de côté) et la position des jambes (étirées, ouvertes, croisées). Il est aussi possible de considérer des caractéristiques générales comme une position tendue ou détendue (Argyle, 1987a). Mehrabian (1972) rapporte d'ailleurs qu'une posture détendue est une des façons de signifier la domination. Une position détendue est celle où les bras et les jambes sont asymétriques ; le corps penche sur le côté ou vers l'arrière et les mains sont détendues. Devant un supérieur, l'interlocuteur occupant un degré hiérarchique inférieur aura plus probablement une position tendue : le corps droit, les pieds ensemble et posés par terre, et les bras près du corps.

L'attrait interpersonnel est aussi communiqué clairement au moyen de la posture. Ainsi le fait d'être incliné vers l'avant et d'ouvrir les bras et les jambes signale l'attrait. La relaxation communique donc aussi bien l'attrait que la domination. Un degré intermédiaire de relaxation est associé au contact avec les personnes qu'on aime, alors qu'un degré plus grand de relaxation caractérise le contact avec les gens qu'on apprécie moins ou qu'on ne respecte pas.

Enfin, la posture nous permet de communiquer certaines émotions. Les travaux de Bull (1987) suggèrent que l'intérêt pour son interlocuteur d'une personne assise se manifeste par une inclinaison vers l'avant et des jambes ramenées vers l'arrière. Par contre, l'ennui est exprimé par des jambes étirées et la tête baissée ou supportée par une main. Lorsque des représentations graphiques de ces positions sont montrées à des observateurs, ces derniers nomment correctement l'émotion illustrée.

Les mouvements. Il est difficile de parler de posture sans parler également de mouvements du corps. En fait, les postures ont moins de signification en elles-mêmes que les mouvements qui servent à les changer. Si Louise passe d'une position à demi ouverte à une position ouverte, ce geste sera plus significatif de son intérêt pour Robert que si elle maintenait une position ouverte depuis le début de la soirée.

Les mouvements du corps significatifs sur le plan de la communication sont habituellement les mouvements volontaires. Il semble utile de distinguer trois types de mouvements. Les **emblèmes** sont des mouvements du corps qui revêtent la même signification pour tous les membres d'un groupe culturel donné. Ce sont en général des mouvements de la main ou de la tête qui ont une signification précise. Les emblèmes les plus connus sont sans doute les mouvements de la tête pour dire oui et non. Mais d'autres emblèmes existent en guise d'insulte, de réponse ou pour indiquer une direction, pour exprimer un état tel que la fatigue ou la surprise. Toutes les cultures ont des emblèmes, mais ce ne sont pas nécessairement les mêmes d'une culture à l'autre (Ekman, 1979). Ainsi ce par quoi nous exprimons « non » signifie « oui » en Inde. De plus, toutes les cultures ne se servent pas autant des gestes. Ainsi les Italiens et d'autres peuples méditerranéens les utilisent beaucoup plus que les peuples anglo-saxons. On peut apparemment désigner l'appartenance ethnique d'individus d'après leur seul comportement gestuel (Lacroix & Rioux, 1978).

La deuxième catégorie de mouvements rassemble les **illustrateurs.** Il s'agit de gestes qui sont employés pour appuyer un discours. Le doigt pointé qui accompagne les mots « toi » et « moi » est probablement le geste le plus populaire dans notre culture. Les illustrateurs permettent de communiquer une grande quantité d'information, principalement de l'information concernant des objets complexes, tels qu'une route à suivre ou une forme difficile à décrire verbalement (Riseborough, 1981). Ils sont également employés pour décrire des verbes et des concepts (comme l'expression «s'accrocher à une idée») de même que des notions de mathématiques (p. ex. les notions de «limite» et de «parabole»; McNeill, 1985; McNeill & Levy, 1982). Leur usage fait partie de la plupart des interactions et il en témoigne. Lorsqu'une conversation se déroule harmonieusement, on constate d'habitude un phénomène de synchronisation non verbale. La posture et les mouvements des interlocuteurs prendront la même allure au même moment (Bernieri, 1988).

Le dernier type de gestes concerne *ceux qui ont pour objet le corps du locuteur*, tels que le fait de se gratter l'oreille, de se frotter la joue, de taper du pied. Ces mouvements sont généralement jugés comme reflétant une certaine nervosité (Ekman & Friesen, 1969). Leur fréquence est associée à l'importance des troubles éprouvés par des patients psychiatriques (Harper, Wiens & Matarazzo, 1978). On trouve également une plus grande fréquence de ces gestes chez les personnes qui occupent une position sociale inférieure et chez celles qui sont en présence d'un membre de l'autre sexe (Goldberg & Rosenthal, 1986). Il semble donc que ce type de mouvements soit associé à des situations stressantes et qu'il vise non pas l'expression d'une émotion mais plutôt la satisfaction d'un besoin propre au locuteur.

Il ne faut pas confondre ces gestes reliés à l'anxiété avec une autre sous-catégorie de gestes qui ont le propre corps du locuteur comme objet et qui sont associés à la cour qu'on fait à une personne qui nous attire. Selon David Givens (1983), un anthropologue qui a étudié ce phénomène, la conversation de personnes éprouvant un attrait réciproque est accompagnée de signaux non verbaux tels que des regards synchronisés plus prononcés, une inclinaison du corps vers l'avant et, de la part des femmes, le passage plus ou moins fréquent de la main ouverte dans les cheveux.

Le toucher

Lorsqu'il y a un contact physique entre deux personnes, deux phénomènes se produisent. En premier lieu, le contact physique implique une réduction à zéro de l'espace vital de la personne, un phénomène nommé **proxémique.** Selon Hall (1966), chacun de nous possède un espace vital, soit une espèce de bulle entourant son corps, dont la dimension varie en fonction du type de relation établie avec son environnement. Ainsi le Nord-Américain blanc dispose d'une zone *intime* (de 0 cm à 46 cm), d'une zone *personnelle* (de 46 cm à 1,20 m), d'une zone *sociale* (de 1,20 m à 3,65 m) et d'une zone *publique* (de 3,65 m à 7,60 m). À chacune de ces zones correspond un type d'interlocuteur ou de relation. Ainsi notre ami très proche sera admis à l'intérieur de la zone intime, mais ce ne sera pas le cas pour des collègues. Toute intrusion illicite dans une zone crée une impression désagréable et la personne qui la subit tentera de retrouver immédiatement l'espace optimal. Le transgresseur sera perçu d'autant plus négativement que son entrée sera jugée intentionnelle (O'Connor & Gifford, 1988).

C'est dans ce cadre que s'inscrit le deuxième aspect du toucher. Celui-ci est relié aux facteurs personnels et contextuels qui lui donnent une signification. Une série d'études menées dans un hôpital (Fisher, Rytting & Heslin, 1976; Whitcher & Fisher, 1979) démontre que la réaction des femmes au fait d'être touchées est plus positive que celle des hommes. L'observation de l'arrivée dans les aéroports (Heslin & Boss, 1980) suggère aussi que les femmes ont tendance à se toucher (à s'étreindre) de façon plus intime que les hommes. L'explication proposée pour ces différences a trait à la socialisation des filles et des garçons. Dans l'enfance, les filles seraient touchées plus souvent que les garçons (Stier & Hall, 1984) et seraient donc plus à l'aise face à ce type de communication plus tard dans la vie. Les garçons jugeraient ces gestes menaçants ou dominants, ou verraient en eux des signes d'homosexualité (Derlega *et al.*, 1989), sauf dans les sports (Berman & Smith, 1984).

Au-delà des différences attribuables au sexe, il semble que la réaction au toucher soit, comme l'intrusion dans la zone vitale, dans une large mesure reliée à l'intention qu'on perçoit chez la personne qui touche. Heslin et Alper (1983) suggèrent même que les touchers qui créent une réaction positive peuvent varier quant à leur degré d'intimité (du toucher professionnel du médecin au toucher excitant d'un partenaire). Mais la réaction positive ou négative est fonction de la mesure dans laquelle l'intention qu'on perçoit chez la personne qui touche est légitime et voulue. Argyle (1987a) propose que le toucher peut être interprété comme des avances, une offre d'affiliation et de chaleur, un acte d'agression ou de domination... À chacune de ces fonctions correspondent des gestes habituels dans notre société. Une caresse est généralement un signe d'affection, le fait de retenir un bras, un signe de domination et un coup, un signe d'agression. Mais la signification véritable de chacun de ces gestes est surtout fonction de son contexte et de l'intention qu'on perçoit chez l'autre.

Dans leur ensemble, les résultats des études portant sur la communication non verbale démontrent que ce type de comportement sert à accompagner et à appuyer dans une certaine mesure le comportement verbal. Il joue donc un rôle essentiel dans la présentation de soi (voir DePaulo, 1992). Il apparaît également que, sauf en ce qui concerne l'expression faciale des émotions, les phénomènes étudiés sont intimement liés à une culture particulière. Malgré cette spécificité, tous contribuent à l'expression de l'une ou l'autre de ces deux dimensions fondamentales, c'est-à-dire l'affiliation et la domination (Capella & Palmer, 1989). Bien qu'ils paraissent ambigus lorsqu'ils sont pris hors de leur contexte, tous les éléments du lexique non verbal d'une culture contribuent à communiquer à un certain degré (qui peut être négatif) un rapport affectif ainsi qu'une position hiérarchique par rapport à l'interlocuteur. Dans la section qui suit, nous verrons que la communication verbale, même si elle est plus appropriée pour véhiculer un contenu informatif, peut aussi exprimer l'affiliation et la domination.

LA COMMUNICATION VERBALE

Malgré l'attention qu'on leur accorde, les véhicules non verbaux sont des instruments de communication limités. En plus des normes sociales qui régissent certains comportements (p. ex. le fait de pleurer en public), le code non verbal comporte habituellement des limites 1) quant à l'importance de l'information qu'il est possible de communiquer, 2) quant à la clarté des signaux et 3) quant à la conscience que les interlocuteurs ont de ce code (Schneider, Hastorf & Ellsworth, 1979). Le comportement non verbal sert à communiquer les intentions ou les sentiments, mais la complexité des entreprises humaines requiert un outil plus sophistiqué et plus précis. C'est sans doute pour cette raison que la langue s'est imposée comme moyen de communication (Hagège, 1985). Deux aspects de la communication verbale retiendront notre attention : l'aspect verbal relié à la langue qui est codifiée et répertoriée et l'aspect paraverbal défini par les autres phénomènes accompagnant l'usage de la langue (p. ex. les pauses ou les hésitations).

À propos de la langue

Toutes les langues sont faites d'un nombre variable de **phonèmes,** lesquels sont assemblés en **morphèmes,** qui constituent les plus petites unités porteuses de sens. Dans tous les cas, une grammaire régit la formation des mots et des phrases. Même si ces règles ne sont pas codifiées explicitement (comme par l'Académie française), elles font l'objet de normes partagées par un groupe donné qui considère que cette langue est la sienne. Nous verrons un peu plus loin comment cette appartenance sociale se traduit sur le plan de la communication intergroupe.

Les primates. Avant de passer à l'apprentissage et aux fonctions de la langue, abordons la question phylogénétique. Si les langues se sont articulées en raison de besoins de communication accrus, peut-on enseigner une langue à des primates qu'on mettrait dans un environnement propice à la chose ?

L'histoire de la psychologie nord-américaine comporte de nombreuses tentatives dans ce sens. Deux essais plus anciens avaient pour but d'apprendre à parler à des chimpanzés élevés dans un contexte familial (Hayes & Hayes, 1952; Kellogg & Kellogg, 1933). On a réussi à faire comprendre à ces animaux jusqu'à une centaine de mots, mais on a obtenu peu de succès en ce qui concerne la prononciation.

Des expériences du même genre ont fait appel à d'autres moyens d'expression, soit l'*American Sign Language* (Gardner & Gardner, 1971; Patterson, 1978) ou des disques de plastique de diverses couleurs (Premack & Premack, 1972). Même si dans un cas (Patterson, 1978) l'animal pouvait utiliser jusqu'à 645 signes différents et si dans un autre (Premack & Premack, 1972) il pouvait construire de courtes phrases, cela ne signifie pas que les primates puissent «parler». À la suite de l'expérience la plus récente, Terrace (1979) a conclu que les chimpanzés (le sien s'appelle Nim Chimpsky) apprennent par imitation répétée de leur enseignant. Ils ne peuvent cependant, comme les enfants, produire des phrases qu'ils n'ont jamais entendues, ils ne peuvent non plus passer de la voie active à la voie passive et ne peuvent remplacer un mot par un synonyme.

Les humains peuvent de plus utiliser les mots comme symbole ou représentation d'une autre chose. Un dessin sur le sable devient un chemin à suivre, des mouvements des mains indiquent une activité accomplie la veille... Les primates semblent incapables de produire ou de comprendre une communication ayant ce niveau d'abstraction. Si les besoins du milieu sont responsables de l'apparition des langues, cela ne s'est pas fait à l'intérieur d'une génération mais durant plusieurs siècles d'évolution impliquant des changements importants sur le plan des capacités cognitives des individus.

L'acquisition de la langue. Ces considérations sur les primates nous amènent directement à la question de l'apprentissage du langage. Puisque les humains semblent fondamentalement différents des animaux, ne disposent-ils pas d'une capacité innée à apprendre et à produire le langage? C'est l'avis du linguiste américain Noam Chomsky (1965, 1968, 1975), à qui la linguistique doit sa révolution contemporaine la plus importante. S'appuyant sur les caractéristiques communes des langues, Chomsky postule l'existence d'un certain nombre d'**universaux linguistiques** transmis génétiquement. Ces caractéristiques communes concernent la structure profonde des langues qui comportent toutes des sujets, des verbes et des compléments ainsi que des règles de transformation (c.-à-d. une grammaire) qui permettent de traduire cette structure universelle profonde en une structure de surface correspondant aux langues naturelles que l'on connaît. Chomsky ne prétend pas que les enfants ont une connaissance innée d'une langue naturelle donnée, mais qu'ils ont plutôt la capacité innée de reconstruire la grammaire de celle-ci à partir du discours auquel ils sont soumis.

La réponse des béhavioristes, dont les fondements théoriques (Skinner, 1957) datent de la même époque que les premiers travaux de Chomsky, consiste à dire que le langage est appris. Les points communs des langues du monde sont simplement dus à des expériences communes à tous les humains. L'argument de Chomsky (1959) est évidemment que les mécanismes de renforcement ne peuvent rendre compte de toutes les phrases différentes «connues» par un individu.

La controverse ne semble pas avoir eu de conclusion jusqu'à présent. En fait, selon Van der Zanden (1987), il est probable que les deux positions – nativiste et d'apprentissage – seront réconciliables dans une perspective interactionniste. Selon cet auteur, il est tout à fait possible que le langage soit le produit de l'interaction entre les contraintes de structures fondamentales innées et le résultat de l'apprentissage d'une langue au contact social de ses locuteurs.

Langue et pensée : l'hypothèse de la relativité linguistique. Dans le contexte de ce livre, la langue est principalement traitée comme un instrument de communication. Cependant, elle est aussi un instrument de pensée. Nos réflexions prennent souvent l'allure d'un discours muet. Si c'est le cas, les limites individuelles ou culturelles de notre vocabulaire ou de notre grammaire dictent-elles les limites de notre pensée ? Sapir (1949) et Whorf (1956) répondent par l'affirmative. De nombreux exemples appuient cette thèse. Ainsi la langue navajo contient des expressions différentes permettant de rendre compte de variations infimes dans la description de la pluie (ici, ailleurs, hier, aujourd'hui, demain, forte, faible, etc.). Leur usage de diverses expressions déterminerait leur capacité à détecter et à *distinguer* ces phénomènes qui ne correspondent pour nous qu'à une expression, et seraient par conséquent indiscernables.

Dans le même ordre d'idée, Gleason (1961) décrit la classification des couleurs du spectre lumineux en anglais, en shona (une langue du Zimbabwe) et en bassa (une langue du Liberia). Comme le montre la figure 7.5, cette opération d'étiquetage tout à fait arbitraire donne des versions sensiblement différentes de la réalité. Ainsi le shona divise le spectre en trois parties. « Cips^{w}uka » apparaît à chaque extrémité du spectre parce que le rouge et le pourpre sont placés dans la même catégorie. Le locuteur du bassa, quant à lui, n'utilise que deux catégories de couleurs. Cela veut-il dire qu'il n'en perçoit que deux et qu'il ne peut penser aux couleurs qu'en fonction de deux catégories ?

FIGURE 7.5 **Représentation des catégories du spectre lumineux dans trois langues**

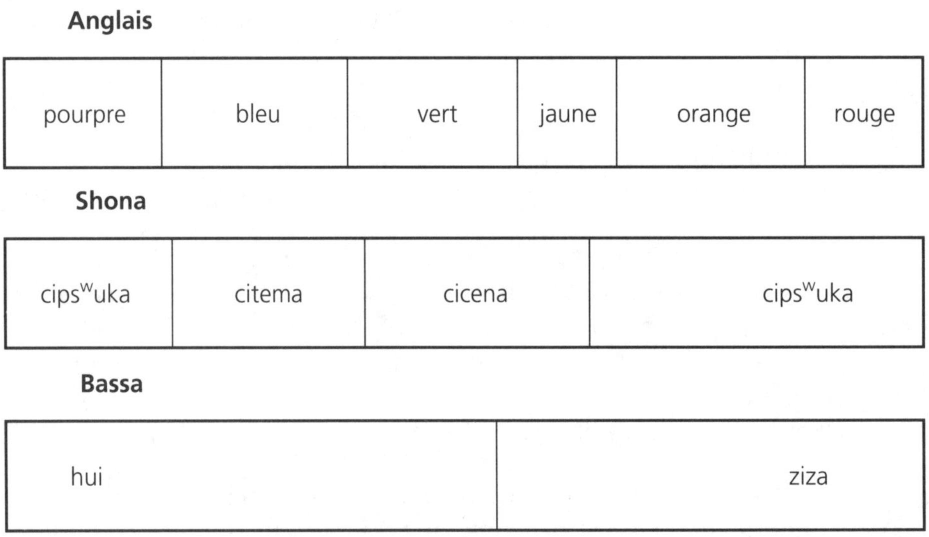

Anglais

pourpre	bleu	vert	jaune	orange	rouge

Shona

cips^{w}uka	citema	cicena	cips^{w}uka

Bassa

hui	ziza

Adapté de Gleason (1961).

Les critiques de l'**hypothèse de la relativité linguistique** rejettent l'idée que des langues différentes nous amènent à vivre dans des mondes sensoriels différents. Ce n'est pas parce qu'on n'a pas accès à deux mots distincts qu'on ne pourra voir la différence entre deux sortes de pluie. De plus, il semble évident que la pensée opère non seulement en fonction du langage mais également en fonction d'images et de relations entre elles (Paivio, 1986). Sur le plan de la communication interculturelle, la situation n'est donc pas aussi catastrophique que ne nous le laisserait penser l'hypothèse de Whorf. Tout au plus, une version moins extrême de cette proposition nous porterait à croire que certaines choses sont plus faciles à exprimer dans une langue que dans une autre et que cela reflète le mode de vie et la culture des locuteurs de chaque langue (Hoffman, Lau & Johnson, 1986; Hunt & Agnoli, 1991). L'expression verbale est probablement le fruit de l'interaction entre les compétences cognitives de l'individu (ce qu'il sait) et ce que lui permet d'exprimer plus facilement sa langue. Mais cela aussi comporte des pièges, comme en témoigne l'encadré 7.2.

ENCADRÉ 7.2

LA LANGUE ET LE GENRE

La relation entre la langue et le genre est un sujet de recherche récent (voir Bate, 1988; Penfield, 1987) dont l'un des enjeux est la façon dont le genre influe sur la pensée. L'emploi du masculin pour désigner les personnes des deux sexes et les efforts pour changer cette pratique sont des thèmes qui ont suscité des controverses. D'une part, plusieurs s'opposent à l'idée d'apporter des modifications en profondeur à la langue. Ils prétendent que les formes linguistiques ont leur propre dynamique, indépendante de la manière de penser des gens. D'autre part, plusieurs chercheurs maintiennent qu'un usage langagier tel que l'emploi du masculin comme forme générique et neutre dans plusieurs langues indo-européennes entraînerait l'exclusion ou la dépréciation des femmes (voir Henley, 1987; Yaguello, 1987). La recherche suggère en effet que la forme employée peut influer sur la perception sociale.

Plusieurs chercheurs maintiennent que la forme pronominale anglaise *he* est considérée comme épicène, c'est-à-dire comme une forme neutre désignant aussi bien les femmes que les hommes. Pour étudier cette question, on demande habituellement aux sujets de lire des textes en utilisant un pronom, soit neutre (comme *they*), masculin (comme *he*) ou féminin (comme *she*). On leur demande ensuite d'écrire une histoire, de faire ou de choisir un dessin qui représente la personne à laquelle le texte fait référence, ou de répondre à des questions à propos de cette personne. Les résultats démontrent

→

ENCADRÉ 7.2 (suite)

en général que le mot servant d'épicène n'est pas jugé neutre, mais plutôt comme représentant le masculin (voir MacKay, 1980, 1983; MacKay & Fulkerson, 1979; Martyna, 1980; Moulton, Robinson & Elias, 1978; Schneider & Hacker, 1973).

Quels sont les effets de cette tendance? Certaines études ont examiné la relation existant entre, d'une part, le terme employé et son genre et, d'autre part, l'évaluation sociale d'un personnage. Par exemple, Hyde (1984a) a présenté à des enfants de troisième et de cinquième année une description d'un emploi fictif, un *wudgemaker*, qui n'est apparemment pas associé à des stéréotypes masculins ou féminins. Différentes versions du texte utilisaient les pronoms *he*, *they*, *he or she* ou *she*. Les résultats montrent que les enfants ont évalué la compétence de la femme *wudgemaker* d'une façon différente selon le pronom utilisé. Les évaluations étaient moins favorables lorsque la description employait le pronom *he*, intermédiaires lorsqu'elle choisissait *they* ou *he or she* et plus favorables lorsqu'elle prenait le pronom *she*. Ces résultats appuient la position voulant que l'usage du masculin, même lorsqu'il s'agit d'un mot épicène, peut provoquer une évaluation moins favorable des femmes dont les fonctions sont désignées par des pronoms d'un genre différent.

En français, la question est d'autant plus complexe que le genre est une caractéristique de la langue. Même si l'on est en faveur de la féminisation des titres, la façon d'accomplir celle-ci peut s'avérer complexe (voir Boel, 1976; Houdebine, 1989; Yaguello, 1989). La plupart des noms d'agent masculins peuvent être féminisés par l'application de règles grammaticales simples (p. ex. le chercheur, la chercheuse ou l'éditeur, l'éditrice). Cependant, cette stratégie pose des problèmes, dont l'un est lié à la position sociale moins élevée accordée aux femmes à cause de la féminisation de leurs titres (Desrochers, 1986). Les mots féminisés selon les règles habituelles font fréquemment référence à des diminutifs (p. ex. des titres finissant en «ette»); ou encore, ils désignent l'épouse de l'agent plutôt que la femme qui remplit cette fonction (p. ex. madame la mairesse, pour la femme du maire). On peut utiliser également une forme féminine peu marquée construite par l'addition d'un «e» à la forme masculine. Par exemple «le professeur» deviendrait «la professeure». Cette stratégie fut adoptée par l'Office de la langue française du Québec en 1986 parce qu'elle semblait répondre à une certaine cohérence grammaticale sans compromettre la position sociale des femmes.

Toutefois, ce n'est que récemment que des études des perceptions sociales reliées à la féminisation des titres ont été menées en français. Lortie-Lussier et Crampont-Courseau (1991) ont étudié les variations de fonctions selon la forme grammaticale donnée à trois occupations traditionnellement masculines:

→

ENCADRÉ 7.2 (suite)

le titre épicène (p. ex. plombier), le titre féminin traditionnel (p. ex. femme plombier) et le titre féminin peu marqué (p. ex. plombière). Les résultats de la première étude montrent peu de différences dans la perception des agentes suivant les trois types de désignation. Les résultats de la deuxième étude indiquent cependant que les femmes qui adoptent le titre féminin peu marqué sont perçues comme moins affectueuses et plus agressives. Dans une étude ultérieure, Parent (1989) suggère que les relations entre certaines caractéristiques psychologiques et le titre pourraient varier selon que l'occupation paraît plus ou moins appropriée pour une femme. Il n'y a donc pas de relation univoque entre le titre féminin et l'évaluation sociale. Mais il semble évident que la langue soit difficilement neutre et que le choix du genre ait un effet sur la perception sociale.

Langage et communication

Une analyse linguistique de la langue a pour but de décrire les composantes de celle-ci et leur agencement. Pour plusieurs chercheurs, ce type d'analyse ne rend cependant pas compte des mécanismes qui permettent à la langue de véhiculer un sens dans un contexte particulier. Ils portent donc leur attention sur le **langage,** c'est-à-dire les différents aspects de l'usage d'une langue dans un contexte particulier. De plus, au lieu d'aborder le phénomène par rapport à ses éléments constituants et à sa mécanique interne, ils empruntent une perspective davantage reliée aux aspects interactifs de la communication. Par exemple, la théorie des actes de parole de Searle (1975) envisage le comportement verbal du point de vue de l'intention du locuteur ; elle distingue cinq catégories d'intention : 1) décrire quelque chose ; 2) amener quelqu'un à faire quelque chose ; 3) exprimer des sentiments et des attitudes ; 4) promettre quelque chose ; et 5) faire quelque chose. Des analyses plus récentes des aspects verbaux et paraverbaux du langage proposent, dans le même ordre d'idée, une analyse fonctionnelle des phénomènes langagiers. Par analyse fonctionnelle, on entend une approche dont la perspective serait celle des fonctions accomplies par le langage. Deux de ces fonctions permettent de regrouper la majorité des phénomènes de la communication verbale : il s'agit des processus de contrôle et d'affiliation (voir Patterson, 1990 ; Wiemann & Giles, 1988).

Le contrôle. On entend par « contrôle » l'ensemble des contraintes que deux interlocuteurs s'imposent l'un l'autre par le biais de ce qu'ils disent et de la façon dont ils structurent la conversation. Cela a pour conséquence de limiter les options comportementales, cognitives et affectives à la portée des participants. Bales (1970) avait déjà établi que, dans des discussions de groupe, plus de la moitié des interventions avaient pour but de donner une opinion ou d'imprimer une orientation à la conversation. De plus, la quantité de paroles semble avoir un effet important sur la perception des qualités de leader des participants (Sorrentino & Boutillier, 1975). Les personnes plus bavardes sont généralement perçues comme plus compétentes et plus préoccupées du sort du groupe.

Il faudrait évidemment se garder de généraliser ces conclusions hors de leur contexte particulier. Il semble en effet que l'évaluation de la compétence des individus soit influencée dans une large mesure par la correspondance entre le style et le contenu de leurs interventions. On ne peut, par exemple, demander une augmentation de salaire sans manifester verbalement un certain respect à l'égard de son supérieur. Des normes de situations guident l'usage d'une langue et un comportement non conforme est perçu négativement. Ainsi on s'attend à ce qu'un langage soigné soit utilisé dans des occasions à caractère officiel (Labov, 1966; Taylor & Clément, 1974). Dans certains milieux multilingues, il existe parfois des attentes par rapport à l'usage de langues différentes dans certaines situations. Au Luxembourg, par exemple, la majorité des habitants parlent le letzeburgisch, qui n'est pas écrit, sauf dans les livres d'enfants. La langue de l'école primaire est l'allemand alors que la langue de l'enseignement supérieur et des institutions est le français (Hamers & Blanc, 1983). Le letzeburgisch, qui a le statut de langue nationale, n'est cependant pas bien vu dans les affaires de l'État.

Puisqu'il existe des normes, on peut évidemment modifier son discours de façon à créer l'image de soi la plus positive (Giles & Street, 1985). Il y a toutefois des limites à ce jeu. Premièrement, on risque toujours de se trahir, comme la personne qui recourrait à un style châtié mais qui emploierait certaines expressions plus familières. Ou encore, la volonté d'établir le contrôle peut se traduire par un comportement inapproprié aux yeux des interlocuteurs. Par exemple, Caporeal, Lukaszewski et Culbertson (1983) rapportent que des infirmières avaient tendance à utiliser un parler enfantin avec des personnes âgées, quelle que soit leur autonomie. Ce comportement, qui suscitait du ressentiment chez les aînés, serait motivé, selon Ryan, Giles, Bartolucci et Henwood (1986), par la volonté de domination de la part des locuteurs. Le fait de parler d'une façon enfantine exprime l'attitude d'impuissance qu'on voudrait voir les patients adopter.

Outre ces caractéristiques plus globales et le style du discours, des aspects verbaux particuliers permettent d'établir le contrôle. Par exemple, il a été démontré qu'un discours incluant une grande variété de mots avait plus d'effet qu'un discours contenant un nombre plus limité de mots et d'expressions (Bradac & Wisegarver, 1984). O'Barr (1982) propose les concepts de **parole puissante** et de parole impuissante pour rendre compte de l'influence qu'exerce un discours. Ces concepts sont illustrés par Ng (1990): supposons que vous ayez été blessé au cours d'une émeute et que vous désiriez attirer l'attention d'une personne pour qu'elle vous vienne en aide. Un groupe de badauds s'est formé, caractérisé par la confusion, l'inhibition et la diffusion de la responsabilité (au sein du groupe, personne n'est responsable; voir le chapitre 10 à ce sujet). Le fait de crier « Au secours!» n'aurait aucun effet, pas plus qu'« Aidez-moi, s'il vous plaît!» Une parole plus puissante serait: « Vous, monsieur! Appelez l'ambulance tout de suite! Allez!» Ou encore (vous pointez le doigt vers elle): « Vous, madame au foulard vert! Donnez-moi des mouchoirs, je saigne. »

La parole puissante comporte trois caractéristiques, en ce qui a trait à de courtes interventions. En premier lieu, elle définit la situation comme ayant de *vraies conséquences* (vous êtes vraiment blessé). Ces dernières ne sont pas toujours évidentes pour un observateur qui ne participe pas à la scène. En deuxième lieu, les mots puissants *visent* une personne en particulier. Cela a pour effet de personnaliser le problème et de préciser la responsabilité de l'intervention. En troisième lieu, la parole puissante *précise* l'intervention attendue.

La distinction entre la parole puissante et la parole impuissante a été invoquée pour comparer les styles langagiers respectifs des hommes et des femmes. Certains chercheurs ont suggéré que ces variations seraient le reflet de la différence de pouvoir entre les hommes et les femmes. Conformément à leur position sociale plus élevée, les hommes auraient un style relativement puissant par rapport aux femmes. Lakoff (1975) soutient par exemple que les femmes emploient plus de fins de phrases interrogatives (« C'est bon, n'est-ce pas?») que les hommes parce qu'elles éprouveraient de l'incertitude et de la déférence à l'égard de leurs interlocuteurs masculins.

La recherche empirique portant sur plusieurs de ces différences a donné des résultats équivoques. Ainsi certains chercheurs on trouvé que les femmes emploient plus de fins de phrases interrogatives que les hommes (Fishman, 1980; McMillan, Clifton, McGrath & Gale, 1977), d'autres n'ont relevé aucune différence entre les hommes et les femmes (Baumann, 1976); d'autres, enfin, rapportent que les hommes emploient celles-ci plus souvent que les femmes (Lapadat & Seesahai, 1977). Il est possible (Thorne, Kramarae & Henley, 1983) que la fonction et l'usage de ces structures linguistiques puissent varier non seulement selon le sexe des interlocuteurs, mais aussi selon le contexte, le thème de la conversation, les rôles et d'autres facteurs sociaux. On pourrait, par exemple (Thorne, Kramarae & Henley, 1983), employer les fins de phrases interrogatives pour provoquer une réponse d'un conjoint non communicatif (Fishman, 1980), pour alimenter l'interaction (Johnson, 1980) ou pour éviter l'opposition (Dubois & Crouch, 1975). Ces résultats soulignent la difficulté d'associer des structures linguistiques à des stratégies et à des caractéristiques des interlocuteurs. Ils illustrent aussi que la dimension de contrôle peut se manifester d'une façon subtile.

L'affiliation. Un des facteurs de domination dont on a discuté est l'usage du style de langage accepté par une communauté donnée. L'utilisation de la forme plus prestigieuse d'une langue projette l'image d'une personne compétente et intelligente, mais pas nécessairement l'image d'une personne chaleureuse ou agréable sur le plan interpersonnel. Le processus d'affiliation interpersonnelle est principalement représenté dans le langage verbal par le phénomène de la révélation de soi décrit au chapitre 3 (voir Altman & Taylor, 1973). La révélation de soi correspond à la transmission volontaire de renseignements personnels, lesquels ne seraient pas divulgués autrement. Le processus de révélation de soi a pour but de permettre une affiliation de plus en plus importante entre deux individus en accroissant leur intimité interpersonnelle. La norme de réciprocité (Gouldner, 1960) constitue le mécanisme de base de la révélation de soi. Ainsi la révélation d'une information plutôt intime à propos de soi implique la révélation de la part de l'interlocuteur d'une information à peu près équivalente quant à la valence (une information positive ou négative) et au degré d'intimité (Ludwig, Franco & Malloy, 1986). Au gré des échanges où il y a révélation de soi, la relation devient de plus en plus intime et le degré d'affiliation croît entre les interlocuteurs.

Cette explication du mécanisme d'affiliation défie cependant certaines règles connues de la conversation. Les travaux d'Alicke *et al.* (1992), par exemple, montrent que les plaintes sont rarement formulées dans le but de changer l'état des choses. Celles-ci visent plutôt à exprimer l'insatisfaction et à créer un lien avec l'interlocuteur. Ce dernier répond rarement par une plainte équivalente ; il offre plutôt son appui ou encore une solution. Dans le même ordre d'idée, si vous avez tendance à faire une confidence en échange d'une confidence que vous avez reçue, vous courrez le risque de manquer d'à propos – d'indiquer à votre interlocuteur que sa vie intime ne vous intéresse pas. Dans deux études, Berg et Archer (1980, 1983) démontrent que l'expression de l'intérêt ou de l'inquiétude à l'endroit de l'interlocuteur était mieux évaluée que le fait d'offrir une confidence ayant un degré équivalent d'intimité, à moins que cette confidence ne porte sur le même sujet. Il semble ressortir de ces travaux pris dans leur ensemble que le phénomène de la révélation de soi fait partie des stratégies de **présentation de soi** (*facework,* en anglais), lesquelles sont motivées, fondamentalement, par le désir de montrer et de préserver une image positive de soi. La révélation de soi peut être menaçante dans la mesure où elle implique la possibilité d'une non-réciprocité et de la dévalorisation de son auteur. Le mécanisme d'affiliation verbale par la révélation de soi réciproque ne fonctionne donc que si le contexte et la réponse de l'interlocuteur permettent de promouvoir à la fois une présentation de soi plus positive et une plus grande intimité entre les interlocuteurs (voir Tracy, 1990).

Paralangage et prosodie

« Ce qui est important, ce n'est pas ce que vous dites, mais comment vous le dites. » Les mots **paralangage** et **prosodie** désignent une gamme de phénomènes ayant trait aux aspects musical ou mélodique du discours. Le paralangage correspond à des caractéristiques telles que la *force*, la *fréquence* (ou le *ton*), les silences qui ponctuent une déclaration (c.-à-d. les *pauses*) et ceux qui se placent entre deux interventions du locuteur *(attente de la réponse)*, la *durée du discours* et le nombre de syllabes ou de mots dans un temps donné (le *taux de paroles*). Pour sa part, la prosodie renvoie à des phénomènes habituellement mesurés de façon discrète (Martin, 1981). Ce sont l'*accent,* ou le fait d'énoncer certaines syllabes ou lettres d'un mot de façon plus forte ou avec une tonalité plus élevée, le *centre,* qui désigne l'accent le plus prononcé. L'accent et le centre créent le rythme du discours. La *jonction,* au contraire, brise le rythme au moyen d'une *pause,* un allongement des syllabes, un changement du taux de paroles ou du ton. Enfin, la *direction* du ton (montant, descendant, stable) et sa *variation* correspondent à l'inflexion de la voix.

Street (1990) souligne que ces aspects de la communication ont fait l'objet d'une attention soutenue au cours des dernières années du point de vue 1) de la physiologie de leur production ; 2) des réponses d'évaluation qu'ils suscitent ; 3) des caractéristiques personnelles associées à chacun d'entre eux ; et, finalement, 4) de leur signification précise. Avant d'aborder leur signification sociale, il faut cependant souligner que ces aspects sont aussi susceptibles d'être influencés par des facteurs physiologiques, tels que les dimensions de l'organe de la voix et la capacité pulmonaire, et par le degré de fatigue ou d'activation physiologique des locuteurs (Laver & Trudgill, 1979). Ainsi des locuteurs ayant un degré modéré d'activation parleront plus vite, avec des attentes plus courtes et un vocabulaire plus riche que des individus manifestant un degré plus bas ou plus élevé d'anxiété (Siegman & Pope, 1966).

Il semble que l'adaptation réciproque des interlocuteurs soit le mécanisme qui régit la transmission d'un message. Lorsque deux personnes ont un échange verbal, une cohérence est créée sur le plan verbal (sans quoi ce serait un dialogue de sourds) et sur le plan du paralangage et de la prosodie. Cette relation entre les deux discours correspond à une position sur un continuum défini à une extrémité par l'harmonie complète des styles paraverbaux quant au taux de paroles, à l'accent, aux pauses et à la force. L'autre extrémité est déterminée par le choix de la part des interlocuteurs de styles paraverbaux opposés : des rythmes différents, des pauses non coordonnées, des interruptions, etc.

L'étude des aspects paralangagiers et prosodiques de la communication a, dans le passé, emprunté l'approche des « canaux ». Le ton de la voix ou le rythme de la parole étaient étudiés indépendamment des autres aspects particuliers. Cette approche s'avère difficilement défendable au regard du fait qu'un phénomène propre à un canal peut véhiculer des significations différentes, suivant les phénomènes qui se produisent simultanément dans d'autres canaux. Par exemple, un taux de paroles élevé peut exprimer l'anxiété, la joie, la haine, la peur : cela dépend des autres comportements (p. ex. les expressions du visage) auxquels il est associé. Pour ces raisons, on tend maintenant à privilégier l'*approche fonctionnelle.* Dans la foulée de l'analyse du langage qui précède, les deux fonctions qui semblent les principales (Patterson, 1990 ; Wiemann & Giles, 1988) seront examinées ici : il s'agit des fonctions de contrôle et d'affiliation.

Le contrôle. En ce qui a trait au contrôle de la conversation, différentes stratégies permettent de prendre le dessus et de le garder. Les individus qui veulent acquérir le contrôle interrompent plus fréquemment leur interlocuteur et parlent plus longtemps, plus vite et plus fort. Lorsque les deux interlocuteurs désirent dominer la conversation, celle-ci est habituellement de courte durée parce que l'un des deux cède la parole à l'autre ou se retire (Street & Capella, 1985).

Après avoir acquis le contrôle de la conversation, l'interlocuteur dominant devra normalement chercher à prolonger la relation du dominant au dominé. Pour ce faire, la personne dominante interrompra la personne dominée plus souvent, parlera plus longtemps, décidera du sujet et de la personne qui parle et à quel moment (Street, 1986). La conversation ressemble alors à celle qu'on trouve entre le professeur et l'étudiant, le médecin et le patient ou l'employeur et l'employé par exemple. L'interlocuteur non dominant sera souvent soucieux de créer une bonne impression ; il parlera plus vite, fera moins de pauses et utilisera une plus grande variété de mots que son interlocuteur dominant.

Contrairement à ce qu'on pourrait croire, une façon de garder le contrôle lorsque celui-ci est acquis consiste à déroger aux normes concernant le style approprié pour la situation. Cet interlocuteur peut donc affirmer sa domination en utilisant sans prévenir un style de langage différent (Scotton, 1985) – en employant brusquement des formules ou des termes familiers («Ça marche-tu avec toi, ça ?» à la fin de la phrase) ou même vulgaires. Ces stratégies caractéristiques de la volonté de garder le dessus sont évidemment relatives ; elles constituent le produit de l'interaction de deux individus. Ainsi rien n'empêche l'interlocuteur non dominant de mettre au défi l'interlocuteur dominant en changeant subitement de style à son tour. Mais attention aux conséquences !

L'affiliation. Les stratégies de domination sont dans une large mesure caractérisées par une absence d'harmonie interpersonnelle. Lorsqu'on étudie le style paralangagier associé aux conversations intimes, on note des discours plus lents, à voix plus basse et comportant plus de pauses que dans les conversations normales. Ces phénomènes s'appuient sur des stratégies non verbales et verbales semblables : un regard soutenu, la proximité physique et une plus grande intimité dans la révélation de soi (Bavelas *et al.*, 1988; Burgoon & Hale, 1988). Mais bien que ces phénomènes reflètent l'affiliation et aident à promouvoir celle-ci, une caractéristique essentielle à la conclusion positive d'une conversation est leur réciprocité. Dans l'optique d'une plus grande affiliation, il est important que les interlocuteurs se rencontrent en adoptant des comportements paralangagiers similaires (Capella & Palmer, 1988).

LES MODES DE COMMUNICATION COMBINÉS

Les résultats des études de Mehrabian (1972) et de ses collègues sur l'importance relative des modes de communication établissent que les émotions sont principalement communiquées par les expressions faciales (55 %), ensuite par l'expression vocale (38 %) et, en dernier lieu, par le contenu verbal (7 %). Ces études utilisent cependant une méthodologie quelque peu artificielle, combinant en laboratoire des messages avec des expressions et des contenus différents.

Afin de pallier cette limite, Krauss *et al.* (1981) ont utilisé des extraits du débat entre les candidats Mondale et Dole à l'investiture démocrate pour les élections présidentielles de 1976. Ils ont demandé à des participants d'évaluer le contenu émotionnel de ces échanges présentés de quatre façons différentes, soit sous la forme 1) de l'extrait complet ; 2) de la bande sonore seulement ; 3) de la bande vidéo seulement ; et, finalement, 4) de la bande sonore traitée de façon à ne laisser passer que l'expression vocale dépourvue de son contenu (ce qu'on appelle le « paralangage »). En indiquant que c'est l'évaluation de la bande sonore non traitée qui se rapprochait le plus de l'évaluation de l'extrait complet, les résultats prouvaient l'importance du contenu verbal dans une situation naturelle.

Cela ne veut cependant pas dire que les aspects paralangagiers et non verbaux ne sont pas importants. Par exemple, DePaulo *et al.* (1978) ont combiné sur une bande magnétoscopique des messages verbaux avec des messages non verbaux (les expressions du visage et les positions du corps) discordants. Le contenu des messages verbaux était rendu incompréhensible par des filtres sonores. Les chercheurs ont par la suite présenté cet enregistrement aux participants sous la forme vidéo seule, sous la forme audio seule ou sous la forme sonore vidéo combinée. On a demandé à ceux-ci d'évaluer dans quelle mesure le message était positif (ou négatif), dominant (ou non dominant) ou discordant. La figure 7.6 illustre les moyennes obtenues lors de l'évaluation du degré positif de la communication. Dans le cas des messages positifs comme dans celui des messages négatifs, la forme vidéo seule donne des résultats se rapprochant davantage de la forme sonore vidéo que de celle sonore seule. L'évaluation des participants est donc plus fortement influencée par les signaux non verbaux que par les signaux verbaux. De plus, cet « effet vidéo » semble caractériser surtout les réponses des femmes.

Une analyse plus détaillée de ces résultats amène cependant DePaulo *et al.* (1978) à conclure que plus les messages sonore et vidéo sont discordants, plus les participants portent leur attention sur les aspects qui semblent échapper à la volonté de la personne cible : notamment le ton de la voix et la position du corps plutôt que l'expression faciale. Des messages verbaux et non verbaux ne véhiculant pas le même sens signaleraient au participant la possibilité d'une tentative de tromperie ; celui-ci s'attacherait alors davantage aux modes moins maîtrisables et donc susceptibles de révéler des indices de vérité. Ainsi cette recherche et d'autres plus récentes (voir O'Sullivan, Ekman, Friesen & Scherer, 1985) suggèrent qu'il n'existe pas un mode qui soit de façon permanente plus responsable qu'un autre de la formation des impressions interpersonnelles. La véracité perçue de ce qui est communiqué, l'état émotif du locuteur, l'aspect évalué et les modes d'information présents déterminent celui qui sera privilégié.

FIGURE 7.6 **Évaluation moyenne en fonction de la condition expérimentale et du type de message**

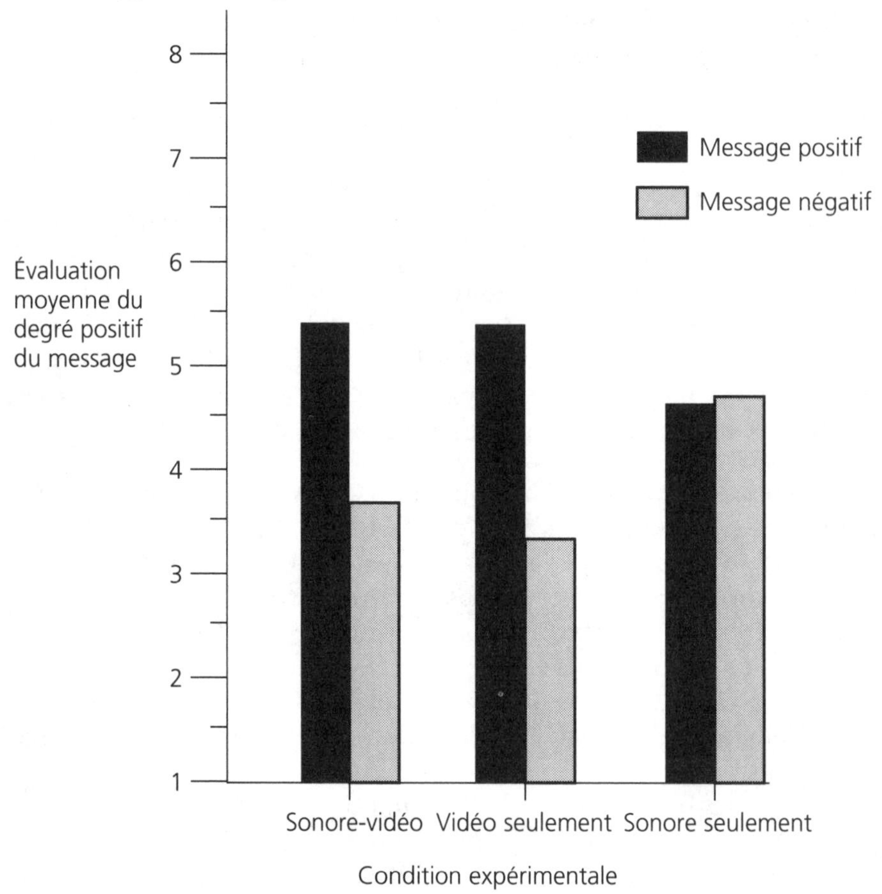

Adapté de DePaulo *et al.* (1978).

La tromperie

La coordination des différents modes offre un intérêt particulier pour notre compréhension de la fabrication et de la détection de la **tromperie.** Par « tromperie », on entend ici toute communication qui vise à induire l'interlocuteur en erreur. La tromperie varie évidemment quant à la gravité de ses conséquences. On a souvent recherché dans le comportement du trompeur des indices ou des « fuites » qui trahiraient son intention véritable. Les premières recherches portant sur les « fuites » non verbales accompagnant le comportement verbal (voir Ekman, 1985; Ekman & Friesen, 1969) indiquent que les trompeurs ont tendance à ne pas faire d'affirmations factuelles, à tenir des propos vagues ou encore à prendre plus de temps pour répondre. Leur voix peut devenir plus aiguë et ils accompagnent leur discours d'un plus grand nombre de gestes dirigés vers le corps (p. ex. le fait de porter les mains au visage). Comme c'était le cas dans la recherche de DePaulo *et al.* (1978) citée précédemment, il semble que les signaux provenant du visage permettent beaucoup moins facilement de déceler la tromperie. Ils sont en effet nettement plus soumis à la volonté du locuteur.

On note cependant d'importantes variations dans ce qui constituerait des indices sûrs du comportement trompeur, variations liées à de nombreux facteurs. Zuckerman, DePaulo et Rosenthal (1981) estiment que le comportement du trompeur est influencé par son niveau d'activation (sa motivation à tromper), ses émotions (sa peur ou sa culpabilité), la difficulté relative de produire un faux message et la capacité du trompeur de maîtriser son comportement. Par exemple, DePaulo, Stone et Lassiter (1985a, 1985b) rapportent que, lorsque le trompeur est peu motivé, ses messages se caractérisent par des signaux verbaux et paraverbaux tels que la formulation de renseignements non pertinents et des erreurs d'énonciation. Par contre, quand la motivation à tromper est élevée, le trompeur cligne moins des yeux, bouge moins la tête et change moins souvent de posture. Il est cependant possible que la signification de ces divers signaux soit tout autre si le trompeur est un individu capable d'exercer une grande maîtrise sur son propre comportement.

Des variations semblables sont observées du côté des facteurs qui déterminent la possibilité de détecter une tromperie. D'après Friedman et Tucker (1990), la probabilité de détection d'une tromperie est ni plus ni moins une question de chance pour la plupart des individus. Même de présumés experts comme les agents des douanes ne semblent pas plus doués pour cette activité que des étudiants du niveau universitaire (Kraut & Poe, 1980). Une des raisons évoquées pour expliquer ces piètres résultats est que la plupart des gens ne repèrent pas les fuites ni les bons signaux. Ainsi, d'après DePaulo *et al.* (1985a) et Zuckerman, Koestner et Driver (1981), la majorité des gens accorderont leur attention à la direction du regard, à la logique de l'énoncé, à l'impassibilité du visage, aux hésitations et au rythme des paroles – la plupart de ces indices étant peu fiables.

La capacité de détecter la tromperie semble plutôt liée à des facteurs tels que la motivation à le faire, la sensibilité aux signaux non verbaux, certaines habiletés cognitives permettant de percevoir l'incohérence entre différents signaux, le fait de s'intéresser aux mouvements du corps dans une situation particulière et la connaissance que l'on a du trompeur (Friedman & Tucker, 1990). L'effet de tous ces facteurs, dans un contexte précis, déterminera si oui ou non la tromperie est décelée.

Les travaux de recherche effectués sur la tromperie, tant du point de vue de sa fabrication que de celui de sa détection, démontrent qu'il serait futile de songer à formuler une règle d'or qui permettrait aux policiers ou aux juges de déceler celle-ci. Bien qu'il soit possible de déterminer dans une situation précise et dans un environnement contrôlé les véritables signaux de tromperie, il n'y a aucune assurance que ces résultats soient généralisables à d'autres situations. On devrait plutôt envisager la tromperie comme un processus dans lequel un trompeur et un trompé, tous deux plus ou moins habiles, participent à un échange. Le trompeur, qui est caractérisé par ses motivations, ses émotions, son style particulier et sa connaissance préalable du trompé, propose à ce dernier une version de la réalité. Le trompé, qui est également caractérisé par ses motivations et par sa connaissance préalable du trompeur, tente d'évaluer la véracité du discours qui lui est présenté et réagit en conséquence. Il se peut fort bien que son handicap le plus important soit sa volonté de croire le trompeur : une femme violentée par son conjoint préférera peut-être croire à la sincérité de son repentir plutôt que de quitter celui-ci et de se retrouver seule. Le comportement du trompé sera alors utilisé par le trompeur comme source d'indices quant à la façon de poursuivre la tromperie. Les tours de parole s'emboîtent donc, s'influençant mutuellement ; mais ils sont aussi susceptibles de connaître des changements abrupts comme toute autre conversation. Le mécanisme de la tromperie s'apparenterait alors à un épisode de négociation de la réalité impliquant tous les modes de communication.

COMMUNICATION ET SOCIÉTÉ

Jusqu'à présent, nous avons traité les phénomènes de communication en tant que phénomènes interpersonnels. La façon dont on s'exprime peut cependant témoigner ou viser à témoigner de l'appartenance à un groupe (voir Turner *et al.*, 1987; voir également le chapitre 13). Nous avons vu dans la mise en situation de ce chapitre que Robert était français (parisien) et que Louise était québécoise (de la région du Lac-Saint-Jean). Une affirmation de cette dernière suivant laquelle seuls les mets à base de cidre et de bleuets ont du goût peut aussi bien signifier sa préférence personnelle que son appartenance à une région. Le fait qu'une situation soit intergroupe ou interindividuelle tient probablement à une question de degré. Dans la plupart des cas, les situations impliquent un mélange des deux types même s'il est possible de mettre en scène des situations qui feront ressortir l'un au détriment de l'autre.

Si plusieurs recherches ont associé le langage au groupe ethnique, c'est sans doute parce que les ethnies se reconnaissent plus facilement aux langues qu'elles parlent. Mais des langages, dans l'acception large du terme, peuvent déterminer plusieurs sous-groupes à l'intérieur du groupe qui parle la même langue. Est-ce qu'un mécanicien francophone parle le même langage qu'un avocat francophone ou qu'un pâtissier francophone ? Le langage peut également varier en fonction de contingences situationnelles. Ainsi, en période de négociation syndicale, un collègue francophone parle davantage le langage d'un collègue anglophone que celui d'un patron francophone.

Les différences langagières reflètent en fait des différences culturelles. Celles-ci spécifient le **degré d'interculturalité** de l'échange. Ce niveau est bas dans la mesure où les deux groupes partagent les mêmes valeurs, les mêmes normes par rapport au comportement, une perception égalitaire de l'échange et des buts communs et enfin des moyens d'expression mutuellement intelligibles. Dans ce cas, qui peut ne durer que quelques minutes (la pause entre deux séances de négociation), la communication entre les deux individus demande une énergie moindre et la probabilité d'atteindre le but fixé est plus élevée que lorsque les conditions sont opposées à celles-ci (Sarbaugh, 1988). Une situation ayant un degré élevé d'interculturalité comporte non seulement des moyens d'expression non mutuellement intelligibles (comme des langues différentes), mais aussi des valeurs, des normes, des statuts et des buts différents. Vue sous cet angle, toute conversation entre deux personnes comporte un degré plus ou moins élevé d'interculturalité. De plus, suivant les variations momentanées des buts et des rapports entre deux individus, ce degré peut fluctuer durant le même échange.

L'aspect social de la communication tient principalement au fait que les caractéristiques culturelles qui déterminent le langage (les valeurs et les normes) sont toujours communes aux membres d'un certain groupe. Cela ne veut pas dire pour autant que nous sommes condamnés à une communication continuellement difficile avec une personne appartenant à un autre groupe. En tant qu'individus, nous faisons partie de plus d'un groupe (Tajfel, 1974). Ainsi, si Robert et Louise ne parviennent pas à s'entendre sur le plan de la gastronomie, peut-être parviendront-ils à diminuer le degré d'interculturalité de leur échange s'ils parlent de musique.

Même si l'on peut envisager la plupart de nos échanges comme des communications interculturelles, les recherches portant sur le sujet se sont surtout attardées à décrire et expliquer le comportement langagier d'individus se distinguant essentiellement par la langue qu'ils parlent, donc par leur groupe ethnolinguistique, en plus de leur culture. Sans limiter la portée de ce qui suit, il sera principalement question ici des facteurs personnels et sociaux qui influent sur l'acquisition et l'usage des langues, puis des conséquences tant interpersonnelles que sociales de l'usage de celles-ci.

L'acquisition d'une langue seconde

Les recherches sur l'acquisition des langues secondes sont à la fois une contribution spécifiquement canadienne aux recherches sur la communication et une étude de cas de l'interculturalité qui s'avère particulièrement intéressante. Les premières études portant sur le sujet (Carroll & Sapon, 1959, 1967) ont mis en valeur le rôle de l'**aptitude linguistique,** un concept décrivant la capacité individuelle d'apprendre une langue seconde. Vers le début des années 1960, un groupe de chercheurs de l'Université McGill a toutefois proposé une approche qui souligne l'importance des attitudes et de la motivation, alors que, plus récemment, l'anxiété et la confiance en soi ont semblé au centre du débat. Nous aborderons tour à tour ces deux questions.

Les attitudes et la motivation. L'idée initiale proposée par Gardner et Lambert (1959, 1972) est relativement simple. S'inspirant des travaux de Mowrer

(1950) sur l'apprentissage de la langue première, ils postulent que la motivation joue un rôle prépondérant dans l'acquisition d'une langue seconde. De plus, cette motivation devrait être liée à l'attitude (ou aux prédispositions affectives) des individus à l'égard du groupe de langue seconde et aux raisons (ou aux buts recherchés) d'apprendre cette langue. Les raisons principales proposées par Gardner et Lambert correspondaient à deux orientations, soit l'**orientation intégrative** et l'**orientation instrumentale.** L'orientation dite « intégrative » a trait à la volonté d'apprendre une langue seconde afin de ressembler à des personnes valorisées du groupe qui parle cette langue. L'orientation dite « instrumentale », quant à elle, correspond à la volonté d'apprendre une langue seconde pour des raisons pratiques. Gardner et Lambert (1972) indiquent qu'une orientation intégrative serait plus efficace qu'une orientation instrumentale.

Cependant, des travaux ultérieurs dont les résultats sont très éloignés des précédents ont remis en question cette hypothèse. Une étude menée par Clément et Kruidenier (1983) auprès de huit groupes d'étudiants démontre que quatre orientations caractérisent l'apprentissage d'une langue seconde, et cela pour tous les groupes : 1) l'éventualité du voyage ; 2) la rencontre de nouvelles personnes ; 3) l'acquisition de connaissances ; et 4) des motifs pratiques (comme l'obtention d'un diplôme ou d'un emploi). Ces quatre orientations générales sont les meilleurs éléments prédictifs de la motivation à apprendre une langue seconde.

D'autres études ont corroboré les résultats de Clément et Kruidenier, du moins en ce qui a trait à l'importance des orientations générales (Dörnyei, 1990; Moïse, Clément & Noels, 1990; Noels & Clément, 1989). Gardner et MacIntyre (1991) ont de plus comparé les effets d'une motivation de type intégratif avec ceux d'une incitation financière. Dans les deux cas, ils ont relevé une influence dans le sens d'une amélioration de l'apprentissage. L'incitation financière (l'orientation instrumentale) comportait cependant une faille majeure : l'individu qui apprenait cessait de faire des efforts dès que l'incitation financière était obtenue ; ce phénomène est associé fréquemment à divers types de motivation extrinsèque (Noels, Pelletier, Clément & Vallerand, 1990; voir les chapitres 3 et 5).

Lorsqu'on examine la motivation à travers la notion d'« orientation », on imagine un individu mû par la perspective de buts ou d'objectifs désirables. Celui-ci est plus ou moins « attiré » par les conséquences de l'apprentissage d'une langue seconde. Une autre façon de voir les choses consiste à représenter la motivation comme résultant d'un processus intégré : l'individu est alors « poussé » à apprendre une langue seconde par des facteurs contextuels et personnels. C'est, en fait, à cette dernière perspective qu'on a accordé le plus d'attention.

Gardner (1985) résume et évalue sept modèles qui rendent compte, chacun à leur façon, des processus qui sous-tendent l'acquisition des langues secondes. Plutôt que de revoir ici ces différents modèles et d'autres qui ne sont pas inclus dans la description de Gardner (voir, par exemple, Hamers & Blanc, 1983, 1989), nous ferons état des éléments qui les caractérisent, certains d'entre eux étant communs à plusieurs modèles.

On distingue généralement deux catégories d'éléments de type social, soit les variables individuelles et les contextes d'apprentissage (Gardner & Clément, 1990). Sur le plan des caractéristiques individuelles, l'attitude ou les prédispositions affectives à l'égard du groupe qui parle la langue seconde est l'aspect qui a d'abord été examiné par les chercheurs. On trouve l'association entre l'attitude et la motivation dans les premiers travaux portant sur les anglophones qui apprennent le français (Gardner & Lambert, 1959, 1972) ainsi que dans des travaux ultérieurs (p. ex. Gardner, Lalonde & Pierson, 1983; Gardner & Smythe, 1975). Cet ensemble de variables affectives et motivationnelles nommées **motivation intégrative** est aussi présent chez les francophones apprenant l'anglais (voir Clément, 1978; Clément, Gardner & Smythe, 1977b, 1980), chez des Américains anglophones apprenant le français ou l'espagnol, chez des Franco-Américains apprenant le français, chez des Philippins apprenant l'anglais et chez des Finlandais apprenant l'anglais. Les résultats obtenus globalement démontrent que la compétence dans une langue seconde est soutenue par des prédispositions affectives à l'égard du groupe de langue seconde, des étrangers en général et des langues étrangères (Gardner, 1988; Gardner & Clément, 1990).

La motivation intégrative est aussi associée à la persévérance manifestée par l'étudiant (Clément, Smythe & Gardner, 1978; Gardner, Lalonde, Moorcroft & Evers, 1987), au degré d'assimilation de ce qui a été appris (Gardner & Lysynchuk, 1990; Gardner, Moorcroft & Metford, 1989) et à la recherche d'un contact avec des membres du groupe de langue seconde (Clément, Gardner & Smythe, 1977a ; Clément & Kruidenier, 1985).

Clément (1980, 1984) estime cependant qu'un autre facteur affectif risque de faire contrepoids à cet intérêt pour l'autre groupe. Dans les cas mettant en présence des individus appartenant à des groupes minoritaires, il est possible que la motivation intégrative soit modérée par la peur de perdre l'identité première. La **peur de l'assimilation** (voir Taylor, Ménard & Rheault, 1977; Taylor & Simard, 1975), comme le démontrent Clément et Kruidenier (1985), constitue l'envers de la médaille de la motivation intégrative. Sur le plan affectif, la force motivationnelle résulte donc de l'opération de deux forces opposées : d'une part l'attrait d'une langue et d'une culture additionnelles, d'autre part la peur de perdre l'identité linguistique première.

L'anxiété et la confiance en soi langagières. Comme les recherches antérieures l'ont démontré, les prédispositions affectives sont rattachées aux attitudes des parents à l'égard du groupe apprenant la langue seconde (voir Gardner, 1985, chapitre 6) et, plus généralement, aux attitudes de la communauté à l'égard du groupe parlant la langue seconde (Hamers & Blanc, 1983; Gardner *et al.*, 1983). La majorité de ces recherches ont toutefois été menées dans des milieux anglophones relativement homogènes. Les contacts limités avec le groupe de langue seconde (dans ce cas-ci les francophones) s'effectuent principalement par l'entremise des médias. Lorsque des contacts avec des membres de ce dernier groupe sont possibles, un autre processus entre en jeu.

Ce processus est la cause du degré d'anxiété ou de **confiance langagière** ressentie par l'individu lorsqu'il utilise la langue seconde. Il s'agit ici de la mesure dans laquelle un locuteur estime pouvoir communiquer d'une façon adaptative et efficace dans une langue seconde à l'intérieur d'un contexte particulier. Une confiance en soi basse implique un degré élevé d'anxiété par rapport à la situation de communication. L'anxiété et la confiance en soi dont il est question concernent donc la situation de communication ; elles ne sont pas générales ou permanentes (voir MacIntyre & Gardner, 1990).

Ce sont les caractéristiques des contacts – leur fréquence et leur qualité – avec les membres de l'autre groupe qui déterminent la confiance en soi de l'individu. Ainsi des contacts fréquents et agréables avec les membres de l'autre groupe augmenteront la confiance en soi et éventuellement la motivation (Clément & Kruidenier, 1985). Dans ces circonstances, la confiance en soi sera également rattachée à la compétence en langue seconde, principalement si l'on définit celle-ci comme la capacité de communiquer oralement plutôt que d'y voir la connaissance grammaticale de l'autre langue (Clément, 1986). De plus, la confiance en soi est reliée au niveau d'usage de la langue seconde dans d'autres situations (Clément, 1986) et à l'adaptation sociale de membres de groupes minoritaires dans un environnement de langue seconde (Dion, Dion & Pak, 1990; Pak, Dion & Dion, 1985).

Ces derniers résultats concernant l'adaptation des individus font de l'acquisition d'une langue seconde bien plus qu'une matière scolaire. Tant sur le plan de ses déterminants que sur celui de ses conséquences, elle contribue à augmenter la capacité de communication des personnes qui apprennent et, par conséquent, le potentiel d'harmonie interpersonnelle et sociale.

Les codes et leur usage

Nous avons fait état des facteurs motivationnels reliés à l'apprentissage et à l'usage d'une langue seconde par un individu. Ce phénomène peut être considéré comme un cas particulier dans une gamme de phénomènes caractérisant toute interaction où plus d'un code est utilisé. Ici, le terme « code » désigne non seulement une langue donnée mais également les **dialectes** et les **styles d'une langue.** Les dialectes constituent des variétés d'une même langue *non mutuellement intelligibles* (p. ex. le wallon de Belgique et le créole d'Haïti). Pour leur part, les styles d'une langue sont des variétés d'une langue qui se distinguent principalement par l'intonation, l'accent et le lexique. Cependant, les styles d'une langue (p. ex. le québécois, le français standard, le provençal) sont d'habitude mutuellement intelligibles. Il existe aussi des jargons et des argots propres à des sous-groupes particuliers, connus d'eux seuls et utilisés dans des contextes précis (p. ex. la langue des avocats ou celle des scientifiques employées lors de congrès ou de conférences). Ces variations représentent autant de codes et les facteurs qui déterminent leur apprentissage et leur usage ont fait l'objet de recherches de la part de sociolinguistes (comme Gumperz & Hymes, 1972) et de psychologues sociaux (comme Giles & Powesland, 1975) depuis bon nombre d'années.

Parmi les phénomènes qui attirent le plus l'attention, le **mélange des codes** et l'**alternance des codes** ont conduit aux analyses les plus poussées. Les deux phénomènes sont reliés à la notion de **tour de parole.** Celle-ci correspond à la période pendant laquelle un locuteur s'exprime d'une façon ininterrompue. Une conversation est par définition composée de tours de parole alternatifs des interlocuteurs. Quant au mélange des codes, il désigne l'introduction, dans un tour de parole, de mots ou d'expressions empruntés à un autre code. Par exemple, la phrase française « Les *boys* ont aimé leur *party* » comporte deux emprunts à la langue anglaise. On verra plus tard que le genre d'emprunt utilisé et la façon dont il est prononcé influent sur l'impression créée par le locuteur. Par « alternance des codes », on entend habituellement les variations de codes qui coïncident avec les tours de parole dans une conversation.

Les travaux des sociolinguistes ont bien documenté le fait que certains codes sont plus utilisés dans certaines situations que dans d'autres. Ainsi on aura plus tendance à utiliser la forme **standard d'une langue** (p. ex. le français international) dans des situations à caractère officiel (p. ex. avec un supérieur) que dans des situations à caractère privé (p. ex. avec des amis).

Les psychologues sociaux se sont également intéressés aux variations qui se produisent parfois en l'absence ou en dépit de normes sociales. Ainsi un patron francophone bilingue décidera de ne parler que le français avec un subalterne anglophone unilingue ; ou encore, le client francophone d'un garagiste francophone introduira dans son discours les mêmes emprunts à l'anglais que le garagiste lui-même. Les mélanges et les alternances des codes ont une signification sociale ; ils servent à transmettre un message à l'interlocuteur. Trois stratégies principales ont attiré l'attention des chercheurs : la convergence langagière, la divergence langagière et le maintien langagier. La **convergence langagière** est le processus par lequel un des interlocuteurs modifie son comportement langagier pour le rendre semblable à celui de l'autre interlocuteur (p. ex. un francophone passe à l'anglais avec un interlocuteur anglophone). Par ailleurs, la **divergence langagière** constitue le processus inverse : un interlocuteur modifie son langage afin qu'il se distingue le plus possible de celui de l'autre interlocuteur (p. ex. un francophone commence une conversation avec un anglophone en anglais, avant de passer à un français familier). Enfin, le **maintien langagier** est la stratégie par laquelle un interlocuteur conserve le code langagier qui lui est propre tout au long d'une conversation. La figure 7.7 présente d'une façon schématique les trois stratégies utilisées par un francophone qui parle avec un anglophone.

Dans le cas de la divergence, le francophone passe de l'anglais au deuxième tour de parole au français au quatrième tour. Dans le cas de la convergence, c'est le contraire qui se produit : le francophone passe du français au deuxième tour à l'anglais au quatrième tour. Dans le cas du maintien, le francophone ne change pas de code, quel que soit le comportement de son interlocuteur. Bien entendu,

FIGURE 7.7 **Trois stratégies langagières**

Interlocuteur	Tour de parole 1	2	3	4	5	6	7
Divergence							
Anglophone	a		a		a		a
Francophone		a		f		f	
Convergence							
Anglophone	a		a		a		a
Francophone		f		a		a	
Maintien							
Anglophone	a		a		f		a
Francophone		f		f		f	

Note: a = anglais ; f = français.

ces stratégies sont applicables à des langues, des dialectes ou des styles différents et l'interlocuteur anglophone peut lui aussi changer de stratégie. Dans le cadre d'une conversation naturelle, la convergence, la divergence et le maintien dépendent des stratégies interactives des interlocuteurs.

Il semble qu'une motivation importante déterminant l'usage de l'une ou l'autre stratégie soit la volonté de se créer une identité sociale positive, c'est-à-dire de projeter une image qui corresponde à une évaluation positive de soi. C'est du moins ce que propose la **théorie de l'accommodation langagière** (Giles, Mulac, Bradac & Johnson, 1987; Giles, Taylor & Bourhis, 1973). Ainsi la volonté de se rapprocher de l'interlocuteur et de nouer avec lui une relation positive se traduirait généralement par un comportement langagier de convergence. Par contre, l'hostilité ou l'antagonisme interpersonnel correspondrait à un comportement de divergence ou de maintien.

Ces stratégies individuelles peuvent également avoir leur fondement dans l'appartenance au groupe symbolisée par un code particulier. S'appuyant sur la théorie de l'identité sociale (Tajfel & Turner, 1979; voir le chapitre 13), la théorie de l'accommodation langagière soutient que l'identité est en partie dérivée de l'appartenance à un groupe et que celle-ci entraîne l'usage d'un code caractérisant ce groupe. Afin de promouvoir une image positive de soi, il est nécessaire de signifier son adhésion à un groupe valorisé. L'usage approprié du code employé par ce groupe est un instrument de cette identification. Cette motivation, semblable à la motivation intégrative dont il a été question précédemment, entraîne la convergence langagière vers le code d'un groupe valorisé ou suscite la divergence langagière comme façon de distinguer son identité de celle des membres d'un autre groupe. La star québécoise adoptera ainsi un accent parisien si son but est de percer sur le marché français. Par contre, au cours d'un débat politique, des francophones parfaitement bilingues exagéreront leur accent français lorsqu'ils parlent anglais afin de bien marquer leur appartenance.

Alors, quels seraient les codes dont on diverge ou vers lesquels on converge ? La réponse à cette question se trouve dans une large mesure dans le jeu des forces et des influences des groupes qui utilisent les différents codes (Sachdev & Bourhis, 1990a). Sur le plan social, toutes les langues ne sont pas équivalentes, certaines marquant l'appartenance à des groupes plus prestigieux que d'autres. Normalement, on observera une convergence vers les langues associées au prestige et à la puissance.

Selon Giles, Bourhis et Taylor (1977), les facteurs qui déterminent l'importance d'une langue définissent du même coup la **vitalité ethnolinguistique** de celle-ci. Ces facteurs sont au nombre de trois : la *représentation démographique*, qui correspond au nombre relatif de locuteurs d'un code dans un milieu donné ; le *statut socio-économique*, qui montre dans quelle mesure les locuteurs d'un code ont accès aux biens et aux services ; et la *représentation institutionnelle*, qui renseigne sur le degré auquel les locuteurs d'un code dominent les institutions politiques et communautaires. Selon la formulation originale, la vitalité ethnolinguistique est indiquée *objectivement* par les chiffres des démographes, des économistes et des statisticiens.

Selon l'approche des **balanciers compensatoires** proposée par Landry et Allard (1990), certains facteurs qui jouent fortement en faveur d'une langue peuvent être « compensés » par une importance accrue des autres facteurs. Analysant la situation des francophones minoritaires du Nouveau-Brunswick, ces auteurs suggèrent en effet que l'influence négative de la situation de minorité linguistique pourrait être contrebalancée par une emprise institutionnelle plus grande et par un usage étendu du français dans le milieu familial. Si la vitalité ethnolinguistique d'un groupe donné est souvent le résultat d'un processus sociohistorique complexe (voir Bourhis & Lepicq, 1990), elle constitue aussi un phénomène donnant lieu à des interventions ponctuelles (voir à ce sujet l'encadré 7.3 sur la langue et la loi).

ENCADRÉ 7.3

LA LANGUE ET LA LOI

La communication entre deux individus n'est pas indépendante de son contexte social plus large. En effet, si, au cours d'un échange, le seul choix d'un style ou d'une langue est porteur d'un message, ce choix est également influencé par les normes sociales et la position des différents codes qui sont à la portée des interlocuteurs. C'est ce postulat qui constitue la base de l'intervention gouvernementale en matière linguistique.

⟶

ENCADRÉ 7.3 (suite)

Au Québec, l'exode rural et l'industrialisation massive de l'après-guerre ont provoqué une concentration de la population dans des régions urbaines où l'élite possédante était de langue anglaise. Le but explicite de la Révolution tranquille des années 1960 était la réappropriation de son bien par les Franco-Québécois. Dans ce contexte, l'érosion de la langue française comme langue d'usage et symbole d'identité a suscité une attention particulière de la part du législateur (voir Bourhis, 1984a). Dans les années 1970, trois lois ont été votées sur la question linguistique. La plus célèbre est sans doute la loi 101, qui a fait du français la seule langue officielle du Québec en 1977. Cette loi était de plus assortie de dispositions obligeant les immigrants à fréquenter l'école française et faisant du français la principale langue d'affichage partout au Québec.

Les recherches destinées à évaluer les effets de la loi 101 relèvent essentiellement de la démographie linguistique. Ainsi on remarque que, de 1974 à 1984, la proportion des enfants d'immigrants inscrits dans les écoles de langue française est passée de 20 % à 65 % (Paillé, 1985). On observe également que le fait que cette loi a promu l'utilisation du français a sans doute eu comme conséquence la perte de prestige de l'anglais. Cela peut expliquer l'exode des anglophones, dont le nombre a chuté de 12 % au Québec entre 1971 et 1981 (Caldwell, 1984). Chez ceux qui restent, on note cependant un taux d'usage du français plus élevé (Cartwright, 1987) ainsi qu'une popularité croissante des programmes d'immersion. De 1971 à 1981, le taux de bilinguisme des anglophones est passé de 37 % à 53 %. Durant la même période, l'usage du français à la maison est passé, chez les anglophones, de 2 % à 12 % (Termotte & Gauvreau, 1988). Du point de vue du mouvement des masses, la loi 101 semble avoir eu l'effet escompté. Il faudrait prendre garde, cependant, d'en attribuer tout le crédit à l'intervention gouvernementale. En l'absence d'un groupe témoin adéquat, il est impossible de départager ce qui est attribuable à la loi et ce qui est attribuable à d'autres changements de l'environnement, comme la nord-américanisation de la culture et des moyens de communication. Comme on suppose que ces autres changements privilégieraient l'anglais, les gains du français seraient donc consécutifs à une intervention telle que la loi 101.

Le même problème d'interprétation se pose pour les études ponctuelles – c'est-à-dire celles pour lesquelles on ne possède aucune donnée concernant l'état des choses avant la promulgation de la loi 101. Lorsqu'on demande de façon rétrospective si l'usage du français est plus fréquent depuis l'adoption de la loi, les francophones et les anglophones de Montréal répondent par l'affirmative (Bouchard & Beauchamp, 1980). On obtient cependant des résultats différents si l'on prend des mesures de comportements et d'évaluation

→

ENCADRÉ 7.3 (suite)

liées à des situations précises. Les études menées par Genesee et Bourhis (1982, 1988) sur l'interaction entre un vendeur et un client utilisant diverses stratégies d'alternance des codes montrent que la norme selon laquelle le client a raison prévaut; le vendeur qui ne fait pas de convergence dans la langue du client est dévalorisé. L'obéissance à cette norme est cependant assortie d'une préférence pour l'anglais, préférence que l'on trouve dans une autre étude sur des demandes d'information à des passants dans les rues de Montréal (Bourhis, 1984b).

Malgré tout, l'anglais joue un rôle important dans les communications publiques, principalement dans le milieu multiethnique de Montréal. Bourhis et Lepicq (1990) croient que cette valorisation de l'anglais révèle un sentiment de sécurité des francophones à l'égard de leur langue et de leur culture à la suite de l'intervention gouvernementale. Selon une autre explication, cette dernière faisait trop peu et arrivait trop tard, dans le contexte nord-américain anglophone. Qu'en pensez-vous ?

On s'est également intéressé relativement tôt à la vitalité ethnolinguistique subjective – celle-ci étant perçue par le locuteur indépendamment de l'état actuel des choses (Clément, 1980). Les résultats obtenus jusqu'à présent démontrent en fait que la vitalité ethnolinguistique subjective est reliée à la vitalité objective (Clément, 1986; Landry & Allard, 1992) et s'avère sensible aux changements sociopolitiques, ainsi que le démontrent les résultats d'une étude menée à Hong Kong (Pierson, Giles & Young, 1987). Il semble de plus que les individus ayant une vitalité subjective élevée soient davantage enclins à avoir une attitude positive à l'égard de leur propre langue et de son usage que les individus ayant une vitalité subjective faible (Allard & Landry, 1992).

Quelques conséquences du choix et de l'usage des codes

La formation des impressions. Une des raisons pour lesquelles les stratégies et les facteurs décrits précédemment sont particulièrement importants est qu'ils déterminent la manière dont seront perçus les usagers d'un code (voir aussi le chapitre 4). Nous portons fréquemment des jugements en nous appuyant sur la façon dont une personne s'exprime (« Vous n'êtes pas d'ici, vous » ou « Il parle avec sincérité »). En fait, dans la plupart des situations, le comportement langagier (verbal, non verbal, paraverbal) semble la principale source de l'opinion que nous nous faisons des autres.

On s'entend habituellement pour reconnaître que l'étude de Lambert, Hodgson, Gardner et Fillenbaum (1960) est une recherche exemplaire sur le sujet. Elle innove d'abord sur le plan méthodologique : elle démontre l'application d'une technique encore très utilisée de nos jours, celle des « codes appariés » *(matched guise)*. Lambert et ses collaborateurs ont demandé à des locuteurs bilingues d'enregistrer deux fois un extrait en prose : une fois dans la version française originale et une fois dans la version anglaise. Ces enregistrements ont par la suite été soumis à des sujets canadiens-anglais et canadiens-français qui devaient évaluer la personnalité du locuteur sur son intelligence, sa gentillesse et sa sociabilité. Cette méthode permettait donc de contrôler des facteurs tels que le ton de la voix ou le débit qui auraient pu influer sur les jugements basés sur la langue.

Sur le plan théorique, les résultats de l'étude de Lambert *et al.* (1960) surprennent : alors qu'on s'attendrait à ce que chaque groupe marque une préférence pour sa propre langue, les sujets anglophones *et* les sujets francophones ont tous préféré la version anglaise à la version française. De plus, les francophones ont évalué plus positivement la version anglaise que les anglophones eux-mêmes. Les auteurs interprètent ces résultats comme une réaction de dépréciation d'eux-mêmes des francophones vis-à-vis du groupe anglophone, dont la position sociale est plus élevée.

Genesee et Holobow (1989) ont reproduit cette étude près de 30 ans plus tard. Cette fois, ils ont distingué les caractéristiques reliées à la « solidarité » (p. ex. la gentillesse ou la fiabilité) des caractéristiques reliées à la « position sociale » (l'intelligence, l'ambition) des évaluations interpersonnelles. Leurs résultats montrent une réaction plus favorable des sujets francophones à l'égard des évaluations sur la solidarité des locuteurs francophones. Pour ce qui est des traits liés à la position sociale, les deux groupes de participants marquaient encore une préférence pour la version anglaise.

Les résultats de ces recherches, appuyées par les résultats de nombreuses autres recherches du même genre (voir Bourhis & Lepicq, 1990; Bradac, 1990), indiquent que les traits reliés à la dimension de la solidarité sont toujours attribués plus positivement aux membres de son propre groupe linguistique. Par contre, l'évaluation de la position sociale semble influencée par la vitalité relative du groupe linguistique, les groupes dominants étant évalués d'une façon plus positive que les groupes moins privilégiés, peu importe la position sociale du groupe qui fait l'évaluation.

En ce qui a trait plus particulièrement à la réaction des francophones québécois, la dévalorisation apparente de leur propre langue a également fait l'objet de plusieurs recherches comparant les réactions vis-à-vis du français international, du français québécois correct (le style des animateurs de Radio-Canada) et du joual (la langue vernaculaire de Montréal). Dans deux de ces études, on a demandé aux sujets non seulement d'évaluer les locuteurs des différents styles, mais également de se prononcer pour ou contre l'usage de ces styles (Bourhis,

Giles & Lambert, 1975; D'Anglejan & Tucker, 1973). Dans les deux cas, les sujets ont signifié leur valorisation du style québécois ; l'évaluation du locuteur utilisant le style international était cependant supérieure à celle des locuteurs adoptant les deux autres styles.

Cette préférence pour le style standard d'une langue n'est pas propre au Québec. En fait, ce phénomène est commun aux anglophones (Giles & Powesland, 1975), aux Hollandais (Van Hout & Knops, 1988), aux hispanophones (Carranza, 1982) et même aux Français (Paltridge & Giles, 1984). L'explication probable de ce phénomène est semblable à celle déjà proposée au sujet de l'évaluation plus positive de l'anglais. La forme standard d'une langue ne possède pas nécessairement des caractéristiques intrinsèques qui la rendent supérieure à d'autres styles. Elle jouit d'un prestige supérieur parce qu'elle reçoit un appui institutionnel important et parce que tous les autres styles sont dénoncés dès l'école sous prétexte qu'ils sont inappropriés et déficients (voir Bédard & Maurais, 1983).

Plus récemment, on s'est intéressé à des caractéristiques du langage autres que celles reliées à des groupes géographiquement ou ethniquement définis. Ainsi, d'après Bradac (1990), on s'est penché sur des variations dialectales et stylistiques de plus en plus fines (comme les langues vernaculaires de Montréal et de Québec), sur l'évaluation comparée des styles « masculin » et « féminin », sur les effets des styles dits « puissant » et « impuissant » et sur la richesse lexicale, la vitesse d'énonciation et l'intensité du contenu émotif.

Dans une recherche plus orientée vers la situation canadienne, Poplack *et al.* (1988) ont étudié les réactions de francophones à l'introduction d'emprunts lexicaux à la langue anglaise (c.-à-d. d'anglicismes) dans une conversation en français. La source de ce matériel langagier était une série d'enregistrements systématiques inventoriant le français parlé dans la région de Hull-Ottawa (voir Poplack, Sankoff & Miller, 1988). Les emprunts variaient quant à leur niveau d'intégration au français (accent français ou anglais, accord grammatical) et à la date à laquelle ils avaient été introduits dans la langue française (p. ex. *sandwich* est un vieil emprunt alors que *cleaning* est relativement nouveau).

La majorité des sujets ont repéré l'emprunt dans l'extrait sonore qui leur était présenté, surtout lorsque celui-ci était un nouvel emprunt. Les réactions normatives (« Est-ce du bon français ? ») et affectives (« Cette personne est-elle agréable ? ») suivent des tendances semblables. Plus l'emprunt est vieux et intégré au français, plus les évaluations sont positives. Conformément à la théorie de l'accommodation langagière, des interlocuteurs accepteraient donc la divergence représentée par l'introduction d'un mot étranger seulement si cette divergence est compensée par une convergence sur le plan de l'intégration au reste du discours.

La recherche précédente illustre bien les caractéristiques méthodologiques des recherches contemporaines sur l'évaluation du langage. Elle fait usage d'extraits de véritables conversations (plutôt que d'un texte en prose) et met en jeu l'influence interactive de plusieurs facteurs. Elle reflète également un intérêt théorique pour l'influence du contexte sur l'évaluation du comportement langagier. Il est évident, en effet, que la langue ou le style choisi s'accompagne habituellement d'autres renseignements à propos de la personne qui parle. Par exemple, Aboud, Clément et Taylor (1974) ont présenté à des étudiants francophones les six locuteurs produits par la combinaison de deux classes sociales (les cadres et les ouvriers) et de trois styles de français (le québécois standard, le québécois familier et le joual). Le rôle des étudiants consistait à évaluer l'intérêt que présentait chacun des locuteurs comme collègue, subordonné et supérieur. Dans les trois cas, la forme standard fut la mieux évaluée. Comme le montrent les résultats combinés des trois évaluations (voir figure 7.8), cette conclusion est cependant nuancée par une interaction significative. Contrairement aux attentes, les individus dont le langage est dissonant (le cadre parlant joual et l'ouvrier parlant le québécois standard) sont habituellement préférés. En outre, un examen détaillé révèle que cette tendance est plus marquée lors de l'évaluation des personnes cibles comme collègues. Malgré l'effet du prestige de la langue standard, l'évaluation interpersonnelle dépend donc, de façon interactive, d'autres facteurs : il est donc impossible de tirer des conclusions définitives dans le cadre d'études n'utilisant que des voix comme stimuli et qu'un aspect de leur évaluation.

La relation dynamique entre deux interlocuteurs constitue bien sûr un autre aspect du contexte. L'évaluation que l'on fait de l'usage d'un style est fréquemment fonction du comportement langagier de l'interlocuteur. En réalité, la correspondance et la non-correspondance entre les styles des interlocuteurs définissent la convergence et la divergence langagières. Dans des études jumelles menées à Montréal et à Québec, Genesee et Bourhis (1982, 1988) ont demandé à des sujets d'évaluer des acteurs simulant un dialogue entre un vendeur et un client. Le contenu de la conversation était identique mais variait quant au choix de la langue (anglais ou français) des acteurs à chaque tour de parole. Les résultats des deux études démontrent que, du moins durant les premiers tours de parole, le fait pour le vendeur de ne pas faire de convergence dans la langue du client était évalué négativement. Dans les tours de parole suivants, le comportement des interlocuteurs ne semblait pas avoir d'effet précis lorsqu'il était précédé d'une convergence mutuelle. Enfin, les sujets anglophones de Montréal évaluèrent positivement l'absence de convergence du vendeur anglophone devant un client francophone, mais ce ne fut pas le cas à Québec. Par conséquent, les résultats de cette recherche indiquent que toute tentative d'explication de l'évaluation du comportement langagier doit tenir compte du comportement interactif des locuteurs, de l'évolution de la conversation ainsi que du contexte socio-structurel dans lequel se situe l'interaction.

Le langage et l'identité. Dès qu'on parle du langage comme symbole d'appartenance à un groupe, cela implique la relation du langage avec l'identité personnelle (voir Gudykunst & Ting-Toomey, 1990). La plupart des écrits touchant ce phénomène particulier reconnaissent au moins implicitement la

FIGURE 7.8 **Évaluation moyenne des locuteurs en fonction de la position sociale et du style langagier**

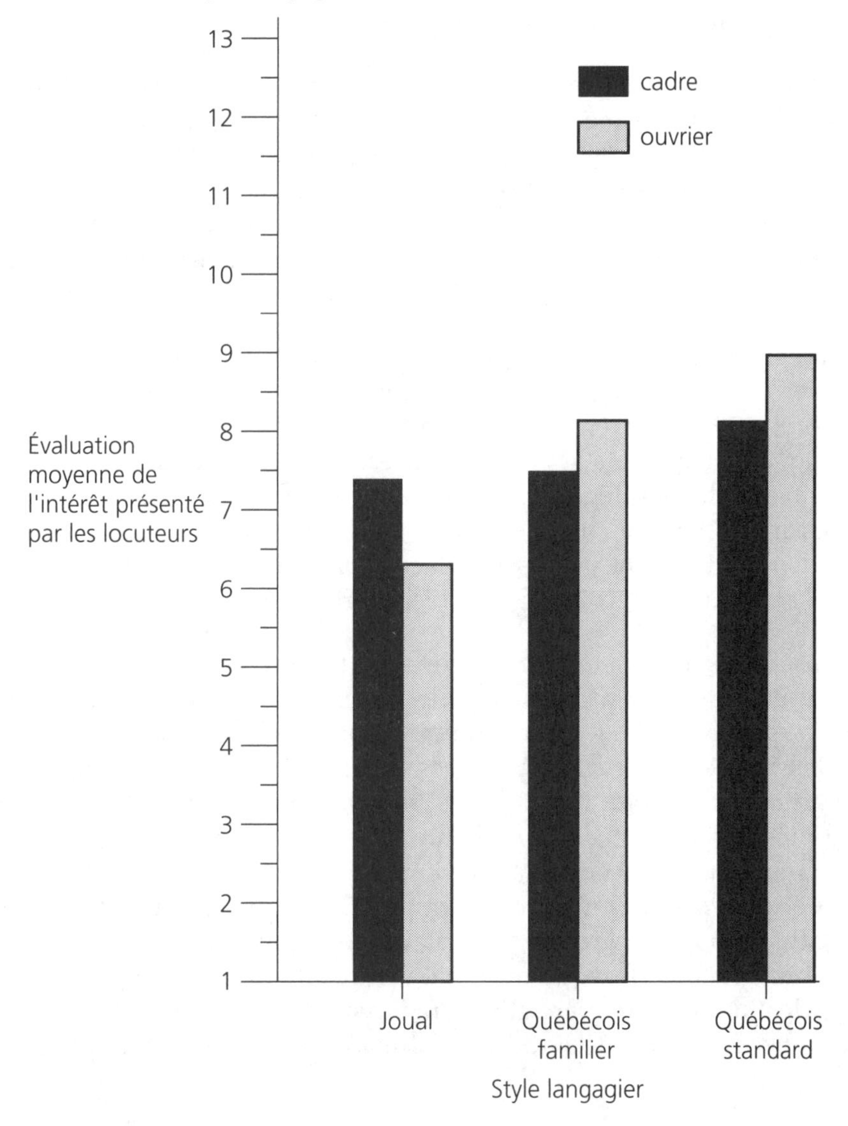

Adapté d'Aboud, Clément et Taylor (1974).

position de Tajfel (1978) déjà présentée : les individus désirent conserver une évaluation positive de leur identité personnelle. L'identité, l'appartenance à un groupe et l'usage d'un code particulier sont donc trois aspects interdépendants. Certains auteurs considèrent le lien entre le langage et l'identité ethnique comme fondamental (p. ex. Fishman, 1977) alors que d'autres suggèrent que l'identité ethnique peut se maintenir durant de nombreuses années en l'absence d'un code qui la caractérise (voir Edwards, 1985; Edwards & Chisholm, 1987). Quoi qu'il en soit, même si l'identité d'un groupe peut survivre à l'érosion et à la disparition de son langage, il reste que l'usage et la valorisation d'un code particulier sont rattachés à une identité ethnolinguistique forte.

La relation entre l'identité et le langage a été traitée en rapport avec les phénomènes de la divergence et de la convergence langagières et avec ceux découlant de l'acquisition des langues secondes. Ainsi à une identité ethnique forte correspondent des stratégies de divergence et un manque de motivation vis-à-vis de l'acquisition d'une langue seconde. Cependant, les différentes formulations varient sensiblement quant à la direction du lien causal entre l'identité et la pratique d'un code.

Selon une première façon d'envisager cette relation, l'identité est la cause du comportement langagier. Ainsi Giles et ses collègues (Giles & Byrne, 1982; Giles & Johnson, 1981, 1987) prétendent qu'une forte identification avec son propre groupe ethnique (à laquelle s'ajoutent d'autres exigences) serait une des conditions promouvant des stratégies de divergence langagière. Schuman (1978) et Young et Gardner (1990), quant à eux, constatent que la compétence en langue seconde est le résultat d'un processus d'acculturation par lequel les individus empruntent les valeurs du groupe auquel ils désirent appartenir.

À l'opposé, d'autres théoriciens estiment que le comportement langagier précède en quelque sorte la formation de l'identité ethnique. Pour Berger et Bradac (1982), par exemple, toute communication interpersonnelle est régie par la volonté de réduire l'incertitude à propos de l'interlocuteur. Le comportement langagier particulier de celui-ci joue alors un rôle causal dans le type d'identité qui sera adoptée par le locuteur. Par ailleurs, d'après Clément (1984), l'apprentissage d'une langue seconde entraîne des conséquences sur le plan de l'identité sociale. Selon qu'il s'agit d'un groupe minoritaire apprenant la langue d'un groupe majoritaire ou d'un groupe majoritaire apprenant la langue d'un groupe minoritaire, une identité ethnique différente en résultera. Dans le premier cas, il y aura perte de l'identité première et ce sera l'assimilation ; dans le deuxième cas, les individus bénéficieront de l'addition d'une deuxième identité, phénomène appelé « intégration ».

Les recherches empiriques portant sur ces formulations ont plus ou moins appuyé les relations postulées (voir Clément, 1986; Giles & Johnson, 1987; Lalleman, 1987). Il semble évident qu'un lien étroit existe entre la langue, la position ethnolinguistique et l'identité (Clément & Noels, 1991, 1992), et que la compétence en langue seconde est rattachée au changement d'identité chez des groupes minoritaires (Young & Gardner, 1990). La question de la direction du lien causal entre la langue et l'identité demeure cependant entière. En fin de compte, il est possible que cette question soit futile : le langage et l'identité agissent continuellement l'un sur l'autre. Au cours d'un échange, les interlocuteurs partagent une identité résultant des interactions précédentes et modifient cette identité en fonction du comportement langagier qu'ils adoptent momentanément.

RÉSUMÉ

Lorsqu'on évoque la relation entre le langage et l'identité, on souligne du même coup la relation entre la communication et les phénomènes cognitifs et affectifs faisant l'objet de théories plus spécialisées. On complète ainsi le survol des relations entre la communication et les principaux domaines de la psychologie sociale, soit les phénomènes interpersonnels, les phénomènes de groupe ainsi que les phénomènes cognitifs et affectifs communs à ces deux perspectives.

La communication interpersonnelle a été examinée selon deux modes principaux. En premier lieu, dans le domaine de la communication non verbale, les rôles des expressions du visage, du regard, du langage du corps et du toucher ont été décrits. Bien que l'universalité de six expressions faciales fondamentales ait été soulignée, les règles qui encadrent leur manifestation sont culturellement définies. Également, la signification des regards, du langage du corps (les postures et les mouvements) et du toucher a été définie selon deux axes : l'affiliation et le contrôle. Encore là, les signes précis servant à transmettre ces messages sont interprétés selon la situation et le contexte culturel.

En deuxième lieu, nous avons étudié la communication verbale, soit la définition des langues, leur acquisition par les primates et par les humains et enfin la relation entre la langue et la pensée. Même si les travaux sur les primates appuient l'existence d'une composante phylogénétique, il paraît également clair que l'acquisition et l'usage des langues sont soumis à des contraintes reliées à la situation et à la culture. De plus, la langue n'est pas le seul outil de pensée ; par conséquent, elle ne peut être conçue comme son déterminant unique.

Puis nous avons abordé la question du langage, c'est-à-dire la langue comme instrument de communication, ainsi que les aspects paralangagier et prosodique du discours. Comme ce fut le cas pour la communication non verbale, les dimensions de contrôle et de l'affiliation exprimées par ceux-ci constituent les thèmes fondamentaux permettant de les illustrer et de les décrire. La section portant sur la tromperie visait à montrer comment la communication verbale et la communication non verbale sont combinées dans un discours particulier. Elle cherchait également à prouver l'importance déterminante du contexte dans la détection et l'interprétation des signaux échangés par des interlocuteurs.

Les influences contextuelles de l'usage des langues reflètent leurs fonctions sociale et culturelle. Le lien entre les concepts de « communication » et de « société » est illustré par l'exploration de la relation entre l'usage d'un langage et l'appartenance à un groupe, ou entre l'apprentissage des langues secondes et l'usage de différents codes et dialectes. La nature sociale du langage est également soulignée par l'exploration des conséquences de son usage sur le plan de l'évaluation interpersonnelle et de l'identité.

Dans l'ensemble, les recherches démontrent que si l'usage d'une langue est du ressort des individus, le sens véhiculé est tributaire d'un système symbolique socialement déterminé. Lorsque, dans la mise en situation du début du chapitre, Robert et Louise causent ensemble, ils font plus qu'un échange interpersonnel de symboles arbitraires. Ces symboles renvoient à leur relation réciproque avec la société qui les entoure. En fait, la relation est tellement étroite entre l'acte de communication et ce qu'on définit comme le comportement social que Clément et Laplante (1983) ont soutenu que le paradigme de la communication s'appliquait à tous les phénomènes relevant de la psychologie sociale.

BIBLIOGRAPHIE SPÉCIALISÉE

Argyle, M. (1987). *Bodily communication* (2nd ed.). London: Methuen.

DePaulo, B. (1992). Non-verbal behavior and self-presentation. *Psychological Bulletin, 111*, 203-243.

Giles, H. & Coupland, N. (1991). *Language: contexts and consequences*. Pacific Grove, CA: Brooks-Cole Publishing Co.

Giles, H. & Robinson, P.W. (Eds.). (1990). *The handbook of language and social psychology*. London: John Wiley & Sons.

Hamers, J.F. & Blanc, M. (1983). *Bilingualité et bilinguisme*. Bruxelles: Pierre Mardaga éditeur.

Kim, Y.Y. & Gudykunst, W.B. (Eds.). (1988). *Theories in intercultural communication*. Newbury Park, CA: Sage.

Myers, G.E. & Myers, M.T. (1990). *Les bases de la communication humaine*. Montréal: McGraw-Hill.

CHAPITRE

8

LES RELATIONS INTERPERSONNELLES

Lise Dubé
Université de Montréal

Mise en situation

Introduction

La perspective historique

La perspective théorique

- Les théories de l'harmonie cognitive
- Les théories du renforcement

Pourquoi on a besoin des autres

- La théorie de l'attachement
- La théorie de la comparaison sociale
- La théorie du soutien social
- Les théories implicites du bonheur

La popularité : qui sont ces personnes que tout le monde aime ?

L'attirance initiale entre deux personnes

- Une étude sur le terrain à Montréal

Les relations intimes

- L'intimité
- Le développement des relations intimes

L'amour

- Les théories cliniques de la dépendance
- L'amour comparativement à l'amitié
- L'amour-passion
- Les couleurs de l'amour ou les différentes façons d'aimer
- La théorie triangulaire de l'amour : intimité, passion et engagement
- L'amour comme processus d'attachement
- Des questions sans réponses

L'engagement

La satisfaction du couple et les rôles sexuels

La solitude : le manque des autres

- Qu'est-ce que la solitude ?
- Les causes de la solitude

Résumé

Bibliographie spécialisée

Encadré 8.1 Il semble que l'amour fasse le bonheur

Encadré 8.2 La satisfaction des couples québécois

MISE EN SITUATION

LA RENCONTRE DU RENARD ET DU PETIT PRINCE

[. . .]

— Qui es-tu ? dit le petit prince. Tu es bien joli...

— Je suis un renard, dit le renard.

— Viens jouer avec moi, lui proposa le petit prince. Je suis tellement triste...

— Je ne puis pas jouer avec toi, dit le renard. Je ne suis pas apprivoisé.

— Ah ! pardon, fit le petit prince.

Mais, après réflexion, il ajouta :

— Qu'est-ce que signifie « apprivoiser » ?

[. . .]

— C'est une chose trop oubliée, dit le renard. Ça signifie « créer des liens... »

— Créer des liens ?

— Bien sûr, dit le renard. Tu n'es encore pour moi qu'un petit garçon tout semblable à cent mille petits garçons. Et je n'ai pas besoin de toi. Et tu n'as pas besoin de moi non plus. Je ne suis pour toi qu'un renard semblable à cent mille renards. Mais, si tu m'apprivoises, nous aurons besoin l'un de l'autre. Tu seras pour moi unique au monde. Je serai pour toi unique au monde...

— Je commence à comprendre, dit le petit prince. Il y a une fleur... je crois qu'elle m'a apprivoisé...

[. . .]

Mais le renard revint à son idée :

— Ma vie est monotone. Je chasse les poules, les hommes me chassent. Toutes les poules se ressemblent, et tous les hommes se ressemblent. Je m'ennuie donc un peu. Mais, si tu m'apprivoises, ma vie sera comme ensoleillée. Je connaîtrai un bruit de pas qui sera différent de tous les autres. Les autres pas me font rentrer sous terre. Le tien m'appellera hors du terrier, comme une musique. Et puis regarde ! Tu vois, là-bas, les champs de blé ? Je ne mange pas de pain. Le blé pour moi est inutile. Les champs de blé ne me rappellent rien. Et ça, c'est triste ! Mais tu as des cheveux couleur d'or. Alors ce sera merveilleux quand tu m'auras apprivoisé ! Le blé, qui est doré, me fera souvenir de toi. Et j'aimerai le bruit du vent dans le blé...

Le renard se tut et regarda longtemps le petit prince :

— S'il te plaît... apprivoise-moi ! dit-il.

[. . .]

Ainsi le petit prince apprivoisa le renard. Et quand l'heure du départ fut proche :

— Ah ! dit le renard... Je pleurerai.

→

MISE EN SITUATION (suite)

— C'est ta faute, dit le petit prince, je ne te souhaitais point de mal, mais tu as voulu que je t'apprivoise...

— Bien sûr, dit le renard.

— Mais tu vas pleurer ! dit le petit prince.

— Bien sûr, dit le renard.

— Alors tu n'y gagnes rien !

— J'y gagne, dit le renard, à cause de la couleur du blé.

Puis il ajouta :

— Va revoir les roses. Tu comprendras que la tienne est unique au monde. Tu reviendras me dire adieu, et je te ferai cadeau d'un secret.

Le petit prince s'en fut revoir les roses :

— Vous n'êtes pas du tout semblables à ma rose, vous n'êtes rien encore, leur dit-il. Personne ne vous a apprivoisées et vous n'avez apprivoisé personne. Vous êtes comme était mon renard. Ce n'était qu'un renard semblable à cent mille autres. Mais j'en ai fait mon ami, et il est maintenant unique au monde.

[. . .]

— Vous êtes belles, mais vous êtes vides, leur dit-il encore. On ne peut pas mourir pour vous. Bien sûr, ma rose à moi, un passant ordinaire croirait qu'elle vous ressemble. Mais à elle seule elle est plus importante que vous toutes, puisque c'est elle que j'ai arrosée. Puisque c'est elle que j'ai mise sous globe. Puisque c'est elle que j'ai abritée par le paravent. [. . .] *Puisque c'est ma rose.*

Et il revint vers le renard :

— Adieu, dit-il...

— Adieu, dit le renard. Voici mon secret. Il est très simple : on ne voit bien qu'avec le cœur. L'essentiel est invisible pour les yeux.

— L'essentiel est invisible pour les yeux, répéta le petit prince, afin de se souvenir.

— C'est le temps que tu as perdu pour ta rose qui fait ta rose si importante.

— C'est le temps que j'ai perdu pour ma rose... fit le petit prince, afin de se souvenir.

— Les hommes ont oublié cette vérité, dit le renard. Mais tu ne dois pas l'oublier. Tu deviens responsable pour toujours de ce que tu as apprivoisé. Tu es responsable de ta rose...

— Je suis responsable de ma rose... répéta le petit prince, afin de se souvenir.

Antoine de Saint-Exupéry, 1946

INTRODUCTION

Cet extrait du *Petit Prince* de Saint-Exupéry évoque plusieurs facettes de nos relations avec les autres. Au début, on ne connaît pas l'autre personne et elle ne nous connaît pas. Petit à petit, on apprend à la connaître et à se laisser connaître. On l'apprivoise et on se laisse apprivoiser. On crée des liens.

Avec cet apprivoisement mutuel viennent la sensation que l'autre est unique, le besoin de l'autre, la dépendance mais aussi l'engagement et la responsabilité vis-à-vis de l'autre. Apprivoiser, cela signifie créer des liens, découvrir le prix du bonheur.

Apprivoiser et se laisser apprivoiser signifie également que l'on risque de pleurer quand l'autre n'est plus là. Car les relations d'amitié et d'amour, souvent à l'encontre de nos désirs les plus chers, ne durent pas toujours. Et l'on recommence, car il est très fort, notre besoin des autres, notre besoin de cet ami unique au monde, de cette rose si importante à cause du temps perdu pour elle, de cet amour dont la disparition viendra ébranler le sens de notre vie.

On a besoin des autres pour vivre et survivre. On a tous besoin d'aimer et d'être aimés. Mais, quelquefois, il y a trop de personnes dans notre vie. À d'autres moments, il n'y en a pas assez et cela s'appelle la solitude.

Le domaine des relations interpersonnelles est vaste. Il comprend les gens que l'on côtoie tous les jours sans les connaître, les gens que l'on connaît et les gens que l'on pense connaître, les gens avec lesquels on vit... parfois sans vraiment les connaître. Il comprend les gens que l'on aime et ceux dont on voudrait tellement être aimés. Il comprend les relations qui durent et les autres qui finissent dans une grande douleur ou dans l'indifférence de l'ennui. On vit d'amour... et d'eau fraîche. On meurt d'amour... et de manque d'amour.

Ce chapitre vous propose d'entrer faire un tour dans l'univers fascinant de nos relations avec les autres. Il est intéressant de noter, au départ, qu'après des milliers d'années d'évolution de l'être humain, dans une civilisation dotée de structures sociales complexes, on ne sait toujours pas répondre, d'une façon complète et certaine, à plusieurs questions touchant les liens entre les êtres humains : pourquoi on aime certaines personnes et d'autres pas ; comment on choisit ses amis et ses amoureux ; comment et pourquoi on tombe amoureux ; comment se détériore une relation amoureuse ; est-ce que l'on peut être heureux en amour et, comme dans les vers des apprentis poètes, faire rimer « amour » avec « toujours » ?

Si nous n'avons pas encore toutes les réponses à ces questions et à plusieurs autres tout aussi cruciales, ce n'est pas à cause d'une absence d'intérêt pour celles-ci. Les philosophes parlent de l'amour depuis longtemps. Déjà Aristote, trois siècles avant Jésus-Christ, se penchait sur celui-ci. Les romanciers y consacrent une bonne partie de leurs pages. Ces questions semblent aussi préoccuper les gens dans leur vie quotidienne. Comment pourrait-on expliquer autrement que les astrologues y dédient la plupart de leurs chroniques et que les vendeurs de toutes sortes nous assurent que nous serons plus populaires, plus aimés si nous achetons telle et telle marque de parfum, de cosmétique, de vêtement, de bière ou d'auto?

Qu'en est-il réellement? Ce sujet mérite-t-il qu'on l'étudie scientifiquement et qu'on y accorde temps et argent comme on le fait pour l'étude d'animaux, de minéraux ou de microbes? Où en est la recherche?

Différentes disciplines ont, jusqu'à présent, apporté des réflexions intéressantes sur le sujet. Ce chapitre fera état des connaissances actuelles en s'appuyant principalement sur des contributions importantes offertes par la psychologie sociale.

La psychologie sociale est connue pour ses efforts de rigueur méthodologique dans sa tentative de comprendre l'être humain. Toutefois, dans ce chapitre, nous n'insisterons pas sur la présentation et la discussion des aspects méthodologiques des divers thèmes étudiés. On trouvera plus d'information sur le sujet dans les références et dans la bibliographie spécialisée, qui se trouve à la fin du chapitre, de même que, d'une façon plus générale, dans le chapitre portant sur les méthodes de recherche en psychologie sociale.

Nous ferons d'abord un survol historique et théorique où seront exposés brièvement les principaux thèmes qui ont intéressé les chercheurs et les grandes influences théoriques qui ont servi de toile de fond à leurs travaux. Nous examinerons ensuite l'importance des relations interpersonnelles et le pourquoi du besoin des autres. Puis l'interaction avec les autres sera approchée à travers la popularité et l'attirance initiale.

Une grande partie du chapitre sera consacrée aux relations intimes. Qu'est-ce que l'intimité? Comment se développent les relations intimes? Que sait-on sur l'amour, l'engagement, le couple? Le manque de relations intimes satisfaisantes et la solitude feront l'objet d'une attention particulière, car, dans sa quête du bonheur, l'être humain a un besoin fondamental des autres.

LA PERSPECTIVE HISTORIQUE

Avoir besoin des autres ne veut pas dire avoir besoin de n'importe qui: sachant que certaines personnes nous plaisent plus que d'autres, peut-on différencier différents types d'attraction interpersonnelle? Peut-on désigner certains processus qui font qu'une **relation interpersonnelle** commence ou continue, se détériore ou se termine? Depuis près de 60 ans, ces questions ont intéressé les chercheurs et les théoriciens en psychologie sociale. Celles-ci ne les ont cependant pas fascinés au même moment. L'étude de certains thèmes essentiels à la compréhension des relations interpersonnelles ne s'est amorcée qu'il y a une dizaine d'années.

Il nous semble important de situer l'étude des relations interpersonnelles dans un contexte temporel. C'est pourquoi le tableau 8.1 présente un survol historique de certaines théories ou de certains thèmes prédominants.

Signalons que la recherche sur ces différents thèmes et l'influence de ces théories ne se sont pas limitées à la décennie qui les a vues apparaître. On trouve le signe (+) à côté de chaque période afin d'insister sur ce fait. En réalité, la recherche sur ces thèmes (à l'exception des études sur la popularité) et les diverses influences théoriques se poursuivent encore aujourd'hui, quoique à des degrés divers.

TABLEAU 8.1 **Perspective historique de l'étude des relations interpersonnelles par la psychologie sociale**

1934	Début des études empiriques sur les relations interpersonnelles.
1934-1950+	Étude des caractéristiques liées à la popularité.
1950-1960+	Théories cognitives de l'équilibre et de la dissonance. Théorie de la comparaison sociale. Raisons qui expliquent le maintien ou le changement des relations existantes.
1960-1970+	Théories du renforcement. Raisons qui expliquent le début des relations. Attirance initiale entre deux personnes.
1970-1980+	Étude des relations intimes: différenciation et évolution.
1980-1990+	Grande importance donnée à l'étude des relations intimes. Étude scientifique de thèmes ignorés jusque-là, tels que la solitude, la jalousie et le pouvoir dans le couple.
1990-2000	Prédictions: Intégration des apports de différentes disciplines. Études plus nombreuses en milieu naturel. Intérêts plus appliqués, plus cliniques.

Adapté de Dubé (1993).

L'étude scientifique des relations interpersonnelles est souvent perçue par la psychologie sociale comme ayant débuté en *1934* avec Moreno et le sociogramme. Cette technique sociométrique, qui constituait une première tentative d'observation systématique, a beaucoup été utilisée par la suite comme instrument de recherche et comme moyen d'intervention dans les groupes. On a donc vu dans la quinzaine d'années qui ont suivi, *1934-1950*, une multitude de recherches portant sur les caractéristiques personnelles et sociales reliées à la popularité.

Les années *1950-1960* ont été le témoin de l'apport des théories de l'harmonie cognitive et de la comparaison sociale.

Les années *1960-1970* ont été caractérisées par l'emprunt des concepts de la théorie de l'apprentissage appliqués au contexte des relations interpersonnelles envisagées selon le modèle stimulus-réponse (S-R). Durant cette période, on a étudié les antécédents de l'attraction interpersonnelle, et plus particulièrement l'attirance initiale entre deux personnes.

Dans les années *1970-1980*, on passe de l'étude des antécédents de l'attirance initiale de deux inconnus à l'étude des stades et des processus sous-jacents aux relations intimes à long terme. On s'intéresse surtout à la différenciation et à la mesure de l'amitié et de l'amour. L'influence de la psychologie sociale cognitive se fait sentir dans l'étude des relations interpersonnelles, tout particulièrement avec les théories de l'équité et de l'attribution.

On a donné de plus en plus d'importance à l'étude des relations interpersonnelles dans les années *1980-1990*. Il a même été proposé que le domaine des relations interpersonnelles devienne une discipline scientifique distincte de la psychologie et de la psychologie sociale (Hinde, 1979; Kelley, 1986). En effet, selon ces auteurs, les relations interpersonnelles non seulement sont soumises à des facteurs personnels *et* sociaux et influencent la personne *et* la société, mais elles ont aussi leur propre dynamique qui se doit d'être étudiée dans sa spécificité. De plus, quoique les liens entre la personne et la société ne se produisent pas tous à travers les relations interpersonnelles, il reste que celles-ci en sont le terrain de prédilection.

Par ailleurs, on a remarqué, depuis les 10 dernières années, l'émergence de l'étude scientifique de sujets presque complètement ignorés jusque-là, comme la solitude, la jalousie, le pouvoir dans le couple, les aspects psychosociaux des relations sexuelles, les relations interpersonnelles à différents âges durant l'enfance, l'adolescence, la période adulte, la vieillesse ou les relations interpersonnelles des personnes déprimées. On a commencé aussi l'étude de certains modes de vie dits « non traditionnels » tels que les relations amoureuses homosexuelles, la cohabitation, le divorce, le remariage.

Pour les années *1990-2000*, on peut prévoir que le mouvement déjà amorcé continuera, à savoir une diminution des études de laboratoire au profit des études sur le terrain, dans une réalité plus propice à l'examen des relations intimes. De plus, on devrait observer un mouvement marqué de la psychologie sociale expérimentale vers des intérêts plus appliqués et plus cliniques. Pour ce faire, on constatera probablement, dans un cadre conceptuel articulé (une des forces de la psychologie sociale expérimentale), un essai d'intégration des apports de différentes disciplines, telles que le travail social, la psychiatrie, la sociologie, la communication, la psychologie clinique et du développement ainsi que les thérapies conjugale et familiale. Ce mouvement, assez timide pour le moment, risque de susciter de plus en plus d'intérêt et d'enthousiasme au fur et à mesure que deviendra évidente la nécessité de cette intégration pour la compréhension des facteurs liés au bien-être des individus.

LA PERSPECTIVE THÉORIQUE

Les cadres théoriques qui ont influé sur l'étude des relations interpersonnelles se divisent en deux catégories : les théories de l'harmonie cognitive et les théories du renforcement. Ces deux modèles ayant dominé la recherche en psychologie sociale, il n'est pas surprenant qu'ils aient aussi servi de toile de fond dans l'investigation des relations interpersonnelles.

Les théories de l'harmonie cognitive

Les différentes théories de l'harmonie cognitive *(cognitive consistency theories)* sont souvent considérées comme des théories explicatives des attitudes (voir le chapitre 6 sur la formation et le changement des attitudes). Les titres de plusieurs ouvrages ou articles des théoriciens de la première heure – par exemple, *Informal social communication* (Festinger, 1950); *The psychology of interpersonal relations* (Heider, 1958); *The prediction of interpersonal attraction* (Newcomb, 1956); *The acquaintance process* (Newcomb, 1961); *Interpersonal balance* (Newcomb, 1968) – nous rappellent toutefois que ces auteurs étaient désireux d'expliquer les relations interpersonnelles.

Le postulat de toutes ces théories soutient que les gens essaient de maintenir une certaine harmonie relativement à ce qu'ils pensent des gens et des choses parce qu'un manque d'harmonie crée un malaise. Dans leur analyse la plus simple, ces théories examinent des systèmes à trois composantes, le plus souvent deux personnes et un objet de communication (une chose, une idée ou une autre personne). Certains systèmes, de par leur configuration, sont plus plaisants que d'autres. Par conséquent, les individus essaieront d'établir ou de conserver des relations plaisantes (celles où il y a équilibre, symétrie et harmonie) et d'éviter ou de changer les relations non plaisantes (celles où il y a déséquilibre, dissonance et manque d'harmonie).

Les théories de l'harmonie cognitive qui ont eu la plus grande influence sur l'étude des relations interpersonnelles sont la **théorie de l'équilibre** de Heider (1958), la **théorie de la symétrie** de Newcomb (1961, 1968) et la **théorie de la dissonance cognitive** de Festinger (1957). Selon ces théoriciens, pour maintenir une certaine harmonie cognitive, on aura tendance à préférer les gens semblables à soi et à aimer ceux qui nous aiment (principe de la réciprocité).

La théorie de la dissonance cognitive de Festinger est allée plus loin que les autres en proposant notamment qu'un manque d'harmonie entre les personnes risque de produire un changement non seulement dans la perception et l'évaluation de ces personnes mais encore dans les *comportements* des personnes en cause. La théorie cognitive est aussi celle qui a provoqué le plus de recherches et elle constitue probablement la théorie la plus connue dans le domaine de la psychologie sociale. Cette théorie a également influé sur l'élaboration d'autres théories en psychologie sociale – par exemple, la théorie du « monde juste » de Lerner (1980), présentée au chapitre 5, et les théories de l'équité, qui seront exposées sous peu. Un exemple important des effets de la théorie de la dissonance cognitive sur une autre théorie, la théorie de l'engagement personnel, sera examiné en détail dans la section portant sur les relations intimes.

Les théories du renforcement

Quoique la contribution des théories de l'harmonie cognitive soit majeure, il demeure que ce sont les **théories du renforcement** qui ont dominé l'étude des relations intimes. Si, d'un point de vue historique, il est possible de constater l'émergence de chacun de ces deux cadres théoriques, il s'avère souvent difficile, dans les faits, de les distinguer. En effet, comme les théories de l'harmonie cognitive insistent sur le caractère désirable et le caractère indésirable de certaines situations, elles parlent donc de situations plaisantes et déplaisantes, de stimuli agréables et désagréables.

Comme la plupart des théories du renforcement soulignent la subjectivité de la perception de ce qui est considéré comme plaisant ou déplaisant ainsi que les processus cognitifs sous-jacents à ces perceptions, elles sont par conséquent essentiellement cognitives. De plus, les deux types de théories postulent implicitement que l'individu, engagé dans une lutte pour sa survie, aspire aussi à un certain bien-être. Elles ne sont donc pas fondamentalement opposées et les théories ultérieures des relations interpersonnelles constituent souvent une synthèse de ces deux approches (voir p. ex. Kelley, 1979).

Une distinction importante, toutefois, vient du fait que les théories du renforcement mettent l'accent sur les renforcements administrés par les autres et par l'environnement, tandis que les théories cognitives s'attachent plutôt au rôle joué par l'individu lui-même dans sa représentation de l'environnement et dans son habileté ou non à maîtriser cet environnement (Berscheid, 1985).

Les postulats des théories du renforcement sont les suivants :

1. L'être humain est hédoniste, c'est-à-dire qu'on suppose qu'un des buts importants dans la vie consiste dans la recherche du plaisir. Il faut donc s'attendre à ce que la personne cherche à obtenir ce qui lui plaît, soit à maximiser ses gains et à éviter la peine et la douleur, à réduire ses coûts.
2. L'être humain est rationnel, c'est-à-dire capable d'aller puiser de l'information, d'évaluer des probabilités, d'arriver à des décisions basées sur cette information et sur ces probabilités. Tout cela, encore, afin de maximiser ses gains et de réduire ses coûts.

S'appuyant sur ces postulats, les théoriciens du renforcement soutiennent que l'être humain, dans ses relations avec les autres, est attiré vers une personne qui lui apporte des choses positives et que plus les renforcements sont positifs et nombreux, plus il est attiré vers celle-ci.

Les théories du renforcement appliquées à l'étude des relations interpersonnelles ont souvent été désignées sous le nom générique de **théories de l'échange social** (quoique seulement Homans ait utilisé le terme particulier dans l'appellation de sa théorie) parce que chacune suppose que, pour expliquer les relations interpersonnelles, il est nécessaire de comprendre les échanges de récompenses et de punitions qui font partie de toute interaction sociale.

La théorie de l'échange social de Homans. Le principal exemple de ce type de théories est la théorie de l'échange social de Homans (1961, 1974), qui propose un modèle général du comportement humain selon des concepts de la psychologie béhavioriste de Skinner et des principes des théories économiques. Selon Homans, les interactions sociales sont semblables aux transactions économiques. Il introduit, entre autres, le concept de « satiété » pour tenir compte du fait que plus une personne a accès à une ressource, moins cette ressource a de la valeur pour elle (quelqu'un qui reçoit souvent des témoignages de l'approbation sociale est moins touché par de nouvelles marques d'affection que ne le serait une personne qui en est privée) et le concept de « rareté », en vertu duquel une personne qui dispose d'une ressource rare est en mesure d'exiger beaucoup en échange de celle-ci.

L'estime qu'une personne peut donner à une autre est considérée comme un renforçateur important pour Homans ; ainsi les personnes qui peuvent offrir des ressources rares exigent souvent en retour l'estime des autres.

Selon Homans, dans ses relations avec les autres, l'être humain s'attend à ce qu'il y ait une certaine **justice distributive,** où les récompenses sont proportionnelles aux coûts engagés et où les profits sont proportionnels aux investissements effectués.

Les théories de l'équité. L'intégration des concepts de **justice,** de **privation relative** (voir Crosby, 1976; Dubé-Simard, 1985) et des principes de la dissonance cognitive de Festinger a donné naissance à une première théorie de l'équité dans les échanges sociaux (Adams, 1963, 1965).

Selon Adams, un sentiment d'iniquité se produit quand une différence est perçue entre, d'une part, le rapport (la proportion) entre ce qui est donné à un individu et reçu par lui et, d'autre part, le rapport entre ce qui est donné à un autre individu et reçu par lui. Ce n'est donc pas ce qui est reçu qui doit être égal, mais plutôt ce qui a été mis dans la balance pour arriver au résultat. Un sentiment d'iniquité provoque une tension que l'individu essaiera d'éliminer ou de réduire en modifiant, dans les faits ou dans sa perception, sa propre contribution.

Cette théorie, nommée d'abord « théorie de l'iniquité », a été proposée initialement pour expliquer des relations de travail. Par la suite, on a avancé des théories de l'équité plus formelles afin de rendre compte de différents types de relations interpersonnelles (voir Berkowitz & Walster, 1976; Hatfield & Traupmann, 1981).

La théorie de l'interdépendance sociale de Thibaut et Kelley. Thibaut et Kelley (1959; Kelley & Thibaut, 1978) postulent l'interdépendance entre les individus : je dépends des autres pour obtenir d'eux ce que je veux. Les concepts les plus importants de cette théorie sont probablement ceux des niveaux de comparaison.

Selon ces auteurs, chaque personne nourrit des attentes vis-à-vis de ce qu'elle peut obtenir des autres. Le **niveau de comparaison** est défini comme le standard par lequel une personne évalue les coûts et les gains d'une relation donnée en comparaison de ce qu'elle pense qu'elle devrait recevoir. Si l'échange avec l'autre procure plus que le standard de comparaison, il y aura une augmentation du sentiment positif chez cette personne et dans la relation. Si l'échange amène moins que le standard de comparaison, il y aura une diminution du sentiment positif.

Les échanges passés influent aussi sur le niveau de comparaison. Ainsi une personne qui a reçu beaucoup de renforcements positifs de la part des autres et qui a vécu plusieurs relations satisfaisantes dans le passé attendra beaucoup de ses relations présentes.

De plus, le **niveau de comparaison d'une alternative** est défini comme le standard utilisé par une personne afin de décider si elle maintiendra une relation ou y mettra fin. Il semble que les gens aient tendance à comparer leurs relations actuelles avec d'autres relations potentielles. Le niveau de comparaison pour une alternative renvoie aux renforcements positifs que l'on estime possible d'obtenir dans une autre relation (ou dans une absence de relation). Si la relation actuelle dépasse le niveau de comparaison d'une alternative, la relation sera stable et satisfaisante. Si la relation actuelle offre moins qu'une autre relation possible (ou qu'une absence de relation), il y a de fortes chances pour que l'individu se retire de la relation (le résultat final dépendra évidemment de la présence ou non de barrières économiques, légales ou sociales).

Le concept de « niveau de comparaison d'une alternative » permet d'expliquer pourquoi certaines personnes poursuivent des relations très insatisfaisantes : elles ne perçoivent pas d'alternative possible. L'apparente « loyauté » à une relation peut venir du fait que la personne pense qu'elle ne saurait obtenir mieux dans une autre relation ou dans une absence de relation.

Le fait d'arrêter ici le survol des principales théories ayant influé sur l'étude des relations interpersonnelles ne signifie aucunement qu'il n'y en a pas d'autres qui soient intéressantes. Certaines seront abordées dans les sections suivantes. Les lecteurs qui s'intéressent plus particulièrement aux questions théoriques pourront consulter les références et la bibliographie spécialisée, qui se trouve à la fin du chapitre.

POURQUOI ON A BESOIN DES AUTRES

Peu de gens oseraient remettre en question le fait que l'on a besoin des autres. L'être humain est un animal social. Mais pourquoi a-t-il besoin des autres? Quels sont les besoins fondamentaux qui ne peuvent être satisfaits qu'avec les autres?

La théorie de l'attachement

Est-il possible que notre besoin des autres ait une base biologique, qu'il soit déjà inscrit dans nos gènes au moment de la naissance?

Selon Bowlby (1969, 1973, 1980), l'**attachement** à la mère ou à toute autre figure réconfortante (exprimé par un désir de contact et de proximité, en s'accrochant à la personne, en la suivant, en l'appelant, en pleurant lorsqu'elle n'est pas là) a une fonction importante: le contact entre la mère et l'enfant empêche toute séparation qui pourrait être dangereuse pour la survie de ce dernier. La similitude des réponses des bébés primates et humains face à la séparation de leurs mères a amené Bowlby à considérer le phénomène de l'attachement comme un processus biosocial servant à protéger le jeune enfant des dangers qui l'entourent. La présence sécurisante de la mère permettrait graduellement à l'enfant d'explorer son environnement et d'établir des contacts d'affiliation avec les autres membres de la famille et de la communauté.

La **théorie de l'attachement** voit donc dans la tendance à rechercher des contacts intimes avec certaines personnes une composante fondamentale de la nature humaine, déjà présente chez le nouveau-né. Cette théorie a reçu l'appui empirique considérable de recherches en laboratoire et en milieu naturel (pour un résumé de ces recherches, voir Bretherton, 1985; Maccoby, 1980).

S'appuyant sur des travaux de Bowlby et après avoir observé plusieurs mères, Ainsworth et ses collaborateurs (Ainsworth, Blehar, Waters & Wall, 1978) ont proposé trois styles d'attachement qui correspondraient à trois types de relation mère-enfant:

1. L'enfant *sécurisé* a une mère attentive, disponible, capable de répondre à ses besoins. Cet enfant se sert de la base sécurisante de la présence assurée de sa mère pour explorer son environnement.
2. L'enfant *évitant* a une mère qui semble le rejeter, qui repousse ses tentatives pour être près d'elle et plus particulièrement ses désirs de contacts physiques. Cet enfant en vient à éviter sa mère, même dans des situations où elle pourrait lui être utile. Il se détache d'elle.
3. L'enfant *anxieux-ambivalent* a une mère qui est lente à répondre à ses besoins ou dont la réponse est imprévisible. Parfois, la mère imprévisible est inattentive ou inaccessible; à d'autres moments, elle interfère et s'introduit

dans le champ de l'enfant afin de forcer son attention et l'empêcher de continuer une activité qui l'intéresse. L'enfant proteste. Il pleure plus que les autres, exprime sa colère à travers certains comportements et souffre généralement d'anxiété. Cet enfant, préoccupé par la disponibilité de sa mère, ne peut se permettre d'aller explorer l'environnement.

On pourrait croire que toutes les mères sont attentives, disponibles, capables de répondre aux besoins de leurs enfants. L'image de la mère qui aime son enfant d'une façon non égoïste est très répandue ; elle est en outre perçue comme une norme importante dans la société. Peu de mères admettront qu'elles n'aiment pas leurs enfants. De même, on entendra rarement quelqu'un se plaindre publiquement de ne pas s'être senti aimé par sa mère, d'avoir eu une mère ambivalente ou évitante : qui donc pourrait aimer quelqu'un qui n'a pas été aimé par sa propre mère ? Qu'en est-il dans les faits ?

La distribution des relations d'attachement mère-enfant étudiées par Ainsworth *et al.* (1978) est semblable à ce qui a été obtenu par la suite dans plusieurs échantillons d'enfants américains (pour un résumé de ces études, voir Campos *et al.*, 1983) et dans une méta-analyse avec des enfants de différentes cultures (Van Ijzendoorn & Kroonenberg, 1988). Selon ces nombreuses études, les relations d'attachement mère-enfant sont observées dans les proportions suivantes : les relations sécurisantes comptent pour un peu plus de la moitié tandis que les relations évitantes et anxieuses-ambivalentes se partagent à peu près également le reste. D'une façon assez constante, ces résultats montrent donc que près de la moitié de la population témoigne d'une relation d'attachement moins que satisfaisante avec la personne la plus importante de la petite enfance.

La continuité dans le temps et à travers les situations est évidemment un sujet de controverse. Une certaine continuité est toutefois constatée dans un assez grand nombre d'études longitudinales portant sur des bébés observés jusque dans les premières années de l'école primaire (voir p. ex. Dontas, Maratos, Fafoutis & Karangelis, 1985; Erickson, Sroufe & Egeland, 1985; Main, Kaplan & Cassidy, 1985; Sroufe, 1983; Waters, Wippman & Sroufe, 1979).

Bowlby émet l'hypothèse que les modèles d'interaction appris lors de la relation mère-enfant influent sur les comportements ultérieurs et deviennent une composante centrale de la personnalité de l'adulte. Les effets de l'attachement de l'enfant pour les personnes importantes de son enfance sur les relations amoureuses de l'âge adulte ont été étudiés récemment (Hazan & Shaver, 1987, 1990). Les résultats de ces travaux seront présentés dans la section concernant l'amour.

La théorie de la comparaison sociale

La **théorie de la comparaison sociale** postule qu'afin de fonctionner efficacement dans leur environnement les humains éprouvent le besoin fondamental d'évaluer leurs opinions, leurs valeurs, leurs compétences et leurs émotions; ils peuvent ainsi se former une idée d'eux-mêmes. Comme il arrive souvent que cette évaluation ne soit pas possible par des moyens objectifs, ils doivent alors obtenir cette information en se comparant avec les autres (Festinger, 1954).

On ne veut cependant pas être avec les autres dans toutes les situations pas plus qu'on ne veut être avec n'importe quelle personne. La recherche empirique a désigné des facteurs qui influent sur notre besoin d'être avec d'autres personnes, dans certaines situations (Suls & Miller, 1977). Ainsi, selon Schachter (1959), alors que dans des situations de peur (p. ex. avant de recevoir des chocs électriques douloureux) les gens aiment mieux être avec d'autres, ils préfèrent néanmoins rester seuls dans des situations embarrassantes (comme c'est le cas de jeunes gens à qui l'on demande de sucer des tétines de bouteilles pour bébé).

D'une façon générale, on a besoin des autres dans des situations d'incertitude où des personnes semblables à soi peuvent nous offrir une information utile sur des sujets qui nous intéressent. S'il apparaît que, la plupart du temps, on préfère être et se comparer avec des gens qui nous ressemblent, qui vivent ou ont vécu la même situation que nous, il reste que, dans certaines circonstances, on choisira de se comparer avec quelqu'un de différent (Brickman & Janoff-Bulman, 1977).

Quelle que soit la personne retenue pour l'évaluation de soi, l'être humain, selon la théorie de la comparaison sociale, a un besoin fondamental des autres pour arriver à se former une idée de lui-même, pour construire et pour évaluer son identité (voir le chapitre 3 pour une présentation plus détaillée des travaux portant sur cette théorie importante en psychologie sociale).

La théorie du soutien social

Selon les théoriciens du soutien social, il existe une corrélation positive entre l'existence de rapports avec les autres et la santé physique et mentale (voir Billings & Moos, 1982; Leavy, 1983; Wortman, 1984). Plus particulièrement, les autres nous aident à demeurer en santé ou à récupérer plus vite après une maladie (House, 1981; Schaeffer, Coyne & Lazarus, 1981). On aurait donc besoin des autres pour vivre et survivre. Cependant, les effets bénéfiques des interactions avec les autres sont conditionnés par la qualité de celles-ci.

Le **soutien social** renvoie à un échange interpersonnel dans lequel une personne en aide une autre. L'aide offerte peut être de différents types :

1. Le *soutien émotionnel* s'exprime par des marques d'amitié, d'amour, de respect, d'attention à l'égard de l'autre.
2. Le *soutien évaluatif* offre à l'autre personne une information qui lui permettra d'évaluer ses propres expériences. L'information négative aide l'autre à s'adapter à son environnement tandis que l'information positive permet à la personne de s'affirmer auprès des autres et de se sentir acceptée par eux.

Le processus de **comparaison sociale,** qui favorise aussi l'évaluation à travers l'information, est toutefois quelque peu différent du soutien évaluatif en ce sens que, lorsqu'elle se compare avec les autres, c'est la personne elle-même qui recherche et obtient l'information. On peut cependant considérer que les deux processus agissent souvent l'un sur l'autre: une personne recherche de l'information en se comparant avec une autre et cette dernière offre l'information nécessaire à la comparaison.

3. Le *soutien tangible* est une aide matérielle qui se présente sous forme d'argent, de biens, de services ou de temps. Ce type de soutien nous vient régulièrement à l'esprit quand nous parlons d'«aider» quelqu'un. Sa visibilité ne doit toutefois pas nous amener à négliger les deux autres types de soutien, qui peuvent être jugés moins importants parce qu'ils sont plus abstraits.

Le soutien social peut provenir de différentes sortes de relations, qu'elles soient conjugales, amoureuses, amicales ou familiales, de même que de contacts sociaux émanant du travail ou d'organisations sociales, communautaires ou religieuses.

Les relations plus intimes sont davantage susceptibles d'offrir simultanément les trois types de soutien; comme telles, elles peuvent jouer un important rôle de prévention des maladies mentales et physiques et de récupération après la manifestation de celles-ci. Plusieurs recherches appuient cette hypothèse en indiquant que, dans les faits, les individus qui sont mariés ou qui ont un lien intime avec quelqu'un jouissent d'une meilleure santé physique et mentale, éprouvent moins de symptômes psychosomatiques et meurent plus vieux (Fehr & Perlman, 1985; Lowenthal & Haven, 1968; Reis, 1984).

Il semble toutefois que les effets bénéfiques soient reliés non pas tant au soutien réellement apporté par les autres qu'à la *perception* qu'on peut trouver un soutien social (Sarason, Sarason, Shearin & Pierce, 1987; Wethington & Kessler, 1986). Cette perception de soutien social (et les effets positifs qui en découlent) semble de plus infuencée par les modèles d'interaction acquis lors de l'enfance, comme le suggère Bowlby avec la théorie de l'attachement (Sarason *et al.*, 1991). Ce sont les personnes qui ont appris qu'elles peuvent attendre du soutien des autres qui perçoivent ce soutien (même s'il n'existe pas dans la réalité) et qui retirent de cette perception des effets positifs.

S'il n'est pas toujours facile de distinguer clairement l'effet du soutien social réel de celui de plusieurs autres facteurs importants tels que la perception de ce soutien, la capacité des gens d'obtenir une aide efficace ou l'intensité de leur détresse au moment où elles ont besoin de soutien (voir p. ex. Conn & Peterson, 1989; Sarason, Sarason, Hacker & Basham, 1985), on peut toutefois affirmer que les autres (ou du moins la perception de leur disponibilité) nous aident à demeurer en santé physique et psychologique.

Les théories implicites du bonheur

De même que certains psychologues sociaux ont proposé des théories implicites de la personnalité (p. ex. Leyens, 1983; Schneider, 1973) pour décrire les croyances générales entretenues par les humains en ce qui concerne la fréquence et la variabilité d'un trait de caractère dans la population, de même nous suggérons de parler des théories implicites du bonheur. Les **théories implicites** sont des théories non scientifiquement fondées, auxquelles chacun de nous a recours pour expliquer et prédire sa propre vie ou celle des autres. Ces théories sont dites «implicites» ou encore «naïves» parce que les personnes qui les défendent n'en sont pas nécessairement conscientes et ne savent sans doute pas les exprimer d'une manière rigoureuse.

Les **théories implicites du bonheur** font référence aux croyances générales entretenues par les humains pour expliquer et prédire le bonheur dans leur propre vie ou dans celle des autres.

Il semble que la définition du bonheur de la plupart des gens comprenne le besoin des autres. Plusieurs études et sondages corroborent d'ailleurs cette hypothèse. À la question «Qu'est-ce qui donne un sens à votre vie?» 89 % des participants d'un groupe d'étudiants de niveau universitaire aux États-Unis ont répondu que c'était leurs relations avec les autres: leurs relations amoureuses, amicales et familiales (Klinger, 1977).

Une autre étude révèle qu'une population beaucoup plus nombreuse répartie dans l'ensemble des États-Unis (Campbell, 1981) perçoit le bonheur comme associé au fait d'être satisfait de son mariage, d'avoir une vie de famille agréable et de compter sur de bons amis. Le travail, la religion et la sécurité financière sont des facteurs jugés beaucoup moins cruciaux.

Selon une autre grande enquête américaine (Freedman, 1978), les femmes et les hommes, célibataires et mariés, estiment que, pour être heureux, il est important qu'ils soient amoureux, qu'ils aient un mariage harmonieux et des relations sexuelles satisfaisantes, qu'ils aient des amis et une vie sociale agréable. De plus, 90 % des gens heureux dans ces domaines se disent heureux dans la vie en général. Ceux qui sont malheureux disent que ce qui leur manque pour être heureux, c'est l'amour.

En France, un sondage mené par le magazine *Le Point* (1987) indique à la question «Qui sont les gens les plus heureux?» que 83 % des gens estiment que ce sont les personnes qui vivent en couple, tandis que seulement 3 % croient que ce sont les personnes qui vivent seules (14 % n'ayant pas d'opinion sur le sujet).

Au Québec, le journal *Le Devoir* demandait à ses lecteurs, au printemps 1987, «Quel est votre objectif principal dans la vie?» et leur proposait différents choix de réponses dans des domaines touchant les relations avec les autres, l'argent, le travail, l'épanouissement personnel, la vie culturelle et la vie spirituelle. Au total, 66 % des participants ont donné comme première réponse une vie de couple heureuse (33 %), donner et recevoir de l'affection (18 %), avoir des enfants (15 %). Une toute petite proportion de Québécois considèrent le fait de gagner beaucoup d'argent (4 %) ou de réussir dans son travail (2 %) comme l'objectif principal de leur vie.

On trouve des résultats semblables dans une étude récente effectuée auprès de participants québécois (Dubé, Blondin & Kairouz, 1991). Cette étude, basée sur l'analyse multidimensionnelle (voir une description plus complète dans la section sur l'amour), présente l'avantage d'être une mesure indirecte de la conceptualisation empirique du bonheur, lequel est un objet social important susceptible d'être influencé par la désirabilité sociale quand il est mesuré par d'autres méthodes plus directes. Ces participants, qu'ils soient de sexe féminin ou masculin, qu'ils soient de jeunes étudiants ou des travailleurs d'âge moyen, considèrent que le fait d'être amoureux et celui de se sentir aimé sont étroitement liés au bonheur.

Compte tenu des situations présentées dans la section précédente concernant la corrélation importante entre le soutien social et le bien-être physique et psychologique, il semble que les gens aient raison de percevoir un rapport entre le bonheur et des relations intimes satisfaisantes. Si les gens qui ont un lien intime avec quelqu'un jouissent d'une meilleure santé physique et mentale, éprouvent moins de symptômes psychosomatiques et meurent plus vieux, cela signifie donc que les théories implicites du bonheur sont sur le point d'obtenir un fondement scientifique.

Le fait d'avoir rappelé le pourquoi du besoin des autres ne doit pas nous faire oublier que, comme tous les autres besoins, le besoin des autres n'est pas ressenti avec la même intensité chez tous les êtres humains. Le besoin des autres ou **besoin d'affiliation** est défini comme la tendance à rechercher et à valoriser la compagnie des autres (Mehrabian & Ksionzky, 1974). On dit des gens qui trouvent important le fait de prendre soin des autres et d'avoir quelqu'un qui prend soin d'eux qu'ils ont un fort besoin d'affiliation. Ceux-ci ont appris que les autres peuvent non seulement offrir soutien et réconfort mais aussi aider à réaliser des buts jugés importants.

Selon McClelland (1982), le besoin d'affiliation est une motivation importante puisqu'il permet d'atténuer les effets négatifs des besoins de pouvoir et d'accomplissement, deux autres besoins humains fondamentaux. En effet, une recherche incessante du pouvoir (sur les choses et sur les personnes) et de l'accomplissement (le dépassement de soi, mais souvent aussi le dépassement des autres) peut engendrer différents problèmes de santé physique et mentale. Le fait d'avoir la capacité de prendre soin des autres et d'avoir quelqu'un qui prend soin de soi peut aider à contrecarrer certains effets négatifs de la vie dans une société axée sur l'excellence, où le pouvoir et l'accomplissement occupent une place prépondérante.

LA POPULARITÉ : QUI SONT CES PERSONNES QUE TOUT LE MONDE AIME?

Dans un premier effort pour étudier empiriquement les relations interpersonnelles, Moreno (1934) proposa le **sociogramme,** technique qui permet d'obtenir des données quantitatives sur les préférences des membres d'un groupe quant à leur association à d'autres membres du même groupe. On obtient cette mesure en demandant à chacune des personnes faisant partie d'un groupe de nommer les individus qu'elle aime le plus (ou le moins) ou avec qui elle aimerait le plus (ou le moins) partager une activité quelconque.

Voici un exemple de questions qu'on peut poser: «Toute votre classe doit se rendre à New York pour une activité scolaire. Avec quelles personnes de la classe aimeriez-vous le plus faire le trajet en auto? Avec quelles personnes aimeriez-vous le moins faire le trajet?» Ou encore celle-ci: «Vous devez faire un travail en équipe. Avec quelles personnes aimeriez-vous le plus travailler? Avec quelles personnes aimeriez-vous le moins travailler?»

Cette technique toute simple permet de désigner, à l'intérieur d'un groupe, les *vedettes*, c'est-à-dire les gens très populaires, choisis par plusieurs personnes; les *cliques*, c'est-à-dire les gens qui se rassemblent, qui se choisissent entre eux et qui se trouvent souvent autour d'une «vedette»; enfin, les *isolés*, c'est-à-dire les gens qui ne sont choisis par personne et qui sont rejetés de tous.

Comme on peut le constater, cette technique sociométrique est en fait une mesure de la popularité. Il faut faire la distinction entre la popularité et l'amitié. La **popularité** est définie comme l'attirance générale ou collective envers d'autres personnes; la personne populaire est une personne aimée par *plusieurs* personnes qui n'interagissent pas nécessairement avec elle. La popularité fait référence au prestige social, à l'admiration, au charisme. L'**amitié** renvoie plutôt à la relation intime qui existe entre *deux* personnes qui ont beaucoup de plaisir à interagir ensemble.

Il y eut, à partir de 1934, énormément d'études portant sur les caractéristiques personnelles et sociales reliées à la popularité. Quelle est cette personne aimée, admirée par plusieurs? Une revue exhaustive de la documentation sur le sujet (Lindzey & Byrne, 1968) révèle que nous choisissons en général:

1. Les personnes avec qui nous avons déjà eu la possibilité d'interagir.
2. Les personnes qui ont les caractéristiques les plus désirables selon les normes et les valeurs partagées par les membres de notre groupe.
3. Les personnes qui nous ressemblent le plus sur certaines caractéristiques sociales (l'âge, la religion, le groupe ethnique, la position socio-économique, etc.).
4. Les personnes qui nous ressemblent le plus quant aux attitudes et aux valeurs personnelles.

5. Les personnes qui peuvent aussi nous choisir ou qui nous perçoivent d'une façon positive.
6. Les personnes qui nous voient comme nous nous voyons nous-mêmes.
7. Les personnes qui ont déjà satisfait certains de nos besoins.
8. Les personnes belles, intelligentes, jouissant d'une bonne santé physique et mentale.

L'ATTIRANCE INITIALE ENTRE DEUX PERSONNES

Supposons que vous arriviez dans une salle pleine de personnes que vous ne connaissez pas. Pourra-t-on prédire avec exactitude celles avec qui vous aurez le plus de chances de vous entendre, celles avec qui vous pourrez le plus établir une relation d'amitié ? Eh bien, oui.

Afin de comprendre les débuts de l'attirance entre deux personnes, attirance qui n'est encore biaisée pour aucune des deux par le passé connu de l'autre ou vécu avec l'autre, les psychologues ont souvent amené des étrangers dans leurs laboratoires afin d'étudier ce phénomène. Les résultats de ces très nombreuses recherches (rapportées longuement dans Berscheid & Walster, 1978) nous permettent de conclure que vous avez de très fortes chances d'être attiré vers quelqu'un si cette personne :

- partage vos opinions, vos valeurs et vos traits de personnalité ;
- peut satisfaire certains de vos besoins ;
- est attirante physiquement ;
- est agréable ;
- semble aussi attirée vers vous ;
- est près de vous géographiquement.

Ainsi, s'appuyant sur des perspectives théoriques et méthodologiques très différentes, les recherches portant sur la popularité et sur le processus d'attirance initiale entre deux personnes sont arrivées à des conclusions semblables. Les caractéristiques personnelles et sociales des personnes vers lesquelles on est naturellement attirés, avec lesquelles on pourrait se lier d'amitié, se rapprochent beaucoup de celles des personnes populaires.

Une étude sur le terrain à Montréal

L'auteure de ce chapitre a étudié la situation consistant à devoir faire les premiers pas quand on veut entrer en contact avec une personne qui nous semble sympathique mais à qui on n'a jamais parlé auparavant (Dubé-Simard, 1981).

J'ai d'abord recueilli la perception d'étudiantes et d'étudiants touchant la facilité (ou la difficulté) à faire de nouvelles rencontres, à se faire de nouveaux amis. Ensuite, j'ai demandé aux mêmes étudiants, dans une étude sur le terrain, d'entrer en contact avec une personne de leur choix, qui leur paraissait sympathique et avec qui ils croyaient pouvoir éventuellement devenir amis.

Les résultats ont démontré que les participants ont trouvé beaucoup plus difficile de rencontrer cette personne dans la réalité que ce qu'ils avaient déclaré quant à leur perception de la chose dans la première partie de la recherche. Plusieurs sont revenus en disant qu'ils n'avaient pas réussi à entrer en contact avec quelqu'un dans les deux semaines allouées et ils requéraient une semaine supplémentaire. Elle leur fut accordée. Plusieurs n'avaient toujours pas eu plus de succès après la troisième semaine. Même s'ils étaient d'accord pour participer à une étude sur le terrain dont le but était qu'ils rencontrent une nouvelle personne dans un laps de temps limité, la plupart de ces étudiants ont préféré attendre que des circonstances ou des facteurs externes leur facilitent cette rencontre. Se faire de nouveaux amis n'est donc pas aussi facile qu'on pourrait le croire.

Un sous-groupe d'étudiants anglophones de l'Université McGill avaient, en plus des autres consignes, celle de rencontrer une personne parlant français, tandis qu'un sous-groupe d'étudiants francophones de l'Université de Montréal devaient rencontrer une personne parlant anglais. Je désirais particulièrement savoir quels seraient les lieux privilégiés pour ces nouvelles rencontres.

Les endroits en question furent surtout les places publiques pour les francophones et l'université pour les anglophones. Il est à noter que, même s'ils devaient n'avoir jamais parlé à l'autre personne auparavant, les étudiants anglophones ne se sont pas beaucoup déplacés afin de rencontrer une personne francophone : 39 % d'entre eux sont restés à l'Université McGill. Il semble que l'endroit favorisé par les deux groupes pour la rencontre d'une personne de l'autre groupe linguistique soit celui où ces étudiants travaillent à temps partiel, le soir ou la fin de semaine.

Les études citées précédemment sur la popularité et sur l'attirance initiale entre deux inconnus avaient beaucoup insisté sur l'importance d'une similitude perçue quant à plusieurs caractéristiques personnelles et sociales. Dans la première partie de cette étude-ci (portant sur la perception), les étudiants n'ont pas tellement insisté sur l'importance de la similitude de différentes dimensions comme facteur expliquant l'attirance initiale (toutefois, ils considéraient dans une certaine mesure la similitude des attitudes et de la langue maternelle). Dans la deuxième partie touchant la rencontre réelle, tous ont dit que la personne rencontrée était semblable à eux sur plusieurs dimensions, y compris ceux qui avaient rencontré une personne de l'autre groupe ethnique. Il est donc possible que la similitude soit plus importante qu'on ne le pense, à moins que les gens n'aient exagéré cette similitude chez la personne rencontrée.

Bien qu'ils aient été légèrement anxieux au début de l'étude sur le terrain, la très grande majorité des participants, qu'ils aient dû rencontrer une personne du même groupe linguistique ou non, ont beaucoup apprécié leur expérience, et plusieurs ont continué à voir cette personne, en dépit du caractère un peu artificiel de la première rencontre...

LES RELATIONS INTIMES

Qu'est-ce que l'*intimité*? En quoi les relations intimes sont-elles différentes des autres relations interpersonnelles ? Comment s'effectue le changement d'une relation non intime à une relation intime ?

L'intimité

Le mot « intime » vient du latin *intimus*, superlatif d'« intérieur», le plus intérieur possible. Dans plusieurs langues européennes, tout comme en français, la racine du mot utilisé pour signifier l'intimité fait référence à la conscience de l'intérieur, à la connaissance de la réalité la plus secrète de l'autre personne. L'**intimité** renvoie à ce qui est contenu au plus profond d'un être.

Les mots « intime » et « intimité » font partie de notre langage quotidien. Dans quel sens les utilisons-nous ? À la question « Qu'est-ce que le mot "intimité" veut dire pour vous ?» les réponses de 50 adultes (Waring *et al.*, 1980) ont révélé que les thèmes suivants étaient considérés comme préalables à l'établissement d'une relation intime avec quelqu'un : le partage de ses rêves et de ses pensées les plus privées ; la sexualité ; l'affection pour une autre personne et l'engagement vis-à-vis d'elle ; l'absence de colère et de ressentiment ; et enfin la possession d'une identité personnelle stable (la connaissance de ses propres besoins et la jouissance d'une bonne estime de soi).

Plusieurs de ces thèmes sont inclus dans les définitions plus rigoureuses que donnent de l'intimité les théoriciens qui s'intéressent à celle-ci. Ces définitions peuvent être regroupées selon quatre thèmes principaux :

1. L'intimité peut être considérée comme un *besoin*, variant grandement d'un individu à l'autre, qui s'exprime par une préférence pour des relations où il y a beaucoup de chaleur et où l'on échange beaucoup avec l'autre (McAdams, 1985, 1988). Les relations intimes représentent aussi le potentiel qui permet de satisfaire d'autres besoins importants comme le besoin d'être rassuré sur sa propre valeur et le besoin de s'intégrer socialement (Weiss, 1973).
2. L'intimité a aussi été définie comme une *capacité personnelle*, relativement stable, de s'engager vis-à-vis d'une autre personne et d'accepter les sacrifices et compromis liés au maintien de ces engagements (Erikson, 1963).
3. L'intimité est présentée fréquemment comme un *processus* où deux personnes essaient de se rapprocher l'une de l'autre (Hatfield, 1984), en viennent

à se connaître l'une l'autre dans ce qu'elles sont au plus profond d'elles-mêmes (Chelune, Robinson & Kommor, 1984), établissant ainsi une interdépendance où chacune a besoin de l'autre pour satisfaire ses propres besoins et ses aspirations personnelles (Berscheid & Peplau, 1983).

4. L'intimité a été définie le plus souvent comme ce qui distingue les relations intimes, soit les *éléments caractéristiques* de ce type de relations (Burgess & Huston, 1979; Hinde, 1979; Levinger & Snoek, 1972; Rubenstein & Shaver, 1982; Sternberg & Grajek, 1984).

En quoi les relations intimes sont-elles différentes des autres relations ? Si l'on rassemble les composantes proposées par les auteurs cités précédemment, on peut dire que les relations intimes sont caractérisées par l'intensité du sentiment; par la quantité et la qualité de l'information donnée au sujet de soi; par un niveau d'engagement élevé vis-à-vis de l'autre et de la relation; par la perception que la relation durera longtemps; et par un degré élevé et complexe d'interdépendance des deux personnes.

Ces éléments caractéristiques d'une **relation intime** peuvent permettre de définir les relations d'amour et d'amitié de même que les relations familiales entre les parents, les enfants, les frères et les sœurs. Ces éléments peuvent aussi éclairer certaines relations intimes assez différentes des précédentes, telles que la relation entre le client et le thérapeute dans le contexte de la psychothérapie. Quoique toutes ces relations soient considérées comme des relations intimes importantes, selon Brehm et Kassin (1990), la plupart des psychologues sociaux ont porté une attention particulière aux relations intimes entre deux adultes (l'amitié, l'amour, le mariage).

Le développement des relations intimes

Un tout petit nombre parmi les multiples rencontres que nous faisons se transformeront en relations interpersonnelles. Un nombre encore plus infime parmi nos relations évolueront vers des relations intimes. Comment une rencontre initiale superficielle devient-elle une relation intime intense? Différents théoriciens ont proposé certaines étapes de développement.

Le modèle de Levinger. Levinger (1988) et Levinger et Snoek (1972) ont suggéré trois stades de développement d'une relation intime:

1. Le *stade de l'attention*, où une certaine attention est accordée à l'autre personne, sans que cette dernière soit nécessairement consciente de cette attention et sans que cette attention soit obligatoirement réciproque.
2. Le *stade du contact superficiel*, caractérisé par de courtes interactions dominées par les normes et les attentes attachées aux rôles sociaux des participants (par exemple la relation entre un professeur et son étudiant, entre un médecin et son patient).

3. Le *stade de la mutualité*, où débute vraiment l'intimité de la relation entre les deux personnes. À ce stade, que cette relation soit de l'amitié ou de l'amour, celles-ci partagent une connaissance de l'autre, se sentent mutuellement responsables de la continuation de la relation, laquelle s'établit maintenant en fonction de normes privées, exclusives aux deux personnes. Le degré d'intimité ou de mutualité obéit alors à une évolution selon la force et l'intensité des paramètres évoqués pour la définition de la relation.

En plus de décrire chacun des stades, Levinger a désigné certains facteurs qui facilitent le passage d'un stade à l'autre. Pour n'en mentionner que quelques-uns, disons que, pour porter attention à une autre personne, il faut d'abord vouloir être avec d'autres personnes et percevoir une certaine similitude en ce qui concerne plusieurs caractéristiques sociales (par exemple la religion, le groupe ethnique et linguistique, la classe socio-économique).

Un contact superficiel aura plus de chances de se produire si l'autre personne est attirante physiquement et socialement, si les deux personnes ont du temps à consacrer à de nouvelles rencontres et s'il est probable que la perception des sentiments de l'autre sera réciproque dans une certaine mesure.

Finalement, un début d'intimité sera facilité, entre autres, par des circonstances permettant des comportements autres que ceux liés à certains rôles, par la connaissance des sentiments de l'autre et de son passé, par des échanges sur la signification des expériences vécues dans la relation naissante ainsi que par la satisfaction apportée par des relations intimes antérieures.

Le modèle de Murstein. Une autre théorie, celle des « stimuli-valeurs-rôles » (Murstein, 1976, 1987), s'intéresse principalement aux relations intimes qui mènent au mariage et dégage trois stades chronologiques :

1. Le *stade des stimuli*, où une personne perçoit les caractéristiques physiques, psychologiques et sociales d'une autre personne, et évalue les avantages qu'elle retirerait d'une association à une telle personne. La personne évalue aussi ses propres qualités au regard de l'attirance qu'elles pourraient susciter chez l'autre. Les qualités de l'autre sont souvent attribuées en fonction de sa réputation.
2. Le *stade des valeurs*, où, en fonction d'interactions entre elles, les deux personnes évaluent la compatibilité de leurs valeurs fondamentales (ce qu'elles pensent de la vie, des enfants, de la politique, de la religion, etc.) afin de déterminer le potentiel de gratification d'une association à long terme.
3. Le *stade des rôles*, où chacune des deux personnes s'évalue elle-même et évalue l'autre afin d'établir leur compatibilité dans les rôles d'épouse et d'époux (ou dans les rôles de personnes qui désirent cohabiter à long terme).

Quoique les stimuli, les valeurs et les rôles exercent une certaine influence tout au long de la relation, Murstein considère qu'un seul de ces facteurs est prédominant à chacun des trois stades.

Le modèle de Secord et Backman. Pour leur part, Secord et Backman (1974; voir aussi Backman, 1981) ont distingué quatre stades dans le développement des relations intimes:

1. Le *stade précoce*, où les deux personnes explorent les avantages qui pourraient découler d'une relation.
2. Le *stade de la négociation*, où les deux personnes essaient de négocier les conditions et les concessions qui permettront à la relation de s'établir.
3. Le *stade de l'engagement*, où la dépendance vis-à-vis de la relation augmente en même temps que diminue la comparaison des gratifications de la relation présente avec celles d'autres relations potentielles.
4. Le *stade de l'institutionnalisation*, où le caractère légitime et exclusif de la relation est reconnu officiellement par les autres.

Le modèle de Scanzoni. Scanzoni (1979) a proposé trois stades dans le développement des relations intimes:

1. Le *stade de l'exploration*, où les deux personnes essaient de découvrir s'il est profitable pour elles de maintenir ou de développer une relation naissante. Les processus de communication et de négociation s'avèrent importants à cette étape. L'émergence d'une confiance mutuelle est nécessaire à la continuation de la relation.
2. Le *stade de l'identification et du partage d'intérêts*, où s'imbriquent des buts et des objectifs communs. Le processus lié à la résolution des conflits qui risquent d'éclater à cette étape est important pour la suite de la relation.
3. Le *stade de l'engagement*, caractérisé par la perception de la solidité de la relation.

Les processus de développement des relations intimes suggérés par différents théoriciens ont des points en commun. De plus, certains éléments comportent des implications importantes pour la compréhension du développement des relations intimes. On est d'abord frappé par l'accent qui est mis sur l'évaluation des gratifications potentielles au début d'une relation. Comme l'information qu'on trouve à cette étape est souvent reliée aux caractéristiques extérieures et visibles de l'autre personne, la relation risque d'être basée, du moins pendant un certain temps, sur des aspects qui ont peu à voir avec le développement d'une relation satisfaisante.

Si le début d'une relation trop axée sur les aspects extérieurs de l'autre personne indique que certains problèmes risquent de se présenter dans l'avenir, les derniers stades proposés semblent en annoncer d'autres, mais d'une façon beaucoup plus subtile. En effet, à l'exception de Levinger (1980, 1983), chacun des théoriciens distingue dans son dernier stade une image de finalité, d'homéostasie dans la relation; mais cette image est loin de l'ordre des choses vécues, car elle ne considère pas la vulnérabilité de la relation face à l'ennui ou aux nouveaux conflits. Une théorie vraiment utile des différentes étapes d'une relation intime devrait prévoir, au départ, une détérioration potentielle de celle-ci. Le fait de voir dans la détérioration possible un événement étranger au développement normal des relations intimes ne rend pas compte de la réalité. De plus, cela entretient le mythe qu'une fois que la relation a atteint un certain stade le bonheur ou la satisfaction qui en découlent sont là pour toujours.

L'AMOUR

Tout le monde y pense,

[. . .]

tout le monde espère,

[. . .]

tout le monde veut son billet retour,

d'amour, d'amour, d'amour, d'amour.

[. . .]

mais le ciel s'en balance,

puisqu'il y en a pas pour tout le monde,

y'a des gens plein les urgences,

[. . .]

qui attendent leur billet retour,

d'amour, d'amour, d'amour, d'amour.

Francis Cabrel, 1989

L'amour est une des émotions les plus intenses, une des expériences les plus recherchées. C'est la relation intime à son paroxysme. Pour avoir leur billet aller-retour d'amour, plusieurs personnes ont accompli de grandes choses. Mais d'autres ont menti, trahi, triché, volé, tué.

Que veut donc dire le verbe «aimer»? Signifie-t-il toujours la même chose? Pourquoi certaines amours durent-elles toujours tandis que d'autres s'évaporent quelque temps après leur naissance? Comment les psychologues définissent-ils l'amour? Quelles sont jusqu'à maintenant les différentes théories proposées pour expliquer l'amour?

Les théories cliniques de la dépendance

Selon les observations personnelles de plusieurs cliniciens, lesquelles sont basées sur le comportement humain en milieu thérapeutique, il existe une relation importante entre la dépendance que l'on ressent vis-à-vis d'une personne et

ENCADRÉ 8.1

IL SEMBLE QUE L'AMOUR FASSE LE BONHEUR

Les concepts les plus importants pour l'être humain, comme le « bonheur», la « liberté », la « passion », peuvent aussi être les plus difficiles à définir. Il en est de même de l'« amour». Le psychologue qui s'intéresse à l'un de ces thèmes se trouve donc devant une tâche à la fois complexe et fascinante, celle d'arriver à savoir comment les gens interprètent le concept en question dans la vie de tous les jours.

Quelle perception les gens ont-ils de l'amour et du bonheur ? L'étude présentée ici constitue une tentative pour explorer empiriquement cette perception en établissant des similitudes et des différences avec des concepts connexes importants (Dubé, Blondin & Kairouz, 1991). Pour ce faire, l'analyse multidimensionnelle (AMD) nous est apparue très utile puisqu'elle permet d'obtenir une mesure indirecte (moins influencée par la désirabilité sociale) de l'idée que se font les gens de plusieurs états pouvant être liés de près ou de loin aux concepts de l'« amour» et du « bien-être personnel ».

Nous avons donc présenté aux femmes et aux hommes participant à cette étude des énoncés relatifs à l'amour (être en amour, sentir qu'on est aimé), des énoncés relatifs au bien-être personnel (être heureux, se sentir bien psychologiquement, être satisfait de ce qu'on fait, être de bonne humeur, être persuadé que la vie a du sens, sentir qu'on est utile à quelqu'un, avoir l'impression qu'on a un but dans la vie, être passionné par quelque chose) ainsi que des énoncés relatifs à la qualification de certains états (un état émotionnel, un état agréable, un état durable, un état fréquent, un état dont on est conscient).

Ces énoncés ont été présentés 2 par 2, dans toutes les combinaisons possibles (105), à 80 participants formant 4 groupes.

Deux groupes comprenaient 20 étudiantes et 20 étudiants, de 20 à 25 ans, qui n'avaient jamais été mariés et qui n'avaient pas d'enfants. Deux autres groupes étaient composés de 20 femmes mariées et de 20 hommes mariés (mais pas ensemble), sur le marché du travail, chacun ayant au moins un enfant étudiant à l'université âgé entre 20 et 25 ans (mais pas les parents des étudiants des deux groupes précédents). Les 2100 jugements de similitude ont été soumis aux calculs assez complexes de l'analyse multidimensionnelle ALSCAL (*aternating least-squares scaling*).

Les analyses statistiques effectuées séparément pour chacun des quatre groupes ont révélé des résultats semblables : deux dimensions identiques ont été utilisées par les étudiants, les étudiantes, les mères et les pères dans l'organisation cognitive des différents énoncés. Comme on peut le voir à la figure 8.1, qui présente les résultats de la totalité des participants, la première dimension oppose des états durables à des états émotionnels. La deuxième

→

ENCADRÉ 8.1 (suite)

dimension établit une nette distinction entre des sentiments liés aux personnes et des sentiments liés à la satisfaction de faire des choses.

FIGURE 8.1 Configuration des deux dimensions de l'analyse multidimensionnelle pour la totalité des participants

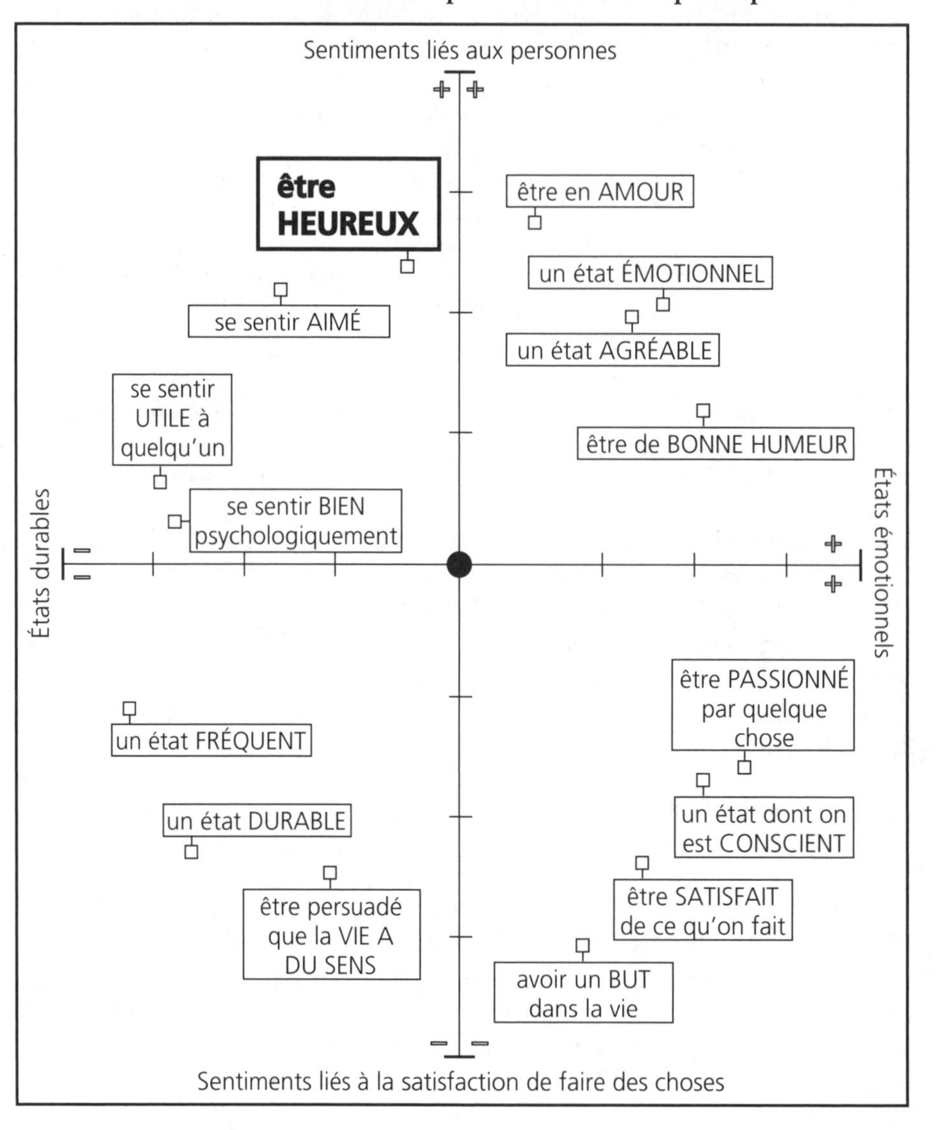

Adapté de Dubé, Blondin et Kairouz (1991).

ENCADRÉ 8.1 (suite)

Dans la configuration des énoncés (l'espace occupé par chacun des énoncés), on remarque deux agglomérats principaux :

1. Le bonheur est associé à des sentiments liés aux personnes, à l'amour, à deux états émotionnels (agréables et plus éphémères).
2. Les autres concepts gravitent autour des sentiments d'avoir un but dans la vie et d'être persuadé que la vie a du sens. Ces sentiments sont associés à la satisfaction de faire des choses et sont perçus comme des états fréquents et durables, des états dont on est conscient.

En résumé, les résultats indiquent que la perception de l'amour et du bonheur est semblable pour les femmes et les hommes des deux générations de cette étude.

Pour ces personnes, il semble que l'amour, quoique perçu comme éphémère et non fréquent, soit synonyme de bonheur. On peut donc imaginer que, sans amour, elles se sentiront malheureuses et essaieront de nouveau d'aimer et d'être aimées. Ces résultats s'accordent donc avec les grandes enquêtes américaines et les sondages québécois et français cités au début de ce chapitre, lesquels soulignaient que, pour les femmes et les hommes, célibataires et mariés, ce qui est perçu comme important pour être heureux, c'est, par-dessus tout, le fait d'aimer et d'être aimés.

l'amour que l'on éprouve pour la même personne. La dépendance psychologique est ici définie comme le fait d'avoir besoin de l'autre pour satisfaire ses propres besoins de bien-être et de bonheur. Par conséquent, l'amour s'expliquerait en fonction non seulement de nos besoins de sécurité et de satisfaction sexuelle, mais aussi de nos besoins de conformisme social (Casler, 1969; Klein & Riviere, 1953; Reik, 1944, 1957).

Maslow (1954, 1968), un des théoriciens qui défendent le principe de dépendance, distingue deux types d'amour : l'**amour D** ou l'amour déficient (D-*love*, D = *deficiency*), basé sur l'insécurité, les besoins d'amour et d'appartenance, et l'**amour B** ou le bon amour (B-*love*, B = *the other being*), l'amour de l'autre pour l'autre. Maslow considère cependant que ce dernier type d'amour est plutôt rare, n'étant vécu que par les personnes « actualisées » qui seraient les seules capables d'aimer l'autre pour l'autre, pour l'actualisation de l'autre.

Fromm, un autre théoricien clinique de cette époque, propose une approche semblable dans son livre sur l'art d'aimer (1956). Selon lui, l'amour non dépendant, l'amour de l'autre pour l'autre, est composé de quatre élements, à savoir : le souci de l'autre, la responsabilité vis-à-vis de l'autre, la connaissance de l'autre et le respect de l'autre.

Le lien entre la dépendance psychologique et l'amour est encore perçu comme important aujourd'hui, principalement chez les psychologues cliniciens (comme Berscheid & Fei, 1977; Peele, 1988; Tennov, 1979). Ces auteurs insistent sur le fait que l'être aimé est souvent vu comme l'unique personne qui puisse satisfaire nos besoins de bien-être et de bonheur. D'où la dépendance extrême vis-à-vis de cette personne.

Les psychologues théoriciens de l'approche clinique ont été parmi les premiers à parler de l'amour. Pendant longtemps, jusque vers 1970, plusieurs chercheurs en psychologie ont jugé que l'amour n'était pas un sujet assez scientifique et qu'il était trop difficile à étudier empiriquement. Plusieurs étaient sceptiques quant à son existence même (voir Berscheid & Walster, 1978).

Les travaux qui seront présentés dans les prochaines pages ont été effectués durant les 20 dernières années. La quantité de ces écrits est toutefois phénoménale; pour qu'on leur rende justice, ils mériteraient plus qu'un chapitre. Nous nous efforcerons donc d'être le plus concis possible, tout en sachant que, par le fait même, nous sacrifierons une bonne partie de leur richesse et de leur complexité.

L'amour comparativement à l'amitié

Une des premières questions qui ont retenu l'attention des chercheurs est celle de la différence existant entre l'amour et l'amitié. Aimer quelqu'un d'amour ou d'amitié, cela veut-il dire la même chose? Rubin (1970, 1973), un pionnier dans l'étude empirique des relations interpersonnelles, arrive à la conclusion que, bien que l'amour et l'amitié aient des points en commun, aimer un ami n'est pas la même chose qu'aimer un amoureux. Dans son livre *Liking and Loving* (deux verbes en anglais, un seul en français), il propose des composantes distinctes pour chacun des deux sentiments.

Les trois composantes de l'**amour** seraient l'attachement à une autre personne, le souci de l'autre et un sentiment d'exclusivité vis-à-vis de l'autre. L'attachement à une autre personne est la dépendance à l'égard de cette personne qui s'exprime par le besoin de l'autre; le verbe «prendre» caractérise bien cette composante. Par ailleurs, le souci de l'autre consiste dans la préoccupation pour l'autre personne; le verbe anglais *to care* exprime très bien le concept, mais on ne peut le traduire avec autant de justesse en français. Cependant, le verbe «donner» rend bien compte de cette prédisposition à aider l'autre, de ce don de soi. Enfin, le sentiment d'exclusivité vis-à-vis de l'autre est un sentiment de fusion dans l'autre. On fait ici référence à l'intimité avec l'autre, à la communication de renseignements sur le moi le plus intime. L'expression «se fondre dans l'autre» peut résumer cette composante.

Les principales composantes de l'amitié seraient la tendance à percevoir l'autre personne comme semblable à soi et l'évaluation positive de l'autre personne sur plusieurs dimensions comme la compétence, l'intelligence, le jugement ou la maturité. Cette deuxième composante correspondrait au respect et à l'admiration éprouvés pour l'autre personne.

Si certaines recherches empiriques donnent raison à Rubin (p. ex. Pam, Plutchik & Conte, 1975), d'autres n'ont pas trouvé de distinctions aussi claires entre l'amour et l'amitié (p. ex. Dion & Dion, 1976; Steck, Levitan, McLane & Kelley, 1982).

L'amour-passion

L'amour qui nourrit l'inspiration des poètes et des romanciers, celui qui nous permet d'assister aux plus grands drames au théâtre, au cinéma et dans la vie quotidienne, celui qui cause peut-être les plus grandes douleurs, l'amour-passion, intéresse aussi les chercheurs en psychologie. Plusieurs de ces auteurs considèrent qu'il existe en fait deux types d'amour (Hatfield, 1988; Peele, 1988).

Il y a d'abord l'**amour-affection** *(companionate-love)*, défini par Berscheid et Walster (1978) comme une grande affection pour l'autre, un attachement rempli de confiance, semblable à l'amitié profonde suggérée par Rubin. L'amour-affection est considéré comme pouvant exister autant entre deux amis qu'entre deux amoureux (Brehm, 1992). Cet amour s'appuie sur le respect et l'admiration de l'autre de même que sur un facteur très important, soit la confiance interpersonnelle. La confiance en l'autre serait en fait la caractéristique la plus importante de l'amour-affection (Holmes & Rempel, 1989). Celui-ci s'accompagne de deux types de confiance interpersonnelle (Johnson-George & Swap, 1982): la **confiance basée sur la fiabilité** de la personne, c'est-à-dire la probabilité que la personne fera ce qu'elle a promis de faire, et la **confiance émotionnelle,** c'est-à-dire l'assurance que chacune des deux personnes agira dans le but de protéger le bien-être de l'autre. L'idée de confiance est tellement importante dans ce type d'amour que nous emploierons indifféremment les expressions « amour-affection » et « amour confiant ».

L'**amour-passion,** quant à lui, est très différent de l'amour-affection. Il consiste en un état émotionnel très intense où l'on est complètement absorbé par l'autre et où l'on constate une confusion de sentiments allant de l'extase d'être aimé par l'autre à l'angoisse d'être rejeté ou abandonné par lui. Selon Berscheid et Walster (1978, p. 176-177), l'amour-passion, cette « fleur rare et exotique », est toujours accompagné de sentiments conflictuels tels que « l'extase et la douleur, l'altruisme et la jalousie, l'anxiété et le réconfort ».

L'amour-passion ne constitue pas nécessairement un état agréable. Il est, en effet, souvent dominé par l'anxiété, l'instabilité et l'obsession (Hindy, Schwarz & Brodsky, 1989; Tennov, 1979). À vrai dire, si nous n'étions pas si habitués à le trouver partout dans la fiction et souvent aussi dans la réalité, nous considérerions peut-être l'amour-passion comme un aspect très bizarre du comportement humain (Brehm, 1992). Comment expliquer que l'être humain accepte si facilement, et même recherche activement, une situation où l'agonie accompagne obligatoirement l'extase ?

Selon Berscheid & Walster (1978), la réponse à cette question pourrait résider dans l'intensité même de ces émotions conflictuelles. Leur **théorie de l'amour-passion,** basée sur la théorie des émotions de Schachter (1964; voir le chapitre 5 sur les attributions), postule deux conditions essentielles pour que l'on puisse parler d'amour. Premièrement, il faut une activation physiologique très intense, qui peut être déclenchée par des expériences émotionnelles agréables (plaisir sexuel, satisfaction d'autres besoins importants) mais aussi par des expériences émotionnelles désagréables (comme la peur, le rejet et la frustration). Deuxièmement, cette activation physiologique très intense doit être accompagnée d'une activité cognitive où l'individu nomme cette émotion et lui attribue une cause : l'être aimé. La personne arrive alors à la conclusion que cette activation très intense (mélange d'émotions positives et négatives) s'appelle de l'amour.

Il n'est pas toujours aisé de faire le lien entre l'activation très intense et l'amour. Berscheid et Walster (1978; voir aussi Brehm, 1992) proposent une analyse détaillée de certains facteurs psychologiques et culturels qui compliquent cette désignation (par exemple des sentiments souvent confus) et de certains autres qui la facilitent (par exemple, dans la culture nord-américaine, l'importance pour chacun de tomber amoureux au moins une fois dans sa vie).

Tout comme Rubin (1973), Berscheid et Walster (1974; Berscheid, 1985) désiraient fortement différencier l'amour passionné de l'amitié. Il n'est donc pas surprenant qu'une des principales différences qu'elles aient proposées soit la suivante : l'importance plus grande de l'imagination dans l'amour. Selon elles, l'amitié est plus réaliste. Ainsi on se lie d'amitié avec des gens qui nous apportent des choses positives et on demeure amis avec ces personnes tant qu'elles nous apportent des choses positives. Quant à l'amour, il est plus idéaliste : on pense, on rêve aux choses que l'autre personne pourrait nous donner ou nous donnera éventuellement. Ce que l'on reçoit de l'autre personne n'est pas toujours en proportion de l'intensité de notre sentiment. En vertu de cette tendance à l'imagination en amour, on peut se croire amoureux de personnes imaginaires, d'idoles publiques ou de personnes que l'on connaît à peine.

L'importance du rôle joué par nos pensées et nos croyances sur l'aspect émotionnel de l'amour-passion a été relevée par d'autres auteurs. Ainsi Person (1988) parle de l'amour comme un acte de notre imagination et Brehm (1988, p. 253) a cette phrase superbe : « Au cœur de l'amour-passion, on trouve cette capacité de construire dans notre imagination une vision détaillée d'un état futur de bonheur parfait. » Qui d'entre nous n'est pas capable et coupable d'une semblable élaboration ?

Berscheid et Walster suggèrent une deuxième grande différence entre l'amour et l'amitié, soit l'importance du temps dans la passion. Souvent, l'amour naît rapidement tandis que l'amitié se développe graduellement. L'amour est considéré comme un sentiment plus fragile; l'amour-passion augmente rarement avec le temps. Cette phrase, rapportée par Berscheid et Walster, représente bien l'effet du temps sur l'amour: « Une histoire d'amour, c'est le drame de la bataille contre le temps. » L'amitié, au contraire, est perçue (sans que cela soit documenté empiriquement) comme durant plus longtemps et, en fait, comme augmentant avec le temps.

Finalement, selon ces deux auteures, dans l'amitié prédominent toujours les sentiments positifs, tandis que dans l'amour on trouve souvent des sentiments

TABLEAU 8.2 L'amour et ses sentiments conflictuels

Quelqu'un a dit que, peu importe comment on définit l'amour, on risque d'avoir raison. Peut-être est-ce à cause de la confusion qu'il provoque. Après avoir lu les déclarations qui suivent, continuera-t-on de faire un rapport entre l'amour et le bonheur?

On ne saurait être sage quand on aime, ni aimer quand on est sage.
Publilius Syrus (1er siècle av. J.-C.)

Pour un plaisir, mille douleurs.
François Villon (1463)

L'amour est un tyran qui n'épargne personne.
Corneille (1636)

L'amour est une maladie.
Burton (1651)

L'amour est comme la rougeole, plus on l'attrape tard, plus le mal est sérieux.
Jerrold (1858)

L'amour est un cancer d'origine inconnue qui se développe souvent sans que le sujet le sache ou le souhaite.
Lawrence Durrell (1961)

L'amour, c'est une névrose institutionnalisée.
Askew (1965)

Si l'amour est la réponse, pouvez-vous me répéter encore une fois la question?
Lily Tomlin

Donnez-moi une douzaine de peines d'amour, si ça peut m'aider à perdre du poids.
Colette (1873-1954)

Les grandes amours aussi doivent être endurées.
Coco Chanel (1883-1971)

On ne tombe pas en amour par inclination, mais par trébuchement.
Albert Brie (1992)

Adapté de Dubé (1993).

conflictuels tels que la joie et la douleur, l'amour et la haine. Il ne faut pas oublier que le mot «passion» vient du latin *passio*, qui signifie «souffrance», «agonie», tout comme dans la «passion du Christ». Loin de diminuer l'amour, la présence de la souffrance semble en augmenter l'intensité.

Berscheid et Walster ne sont pas les seules personnes qui établissent un lien entre l'amour et des sentiments conflictuels. Plusieurs philosophes, poètes, auteurs classiques et autres ont exprimé des idées semblables. Le tableau 8.2 (voir à la page précédente) propose quelques citations qui illustrent, avec un brin d'humour, l'aspect conflictuel souvent associé à l'amour.

Les couleurs de l'amour ou les différentes façons d'aimer

Dans sa typologie de l'amour, Lee (1973, 1988) utilise l'image des couleurs pour décrire les différentes façons d'aimer. Il y aurait autant de types d'amour qu'il y aurait de couleurs. À la base, toutefois, il y aurait trois couleurs primaires et trois couleurs secondaires principales. Inspiré par la littérature et l'histoire, s'appuyant sur des données recueillies dans plusieurs entrevues appronfondies (incluant des renseignements sur les antécédents familiaux), puis soumises à des techniques complexes d'analyse statistique, Lee propose les couleurs primaires suivantes pour représenter les différentes façons d'aimer :

- *Eros* ou l'*amour romantique :* c'est un amour où l'apparence physique joue un rôle essentiel ; la personne tombe amoureuse d'une image physique qui l'attire. La composante sexuelle s'avère très importante. Il y a un désir de relation intense.
- *Ludus* ou l'*amour passe-temps :* l'amour est perçu comme un jeu, souvent avec plusieurs partenaires à la fois. Il n'y a pas d'investissement émotionnel, pas de révélation de soi, pas d'engagement vis-à-vis de l'autre ou de la relation. De plus, les contacts avec l'autre ne sont pas fréquents, les mensonges sont justifiés par les «règles du jeu»; il n'y a ni jalousie ni sentiment de possession. L'amour et la sexualité sont une partie de plaisir.
- *Storge* (dérivé d'un mot grec faisant référence à l'affection parentale) ou l'*amour durable :* c'est un amour qui se développe lentement, prudemment, et qui mène à un engagement durable.

Lee distingue également trois couleurs secondaires :

- *Mania* ou l'*amour possessif :* c'est un amour caractérisé par l'obsession, la jalousie et des états émotionnels très intenses. Il y a un sentiment de perte de maîtrise. La personne amoureuse est exigeante et possessive vis-à-vis de l'autre ; elle a constamment besoin d'être rassurée sur l'amour de l'autre.
- *Agape* (dérivé d'un mot latin décrivant une fête chrétienne où l'on donnait aux pauvres) ou l'*amour altruiste :* c'est un amour qui n'exige rien en retour. La personne qui aime considère que c'est son devoir d'aimer ; elle n'attend aucune réciprocité.

- *Pragma* ou l'*amour pragmatique*: cet amour est fondé sur des considérations pratiques conscientes: on tombe amoureux de la «bonne personne» en ce qui concerne l'âge, la santé, le niveau d'instruction, la classe sociale, le type de travail, le salaire, la religion, l'éloignement de la résidence, l'aptitude à prendre soin des enfants.

La typologie de Lee est intéressante d'un point de vue théorique. En plus d'être basée sur des données empiriques, elle intègre plusieurs dimensions jugées importantes dans l'étude de l'amour: l'intensité de l'expérience amoureuse, l'engagement vis-à-vis de la personne aimée, les caractéristiques désirées de la personne aimée et la réciprocité souhaitée.

C'est probablement pour toutes les raisons qui précèdent que ces «couleurs» ont inspiré plusieurs chercheurs qui ont notamment voulu quantifier et mesurer les différentes façons d'aimer (p. ex. Lasswell & Lobsenz, 1980; Sandor, 1982). C'est toutefois Hendrick et Hendrick (1986, 1988, 1989) qui, enthousiasmés par la clarté, la richesse et le potentiel théorique de cette classification, ont effectué les recherches les plus poussées d'après cette typologie.

Ces auteurs ont étudié, entre autres, les différences potentielles entre les femmes et les hommes en ce qui touche les diverses façons d'aimer. Si les hommes et les femmes privilégient également l'amour romantique *(eros)* et l'amour altruiste *(agape)*, il existe, selon ces auteurs, des différences significatives quant aux autres façons d'aimer (Hendrick & Hendrick, 1986). Les hommes ont, beaucoup plus que les femmes, tendance à voir l'amour comme un jeu *(ludus)*, tandis que les femmes favorisent nettement plus que les hommes l'amour durable *(storge)*, l'amour pragmatique *(pragma)* et l'amour possessif *(mania)*.

Ces différences importantes ont amené Hendrick et Hendrick à suggérer l'opportunité d'une interprétation sociobiologique: l'amour plus ludique de l'homme et l'amour plus pragmatique de la femme favoriseraient conjointement le succès de la reproduction de l'espèce (Hendrick & Hendrick, 1991). Il y a fort à parier, toutefois, que cette façon de voir l'amour risque de soulever une forte opposition chez les amoureux qui s'imaginent qu'ils ont été choisis par les dieux pour vivre un amour unique. L'interprétation sociobiologique ôte en effet à l'amour tout le mystère et toute la fascination auxquels nous a habitués l'interprétation romantique.

La théorie triangulaire de l'amour: intimité, passion et engagement

Parmi les travaux les plus récents sur le sujet, la théorie triangulaire de l'amour se propose d'expliquer l'amour (tous les types d'amour) à travers une définition de celui-ci basée sur trois composantes: l'intimité, la passion et la décision-engagement (Sternberg, 1986; Sternberg & Barnes, 1988; Sternberg & Grajek, 1984).

L'*intimité*, qui est une composante émotionnelle, renvoie aux sentiments faisant qu'on se sent près d'une personne, qu'on se sent lié à celle-ci. Une expérience de bien-être, de chaleur à l'intérieur de la relation résulte de ces sentiments.

La composante de l'intimité est considérée comme semblable d'une relation «aimante» à une autre, qu'il s'agisse des relations familiales (avec le père, la mère, le frère, la sœur), des relations d'amitié avec une personne du même sexe ou de l'autre sexe ou des relations amoureuses.

La *passion*, qui est une composante motivationnelle, fait référence à l'énergie, aux forces qui provoquent entre autres le désir de romantisme, l'attirance physique et l'acte sexuel. La passion est ressentie comme un état émotionnel intense où l'on désire ardemment être avec l'autre, être uni à lui le plus intimement.

La passion provient souvent du désir de satisfaire des besoins sexuels de même que, selon Sternberg et Grajek (1984), des besoins apparemment très différents les uns des autres. Ces auteurs évoquent, par exemple, les besoins d'affiliation, de pouvoir, de soumission, d'actualisation et d'estime de soi.

La *décision-engagement*, qui est une composante cognitive, comporte deux aspect : le premier, à court terme, concerne la *décision* d'aimer une autre personne, la prise de conscience de l'existence de cet amour ; et le deuxième, à long terme, renvoie à l'*engagement* à maintenir la relation.

Ces deux perspectives ne vont pas toujours ensemble. Il est possible qu'une personne se rende compte qu'elle est amoureuse sans qu'elle veuille ou puisse pour autant s'engager avec l'autre (par exemple la personne aimée est déjà mariée et ne veut pas divorcer). À l'opposé, il est possible de s'engager avec quelqu'un dans une relation à long terme sans être amoureux de celui-ci (par exemple deux personnes qui élèvent des enfants ensemble, sans éprouver d'amour). Habituellement, toutefois, la décision précède l'engagement.

Cette dernière composante n'a pas le feu, la force, la charge émotionnelle de l'intimité ou de la passion. Elle est cependant essentielle au maintien de la relation. Souvent, cette composante est la seule qui reste dans les temps difficiles. C'est elle qui permet de «passer à travers» en attendant que revienne, éventuellement, la passion ou l'intimité.

Comme on peut le constater au tableau 8.3, ces trois composantes, dans leurs différentes combinaisons, donnent lieu à huit types d'amour, qui vont de l'absence d'amour à l'amour idéal, en passant, entre autres, par l'amitié, le coup de foudre, l'amour romantique et l'amour hollywoodien.

L'amour comme processus d'attachement

Cette approche est le fruit d'une des contributions les plus importantes de la psychologie contemporaine, la publication des trois livres de Bowlby (1969, 1973, 1980) portant sur les processus d'attachement, de séparation et de perte.

TABLEAU 8.3 **Niveau des trois composantes dans les différents types d'amour**

	Intimité	Passion	Décision-engagement
Absence d'amour	bas	bas	bas
Amitié	élevé	bas	bas
Coup de foudre	bas	élevé	bas
Amour romantique	élevé	élevé	bas
Amour responsable	bas	bas	élevé
Amour-affection	élevé	bas	élevé
Amour hollywoodien	bas	élevé	élevé
Amour idéal	élevé	élevé	élevé

Inspiré de Sternberg (1986) et de Brehm (1992).

Même si Bowlby (1973) postulait que le style d'attachement risquait de se poursuivre jusqu'à la fin de la vie de l'individu, personne jusqu'à récemment n'avait exploré la possibilité que cette théorie, élaborée principalement dans le but de comprendre les jeunes enfants, offre des explications intéressantes sur le comportement amoureux des adultes.

Dans leur tentative pour comprendre l'amour, la solitude et la peine causée par une rupture amoureuse, Hazan et Shaver ont pensé qu'on pouvait concevoir l'amour comme une continuation du processus d'attachement de la petite enfance. Il y aurait différents **styles d'attachement,** c'est-à-dire différentes façons de se comporter dans les relations intimes, et ces comportements auraient été appris dans les premières années de la vie (Hazan & Shaver, 1987, 1990; Shaver & Hazan, 1988). Ces auteurs ont donc exploré cette possibilité en appliquant le plus fidèlement les idées de Bowlby et la typologie d'Ainsworth au domaine de l'amour adulte.

Pour ce faire, Hazan et Shaver (1987) ont demandé à des adultes de choisir parmi trois types de personnes celui qui leur ressemblait le plus. Vous pouvez essayer de répondre à la question du tableau 8.4 pour déterminer la description parmi celles offertes par les auteurs qui correspond le mieux à la façon dont vous vous comportez habituellement dans vos relations amoureuses.

Parmi les participants qui ont répondu à la question de Hazan & Shaver (1987), 56 % ont choisi la réponse n° 1 (le style *sécurisé*), 25 % ont opté pour la réponse n° 2 (le style *évitant*), tandis que 19 % se sont reconnus dans la réponse n° 3 (le style *anxieux-ambivalent*). Des pourcentages semblables ont été obtenus, par la suite, dans des études effectuées par les mêmes auteurs ainsi que par des chercheurs indépendants aux États-Unis, en Australie et en Israël. Dans ces recherches, la fréquence de la classification touchant leurs propres comportements amoureux d'adultes va de 51 % à 56 % pour les sécurisés, de 23 % à 28 % pour les évitants et de 19 % à 21 % pour les anxieux-ambivalents (Collins & Read, 1990; Feeney & Noller, 1990; Hazan & Shaver, 1990; Levy & Davis, 1988; Mikulincer, Florian & Tolmacz, 1990; Pistole, 1989; Shaver & Hazan, 1987).

TABLEAU 8.4 **Types d'attachement durant la vie adulte**

Question
Quelle description parmi les suivantes représente le mieux la façon dont vous vous comportez habituellement dans vos relations amoureuses? (Faites votre choix avant de continuer votre lecture du chapitre.)

Réponses
1. Je trouve relativement facile d'avoir des relations intimes avec les autres. Je suis à l'aise à l'idée de dépendre des autres et de voir les autres dépendre de moi. Je ne crains pas souvent d'être abandonné (abandonnée) par les autres. Je n'ai pas peur que les autres soient trop intimes avec moi.
2. Je me sens quelque peu mal à l'aise à l'idée d'être trop près des gens. Je trouve difficile de leur faire confiance complètement, de me permettre de dépendre d'eux. Je suis nerveux (nerveuse) quand quelqu'un devient trop intime avec moi. Mes partenaires amoureux veulent souvent que je sois plus intime avec eux, à un niveau auquel, moi, je ne me sens pas très bien.
3. Il me semble que les autres hésitent à être aussi intimes avec moi que j'aimerais qu'ils le soient. Je m'inquiète souvent du fait que mon partenaire ne m'aime pas vraiment ou pas assez et je crains alors qu'il (elle) ne me quitte. Je veux vraiment ne faire qu'un avec l'autre personne, mais ce désir fait peur à certaines personnes, qui s'en vont.

Adapté de Hazan et Shaver (1987).

D'une façon assez constante, les résultats indiquent que près de la moitié de la population adopte un style d'attachement évitant ou ambivalent dans ses relations amoureuses. Cette distribution de réponses est semblable à celle citée précédemment quant à la relation mère-enfant observée chez différentes populations. Cela ajoute une certaine crédibilité à l'hypothèse voulant que les styles d'attachement appris dans la petite enfance se transforment en modèles qui seront utilisés dans les relations amoureuses à l'âge adulte.

Quel est l'effet de ces différents styles d'attachement sur les relations amoureuses adultes ? En plus d'amener les participants (670) à se classifier eux-mêmes quant au style de leurs relations amoureuses, Hazan et Shaver (1987) leur ont demandé de décrire leur relation amoureuse actuelle. Les corrélations entre ces deux variables révèlent que les adultes qui adoptent un style d'attachement sécurisant ont dit vivre une relation amoureuse significativement plus heureuse, confiante et amicale que les adultes des deux autres groupes. Ceux qui ont un style évitant ont révélé qu'ils avaient peur des relations trop intimes, qu'ils éprouvaient beaucoup de jalousie et vivaient intensément des hauts et des bas dans leur relation.

Les adultes ayant un type d'attachement anxieux-ambivalent ont également dit qu'ils éprouvaient souvent de la jalousie et connaissaient beaucoup de hauts et de bas. En outre, ils ont indiqué nettement plus souvent que les adultes des deux autres types d'attachement qu'ils vivaient des coups de foudre, qu'ils ressentaient une forte attirance sexuelle pour leur partenaire et qu'ils étaient préoccupés d'une manière obsessionnelle par la fusion amoureuse avec l'autre. L'attachement anxieux-ambivalent semble donc très proche de l'amour-passion décrit précédemment.

La durée de la relation amoureuse paraît aussi avoir un lien avec le type d'attachement. Les adultes de type sécurisé ont révélé qu'ils entretenaient depuis 10 ans la présente relation, comparativement à un peu moins de 5 ans pour les personnes du type évitant et à près de 6 ans pour celles du type anxieux-ambivalent, en dépit du fait que les trois groupes avaient en moyenne 36 ans.

Les effets de la relation d'attachement avec la mère et le père ont aussi été mesurés. Les résultats obtenus confirment un certain lien entre le souvenir de la relation d'attachement vécue dans la petite enfance et le style d'attachement amoureux à l'âge adulte. Fait important à signaler, ces résultats suggèrent non seulement l'influence de la relation de l'enfant avec sa mère, mais aussi celle de la relation qu'il a eue *avec son père* comme déterminants possibles des relations amoureuses futures.

Si ces résultats fascinants semblent confirmer l'influence déterminante (déjà proposée par plusieurs) de la petite enfance sur la vie adulte, il faut être prudent avant de tirer des conclusions. Est-ce à dire que toute personne qui a vécu une relation non sécurisante ou ambivalente avec ses parents est condamnée à vivre des relations amoureuses semblables ? Il faudrait être à la fois pessimiste et irréaliste pour répondre par l'affirmative. Hazan et Shaver eux-mêmes soulèvent certains problèmes méthodologiques rattachés à leurs études (par exemple, le fait que le style d'attachement soit mesuré avec un seul critère et que le souvenir des relations de la petite enfance puisse être biaisé ; voir Shaver, Hazan & Bradshaw, 1988).

De plus, il faut prendre en considération que les corrélations obtenues entre le souvenir de la relation d'attachement avec les parents et le style amoureux actuel, quoique significatives, ne sont pas très élevées, particulièrement chez les participants plus âgés. Ce dernier résultat nous rappelle donc que des changements sont possibles dans la vie des gens. La prise de conscience de certaines circonstances et de leurs conséquences éventuelles peut très bien rompre une certaine continuité intergénérationnelle. Il semble que le fait de revivre mentalement les expériences douloureuses vécues durant l'enfance puisse aider les gens à briser la chaîne d'une génération à l'autre et à changer leur style d'attachement amoureux (Main *et al.*, 1985).

Des questions sans réponses

Combien y a-t-il de façons d'aimer ? Y a-t-il une « bonne » façon d'aimer ? La question de la dépendance dans l'amour, comme celle de la dépendance face à l'alcool ou à une autre drogue, est souvent mentionnée comme un signe d'un amour déficient (Peele, 1988). Est-il possible d'aimer sans se sentir dépendant de la personne aimée, sans inclure l'autre dans la définition profonde de soi (Aron & Aron, 1986; Aron, Aron, Tudor & Nelson, 1991)?

S'il y a une bonne façon d'aimer, est-elle bonne pour l'amoureux lui-même? pour l'être aimé? pour le couple? ou pour la société en général? Les tentatives pour définir l'amour idéal s'appuient sur des jugements de valeur, et ces valeurs sont proposées ou soutenues par la société dans laquelle nous vivons. De la Grèce antique à aujourd'hui, l'amour a souvent changé de visage (voir Brehm, 1992).

Est-il possible que le concept de l'amour, créé et recréé par les humains des différentes époques, renvoie en fait au processus sociobiologique lié à la survie de l'espèce? Certains théoriciens voient maintenant les choses dans cette perspective (Buss, 1988; Hendrick & Hendrick, 1991; Kenrick, 1989; Mellen, 1981). Est-il possible que la société actuelle, dans un élan de romantisme, ait oublié l'importance des aspects biologique et social dans la formation et le maintien du couple?

L'ENGAGEMENT

Que veut dire le mot « engagement »? Comme l'illustre le tableau 8.5, ce concept a été défini de plusieurs façons. Avec des mots différents, la plupart des théoriciens ont été d'accord, toutefois, pour voir dans l'**engagement** la force qui stabilise le comportement d'une personne lorsque celle-ci est placée devant des obstacles ou devant la tentation offerte par une autre option qui s'avère intéressante. C'est cette force qui permet à une personne de continuer ce qu'elle avait entrepris en dépit des difficultés rencontrées ou des nouvelles options intéressantes qui se présentent.

Ce type d'engagement, appelé **engagement comportemental,** fait référence au pouvoir des actions passées qui force l'individu à maintenir une ligne d'action, même s'il n'existe plus aucun attachement émotionnel vis-à-vis de la chose, de la personne ou de la cause en question (Kiesler, 1971). Ce serait le cas de personnes mariées qui ne s'entendent plus, mais qui ne veulent pas divorcer. Selon Johnson (1973, 1982), la continuation de l'action dans ce type d'engagement est assurée par les attentes et les normes sociales (comme la religion, la peine causée aux parents du couple ou le bonheur des enfants) ou par les pertes et les coûts qui résultent du changement effectué (comme un déménagement ou une perte financière) ou par ces deux raisons.

La possibilité de concevoir un autre type d'engagement est apparue il y a quelques années. Ce type d'engagement, appelé « engagement personnel », met l'accent sur la perception personnelle de la valeur et du plaisir attachés à l'adoption et à la continuation d'un comportement (Brickman, 1987; Csikszentmihalyi, 1975, 1990; Klinger, 1977).

L'**engagement personnel** renvoie au pouvoir de l'enthousiasme émanant de la personne, lequel amène celle-ci à maintenir une ligne d'action, à donner à quelque chose ou à quelqu'un son attention et son énergie durant une longue

TABLEAU 8.5 Définitions de l'engagement

En général

- Choix irrévocable (Secord & Backman, 1974).
- Décision qui influe clairement sur les comportements ultérieurs (Festinger, 1964).
- Choix pour une personne d'une ou de plusieurs options et, par conséquent, rejet d'une ou de plusieurs autres options (Brehm & Cohen, 1962).
- Promesse ou obligation de faire ou de ne pas faire quelque chose (Kiesler, 1971).
- Maintien d'une ligne d'action (Johnson, 1978).
- Position qu'il n'est pas facile de quitter (Becker, 1960).
- Contrainte qui empêche un changement de comportement (Gerard, 1965).

En rapport avec les relations amoureuses

- Déclaration publique de l'intention de maintenir la relation (Levinger, 1980).
- Conception de la part des deux personnes selon laquelle la relation peut continuer indéfiniment ou comportement mutuel qui vise à assurer la continuation de celle-ci (Hinde, 1979).
- Refus de considérer tout changement de partenaire (Leik & Leik, 1977).

Adapté de Dubé (1992).

période pour la simple raison que ces actions lui procurent de la joie et des récompenses. L'engagement personnel, c'est la passion de l'artiste qui aime son art, du travailleur qui aime son métier. Ce sont les parents qui, même s'ils n'éprouvent plus l'amour fou des débuts, ne veulent pas divorcer parce qu'ils s'entendent bien, sont bien ensemble et retirent beaucoup de plaisir à interagir avec leurs enfants.

Tandis que l'engagement comportemental met l'accent sur le besoin pour l'individu de s'adapter au contexte social en répondant aux attentes et aux normes de celui-ci (rejoignant ainsi la notion de « responsabilité sociale »), l'engagement personnel s'attache surtout au désir qu'éprouve l'individu d'exprimer ses besoins et ses valeurs.

Si l'engagement est souvent mentionné dans l'étude des relations amoureuses et conjugales, en revanche les théoriciens ne semblent pas s'être préoccupés de la disctinction existant peut-être entre différents types d'engagement. Les quelques définitions de l'engagement en rapport avec les relations amoureuses présentées au tableau 8.5 illustrent bien cette lacune : l'engagement est considéré dans sa manifestation comportementale, soit selon la continuation de la relation. Implicitement ou explicitement, on estime souvent que la continuation de la relation est assurée par le refus d'envisager tout changement de partenaire (Johnson & Rusbult, 1989; Leik & Leik, 1977; Rosenblatt, 1977).

Suivant une telle mesure (l'intention de maintenir la relation), on a trouvé, par exemple, que le niveau d'engagement est plus élevé chez les couples qui disent être en amour que chez ceux qui ne disent pas qu'ils le sont (Hendrick &

Hendrick, 1988). Cette étude mentionne aussi une différence quant au sexe des amoureux: les femmes se disent plus engagées dans la relation que leurs partenaires masculins.

Dans une autre recherche, qui consiste en une courte étude longitudinale, le meilleur élément prédictif pour savoir si des étudiants étaient encore ensemble après deux mois fut le niveau d'engagement mesuré au début de l'étude. En fait, le désir de continuer la relation était un meilleur élément prédictif que le degré de satisfaction dans la relation (Hendrick, Hendrick & Adler, 1988).

Selon une conception quelque peu différente, l'engagement constitue un processus qui intègre non seulement le besoin *social* d'appartenance et de responsabilité, mais aussi le besoin *personnel* d'expression de soi, de ses désirs et de ses valeurs (Brickman, 1987; Dubé & Kairouz, 1992).

Les relations intimes auraient tout à gagner si elles étaient examinées à travers cette nouvelle conception qui donne une place importante à l'engagement personnel. Cet engagement émane de l'attirance, de la passion et donc de l'amour qu'on ressent pour une personne et qui nous amène à donner à celle-ci toute notre attention et toute notre énergie, durant une longue période, pour la joie et le plaisir ressentis.

Le modèle conceptuel proposé par Brickman (1987) est basé non seulement sur la théorie de la dissonance cognitive de Festinger (1957, 1964) et sur la théorie de l'engagement de Kiesler (1971), mais il est aussi inspiré largement par des modèles qui expliquent les comportements humains en fonction de l'enthousiasme, du plaisir et du sens donné à la vie (Antonovsky, 1987; Csikszentmihalyi, 1975, 1990; Klinger, 1977).

Cette nouvelle conception intègre l'engagement personnel à l'engagement comportemental et considère ces deux aspects comme essentiels à la définition de l'engagement (Brickman, 1987).

Selon Brickman, il n'y aurait pas deux types d'engagement, mais un seul composé de trois éléments: 1) un élément positif représentant l'attraction qu'exerce sur l'individu une certaine ligne d'action – cet élément où les aspects positifs sont particulièrement importants est appelé « enthousiasme »; 2) un élément négatif représentant les efforts et les sacrifices associés au maintien de cette ligne d'action – cet élément où les aspects négatifs sont particulièrement importants est appelé « persévérance »; et 3) l'intégration des deux éléments positif et négatif par l'intériorisation de même que par l'acceptation des conséquences négatives comme composantes essentielles de l'obtention des résultats positifs.

C'est à travers ce dernier élément que se révèle la nature dynamique du processus d'engagement et la tension qui lui est inhérente. L'engagement serait l'intégration de ces deux forces, une volonté d'agir en dépit d'une forte opposition (Dubé & Kairouz, 1992).

L'engagement, c'est-à-dire le maintien d'une ligne d'action en dépit des efforts et des sacrifices, en dépit du manque de liberté à explorer d'autres options, peut-il être un empêchement au bonheur? Existe-t-il des différences quant à la capacité d'engagement? En effet, étant donné que le processus d'intégration du positif et du négatif ne se termine jamais, la synthèse étant constamment déséquilibrée par de nouveaux enthousiasmes et de nouveaux sacrifices, il est possible qu'avec l'expérience, jusqu'à un certain âge de la vie active, les gens deviennent plus engagés.

Dans une tentative pour explorer le lien existant potentiellement entre l'engagement et le bien-être personnel, les perceptions de jeunes adultes et d'adultes d'âge moyen furent comparées (Dubé, Des Roches & Blanchard, 1992).

En tout, 160 personnes ont participé à cette étude: 80 étudiants d'université (40 femmes, 40 hommes, de 19 à 23 ans) et l'un de leurs parents, c'est-à-dire 80 parents d'étudiants d'université (40 mères, 40 pères, de 39 à 68 ans).

La mesure de l'engagement comprenait trois facteurs: 1) le potentiel d'engagement en général, une mesure composée de la capacité d'enthousiasme et de persévérance; 2) l'engagement vis-à-vis de certaines personnes importantes dans la vie des participants; et 3) l'engagement à l'égard du travail. S'appuyant sur des théories existantes portant sur le bien-être personnel, les chercheurs ont aussi élaboré des mesures du *bonheur* (sentiments positifs éprouvés présentement; potentiel de bonheur), de la *satisfaction de vie* (satisfaction générale; satisfaction dans 17 domaines) et du *sens donné à la vie*.

Les résultats ne révèlent aucune différence entre les sexes; par contre, il y a des différences significatives entre les générations. Les parents se perçoivent, en comparaison de leurs enfants adultes, comme ayant un niveau plus élevé de bien-être et d'engagement (principalement vis-à-vis des personnes importantes dans leur vie).

Les résultats obtenus par tous les participants sur l'échelle d'engagement ont été par la suite divisés à la médiane afin de donner deux groupes: celui des individus *plus engagés* et celui des individus *moins engagés*. Les résultats montrent qu'indépendamment de la génération, d'une façon très significative, les gens plus engagés déclarent en général ressentir un plus grand bien-être (plus particulièrement quant au sens donné à leur vie et quant à la perception de leur potentiel de bonheur).

En conclusion, si les parents, comparativement à leurs enfants adultes, se perçoivent comme ayant à la fois un degré plus élevé de bien-être et d'engagement, c'est toutefois le niveau d'engagement qui permet de prédire le bien-être personnel. Il semble donc qu'il existe un lien très fort entre l'engagement et le bonheur.

LA SATISFACTION DU COUPLE ET LES RÔLES SEXUELS

Les concepts d'« amour» et d'« engagement » nous conduisent naturellement à l'une des relations interpersonnelles et sociales les plus importantes : le couple. Les chercheurs, voulant peut-être s'assurer de la permanence du couple, ont surtout étudié la question de la satisfaction. Une des mesures les plus employées pour évaluer la satisfaction du couple est une mesure du degré d'adaptation des deux personnes à la vie de couple : l'*échelle d'ajustement dyadique* de Spanier (1976), traduite et adaptée au contexte québécois par Baillargeon, Dubois et Marineau (1986). Cet instrument permet d'évaluer quatre dimensions de la vie de couple : le *consensus* (jusqu'à quel point les deux personnes sont en accord quant aux différents aspects de la vie de couple), la *cohésion* (jusqu'à quel point le couple partage différentes activités), la *satisfaction* (jusqu'à quel point chacune des deux personnes est satisfaite de la relation de couple) et l'*expression affective* (jusqu'à quel point le couple est satisfait des échanges affectifs et sexuels).

Un couple est souvent composé d'un homme et d'une femme, chacun et chacune amenant dans ses bagages des qualités individuelles et des caractéristiques sociales, sa « masculinité » et sa « féminité ».

Jusqu'à récemment, les psychologues croyaient que la féminité et la masculinité constituaient les deux points extrêmes d'un continuum unidimensionnel bipolaire. Selon cette vision des choses, plus une personne est féminine, moins elle est masculine, et vice versa. Or, théoriciens et chercheurs s'entendent aujourd'hui pour dire que les caractéristiques normatives féminines et masculines ne sont pas mutuellement exclusives ; elles représentent au contraire deux dimensions indépendantes. Autrement dit, il s'agit de deux concepts qui peuvent exister chez la même personne et varier indépendamment l'un de l'autre (Bem, 1974; Heilbrun, 1976; Spence, Heimreich & Stapp, 1975).

Selon cette nouvelle conception, il existe quatre rôles sexuels, à savoir les rôles féminin, masculin, androgyne et indifférencié. Ainsi une personne qui adopte un rôle féminin utilise, pour se décrire, un grand nombre de traits féminins et relativement peu de traits masculins, à l'inverse d'une personne qui emprunte un rôle masculin. De son côté, la personne androgyne emploie, dans des proportions semblables et élevées, des caractéristiques féminines et masculines. La personne indifférenciée s'attribue très peu de qualificatifs féminins ou masculins.

Rappelons que, d'une façon générale, les qualités considérées comme féminines sont plutôt expressives et impliquent l'émotivité, l'altruisme et la sensibilité interpersonnelle. Pour leur part, les qualités jugées masculines sont plutôt rationnelles et font référence à l'affirmation de soi, au développement personnel et à l'orientation vers un but à atteindre.

Plusieurs chercheurs ont exploré le lien existant entre les rôles sexuels et la satisfaction du couple. Les résultats obtenus dans plusieurs recherches démontrent que c'est surtout la féminité ou exclusivement la féminité qui aide à prédire la satisfaction dans le couple (Antill, 1983; Baucom & Aiken, 1984; Bradbury & Fincham, 1988; Kurdek, 1989; Kurdek & Schmitt, 1986). Certaines études révèlent cependant que la présence de la féminité et de la masculinité influe positivement sur le degré de satisfaction des deux personnes (Coleman & Ganong, 1985; Cooper, Chassin & Zeiss, 1985; Ickes & Barnes, 1978; Murstein & Williams, 1983; Zammichieli, Gilroy & Sherman, 1988).

Une étude québécoise récente (Langis, Mathieu & Sabourin, 1991) abonde en ce sens et soutient que le fait qu'une personne possède un nombre élevé de caractéristiques féminines et masculines est susceptible d'augmenter chez elle son degré d'adaptation à sa vie de couple.

Contrairement à l'individu qui adopte majoritairement des traits propres à un sexe, la personne androgyne peut choisir, parmi deux vastes répertoires, le comportement approprié qui lui permettra de s'adapter à une situation particulière.

Il est intéressant de noter qu'aucune étude ne remet en question l'importance des caractéristiques féminines comme facteur pouvant aider à prédire la satisfaction du couple. En effet, dans le présent débat, on se demande si ce sont exclusivement les qualités féminines ou si ce sont les qualités féminines *et* les qualités masculines qui sont liées à cette satisfaction. La féminité est également liée positivement à d'autres variables qui pourraient assurer une plus grande satisfaction du couple, à savoir l'empathie et l'importance accordée au mariage et à la famille.

En résumé, les qualités dites « féminines » jouent un rôle crucial dans la naissance et la continuation de relations intimes satisfaisantes (White *et al.*, 1986). En d'autres mots, selon la recherche actuelle, une personne possédant plusieurs de ces qualités a plus de chances d'être heureuse dans sa relation de couple. Par conséquent, si, dans de nombreux contextes sociaux, il semble important d'avoir des caractéristiques liées à son propre sexe, l'homme qui veut être heureux dans sa relation de couple se doit de détenir également des qualités dites « féminines », telles que la tendresse, la douceur, la bonne humeur, l'empathie, l'altruisme et la sensibilité aux besoins des autres.

LA SOLITUDE : LE MANQUE DES AUTRES

On ne peut parler des relations interpersonnelles sans évoquer le sentiment provoqué par un manque sur le plan de nos rapports avec les autres. De la tristesse à l'idée qu'il n'y a personne avec qui l'on puisse partager certaines choses à la grande douleur devant le vide créé par le départ d'un être cher, personne n'échappe à la solitude.

ENCADRÉ 8.2

LA SATISFACTION DES COUPLES QUÉBÉCOIS

avec la collaboration de
Marie-Josée Des Roches

Quels sont les déterminants de la satisfaction de couple? Comment peut-on intervenir auprès des couples en détresse? C'est à ces questions que s'intéressent John Wright, de l'Université de Montréal, et Stéphane Sabourin, de l'Université Laval. Wright et Sabourin dirigent une équipe de recherche et de consultation auprès des couples. Auteurs de plusieurs articles scientifiques et de deux livres, *L'Intervention auprès du couple* (Wright & Sabourin, 1985) et *La Survie du couple* (Wright, 1985), leur apport se situe autant sur le plan de la psychologie fondamentale que sur celui de la psychologie appliquée, illustrant bien la complémentarité de ces deux domaines.

La satisfaction du couple est le résultat de multiples facteurs liés à la fois aux attitudes et aux comportements des deux personnes ainsi qu'aux diverses situations que vit celui-ci. En relation avec les déterminants de la satisfaction du couple, Wright et Sabourin ont étudié des aspects aussi variés que les attentes quant à l'efficacité personnelle, l'attribution de la causalité, la motivation et les problèmes d'infertilité.

Les attentes quant à l'efficacité personnelle. Les attentes quant à l'efficacité personnelle d'un individu, c'est-à-dire le degré de confiance de celui-ci en sa capacité de résoudre ses problèmes, auraient une influence sur la satisfaction du couple. Selon Bélanger, Dulude, Sabourin et Wright (sous presse), les attentes quant à l'efficacité permettant le mieux de prédire le degré de satisfaction du couple constituent chez la femme des attentes globales, tandis que, chez l'homme, elles touchent plus particulièrement la perception d'un pouvoir personnel et la tendance à réexaminer ses activités de résolution de problèmes.

Ces auteurs ont aussi étudié le lien existant entre les attentes quant à l'efficacité personnelle et les comportements de résolution de problèmes. Il ressort de leur recherche que les comportements négatifs (comme la critique) permettent de prédire de faibles attentes quant à l'efficacité de la résolution de problèmes, alors que les comportements positifs (comme le soutien) sont associés à la présence d'attentes positives.

Toujours selon ces auteurs, les comportements de la femme dans un couple seraient généralement les meilleurs éléments prédictifs des attentes quant

→

ENCADRÉ 8.2 (suite)

à l'efficacité personnelle des deux membres du couple et de la satisfaction du couple évaluées par ses deux membres.

Une autre étude de Sabourin, Laporte et Wright (1990) démontre de plus que les époux de couples heureux et de couples malheureux ont des comportements différents. Ainsi les époux des couples en détresse effectuent moins de comparaisons optimistes, négocient moins et sont plus résignés que les époux satisfaits de leur relation conjugale.

L'attribution de la causalité. Les inférences au sujet de la cause des comportements d'une personne sont différentes selon que les individus sont satisfaits ou non de leur relation de couple. Les individus satisfaits de celle-ci attribuent aux comportements négatifs de l'autre et aux conflits dans leur couple des raisons externes, transitoires et circonstantielles. Les attributions que formulent ces personnes montrent aussi qu'elles n'ont pas tendance à blâmer leur conjoint pour ses comportements négatifs ni à voir dans ceux-ci le reflet d'une intention négative ou d'une motivation égoïste (Dulude, Sabourin, Lussier & Wright, 1990; Sabourin, Lussier & Wright, 1991).

La motivation. Une étude de Blais, Sabourin, Boucher et Vallerand (1990) démontre que le type de motivation qu'ont les hommes et les femmes quant au maintien d'une relation de couple influe sur leur perception de leur adaptation. C'est précisément le fait d'être intrinsèquement motivés à maintenir la relation (pour sa valeur propre) plutôt que d'être extrinsèquement motivés à la maintenir (pour les bénéfices externes, comme le confort que procure le bon salaire de l'autre membre du couple) qui favorise leur perception de leur adaptation. La perception selon laquelle les comportements sont adaptés favorise à son tour la satisfaction des membres du couple vis-à-vis de la relation.

On trouve dans cette étude le même phénomène en vertu duquel les attitudes et les comportements de la femme sont liés aux attitudes et aux comportements de l'homme, mais non l'inverse. Ainsi la motivation intrinsèque de l'homme à maintenir la relation n'influe que sur sa propre perception de la satisfaction quant à l'égard de la relation. Chez la femme, ce type de motivation influe sur sa propre perception et sur celle de son conjoint. Plusieurs auteurs imputent cette différence au rôle plus important que joue la femme sur le plan du maintien et de la qualité de la relation de couple.

Les problèmes d'infertilité. Plusieurs couples rêvent d'avoir des enfants. L'infertilité se pose parfois comme une entrave à la réalisation de ce rêve.

→

ENCADRÉ 8.2 (suite)

Wright et Sabourin ont entrepris une étude longitudinale dans laquelle ils mesurent la détresse psychologique reliée à l'infertilité. Les premiers résultats de leur recherche démontrent que les femmes dans les couples infertiles éprouvent davantage de détresse psychologique que les hommes (Wright *et al.*, 1991). Ces chercheurs étudient présentement de quelle façon se modifiera cette détresse au cours du traitement.

Qu'est-ce que la solitude ?

Les expériences de la solitude ne sont pas toutes vécues d'une façon négative. Chacun de nous, à un moment donné, aime être seul et certaines personnes, plus que d'autres, préfèrent se trouver seules pour accomplir des activités. La solitude équivaut souvent, dans ce cas, à la volonté d'être seul dans un espace physique délimité et pendant une période déterminée. C'est une solitude désirée, ou du moins tolérée. Nous ne parlerons pas de ce type de solitude ; nous nous pencherons plutôt sur la solitude non souhaitée, sur la solitude qui fait mal. Il est possible de distinguer deux types de solitude qui provoquent des sentiments négatifs : la solitude existentielle et la solitude interpersonnelle.

La solitude existentielle. Un sentiment de solitude peut persister en dépit de la quantité et de la qualité de nos relations avec les autres. La **solitude existentielle** renvoie au « gouffre incommensurable entre soi-même et tout autre être humain » (Yalom, 1980, p. 355). Cette solitude découle de la condition inévitable de l'expérience humaine qui suppose une prise de conscience de l'incapacité des autres de faire disparaître l'anxiété d'exister et de devoir faire face à la mort.

Selon plusieurs philosophes et psychologues adoptant l'approche existentielle (Fromm, 1941; Heidegger, 1962; Kierkegaard, 1954; Maslow, 1968; Rank, 1945; Yalom, 1980), chacun de nous est seul dans l'existence et aucune relation avec les autres ne peut éliminer cette solitude.

Plusieurs tenants de l'approche existentielle croient toutefois aux bienfaits des relations intimes avec les autres et ont écrit sur le sujet (p. ex. Fromm, Maslow et Yalom). Selon eux, on peut, après avoir pris conscience de son anxiété existentielle, partager avec l'autre ce fait de la vie et aimer l'autre pour l'autre, en se souciant plus du bien-être de celui-ci que de l'élimination, à travers lui, de sa propre anxiété liée à la condition humaine.

La solitude interpersonnelle. Quoiqu'il ne soit pas toujours facile pour une personne qui souffre de solitude de distinguer la solitude existentielle de la solitude interpersonnelle, il importe de le faire. On peut en effet exercer une certaine maîtrise sur cette dernière. La **solitude interpersonnelle** est une expérience désagréable qu'on ressent lorsque son réseau de relations sociales est déficient d'une façon quantitative ou qualitative (Perlman & Peplau, 1981). Cette déficience vient de l'écart perçu entre le niveau désiré et le niveau actuel des relations interpersonnelles. Il s'agit d'une expérience particulièrement désagréable quand la personne s'estime incapable d'établir les relations désirées dans une période raisonnable (De Jong-Gierveld, 1986).

La solitude interpersonnelle (que nous appellerons désormais «solitude» tout court) est donc un ensemble d'émotions et de cognitions vécues au présent, mais influencées par la perception du passé et du futur. La solitude est une expérience subjective. Être seul n'est pas la même chose que se sentir seul.

Il semble important aussi de distinguer la solitude sociale de la solitude émotionnelle. La **solitude sociale** vient d'un manque de relations sociales satisfaisantes avec des amis, des voisins ou des collègues. Ce type de solitude fait que la personne se sent rejetée par les autres en général, n'a pas l'impression d'appartenir ou d'être intégrée à une communauté quelconque. Cette solitude, qui provoque souvent un sentiment d'ennui, est reliée au nombre et à la fréquence des relations sociales (Weiss, 1973).

La **solitude émotionnelle** résulte de l'absence ou de la perte d'une relation intime satisfaisante avec quelqu'un. Cette solitude, reliée à la non-satisfaction dans les relations existantes, est considérée comme plus douloureuse que la solitude sociale. Selon Weiss, les relations sociales et les relations intimes sont nécessaires au bien-être de l'individu. Il n'est donc pas possible d'éliminer les effets négatifs du manque d'un type de relation en lui substituant des relations de l'autre type.

Les causes de la solitude

Qu'est-ce qui crée la solitude? Les raisons de ce phénomène sont nombreuses. Il est important de distinguer les événements qui amènent habituellement quelqu'un à se sentir seul des facteurs qui prédisposent une personne à éprouver souvent de la solitude.

Les *événements* font référence aux changements qui se produisent dans la vie d'une personne et qui suscitent un sentiment de solitude. Ces changements peuvent affecter une seule relation importante ou le réseau complet des relations sociales. Ils provoquent un état de solitude généralement temporaire, lié à des événements donnés.

Une des principales causes de l'expérience douloureuse de la solitude est la fin d'une relation intime ou amoureuse provoquée par la mort du partenaire, un divorce ou l'arrêt de la cohabitation ou des fréquentations (Gordon, 1976; Lopata, 1969; Weiss, 1973). La séparation occasionnée par la distance physique entre soi-même et l'autre, la famille ou les amis (déménagement forcé, séjour prolongé à l'hôpital, voyages d'affaires ou heures de travail supplémentaires fréquentes) est aussi considérée comme un événement précipitant (Perlman & Peplau, 1981).

La situation d'une personne dans un groupe ou une organisation a un effet très important sur ses interactions avec les autres, à la fois à l'intérieur et à l'extérieur du groupe. Les changements de rôle ou de position sociale, qu'ils soient jugés positifs ou négatifs, peuvent susciter un sentiment de solitude. C'est pourquoi une promotion, une rétrogradation, le chômage, la retraite, le mariage, la naissance des enfants, le départ de la maison des enfants à l'âge adulte sont des événements qui amènent souvent les personnes qui les vivent à se sentir seules (Rubenstein, Shaver & Peplau, 1979).

Les *facteurs* sont les éléments qui prédisposent un individu à ressentir souvent de la solitude ou à se sentir seul longtemps après un événement précipitant. Contrairement aux événements précipitants qui provoquent un état de solitude généralement temporaire, lié à des changements particuliers dans la vie d'une personne, les facteurs prédisposants sont considérés comme des aspects durables de la situation ou des caractéristiques plutôt stables de la personne. Ces facteurs influencent et limitent les réactions des individus face aux changements dans leur vie, et augmentent le risque de souffrir de la solitude.

Un des facteurs qui expliquent le plus facilement la solitude est la *quantité* des contacts sociaux. Nous venons de parler des changements dans les relations sociales d'une personne comme d'événements précipitants. Toutefois, indépendamment de changements qui se seraient produits récemment, certaines personnes ont moins de contacts sociaux que d'autres et le nombre d'interactions sociales peut, en soi, être un facteur prédisposant à la solitude (Peplau & Perlman, 1982).

Le facteur le plus important à considérer est toutefois la *qualité* des relations. Une personne qui a des contacts fréquents avec un grand nombre de personnes peut néanmoins se sentir très seule. Si les relations existantes ne satisfont pas, d'une façon permanente, nos besoins les plus importants tels que le besoin d'affection, le besoin de recevoir de l'aide et des soins, le besoin de confirmation de sa propre valeur, il s'ensuivra un sentiment de solitude.

Les relations intimes, plus que n'importe quelles autres relations sociales, permettent plus facilement la satisfaction de plusieurs besoins parmi ceux nommés précédemment. Dans une étude effectuée aux Pays-Bas, chez une population de 556 femmes et d'hommes âgés de 25 à 75 ans, les gens qui vivent sans partenaire amoureux ont beaucoup plus tendance à souffrir de solitude que les gens qui vivent avec un conjoint (De Jong-Gierveld, 1986). Et ce n'est pas uniquement le fait de vivre seul qui provoque la solitude puisque, dans 60 % des cas, le père ou la mère qui n'a pas d'amoureux mais qui vit avec des enfants déclare qu'il souffre de solitude (la proportion est de 50 % chez les gens vivant seuls et de 13 % seulement chez les gens vivant en couple).

Certaines caractéristiques personnelles ne facilitent pas non plus l'établissement et le maintien de relations satisfaisantes avec les autres, et prédisposent donc à la solitude. Parmi ces caractéristiques, on a désigné la timidité (Sermat, 1980; Zimbardo, 1977), une faible estime de soi (Cutrona, 1982; Sermat, 1980) et le manque d'habiletés sociales (Weiss, 1973).

Avec la solitude, nous refermons la boucle de ce chapitre. Nous avons en effet commencé celui-ci en soulignant l'incommensurable besoin que nous avons des autres et nous le terminons avec le sentiment douloureux qui accompagne le manque des autres. Espérons que, compte tenu du fait que les relations interpersonnelles et en particulier les relations intimes sont essentielles à notre bonheur, chacun veillera à préserver les relations privilégiées qu'il entretient avec les autres. On doit également se souvenir, lorsque la solitude est trop présente, qu'il y a quelqu'un, quelque part, qui attend de se laisser apprivoiser. Il faut peut-être se risquer à faire les premiers pas.

RÉSUMÉ

On a besoin des autres pour vivre et survivre. On a besoin d'aimer et d'être aimés. Dans ce chapitre, nous avons fait état des connaissances actuelles touchant nos relations avec les autres en nous appuyant sur les recherches menées par la psychologie sociale depuis près de 60 ans. L'étude des relations interpersonnelles a d'abord été située dans un contexte historique et théorique. Nous avons présenté brièvement les principaux thèmes qui ont intéressé les chercheurs et les grandes influences théoriques qui ont servi de toile de fond à leurs travaux, à savoir les théories de l'harmonie cognitive et les théories du renforcement.

Peu de gens oseraient remettre en question le fait qu'on a besoin des autres. Mais pourquoi a-t-on besoin des autres ? L'importance des relations interpersonnelles a été traitée par le biais de certains besoins fondamentaux qui ne peuvent être satisfaits qu'avec les autres : le besoin d'attachement et de soutien social, la nécessité de la comparaison sociale et la quête personnelle du bonheur. Les relations interpersonnelles ont ensuite été approchées à travers la popularité et l'attirance initiale ; nous avons alors présenté les caractéristiques personnelles et sociales des personnes vers lesquelles tous semblent attirés.

Une grande partie du chapitre a été consacrée aux relations intimes. Qu'est-ce que l'intimité ? En quoi les relations intimes sont-elles différentes des autres relations interpersonnelles ? Comment s'effectue le passage d'une relation non intime à une relation intime ? Les étapes de développement d'une relation intime proposées par différents théoriciens ont été décrites.

L'amour est une des émotions les plus intenses, une des expériences les plus recherchées. Que sait-on sur l'amour ? Diverses théories proposées jusqu'à maintenant pour expliquer l'amour ont été traitées sous les angles suivants : la dépendance vis-à-vis de la personne aimée, la comparaison entre l'amour et l'amitié, l'explication de l'amour-passion, la classification des différentes façons d'aimer, la désignation des composantes de l'amour et l'influence des relations d'attachement dans l'enfance. L'amour nous a naturellement amenés à l'engagement dans une relation et à l'une des relations interpersonnelles et sociales les plus importantes : le couple. La satisfaction du couple a été abordée brièvement à travers sa relation avec les rôles sexuels.

On ne peut parler de relations interpersonnelles sans évoquer le sentiment provoqué par un manque dans nos rapports avec les autres. Le manque de relations interpersonnelles satisfaisantes, exprimé par la solitude, a fait l'objet d'une attention particulière. Qu'est-ce que la solitude ? Quels sont les différents types de solitude ? Qu'est-ce qui entraîne la solitude ? Les raisons expliquant la solitude ont été présentées en fonction de la distinction entre les événements qui risquent de susciter un état de solitude généralement temporaire et les facteurs qui prédisposent une personne à éprouver un sentiment habituellement permanent de solitude.

BIBLIOGRAPHIE SPÉCIALISÉE

Bowlby, J. (1988). *A secure base. Parent-child attachment and healthy human development.* New York: Basic Books.

Brehm, S. (1992). *Intimate relationships* (2nd ed.). New York: McGraw-Hill.

Duck, S.W. (1991). *Understanding relationships.* New York: Guilford.

Jones, W.H. & Perlman, D.W. (Eds.). (1991). *Advances in personal relationships.* London : Kingsley.

Kelley, H.H., Berscheid, E., Christensen, A., Harvey, J.H., Huston, T.L., Levinger, G., McClintock, E., Peplau, L.A. & Peterson, D.R. (Eds.). (1983). *Close relationships.* New York: Freeman.

Montgomery, B.M. & Duck, S. (Eds.). (1991). *Studying interpersonal interaction.* New York: Guilford.

Sarason, B.R., Sarason, I.G. & Pierce, G.R. (Eds.). (1990). *Social support : An interactional view.* New York: John Wiley and Sons.

Sternberg, R.J. & Barnes, M.L. (Eds.). (1988). *The psychology of love.* New Haven, CT: Yale University Press.

CHAPITRE 9

UNE ANALYSE PSYCHOSOCIALE DE L'AGRESSION

Michel Boivin
Université Laval

Mise en situation

Introduction

Distinctions et définitions

L'agression selon la perspective psychanalytique

L'agression selon la perspective éthologique

L'agression selon les théories psychosociales

- L'hypothèse du lien entre la frustration et l'agression : la théorie originale
- La contribution de Leonard Berkowitz : le lien entre la frustration et l'agression dans une perspective néo-associationniste
- L'agression selon la théorie de l'apprentissage social
- La perspective sociocognitive

La violence dans les médias et l'agression

La pornographie et l'agression

La violence en milieu familial

Résumé

Bibliographie spécialisée

Encadré 9.1 La déclaration de Séville sur la violence

Encadré 9.2 Les différences sexuelles quant au comportement agressif

Encadré 9.3 Les mécanismes cognitifs qui entrent dans le cycle de la violence

MISE EN SITUATION

Par une belle soirée d'automne, un groupe d'amis sont attablés devant un bon repas bien arrosé. Jusque-là anodine, la conversation s'anime, le vin aidant. Il est question d'événements d'actualité, et plus particulièrement d'un cas pathétique dont les journaux ont abondamment parlé: un homme, professeur-chercheur de réputation internationale, s'est présenté au département de génie mécanique de l'Université Concordia, à Montréal, où il travaille. On ne connaît pas l'affaire dans tous ses détails, mais on sait que quatre personnes ont été abattues et quelques autres blessées au moyen d'une arme à feu. Selon les médias, l'individu aurait indiqué, il y a un certain temps, qu'il était victime d'injustices dans son travail. En désespoir de cause, il aurait communiqué son intention de régler cette question « à l'américaine ».

– Ça me rappelle Poly, commente Marie avec tristesse, faisant référence au sombre événement du 6 décembre 1989, au cours duquel un individu a fait irruption à l'École polytechnique de l'Université de Montréal et assassiné 14 étudiantes, justifiant son geste par son mépris des féministes, avant de se suicider.

– En effet, ajoute Jean. Et comment ne pas se souvenir de l'épisode de l'Assemblée nationale au milieu des années 1980... Décidément, nous vivons dans une société de plus en plus violente.

– Je pense que tu exagères, rétorque Pierre.

– J'exagère? Tu trouves que j'exagère!... Il n'y a pas une semaine où l'on ne fait pas mention de cas de femmes assassinées par leur conjoint ou leur ex-conjoint, sans compter toutes les histoires de violence familiale... dont la plupart ne sont pas rapportées. La violence est plus grande partout: à l'école, dans la famille, dans les quartiers... Rappelle-toi ce qui s'est passé dans le centre-sud de Montréal l'été dernier ou encore l'émeute de la rue Saint-Hubert. Tu trouves toujours que j'exagère?

– Je ne sais pas. Les médias sont peut-être plus sensibilisés, ce qui serait plutôt le signe que la société est maintenant plus consciente de ces problèmes.

– Les médias, parlons-en des médias... ils font partie du problème. Je pense que ça donne des idées aux gens. Et puis, il y a la télé. C'est clair, pour moi, que toute la violence présentée à la télé a un effet, surtout sur les enfants. As-tu entendu parler de ce garçon de six ans qui a récemment tenté de poignarder sa mère? Six ans! Tu réalises? Comment veux-tu qu'il ait appris ce comportement, sinon à la télévision?

Josée, qui était restée silencieuse, intervient:

– Il ne faut pas perdre de vue que nous sommes en pleine crise économique et que le chômage est très élevé. Je pense que les gens sont frustrés de cette situation et cherchent des boucs émissaires. Je suis convaincue que la frustration a un rôle à jouer dans tout ça.

→

MISE EN SITUATION (suite)

– Je suis d'accord, reprend Jean. Mais je pense aussi qu'il y a des personnes qui sont plus vulnérables que d'autres face à la frustration et que ça dépend de l'éducation qu'elles ont reçue de leurs parents. La discipline, c'est une chose qui s'apprend. J'ai connu une personne...

David, qui brûlait d'intervenir, l'interrompt.

– Frustration... discipline... Peut-être. Mais moi, je pense que la violence est inévitable et qu'elle doit s'exprimer. Je dirais même que l'agressivité, c'est inné-vitable...

Le jeu de mots tombe à plat. David insiste :

– Inné-vitable, inévitable, vous comprenez?

Un monde d'incompréhension l'entoure. Marie esquisse un sourire moqueur et un clin d'œil à Pierre. David ajoute :

– J'en ai d'ailleurs parlé à mon psy l'autre soir...

– Et qu'a-t-il dit ? demande Marie.

– Rien..., il ne dit jamais rien... Il m'écoute, lui ! C'est d'ailleurs pour cela que je le paie...

– Tu veux dire plutôt qu'il se paie ta tête, rétorque Marie.

– Ouais, c'est bon, ça... Il faudra que je lui en parle...

Les rires fusent. La discussion se poursuit sur les difficultés constitutionnelles que connaît le pays. Nous ne les suivrons pas sur ce chemin...

INTRODUCTION

Les questions touchant la violence et l'agressivité interpersonnelle sont certes d'actualité et nous laissent rarement indifférents. Quels sont les facteurs associés à l'expression de l'agressivité interpersonnelle ? Celle-ci est-elle inévitable ? D'où vient-elle ? Existe-il plusieurs types de comportements agressifs ? Comment sont-ils acquis ? Quels sont les mécanismes en cause ? Quel est le rôle des médias dans la propagation de la violence et de l'agressivité interpersonnelle ?

Ce chapitre tente de faire le point sur certaines de ces questions. Les approches psychanalytique et éthologique sur l'agression seront d'abord présentées et discutées. Puis les théories dites « psychosociales » seront examinées. Il sera notamment question de l'hypothèse d'une relation entre la frustration et l'agression, de l'hypothèse de la catharsis de l'agression et des modèles qui postulent que l'agressivité est un comportement appris. Enfin, le chapitre tente de faire le point sur l'état actuel des connaissances concernant les effets de la violence dans les médias, le rapport entre la pornographie et la violence de même que la violence en milieu familial.

DISTINCTIONS ET DÉFINITIONS

Dans le langage quotidien, le terme « agressivité » peut prendre des significations multiples. De prime abord, il désigne généralement un acte nuisible posé par un individu envers un autre. Par ailleurs, il peut être utilisé pour décrire des comportements, des attitudes ou des états motivationnels plus généraux. Ainsi on dira d'un joueur de tennis qu'il est « agressif dans son jeu au filet » pour signifier qu'il joue avec audace et intensité, sans laisser entendre pour autant qu'il manifeste des comportements agressifs envers son adversaire. Pourront également être décrits comme « agressifs » un journaliste qui cherche à obtenir des réponses claires d'un politicien, une personne qui s'affirme verbalement au cours d'une entrevue ou encore une femme d'affaires qui décide de conquérir un nouveau marché.

L'étude scientifique de l'agression n'échappe pas à cette diversité de définitions et de catégories. L'agression pourra être définie tantôt comme un trait de personnalité, tantôt comme un instinct ou, plus particulièrement, comme une classe de réponses physiques et verbales observables (Parke & Slaby, 1983). Il va sans dire que ces nombreuses significations rendent la tâche malaisée à celui ou celle qui cherche à comprendre le comportement agressif chez l'humain. Aussi est-il important de distinguer les notions dont il sera question dans ce chapitre.

Il importe avant tout de dissocier le comportement agressif du processus sous-jacent, soit l'état émotionnel ou le trait de personnalité pouvant expliquer la manifestation de ce comportement agressif (Feshbach, 1970). Ainsi un état de colère ne se traduit pas nécessairement par un comportement agressif, pas plus qu'un comportement agressif n'implique nécessairement un état de colère (Feshbach, 1989). En outre, des personnes pourront être décrites comme agressives parce qu'on perçoit chez elles des dispositions émotionnelles susceptibles de provoquer des réponses agressives qui, par ailleurs, seront très différentes selon les individus. Des comportements agressifs similaires pourront également s'expliquer par des facteurs très différents. En somme, les personnes agressives ne se comportent pas toujours de façon agressive, même dans des situations semblables ; de même, les individus non agressifs ne se comportent pas toujours de façon non agressive.

En ce qui concerne le comportement, une première distinction s'impose pour les psychologues sociaux : celle entre l'**assertion,** qui correspond à un comportement assuré, énergique, orienté vers la réalisation d'un objectif (qui s'appliquerait aux exemples du journaliste ou de la femme d'affaires décrits plus haut), et l'**agression,** qui est définie comme un comportement physique ou verbal dirigé vers une personne avec l'intention de lui causer du tort sur le plan physique ou psychologique. Cette dernière définition exclut les dommages subis par la personne à la suite d'un accident, mais elle inclut les comportements dont l'objectif est de blesser une autre personne, que ce comportement y parvienne ou pas.

La notion d'« intention » ne fait pas l'unanimité chez les chercheurs, certains théoriciens ayant proposé de considérer comme une agression tout comportement qui a pour effet de blesser autrui ou de lui causer du tort (Buss, 1961), ce qui amène à envisager certains comportements accidentels qui ne sont habituellement pas jugés agressifs. Il faut souligner que l'utilisation de la notion d'« intention » présente un certain nombre de difficultés théoriques et pratiques. En effet, la distinction entre ce qui est accidentel et ce qui est intentionnel s'avérant souvent difficile à faire, on aura tendance à déduire du comportement l'intention plutôt que de la mesurer de façon indépendante (Bandura & Walters, 1963). Cette difficulté se révèle d'autant plus importante que l'intention de nuire n'est pas nécessairement prioritaire pour l'agresseur, chez qui l'agression est perçue avant tout comme un moyen d'atteindre un objectif donné, tel que la possession d'un objet ou l'acquisition d'une position sociale (Groebel & Hinde, 1989).

Ces remarques amènent une deuxième distinction importante pour les psychologues sociaux, celle entre l'**agression hostile** et l'**agression instrumentale** fondée sur la motivation sous-jacente (Feshbach, 1964). L'agression hostile a pour objectif d'infliger la douleur à autrui et de le blesser. L'agressivité instrumentale a également pour conséquence de nuire à autrui mais dans le but de réaliser certains objectifs. Ce type de comportement agressif est donc perçu comme un moyen d'obtenir certaines ressources, d'atteindre ou de maintenir une position sociale, et non comme un but en soi. Afin de rendre ces notions plus opérationnelles, Zillmann (1978) propose plutôt de distinguer entre l'agression motivée par une condition désagréable provoquant le malaise (état émotionnel négatif, comportement négatif provenant d'autrui) et celle motivée par des facteurs extérieurs. Dans cette perspective, l'**agression défensive** *(reactive aggression)* renvoie à un comportement agressif provoqué par les actions d'autrui. Elle présente généralement une composante affective forte, étant souvent associée à la colère ou à la peur. Elle correspond à la première catégorie proposée par Zillmann (1978) de même qu'à la notion d'« agression hostile ».

En somme, il n'y a pas de définition unique de l'agression qui permette de rendre compte de la diversité des significations populaires et des stratégies de recherche qui s'appliquent au concept. Aussi certains ont-ils proposé que l'agression soit considérée avant tout comme un jugement social effectué par un observateur qui estime que le comportement constitue une violation des normes culturelles (Parke & Slaby, 1983). Ce jugement serait effectué selon une appréciation du contexte social, notamment de l'intention, des circonstances antérieures, de la forme et de l'intensité du comportement de même que des rôles et de la position sociale des personnes en cause.

Quoi qu'il en soit, il est probable que les facteurs expliquant l'agression pourront varier selon les différents types d'agression mentionnés. Il sera important de garder ces distinctions à l'esprit lors de l'examen des théories proposées pour élucider le phénomène de l'agression, cela afin de bien en circonscrire la signification.

L'AGRESSION SELON LA PERSPECTIVE PSYCHANALYTIQUE

Selon Freud (1950), l'agression provient de l'instinct de mort *(thanatos)* qui est inscrit biologiquement et est initialement dirigé vers l'autodestruction. Cependant, chez la plupart des personnes, cet instinct est rapidement réorienté vers l'extérieur et devient la source de pulsions hostiles à l'endroit des autres. Si l'agressivité ne peut être dirigée vers des cibles extérieures, elle pourra éventuellement se retourner contre le sujet lui-même et conduire à des symptômes névrotiques et psychotiques. En conséquence, l'expression de l'agressivité est vue comme un mal nécessaire. L'instinct de vie *(eros)* s'opposant à l'instinct de mort, le développement de liens affectifs entre les gens constituerait, selon Freud (1950), un moyen d'atténuer les manifestations extrêmes d'agressivité. De plus, la pulsion agressive pouvant s'exprimer par certains canaux socialement acceptables (tels que des débats ou des activités sportives) ou indésirables (comme les insultes ou la violence), une des fonctions de la société consiste à créer les situations favorisant l'expression de l'agressivité sous des formes appropriées.

Quoique certains psychanalystes bien connus maintiennent toujours l'idée d'une pulsion de mort (Klein, 1976; Lacan, 1966), il faut souligner que cette notion et la perspective selon laquelle l'agression résulte d'un besoin biologique ne font pas l'unanimité chez les psychanalystes postfreudiens. Plusieurs d'entre eux retiendraient l'idée que l'agression résulte d'un instinct mais rejetteraient celle d'un instinct de mort dirigé vers soi. Certains théoriciens néofreudiens (Winnicott, 1964) suggèrent plutôt que les tendances agressives font partie du moi *(ego),* qui est la partie rationnelle de la personnalité. L'agression y est donc représentée comme une forme d'adaptation à la réalité et une réponse naturelle face à la frustration des désirs et des besoins de la personne. Comme nous le verrons plus loin, cette dernière idée sera reprise et traduite en termes plus opérationnels par un groupe de chercheurs de l'Université Yale.

Certaines remarques s'imposent au sujet du point de vue psychanalytique sur l'agression. La première remarque concerne la définition de la notion, qui semble inclure une grande diversité de comportements, d'attitudes et d'états émotionnels. En effet, certains auteurs d'orientation psychanalytique lui accordent une signification beaucoup plus large que celle, plus restreinte, d'un comportement dont l'objectif est de causer du tort à une personne. Par exemple, « l'excrétion est un comportement agressif, non seulement parce qu'elle a fait, pendant la petite enfance, l'objet d'une sévère réglementation de la part des adultes, mais aussi parce qu'elle consiste à rejeter quelque chose hors de soi, comme n'ayant plus aucune valeur vitale» (Duyckaerts, 1964, p. 85). Certains reconnaissent de façon explicite que le concept d'«agression» est utilisé tantôt de façon particulière, tantôt de façon générale: «En somme, l'agression revêt deux significations. D'une part, elle est directement ou indirectement une réaction à la frustration. D'autre part, elle constitue l'une des deux sources de l'énergie individuelle» (Winnicott, 1964, p. 239). Cette ambivalence, et surtout la référence à une notion générale, ne permet pas de dégager des prédictions précises qui pourraient être soumises à des tests empiriques rigoureux.

Deuxièmement, le point de vue psychanalytique prétend que l'agression est un phénomène inévitable et biologiquement déterminé, ce qui, d'une part, ne permet pas de rendre compte de la très grande variabilité interculturelle observée quant à son expression (Goldstein, 1989; Segall, 1989) et, d'autre part, amène à proposer des stratégies de maîtrise de l'agressivité qui sont très discutables au regard de ce qui est maintenant connu sur le plan empirique. Ces stratégies se fondent sur la notion de **catharsis,** selon laquelle la pulsion agressive doit s'exprimer pour être réduite. Non seulement cette idée n'est pas appuyée par des données empiriques, mais certaines études suggèrent que, sous certaines conditions, l'expression de l'agressivité peut entraîner une augmentation de la tendance à agresser autrui. Cette question sera abordée de façon plus détaillée ultérieurement.

Enfin, aucun mécanisme physiologique n'a pu être identifié concernant le caractère instinctuel de l'agressivité, bien que le fonctionnement du modèle hydrodynamique proposé soit implicitement analogue aux systèmes régissant la faim et la soif. Certains psychanalystes feront valoir que la notion d'«instinct» doit être perçue ici comme une métaphore et qu'il n'est pas nécessaire d'identifier une composante physiologique pour que la proposition soit valide. Certes, il est acquis que l'être humain a développé au cours de son évolution certains mécanismes psychophysiologiques, associés à la fuite et à l'attaque, pouvant susciter des réactions agressives. Cependant, même chez les espèces non humaines, ces réactions agressives dépendent également des conditions environnementales, comme l'ont bien démontré les travaux en éthologie classique et en psychologie de l'apprentissage.

L'AGRESSION SELON LA PERSPECTIVE ÉTHOLOGIQUE

L'éthologie est la discipline scientifique qui s'intéresse à l'étude comparative des bases biologiques du comportement animal et du comportement humain (Eibl-Eibesfeldt, 1970). Pour les éthologistes classiques, les processus adaptatifs et les mécanismes évolutifs néodarwiniens déterminent le répertoire comportemental de chaque espèce et les mécanismes d'activation des comportements chez les individus de l'espèce. Dans le prolongement de la perspective évolutionniste, les éthologistes classiques ont une vision plutôt organique du comportement. Ainsi les espèces «posséderaient» des caractères comportementaux au même titre que des traits physiologiques et structuraux. Comme le souligne Doré (1980, p. 25), « la morphologie, la physiologie, l'écologie et le comportement d'une espèce animale constituent une unité biologique qui assure l'adaptation de cette espèce à un environnement particulier et dont aucune des composantes n'est intelligible sans tenir compte de ses relations avec les autres ».

En somme, par suite des pressions sélectives de l'environnement, un comportement sera retenu dans le répertoire de l'espèce parce qu'il favorise la survie et le succès reproductif de l'individu qui le manifeste. Cet avantage lui permettra ainsi de transmettre ces caractéristiques comportementales à un plus grand nombre de descendants que d'autres individus. Ces descendants auront eux-mêmes de plus grandes chances de survivre et de se reproduire dans la mesure où les conditions de survie sont semblables, de sorte que les comportements qui contribuent à la survie de l'individu et à sa reproduction deviendront de plus en plus communs à l'espèce.

Ce paradigme constitue la toile de fond de l'interprétation éthologique la plus connue de l'agression : celle proposée par Konrad Lorenz dans son livre *L'Agression*. Le modèle avancé par Lorenz (1966) stipule l'existence d'une agression intraspécifique qu'il définit comme « l'instinct de combat chez la bête et l'homme qui est dirigé contre les membres de la même espèce ». Ce modèle propose une vision hydrodynamique de l'agression intraspécifique, celle-ci faisant partie d'un système instinctif engendrant une énergie indépendante de la stimulation extérieure. Cette énergie s'accumulant, elle doit se relâcher lorsqu'elle est déclenchée par des stimuli appropriés de l'environnement. La manifestation de l'agression intraspécifique est donc fonction de l'énergie agressive accumulée ainsi que de la présence et de l'importance de stimuli particuliers dans l'environnement qui peuvent agir comme déclencheurs.

Selon Lorenz, l'agression intraspécifique n'est pas une mauvaise chose en soi. Cet instinct fonctionne afin de préserver l'espèce et l'individu. Il permet la réduction du nombre d'individus à l'intérieur de l'espèce de même que la dispersion des individus de façon à accorder à chaque individu assez d'espace pour qu'il survive et nourrisse sa famille, favorisant ainsi la survie de l'espèce. Lorenz estime qu'une augmentation de la densité de population d'une espèce conduit inévitablement à une augmentation de l'agression intraspécifique. Ces comportements ont également une fonction de sélection sexuelle en permettant aux individus les plus forts de se reproduire et de perpétuer l'espèce. L'agression intraspécifique ne devient nuisible que lorsque l'espèce, le genre humain en particulier, n'a pas eu l'occasion d'acquérir des mécanismes d'inhibition pour neutraliser les débordements de cette agression. Chez les espèces spécialement bien équipées pour la lutte et la prédation, les combats intraspécifiques se terminent habituellement non pas par la mort de l'opposant, mais par des comportements d'apaisement de la part du perdant qui ont pour fonction de réduire les comportements agressifs. Selon Lorenz, le problème devant lequel est placée l'espèce humaine tient justement au fait qu'elle est virtuellement sous-équipée physiquement en ce qui regarde la capacité de tuer. Par conséquent, elle n'aurait pas élaboré les mécanismes internes inhibiteurs qui permettent de prévenir les abus de violence.

Plusieurs aspects de la théorie de Lorenz (1966) ont été critiqués par les spécialistes du comportement (Montagu, 1968). Comme dans le cas de l'approche psychanalytique, la difficulté majeure de cette théorie provient de l'utilisation du modèle hydrodynamique, qui apparaît simpliste et non fondé, aucune donnée neurophysiologique ne venant l'appuyer (Hinde, 1975). Même chez les espèces non humaines, les comportements complexes n'émergent pas déjà constitués, mais ils sont construits sur la base d'une intégration progressive de différentes influences provenant de l'organisme et de l'environnement (Lehrman, 1953). De plus, les modèles instinctuels de la motivation ne s'appliquent pas à l'espèce humaine dans la mesure où ils suggèrent qu'une absence prolongée de stimuli déclencheurs entraîne une accumulation de l'énergie agressive et augmente la probabilité d'une agression. Non seulement cette assertion est-elle fausse, mais elle conduit à des recommandations pour le moins contestables concernant la maîtrise de l'agression, comme nous le verrons plus loin.

Enfin, on a également reproché à Lorenz de manquer de nuances dans la généralisation de ses observations du comportement animal à l'espèce humaine et de négliger certains faits illustrant l'influence de l'expérience sociale chez certaines espèces animales (Bandura, 1973; Tinbergen, 1968). En ce qui a trait à ce dernier point, deux recherches classiques serviront ici d'exemple.

L'étude de Kuo (1930) illustre le rôle de l'expérience sociale dans le développement du comportement de prédation (agression interspécifique) chez le chat. Dans cette expérience, des chatons ont été élevés soit dans l'isolement, soit en compagnie de leur mère (prédatrice de rats) ou avec des rats. Dans chaque condition, la moitié des chatons ont été soumis à une diète végétarienne et l'autre moitié, à une diète carnivore. Après un certain temps, Kuo a observé que 85 % des chatons élevés avec leur mère manifestaient des comportements de prédation envers les rats, comparativement à 45 % des chatons élevés dans l'isolement et à 17 % des chatons élevés avec des rats. Kuo a également établi que la diète végétarienne diminuait la consommation de rats mais non la prédation. En complément à cette première expérience, Kuo a exposé les chatons « pacifiques » (ceux n'ayant pas manifesté le comportement de prédation) à des modèles de chats adultes prédateurs. Il a noté que 82 % des chatons pacifiques élevés dans l'isolement devenaient des prédateurs, comparativement à seulement 7 % des chatons pacifiques élevés avec des rats.

Cette étude illustre bien l'influence de l'expérience sociale sur le comportement de prédation des chatons et suggère que ceux-ci peuvent apprendre ces comportements lorsqu'ils sont soumis à un modèle adulte. Par ailleurs, il semble que le fait, pour des chatons, d'avoir été élevés avec des rats ait permis de neutraliser les effets de cet apprentissage. Quoi qu'il en soit, il est important de souligner que ce comportement renvoie à l'agression interspécifique. L'agression intraspécifique peut-elle également être influencée par le contexte social? L'étude

ENCADRÉ 9.1

LA DÉCLARATION DE SÉVILLE SUR LA VIOLENCE

Plusieurs croyances erronées circulent dans la société concernant la violence et la guerre. Ainsi certains prétendent que la violence est inévitable parce qu'elle fait partie de la nature humaine ou que les guerres sont une conséquence des tendances agressives des individus. Préoccupés par ces croyances erronées, des scientifiques de plusieurs pays se sont réunis à Séville, en Espagne, en mai 1986, sous les auspices de l'UNESCO, afin de mettre au point la déclaration de Séville sur la violence. En voici des extraits.

«Croyant qu'il est de notre responsabilité d'étudier sous l'angle de nos disciplines respectives les activités les plus dangereuses et les plus destructrices de notre espèce, la violence et la guerre; admettant que la science est un produit culturel humain qui ne peut être définitif ou répondre à toutes les questions; [...] nous, soussignés chercheurs de différents pays et de disciplines pertinentes, nous sommes réunis et sommes arrivés à la présente déclaration sur la violence. Dans celle-ci, nous récusons certaines présumées données biologiques utilisées, même par certaines de nos disciplines, afin de justifier la violence et la guerre [...] Nous présentons notre position sous la forme de cinq propositions. [...]

«IL EST SCIENTIFIQUEMENT INCORRECT d'affirmer que nous avons hérité une tendance à faire la guerre de nos ancêtres animaux. Bien que le combat soit largement répandu chez les espèces animales, seulement quelques cas de combat intraspécifique entre groupes organisés ont été rapportés chez les espèces vivant en milieu naturel, et aucun de ceux-ci n'entraîne l'utilisation d'outils comme armes. L'alimentation normale par prédation d'autres espèces ne peut être assimilée à la violence intraspécifique. [...]

«Le fait que la guerre se soit modifiée si rapidement avec le temps indique qu'elle est un produit de la culture. La connexion biologique s'effectue principalement par le biais du langage, qui rend possible la coordination des groupes, la transmission de la technologie et l'utilisation des outils. La guerre est biologiquement possible, mais elle n'est pas inévitable [...] Certaines cultures n'ont pas été mêlées à une guerre pendant des siècles, d'autres l'ont été fréquemment à certains moments et pas à d'autres.

«IL EST SCIENTIFIQUEMENT INCORRECT d'affirmer que la guerre ou tout autre comportement violent est génétiquement programmé dans la nature humaine. Bien que les gènes soient présents à tous les niveaux du fonctionnement du système nerveux, ils apportent un potentiel de développement qui ne peut être actualisé qu'en conjonction avec l'environnement écologique et social. Même si les individus diffèrent quant à la prédisposition à être influencés, par l'expérience, c'est l'interaction entre leur bagage génétique et les conditions d'éducation qui détermine leur personnalité.

⟶

ENCADRÉ 9.1 (suite)

À l'exception de rares pathologies, les gènes ne produisent pas des individus nécessairement prédisposés à la violence [...] Pas plus qu'ils ne déterminent l'inverse. [...]

«IL EST SCIENTIFIQUEMENT INCORRECT d'affirmer qu'au cours de l'évolution humaine les comportements agressifs ont été sélectionnés dans une plus large mesure que les autres comportements. Chez toutes les espèces bien étudiées, le statut à l'intérieur d'un groupe est obtenu par l'habileté à coopérer et à accomplir des fonctions sociales reliées à la structure de ce groupe. La position de «dominance» implique des liens et des affiliations; elle n'est pas une simple affaire de possession et d'utilisation d'une puissance physique supérieure, bien qu'elle entraîne des comportements agressifs. Lorsqu'une sélection génétique selon des comportements agressifs a été artificiellement effectuée chez les animaux, elle a rapidement réussi à produire des individus hyperagressifs, ce qui indique que l'agression n'a pas été sélectionnée d'une façon maximale dans les conditions naturelles. Lorsque ces animaux hyperagressifs et créés expérimentalement sont présents dans un groupe social, ils perturbent la structure sociale ou sont repoussés à l'extérieur...

«IL EST SCIENTIFIQUEMENT INCORRECT d'affirmer que les humains ont un "cerveau violent". Bien que nous possédions un appareil nerveux nous permettant d'agir violemment, il n'est pas activé automatiquement par des stimuli internes ou externes. Comme les primates supérieurs et à la différence des autres animaux, nos processus neuronaux supérieurs filtrent ces stimuli avant d'agir sur eux. Notre conduite est façonnée par la manière dont nous avons été conditionnés et socialisés. Il n'y a rien dans notre neurophysiologie qui nous oblige à réagir violemment.

«IL EST SCIENTIFIQUEMENT INCORRECT d'affirmer que la guerre est causée par un "instinct" ou toute motivation unique. L'émergence de la guerre moderne a suivi une trajectoire débutant par la primauté de facteurs motivationnels et émotionnels, quelquefois appelés "instincts" et conduisant à la primauté des facteurs cognitifs. La guerre moderne implique un usage institutionnel de caractéristiques personnelles telles que l'obéissance, la sensibilité à la suggestion et l'idéalisme, d'habiletés sociales comme le langage, et de considérations rationnelles telles que le calcul du coût, la planification et le traitement de l'information. [...]

«Nous concluons que la biologie ne condamne pas l'humanité à la guerre. [...] De la même façon que "les guerres débutent dans l'esprit des hommes", la paix débute également dans nos esprits. La même espèce qui a inventé la guerre est capable d'inventer la paix. La responsabilité réside en chacun de nous.

Séville, le 16 mai 1986»

→

ENCADRÉ 9.1 (suite)

Suivent les noms des 20 signataires participant à la rencontre de Séville. La déclaration de Séville a depuis suscité l'adhésion de plusieurs organisations professionnelles et scientifiques, dont l'American Psychological Association, l'American Anthropological Association, le Canadian Psychologists for Social Responsibility et l'International Council of Psychologists. Par ailleurs, elle a suscité un débat chez les scientifiques concernant l'utilité, l'influence sur le public et la validité des énoncés mêmes de la déclaration, notamment en ce qui a trait à sa position à l'égard de certaines interprétations biologiques de l'agression.

de Delgado (1967) répond précisément à cette question chez les primates non humains.

Partant de données qui démontrent que la stimulation électrique d'une région de l'hypothalamus provoque des comportements d'attaque chez certaines espèces animales, Delgado a voulu illustrer comment cette réaction est modifiée par le contexte social. À cette fin, il a observé une petite colonie de singes, dont certains individus portaient des électrodes reliées à l'hypothalamus. Les changements dans les comportements sociaux des individus de la colonie ont été examinés lorsque ces individus étaient stimulés électriquement. Delgado a constaté que la stimulation hypothalamique d'un singe occupant une position dominante dans la colonie avait pour effet de provoquer des attaques contre les mâles les plus subordonnés, mais pas contre les femelles ni contre les mâles subordonnés avec lesquels il entretenait une relation amicale. Par opposition, les mâles subordonnés (c'est-à-dire d'un rang social moins élevé), lorsqu'ils étaient stimulés, répondaient par des comportements de soumission. Delgado a également observé que la même stimulation électrique pouvait susciter des comportements très différents chez le même animal si son rang social se trouvait modifié à la suite d'un changement dans la population de la colonie. Ainsi une stimulation hypothalamique provoquait une soumission chez l'animal lorsqu'il occupait une position sociale défavorable mais un comportement d'agression lorsqu'il était dominant dans le groupe.

Ces études indiquent que les comportements agressifs ne sont pas stimulés automatiquement mais dépendent du contexte social. L'étude de Delgado (1967) démontre la très grande plasticité comportementale des primates. On peut penser qu'il en est de même chez l'humain. Comme le souligne Montagu (1968), l'être humain a été favorisé dans le processus de sélection naturelle non parce que son comportement était sous la maîtrise de l'instinct, mais plutôt parce qu'il pouvait s'adapter facilement à un changement d'environnement grâce à ses capacités d'apprentissage.

L'AGRESSION SELON LES THÉORIES PSYCHOSOCIALES

L'hypothèse du lien entre la frustration et l'agression : la théorie originale

En 1939, à l'aube de la Seconde Guerre mondiale, un livre intitulé *Frustration and Aggression* fut publié par cinq coauteurs – John Dollard, Leonard Doob, Neil Miller, O. Hobart Mowrer et Robert Sears –, tous de l'Institute of Human Relations de l'Université Yale. Les deux principaux auteurs, John Dollard et Neil Miller, étaient des théoriciens de l'apprentissage, mais avaient été fortement influencés par la théorie psychanalytique, ayant fréquenté les milieux psychanalytiques européens à la fin de leurs études de doctorat. L'objectif de Dollard, Miller et leurs collègues était d'effectuer une synthèse des idées psychanalytiques et de l'approche béhavioriste en l'appliquant au champ de la psychologie sociale, et plus particulièrement au phénomène de l'agression.

Dès sa publication, ce livre a eu un grand retentissement dans la communauté scientifique. En 1941, sept articles d'un numéro spécial de la prestigieuse revue *Psychological Review* furent consacrés à une discussion des idées avancées par Dollard et ses collaborateurs. Ce succès s'explique peut-être par le fait que la théorie proposée était une des premières tentatives d'explication systématique de l'agression depuis Freud, mais également par le fait que sa formulation était très simple.

D'inspiration freudienne, cette théorie s'inscrit dans l'interprétation hydrodynamique de l'agression tout en rejetant l'instinct comme en étant le moteur. Selon Dollard et ses collaborateurs, l'être humain est appelé à agir de façon agressive par un état motivationnel interne *(drive)* qui est le produit d'une frustration. Les postulats de cette théorie sont catégoriques : *1) l'agression présuppose toujours l'existence d'une frustration* et *2) l'existence d'une frustration conduit toujours à une forme d'agression.*

La frustration a ici une signification précise, renvoyant à un *événement qui interfère avec la réalisation d'un objectif poursuivi par un individu* (plutôt qu'à la réaction affective de l'individu face à cette interférence). Par agression, les auteurs entendent tout comportement qui a pour objectif de blesser ou de punir l'autre personne. Selon ces deux postulats, les auteurs ont élaboré un modèle théorique ambitieux qui tentait d'expliquer les modalités d'expression de la frustration, l'inhibition et le déplacement de l'agression.

Ainsi, selon Dollard *et al.* (1939), l'intensité de l'agression est directement proportionnelle à la force de la frustration. L'intensité de la frustration résulte de l'ampleur de l'interférence et de l'importance accordée par le sujet à l'objectif poursuivi. Les auteurs considèrent également que les frustrations antérieures ou simultanées peuvent avoir des effets cumulatifs et diminuer le seuil de tolérance à la frustration. De plus, l'instigation à l'agression se maintient tant que le comportement agressif ne se manifeste pas. Sans en faire une règle absolue, la théorie postule un effet cathartique, c'est-à-dire l'hypothèse selon laquelle l'expression de l'agression réduit l'instigation ultérieure à l'agression, une idée qu'elle partage avec les modèles hydrodynamiques décrits précédemment. Nous y reviendrons.

Par ailleurs, la réponse agressive peut également être inhibée partiellement par l'anticipation de la punition. Ces deux types de facteurs antagonistes, l'un instigateur et l'autre inhibiteur, se combineraient de façon algébrique. Ainsi une force d'instigation à l'agression plus forte pourrait surmonter l'anticipation de la punition et se traduire par un comportement agressif dont la force sera en rapport avec la relation algébrique de ces deux tendances.

En ce qui concerne la cible de l'agression, les auteurs indiquent que le comportement sera naturellement dirigé vers la personne responsable de la frustration. Cependant, lorsque cette réponse à l'endroit de la personne responsable de la frustration est impossible ou inhibée par la peur de la punition, les conséquences peuvent être de deux ordres: des changements dans la forme du comportement agressif (les formes indirectes) ou bien le déplacement de l'agression vers des cibles différentes (les boucs émissaires). D'une part, l'agression peut se manifester sous plusieurs formes, allant de l'agression directe et ouverte à des actes agressifs plus indirects ou voilés (le rêve par exemple). Cependant, il est postulé que l'agression indirecte réduit dans une moindre mesure la force d'instigation à l'agression. D'autre part, en ce qui regarde le déplacement de l'agression, Miller (1948) précise que l'objet et la force des réponses déplacées dépendent de trois variables: la force de l'instigation à l'agression (c'est-à-dire l'intensité de la frustration), la force de l'inhibition (c'est-à-dire l'anticipation de la punition) et la similitude entre les cibles possibles et la personne responsable de la frustration.

Peut-être à cause de ses implications sociales potentielles, la question du déplacement de l'agression a suscité plus de recherches que celle touchant la forme du comportement agressif. L'étude classique de Miller et Bugelski (1948) est souvent citée pour illustrer ce phénomène. Elle faisait appel à un groupe de jeunes hommes participant à un projet communautaire de mise en valeur d'un site naturel dans une région isolée. Ces derniers devaient indiquer leurs attitudes envers les Japonais et les Mexicains avant d'avoir vécu une situation de frustration et après avoir vécu celle-ci. Miller et Bugelski ont émis l'hypothèse que l'agressivité provoquée à la suite d'une frustration ne pouvait s'exprimer au sein de ce groupe en raison de normes de conduite à respecter. En conséquence, elle risquait d'être réorientée vers un groupe extérieur si la situation s'y prêtait.

À cette fin, le groupe fut placé devant la situation suivante. À l'approche d'une activité très appréciée par le groupe (la projection d'un film), un psychologue entreprit de lui faire passer une longue série de tests très difficiles. Dans la première partie du test, des questions portant sur les attitudes envers les Japonais et les Mexicains furent présentées. La session se prolongea et il devint évident que la projection du film n'aurait pas lieu. À la fin de la session d'évaluation, au moment où les sujets étaient particulièrement contrariés (c'est-à-dire frustrés) par le psychologue, ceux-ci durent répondre aux mêmes questions portant sur les attitudes envers ces groupes ethniques. Les résultats indiquèrent que les attitudes étaient moins favorables envers ces groupes après la frustration qu'avant celle-ci, ce qui, aux yeux des auteurs, reflétait le phénomène de déplacement de l'agression. Il faut toutefois souligner que l'absence de groupe contrôle pose des limites certaines à cette démonstration.

Commentaires critiques sur l'hypothèse du lien entre la frustration et l'agression. Cette première formulation de l'hypothèse du lien entre la frustration et l'agression a suscité très rapidement de nombreuses critiques de la part de la communauté scientifique. Le caractère absolu du postulat fut l'un des aspects le plus souvent attaqués, particulièrement en ce qui concerne le caractère nécessaire du lien causal entre la frustration et l'agression (Bateson, 1941; Maslow, 1941; Rosenweig, 1944; Wright, 1942, 1943). On fit valoir notamment que l'agression n'est pas une réponse typique à la frustration dans plusieurs cultures (Bateson, 1941).

Miller (1941), l'un des coauteurs de cette théorie, sentit très vite le besoin de réviser celle-ci et reconnut que la frustration pouvait provoquer des réponses autres que l'agression, tout en soulignant que cette dernière est la réponse naturellement dominante. Selon lui, la frustration crée une prédisposition à l'agression, prédisposition qui ne se traduit pas nécessairement par une agression ouverte. Il souligne de plus que l'organisme peut avoir appris d'autres façons de répondre à la frustration.

Les premières études visant à vérifier l'hypothèse de la relation entre la frustration et l'agression furent marquées par un problème de circularité des définitions (Johnson, 1972). Souvent, la présence de la frustration fut considérée comme un signe que le comportement observé était agressif et, réciproquement, la présence de l'agression fut utilisée comme un indice démontrant que l'expérience précédente avait été frustrante.

Par la suite, lorsque les deux phénomènes furent mesurés de façon indépendante, on put constater que la frustration n'était pas une dimension univoque et que les tentatives d'induction (expérimentales) de la frustration n'étaient pas nécessairement équivalentes selon les contextes. D'après Dollard et ses collaborateurs, il y a frustration lorsque survient une interférence qui nuit à la réalisation d'un objectif. Cette définition très générale a incité les chercheurs à utiliser une variété de techniques afin de provoquer une frustration. Outre l'interférence dans la réalisation d'un objectif, on trouve le recours à des insultes personnelles, à des traitements physiques douloureux, à la privation de récompenses et à l'expérience d'un échec. Ces techniques impliquent souvent des facteurs autres que la stricte interférence dans la réalisation d'un objectif, ce qui pose un problème d'interprétation.

De plus, toutes les formes de frustration ne sont pas également susceptibles de provoquer l'agression. Ainsi, il est probable qu'un blocage ou une privation qui menace la personnalité, la sécurité ou les objectifs de vie de l'individu n'aura pas le même effet qu'un blocage qui ne présente pas ces menaces pour l'individu (Maslow, 1941). En somme, la frustration ne provoquerait qu'un état irritant dans l'organisme, la direction du comportement n'étant déterminée que par la personnalité et les motivations de l'individu de même que par sa perception de la situation.

Ainsi, un lien est plus susceptible d'être observé entre la frustration et l'agression si le comportement agressif est perçu comme un moyen efficace d'éliminer l'origine de la frustration (Buss, 1966). De plus, certaines études démontrent que l'agression est très peu présente lorsque le désir de succès de l'individu dans une tâche est contré par le comportement non hostile d'un collègue (Buss, 1966; Epstein & Taylor, 1967). Selon Buss (1961), des insultes personnelles et des menaces sont plus susceptibles de provoquer l'agression qu'une simple interférence dans la poursuite d'un objectif.

Dans une étude menée par Geen (1968), des étudiants de l'université furent soumis à l'une des quatre conditions suivantes. Dans la première condition, on présentait aux étudiants un casse-tête insoluble. Dans la deuxième condition, un pair complice (de l'expérimentateur) avait pour consigne d'empêcher le sujet d'assembler le casse-tête. Dans la troisième condition, le sujet était insulté verbalement par le pair complice. Enfin, un quatrième groupe de sujets ne subissait aucune frustration et servait de groupe contrôle. Par la suite, tous les sujets regardèrent un film de boxe qui visait à réduire leurs inhibitions face à l'agression. Enfin, tous les sujets furent soumis à une évaluation factice (à leur insu), où ils devaient sanctionner le pair complice en lui infligeant des chocs électriques, le nombre de chocs infligés étant considéré comme la mesure de l'agression. Bien que tous les sujets des trois conditions expérimentales aient fait subir plus de chocs que les sujets contrôles, Geen a observé que les sujets insultés en donnaient plus que les trois autres groupes, ce qui appuyait l'hypothèse de Buss.

Il serait également important de tenir compte de la justification perçue lors de l'évaluation de la situation frustrante (Pastore, 1952), ce qui suggère une médiation cognitive. Ainsi une interférence sera moins frustrante et risque moins de se traduire par une agression si elle est jugée justifiée et non intentionnelle plutôt qu'arbitraire et intentionnelle (Feshbach, 1989). Par exemple, un individu qui se fait dépasser par quelqu'un dans une file d'attente à l'urgence d'un hôpital risque moins de réagir agressivement s'il perçoit que le cas de celui-ci est plus urgent que le sien ou que celui-ci ne s'est pas rendu compte qu'il y avait une file d'attente. Ces commentaires font appel à une interprétation cognitive de la situation sociale et suggèrent qu'un modèle faisant référence aux «attributions causales» (Weiner, 1985) pourrait contribuer à clarifier le lien entre la frustration et l'agression. Il sera question de cela plus loin.

Enfin, pour ce qui est de la notion d'«agression», précisons que l'hypothèse proposée par Dollard et ses collaborateurs offre une définition plutôt restrictive de celle-ci. En effet, l'agression est présentée comme toute séquence de comportement dont le but est de blesser ou de punir la personne vers laquelle ce comportement est dirigé. Il est clair que cette définition met l'accent sur l'intention hostile, négligeant le fait que l'agression puisse également être utilisée à des fins instrumentales (Berkowitz, 1965).

En conclusion, comme le souligne Bandura (1973), il semble que la frustration ne soit qu'un des facteurs, pas nécessairement le plus important, influant sur l'expression de l'agression. Selon lui, la frustration, au sens où l'entendent Dollard et ses collaborateurs, ne suscite qu'un éveil émotionnel général. Ce sont les apprentissages sociaux antérieurs qui déterminent la façon dont l'individu répondra à cette stimulation. Zillmann (1979) soutient également que l'interférence dans la réalisation d'un objectif poursuivi par un individu n'est pas en soi un élément déclencheur de l'agression. Les quelques appuis empiriques à l'hypothèse du lien entre la frustration et l'agression s'expliqueraient par des facteurs qui ne sont pas considérés par la théorie originale, comme le fait que la situation implique une attaque personnelle ou que la réaction agressive puisse être perçue comme un moyen d'éliminer l'interférence. Par conséquent, ces auteurs ont proposé leur propre modèle pour expliquer le comportement agressif, comme nous le verrons plus loin.

En somme, l'hypothèse du lien entre la frustration et l'agression devrait être envisagée comme un document historique et non comme une théorie définitive sur l'agression. Elle a cependant le mérite d'être à l'origine de plusieurs théories sur l'agression.

L'évaluation de l'hypothèse de la catharsis. Une des propositions avancées par les théoriciens de la relation entre la frustration et l'agression qui a fait l'objet d'un grand nombre d'études est celle de la catharsis de l'agression. Ce point de vue, qui rejoint la perspective hydrodynamique discutée précédemment, stipule que «l'expression de tout acte d'agression est une catharsis qui réduit l'instigation à tout autre acte d'agression» (Dollard *et al.*, 1939, p. 53).

L'interprétation de la recherche sur la catharsis de l'agression est compliquée par le fait que les chercheurs ne s'entendent pas sur la mesure de l'influence cathartique. En effet, certains se sont attardés à démontrer que la catharsis devrait se refléter par une réduction de la probabilité de la *réponse agressive* ultérieure, tandis que d'autres ont cherché à vérifier si l'on observe une baisse de la *tension émotionnelle* à la suite de la manifestation d'un comportement agressif.

Une série d'études menées par Hokanson (Hokanson, 1970; Hokanson & Burgess, 1962; Hokanson, Burgess & Cohen, 1963) suggèrent que l'expression du comportement agressif puisse contribuer à une baisse de la tension émotionnelle, mais dans des conditions très particulières. Notons que ces études expérimentales furent menées en laboratoire. Les sujets étaient d'abord perturbés dans leur travail et insultés par un expérimentateur complice, puis ils se voyaient offrir ou non la possibilité de sanctionner l'agent frustrant. Il semble que ceux qui aient eu la possibilité de punir le complice subirent une baisse plus rapide de leur tension artérielle que ceux qui n'eurent pas cette occasion. Toutefois, cette baisse se produisit seulement dans des circonstances données (c'est-à-dire lorsque la cible était la personne qui les avait provoqués et non un substitut, lorsque la réponse était justifiée aux yeux du sujet et que la personne n'était pas intimidante pour le sujet). De plus, cette baisse fut moins marquée lorsque le sujet punissait une autre personne que le coupable. Par ailleurs, si le complice représentait une menace pour le sujet et qu'il y avait une possibilité de contre-attaque, l'effet n'était pas observé, ce qui suggère de nouveau la médiation de facteurs cognitifs.

Hokanson et Edelman (1966) observèrent que, contrairement aux hommes, les femmes ne manifestaient pas de réduction de la tension artérielle à la suite de l'expression de l'agression. Cette différence sexuelle quant à l'effet cathartique de l'agression a amené Hokanson à reformuler l'hypothèse de la réduction de la tension émotionnelle sous l'angle de l'apprentissage social (Hokanson *et al.*, 1968). Selon Hokanson et ses collègues, l'efficacité d'une réponse quant à la réduction de la tension émotionnelle dépendrait des apprentissages sociaux antérieurs ; ainsi, dans la culture occidentale, les hommes et les femmes auraient appris différentes stratégies comportementales en réponse à la frustration. Afin de vérifier cette hypothèse, Hokanson *et al.* modifièrent la démarche antérieure afin d'offrir un choix de réponses aux sujets : une punition ou une récompense. La session expérimentale fut divisée en trois étapes. La première étape consistait en une série d'échanges entre le sujet et un complice, au cours desquels chacun devait punir ou renforcer les réponses de l'autre, les réponses du complice étant déterminées aléatoirement (à l'insu du sujet). À cette étape, les trois chercheurs constatèrent que les femmes manifestaient une baisse de leur tension artérielle lorsqu'elles répondaient de façon non agressive aux punitions du complice. Pour leur part, les hommes réduisaient leur tension plus rapidement lorsqu'ils répondaient de façon agressive (c'est-à-dire punitive). Dans la deuxième étape de l'expérimentation, les réponses agressives des femmes et les réponses positives des hommes furent systématiquement renforcées. À la fin de cette session, la séquence de réponses observées à la première étape fut renversée, les femmes manifestant une plus forte baisse de leur tension émotionnelle à la suite de leurs réponses agressives et les hommes commençant à présenter une baisse plus marquée de celle-ci après leurs réponses positives. À la dernière étape, les conditions originales furent rétablies et hommes et femmes revinrent aux séquences de baisse originales (c'est-à-dire celles de la première étape). En somme, cette étude suggère que la réduction de la tension émotionnelle peut s'expliquer par des expériences antérieures renforçantes plutôt que par l'expression même de l'agression.

Par ailleurs, en ce qui regarde la réduction de la probabilité de la réponse agressive, les psychologues sociaux s'accordent pour dire que l'hypothèse de la catharsis n'est pas confirmée (Geen & Quanty, 1975). Si quelques études indiquent une baisse de la probabilité de la réponse agressive consécutivement à l'émission d'une réponse agressive, la plupart n'ont pas réussi à démontrer cet effet. La recherche sur le sujet indique que la tendance à l'agression n'est pas réduite par l'observation de la violence filmée ou télévisée (Geen, 1978), par des attaques contre des objets inanimés (Mallick & McCandless, 1966) ou par des attaques verbales contre autrui. L'agression n'est pas non plus réduite par un exercice physique vigoureux tel que le fait de frapper fort sur une mallette (Ryan, 1970) ou celui de pédaler énergiquement (Zillmann, 1978). Il semble bien que la tendance agressive ne soit réduite que dans les cas où le comportement de l'agent frustrant peut être interprété comme une provocation; la réponse agressive constitue alors un moyen de faire cesser la frustration. De plus, comme le souligne Quanty (1976), dans les quelques études (Fromkin, Goldstein & Brock, 1977; Konecni & Ebbesen, 1976) où l'on a observé une réduction de la tendance agressive conséquemment à l'expression directe de l'agression, l'effet peut être interprété sous l'angle des contraintes face à l'agression (c'est-à-dire comme un sentiment de culpabilité ou une inhibition) plutôt que sous celui d'une catharsis. Lorsque ces contraintes sont minimisées, l'expression de l'agression semble conduire à une augmentation plutôt qu'à une diminution de l'hostilité. Buss (1966) déclare en effet que les sujets à qui l'on offre la possibilité d'agresser de façon répétée l'agent provocateur manifestent une augmentation de la tendance à l'agression, ce qui laisse croire que l'exercice de l'agression peut diminuer les inhibitions du sujet.

Selon Baron et Byrne (1984), l'état actuel des connaissances permet de proposer trois conclusions. Premièrement, la catharsis n'est pas aussi générale que les théories ne le suggèrent, la baisse de la tendance à l'agression ne s'observant que dans les cas où il y a eu une frustration ou une provocation (c'est-à-dire une agressivité hostile). Deuxièmement, bien que l'occasion de rendre la monnaie de la pièce à la personne responsable du désagrément puisse réduire la tendance à l'agresser ultérieurement, ce n'est pas toujours le cas. Enfin, les bénéfices potentiels de l'activité cathartique ont été exagérés.

La contribution de Leonard Berkowitz : le lien entre la frustration et l'agression dans une perspective néo-associationniste

Dans ses premiers efforts pour appliquer aux préjugés la théorie du lien entre la frustration et l'agression, Leonard Berkowitz (1962) a dû faire face à l'ambiguïté de sa formulation. Selon lui, le lien entre la frustration et l'agression ne s'observe que sous certaines conditions. D'abord, la frustration doit susciter une réaction émotionnelle de colère pour inciter à l'agression. Berkowitz ajoute la notion d'« indices externes » à la théorie originale, la frustration ou la colère ne causant l'agression que dans le cas où certains indices sont présents. Si ceux-ci sont absents, la réponse à la frustration pourra être différente et non agressive.

En somme, la colère est perçue comme un état motivationnel intervenant entre la frustration et l'agression; cet état sensibilise l'individu aux indices de l'environnement qui pourront alors activer la réponse agressive.

Les indices sont de trois types: les cibles, les situations et les objets. En premier lieu, la personne perçue comme responsable de la frustration peut certainement être un indice associé à la colère et, de ce fait, provoquer la réponse agressive. Par ailleurs, l'individu peut apprendre que certaines personnes ou certains groupes sont des cibles «appropriées» de l'agression. En Amérique du Nord, certaines personnes auraient malheureusement appris que les individus de race noire, les femmes, les Amérindiens et les homosexuels sont des cibles envers lesquelles il peut être «approprié» d'exprimer de façon agressive de la colère ou de la frustration. Selon Berkowitz, un individu frustré ou en colère aura tendance à exprimer de l'agressivité si l'une ou l'autre de ces cibles «appropriées» sont présentes (Berkowitz & Geen, 1967). Certaines situations peuvent également être apparentées à la violence, les individus étant plus susceptibles d'exprimer de l'agressivité dans les bars ou dans les ruelles qu'à l'église ou au restaurant.

Les personnes associent également certains objets à l'expression de l'agressivité. Ces objets agissent alors comme des stimuli évocateurs et déclencheurs de l'agressivité suscitée par la frustration ou la colère. Les armes constituent un exemple d'objets étroitement reliés à la violence, de sorte qu'on peut prédire que la présence d'armes en situation de frustration rend plus susceptible l'expression de l'agressivité.

L'étude menée par Berkowitz et LePage (1967) est considérée comme un classique du genre. Cette étude démontre que la simple présence d'armes augmente la probabilité d'observer une réponse agressive chez un sujet ayant préalablement été frustré. Dans cette étude, 100 étudiants de l'université au premier cycle servirent de sujets. Ceux-ci furent affectés aléatoirement à l'un de sept groupes expérimentaux. La moitié des sujets furent d'abord soumis à une expérience de frustration en recevant sept chocs électriques légers de la part d'un complice de l'expérimentateur qui agissait à titre d'évaluateur de leur rendement dans une tâche de résolution de problèmes. Parallèlement, l'autre moitié des sujets ne reçurent qu'un choc électrique. Puis ce fut au tour des sujets d'évaluer le complice de l'expérimentateur en lui faisant subir des chocs plus ou moins forts. Bien entendu, le rendement du complice fut soigneusement contrôlé par l'expérimentateur pour ne pas qu'il influe sur la distribution des chocs. Dans le cas des individus frustrés, quatre groupes furent aléatoirement constitués. Un premier groupe fut mis en présence du générateur de chocs seulement. Deux autres groupes furent mis en présence du générateur de chocs, mais il y avait également deux armes à feu (un fusil de calibre 12 ainsi qu'un revolver de calibre 38) sur une table à proximité du générateur. À l'un de ces groupes, on souligna que les armes appartenaient au complice (condition «armes associées») alors qu'à l'autre on indiqua que celles-ci étaient utilisées dans une autre recherche (condition «armes non associées»). Un quatrième groupe trouva sur la table des raquettes de badminton plutôt que des armes. Dans le cas des individus non frustrés, les mêmes conditions furent prévues, à l'exception des raquettes de badminton. Tous ces sujets furent alors comparés quant au nombre de chocs électriques qu'ils infligeaient au complice, les directives leur permettant de donner jusqu'à 10 chocs. Les résultats indiquent que, quelles que soient les conditions, les sujets frustrés infligèrent plus de chocs électriques que les sujets non frustrés. Par ailleurs, chez les sujets frustrés, le nombre de chocs fut significativement plus important dans les deux conditions où les armes étaient présentes, peu importe que les armes aient été décrites comme appartenant ou non au complice.

Cette étude illustre bien l'utilité de la révision par Berkowitz de la théorie originale. Comme le souligne lui-même Berkowitz (1974), elle démontre non seulement que le doigt peut appuyer sur la détente, mais également que la détente peut entraîner le doigt. En somme, la possession ou la présence d'une arme peut inciter à la violence. Il faut noter, toutefois, que d'autres chercheurs n'ont pas toujours réussi à reproduire les mêmes résultats (Buss, Booker & Buss, 1972), peut-être à cause du caractère artificiel du dispositif expérimental. Quoi qu'il en soit, il est intéressant de noter que la ville de Vancouver, qui ressemble à la ville de Seattle sur le plan de la population, du climat, de l'économie et du taux d'activité criminelle, présente un taux de meurtres de 40 % inférieur à cette dernière, probablement à cause d'une politique plus restrictive quant à la possession d'armes à feu (Sloan *et al.*, 1988) [voir la figure 9.1]. Une autre raison invoquée pour expliquer cette différence est que l'arme à feu permet une action à distance qui, on le sait depuis les études de Milgram (1965), facilite l'agression (voir le chapitre 11).

En somme, Berkowitz propose une interprétation du lien entre la frustration et l'agression fondée sur les principes du conditionnement classique. Cette position théorique l'amène notamment à remettre en question l'hypothèse d'un effet cumulé de frustrations répétées. En effet, Dollard et ses collaborateurs (1939) ont prétendu que le seuil de tolérance à la frustration devrait diminuer par suite d'une accumulation d'expériences frustrantes. Selon Berkowitz, cette relation n'est pas linéaire mais curviligne, la tendance à agresser augmentant jusqu'à un certain niveau, où alors elle décline consécutivement à une accumulation d'expériences frustrantes. Dans le prolongement d'une interprétation basée sur le conditionnement classique, il avance que l'individu s'habitue à la situation en modifiant ses attentes, ce qui aurait pour effet de réduire son sentiment de frustration.

Plusieurs études expérimentales ont été menées par Berkowitz et ses associés au cours des 20 dernières années sur cette version modifiée de l'hypothèse du lien entre la frustration et l'agression. Ces travaux et d'autres l'ont récemment amené à reformuler et à généraliser certains énoncés (Berkowitz, 1989).

Cette nouvelle version s'inscrit toujours dans la foulée de l'hypothèse avancée par Dollard et ses collaborateurs (1939), hypothèse dont certains éléments trouvent appui dans la documentation scientifique, selon Berkowitz. Le nouveau modèle proposé par Berkowitz est qualifié de « néo-associationniste »

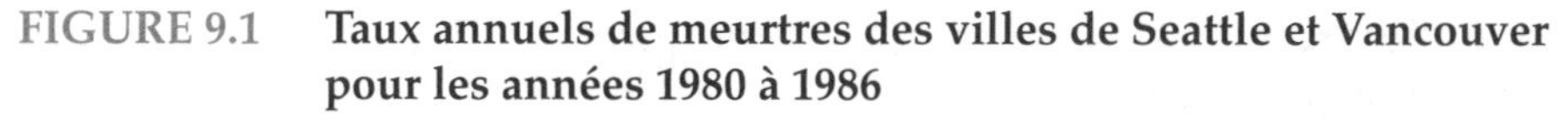

FIGURE 9.1 **Taux annuels de meurtres des villes de Seattle et Vancouver pour les années 1980 à 1986**

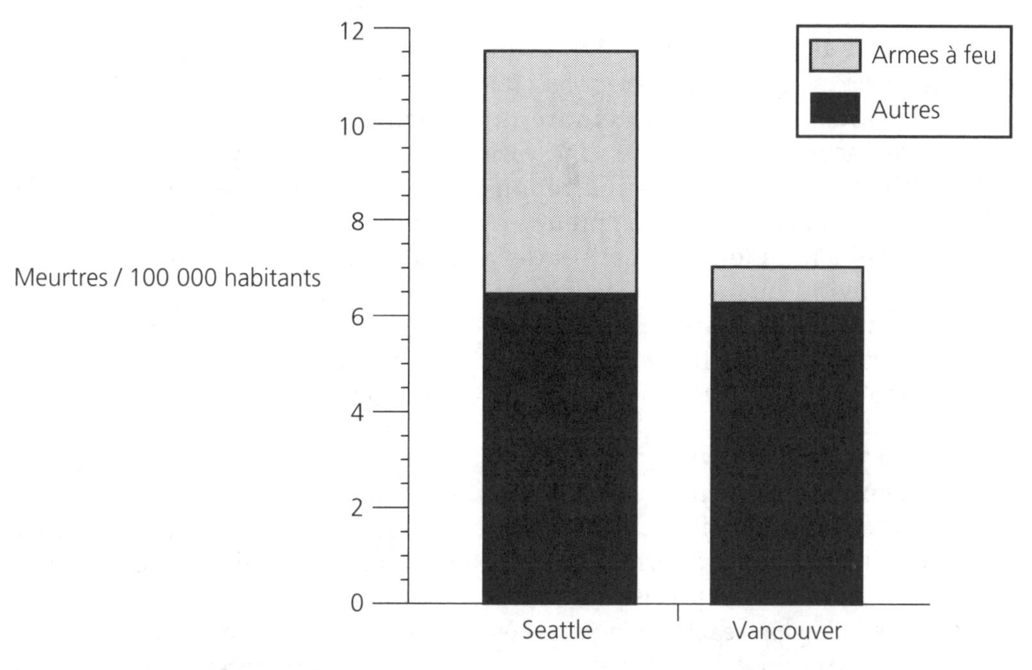

Adapté de Sloan *et al.* (1988).

parce qu'il reste fidèle aux principes du conditionnement classique. En effet, bien que certains aient fait valoir le fait que la réaction agressive à la frustration puisse s'expliquer par sa fonction instrumentale (c'est-à-dire sa capacité de diminuer cette stimulation négative – Bandura, 1973; Zillmann, 1983), Berkowitz (1989) est plutôt d'avis que plusieurs actions agressives observées dans les recherches sur l'hypothèse frustration-agression n'ont pas pour objectif d'éliminer les conditions déplaisantes auxquelles le sujet est soumis. Il maintient que cette agression est essentiellement hostile et qu'en conséquence ses mécanismes d'explication sont différents de ceux qui s'appliquent dans le cas de l'agression instrumentale (voir l'approche théorique de Bandura décrite plus loin).

Selon cette dernière version, la frustration ne conduit à l'agression que si elle est ressentie comme déplaisante par l'individu. Berkowitz (1989) propose donc qu'on considère la relation entre la frustration et l'agression comme un cas particulier de la relation générale entre le caractère déplaisant d'une stimulation et l'inclination agressive. En somme, sous certaines conditions, une grande variété d'événements déplaisants, dont la frustration, peuvent provoquer l'hostilité et même des réactions d'attaque contre une cible possible. De plus, s'appuyant sur plusieurs études en laboratoire et en milieu naturel, Berkowitz maintient que la frustration peut inciter à l'agression hostile même lorsque cette frustration n'est pas perçue comme arbitraire, illégitime ou intentionnelle (l'agression dans un sport de compétition, par exemple).

Cela ne veut pas dire que des événements perçus comme déplaisants déclenchent *nécessairement* une réponse d'attaque. En effet, Berkowitz reconnaît qu'un individu qui ne peut atteindre un objectif attendu et valorisé pourra répondre de façon non agressive. Une variété de processus psychologiques peuvent réduire la probabilité d'une réponse agressive, notamment des règles sociales et des inhibitions, les apprentissages antérieurs, les différences individuelles sur le plan du tempérament et de la personnalité de même que les cognitions de l'individu quant à l'objectif poursuivi et aux raisons de la frustration. L'individu est ainsi plus susceptible de répondre agressivement s'il peut imaginer qu'il atteindra l'objectif en d'autres circonstances et s'il perçoit que la personne responsable de la frustration a agi de façon délibérée et injustifiable.

La position de Berkowitz concernant les indices sociaux est maintenant plus nuancée. Ceux-ci sont perçus comme pouvant faciliter l'expression ouverte de l'agression, ou en intensifiant l'instigation à l'agression ou en diminuant les restrictions devant ce comportement, ou comme pouvant inhiber l'expression ouverte de l'agression. Il précise de plus que ces indices associés peuvent augmenter l'intensité des réactions agressives et que la frustration peut également sensibiliser l'individu à la présence de ces indices et augmenter de ce fait leur effet facilitant.

Comme l'illustre la figure 9.2, cette dernière révision théorique implique certaines étapes dans la formation du lien déplaisant. Au premier stade de l'expérience émotionnelle, les processus cognitifs complexes auraient moins d'influence, se limitant à la désignation de l'incident déplaisant (par exemple, une frustration, un malaise physique comme la sensation de la douleur ou un malaise psychologique tel qu'un sentiment dépressif). Ce sentiment déplaisant donnerait alors naissance automatiquement à une variété de sentiments, pensées et souvenirs associés à la fuite et à l'évitement ou au combat et à l'attaque. Par la suite, d'autres processus alimenteraient la réaction initiale et permettraient d'effectuer les attributions causales concernant cette expérience déplaisante, la nature exacte des sentiments éprouvés, la maîtrise des sentiments et des comportements. L'expérience de base serait alors enrichie, différenciée, intensifiée ou supprimée. Cette construction mentale concernant l'expérience déplaisante serait guidée par l'interprétation que l'individu donne de l'origine de la situation et de la nature de l'émotion. L'expérience de la peur accompagnerait probablement la tendance fuite-évitement et évoquerait les idées, les souvenirs, les réactions expressives et les sensations physiologiques qui y sont apparentés, alors que l'expérience de la colère serait théoriquement reliée aux tendances agressives et s'établirait sur les idées, les souvenirs et les réponses expressives agressives. Selon Berkowitz, une combinaison de facteurs génétiques, de facteurs appris et de facteurs de situations déterminerait la force relative de ces deux tendances et des sentiments et pensées qui y sont associés.

FIGURE 9.2 **Processus cognitifs entrant dans l'expérience émotionnelle consécutive à un événement déplaisant selon Berkowitz**

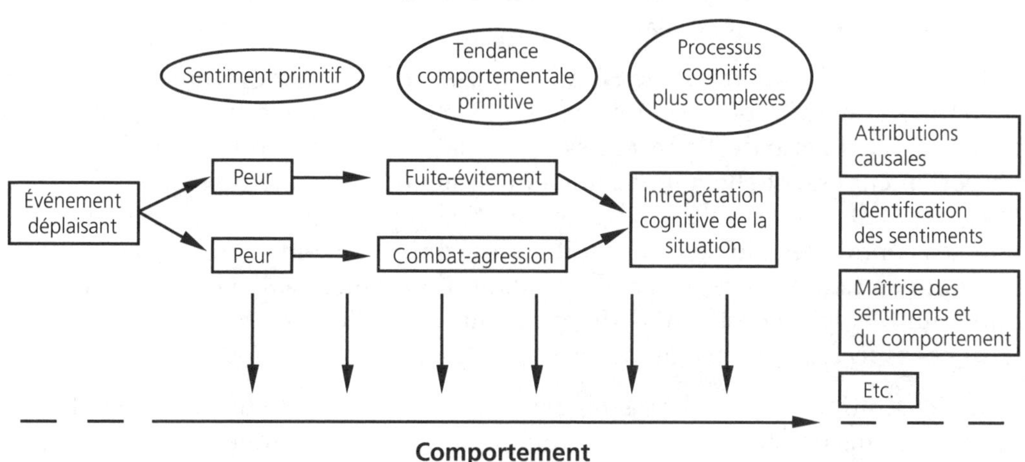

En somme, Berkowitz (1989) affirme que les sentiments, les idées et les souvenirs sont organisés en réseaux mnémoniques et que l'activation d'un élément a également tendance à activer les autres éléments du réseau. Il va même plus loin en suggérant que toute forme d'affect négatif, incluant la tristesse et le sentiment dépressif, provoque un sentiment primitif de colère et une inclination à l'agression hostile avant que des processus cognitifs supérieurs impliquant des réseaux mnémoniques et des attributions causales n'interviennent. Cette hypothèse devra toutefois faire l'objet d'études empiriques ultérieures.

Même s'il fait une plus grande place aux processus cognitifs supérieurs, notamment aux perceptions de l'individu frustré quant aux causes de la frustration, Berkowitz maintient que ceux-ci sont postérieurs à la réaction initiale de colère et que la frustration peut inciter à l'agression hostile indépendamment du type d'attribution causale effectuée par l'individu (c'est-à-dire dans quelle mesure il perçoit cette frustration comme illégitime ou intentionnelle). D'autres modèles accordent une place centrale à l'attribution causale, comme nous le verrons plus loin.

L'agression selon la théorie de l'apprentissage social

Selon le modèle de Berkowitz (1989), une stimulation déplaisante a la propriété de faire naître un sentiment d'hostilité susceptible de conduire à l'agression, les processus cognitifs supérieurs n'intervenant qu'après la réaction initiale. En cela, Berkowitz s'inscrit dans le prolongement de la théorie originale du lien entre la frustration et l'agression. Il demeure cependant vague quant aux mécanismes par lesquels certains indices deviennent associés à l'agression. Or, comme le souligne Albert Bandura, un théorie complète de l'agression doit rendre compte non seulement des facteurs immédiats qui provoquent les comportements agressifs, mais également des processus qui en permettent le développement et le maintien (Bandura, 1973). Les théoriciens de l'apprentissage social ont des propositions précises sur ce plan.

Contrairement aux théoriciens qui définissent l'agression comme un instinct ou comme la manifestation d'une tendance motivationnelle interne *(drive)*, les tenants de la théorie de l'apprentissage social avancent que l'agression est un comportement essentiellement acquis et maintenu, au même titre que les autres comportements sociaux. Ce point de vue théorique reconnaît assurément que certaines contraintes biologiques limitent les comportements agressifs adoptés et le rythme de leur apprentissage. Cependant, il exprime également le fait que la contrainte biologique est moins déterminante pour l'espèce humaine que pour les autres espèces, compte tenu de ses capacités d'apprentissage.

La frustration ou la colère sont perçues comme des facteurs qui facilitent l'agression sans en être les déterminants premiers. Par exemple, à la suite d'une provocation arbitraire, des enfants qu'on a habitués à se comporter de façon agressive réagiraient plus agressivement que les enfants habitués à coopérer avec autrui, ces derniers manifestant des stratégies plus coopératives (Davitz, 1952). En somme, les apprentissages antérieurs et les conséquences prévues détermineraient le type de comportement adopté en situation d'éveil émotionnel. L'individu ne serait pas prédisposé *a priori* à se comporter de manière agressive; il apprendrait plutôt ces comportements par l'expérience directe selon le principe de l'apprentissage instrumental (appelé aussi «conditionnement opérant») ou par l'observation selon le principe de l'apprentissage vicariant (Bandura, 1973).

L'apprentissage de type instrumental est direct en ce sens qu'il résulte de l'expérience personnelle de l'individu. Ce type d'apprentissage postule que le comportement agressif, comme tout autre comportement, sera plus susceptible de se reproduire dans l'avenir s'il est récompensé. La gamme des renforçateurs positifs (c'est-à-dire des stimuli ayant la propriété d'augmenter la probabilité des réponses ultérieures) est très vaste, ceux-ci pouvant prendre la forme d'argent pour les adultes (Buss, 1971) ou de bonbons pour les enfants (Walters & Brown, 1963) de même que d'approbation sociale et de statut social. Certaines études affirment même qu'à la suite d'une très forte provocation la souffrance d'une victime sert de renforçateur au comportement agressif de la personne provoquée (Baron, 1974; Feshbach, Stiles & Bitter, 1967).

Par ailleurs, le fonctionnement humain serait grandement inefficace s'il ne devait recourir qu'à l'expérience directe. Aussi l'apprentissage par observation se voit-il confier un rôle central dans le processus d'acquisition des comportements en général et du comportement agressif en particulier. Selon Bandura (1973), une bonne part des comportements agressifs sont appris par imitation de modèles tels que les parents et les pairs observés dans des situations naturelles ou par le biais des médias.

Plusieurs études empiriques viennent appuyer ce point de vue. Ainsi, dans une étude classique menée par Bandura et ses collaborateurs (Bandura, Ross &

Ross, 1961), des enfants d'âge préscolaire furent invités individuellement à coller des images dans le coin d'une pièce. Peu après, un adulte s'installa dans le coin opposé de la pièce où des jouets se trouvaient rassemblés (c'est-à-dire une poupée gonflable appelée Bobo, une mallette, des autos et des camions, etc.). Trois conditions expérimentales furent prévues. Dans la première condition, l'adulte avait pour directive de se comporter de façon physiquement et verbalement agressive envers la poupée Bobo (il s'agissait de frapper la poupée en se servant notamment de la mallette, de lui donner des coups de pied, de la lancer brutalement dans les airs). Il faut noter que les comportements exprimés par le modèle furent déterminés de manière précise afin qu'on puisse distinguer ultérieurement les comportements agressifs imités par les enfants de ceux non imités par eux. Dans la deuxième condition, le même adulte s'amusait avec les jouets de façon non agressive et ignorait Bobo. La moitié des enfants de chaque groupe étaient placés devant un modèle du même sexe qu'eux alors que l'autre moitié faisaient face à un modèle du sexe opposé. Enfin, dans la troisième condition, le groupe n'était placé devant aucun modèle. Par la suite, les enfants furent soumis à une frustration légère, car on leur interdit de s'amuser avec un jouet qu'ils aimaient, puis ils furent amenés dans une autre pièce où l'on trouvait des jouets « agressifs » (c'est-à-dire semblables à ceux qui avaient servi au modèle agressif, incluant la poupée Bobo) et d'autres jouets « non agressifs ». Leurs comportements furent alors observés et notés pendant 20 minutes.

Cette observation révéla que le fait d'être placé devant un modèle agressif avait deux effets importants sur les enfants: ceux-ci manifestèrent plus de comportements agressifs que les enfants qui étaient placés devant un modèle non agressif ou que ceux du groupe contrôle, et cela en ce qui concerne les comportements imités ainsi que les comportements non imités (soit les formes de comportements agressifs non manifestées par le modèle). De plus, certains enfants faisant face au modèle non agressif, plus particulièrement ceux faisant face au modèle masculin, manifestèrent moins de comportements agressifs (surtout non imités) que ceux du groupe contrôle (voir la figure 9.3).

Ces résultats illustrent les deux mécanismes proposés par Bandura (1973) pour expliquer l'apprentissage vicariant de l'agression. Le premier mécanisme touche l'acquisition du comportement agressif, l'autre, son expression. Ainsi, lorsqu'un modèle manifeste un comportement d'agression qui ne fait pas partie du répertoire de l'observateur, celui-ci peut être retenu dans sa mémoire et est susceptible d'être utilisé par la suite. On parle alors de l'acquisition d'une nouvelle réponse.

Par ailleurs, ce comportement risque d'autant plus de se manifester ultérieurement si l'observateur perçoit que ce comportement est renforcé positivement. Dans ce cas, non seulement le sujet aura-t-il acquis une nouvelle réponse, mais il aura aussi appris que ce comportement peut apporter certains bénéfices. L'inverse est également possible, en ce sens que l'observateur pourra percevoir qu'un comportement a des conséquences négatives pour le modèle. En somme, au-delà de l'acquisition même de la nouvelle réponse, on dira que

FIGURE 9.3 **Nombre de comportements agressifs chez des enfants placés devant différents modèles**

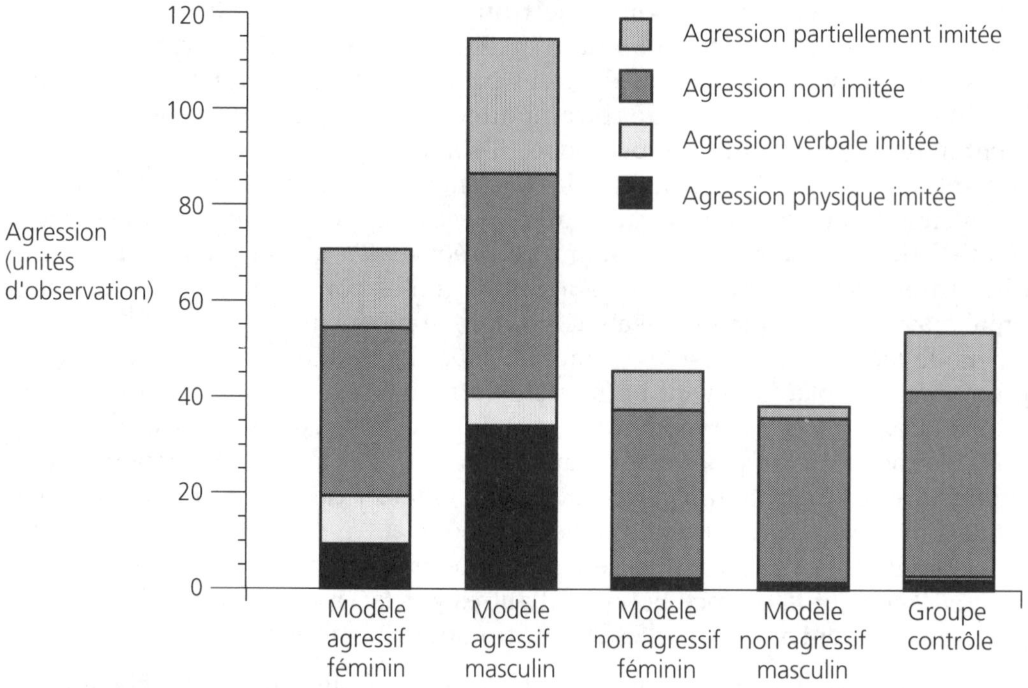

Adapté de Bandura, Ross et Ross (1961).

l'observation d'un modèle agressif peut avoir un effet inhibiteur ou désinhibiteur sur le rendement selon les conséquences positives ou négatives ressenties par le modèle.

Ces mécanismes impliquent une médiation cognitive. Bandura (1973) note que les effets du modèle dépendent du degré d'attention de l'observateur, de sa motivation, de sa capacité de bien percevoir la situation et de la mémoriser, de la pratique mentale et de la reproduction motrice des actions du modèle de même que de la relation entre celui-ci et le modèle. Enfin, il insiste sur les processus d'autorenforcement des comportements agressifs une fois que ceux-ci ont été acquis par l'individu. Chaque individu en arriverait à se fixer à lui-même des règles de conduite qu'il chercherait à respecter.

Certaines personnes se seraient ainsi défini un système de renforcements (on pourrait également dire un «système de valeurs») selon lequel les comportements agressifs sont une source d'estime de soi et de fierté. En d'autres mots, le comportement agressif aurait acquis chez eux la propriété de susciter une satisfaction personnelle, ce qui est une expérience renforçante. Par ailleurs, pour la majorité des individus, les actes agressifs seraient plutôt associés à de l'autocritique de sorte que la prévision négative qu'ils suscitent inhiberait l'emploi de ce type de comportement. Afin de réduire au minimum cette autocritique et de justifier un acte agressif, Bandura (1973) souligne que les individus peuvent s'engager dans un éventail de stratégies neutralisantes. Parmi celles-ci, on note la justification de l'agression par la comparaison avec des actes plus odieux et excessifs, par le recours à des principes moraux prétendument plus élevés, par la déshumanisation des victimes et par la division et le déplacement de la responsabilité.

Une étude expérimentale menée par Phillip Zimbardo (1970) illustre bien ce dernier mécanisme. Prenant prétexte d'une étude sur les réactions des gens à la douleur d'autrui, Zimbardo compara deux conditions expérimentales. Dans ces deux conditions, il demanda à quatre étudiants de partager la responsabilité de donner des chocs électriques à un autre étudiant. Dans la première condition, qui était anonyme, les étudiants mettaient une cagoule, ne révélaient jamais leur nom et effectuaient leur tâche dans l'obscurité. Dans la deuxième condition, on soulignait l'individualité des participants en s'adressant à eux par leur nom, en attribuant à chacun une étiquette où son nom figurait et en s'arrangeant pour qu'ils se connaissent mutuellement par leur nom. Chaque groupe fut ainsi laissé libre d'infliger autant de chocs qu'il le voulait à l'étudiant. Comme prévu, des chocs plus nombreux et plus forts furent donnés dans la condition d'anonymat, ce qui suggère que, lorsque les individus ne peuvent être identifiés, ils sont plus susceptibles de commettre des actes agressifs.

Selon Zimbardo, ces résultats suggèrent que des conditions qui augmentent l'anonymat contribuent à minimiser le souci face à l'évaluation, ce qui a pour résultat de diminuer l'efficacité des mécanismes d'inhibition basés sur la peur, la honte et la culpabilité. Les seuils d'inhibition des comportements sont diminués et l'individu risque alors davantage de commettre des actes agressifs et non normatifs. Le concept de « désindividuation » peut également s'appliquer à la victime. Milgram (1965) a montré comment certaines personnes sont plus susceptibles d'infliger des chocs électriques lorsqu'elles ne peuvent voir la victime et lorsque celle-ci ne peut les voir.

En somme, selon Bandura (1973), ce sont les expériences et les apprentissages antérieurs, les conditions plus immédiates de l'environnement social, la médiation cognitive et les mécanismes d'autorégulation qui expliquent à la fin le fait qu'un individu acquiert et maintient des comportements agressifs. Par ailleurs, il est important de noter que, si la théorie du lien entre la frustration et l'agression et ses dérivés plus récents (Berkowitz, 1989) mettent l'accent sur l'agression hostile, la théorie de l'apprentissage social insiste de son côté sur la dimension instrumentale du comportement agressif. Bien qu'il reconnaisse que certaines formes d'agression puissent être hostiles, Bandura (1983) considère qu'on leur a accordé trop d'importance, compte tenu que l'agression observée dans la société est souvent motivée par les bénéfices prévus. Quoi qu'il en soit, il faut retenir que ces deux points de vue ne s'opposent pas mais portent sur des objets différents. La distinction entre l'agression hostile et l'agression instrumentale est donc primordiale. Il faut également reconnaître que le modèle théorique proposé par

Berkowitz (1989) tente surtout de rendre compte de l'agression hostile alors que la théorie de Bandura s'attache à l'agression instrumentale.

La perspective sociocognitive

Depuis près de 20 ans, on observe un intérêt croissant chez les psychologues sociaux pour les réponses cognitives de l'individu aux situations sociales. Cette préoccupation soutenue pour la cognition sociale reflète la perception selon laquelle les apprentissages sociaux impliquent des processus cognitifs complexes. L'importance accordée à l'interprétation cognitive de l'individu s'est également manifestée dans les tentatives d'explication du comportement agressif. Dans cette perspective, l'importante contribution de deux chercheurs sera maintenant décrite : les travaux de Zillmann sur le rôle de l'interprétation cognitive de l'activation physiologique dans l'agression et ceux de Dodge sur le traitement cognitif de l'information sociale par des enfants agressifs.

L'interprétation cognitive de l'activation physiologique dans l'agression : les travaux de Zillmann. Pour bien comprendre la position de Dorf Zillmann et sa contribution au débat concernant le lien entre la frustration et l'agression, il est nécessaire de revenir à la définition de l'émotion. Depuis les travaux de Schachter et Singer (1962; voir le chapitre 5), la plupart des théories contemporaines de l'émotion distinguent au moins deux composantes dans l'expérience émotive : l'activation physiologique et l'interprétation cognitive du contexte, dont on s'entend pour dire que cette dernière donne une signification à l'activation physiologique (la peur, la colère, etc.). Or, comme le souligne Zillmann (1979), l'augmentation de l'activité du système nerveux autonome (c'est-à-dire l'augmentation du rythme cardiaque, de la tension artérielle, du rythme respiratoire et de l'activité électrodermale) constitue l'une des caractéristiques physiologiques de la situation de frustration, tout comme elle caractérise la colère et la peur. En d'autres mots, puisque l'hypothèse du lien entre la frustration et l'agression modifiée par Berkowitz spécifie qu'une émotion particulière provoque généralement une réponse agressive, on peut se demander si l'élément crucial est l'activation physiologique ou l'interprétation cognitive que l'individu en fait (soit l'attribution causale). Pour Zillmann, il s'agit de l'interaction de ces deux éléments.

Zillmann s'est d'abord attaché à démontrer que l'activation physiologique est en soi un élément qui augmente la probabilité d'une réaction agressive. En cela, il peut s'appuyer sur des études expérimentales qui démontrent que l'activation physiologique provenant de sources aussi diverses que la participation à un jeu compétitif (Christy, Gelfand & Hartmann, 1971), un exercice physique vigoureux (Zillmann, Katcher & Milavsky, 1972) et l'audition de bruits intenses (Geen & O'Neal, 1969) peut induire un comportement agressif.

Afin d'expliquer ces phénomènes, Zillmann (1983) invoque la notion de **transfert d'excitation.** Cette notion renvoie au fait que l'activation physiologique consécutive à un événement quelconque se dissipe lentement et pourra persister un certain temps même si le contexte a changé. Ainsi un individu qui vient d'éviter un grave accident d'automobile risquera, quelques minutes plus tard, de répondre de façon agressive à une insulte provenant d'une autre personne parce qu'il est toujours sous l'effet d'une activation physiologique résiduelle causée par la première situation.

La première étude démontrant que l'activation résiduelle peut inciter à l'agression fut menée par Zillmann (1971). Dans cette étude, des sujets étudiants furent d'abord provoqués, puis amenés à voir l'un de trois films susceptibles de les activer physiologiquement à des degrés divers et, finalement, mis dans la situation de sanctionner la personne qui les avait provoqués. À plusieurs moments pendant la projection du film, le niveau d'activation des sujets fut évalué par des indices physiologiques (le rythme cardiaque, la tension artérielle, etc.). D'après ces observations, l'un des films ne suscita qu'une faible activation physiologique, car il ne contenait aucune scène de violence ou de sexe (condition neutre). Un deuxième groupe d'étudiants vit un film qualifié de modérément excitant, bien qu'il fût très agressif (condition agressive). Enfin, le troisième groupe vit un film présentant des scènes explicites d'activité sexuelle et suscitant une forte activation physiologique (condition érotique). Après la projection, les sujets durent agir à titre de moniteurs chargés d'enseigner des listes de mots et de sanctionner le rendement de leur «élève», en l'occurrence l'agent provocateur,

FIGURE 9.4 **Intensité moyenne des chocs infligés à l'agent provocateur dans les trois conditions expérimentales**

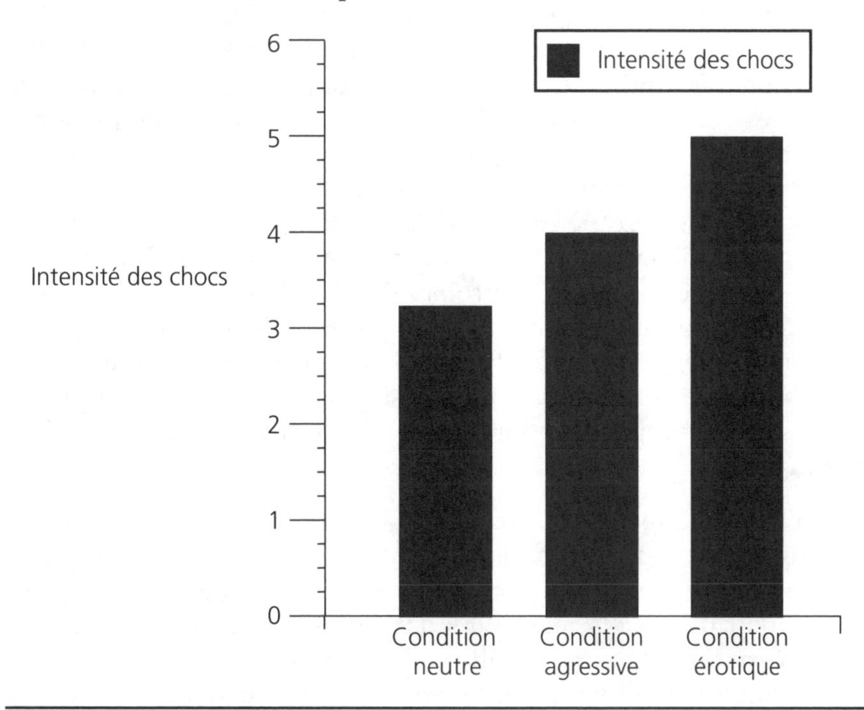

Adapté de Zillman (1971).

en infligeant des chocs électriques qui pouvaient varier de légers à très forts. Le comportement agressif fut mesuré par l'intensité des chocs électriques donnés à l'agent provocateur. Bien sûr, cette dernière personne était complice de l'expérimentateur et ne recevait pas réellement les chocs électriques. Les principaux résultats de cette étude sont présentés à la figure 9.4 de la page précédente.

Comme prévu, Zillmann (1971) observa que la force de l'agression pouvait être prédite par le degré d'activation mesuré chez les sujets. Les étudiants les plus excités, en l'occurrence ceux qui virent le film contenant des scènes explicites de sexe, furent ceux qui manifestèrent le plus d'agressivité. Selon Zillmann, cette étude démontre que l'activation résiduelle résultant de la stimulation antérieure peut faciliter l'adoption d'un comportement agressif. Cette étude indique également que le fait d'être placé devant une production érotique peut inciter à l'agression, donnée corroborée par plusieurs études expérimentales (Donnerstein, Donnerstein & Evans, 1975; Donnerstein & Hallam, 1978; Meyer, 1972; Zillmann, Hoyt & Day, 1974) mais contredite par d'autres (Baron, 1974; Baron & Bell, 1973). Ce lien est donc plus complexe qu'il n'y paraît à première vue. Nous y reviendrons.

Il faut souligner, toutefois, que bien que certaines études empiriques appuient l'hypothèse du transfert d'excitation comme élément facilitant de l'agression, ce phénomène ne se produit pas dans toutes les conditions. Selon Zillmann (1983), cet effet facilitant dépend également du contexte et surtout de l'interprétation cognitive de l'individu (c'est-à-dire de l'attribution causale).

Il est important de noter qu'en général l'effet facilitant n'est pas susceptible d'avoir lieu en l'absence d'une provocation. De plus, celui-ci risquerait davantage de se produire lorsque l'individu n'est pas conscient de cet effet résiduel ou lorsqu'il peut attribuer l'excitation résiduelle à la présente situation de provocation. Ainsi, si l'on reprend l'exemple de l'accident de voiture évité de justesse, l'automobiliste sera moins susceptible de réagir de façon agressive s'il est conscient que son émotion découle de l'expérience dangereuse qu'il vient de vivre que s'il l'attribue entièrement à la provocation. Zillmann (1978) a notamment démontré que l'on peut réduire la probabilité d'une réaction agressive à une situation de provocation en indiquant au sujet que cette situation ne constitue pas une attaque délibérée. Younger et Doob (1978) observent également que des individus soumis à une provocation sont moins portés à répondre agressivement lorsqu'ils peuvent attribuer leur sentiment négatif à une pilule (placebo) qu'ils viennent d'ingérer.

Selon Zillmann (1978), la médiation cognitive favoriserait une réponse mieux adaptée aux circonstances. Toutefois, dans le cas où l'individu est dans un état d'activation très élevée, ces mécanismes cognitifs seraient affectés. Zillmann et Cantor (1975) placèrent des sujets masculins dans une situation où ils étaient provoqués par un expérimentateur complice. Celui-ci avait pour directive de paraître insatisfait d'un travail effectué par les sujets et de les discréditer. Puis les sujets furent soumis à l'une des deux conditions suivantes: une tâche relaxante (entraînant une activation basse) ou un exercice physique intense (entraînant une activation élevée). Après cette séance, le dispositif expérimental mit les sujets devant l'une des deux conditions où une jeune fille était à son tour insultée par l'expérimentateur complice. Dans la première condition, la jeune fille avait l'occasion d'expliquer aux sujets que l'expérimentateur venait de connaître un échec qui l'affectait beaucoup, alors que, dans la deuxième condition, aucune explication de cet ordre n'était apportée. Finalement, en l'absence de l'expérimentateur, on demanda aux sujets de remplir un questionnaire destiné à mesurer la tendance à l'agression. Les résultats révélèrent que l'hostilité était moins grande dans la condition où l'on fournissait des explications que lorsque celles-ci étaient absentes. Cependant, cet effet ne fut observé que dans la condition où l'activation était basse.

Cette étude montre comment la perception de « circonstances atténuantes » peut réduire l'instigation à l'agression hostile. Par ailleurs, elle indique que la médiation cognitive, et l'attribution causale en particulier, ne joue pas ce rôle lorsque le degré d'activation est élevé. Dans ce cas, l'individu risque davantage de répondre de façon stéréotypée et automatique en fonction de ses expériences antérieures.

En somme, ces travaux suggèrent que l'individu qui fait face à une action potentiellement provocante tente en général de comprendre les raisons qui ont pu entraîner ce comportement. Ces attributions jouent un rôle important dans l'organisation de la réponse. Si l'individu attribue ce comportement à des causes externes (comme des causes accidentelles), il sera vraisemblablement plus susceptible de répondre de façon moins agressive que s'il estime que ce comportement a des causes internes (c'est-à-dire des motivations personnelles).

Le traitement cognitif de l'information sociale par des enfants agressifs : les travaux de Dodge. Bien que l'attribution causale soit proposée comme une variable modératrice générale de la relation entre une situation de frustration et l'agression, on observe des différences individuelles quant à la capacité d'interpréter les situations sociales (Weiner, 1985). Au cours des dernières années, cet aspect a été plus particulièrement étudié pour l'enfance, notamment dans le but de comprendre le fonctionnement sociocognitif des enfants jugés agressifs.

En règle générale, lorsqu'une information claire concernant l'intention sous-jacente à l'acte provocant est présentée, on constate que même des enfants d'âge préscolaire pondèrent leur réponse en fonction de ces circonstances (Rule, Nesdale & McAra, 1974). Par ailleurs, en milieu naturel, les enfants font souvent face à des situations ambiguës où les intentions de l'agent provocateur sont plus difficilement identifiables. Selon Dodge (1980), les enfants qui répondent systématiquement de façon agressive aux situations déplaisantes (c'est-à-dire les enfants jugés agressifs) présentent un biais d'attribution. Celui-ci se caractériserait notamment par une tendance à attribuer des intentions hostiles à autrui dans des situations ambiguës.

Il est important de souligner ici que, dès les années du primaire, on observe une grande stabilité dans les résultats individuels sur l'agressivité (Loeber, 1982; Olweus, 1979), les coefficients de stabilité sur l'agressivité durant l'enfance étant comparables à ceux observés pour le quotient intellectuel (Olweus, 1979). Cette relative stabilité a donc incité les chercheurs qui s'intéressent au développement des comportements agressifs à se pencher sur les mécanismes qui expliquent la stabilité et le changement des comportements agressifs des individus.

Dans cette perspective et afin de démontrer l'hypothèse d'un biais d'attribution, Dodge (1980) sélectionna des garçons jugés agressifs et d'autres jugés non agressifs selon des évaluations effectuées par leurs pairs et leur enseignant. Ces enfants durent résoudre individuellement un casse-tête pour obtenir un prix. Au cours d'une pause, les garçons furent soumis à l'une de trois conditions expérimentales de frustration causée par un pair compétiteur inconnu. Ces trois situations impliquaient la destruction du casse-tête, mais le scénario différait afin de suggérer soit une intention hostile, soit un accident ou une intention ambiguë. Les réactions comportementales des sujets furent alors observées. Les résultats indiquent que les garçons agressifs et ceux non agressifs se comportèrent de façon semblable dans les deux premières conditions; les deux groupes manifestèrent plus de comportements agressifs dans la situation suggérant une intention hostile que dans celle suggérant un accident. Cependant, dans la situation ambiguë, les enfants agressifs adoptèrent plus de comportements agressifs que les enfants non agressifs. En somme, lorsque l'intention était claire, l'enfant agressif, tout comme l'enfant non agressif, ajustait son comportement en fonction de cette intention. Cela laisse croire que la capacité de l'enfant agressif de décoder l'information sociale est équivalente à celle de l'enfant non agressif. Les différences observées dans la situation ambiguë indiquent plutôt que les enfants agressifs manifestent un biais d'attribution propre à ces situations.

Dans une deuxième étude, Dodge (1980) confirma cette hypothèse en interrogeant directement des enfants agressifs et des enfants non agressifs à propos d'une situation hypothétique ambiguë dans laquelle ils étaient victimes d'un geste accompli par un pair décrit comme agressif ou non agressif. De plus, Dodge observa que le pair décrit comme agressif déclenchait plus d'intentions hostiles que le pair non agressif, ce qui permet de penser que la réputation de l'agent provocateur influe également sur le type d'attribution.

Dans une série d'études analogues, Dodge (Dodge & Frame, 1982; Dodge & Newman, 1982) étudia différents facteurs susceptibles d'influer sur ce biais d'attribution. Ainsi Dodge et Frame (1982) cherchèrent à vérifier si ce biais d'attribution provenait d'une tendance à percevoir autrui comme se comportant généralement de façon hostile (vision cynique) ou s'il ne se limitait pas plutôt aux situations qui ont des conséquences négatives pour soi (vision paranoïaque). À cette fin, ils demandèrent à des garçons agressifs et à des garçons non agressifs d'interpréter les intentions d'un pair fictif responsable d'un incident ayant des conséquences négatives pour le sujet (condition A) ou pour un autre pair (condition B) dans une situation ambiguë. Dodge et Frame (1982) observèrent un biais d'attribution chez les garçons agressifs uniquement lorsqu'ils étaient victimes de l'incident, ce qui suggère une tendance plutôt paranoïaque que cynique dans l'interprétation de la situation.

Ces études et d'autres (Dodge, Murphy & Buchsbaum, 1984; Steinberg & Dodge, 1983) amenèrent Dodge à construire un modèle visant à décrire la relation entre les cognitions sociales et le fonctionnement social durant l'enfance (Dodge, 1986; Dodge, Pettit, McClaskey & Brown, 1986; Dodge & Richard, 1985; pour une présentation du modèle, voir également Gagnon & Coutu, 1986). Le modèle décrit la relation cyclique qui s'établit entre le traitement cognitif de l'information sociale et le comportement social.

Le modèle descriptif proposé par Dodge (1986) part du principe que chaque situation sociale peut être considérée comme une tâche ou un problème à résoudre (par exemple, comment s'intégrer à un groupe de jeu déjà formé, comment réagir lorsque quelqu'un nous dépasse dans une file d'attente, que faire lorsqu'on reçoit un coup dans une situation donnée). La résolution de ce problème nécessite un traitement approprié de l'information accessible. Selon Dodge, ce traitement s'effectue en plusieurs étapes, toute erreur d'évaluation au cours du processus pouvant conduire à un comportement susceptible d'apparaître inapproprié aux yeux d'observateurs extérieurs. Dodge reconnaît que les

FIGURE 9.5 **Modèle des relations entre le traitement cognitif de l'information sociale par l'enfant et les pairs dans une interaction sociale**

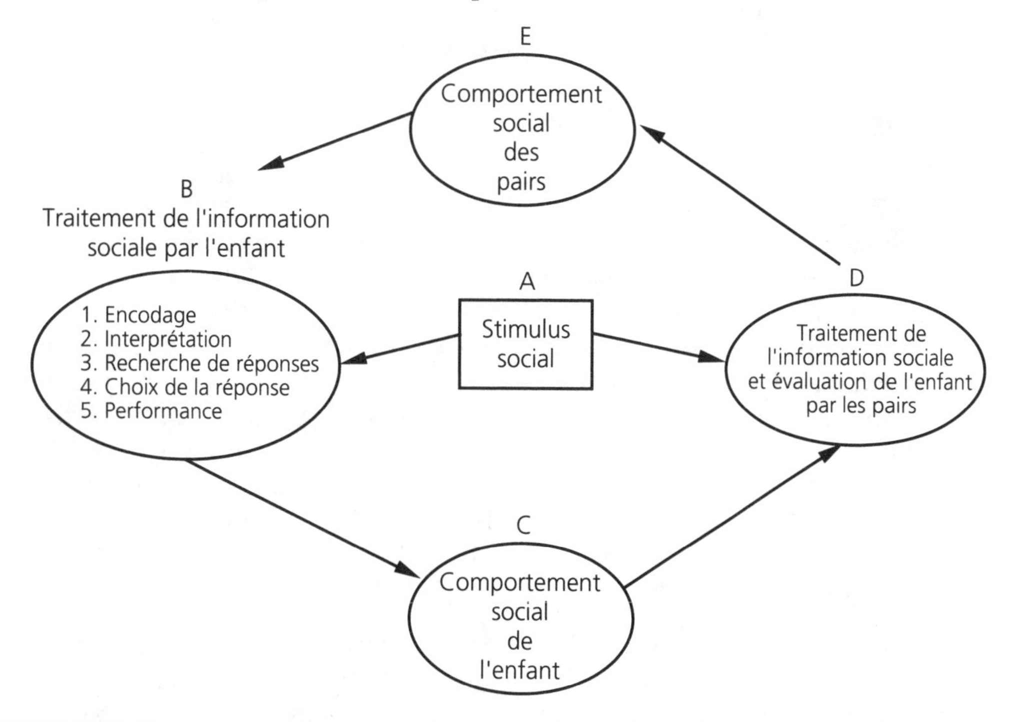

Adapté de Dodge, Pettit, McClaskey et Brown (1986).

individus diffèrent quant à leurs expériences antérieures et aux objectifs poursuivis dans une situation précise (que ce soit de plaire au groupe, d'éviter le ridicule, de dominer les autres, de gagner plutôt que de se contenter de participer à une activité). Il souligne que ces éléments pourront certes influer sur la démarche cognitive.

La première étape du processus de traitement de l'information sociale consiste dans l'*encodage* de l'information accessible. L'enfant doit alors sélectionner et assimiler l'information pertinente en portant attention aux indices appropriés fournis par la situation. À ce niveau, certains biais peuvent survenir dans la sélection des indices. Ainsi, un enfant qui se fait dépasser dans une file d'attente à l'école portera peut-être son attention sur les réactions des témoins de la scène (c'est-à-dire les expressions des visages, les rires, les moqueries) plutôt que sur celui ou celle qui vient de le dépasser ; ce faisant, il sera moins en mesure d'évaluer si l'action était intentionnelle.

À la deuxième étape, l'individu procède à l'*interprétation de l'information* encodée en la situant par rapport aux objectifs qu'il poursuit et à la lumière de ses expériences antérieures. À cette étape, l'enfant doit décider si l'événement est accidentel ou délibéré. Cela se fait généralement selon des règles d'interprétation le plus souvent basées sur l'expérience antérieure (« S'il sourit aux autres, c'est qu'il voulait me provoquer devant eux. »), mais qui peuvent également être programmées (innées) dans le cas où il y a une menace pour l'intégrité physique. C'est à cette étape que se situent les biais d'attribution observés chez les garçons agressifs. Dodge (1986) souligne que cette étape est rarement dissociable de la précédente, compte tenu de la difficulté d'encoder les indices sans les interpréter. Il croit à une alternance rapide de ces deux étapes, l'enfant revenant à la recherche d'indices significatifs afin de confirmer ou d'infirmer l'interprétation émergente.

À la troisième étape, l'individu effectue une *recherche de réponses* qui correspondent à son interprétation de la situation. Puisque le répertoire des enfants contient plusieurs réponses, ceux-ci doivent appliquer certaines règles afin d'élaborer des réponses adaptées à la situation. Cette recherche conduit à la quatrième étape, qui consiste à faire le *choix de la réponse* d'après une évaluation de ses conséquences potentielles et de son efficacité par rapport aux objectifs poursuivis. Lors de ces deux étapes, on constate que les garçons agressifs élaborent un moins grand nombre de solutions lorsqu'on leur demande de résoudre des problèmes interpersonnels (voir Rubin & Krasnor, 1986, pour une revue de ces travaux). Ces solutions seraient également de moindre qualité que celles proposées par les enfants non agressifs. Lorsque la première solution s'avère inadéquate, les enfants agressifs ont tendance à opter pour des stratégies plus agressives, et donc plus susceptibles d'être jugées inadéquates par leur entourage.

Enfin, à la cinquième étape, celle de la *performance* (à savoir l'adoption du comportement), l'enfant doit répondre selon la stratégie qu'il a retenue. La qualité de sa réponse dépend alors de sa capacité de mobiliser ses ressources verbales et motrices. Dodge (1986) souligne qu'il peut y avoir un décalage important entre les étapes cognitives antérieures et la mise en action, cette dernière pouvant être limitée par le niveau de compétence de l'enfant.

Au moyen d'une série d'études ingénieuses, Dodge *et al.* (1986) ont démontré que chaque élément du modèle proposé est nécessaire mais non suffisant pour prédire le comportement social qui se manifeste dans deux situations particulières (soit l'intégration à un groupe de pairs et la réaction à un acte de provocation effectué par un pair). Comme prévu, ces deux études révèlent des corrélations modérées ou faibles entre les mesures cognitives des différentes étapes et le rendement comportemental évalué par les pairs, les enseignants et les observateurs. Par ailleurs, la combinaison des résultats au cours des cinq étapes du modèle fournit une excellente prédiction du rendement comportemental (c'est-à-dire des corrélations multiples variant de 0,57 à 0,82). De plus, l'ensemble de ces mesures cognitives permet de distinguer des enfants jugés très agressifs d'enfants non agressifs. Selon Dodge (1991), 70 % des enfants agressifs, comparativement à 10 % des enfants non agressifs, présenteraient des biais ou des déficits à trois étapes au moins parmi celles décrites précédemment.

En somme, dans une situation sociale donnée, l'enfant agressif (jugé agressif parce qu'il a tendance à répondre de façon agressive aux situations déplaisantes) serait plus susceptible de sélectionner des indices suggérant l'hostilité, d'interpréter les intentions d'autrui comme hostiles, d'élaborer des solutions plutôt agressives, de choisir une solution agressive par suite d'une évaluation sommaire de son efficacité et de ses conséquences, et de commettre une agression excessive ou maladroite. Cette réponse agressive risque d'être considérée comme inappropriée par l'entourage qui effectue le même type de traitement de l'information. En retour, ce comportement inapproprié est susceptible de provoquer des réponses de même nature de la part des pairs, ce qui renforcera l'idée chez l'enfant agressif que les autres lui sont hostiles. Le modèle proposé par Dodge ne s'arrête donc pas au traitement de l'information sociale; il tente également de décrire le cycle d'interactions déplaisantes avec les pairs.

Plus récemment Dodge, Bates et Pettit (1990) se sont attachés à démontrer que les sévices infligés à de jeunes enfants sont un élément prédictif de l'agression qu'ils manifesteront ultérieurement et que cette relation s'explique par le fait que les enfants soumis à des sévices sont plus susceptibles d'acquérir des biais hostiles dans le traitement de l'information sociale. Cette question sera abordée plus loin dans le chapitre lorsqu'il sera question de la violence familiale.

LA VIOLENCE DANS LES MÉDIAS ET L'AGRESSION

La présentation d'événements violents aux fins d'information ou de divertissement peut-elle avoir pour effet d'inciter quelqu'un à ce type de violence? Cette question rejoint celle plus générale des effets de la violence dans les médias et, d'abord, de la violence télévisée sur l'individu et plus particulièrement sur les enfants.

Presque tous les enfants québécois sont témoins de la violence télévisée. En effet, la télévision est accessible à presque tous les foyers, et plusieurs foyers ont plus d'un appareil de télévision. Ce deuxième téléviseur est souvent utilisé par les enfants (Bower, 1973). De plus, il semble que les enfants passent un temps important devant le téléviseur. Les données américaines et canadiennes indiquent qu'entre 2 et 18 ans, les enfants regardent la télévision en moyenne trois heures par jour (Nielson Television Index, 1982). Compte tenu du fait que cette présence devant le téléviseur se poursuit la fin de semaine et pendant les congés et les vacances, les enfants passent plus de temps à regarder la télévision qu'à accomplir n'importe quelle autre activité, incluant la fréquentation de l'école, des amis et des membres de la famille (Lyle, 1972; Parke & Slaby, 1983).

La plupart des émissions américaines dont s'abreuvent nos chaînes nationales comprennent des épisodes violents, même celles destinées aux enfants. Selon Gerbner, Gross, Signorielli et Morgan (1980b), 70 % des émissions de fiction dramatique présentées entre 1967 et 1979 contenaient de la violence. C'est également le cas des dessins animés et des émissions enfantines présentées en matinée la fin de semaine. La très grande majorité des parents n'exercent aucun contrôle sur la quantité d'émissions ou sur leur contenu, malgré les craintes exprimées par ceux-ci quant à leurs effets.

Les résultats des études de Bandura (1973) suggèrent que de jeunes enfants peuvent apprendre des comportements agressifs en regardant la télévision. Plusieurs études expérimentales ont été effectuées à la suite des travaux de ce dernier afin de vérifier si le fait d'être placé devant des modèles agressifs à la télévision peut inciter les spectateurs à l'agression. Généralement, ces études présentent des émissions ou des films violents à des enfants ou à des adultes. Puis ces sujets sont mis dans une situation où ils peuvent agresser une autre personne. Ainsi Liebert et Baron (1972) montrèrent à certains enfants des extraits violents de la série télévisée *Les Incorruptibles*, alors que d'autres regardaient des extraits d'une course automobile, un matériel télévisuel tout aussi stimulant mais non violent. Ils observèrent que les enfants ayant regardé les extraits de l'émission « violente » manifestèrent par la suite une plus forte tendance à infliger une douleur à un autre enfant que les enfants ayant vu une émission non violente.

Dans l'ensemble, les recherches expérimentales en laboratoire indiquent que le fait d'être placé devant des modèles agressifs augmente la probabilité d'adopter ultérieurement un comportement agressif (Geen & Thomas, 1986). En plus de faciliter l'inférence causale (c'est-à-dire le sens de la causalité entre deux variables), ces études en laboratoire ont permis de préciser les conditions sous lesquelles l'observation de l'agression est plus susceptible d'avoir un effet. Selon Comstock (1983), la présentation d'une récompense à l'agresseur (ou l'absence de punition à son endroit), le fait de décrire la violence de façon plaisante ou encore le fait de veiller à ce que celle-ci ne suscite pas le dégoût ou l'inhibition chez le spectateur constituent des éléments qui augmentent la probabilité d'un comportement agressif ultérieur. Cet effet est également observé si la scène fait naître ou maintient un état de colère ou de frustration ou, plus simplement, une activation physiologique chez le spectateur; si elle présente des événements réels plutôt que fictifs; si elle laisse entendre que la violence est justifiée par le comportement de la victime ou que le comportement agressif est motivé par le désir d'infliger une blessure ou une douleur; si certains éléments de la situation décrite ressemblent à ceux de la vie réelle (par exemple, le fait que la victime porte le même nom qu'une personne envers laquelle le spectateur entretient du ressentiment) ou encore suggèrent une similitude entre l'agresseur et le spectateur. Enfin, on observe une augmentation de la probabilité d'adopter un comportement agressif ultérieurement lorsque la scène est montrée en l'absence de commentaires critiques quant à la violence observée. En somme, comme le souligne Comstock, toute scène qui présente l'agression comme efficace, normale et appropriée (c'est-à-dire qu'elle peut s'appliquer dans notre cas) augmente la probabilité d'un comportement agressif ultérieur, surtout lorsque la situation émotionnelle du spectateur l'y prédispose.

La question est cependant de savoir si ces données sont pertinentes eu égard aux programmes et aux habitudes d'écoute de la télévision dans la vie quotidienne. Comme le souligne Freedman (1984), la recherche en laboratoire impose certaines conditions qui rendent difficile une généralisation des résultats à l'extérieur du laboratoire. En effet, les mesures en laboratoire ne sont souvent que des substitutions de l'agression (par exemple, le fait de frapper une poupée ou d'infliger un choc électrique) fréquemment permises et même encouragées implicitement, et qui, contrairement à l'agression en milieu naturel, ne permettent pas à la victime de se venger de l'agresseur ou de le punir. De plus, le matériel visuel utilisé ne constitue qu'un faible pourcentage des émissions de télévision violentes et il est souvent sélectionné afin de maximiser les effets. Il n'est généralement présenté que durant une très courte période. Enfin, les effets d'une émission ou d'un film pris isolément peuvent être très différents de ceux d'un programme qui comprend une variété d'émissions violentes et non violentes. En somme, il se peut que les habitudes télévisuelles aient des effets très différents de ceux provoqués par les situations expérimentales.

Un autre type de recherche expérimentale dans ce domaine s'est intéressé à l'influence à moyen terme de la violence télévisée et permet de contourner certaines limites évoquées précédemment. Ces études ont cherché à évaluer dans quelle mesure le fait d'être placé plus longtemps devant la violence que durant la simple présentation d'un film incite à l'agression dans un environnement autre que celui du laboratoire. Un bel exemple de ce type d'études est celle qui a été effectuée en Belgique par Leyens, Parke, Camino et Berkowitz (1975), dans un établissement abritant des adolescents éprouvant des problèmes de comportement. Dans ce cas, le fait que les activités des adolescents se soient déroulées uniquement dans l'établissement a permis une observation systématique des comportements avant et après la présentation des films. La première semaine de l'expérience fut consacrée à l'évaluation du niveau de base des comportements agressifs. La semaine suivante, on montra une série de films ayant un contenu violent à un premier groupe d'adolescents (résidences 1 et 2), alors qu'un second groupe d'adolescents (résidences 3 et 4) vit une série de films ayant un contenu non violent. Les taux de comportements agressifs physiques et verbaux furent évalués pendant une semaine avant, pendant et après la présentation de la série de films.

Les principaux résultats de cette étude sont illustrés à la figure 9.6. Celle-ci indique une augmentation marquée de la fréquence des agressions physiques lors des périodes du soir suivant immédiatement la projection du film violent. Dans le cas des films ayant un contenu non violent, il n'y eut aucune augmentation de la fréquence des agressions physiques dans une résidence alors qu'une baisse fut observée dans l'autre résidence. Aucune modification ne fut cependant observée durant les périodes d'observation de midi. De plus, l'augmentation ne se maintint pas au cours de la troisième semaine d'observation pendant les périodes du soir. Selon Leyens et ses collaborateurs, le caractère éphémère des effets des films ayant un contenu violent pourrait être lié à la possibilité de sanctions de la part de l'établissement et des pairs. Sur le plan de l'agression verbale, les

FIGURE 9.6 **Moyennes de comportements agressifs observés en soirée dans les différentes résidences**

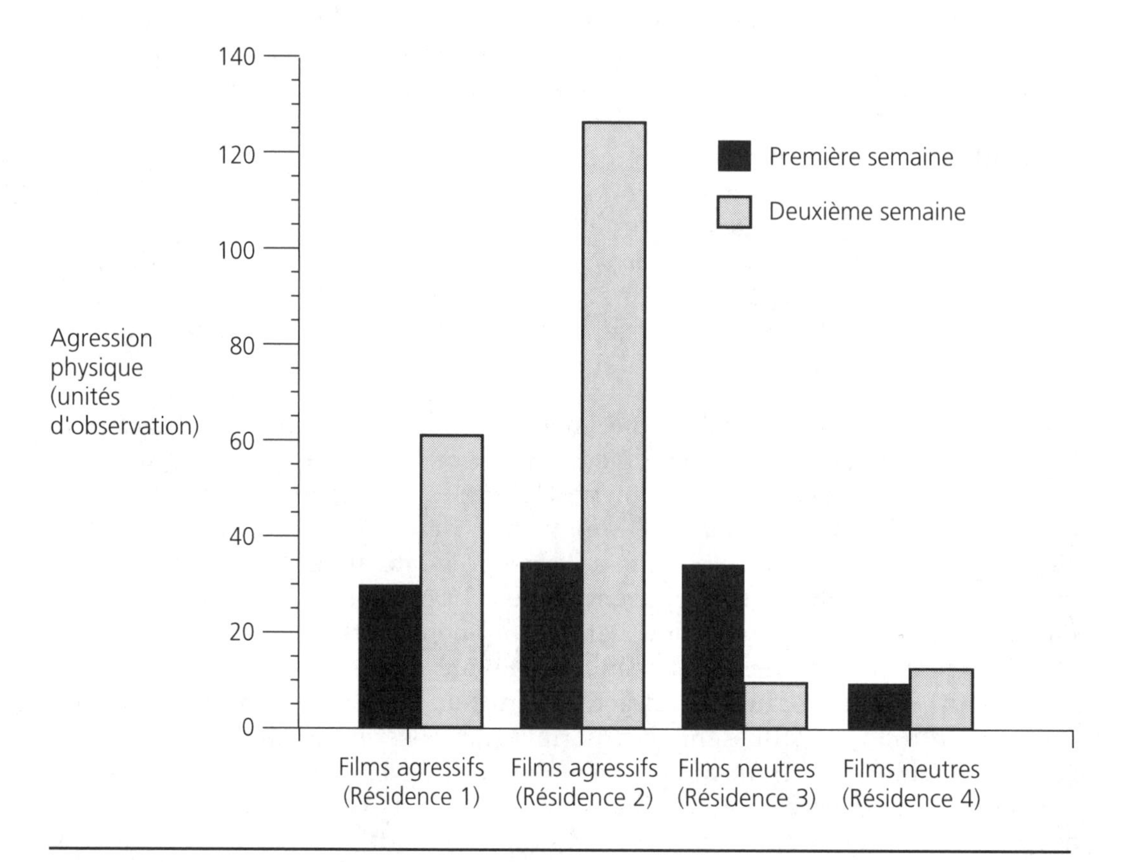

Adapté de Leyens, Parke, Camino et Berkowitz (1975).

effets furent moins marqués parce que cet aspect était moins saillant dans les films violents, selon Leyens et ses collaborateurs.

Une autre étude menée par Parke et ses collaborateurs (1977) offre des résultats semblables. On peut toutefois se demander si ceux-ci peuvent être généralisés, compte tenu du caractère particulier de la population étudiée (des adolescents éprouvant des problèmes de comportement). En effet, il est intéressant de noter que les adolescents les plus influencés par le contenu violent des films étaient ceux jugés les plus dominants et agressifs par leurs pairs.

Une autre stratégie utilisée afin de contourner les limites évoquées précédemment consiste à étudier la relation entre les habitudes télévisuelles des enfants et les comportements agressifs en milieu naturel. De façon générale, ces études corrélationnelles indiquent une relation positive entre le fait d'être placé devant la violence télévisée et l'agression, les enfants qui regardent un plus grand nombre d'émissions violentes se comportant habituellement de façon plus agressive (Eron, Huesmann, Lefkowitz & Walder, 1972; Milavsky, Stipp, Kessler & Rubens, 1982; Singer & Singer, 1980). Eron (1982) de même que Huesmann (1982) rapportent les résultats de plusieurs études effectuées auprès d'enfants du niveau primaire dans plusieurs pays occidentaux. Dans l'ensemble, et quoiqu'il y ait une grande variabilité dans les résultats, ces données soutiennent l'existence d'une relation modeste (corrélations de l'ordre de 0,10 à 0,20) entre le fait d'observer la violence télévisée et l'agression.

Cependant, les données concernant l'observation de la violence et l'agression étant recueillies au même moment, il est impossible de conclure que l'observation de la violence télévisée influe sur l'adoption de comportements agressifs. En effet, nous avons vu au chapitre 2 qu'il est inapproprié d'interpréter une corrélation comme une relation causale. Une bonne façon d'aborder cette question consiste à effectuer des études longitudinales où les sujets sont suivis pendant une certaine période afin de constater si les habitudes télévisuelles prédisent les taux ultérieurs de comportements agressifs. Bien que ces données ne puissent démontrer avec certitude que l'observation de la violence télévisée incite à la violence, elles constituent un appui plus substantiel à cette idée que la simple découverte d'une corrélation entre deux indices mesurés au même moment.

Leonard Eron et Rowell Huesmann (1980, 1984, 1985) ont effectué une étude longitudinale de ce type en mesurant les taux de présence devant le téléviseur et d'agression auprès de plus de 400 enfants de troisième année, et en les évaluant de nouveau 10 ans plus tard, à la fin du secondaire.

Pour bien comprendre comment ces résultats peuvent appuyer l'hypothèse causale avancée, il est particulièrement important de considérer trois résultats (voir la figure 9.7): la corrélation entre le taux d'observation de la télévision en troisième année et l'agression 10 ans plus tard (r = 0,31), la corrélation entre l'observation en troisième année et l'agression en troisième année (r = 0,21) et la corrélation entre l'agression en troisième année et l'observation 10 ans plus tard (r = 0,01). Dans la mesure où la première corrélation est significativement plus élevée que les deux autres, ce qui est ici le cas, cela suggère que la relation entre l'observation de la violence en bas âge et l'agression ultérieure (dont on peut penser qu'elle témoigne de l'influence d'une variable sur l'autre) ne peut s'expliquer par la relation initiale entre les deux dimensions ou par la relation causale inverse.

Ces résultats soutiennent donc l'idée (sans la démontrer de façon non équivoque) que l'observation de la violence télévisée peut à long terme inciter les enfants à se comporter de façon agressive. Toutefois, le modèle qui se dégage ici ne concerne que les garçons, le fait d'être placé devant la violence télévisée n'étant pas associé à l'agression ultérieure chez les filles. Ces résultats ont été confirmés par d'autres études semblables (Huesmann, Lagerspetz & Eron, 1984). De plus, un suivi prolongé de cette cohorte (Eron & Huesmann, 1985) a permis d'observer qu'à l'âge de 30 ans les hommes qui avaient regardé plus d'émissions violentes durant l'enfance étaient plus susceptibles d'être reconnus coupables d'un crime grave.

Il importe toutefois de nuancer ces résultats en insistant sur le fait qu'ils n'ont été confirmés que pour les garçons, dans certaines études, et que pour les filles, dans d'autres études. En outre, il serait trop simple d'affirmer que la relation causale postulée ici s'applique toujours de la même façon. Certaines données suggèrent que la nature de la relation peut être bidirectionnelle chez les filles. Ainsi, non seulement le fait d'être placé devant la violence en bas âge inciterait davantage les filles à l'agression, mais les filles agressives auraient également tendance à rechercher les émissions ayant un contenu agressif important. Enfin,

FIGURE 9.7 **Relations entre les taux de préférence pour la violence télévisée et les tendances agressives à 8 ans et à 18 ans**

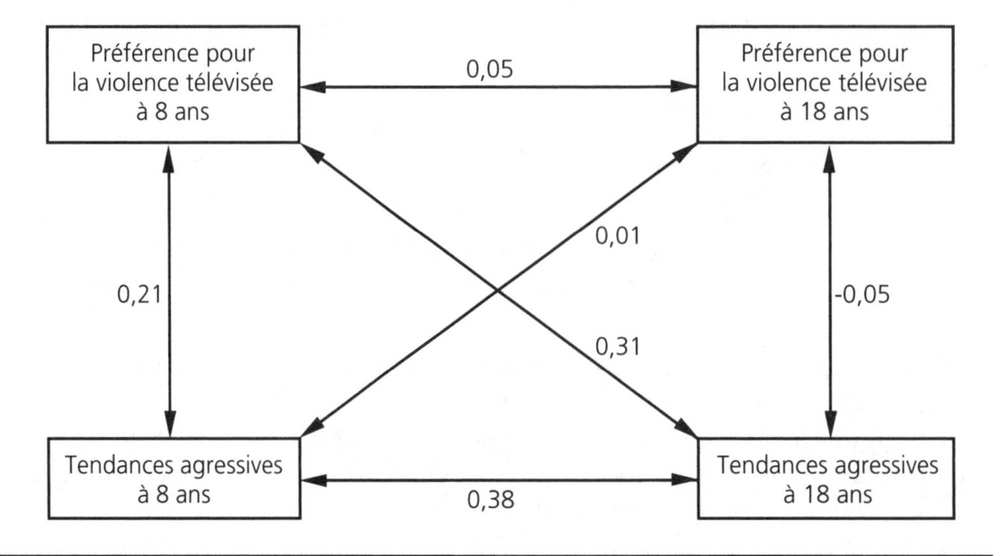

Adapté d'Eron et Huesmann (1980).

les effets sur l'enfant seraient conditionnels à la possibilité que celui-ci s'identifie aux personnages violents. Ce point de vue est d'ailleurs appuyé par le fait que la violence des dessins animés ne semble pas avoir d'effets sur l'adoption de comportements agressifs (Hapkiewicz & Roden, 1971; Hapkiewicz & Stone, 1974).

En somme, on peut arriver à la conclusion que la violence télévisée est susceptible d'inciter aux comportements violents, mais cette influence est probablement médiatisée par le contexte social où elle se situe. Cet effet peut s'expliquer par plusieurs mécanismes. Geen et Thomas (1986) en suggèrent trois, qui rejoignent les modèles d'explication déjà mentionnés.

Premièrement, comme le propose Zillmann (1983), il est possible que ce ne soit pas le contenu comme tel qui soit à l'origine de cet effet, mais plutôt l'activation qu'il produit chez l'individu. L'observation de la violence télévisée provoquerait une activation physiologique qui pourrait persister un certain temps et inciter l'individu à se comporter de façon agressive si le contexte s'y prête (à la suite d'une provocation par exemple). Ce transfert d'excitation serait de nature à expliquer l'effet à court terme de la violence télévisée. Deuxièmement, à court et à moyen terme, le fait d'être placé devant des modèles agressifs dans les médias peut amener un apprentissage par imitation de ces comportements. Cet effet est particulièrement apparent dans les études menées par Albert Bandura (1973), où les enfants ont tendance à adopter les comportements manifestés précédemment par le modèle. Troisièmement, comme le propose également Bandura, l'observation de la violence télévisée peut avoir pour effet de désinhiber l'individu face à la violence, le fait pour quelqu'un d'observer un individu se comporter de façon agressive pouvant diminuer ses appréhensions et ses hésitations quant à l'adoption de ces comportements. De plus, cet effet serait plus important lorsque l'observateur peut constater qu'il n'y a pas de conséquences négatives pour l'assaillant et que ce comportement lui permet d'atteindre ses objectifs. Cette désinhibition peut également se faire sentir à plus long terme sur le plan des attitudes et des valeurs par le biais d'une désensibilisation et d'une banalisation de la violence. Cline, Croft et Courrier (1973) ont mesuré les réactions physiologiques d'adolescents regardant un match de boxe particulièrement brutal où l'un des protagonistes était roué de coups. Ils ont remarqué que les garçons qui regardent beaucoup la télévision sont susceptibles de manifester une réponse physiologique moins forte, ce qui suggère une indifférence plus grande vis-à-vis de la violence exprimée dans le match de boxe.

Dans le même ordre d'idée, Berkowitz (1984) indique que l'observation de ce comportement agressif peut simplement avoir pour effet d'éveiller des pensées associées à la violence, la rendant plus accessible au point de vue cognitif, et donc plus probable. Selon cette perspective, la grande place faite aux événements violents dans les journaux et à la télévision pourrait favoriser leur propagation. Phillips (1983, 1986) rapporte qu'il a observé une covariation systématique des reportages concernant certains événements violents dans les journaux et à la télévision, et ultérieurement certains comportements violents dans la population. Il a constaté notamment une augmentation des homicides dans la population après que les médias eurent rendu compte intensivement d'un championnat de boxe des superlourds. Il a également observé une augmentation du taux de suicide dans la population consécutivement à une série de suicides dont on a fait grand état. Ces données doivent être considérées avec circonspection puisqu'elles sont corrélationnelles. Par ailleurs, il est intéressant de noter que les conséquences présumées culminent environ trois jours après les événements en question, ce qui suggère qu'elles sont à court terme.

Enfin, on peut se demander si, de façon générale, la télévision modifie notre conception de la réalité. Certaines données indiquent que le temps qu'on passe devant la télévision est relié à des perceptions différentes de la réalité, particulièrement en ce qui concerne la violence. Ainsi Gerbner et ses collègues (Gerbner, Gross, Morgan & Signorielli, 1986) constatent que les adolescents et les adultes qui regardent beaucoup la télévision (plus de quatre heures par jour en moyenne) sont plus susceptibles d'exagérer la fréquence de la violence autour d'eux et craignent davantage d'être assaillis que ceux qui regardent moins la télévision (moins de deux heures par jour). Ce phénomène est peu étonnant lorsqu'on considère le fait que la télévision fausse la réalité de la violence. Ainsi, comme le souligne Goranson (1977), la violence provient le plus souvent de relations interpersonnelles intimes, alors qu'à la télévision la majorité des actes violents sont commis par des étrangers. À la télévision, les crimes sont presque toujours violents, alors que dans la réalité la plupart des crimes sont dirigés contre la propriété, sans manifestation de violence. Les policiers font usage de leur arme à feu dans presque tous les épisodes télévisés, comparativement à une fois tous les 27 ans en moyenne pour les policiers de Chicago (Myers, 1990).

Selon Heath, le contexte dans lequel se situe la violence rapportée par les médias est un des éléments qui expliquent les craintes que les gens peuvent entretenir (Heath & Petraitis, 1987). Ainsi Heath et Petraitis ont classifié des articles de journaux portant sur des crimes violents selon qu'ils indiquaient que le crime était motivé ou pas, qu'il était rapporté de façon sensationnelle ou pas et proche ou éloigné. Ils ont par la suite interrogé les lecteurs de ces journaux et constaté que, dans le cas des crimes locaux, le sensationnalisme et le caractère aléatoire de la violence provoquaient la peur chez les lecteurs. À l'inverse, lorsque les crimes étaient commis dans une autre localité, les lecteurs avaient moins peur si ces crimes étaient décrits comme gratuits et présentés de façon sensationnelle.

En résumé, malgré le très grand nombre de recherches sur le sujet et leur très grande variété, et malgré le fait que les études expérimentales soient plutôt concluantes, il existe toujours une certaine controverse quant à la nature et à l'ampleur de l'influence des médias sur les attitudes et les comportements agressifs des individus (Freedman, 1984; Friedrich-Cofer & Huston, 1986).

LA PORNOGRAPHIE ET L'AGRESSION

Certaines études mentionnées précédemment (Zillmann, 1971) suggèrent que le fait de regarder un film érotique peut susciter l'agression par le biais d'une activation physiologique résiduelle. Cette possibilité rejoint une préoccupation actuelle des psychologues sociaux concernant les effets du matériel pornographique sur les attitudes et les comportements sociaux des consommateurs. Cette section vise à faire brièvement le point sur cette question. Les études expérimentales qui seront citées recourent généralement à une mise en scène dans laquelle un sujet est appelé à sanctionner le rendement d'une autre personne en lui infligeant des chocs électriques. D'habitude, le sujet est soumis à une condition où il est placé ou non devant du matériel pornographique. Dans certains cas, le sujet est provoqué, dans d'autres, aucune provocation n'est prévue. Le terme « pornographie » étant fortement subjectif, il est important de souligner qu'on l'utilise ici afin de décrire un matériel faisant référence à une activité sexuelle explicite, sans égard à ses dimensions morale et esthétique.

D'entrée de jeu, rappelons que l'effet observé par Zillmann n'a pas été unanimement relevé dans les études expérimentales qui ont suivi, certaines constatant même une baisse de l'agression après que les sujets eurent regardé le matériel (Baron & Bell, 1973). Des recherches ultérieures ont pu démontrer que l'effet dépend du matériel érotique utilisé (Baron & Bell, 1977; Donnerstein, Linz & Penrod, 1987). Lorsque le matériel est plutôt « léger », on observe une réduction de l'agression. Lorsqu'il est plus explicite, l'agression augmente. Ces résultats s'expliqueraient par le fait que le matériel érotique comporte deux types d'effets. D'une part, il augmente l'activation physiologique ; d'autre part, il peut induire des sentiments positifs ou négatifs. La combinaison de ces deux facteurs explique l'incidence observée sur la probabilité d'apparition du comportement agressif. Ainsi, un matériel plutôt « léger » n'induirait qu'une faible activation et des sentiments positifs, peu susceptibles d'inciter à l'agression. Par ailleurs, un matériel plus explicite risque d'être plus excitant tout en éveillant des réactions émotionnelles négatives (c'est-à-dire que le matériel est alors trop choquant et provocant pour certains sujets). La combinaison de ces deux éléments pourrait faciliter l'expression ultérieure de l'agression selon les mécanismes de transfert d'excitation proposés par Zillmann.

Puisque la grande majorité du matériel érotique et pornographique est conçue pour attirer les hommes et que ceux-ci sont généralement plus agressifs que les femmes (voir l'encadré 9.2), il est pertinent de déterminer s'il peut influer sur l'agression particulière des hommes envers les femmes. Donnerstein (1983; Donnerstein & Barrett, 1978; Donnerstein & Hallam, 1978) a mené plusieurs études qui indiquent que la présentation d'un stimulus excitant peut avoir pour effet d'augmenter l'agression envers les hommes et les femmes. Cet effet ne serait pas propre à la pornographie, mais pourrait être produit par différents stimuli dans la mesure où ils augmentent l'activation physiologique. Par ailleurs, lorsque les inhibitions contre l'agression commise par l'homme envers la femme sont réduites (par exemple, dans une situation où des agressions répétées sont permises), le fait d'être placé devant la pornographie aurait un effet plus particulier. L'agression commise par l'homme envers la femme serait alors plus fréquente que l'agression commise par l'homme envers un autre homme. Les autres formes de matériel excitant n'auraient pas cet effet.

Ces études portent spécifiquement sur l'observation ponctuelle du matériel pornographique. Qu'en est-il d'une observation prolongée? Comparant des groupes d'étudiants qui regardèrent une série de 18 ou 36 films pornographiques durant une période de six semaines, Zillmann et Bryant (1984) observèrent un phénomène d'habituation. L'observation répétée de la pornographie diminuait la réponse d'activation physiologique et la probabilité d'une réponse agressive par suite d'une provocation. Cet effet serait plus marqué dans le cas des sujets qui regardent un plus grand nombre de films pornographiques.

À première vue, ces résultats pourraient laisser croire que le fait de regarder régulièrement du matériel pornographique a pour effet de neutraliser ses influences négatives quant à l'agression. Il faut cependant considérer l'incidence de ce matériel sur les attitudes, ce qu'ont fait Zillmann et Bryant en évaluant trois semaines après l'observation de matériel pornographique l'insensibilité des sujets envers les femmes, leurs attitudes envers le mouvement pour les droits des femmes et envers le viol. Dans l'ensemble, les hommes ayant regardé du matériel pornographique manifestaient plus d'insensibilité envers les femmes. Lorsqu'ils furent interrogés sur un cas fictif de viol, les hommes et les femmes ayant regardé du matériel pornographique recommandèrent une sentence plus légère pour le violeur. Ils exprimèrent également un appui moins marqué pour le mouvement en faveur des droits des femmes.

Ces résultats indiquent que deux processus sont en jeu. D'une part, l'habituation diminue l'activation, ce qui a pour conséquence de réduire la probabilité d'une réponse agressive. D'autre part, l'observation répétée du matériel pornographique peut avoir pour effet de modifier les attitudes envers les femmes, ce qui se traduirait éventuellement par une baisse des inhibitions concernant le recours à l'agression.

Les recherches discutées jusqu'ici ne touchent que le matériel érotique dépourvu de violence. La combinaison de la pornographie avec la violence semble présenter un risque beaucoup plus élevé que celui évoqué précédemment. Les études expérimentales effectuées notamment par Neil Malamuth et Edward Donnerstein (Donnerstein & Berkowitz, 1981; Donnerstein *et al.*, 1987; Malamuth & Donnerstein, 1982) montrent que ce type de pornographie a des effets marqués et que ceux-ci sont particuliers. Après qu'un individu a regardé du matériel pornographique violent, la probabilité qu'il agresse un homme ne serait pas plus élevée que celle observée après que quelqu'un a regardé du matériel pornographique non violent. Cependant, la probabilité d'agresser une femme serait beaucoup plus forte. De plus, alors que dans les études examinées

ENCADRÉ 9.2

LES DIFFÉRENCES SEXUELLES QUANT AU COMPORTEMENT AGRESSIF

Les hommes sont-ils plus agressifs et violents que les femmes? À écouter les médias, on serait porté à le croire. La consultation des statistiques concernant la criminalité violente nous le confirme. Ainsi, à l'adolescence, les garçons seraient cinq fois plus susceptibles que les filles d'être arrêtés pour des délits violents (Parke & Slaby, 1983). De façon générale, ce point de vue est corroboré par les études en laboratoire auprès des enfants et des adultes. À la suite d'une recension exhaustive de plus de 1 500 études, Maccoby et Jacklin (1974) ont conclu que le comportement agressif était le seul comportement social pour lequel les données empiriques révélaient clairement une différence sexuelle.

Bien qu'il y ait un consensus sur le fait que les garçons soient plus agressifs que les filles, les opinions diffèrent quant à l'importance et à la signification de ces différences. Celles-ci tiennent-elles essentiellement à un apprentissage des rôles sociaux distincts? Des facteurs biologiques prédisposent-ils les garçons à être plus agressifs?

Maccoby et Jacklin sont d'avis que cette différence pourrait bien refléter des prédispositions biologiques, comme le prétendent des études en psychologie comparée et en éthologie, de même que certaines données physiologiques. En effet, chez la plupart des primates non humains, dont les chimpanzés, nos plus proches cousins, les mâles sont plus agressifs que les femelles (Maccoby & Jacklin, 1980). De plus, chez le macaque rhésus, le mâle est plus agressif que la femelle même lorsqu'il est élevé dans l'isolement, ce qui élimine la possibilité d'un apprentissage intergénérationnel (Harlow, 1965). Ces observations suggèrent que la différence sexuelle quant au comportement agressif constitue une caractéristique générale des primates.

Les hormones mâles ou androgènes, responsables du développement des caractères sexuels secondaires mâles, pourraient être en cause. Ainsi, si l'on injecte de la testostérone à une femelle rhésus enceinte, le rejeton femelle aura plus tendance à présenter des comportements de menace et des activités de jeu agressif propres aux mâles que les rejetons femelles issus de femelles auxquelles on n'a rien injecté (Eaton, Goy & Phoenix, 1973; Goy, 1970). De telles expérimentations sont impossibles auprès d'humains. Par ailleurs, certaines études ont tenté d'évaluer le degré d'agressivité d'enfants ayant été, au stade fœtal, en présence de concentrations anormales de testostérone (à la suite d'un mauvais fonctionnement glandulaire ou d'une injection visant à éviter un avortement). Bien que ces résultats semblent soutenir l'hypothèse que la présence d'hormones mâles au stade fœtal augmente l'agression ultérieure (Meyer-Bahlburg & Ehrhardt, 1982), ces études présentent plusieurs lacunes méthodologiques (faiblesse des contrôles, échantillons trop petits) qui en limitent la portée. D'autres études ont observé une relation

→

ENCADRÉ 9.2 (suite)

entre le niveau de testostérone et les comportements agressifs liés à la domination lors de l'adolescence (Mattsson *et al.*, 1980; Olweus, Mattsson, Schalling & Low, 1980). Ces études sont toutefois de nature corrélationnelle et n'impliquent que des garçons.

Compte tenu des lacunes méthodologiques de ces études, Tieger (1980) conteste l'idée d'une prédisposition biologique en invoquant notamment le fait que des différences sexuelles fiables ne s'observent qu'après l'âge de cinq ans. En réponse à cela, Maccoby et Jacklin (1980) soulignent le très jeune âge auquel on peut observer cette tendance et font valoir que, même à la petite enfance (de 0 à 6 ans), les garçons sont physiquement et verbalement plus agressifs envers leurs pairs que les filles. Sans minimiser l'influence de la socialisation, les chercheures persistent à proposer l'effet biologique.

Il faut toutefois nuancer la nature des différences sexuelles se rapportant aux comportements agressifs. En réexaminant des données rapportées par Maccoby et Jacklin (1974), Hyde (1984b) fait observer que la distinction entre les garçons et les filles n'explique qu'une faible part des différences individuelles (environ 5 % de la variance totale). Pour leur part, à la suite d'une analyse minutieuse des situations d'évaluation de l'agression qui ont été étudiées par les différents chercheurs, Frodi, Macauley et Thome (1977) observent que les différences sexuelles sont moins susceptibles de se manifester lorsque l'agression survient à la suite d'une provocation. Cette dernière observation est particulièrement intéressante au regard des distinctions évoquées précédemment quant aux formes de comportements agressifs. Elle pourrait signifier qu'elle risque davantage d'apparaître dans le cas de l'agression instrumentale que dans le cas de l'agression hostile.

Plus récemment, une recension des études effectuées en laboratoire auprès des adultes a conclu à la présence de différences sexuelles, mais a également apporté une interprétation plus nuancée de la documentation (Eagly & Steffen, 1986). Selon Eagly et Steffen, bien qu'en général les hommes soient plus agressifs que les femmes, cette tendance varie selon les caractéristiques des études. Ainsi la différence serait plus prononcée lorsqu'il s'agit d'une agression physique que lorsqu'il s'agit d'une agression psychologique (c'est-à-dire un comportement affectant les sentiments, l'estime de soi ou la réputation). De plus, Eagly et Steffen soulignent que les hommes et les femmes ne perçoivent pas l'agression de la même façon, ajoutant que ces perceptions sont des médiateurs importants des différences sexuelles quant à l'agression. Ainsi les femmes ressentiraient plus de culpabilité et d'anxiété que les hommes à la suite d'une agression. Elles seraient également plus préoccupées par la douleur que l'agression peut causer à la victime de même que par le danger engendré par l'expression d'un comportement agressif. Ces constatations amènent les auteurs à faire valoir que les différences sexuelles sont fonction des conséquences perçues de l'agression et qu'elles sont apprises comme des aspects du rôle sexuel.

antérieurement l'effet est conditionnel à la provocation, la pornographie violente ne nécessite pas de provocation pour susciter l'agression.

Une étude menée par Donnerstein et Berkowitz (1981) est particulièrement révélatrice à cet égard. On présenta à des hommes l'un des quatre films suivants: un film non érotique (c'est-à-dire une émission de variétés); un film pornographique non violent; un film pornographique violent dans lequel une femme, qui était assaillie physiquement et sexuellement par deux hommes, semblait y prendre du plaisir (version positive); et, enfin, le même film que le précédent, mais à la différence que la femme éprouvait visiblement de la souffrance (version déplaisante). Après la présentation des films, les sujets furent provoqués ou non par une femme, puis ils eurent la possibilité de sanctionner son rendement en lui donnant des chocs électriques au cours d'une tâche d'apprentissage. Les résultats indiquèrent que seuls les films pornographiques violents avaient pour effet d'inciter à l'agression. Dans la version positive, cet effet fut observé uniquement lorsque le sujet avait été provoqué. Dans la version négative, l'effet fut constaté dans les deux cas, même lorsque le sujet n'avait pas été provoqué.

En utilisant des films commerciaux largement distribués, Malamuth et Check (1981) observèrent que le fait de regarder des scènes semblables (comme une agression sexuelle où l'on montre la femme qui éprouve du plaisir dans le traitement qu'elle subit) contribue à la formation de croyances erronées sur le viol et conduit à une plus grande acceptation de la violence contre les femmes. Il ne s'agit donc pas d'effets qui se limitent au matériel fortement pornographique.

Les études de laboratoire semblent donc assez concluantes en ce qui touche les effets immédiats de la pornographie violente. Comme dans le cas de la violence télévisée (Freedman, 1984), la question qui se pose concerne la possibilité de généraliser ces résultats au phénomène réel de la violence sexuelle. Le fait d'être placé devant la pornographie violente augmente-t-il la probabilité de viol? Actuellement, il est difficile de répondre de façon définitive à cette question compte tenu des contraintes déontologiques auxquelles la recherche dans le domaine est soumise. En effet, il est impossible de mesurer l'agression sexuelle en laboratoire. Par ailleurs, il semble y avoir un certain consensus selon lequel les attitudes négatives jouent un rôle central dans l'agression sexuelle (Malamuth & Donnerstein, 1982). Dans la mesure où la pornographie violente a pour effet de renforcer et d'étendre les attitudes négatives envers les femmes, et de justifier le recours à l'agression envers elles, elle pourrait avoir un potentiel d'incitation.

LA VIOLENCE EN MILIEU FAMILIAL

Au Québec, seulement en 1989, 36 femmes ont été assassinées par leur conjoint dans le contexte de la violence conjugale. Au début de l'année 1990, les médias ont fait grand cas d'une «épidémie» de cas pathétiques de violence familiale dans lesquels un père se suicide après avoir tiré sur sa conjointe et ses enfants. Le 6 décembre 1989, un individu a fait irruption à l'École polytechnique de l'Université de Montréal, a abattu 14 étudiantes en justifiant son geste par son mépris des « féministes » et s'est suicidé. Selon les médias, lorsqu'il était très jeune, le meurtrier aurait été maltraité physiquement par son père, qui brutalisait également sa mère de façon régulière. S'agit-il de cas extrêmes ? Certes, mais ils sont vraisemblablement associés à une réalité vécue par de trop nombreuses familles nord-américaines. Malheureusement, ces cas limites pourraient ne représenter que la partie visible de la violence familiale.

Chiffrer l'incidence de la violence familiale n'est sûrement pas une chose facile étant donné le caractère privé de l'objet d'étude et la diversité des phénomènes examinés et des critères retenus. En effet, la violence familiale peut revêtir différentes formes et, conséquemment, être désignée selon différentes étiquettes : sévices, sévices sexuels, négligence grave, punition physique sévère ou violence psychologique (Widom, 1989). De plus, il est difficile de préciser à quel moment une punition physique peut être qualifiée d'excessive, car elle résulte avant tout d'un jugement social. Enfin, la violence familiale peut caractériser la relation entre les conjoints, plus particulièrement la violence manifestée par le conjoint envers sa conjointe, tout comme la relation entre le père ou la mère et l'enfant.

Pour ces raisons, Straus (1988) a mis au point les « échelles des tactiques de conflit » *(conflict tactics scales)*, maintenant largement utilisées afin de mesurer les diverses facettes de la violence familiale. Au moyen de cet instrument, Straus et Gelles (1988) ont interviewé les membres de plus de 6 000 foyers américains et rapportent que 16 % d'entre eux ont été marqués en 1985 par un conflit comprenant au moins un contact physique (comme une gifle ou une poussée). Le taux serait de 11,6 % lorsqu'on considère que l'acte d'agression est posé par le mari envers sa femme. Dans 3,4 % des foyers, les agressions (comme des coups de poing ou des coups de pied, des morsures ou des prises de gorge) auraient été assez sérieuses pour qu'on estime que la femme a été battue par son conjoint. En ce qui concerne la violence envers les enfants, près de 100 % des parents auraient frappé leur enfant au moins une fois au cours de l'année, 11 % d'une façon qui peut être jugée excessive (c'est-à-dire susceptible de causer des blessures, comme le fait de donner des coups de poing ou des coups de pied, de mordre, de serrer la gorge, de frapper avec un objet, de menacer d'un couteau ou d'une arme à feu ou de s'en servir).

À l'heure actuelle, il n'existe pas de données épidémiologiques précises et fiables pour le Québec ou le Canada, les données rapportées n'étant que des estimations basées sur des extrapolations discutables (MacLeod, 1987) ou fondées sur des études effectuées localement (Smith, 1987). Quoi qu'il en soit, il est probable que les estimations américaines sont en deçà de la réalité, compte tenu des réticences que certaines personnes pourraient avoir à révéler ce type d'information.

La violence dans le couple ne se borne pas à certaines classes sociales, races ou groupes ethniques; elle se produit dans tous les milieux. Par ailleurs, un certain nombre de facteurs sont associés à des taux plus élevés de sévices: des événements stressants tels le chômage ou une grossesse non désirée; un faible niveau socio-économique, surtout s'il se double de l'isolement social de la famille; certains antécédents familiaux comme le fait d'avoir connu la violence familiale durant l'enfance (Garbarino & Gilliam, 1980; Jaffe, Wolfe & Wilson, 1990; Straus, Gelles & Steinmetz, 1980; Widom, 1989). Selon Walker (1979), l'expérience clinique révèle un syndrome de la femme battue, lequel se caractérise par un sentiment d'impuissance et de désespoir concernant la possibilité de trouver un refuge sécuritaire et de faire cesser la violence. Ce sentiment serait renforcé par une impression d'isolement et une faible estime de soi entretenues par l'homme violent. De plus, les femmes victimes auraient fréquemment tendance à nier ou à minimiser l'étendue de la violence et à sous-estimer le caractère nocif de la situation pour elles-mêmes et leurs enfants (Jaffe *et al.*, 1990). Pour leur part, les hommes batteurs sont souvent décrits comme ayant été témoins ou victimes de la violence familiale durant leur l'enfance. Certains manqueraient de maîtrise d'eux-mêmes et n'auraient pas les habiletés verbales requises pour résoudre leurs conflits sans recourir à la violence. Ils seraient portés à être extrêmement jaloux et à isoler leur femme et leurs enfants de la société (Jaffe *et al.*, 1990).

Une situation de violence chronique dans le couple pourra certes avoir un effet sur les enfants, surtout qu'ils sont susceptibles d'être eux-mêmes maltraités. Owen et Straus (1975) ont examiné la relation entre trois aspects de l'expérience de la violence familiale durant l'enfance tels qu'ils ont été racontés rétrospectivement par les sujets adultes (le fait d'être témoin de la violence, d'être victime de la violence et de manifester de la violence) et l'approbation de la violence à l'âge adulte. Ils ont observé que les trois aspects de la violence étaient fortement corrélés entre eux (les corrélations variant de 0,52 à 0,59) et qu'ils étaient également associés à l'approbation de la violence interpersonnelle à l'âge adulte (les corrélations étant de 0,29, 0,21 et 0,31 respectivement).

Les études portant sur les enfants de femmes battues suggèrent que l'observation de la violence conjugale pourrait être aussi dommageable pour l'enfant que les sévices; en effet, les enfants uniquement témoins de violence de même que les enfants témoins et victimes de violence manifestent plus de problèmes comportementaux et de détresse psychologique (anxiété sociale, faible estime de soi) que les personnes qui n'ont pas été témoins de tels événements violents (Fantuzzo & Lindquist, 1989; Hughes, 1988; Jaffe, Wolfe, Wilson & Zak, 1986). Il semble également que les enfants d'âge préscolaire qui ont été témoins de violence éprouvent davantage de détresse psychologique que les enfants plus âgés. En outre, en vieillissant, les enfants ayant été témoins de violence auraient plus tendance à avoir recours à des stratégies agressives comme mode de résolution de problèmes (Hughes, 1986).

Dans une étude du même type que celle menée par Owen et Straus (1975), Kalmuss (1984) distingue le fait d'avoir été victime de la violence d'un père ou d'une mère de celui d'avoir été témoin de la violence entre les parents à l'adolescence et il examine la relation existant entre ces deux aspects de la violence familiale et la violence conjugale qui s'ensuit. La probabilité de violence conjugale est de 1 % lorsque l'individu n'a été placé devant aucune forme de violence, de 3 % s'il n'en a été que victime, de 6 % s'il n'en a été que témoin, mais de 12 % s'il a subi la violence familiale sous les deux derniers aspects.

La configuration générale des résultats de recherche et des observations cliniques suppose l'existence d'un mode de **transmission intergénérationnelle** de la violence. À l'instar des théories de l'apprentissage social (Bandura, 1973), cette idée stipule qu'un enfant qui est témoin ou victime de comportements violents à la maison sera plus susceptible d'adopter ces modes de fonctionnement à l'âge adulte.

Widom (1989) a récemment examiné l'ensemble des écrits concernant l'hypothèse de la transmission intergénérationnelle. Elle souligne qu'il est difficile de se prononcer de façon définitive sur la validité de l'hypothèse de cette transmission, compte tenu des limites méthodologiques de la plupart des études, celles-ci se caractérisant souvent par un recours presque exclusif à l'autoévaluation et aux souvenirs des individus au sujet de la violence vécue en bas âge. L'absence de groupe de comparaison approprié et la nature corrélationnelle des recherches limiteraient également l'interprétation des résultats de recherche. Par ailleurs, elle note que, généralement, les études actuelles appuient l'idée qu'un parent risque plus d'être violent s'il a été lui-même maltraité durant l'enfance.

S'il existe plusieurs études à l'appui de la transmission intergénérationnelle de la violence, peu d'études systématiques ont été effectuées sur les mécanismes de transmission. Ces mécanismes peuvent être multiples. Ainsi la théorie de l'apprentissage social de Bandura (1973) suggère que les enfants de familles violentes peuvent apprendre des comportements violents par observation et imitation, et être amenés à considérer que le comportement violent constitue une stratégie appropriée pour résoudre les problèmes interpersonnels.

La théorie de l'attachement (Bowlby, 1982) pourrait aussi s'avérer pertinente ici. Selon Bowlby, un père ou une mère et son jeune enfant établissent une relation d'attachement qui aurait pour fonction de susciter chez ce dernier un sentiment de sécurité et de lui permettre ainsi d'explorer en toute confiance son environnement physique et social. Avec le temps, un système de représentation de soi et de la figure d'attachement (que Bowlby assimile à des modèles cognitifs internes) s'élaborerait selon cette expérience relationnelle et servirait de guide aux relations sociales ultérieures. Dans cette perspective, Crittenden et Ainsworth (1989) postulent que les enfants soumis à la violence familiale sont susceptibles d'élaborer un mode d'attachement anxieux et une représentation du monde marquée par le conflit et la domination. Cette tendance cognitive les inciterait notamment à être hypersensibles aux indices d'hostilité, à interpréter de façon erronée les comportements d'autrui et à y répondre de façon agressive.

Comme nous l'avons vu plus tôt, l'idée selon laquelle la réponse agressive est associée à des biais dans l'interprétation des situations sociales a également été avancée par Dodge (1986), quoique ce fût dans une perspective théorique différente. Dans une étude récente, Dodge *et al.* (1990) ont apporté un appui empirique à l'hypothèse d'une relation entre la violence familiale, le traitement cognitif de l'information sociale et l'agressivité qui s'ensuit. Ils ont constaté, d'une part, que les mauvais traitements physiques étaient reliés à la tendance ultérieure à se comporter de façon agressive à l'école maternelle et, d'autre part, que cette relation s'expliquait par les biais observés chez certains enfants quant au traitement de l'information sociale (voir l'encadré 9.3).

Les travaux de Patterson (1982) mentionnent un autre mécanisme qui expliquerait la transmission de la violence familiale. Selon ce chercheur, les modèles d'explication qui mettent l'accent uniquement sur l'enfant ou uniquement sur le

ENCADRÉ 9.3

LES MÉCANISMES COGNITIFS QUI ENTRENT DANS LE CYCLE DE LA VIOLENCE

Dans une étude récente, Dodge, Bates et Pettit (1990) voulurent vérifier si les sévices en bas âge sont un élément prédictif de l'agression ultérieure et si cette relation s'explique par le fait que les enfants soumis à de mauvais traitements sont plus susceptibles que les autres d'avoir des biais dans le traitement cognitif de l'information sociale. Un total de 309 enfants sur le point d'être admis à l'école maternelle et leurs mères participèrent à l'étude. Les mères furent interrogées à propos de leurs pratiques disciplinaires et de la possibilité que l'enfant ait été maltraité physiquement au cours des cinq années précédentes. Selon cette information rétrospective, 12 % des enfants ($n = 44$) furent identifiés comme ayant été maltraités et comparés au reste de l'échantillon ($n = 255$).

Tous les enfants furent rencontrés individuellement et interrogés systématiquement au sujet d'une série de situations hypothétiques sur vidéo décrivant des épisodes pouvant être perçus comme des provocations par des pairs. Les questions cernèrent certains aspects du traitement de l'information sociale, dont la capacité d'encoder l'information pertinente, la tendance à attribuer des intentions hostiles, la tendance à élaborer des solutions agressives et l'évaluation des conséquences amenées par une réponse agressive.

→

ENCADRÉ 9.3 (suite)

Finalement, les comportements agressifs des enfants furent évalués six mois plus tard à la maternelle par l'observation directe de leurs comportements, par le jugement de leurs pairs et par celui de leurs enseignants.

Dans un premier temps, Dodge et ses collaborateurs constatèrent que les enfants maltraités se distinguaient des autres par des résultats plus élevés quant à l'agressivité et cela sur les trois indices retenus. Puis les chercheurs tentèrent de vérifier dans quelle mesure certaines hypothèses rivales (c'est-à-dire des facteurs confondus avec le fait d'être maltraité) pouvaient expliquer ces différences. Ils notèrent que les différences observées entre les enfants maltraités et le reste de l'échantillon persistaient même lorsqu'on tenait compte des écarts entre les deux groupes quant à la violence entre les membres du couple, quant au niveau socio-économique, au tempérament de l'enfant, à son sexe, à son état de santé à la naissance, à la séparation du couple et au stress vécu par la famille au cours de la première année de vie de l'enfant. Il semble que les résultats reliant les mauvais traitements physiques à l'agressivité soient solides en ce sens qu'ils ne peuvent s'expliquer par d'autres facteurs rattachés aux mauvais traitements.

Par ailleurs, Dodge *et al.* (1990) constatèrent que les schémas de traitement de l'information sociale mesurés plus particulièrement par trois variables, soit la difficulté à porter attention aux indices pertinents, la tendance à attribuer à autrui des intentions hostiles et la tendance à élaborer des solutions agressives, furent associés à l'agressivité à la maternelle. Cela indique que des déficiences sociocognitives spéciales peuvent accompagner l'adoption de comportements agressifs.

Enfin, Dodge et ses collaborateurs remarquèrent que les différences observées quant au comportement agressif entre les deux groupes s'effaçaient lorsque l'analyse prenait en considération les schémas de traitement de l'information sociale. En d'autres mots, le fait que les enfants maltraités soient plus agressifs que les autres pourrait s'expliquer par des déficiences sociocognitives particulières. L'allure générale de ces résultats suggère que les sévices pourraient conduire certains enfants à percevoir le monde comme une menace, ce qui les inciterait à adopter un fonctionnement plus agressif et, par conséquent, à perpétuer le cycle de la violence.

père ou la mère sont inadéquats. Certains facteurs propres à la situation familiale pourraient également contribuer à expliquer le développement de comportements violents dans la cellule familiale. Afin de comprendre l'élaboration des comportements agressifs, il importe de reconnaître que la famille constitue une unité d'analyse et que l'enfant, ses parents, ses frères et ses sœurs s'influencent réciproquement, la famille représentant un système d'individus en interaction qui en viennent à adopter certains comportements à la suite d'un apprentissage de réponses des uns aux autres. À l'origine des comportements agressifs dans une famille, on trouverait souvent un enfant difficile, un manque de compétence des parents et la présence de facteurs stressants qui affaiblissent une compétence parentale déjà limitée.

À la suite d'observations minutieuses de familles en difficulté, Gerald Patterson et son équipe du Oregon Learning Center ont repéré un fonctionnement familial particulier qui aurait pour effet de susciter, de maintenir et même d'étendre les comportements agressifs chez tous les individus de la famille. Plus précisément, le **processus de coercition familiale** (Patterson, 1982) fait référence à une dynamique familiale marquée par un manque de constance dans les réponses parentales ou par des sanctions inadéquates vis-à-vis des comportements inappropriés de leur enfant, l'incohérence ou l'inefficacité des réponses incitant l'enfant à reproduire ces comportements. L'inconstance des renforcements ou des sanctions ferait en sorte que les réponses parentales perdraient leur valeur de maîtrise du comportement. Dans le cycle qui s'ensuit, les parents sont souvent incités par les situations à accentuer le caractère punitif de leurs sanctions. Par ailleurs, ces échanges devenant de plus en plus négatifs avec le temps, ils en viendront éventuellement à fuir ces situations afin de clore l'échange négatif. Ce faisant, ils encourageront l'enfant à poursuivre l'escalade dans un épisode ultérieur, laquelle pourra attirer d'autres membres de la famille. Par ce processus d'interaction coercitive à l'intérieur de la famille, les enfants peuvent rapidement apprendre à devenir à la fois les instigateurs et les victimes des comportements agressifs tout en entraînant leurs parents à utiliser des stratégies fortement punitives. Selon Patterson, les enfants issus de ces familles chercheraient souvent à maximiser les bénéfices à court terme et à ignorer les coûts à long terme. Le fait qu'ils soient moins sensibles aux renforcements sociaux, aux réprimandes ou aux menaces réduirait leur capacité de s'adapter en fonction des personnes et des situations sociales, ce qui se traduirait également par des difficultés plus générales, notamment sur le plan des relations avec les autres enfants et sur celui du rendement scolaire. Ces difficultés s'ajouteraient comme facteurs de risque dans la trajectoire de développement de l'enfant; elles risqueraient par conséquent de le conduire à une affiliation avec des enfants déviants. Ce type d'affiliation est susceptible de renforcer les attitudes appuyant les comportements agressifs et de créer des occasions de commettre des actes délinquants et antisociaux.

Par ailleurs, il faut apporter des nuances à la prédominance de la transmission intergénérationnelle comme explication de la violence familiale. La proportion d'enfants maltraités qui deviennent des parents brutaux varie de 7 % à 70 % selon les études, le taux de transmission intergénérationnelle se situant à environ 30 % (plus ou moins 5 %) (Kaufman & Zigler, 1987; Widom, 1989). Ce taux signifie qu'une majorité d'enfants maltraités ne deviennent pas des parents brutaux et que la transmission intergénérationnelle n'est qu'un des facteurs expliquant la violence familiale.

Bien que la recherche sur la violence familiale ait surtout mis l'accent sur les comportements violents qu'elle entraîne plus tard dans la vie, il est important de souligner que celle-ci peut conduire à d'autres formes d'inadaptation telles que la dépression, le retrait social et les comportements autodestructeurs (Widom, 1989). En fait, il n'y aurait pas qu'une réaction comportementale ou émotionnelle qui caractérise les enfants brutalisés (Emery, 1989). Les futures recherches devront donc préciser les facteurs qui expliquent que la violence familiale affecte les enfants de différentes façons, et certains plus que d'autres. Dans cette perspective, des facteurs comme le fait d'obtenir un soutien social à l'intérieur ou à l'extérieur de la famille pourraient être appelés à jouer un rôle de protection important (Jaffe *et al.*, 1990). De plus, outre les mécanismes directs de transmission, il est probable que des mécanismes indirects concernant l'ensemble du système familial jouent un rôle dans les familles marquées par la violence (Emery, 1989). Le fait d'être soumis à la violence conjugale pourrait ainsi susciter de la détresse chez l'enfant, qui cherchera à réagir afin de réduire cet état. Selon Emery, cette réaction sera maintenue et renforcée dans la mesure où elle est fonctionnelle dans ce contexte pour l'enfant et la famille. Par conséquent, en réponse à la détresse suscitée par un épisode de violence conjugale, un enfant pourra adopter des comportements agressifs parce que ceux-ci réussissent à apaiser la violence conjugale en tournant vers lui l'attention des parents. Même s'ils ont une fonction de régulation interpersonnelle importante dans la famille, ces comportements risqueront de ne pas être adaptés à l'extérieur du milieu familial et de nuire au développement général de l'enfant.

RÉSUMÉ

Ce chapitre avait pour objectif de présenter les principaux points de vue théoriques au sujet du comportement agressif en insistant particulièrement sur les perspectives psychosociales. Après avoir défini l'agression de façon générale et établi des distinctions entre ses différentes formes, nous avons présenté les perspectives psychanalytique et éthologique en soulignant notamment le manque de spécificité des notions, l'incapacité du modèle hydrodynamique de rendre compte de la complexité du phénomène et le rôle joué par le déterminisme biologique. Nous avons vu par la suite ce qu'il est convenu d'appeler les théories psychosociales de l'agression en critiquant, sur les plans théorique et empirique, les fondements de l'hypothèse du lien entre la frustration et l'agression et ceux de l'hypothèse de la catharsis. Puis la version modifiée par Berkowitz (1989) de l'hypothèse du lien entre la frustration et l'agression et la théorie de l'apprentissage social de Bandura (1973) ont été décrites. Même s'il fait une plus grande place aux processus cognitifs supérieurs, Berkowitz fait valoir que ceux-ci sont postérieurs à la réaction initiale de colère et il soutient que la frustration peut inciter à l'agression hostile. De son coté, Bandura prétend que ce sont les expériences et les apprentissages antérieurs, les conditions plus immédiates de l'environnement social, la médiation cognitive et les mécanismes d'autorégulation qui expliquent qu'un individu adopte et maintient des comportements agressifs. Si la théorie du lien entre la frustration et l'agression et ses dérivés récents (Berkowitz, 1989) mettent l'accent sur l'agression hostile, la théorie de l'apprentissage social insiste surtout sur la dimension instrumentale du comportement agressif. Enfin, nous avons examiné la contribution importante de deux chercheurs, laquelle met l'accent sur les processus cognitifs complexes qui concernent l'agression : les travaux de Zillmann sur le rôle de l'interprétation cognitive de l'activation physiologique dans l'agression et ceux de Dodge sur le traitement cognitif de l'information sociale par des enfants agressifs. Le chapitre se termine par la présentation de trois questions générales de recherche qui ont une pertinence sociale certaine. Il a été question, dans l'ordre, des effets de la violence dans les médias, du matériel pornographique et de la violence familiale sur la tendance à se comporter de façon agressive. Ces thèmes ont été traités de façon à refléter l'état actuel des connaissances sur ces questions et à illustrer la valeur des modèles théoriques pour la compréhension du phénomène de l'agression interpersonnelle.

BIBLIOGRAPHIE SPÉCIALISÉE

Bandura, A. (1983). Psychological mechanism of aggression. In R.G. Geen & E.I. Donnerstein (Eds.), *Aggression : Theoretical and empirical reviews* (Vol. 1, pp. 1-40). New York: Academic Press.

Berkowitz, L. (1993). *Aggression : Its causes, consequences, and control.* New York: McGraw-Hill.

Comstock, G. (1983). Media influences on aggression. In A.P. Goldstein & L. Krasner (Eds.), *Prevention and control of aggression*. New York: Pergamon.

Dodge, K.A. (1986). A social information processing model of social competence in children. In M. Perlmutter (Ed.), *Minnesota symposia on child psychology* (Vol. 18, pp.75-127). Hillsdale, NJ: Erlbaum.

Jaffe, P.G., Wolfe, P.A. & Wilson, S.K. (1990). *Children of battered women.* Newbury Park, CA: Sage.

Malamuth, N.M. & Donnerstein, E.I. (1984). *Pornography and sexual aggression.* New York: Academic Press.

Parke, R.D. & Slaby R.G. (1983). The development of aggression. In P.H. Mussen (Ed.), *Handbook of child psychology* (4th ed., Vol. 4). New York: John Wiley and Sons.

Zillmann, D. (1983). Arousal and aggression. In R.G. Geen & E.I. Donnerstein (Eds.), *Aggression : Theoretical and empirical reviews* (Vol. 1, pp. 75-102). New York: Academic Press.

CHAPITRE

10

LE COMPORTEMENT D'AIDE : PERSPECTIVES CLASSIQUES ET CONTEMPORAINES

Robert J. Vallerand et Caroline B. Senécal
Université du Québec à Montréal

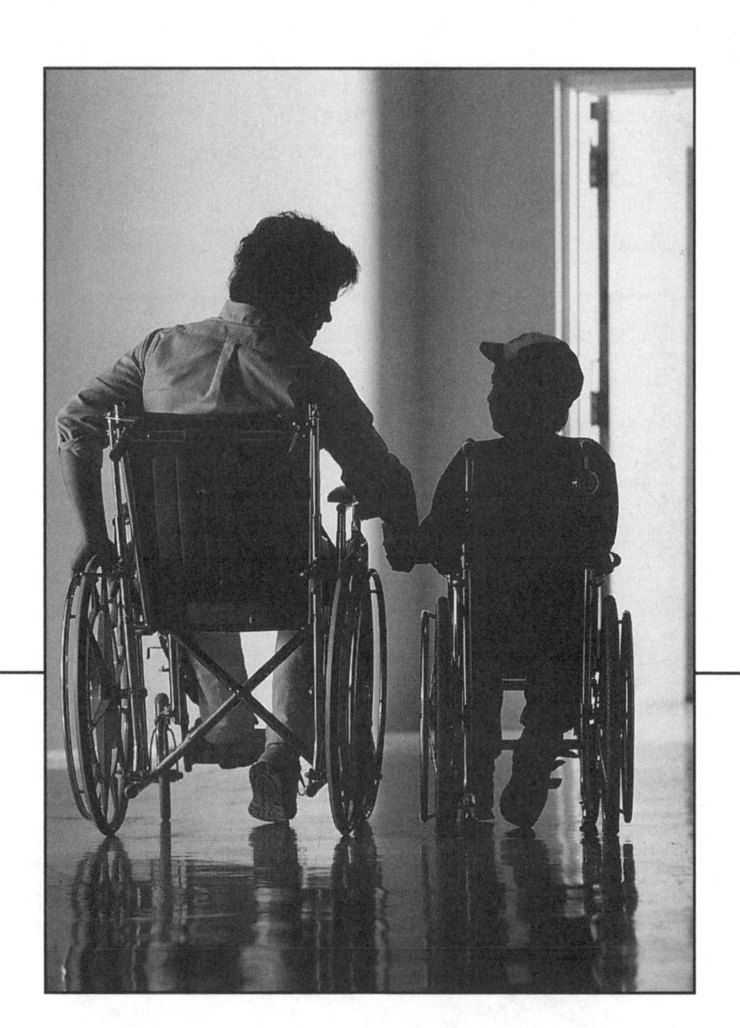

Mise en situation

Introduction

Le comportement d'aide : une définition

Les influences situationnelles

- Les normes
- Les modèles et le comportement d'aide
- L'effet de la présence des autres sur le comportement d'aide en situation d'urgence

Les influences personnelles

- Les facteurs génétiques
- Les facteurs de personnalité
- Les facteurs émotionnels

Les influences interpersonnelles

- Les caractéristiques perçues de la personne demandant de l'aide
- La relation entre l'aidant et l'aidé

Les conséquences du comportement d'aide

- Les conséquences reliées à l'aide apportée
- Les conséquences reliées à la non-adoption du comportement d'aide

Résumé

Bibliographie spécialisée

Encadré 10.1 Effet du passant

Encadré 10.2 Facteurs personnels et situationnels

Encadré 10.3 Les téléthons

Encadré 10.4 Le bénévolat

MISE EN SITUATION

Nous sommes le 6 décembre 1989, à l'École polytechnique de Montréal. Des cris de femmes et d'hommes retentissent, des balles de fusil sifflent, du sang coule : Marc Lépine vient d'assassiner 14 femmes. On voit des étudiants courir dans les couloirs, des gens pleurer sur des corps inertes et d'autres s'élancer pour aller chercher du secours. On voit plusieurs étudiants, le visage défait, chercher à aider les victimes. Cependant, la majorité d'entre eux ont eu tellement peur d'être également assassinés qu'ils ont cherché à sauver leur peau sans réellement penser à sauver celle des autres. Si vous vous étiez trouvé parmi eux ce jour-là, qu'auriez-vous fait ? Auriez-vous aidé ceux et celles qui lançaient des cris de détresse ou auriez-vous pensé à vous sauver pour ne pas être tué par l'agresseur ? Lorsqu'on fait une rétrospective du drame de la Polytechnique, on se rend compte à quel point des facteurs tels que la situation et ses acteurs – leur nombre, leur situation d'amis ou d'étrangers – peuvent influer sur notre décision d'aider ou non les gens en difficulté.

INTRODUCTION

Nous rencontrons chaque jour des personnes qui ont besoin d'aide : des victimes d'accident, un ami que notre réconfort pourrait soutenir ou encore un autre étudiant que nos notes de cours pourraient dépanner. La situation d'aide peut être temporaire ou relativement permanente, comme dans le cas de visites rendues à des personnes âgées. La question est de savoir si nous allons aider ces gens.

Comme on peut le remarquer dans la mise en situation, les gens n'aident pas toujours ceux qui en expriment le besoin. Pourquoi varient-ils tant dans leurs réponses de comportement d'aide ? Il serait facile de répondre que celles-ci dépendent des gens. Vous penserez probablement que vous faites partie de ces gens qui aident leur entourage alors que d'autres individus sont de ceux qui n'aident personne. Pourtant, en y réfléchissant bien, vous vous rendrez compte qu'il vous arrive à l'occasion d'aider une personne qui en a besoin, alors qu'à d'autres moments vous n'accordez pas votre aide. La question de savoir qui aide et qui n'aide pas est donc mal formulée. Par exemple, il est possible qu'il existe des motifs, des traits de caractère ou même des situations qui entraînent un comportement d'aide. En conséquence, il conviendrait plutôt de se demander quand les gens aideront les autres et quand ils ne les aideront pas. Dans ce chapitre, nous tenterons d'analyser cette perspective en effectuant une étude approfondie du phénomène, ainsi que l'analyse des processus psychologiques concernés.

La plupart d'entre nous ont vécu des événements au cours desquels ils n'ont pas aidé une personne de leur entourage alors qu'instinctivement ils sentaient qu'ils devaient pourtant le faire. Plusieurs sentiments ou pensées les avaient alors empêchés d'adopter le comportement d'aide. Des sentiments d'incertitude à l'égard de la situation, de doute quant à la capacité d'apporter une aide ou encore de frayeur face à un possible danger pour leur personne peuvent être alors intervenus. De nombreuses recherches soutiennent que de telles explications représentent des obstacles au comportement d'aide (Latané & Darley, 1970). On constate donc que cette analyse est beaucoup plus complexe que d'autres uniquement fondées sur des différences individuelles.

Ce chapitre mettra l'accent sur l'étude des différentes sources d'influences sur le comportement d'aide. Notamment, les influences situationnelles (entre autres, les modèles et la présence des autres), les influences personnelles et les influences interpersonnelles découlant de la relation même entre l'aidant et l'aidé seront discutées. De plus, nous allons étudier les conséquences associées au comportement d'aide, plus particulièrement celles consécutives au fait d'aider et de ne pas aider quelqu'un, et ce autant pour la personne aidante que pour celle qui reçoit de l'aide. Dans ce cadre, nous utiliserons les termes **aidant** pour parler de la personne qui apporte son aide ainsi que **aidé** pour désigner la personne qui reçoit de l'aide. Enfin, un résumé viendra clore le chapitre. Toutefois, avant de passer à l'analyse des différentes sources d'influences, nous porterons notre attention sur une définition du comportement d'aide.

LE COMPORTEMENT D'AIDE : UNE DÉFINITION

Le secteur du comportement d'aide s'étend bien au-delà de l'exemple présenté au début du chapitre. Le comportement d'aide peut se définir par des conduites, telles que sauver quelqu'un de la noyade, aider une personne à ramasser le contenu de son sac d'épicerie, donner de l'argent à un mendiant ou encore prêter ses notes de cours à un autre étudiant. Il implique d'aider d'autres individus dans la vie quotidienne par des gestes qui semblent parfois banals. Ainsi, le comportement d'aide ne porte pas uniquement sur des actes héroïques et courageux dont la une des journaux s'empare souvent.

Les chercheurs dans le domaine du comportement d'aide ont longtemps débattu l'importance de définir plus justement le concept du comportement d'aide. Dans ce cadre, ils distinguent le concept de l'**altruisme** de celui du **comportement d'aide.** Selon un chercheur de l'Université Simon Fraser en Colombie-Britannique (Dennis Krebs, 1970), le comportement d'altruisme comprend trois composantes: émettre volontairement le comportement, l'émettre dans le but qu'une autre personne ou groupe de personnes en bénéficie et enfin l'émettre comme une fin en soi et non pas dans le but d'en retirer quelques conséquences positives. Quant au comportement d'aide, il consiste uniquement à aider une personne afin qu'elle puisse en bénéficier, du moins en apparence. Dans ce dernier cas, les chercheurs ne se posent pas de questions sur les motivations sous-jacentes au comportement affiché, à savoir si celui-ci était vraiment altruiste ou non. Comme le souligne Staub (1978), un comportement d'aide peut être altruiste ou égoïste selon les motifs de l'aidant.

Dans les pages qui suivent, nous mettrons l'accent sur le concept du comportement d'aide. En utilisant une telle position, il nous sera alors possible de déterminer avec plus de précision les différents déterminants ou sources d'influences du comportement d'aide, que celui-ci soit altruiste ou non. Tournons-nous maintenant vers l'analyse des influences situationnelles du comportement d'aide.

LES INFLUENCES SITUATIONNELLES

Dans cette section, nous étudierons comment la situation et les différentes significations qu'elle revêt peuvent influer sur le comportement d'aide. En effet, il existe des événements qui suscitent plus que d'autres le comportement d'aide. Par exemple, il arrive que les gens aident quelqu'un dans le besoin parce qu'ils étaient placés dans un contexte qui les forçait à le faire. Certains individus prétendront aider les autres en prétextant qu'ils ont été éduqués de cette façon ou qu'ils ont souvent vu dans leur entourage des personnes agir de la même manière. Ainsi les gens peuvent apporter leur aide pour diverses raisons, selon la situation. Les influences situationnelles comprennent un grand nombre de facteurs. Nous nous contenterons d'étudier les suivants: 1) les normes inhérentes à certaines situations, 2) les modèles et 3) la présence des autres.

Les normes

Une **norme** constitue une règle de conduite dictée par la société et qui reflète des standards d'approbation ou de désapprobation sociales (Grusec & Lytton, 1986). En d'autres termes, une norme détermine ce qui est attendu dans une situation, c'est-à-dire l'ensemble des gestes perçus comme normaux, et elle indique également quel comportement est désavoué ou considéré comme anormal. Depuis des millénaires, l'être humain se préoccupe d'autrui (Fiske, 1991). L'altruisme représente l'une des valeurs les plus universelles. Presque chaque culture possède des normes qui valorisent le dévouement à autrui et désapprouvent l'égoïsme. On s'attend donc à ce qu'une personne qui a besoin d'aide puisse se faire aider dans la mesure où ce comportement n'est pas trop exigeant pour l'aidant. Certaines sociétés ont même légiféré sur les conditions dans lesquelles une personne devait apporter son aide à une autre ou subir les conséquences de son inaction. L'universalité de cette norme du comportement d'aide indique sa valeur fonctionnelle et son utilité pour la vie sociale.

On peut noter au moins quatre types de normes reliées au comportement d'aide. La première, la **norme de réciprocité,** repose sur des principes d'échanges sociaux et postule que les gens sont récompensés pour ce qu'ils apportent aux autres. Les individus auront donc tendance à aider ceux qui les auront aidés, surtout si cette aide a été apportée gratuitement et volontairement (Broll, Gross & Piliavin, 1974). La deuxième norme, celle de l'**équité** (voir le chapitre 8 pour une discussion à cet effet), suggère que les gens qui se perçoivent dans des situations non équitables où ils croient recevoir plus de bénéfices qu'ils n'en procurent aux autres devraient alors aider ceux qui en ressentent le besoin afin de réduire l'inéquité et ainsi de restaurer l'équilibre (Walster, Walster & Berscheid, 1978).

Selon la troisième norme, celle de la **responsabilité sociale,** les gens ressentent un besoin moral d'aider les autres et surtout ceux qui dépendent d'eux (Berkowitz, 1972). Cette norme crée un sentiment d'obligation et de devoir qui amène les gens à vouloir aider les autres. Un certain nombre de recherches démontrent effectivement que les personnes qui ont intériorisé une telle norme sont plus enclines à aider les autres (Bierhoff, Klein & Kramp, 1991; Eisenberg *et al.*, 1989).

Enfin, une dernière norme, celle de la **justice,** amène les gens à aider autrui surtout dans la mesure où ils croient que ceux qui en ressentent le besoin le méritent (Lerner, 1970). Nous avons déjà discuté de la théorie de la justice de Lerner au chapitre 5. Il est bon de répéter que les gens se distinguent quant à leur croyance à ce sujet. Certains croient que nous vivons dans un monde juste et qu'il arrive aux gens ce qu'ils méritent et que les gens méritent ce qui leur arrive. D'autres, par contre, ne souscrivent pas à une telle croyance. Comment la norme de justice sociale influera-t-elle sur le comportement d'aide des gens ? Miller (1977) a étudié cette question en relation avec les dons faits aux pauvres. Selon lui, les personnes croyant à un monde juste devraient considérer que les personnes pauvres méritent ce qui leur arrive et devraient donc être moins aidées. Par contre, les personnes qui ne croient pas à un monde juste devraient agir en fonction de leur croyance, soit selon la situation dans laquelle les personnes se trouvent. De plus, Miller a ajouté une nouvelle dimension à sa recherche en vérifiant si les personnes aideraient autrui autant dans le cadre d'une aide ponctuelle (des paniers de Noël) que d'une aide constante (faire des dons durant toute l'année). Les résultats ont révélé que les gens qui croyaient en un monde juste étaient plus portés à aider les autres dans le cadre d'une aide ponctuelle comme celle de Noël que lorsqu'il s'agissait d'une aide qui s'étendait tout au long de l'année. En revanche, les personnes qui ne croyaient pas à un monde juste aidaient autrui autant dans une condition que dans l'autre, et ce de façon modérée. La norme de justice ne mène donc pas toujours au comportement d'aide.

Bien que les normes de réciprocité, d'équité, de responsabilité sociale et de justice puissent effectivement influer sur le comportement d'aide, il semble important de noter qu'elles ne représentent pas les seules influences sur ce comportement. Malgré l'existence de ces différentes normes, il ne faut pas se surprendre lorsqu'on remarque que les gens n'aident pas toujours autrui.

Plusieurs explications peuvent permettre de comprendre ce phénomène. Premièrement, comme les normes constituent des recommandations publiques et sociales, elles ne permettent peut-être pas d'expliquer les comportements où l'aspect social occupe une place beaucoup moins importante. Même si la règle sociale évoque qu'il faut aider les personnes qui en ressentent le besoin, par exemple un mendiant, on ne doit pas s'étonner de voir des personnes donner peu surtout si elles sont seules avec le mendiant. Une deuxième explication réside dans le fait que les normes sur le comportement d'aide peuvent souvent entrer en conflit avec d'autres types de normes. Ainsi la norme de responsabilité sociale peut être contrecarrée par celle de la justice sociale dans la mesure où l'aidant croit que la victime mérite son sort. La norme qui exercera la plus grande influence sur le comportement d'aide dépendra alors de la personne et de la situation en question. Troisièmement, il ne faut pas oublier que les normes sont générales et ne peuvent pas toujours s'appliquer à une circonstance bien précise. Ainsi une personne peut ressentir la responsabilité sociale d'aider les autres, mais si elle ne sait pas comment aider la victime, le comportement d'aide ne sera pas adopté. Enfin, notons que les gens se distinguent tous quant au degré d'intériorisation des différentes normes et à leur perception de la situation. Diverses perceptions et divers degrés d'intériorisation peuvent mener à une interprétation différente du comportement à afficher.

En somme, bien que les normes aient un impact important sur le comportement d'aide, leur action se révélera limitée ou sera même contrecarrée par d'autres variables situationnelles.

Les modèles et le comportement d'aide

Le modelage représente une des façons les plus simples par laquelle les autres influent sur notre comportement d'aide. On entend par « modelage » le fait d'imiter une autre personne. Plusieurs études ont souligné l'effet majeur relié à l'observation d'une autre personne qui aide autrui sur l'adoption consécutive du comportement d'aide. Par exemple, Bryan et Test (1967) ont démontré que le simple fait de regarder une personne en aider une autre à changer un pneu creuvé ou encore donner de l'argent à l'Armée du salut augmentait les probabilités que l'observateur du comportement d'aide en fasse de même. De nombreuses recherches en laboratoire et en terrain naturel ont reproduit ces résultats (voir Spacapan & Oskamp, 1992).

Si le fait de voir quelqu'un aider une autre personne nous amène à vouloir en faire autant, que se passe-t-il lorsqu'un modèle n'aide pas autrui ? Imite-t-on l'individu qui n'apporte son aide à personne ? Pas nécessairement. Par exemple, des passants qui observent un **modèle** qui refuse d'aider quelqu'un et même qui se montre très impoli en refusant de le faire seraient plus portés à aider autrui que des gens qui n'ont pas vu un tel modèle (MacAulay, 1970). En conséquence, le fait d'observer quelqu'un manquer à son devoir d'aider les autres peut nous rendre sensibles à la norme de responsabilité sociale. Dans ce cas, les modèles, même lorsqu'ils n'aident pas autrui, peuvent nous amener à réfléchir sur ce que nous sommes censés faire et nous conduire à aider les autres.

Il apparaît ainsi que nous ne copions pas toujours le comportement des modèles que nous observons. Nous discuterons de certains facteurs pouvant moduler l'influence du modèle sur l'adoption du comportement d'aide de l'observateur.

La similarité entre le modèle et l'observateur. L'effet du modèle sur le comportement d'aide de l'observateur dépend, entre autres, de qui est le modèle et de ce qu'il fait. Une étude menée en terrain naturel par Hornstein, Fisch et Holmes (1968) souligne l'importance de la similarité entre les deux personnes. Ces chercheurs avaient déposé sur le sol des enveloppes contenant un porte-monnaie retrouvé et une note préparée par la personne qui avait trouvé le porte-monnaie. Bien sûr, le porte-monnaie et la note étaient des éléments fictifs. La note indiquait que la personne avait trouvé le porte-monnaie et le retournait avec son argent au propriétaire. Ainsi cette note laissait croire que quelqu'un avait trouvé le porte-monnaie et qu'en voulant le restituer à son propriétaire il l'avait échappé et perdu. La personne qui avait écrit la note pouvait donc servir de modèle à celui ou celle qui retrouverait l'enveloppe. Les chercheurs ont créé deux niveaux de similarité entre les gens qui ont retrouvé les enveloppes et la personne qui avait trouvé initialement le porte-monnaie en manipulant le contenu de la note écrite. Dans une condition, la note était écrite dans un anglais correct alors que dans l'autre condition la note était rédigée dans un mauvais anglais et soulignait également que la personne était un étranger. De plus, pour chacune des conditions du modèle (semblable et différente), le contenu de la note dénotait un état affectif positif (la personne se montrait polie et heureuse d'aider le propriétaire du porte-monnaie), négatif (la personne se plaignait du dérangement que cet envoi lui occasionnait) ou neutre. L'hypothèse de Hornstein et de ses collègues était qu'un modèle différent de la personne qui retrouve l'enveloppe aurait beaucoup moins d'impact sur le comportement d'aide qu'un autre modèle semblable à cette personne. Les chercheurs ont posté des observateurs afin de voir le nombre de personnes qui allaient ramasser le porte-monnaie et le restituer avec l'argent.

Les résultats de cette étude sont présentés au tableau 10.1. On remarque que les gens ont davantage décidé de rendre le porte-monnaie lorsque le modèle était semblable, sauf dans la condition d'état négatif où ils apportaient beaucoup moins leur aide, probablement parce que les commentaires du modèle avaient amené les personnes à se rendre compte des problèmes reliés au fait d'aider le propriétaire du porte-monnaie.

Bien sûr, d'autres facteurs peuvent moduler l'impact du modèle sur le comportement d'aide des observateurs. Par exemple, l'amitié ou l'amour qui existe entre le modèle et l'observateur représente un point important d'influence. Le prestige du modèle s'avère également important de même que son pouvoir. Le

TABLEAU 10.1 **Pourcentage de retours du porte-monnaie selon le type de modèle et le message dans le porte-monnaie**

Conditions	Total des retours	Total des non-retours
Modèle semblable		
Message neutre	12	8
Message positif (courtois)	14	6
Message négatif (plainte)	2	18
Modèle différent		
Message neutre	4	11
Message positif (courtois)	5	10
Message négatif (plainte)	6	9

Note : Les gens retournent davantage le porte-monnaie lorsque le modèle est semblable, sauf si le message est négatif, où il n'y a pas d'écart significatif avec le modèle différent (adapté de Hornstein, Fisch & Holmes, 1968).

rôle des parents, par exemple, correspond bien à cette dernière perspective. Chose intéressante, le comportement du modèle n'est pas toujours cohérent avec sa pensée, d'où l'expression : « Fais ce que je dis et non ce que je fais. » Que se passe-t-il dans de telles circonstances ?

Les comportement et message dissonants de la part du modèle. Vos parents vous ont probablement déjà encouragé à aider telle ou telle personne ou encore à donner de l'argent à un organisme de charité. Mais peut-être vous ont-ils encouragé à faire ce geste sans pourtant l'accomplir eux-mêmes. Que se passe-t-il lorsque le modèle encourage verbalement les gens à faire quelque chose, mais n'adopte pas le comportement lui-même ? Certaines recherches (p. ex. Grusec & Skubiski, 1970) ont démontré qu'un modèle qui agissait de façon généreuse amenait les enfants à donner plus de leurs gains obtenus que le modèle qui encourageait verbalement les enfants à se montrer généreux sans pour autant l'être lui-même. Dans une autre étude (Rushton, 1975), il a été prouvé que des enfants qui regardaient un modèle agir généreusement devenaient généreux eux aussi immédiatement après l'avoir observé, ainsi que huit semaines plus tard, et ce dans un tout autre contexte expérimental.

Bien que les études présentées jusqu'ici soulignent le fait qu'observer un modèle agir de façon généreuse puisse avoir un impact non négligeable sur le comportement d'aide des observateurs, il faut tout de même faire remarquer que dans certaines circonstances l'encouragement verbal au comportement d'aide peut également susciter ce comportement. En effet, selon Walters et Grusec (1977), les encouragements verbaux à un comportement d'aide peuvent se révéler efficaces dans la mesure où ces commentaires amènent la personne à attribuer son comportement à des dispositions intérieures. Dans un tel contexte, la personne peut ainsi se percevoir comme quelqu'un qui aime aider les autres. Elle aide donc autrui pour des raisons (ou attributions ; voir le chapitre 5 à ce sujet) internes et devrait adopter le comportement d'aide ultérieurement. Par contre, si la personne effectue une attribution externe (elle aide autrui parce qu'elle se sent obligée de le faire), le comportement d'aide ne suivra pas. Cette hypothèse a été confirmée par une étude de Grusec, Kuczynski, Simutis et Rushton (1978), dans laquelle il a été démontré que des enfants donnaient plus de leurs gains pour des causes charitables lorsqu'on les encourageait à le faire pour des causes internes (ils représentent le type d'enfants qui aiment donner aux autres) plutôt qu'externes (parce que c'est ce qu'on attend d'eux).

Enfin, dans un dernier temps, il serait important de souligner les raisons susceptibles d'expliquer l'efficacité des modèles. D'abord, les modèles nous aident à définir la nature de la situation. Lorsqu'on voit quelqu'un aider une autre personne, il devient évident que la situation en est une où il faut apporter son aide et on est alors plus porté à adopter ce comportement. Ensuite, en regardant le modèle agir, nous nous rendons compte que le comportement d'aide peut être renforcé de façon vicariante. Ainsi les recherches démontrent que, lorsque les observateurs voient un modèle être récompensé pour son comportement d'aide, ils sont alors plus portés à aider eux-mêmes autrui (Rushton & Sorrentino, 1981). Troisièmement, par l'aide qu'ils apportent aux autres, les modèles nous amènent à prendre connaissance des normes qui existent dans la société, le tout favorisant le comportement d'aide de notre part. Finalement, en regardant les modèles aider les autres, nous apprenons de nouveaux comportements qui pourront être éventuellement utilisés dans des circonstances similaires futures. En somme, les modèles jouent un rôle important dans l'adoption du comportement d'aide, et ce à plus d'un égard.

L'effet de la présence des autres sur le comportement d'aide en situation d'urgence

Imaginez que vous soyez dans le métro et que vous voyiez une personne se faire attaquer. Comment réagiriez-vous ? Iriez-vous aider la personne ou continueriez-vous votre chemin ? Une telle situation représente une situation d'urgence et plusieurs travaux démontrent que le comportement d'aide variera, entre autres, en fonction du nombre de personnes présentes lors de l'événement. Plus précisément, les résultats des travaux révèlent que les passants apportent moins leur aide si d'autres personnes sont présentes. Ce phénomène est appelé **l'effet du passant** (Darley & Latané, 1968). C'est dans ce cadre que les premiers travaux en psychologie sociale sur le comportement d'aide ont été menés. John Darley et Bibb Latané avaient été estomaqués de se rendre compte que les passants aident très peu les victimes en **situation d'urgence** (voir l'encadré 10.1). Ces chercheurs ont élaboré un programme de recherche afin de mieux comprendre les processus psychologiques responsables de l'inaction des passants. Dans le cadre de leurs travaux, Latané et Darley (1970) ont conçu un **modèle cognitif du comportement d'aide** afin d'expliquer le comportement des gens dans des situations d'urgence.

ENCADRÉ 10.1

L'EFFET DU PASSANT

Est-il possible qu'une quinzaine de personnes assistent sans bouger au spectacle horrifiant d'un homme qu'on poignarde dans un wagon de métro? Ce drame n'est pas le fruit de l'imagination d'un producteur de cinéma, qui aurait voulu nous faire frémir, mais bien un événement qui s'est déroulé dans la soirée du lundi 6 juillet 1987, à Montréal. Non seulement personne n'est intervenu pour défendre la victime, mais encore tous ont quitté rapidement les lieux du crime de sorte que la police a cherché désespérément des témoins. Ce genre de situation a trop souvent lieu et trop de gens ne font rien pour aider la victime ou retenir les agresseurs. Selon un policier montréalais: « Le même phénomène se produit avec un accident de la circulation. Très peu d'automobilistes s'arrêtent pour porter secours aux personnes au bord de la route. Ils filent sur leur chemin sans se soucier d'autrui. » Cette attitude passive, bien que révoltante pour plusieurs d'entre nous, est fréquente lorsqu'il s'agit d'événements tragiques comme ceux-ci. Ce phénomène, que l'on nomme « effet du passant », survient le plus souvent lorsque plusieurs individus sont témoins d'un événement tragique et que personne n'aide la victime.

Cet effet du passant a fait l'objet de plusieurs recherches (Darley & Latané, 1968; Latané & Darley, 1970; Latané & Rodin, 1969) qui ont tenté de mieux en comprendre les processus sous-jacents. Les résultats des études sur l'effet du passant démontrèrent la relation entre la présence des gens et l'aide apportée à la victime. Plus précisément, les résultats révélèrent que, dans les conditions où une personne était seule avec une victime, 70 % de ces gens apportaient leur aide. Par contre, dans les conditions où le passant était en présence d'autres gens, seulement 40 % d'entre eux aidaient la victime. Ainsi il s'est avéré que la présence de plus d'une personne près de la victime au moment de l'accident inhibait le comportement d'aide et empêchait donc les gens d'aider la victime.

D'autres résultats ont révélé que 59 % des gens qui n'interviennent pas se disent incertains de ce qui se passe, tandis que 46 % des personnes pensent, dans la plupart des cas, que l'incident n'est pas sérieux. Il semble ainsi que le degré d'ambiguïté de la situation joue un rôle important et influe considérablement sur l'adoption du comportement d'aide. Il a également été découvert, dans d'autres recherches, que l'ambiguïté de la situation était souvent créée par le comportement passif des autres personnes vis-à-vis de la tragédie. Si pour deux événements le degré d'ambiguïté est le même, c'est-à-dire qu'un des deux événements ne sème pas plus de confusion que l'autre, on devrait se trouver avec une aide semblable apportée aux victimes des

→

ENCADRÉ 10.1 (suite)

deux événements. Or, ce n'est pas le cas. Il a été démontré que ce n'est pas le degré d'ambiguïté de l'événement tragique qui influe sur l'adoption du comportement d'aide, mais bien le nombre de personnes présentes lors de la tragédie. En effet, plus le nombre de personnes augmente au moment de la tragédie, moins il y a d'aide apportée à la victime.

En 1970, Latané et Darley se sont attardés à étudier ce phénomène et ont découvert eux aussi dans leur étude que l'ambiguïté créée par le comportement passif des gens autour de la victime n'expliquait pas parfaitement le fait que, dans les conditions où ils étaient seuls avec elle, ils l'aidaient davantage que dans les conditions où ils étaient plusieurs à ses côtés. D'après eux, dans la mesure où il se trouve plus d'une personne, les gens ont tendance à croire que d'autres sont peut-être déjà en train d'aider la victime, ils ne se sentent pas aussi obligés de l'aider que s'ils étaient seuls avec elle. Ainsi Latané et Darley conclurent que la « diffusion de responsabilité » pouvait entraîner une diminution de l'aide apportée à la victime.

Maintenant que vous connaissez l'effet du passant, comment pensez-vous qu'une tragédie pareille à celle de l'homme poignardé dans le métro vous ferait réagir ? Iriez-vous aider la victime ? Plusieurs penseraient laisser cette responsabilité à la personne située à côté d'eux, mais vous, vous croyez-vous assez brave pour aider la victime devant une foule de personnes ? Prendriez-vous le temps d'apporter votre aide à la victime ou seriez-vous sujet à l'effet du passant ?

Ce modèle est présenté à la figure 10.1 et comprend cinq phases. Chacune d'elles doit être gravie afin que le comportement d'aide soit émis. Ces phases sont décrites plus longuement ci-dessous. Comme nous le verrons, la présence des autres devient alors très importante pour nous aider à déterminer si le comportement d'aide sera affiché ou non.

Phase 1 : percevoir la situation. Avant de pouvoir apporter son aide, il faut d'abord percevoir une situation d'aide. Par exemple, si vous vous promenez dans la rue avec une amie et que vous discutez intensément de différents sujets, il vous sera sans doute difficile d'entendre les cris provenant d'un appartement avoisinant. Il devient alors impossible de pouvoir aider quelqu'un dans une telle situation. Dans plusieurs études sur le comportement d'aide, des personnes qui n'avaient pas apporté leur secours dans diverses situations d'urgence ont déclaré ne pas s'être rendu compte de la présence d'une personne ayant besoin d'aide. La situation avait plutôt été vue de façon routinière. Aucun indice de demande au secours n'avait été perçu (Latané & Darley, 1970).

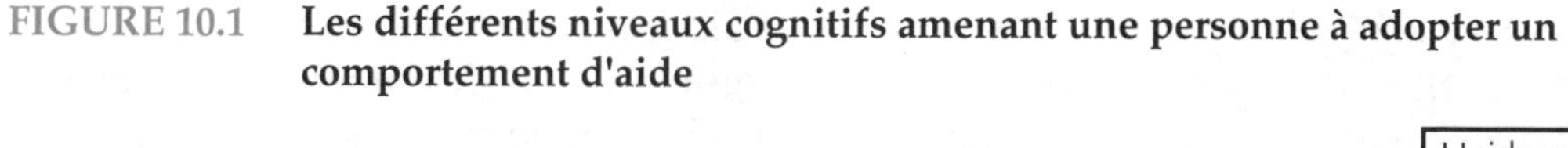

FIGURE 10.1 **Les différents niveaux cognitifs amenant une personne à adopter un comportement d'aide**

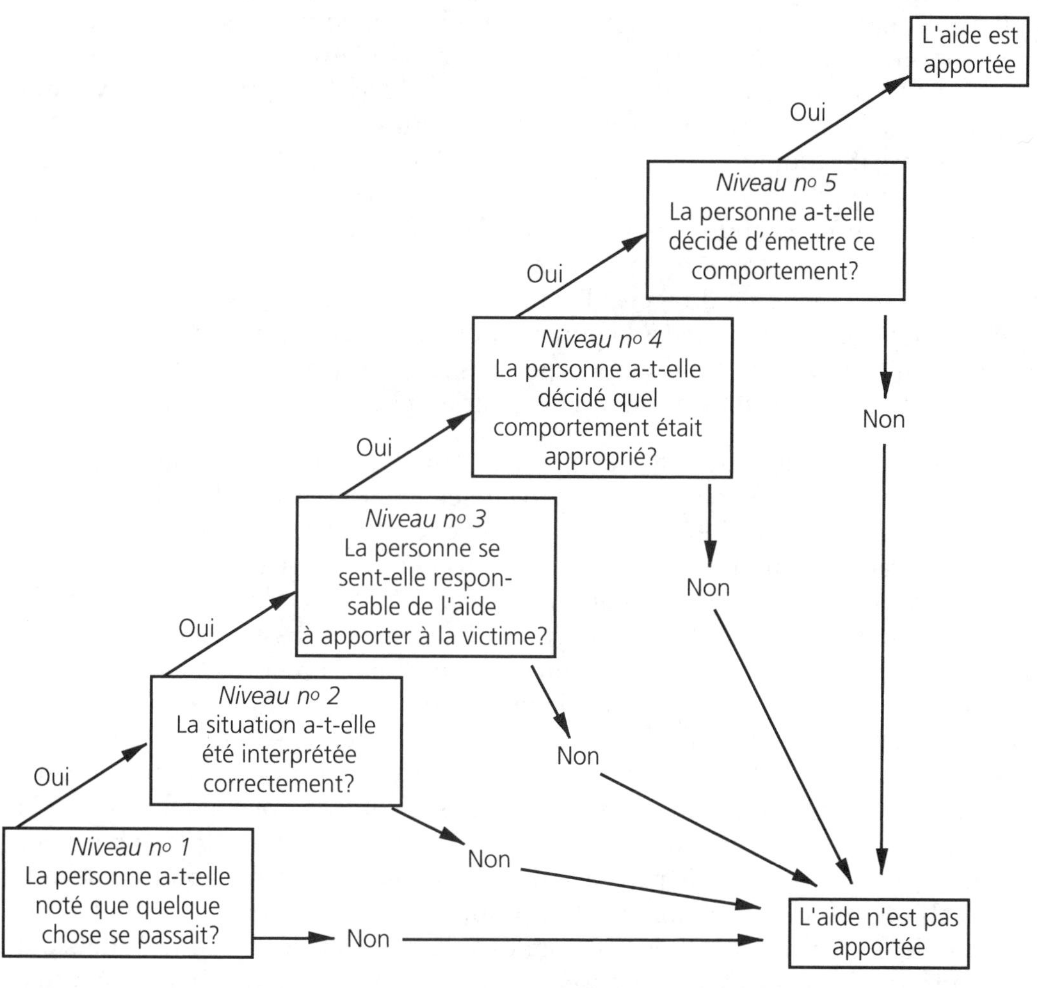

Selon une analyse cognitive proposée par Latané et Darley (1970), l'individu qui est confronté à une situation d'urgence, telle une personne en détresse, suivra ces cinq niveaux cognitifs lui permettant ainsi de décider s'il apportera son aide ou non. Le comportement d'aide est adopté seulement si l'individu répond dans l'affirmative à chacun des niveaux (adapté de Baron & Byrne, 1981).

Phase 2 : interpréter correctement la situation. À moins que la situation d'aide ne soit tout à fait évidente, il existe généralement plusieurs façons de l'interpréter. Ainsi, une personne qui court après une autre personne peut être pressée de la rencontrer et non de lui voler son sac à main ; deux étudiants qui se bagarrent peuvent être des amis en train de s'amuser, etc. Comme on peut le remarquer, une situation d'urgence est souvent ambiguë. Dans une telle perspective, le rôle du contexte social, et nécessairement celui des gens en notre présence, se révèle très important pour nous aider à définir correctement la situation. En effet, dans un cas de situation ambiguë, nous utilisons un processus de comparaison sociale (voir le chapitre 3 à cet effet) et étudions le comportement des personnes présentes afin de déterminer s'il s'agit effectivement d'une urgence ou non. S'il s'agissait d'une urgence, les individus présents devraient apporter leur aide ou au moins indiquer la nature de la situation, permettant ainsi une clarification de celle-ci. Toutefois, si les spectateurs ne font rien, c'est probablement qu'il n'y a pas de quoi s'inquiéter. La réalité, cependant, peut s'avérer tout autre : chaque personne étudie les autres individus situés près d'elle au moment de l'incident et tente de clarifier la situation avant d'aider la victime. Finalement, personne ne bouge et la situation ne semblera pas nécessiter notre intervention. Ceci mène donc à la situation quelque peu paradoxale où les gens aident moins en présence des autres que lorsqu'ils sont seuls notamment parce que chacune des personnes présentes induit mutuellement les autres en erreur.

Par exemple, une étude de Latané et Rodin (1969) a comparé le comportement d'aide d'une personne qui se trouvait seule, en présence d'un inconnu ou d'un ami dans un local. Soudainement, les sujets entendirent un bruit provenant du local adjacent, comme si quelqu'un était tombé. Les sujets iraient-ils l'aider ? Les hypothèses des chercheurs étaient les suivantes : les personnes seules dans le local ne se fieraient qu'à elles-mêmes pour déterminer s'il s'agit d'une situation d'urgence et devraient donc aider beaucoup plus l'individu à côté, leur intention de vérifier la nature de la situation n'étant pas contrée par l'inertie de l'autre personne présente dans le local. Par contre, celles qui attendaient en présence d'un inconnu auraient peu tendance à lui demander s'il s'agit d'une urgence de peur de s'être trompées et d'avoir l'air ridicule. Elles devraient donc aider très peu la personne à côté. Finalement, les gens en compagnie d'un ami n'auraient pas peur de révéler vraiment ce qu'ils pensent : ils discuteraient de la situation pour vérifier si elle nécessite un comportement d'aide. Ces personnes devraient donc apporter leur aide autant que les personnes seules dans le local. Ces résultats ont été confirmés dans l'étude en question. Les sujets qui aidèrent le plus l'individu à côté furent les personnes seules dans le local, suivies de celles qui attendaient en compagnie d'un ami et enfin de celles qui attendaient en compagnie d'un étranger.

Phase 3 : accepter la responsabilité de devoir aider autrui. Afin d'émettre le comportement d'aide, il s'avère également nécessaire d'accepter la responsabilité d'agir. Plusieurs études ont démontré que le comportement d'aide des gens pouvait être inhibé lorsque quelqu'un d'autre se trouvait près de la victime. On se souviendra de l'exemple de situation d'urgence présenté au début du chapitre 2 (Darley & Latané, 1968) : un sujet isolé dans un cabinet de travail communiquait par interphone avec d'autres participants à une étude ; chacun d'eux devait parler des problèmes relatifs à sa vie à l'université. Pendant ce temps, un des étudiants était pris d'un malaise et demandait de l'aide, indiquant qu'il avait de la difficulté à respirer et qu'il croyait qu'il allait mourir. Puis le silence s'installait. Pour les besoins de l'expérience, les sujets devaient rester dans leur local et ne pouvaient parler à personne d'autre puisque l'interphone était ouvert dans le local de la victime.

Les résultats de l'étude de Darley et Latané sont présentés à la figure 10.2. On remarque que moins il y a de personnes avec la victime, plus les gens sont prêts à l'aider et plus ils agiront rapidement. Latané et Darley ont expliqué ces résultats par le **phénomène de diffusion de responsabilité.** En effet, plus le nombre de personnes en mesure d'aider la victime augmente, moins chacune d'elles sentira personnellement le besoin d'agir. Elle peut toujours se dire que quelqu'un d'autre aidera la victime à sa place et qu'adopter le comportement d'aide dans de telles circonstances ne servirait à rien.

L'effet paralysant de la présence des autres peut se retrouver non seulement dans des situations d'urgence mais également dans tout événement où l'intervention des gens serait clairement appropriée. Par exemple, Darley (1970) a démontré que des étudiants témoins d'un vol d'une caisse de bière avaient beaucoup moins tendance à rapporter le vol s'ils étaient en présence d'autres personnes que s'ils se trouvaient seuls.

D'autres études ont démontré que ce n'est pas le nombre de personnes en tant que tel qui cause la diffusion de responsabilité, mais plutôt le fait que les gens présents sont en mesure de pouvoir aider les sujets. Par exemple, les

FIGURE 10. 2 **Effet du passant**

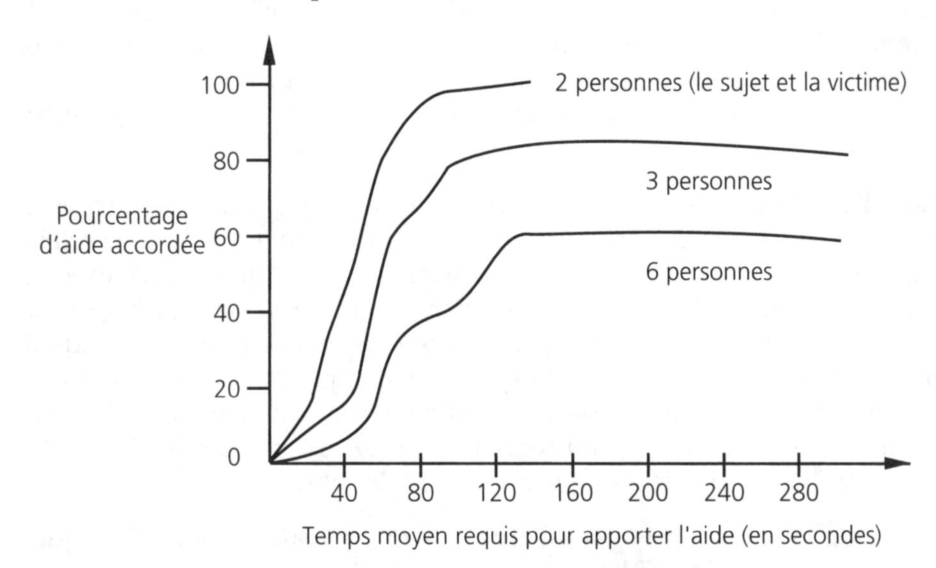

Darley et Latané (1968) ont découvert que les gens aident davantage autrui et plus rapidement lorsqu'ils sont seuls avec la victime que s'ils sont en présence d'autres témoins (adapté de Darley & Latané, 1968).

recherches de Korte (1971) et de Bickman (1971) ont prouvé que, si des sujets se trouvent en présence d'autres personnes incapables d'aider une victime pour diverses raisons, ils aideront celle-ci autant que s'ils étaient seuls. De plus, les résultats d'autres études démontrent que, lorsque des sujets se sont engagés à surveiller des objets appartenant à une autre personne, ils sont alors prêts à poursuivre un voleur et même à l'appréhender afin de défendre les intérêts de la victime (Moriarty, 1975; Shaffer, Rogel & Hendrich, 1975).

En somme, dans la mesure où les autres nous amènent à nous sentir responsables de l'aide à apporter à la victime, il y aura comportement d'aide. Par contre, si la présence des autres vient induire une diffusion de responsabilité de notre part, alors le comportement d'aide ne sera pas émis.

Phase 4: choisir le comportement approprié à adopter. Si la situation d'urgence perçue est interprétée correctement et si vous décidez que vous avez la responsabilité d'aider la personne, il reste tout de même à choisir quel geste accomplir. Par exemple, si une personne perd connaissance et arrête de respirer, allez-vous lui faire le bouche à bouche ou appeler une ambulance? La connaissance de l'aidant potentiel des premiers soins ou sa compétence dans le domaine représentent, bien sûr, un atout afin de déterminer quel comportement adopter. Il a été démontré qu'en situation d'urgence des infirmières en présence d'autres personnes aidaient autant la victime que si elles étaient seules (71 % contre 78 % du temps respectivement), alors que des étudiantes du niveau universitaire aident beaucoup moins une victime en présence d'autres personnes que seules (36 % contre 71 % respectivement) (Cramer, McMaster, Bartell & Dragna, 1988). De plus, les résultats avaient prouvé que l'effet du passant avait été éliminé chez les infirmières parce qu'elles se sentaient plus confiantes dans leurs habiletés à aider autrui et qu'elles savaient quel comportement adopter dans une situation d'urgence.

Le degré d'expérience de l'aidant potentiel dans de telles situations constitue également un excellent élément prédictif de son comportement d'aide. Un certain nombre de recherches révèlent à cet effet que les personnes qui ont déjà apporté leur aide dans le passé sont plus portées à aider autrui par la suite (Schwartz & Gottlieb, 1980). Ainsi il n'est pas surprenant que certaines personnes aident régulièrement les autres en situation d'urgence parce qu'elles savent justement quel comportement émettre, ayant déjà accompli ce geste dans le passé. C'est le cas de M. Pierre Drolet, de Laval, qui recevait en 1987 le prix Lemon Hart pour avoir sauvé de la noyade plusieurs personnes au fil des ans.

Phase 5: adopter le comportement d'aide. L'étape finale réside dans l'adoption du comportement d'aide. Si les décisions aux quatre niveaux précédents ont été affirmatives, il reste tout de même à décider d'accomplir le geste en tant que tel. À ce stade surgit un déterminant important: le coût relié au comportement d'aide. Les coûts peuvent être de différents ordres. Par exemple, si vous êtes très pressé et que vous ne pouvez vous permettre d'être en retard, le coût de l'aide apportée sera associé au temps requis pour aider autrui (voir l'encadré 10.2 à ce

ENCADRÉ 10.2

FACTEURS PERSONNELS ET SITUATIONNELS

Vous êtes-vous déjà demandé quel genre de personne aide le plus d'autres gens et dans quelles circonstances elle le fait? John Darley et C. Daniel Batson (1973) se sont intéressés à cette question. Dans la tradition judéo-chrétienne, le passage du bon Samaritain est certainement celui qui explique le mieux quel genre de personne aide le plus autrui et quelle situation entraîne l'adoption du comportement d'aide.

> Un homme descendait de Jérusalem à Jéricho, il tomba sur des bandits qui, l'ayant dépouillé et roué de coups, s'en allèrent, le laissant à moitié mort. Il se trouva qu'un prêtre descendait par ce chemin; il vit l'homme et passa à bonne distance. Un lévite de même arriva en ce lieu; il vit l'homme et passa à bonne distance. Mais un Samaritain qui était en voyage arriva près de l'homme: il le vit et fut pris de pitié. Il s'approcha, banda ses plaies en y versant de l'huile et du vin, le chargea sur sa propre monture, le conduisit à une auberge et prit soin de lui. Le lendemain, tirant deux pièces d'argent, il les donna à l'aubergiste et lui dit: «Prends soin de lui, et si tu dépenses quelque chose de plus, c'est moi qui te le rembourserai quand je repasserai.» (Lc, 10, 30-36.)

Quel genre de personne étaient le prêtre, le lévite et le Samaritain? Darley et Batson suggèrent que le prêtre et le lévite étaient tous les deux d'importants fonctionnaires de l'Église, pressés d'aller faire «des affaires avec l'Église». Leur religion semblait les motiver à se préoccuper davantage de leur apparence que de leurs croyances. Contrairement à eux, le Samaritain était religieux mais ne faisait pas d'affaires avec l'Église et n'assumait pas non plus de lourdes responsabilités. Le Samaritain accordait beaucoup d'importance aux valeurs éthiques et morales de sa religion; c'est probablement ce qui le motivait le plus à croire.

Dans cette perspective, Darley et Batson ont testé différentes hypothèses, à savoir ce qui influait le plus sur le comportement d'aide. Selon leur première hypothèse, la personne qui a le plus de temps libre, un peu comme le bon Samaritain, est celle qui affichera le plus souvent un comportement d'aide. Leur seconde hypothèse s'énonce ainsi: les gens sensibilisés au fait d'aider les autres devraient être plus enclins à adopter un comportement d'aide que ceux qui ne le sont pas.

Afin de tester leurs hypothèses, Darley et Batson (1973) se sont rendus dans un séminaire de théologie où ils ont questionné 67 étudiants sur leur

→

ENCADRÉ 10.2 (suite)

religion. Plus tard, ils demandèrent à ces futurs prêtres de revenir au local d'expérimentation pour obtenir plus d'information sur l'étude en question. Pour les besoins de l'étude, les chercheurs ont divisé le groupe de futurs prêtres en deux sous-groupes. Les étudiants qui faisaient partie du premier sous-groupe devaient commenter un court exposé sur les possibilités d'emploi pour les étudiants finissants du séminaire; l'autre sous-groupe devait lire le passage du bon Samaritain dans la Bible pour ensuite en discuter et commenter cette discussion. Cette condition devait sensibiliser les sujets au fait d'aider autrui. Les chercheurs manipulèrent ensuite l'empressement des étudiants à commenter les discussions. À cette fin, ils avaient indiqué aux étudiants que les commentaires et discussions se feraient dans un autre établissement. Avant de s'y rendre, le premier tiers d'entre eux avaient été avertis qu'ils étaient en retard et qu'ils devraient se dépêcher (condition du plus haut niveau d'empressement). On avait indiqué au deuxième tiers que l'assistant était prêt à les recevoir pour commenter les discussions et qu'ils devraient le rejoindre directement (condition du niveau moyen d'empressement). Au troisième tiers de l'échantillon, les chercheurs avaient indiqué que l'assistant n'était pas encore prêt, mais qu'ils ne devraient tout de même pas trop tarder et se rendre au deuxième établissement (condition du plus bas niveau d'empressement).

En marchant vers le deuxième établissement, les étudiants virent un jeune homme qui, semblable à celui de la parabole du bon Samaritain, était effondré dans l'ouverture d'une porte, la tête par terre, les yeux fermés et qui ne bougeait pas. Chaque fois qu'un étudiant passait devant l'homme effondré, ce dernier se mettait à tousser deux fois. Si l'étudiant s'approchait et offrait son aide, la victime répliquait: « Oh ! Merci (accès de toux)... Non, ça va aller (pause)... J'ai des problèmes respiratoires (accès de toux)... Le médecin m'a donné ces pilules et je viens juste d'en prendre une... Si je m'assois et que je me repose, dans cinq minutes je me sentirai mieux... Merci beaucoup quand même (petit sourire). » La victime, qui en réalité était un complice de l'expérimentateur, ne connaissait pas la condition à laquelle les étudiants avaient été affectés et elle évaluait ces derniers sur la qualité de l'aide apportée en utilisant une échelle allant de 0 (pas de comportement d'aide) à 5 (refus de quitter la victime).

Jusqu'à quel point ces futurs prêtres se montreraient-ils aidants ? Quels sont les facteurs qui prédisaient le mieux leur comportement d'aide ? À quel point se sentaient-ils concernés par les valeurs éthiques ou par la situation ? Les résultats ont démontré que l'aide apportée à la victime était indirectement proportionnelle au niveau d'empressement des futurs prêtres. En effet, plus leur empressement était grand, moins ils offraient leur aide, et ce même s'ils allaient enregistrer et commenter le passage du bon Samaritain !

→

ENCADRÉ 10.2 (suite)

Cependant, bien que cette tendance ne soit pas significative, les résultats démontrèrent que les étudiants qui venaient de lire le passage biblique avaient tendance à aider davantage la victime, comparativement à ceux qui avaient lu l'exposé sur les possibilités de carrière chez les étudiants finissants du séminaire. Finalement, la nature religieuse de la personne n'avait pas de lien avec la qualité de l'aide apportée. En revanche, parmi ceux qui se sont arrêtés pour aider la victime, les étudiants qui possédaient une vision orthodoxe de la religion ont été ceux qui ont le moins refusé de laisser la victime seule.

Quelle conclusion pouvons-nous maintenant tirer de cette étude? Le comportement d'aide semble dépendre du temps dont l'aidant potentiel dispose, et ce même pour les futurs prêtres! Il semble donc que les résultats de la recherche aillent dans le même sens que la parabole biblique: le bon Samaritain devait être un homme peu important, qui avait du temps devant lui et pas d'horaire à respecter, quelqu'un qui avait les moyens de s'arrêter pour aider une personne sur sa route.

sujet). À d'autres occasions, aider quelqu'un peut impliquer de tacher ses vêtements, d'endommager sa voiture, même de risquer sa vie ou tout simplement d'avoir l'air ridicule aux yeux des autres.

Un autre coût a trait à ce que Cacioppo et ses collaborateurs (1986) appellent **l'effet de confusion de responsabilité.** Les travaux de Cacioppo et ses collègues démontrent que des passants qui voient une personne aider une victime ont tendance à croire que l'aidant est responsable de ce qui est arrivé à la victime. Puisque la plupart d'entre nous ne veulent pas être tenus pour responsables aux yeux des autres (et ce même si ces derniers sont dans l'erreur) du sort de la victime, ils auront alors tendance à ne pas se mêler à la situation et n'aideront pas la victime.

Afin de mieux saisir le rôle des coûts-bénéfices dans la décision d'aider autrui, Piliavin, Dovidio, Gaertner et Clark (1981) ont proposé le **calcul du passant.** Selon ce modèle, lorsque les bénéfices sont plus élevés que les coûts, les gens ont tendance à aider les autres; par contre, lorsque les coûts sont plus élevés que les bénéfices, les gens ont tendance à ne pas adopter le comportement d'aide. Il s'avère toutefois important de souligner que cette analyse du passant implique également l'analyse des coûts reliés au fait d'aider et de ne pas aider autrui, et ce respectivement en fonction de l'aidant potentiel et de la victime. En effet, si le coût associé à l'aide apportée est énorme pour l'aidant potentiel (il va manquer un rendez-vous important pour un emploi), mais qu'il est encore plus élevé pour la victime (elle pourrait mourir), le comportement d'aide pourrait être adopté tout de même.

Plusieurs recherches ont soutenu le modèle en ce qui concerne des situations d'urgence où des victimes souffraient de problèmes physiques (voir Dovidio *et al.*, 1991). Plus récemment, les chercheurs ont appliqué le modèle à des situations d'urgence où la victime demandait une aide psychologique. Par exemple, Otten, Penner et Waugh (1988) ont vérifié les intentions d'aide dans une situation fictive où un ami (ou une amie) venait de rompre sa relation amoureuse. Les sujets devaient s'imaginer en train d'étudier pour un examen important et ils devaient déterminer à quel point ils aideraient leur ami (ou amie) dans une telle situation. Différentes variables du modèle ont été mesurées et une analyse par équations structurelles à l'aide du logiciel LISREL a été effectuée (voir le chapitre 2 pour ce type d'analyses statistiques).

Les résultats de cette analyse sont présentés à la figure 10.3. On remarque que ceux-ci soutiennent le modèle. Ainsi le coût associé au fait d'aider autrui diminue les chances que le comportement d'aide soit adopté, alors que c'est le contraire pour le coût associé au fait de ne pas aider autrui. De plus, la variable du temps requis pour aider une victime représente un déterminant du coût de l'aide (plus on croit que l'aide prendra du temps, plus on perçoit qu'un coût est relié au comportement d'aide), alors que la diffusion de responsabilité et l'impression que la victime mérite de l'aide influent sur la perception du coût associé au fait de ne pas l'aider (moins on ressent la diffusion de responsabilité et plus on croit que la victime mérite de l'aide, plus on perçoit que le coût relié au fait de ne pas l'aider est important). Il semble donc que le modèle du calcul du passant puisse s'appliquer à l'aide psychologique.

FIGURE 10.3 **Test du modèle de Piliavin, Dovidio, Gaertner et Clark (1981)**

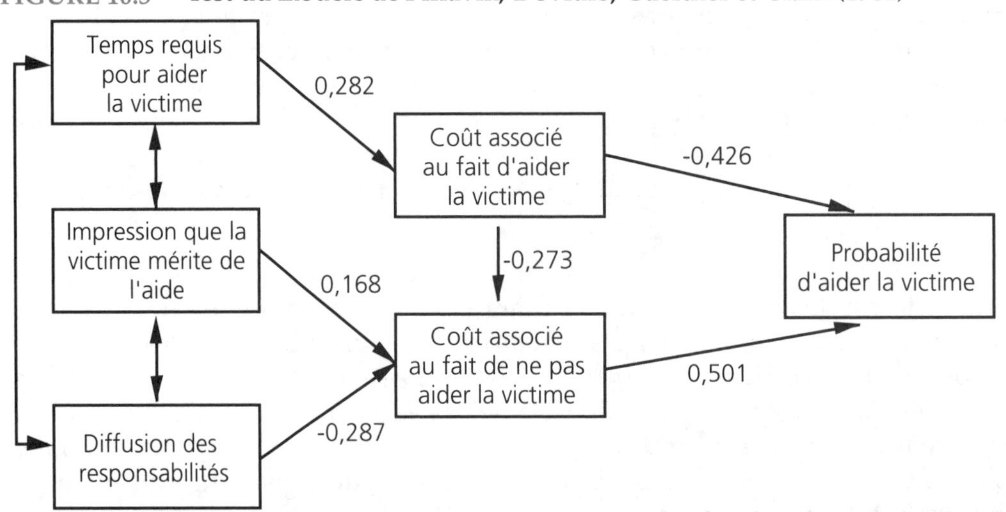

Otten, Penner et Waugh (1988) ont vérifié les intentions d'aide dans une situation fictive où un ami (ou une amie) venait de rompre sa relation amoureuse et demandait du réconfort.

En somme, la décision d'aider autrui dans des conditions d'urgence reflète une analyse cognitive impliquant plusieurs phases qui s'imbriquent les unes dans les autres. Dans la mesure où le comportement des autres facilite une compréhension de la situation, l'acceptation de la responsabilité d'aider une victime et aussi une analyse minimale du coût relié à l'aide apportée, il y a de fortes chances que le comportement d'aide soit adopté. Par contre, dans la vie de tous les jours, une analyse de ces circonstances semble démontrer que la situation et le comportement des autres, plus souvent qu'autrement, nuisent à l'adoption du comportement d'aide.

LES INFLUENCES PERSONNELLES

Une perception populaire est que les gens se distingueraient entre autres en ce qui concerne leur tendance à aider les autres. Certaines personnes seraient plus enclines que d'autres à aider autrui. Les différences de personnalité ne sauraient être les seules influences personnelles expliquant pourquoi certains individus adoptent ou non le comportement d'aide. Les psychologues sociaux soutiennent que plusieurs types de facteurs personnels peuvent influer sur le comportement d'aide. Ainsi les facteurs génétiques, les facteurs de personnalité, ainsi que les facteurs émotionnels ont-il été analysés.

Les facteurs génétiques

La perspective sociobiologique. Au cours des 20 dernières années, l'idée que le comportement d'aide possède une valeur de survie sur le plan de l'évolution humaine a suscité beaucoup d'intérêt chez les chercheurs (Wilson, 1978). Deux explications viennent appuyer cette hypothèse, soit la norme selon laquelle il faut aider les gens qui en ressentent le besoin et les observations que les éthologistes ont pu effectuer sur le comportement tant humain qu'animal. Si tel est le cas, nous serions probablement prédisposés biologiquement à aider ceux qui en ont besoin. Nous aurions ainsi des gènes responsables du comportement d'aide.

L'hypothèse d'une prédisposition biologique se révèle intéressante et a ouvert plusieurs débats entre les psychologues sociaux et les sociobiologistes. Sans vouloir entrer dans le vif du sujet, nous pouvons souligner certains points généraux. Entre autres, les sociobiologistes tels que Wilson (1975, 1978) proposent que les gènes responsables du comportement d'aide ont été sélectionnés au fil des générations. En effet, à long terme le sacrifice de soi, qui va de pair avec le comportement d'aide, augmente la probabilité que l'espèce survive. Des observations par les éthologistes Lorenz et Tinbergen ont permis de mener à une telle conclusion sur le comportement d'aide. Par exemple, ils remarquèrent que lorsqu'un prédateur s'approche d'un groupe d'animaux certains émettront un cri. Ce cri permet de préserver l'espèce puisqu'il avertit les congénères du danger imminent. Par contre, l'animal qui émet le cri se trouve lui-même en danger et risque de mourir, il se sacrifie. Pourquoi pensez-vous que l'animal, qui ne possède aucun mécanisme de raisonnement, se sacrifie ainsi pour sauver son groupe? Il se peut effectivement qu'un processus biologique soit à l'œuvre chez les animaux.

Un autre point intéressant porte sur le mécanisme de sélection responsable de la préservation du gène en question. Si l'animal avertit les autres du danger, il augmente le risque d'être tué, alors le **gène altruiste** sera perdu. Par conséquent, les animaux les moins altruistes seraient ceux qui vont demeurer en vie. Comment le gène altruiste peut-il alors se reproduire? Une explication est proposée par Wilson (1978), qui suggère le concept de la **sélection familiale.** Dans un premier temps, si un individu ou un organisme se sacrifie pour aider quelqu'un de sa famille ou un groupe de sa parenté à survivre, alors le trait ou le gène altruiste (qui est partagé par les gens de sa famille) sera préservé. Dans un deuxième temps, Trivers (1971) propose que le comportement possédant la valeur de survie la plus élevée n'est pas le comportement altruiste en soi mais plutôt le comportement altruiste réciproque. Selon Trivers, c'est ce comportement d'aide réciproque ainsi que la tendance à vouloir partager une telle réciprocité qui sont choisis par le mécanisme d'évolution de l'animal. Ainsi les groupes qui mettent leur vie en danger seront en quelque sorte récompensés par d'autres groupes qui, dans d'autres circonstances, mettront eux aussi leur vie en danger pour les sauver.

Les psychologues sociaux, pour leur part, sans nécessairement mettre de côté cette perspective biologique, croient que celle-ci est relativement limitée et trop réductionniste (voir le volume 14, 1990, de la revue *Motivation and Emotion* pour un numéro spécial sur la **sociobiologie** telle que la perçoivent les psychologues sociaux). Par exemple, Campbell (1975) propose de considérer l'évolution sociale en plus de l'évolution biologique et suggère l'existence de **gènes égoïstes.** Selon lui, ces gènes, l'inverse des gènes altruistes, ne sont pas porteurs du comportement d'aide. Pour Campbell, si les individus qui portent ce gène en viennent à aider d'autres gens, c'est à cause des normes sociales, qui les incitent à adopter ce comportement.

D'autres psychologues sociaux ont récemment émis d'autres critiques quant à cette perspective biologique. Ainsi Brewer et Caporael (1990) la considèrent comme trop réductionniste et orientée vers la compétition reproductive. Elles proposent plutôt la sélection des groupes restreints comme point le plus important en ce qui a trait à l'évolution. Selon ces chercheuses, les comportements sociaux, telles la coopération, la conformité, la loyauté – et nous pourrions également ajouter le comportement d'aide envers les membres du groupe –, permettent d'expliquer la survie du groupe. Ces mêmes auteures (Caporael & Brewer, 1990) suggèrent aussi de prendre en considération une perspective évolutive dans une approche plus large incluant les modèles psychologiques, économiques et sociaux (voir Fiske, 1991).

Les biologistes et la plupart des psychologues sociaux sont bien sûr en désaccord pour ce qui concerne la perspective génétique du comportement d'aide. En effet, parce qu'ils croient en l'influence de la situation sur le comportement d'aide, il devient particulièrement difficile pour les psychologues sociaux d'accepter que ce comportement soit biologiquement déterminé. Toutefois, ces deux groupes de chercheurs ne peuvent nier l'importance des variables génétiques et sociales dans l'adoption du comportement d'aide.

Le sexe de l'aidant. Une autre source d'influence génétique majeure a trait au sexe de l'aidant. En général, les recherches indiquent que les hommes aident plus les autres que les femmes, même si l'on dénote une certaine variation dans les résultats des études (Eagly & Crowley, 1986; Piliavin & Unger, 1985). Toutefois, il s'avère important de souligner que les recherches effectuées en psychologie sociale ont, pour la plupart, porté sur une rencontre entre deux inconnus et que le type de comportement d'aide étudié a pour le moins été restreint à des situations d'urgence. Peut-on généraliser ces résultats à l'ensemble des différents types de comportement d'aide? Il semble que non puisque plusieurs classes de comportement d'aide ont été mises de côté. C'est notamment le cas des relations plus intimes où l'aide est apportée de différentes façons, qui n'ont rien à voir avec le fait de sauver la vie d'une personne (écouter l'autre, le réconforter, etc.; voir Wills, 1991, à cet effet).

Les résultats indiquant que les hommes aident davantage autrui que les femmes, du moins dans les situations d'urgence, peuvent être expliqués en partie par les normes qui prévalent dans la société (Eagly, 1987; Eagly & Crowley, 1986). En effet, on attend des hommes qu'ils aident les gens en difficulté et qu'ils protègent également les plus faibles. Par contre, il n'est pas rare de défendre aux petites filles de discuter avec des étrangers. Ce faisant, on n'encourage pas chez les femmes le fait d'apporter de l'aide aux personnes étrangères qui pourraient se trouver en situation d'urgence. La différence de comportement entre les hommes et les femmes dans de telles circonstances ne surprendra donc pas.

Une autre explication des différences entre les sexes porte sur les différences d'orientation sexuelle (Siem & Spence, 1986). Les rôles sexuels peuvent être masculins, féminins, androgynes ou même non différenciés. Traditionnellement, les perceptions de la masculinité portaient sur la compétence et la confiance en soi de l'individu. Ainsi les personnes qui possèdent une orientation masculine (peu importe qu'il s'agisse d'hommes ou de femmes), qui se croient compétentes et qui se sentent sûres d'elles peuvent adopter le comportement d'aide dans une situation d'urgence. Une solide confiance en soi diminue la diffusion de responsabilité et augmente la probabilité que le comportement d'aide soit affiché (Senneker & Hendrick, 1983). Cependant, une telle orientation de la masculinité peut s'avérer néfaste lorsqu'il s'agit de risquer de faire rire de soi ou d'avoir l'air ridicule en adoptant ce comportement d'aide (Tice & Baumeister, 1985). L'aidant potentiel préférera alors ne pas aider plutôt que de faire rire de lui.

Puisque dans leurs études les psychologues sociaux se sont attardés longuement sur les situations d'urgence, il n'est pas surprenant d'avoir découvert que les hommes (qui possèdent en général une orientation masculine) aident plus autrui que les femmes (Eagly & Crowley, 1986; Piliavin & Unger, 1985). Toutefois, il ne faudrait pas non plus s'étonner de voir les femmes apporter davantage leur aide que les hommes dans des situations qui, bien que non physiquement dangereuses, exigent de la part de l'aidant du temps et de l'énergie ; ces deux caractéristiques de l'aide ne sont pas nécessairement visibles aux yeux des autres personnes (Otten *et al.*, 1988).

Si le sexe de l'individu peut jouer un rôle important dans l'adoption du comportement d'aide, les recherches démontrent toutefois qu'il faut souvent aller au-delà du sexe biologique et s'attarder sur la dimension psychologique pour déceler les véritables sources d'influences sur le comportement d'aide de la personne. C'est ce que nous ferons dans la prochaine section en explorant les facteurs de personnalité.

Les facteurs de personnalité

Le professeur qui se dépense sans mesure pour aider ses étudiants, le médecin qui est prêt à soigner ses patients à toute heure du jour ou de la nuit et l'étudiant qui se montre toujours d'accord pour prêter ses notes de cours ne représentent que quelques exemples de personnes qui semblent posséder une personnalité d'aidant. De telles personnes existent-elles vraiment ? Que dit la recherche à cet effet ? Est-il possible que des différences de personnalité soient responsables du comportement d'aide ? Les essais initiaux pour désigner des variables de personnalité qui pourraient prédire le comportement d'aide ont connu un succès mitigé. Les chercheurs ont étudié un très grand nombre de variables, dont la sociopathie, la désirabilité sociale, l'autonomie, la soumission, la confiance dans les autres, l'autoritarisme et l'orientation religieuse. Aucune de ces variables par elle-même ne s'est révélée un élément prédictif consistant du comportement d'aide (voir Graziano & Eisenberg, 1991, à cet effet).

Toutefois, des recherches plus récentes se sont tournées vers le concept de la « personnalité altruiste » et ont obtenu un certain succès. Ainsi Philippe Rushton, de l'Université Western Ontario, propose que les gens se distinguent en ce qui concerne leur degré de générosité, d'intérêt et d'aide vis-à-vis des autres. De plus, dans une étude effectuée auprès de jumeaux monozygotes (identiques) et dizygotes (non identiques), Rushton *et al.* (1986) ont démontré que pas moins de 50 % des différences individuelles de la personnalité altruiste semblaient dues à des facteurs héréditaires tout à fait indépendants des processus d'apprentissage social et de socialisation. En accord avec la position sociobiologique, il se pourrait donc que le degré d'altruisme des gens soit transmis génétiquement.

Au cours des dernières années, trois stratégies de recherche ont guidé les travaux qui ont porté sur la personnalité altruiste. Premièrement, les chercheurs ont démontré qu'il ne fallait pas s'attendre à ce que des variables de personnalité relativement générales puissent prédire le comportement d'aide dans toutes les situations. En revanche, ils ont prouvé que des variables de personnalité permettaient de prédire le comportement d'aide dans des situations bien précises (Romer, Gruder & Lizzadro, 1986). Plus particulièrement, il semble que les personnes altruistes aident autrui plus que les autres dans les situations où l'aide n'est pas obligatoire ni attendue (Carlo *et al.*, 1991), dans des situations qui leur permettent de réfléchir avant d'agir (Amato, 1985) tout en offrant une aide d'une durée plus longue et de meilleure qualité (Clary & Orenstein, 1991).

Une deuxième stratégie consiste à combiner les variables de personnalité, puis à les relier au comportement d'aide. Dans une telle perspective, les résultats s'avèrent relativement fructueux. Ainsi il serait possible de mesurer diverses différences individuelles telles que la responsabilité personnelle et sociale, le degré de raisonnement moral, les attitudes prosociales et de toutes les rattacher au comportement d'aide (Rushton, 1980). Par exemple, dans une étude effectuée en terrain naturel, Bierhoff *et al.* (1991) ont démontré que les personnes qui avaient déjà apporté leur aide à des accidentés de la route possédaient des niveaux plus élevés de lieu de contrôle interne, croyaient plus en un monde juste, se sentaient plus responsables socialement et ressentaient davantage d'empathie que ceux qui avaient observé de tels accidents sans pour autant apporter leur aide aux victimes. Le tableau 10.2 démontre les différences entre les deux groupes de sujets.

Une troisième et dernière stratégie de recherche réside dans l'étude de la contribution de variables altruistes dispositionnelles (c.-à-d. de personnalité) et d'état (ou situationnelles) à la prédiction du comportement d'aide. Dans ce cadre, Eisenberg *et al.* (1989) ont prouvé que des dispositions à éprouver de la sympathie, à se sentir responsable vis-à-vis de ce qui arrive aux autres et à ressentir de l'empathie étaient reliées à de la sympathie d'état qui à son tour menait au comportement d'aide. Ces derniers travaux semblent donc suggérer que les différences individuelles influent sur le comportement d'aide indirectement par le biais de leur impact sur des facteurs plus situationnels telle la sympathie ressentie à l'égard d'une victime. Cette perspective souligne également le rôle des variables émotionnelles dans le comportement d'aide.

TABLEAU 10.2 **Moyennes des échelles de personnalité pour ceux qui aident autrui et pour ceux qui n'aident pas autrui**

Variables	Groupes	
	Contrôle (passivité)	Aidants
Lieu de contrôle interne	4,43	4,82
Croyance dans un monde juste	2,57	3,13
Responsabilité sociale	4,28	4,72
Empathie	4,76	5,52

Note: Les deux groupes se distinguent significativement sur toutes les variables (adapté de Bierhoff, Klein & Kramp, 1991).

Les facteurs émotionnels

Les émotions jouent un rôle prédominant dans le comportement humain (Izard, 1993; Kirouac, 1993; Lazarus, 1991). Il n'est donc pas surprenant qu'elles influent sur le comportement d'aide. Dans ce cadre, il semble important de distinguer entre les effets de l'**humeur** et ceux des émotions. L'humeur est un état affectif plus ou moins général et peu intense qui peut être positif ou négatif (être de bonne ou de mauvaise humeur); les émotions sont des états affectifs plus précis comme la joie, la fierté ou la culpabilité et la colère. Nous étudierons leurs effets sur le comportement d'aide dans la prochaine section.

Les effets de l'humeur positive et négative sur le comportement d'aide. Plusieurs recherches en psychologie sociale ont démontré que les facteurs émotionnels étaient des déterminants majeurs du comportement d'aide. Les écrits à ce sujet sont assez éloquents. Il semble effectivement que si les gens sont de bonne humeur ils sont prêts à aider les autres beaucoup plus que lorsqu'ils sont d'humeur neutre. C'est ce qu'on appelle l'**effet d'être de bonne humeur.** Les travaux d'Alice Isen sont très clairs à ce sujet. Par exemple, les gens qui reçoivent de petites attentions, qui trouvent de la monnaie dans une cabine téléphonique, qui écoutent leur musique favorite, qui s'imaginent en vacances au soleil ou encore qui regardent un comédien présenter des histoires drôles ressentent une humeur positive qui à son tour les amène à adopter un comportement d'aide (voir Isen, 1987). La séquence est assez simple: une variable contextuelle quelconque amène la personne à se sentir de bonne humeur et le fait d'être de bonne humeur la conduit à émettre un comportement positif comme le comportement d'aide (voir Isen, 1987).

Les gens et les organismes qui sollicitent des dons se révèlent particulièrement efficaces pour influer sur l'humeur des gens. Ainsi, au cours des téléthons, plusieurs sources d'influences sont utilisées (voir l'encadré 10.3), y compris la musique. Puisque les chanteurs les plus populaires de l'heure participent généralement à ces téléthons, notre musique préférée se trouvera donc au menu. Comme celle-ci agit sur notre humeur et la rend plus joyeuse, il y a alors de fortes chances que nous encouragions par nos dons la cause en question.

Si les effets de l'humeur positive sur le comportement d'aide sont bien documentés, les processus psychologiques par lesquels l'humeur positive augmente les probabilités d'adoption du comportement d'aide sont toutefois loin d'être évidents. Certains chercheurs suggèrent l'existence d'au moins deux explications de ce phénomène (Carlson, Charlin & Miller, 1988). Celles-ci ont trait au fait que lorsque nous sommes de bonne humeur nous nous croyons en quelque sorte invincibles et nous pensons que toutes nos actions atteindront le but visé. Nous jugeons donc qu'adopter un comportement d'aide va s'avérer une expérience de succès qui nous amènera par conséquent à vivre encore plus d'émotions positives. Une deuxième explication reliée à la première postule que si nous ressentons une humeur positive, notre désir de continuer à éprouver de la joie augmente. Puisque le fait d'aider autrui est reconnu comme une expérience positive,

ENCADRÉ 10.3

LES TÉLÉTHONS

Que ce soit pour vaincre l'alcoolisme ou la paralysie cérébrale, les téléthons permettent de recueillir toujours beaucoup d'argent. Ainsi, depuis 1977, chaque année a lieu le Téléthon de la paralysie cérébrale et chaque année on y amasse plus de un million de dollars. Comment les organisateurs s'y prennent-ils ? Même s'ils n'en sont pas toujours conscients, les principes d'organisation de ces manifestations se révèlent très efficaces pour influer sur l'humeur des gens et par conséquent pour favoriser leurs dons.

Par exemple, si pendant 24 heures vous entendez de la musique jouée ou chantée par vos artistes préférés, ce qui est généralement le cas pendant les téléthons, il y a de fortes chances que cette ambiance vous incite à faire des dons. La musique agit sur notre humeur et lorsqu'on est de bonne humeur les chances de penser aux autres et ainsi de les aider de quelque façon que ce soit sont bonnes (Carlson, Charlin & Miller, 1988). Au cours des téléthons, les témoignages de personnes atteintes de la maladie (paralysie cérébrale ou autre) suscitent votre empathie et votre sympathie alors qu'elles vous demandent de l'aide et vous informent ainsi de l'utilité de vos dons. Cette réaction constitue un autre facteur qui vous amènera à donner (Krebs, 1975).

En même temps que vous assistez au spectacle, il défile à l'écran tous les numéros de téléphone, et toutes les adresses, auxquels vous pouvez faire parvenir vos dons. Les établissements où envoyer de l'argent sont toujours facilement accessibles (une caisse populaire Desjardins par exemple) de façon à ce que vous n'éprouviez aucun problème à le faire parvenir. Tous ces procédés viennent réduire au minimum le coût de votre acte. Une étude de Weyant (1978) vient confirmer le fait suivant : si l'aide qu'on désire apporter est peu coûteuse, les chances d'adopter ce comportement d'aide augmentent.

Des dirigeants viennent remettre le chèque de leur organisme ou société en direct à la télévision et invitent les gens à donner généreusement. Ces présentations ont souvent pour effet d'accroître le pourcentage des dons. Ce processus, qu'on pourrait qualifier d'« entraînement à faire des dons », peut s'expliquer grâce au « modelage » ou imitation d'une autre personne. D'une part, le fait de voir des firmes présenter des dons en public rend l'événement plus important. D'autre part, le fait que des organismes ou des individus regardent durant 24 ou 48 heures, soit la durée normale des téléthons, d'autres organismes ou individus (similarité entre le modèle et l'observateur) faire des dons augmente les chances qu'ils donnent eux aussi. Plusieurs des sociétés ou des particuliers (modèles) qui donnent de l'argent sont heureux de leur contribution et le démontrent bien lorsqu'ils passent à la télévision avec leur chèque en main. Les spectateurs qui les voient heureux d'avoir

→

ENCADRÉ 10.3 (suite)

accompli leur bonne action se sentent encore plus encouragés à donner. En effet, il a été démontré que l'état affectif positif du modèle qui aide autrui amenait davantage la personne semblable au modèle à aider elle aussi les autres. Cependant, si le modèle accomplissait ce geste avec un état affectif négatif, les gens qui l'observent ne seraient pas encouragés à en faire autant. Ainsi le principe utilisé par les téléthons de présenter des gens heureux et satisfaits de donner de l'argent incite ceux qui les observent à faire de même.

De plus, la publicité autour des téléthons ainsi que le rassemblement des bénévoles et des animateurs qui travaillent pour la même cause et vous encouragent à donner accroissent les chances que vous donniez de l'argent. Effectivement, il a été prouvé que les encouragements verbaux à adopter un comportement d'aide peuvent se révéler très efficaces pour entraîner ce comportement. C'est aussi au moment de dévoiler la somme recueillie et de rappeler l'objectif à atteindre que les gens pourront vouloir participer puisqu'ils se sentiront davantage concernés par la cause à soutenir. C'est par de tels principes qu'il devient facile de susciter le comportement d'aide.

Donner devient donc un geste entraînant qui rend les gens heureux et généralement ces mêmes personnes recommenceront à donner l'année suivante pour ressentir de nouveau ce sentiment affectif positif. Pour mieux comprendre le processus, vous n'avez qu'à tenter l'expérience vous-même...

l'adoption du comportement d'aide devrait donc suivre. Bien que plausibles, ces explications sont très peu documentées et des recherches futures se révéleront nécessaires afin de pouvoir désigner les processus psychologiques sous-jacents à la relation entre les émotions et le comportement d'aide. Ce faisant, ces travaux pourraient mettre au jour des mécanismes fondamentaux unissant les émotions au comportement humain. Dans ce cadre, la position de Salovey, Mayer et Rosenhan (1991), selon laquelle une relation bidirectionnelle unirait les deux concepts, est fort intéressante. Salovey et ses collègues proposent que les émotions représentent des éléments motivants du comportement d'aide et que ce dernier joue le rôle de régulateur des émotions.

Si les gens sont plus portés à aider autrui lorsqu'ils se sentent d'humeur joyeuse, nous devrions nous attendre à ce qu'une humeur terne enraie le comportement d'aide. Cette conclusion n'est pas nécessairement vraie. En fait, un certain nombre de recherches démontrent que les gens qui ressentent des émotions négatives sont également plus portés à aider les autres. Comment ce phénomène s'explique-t-il? Afin de répondre à cette question, Cialdini et ses collègues (1987) ont proposé le **modèle du soulagement des émotions négatives.**

Selon ce modèle, les individus aident les autres afin d'éliminer les émotions négatives qu'ils peuvent ressentir à les voir souffrir. Puisque le fait d'aider les autres amène les gens à éprouver des émotions positives (Yinon & Landau, 1987), le comportement d'aide sera alors adopté en vue de faire disparaître les émotions négatives par le biais d'émotions positives. Plusieurs recherches soutiennent cette position (Cialdini, Darby & Vincent, 1973; Cialdini *et al.*, 1987; Manucia, Baumann & Cialdini, 1984). Par exemple, les personnes qui vivent des émotions négatives ou qui sont de mauvaise humeur disent se sentir beaucoup mieux après avoir aidé quelqu'un comparativement à celles qui n'ont pas aidé autrui (Millar, Millar & Tesser, 1988).

Il est à noter que certaines limites existent concernant cet effet positif des émotions négatives sur le comportement d'aide. Premièrement, cet effet ne semble pas se produire chez les enfants, qui n'ont peut-être pas appris que le fait d'aider autrui pouvait enrayer les émotions négatives (Barden, Garber, Duncan & Masters, 1981). Deuxièmement, lorsqu'ils ressentent des émotions négatives, les gens sont moins portés à offrir leur aide si le comportement d'aide exige beaucoup d'eux que s'il exige peu (Weyant, 1978). Il est plausible que le fait de vouloir aider quelqu'un afin de chasser des émotions négatives comporte un coût trop élevé lorsque le comportement d'aide est exigeant. Il est peu probable que les émotions négatives soient alors éliminées. En revanche, lorsque le coût est faible, le but recherché à ce moment, soit la disparition des émotions négatives, peut être atteint. Le comportement d'aide pourra dès lors être adopté. Enfin, une troisième limite renvoie aux diverses émotions négatives que les gens éprouvent. En effet, lorsque l'humeur négative vécue est très intense, telle une lourde peine ou une sévère dépression, ses effets positifs sur le comportement d'aide ne sont pas reproduits. Il semblerait que, dans ce genre de situation, l'effet positif du comportement d'aide entraîne plutôt un changement dans l'intensité de l'émotion négative, allégeant le sentiment ressenti. Puisque ces émotions négatives intenses ne sont pas éliminées par le comportement d'aide, les gens seraient alors peu enclins à émettre ce dernier.

Contrairement à Cialdini et ses collègues (1987) avec leur modèle de soulagement des émotions négatives, Piliavin *et al.* (1981; voir aussi Dovidio *et al.*, 1991) ont proposé un modèle de coût-bénéfice en ce qui concerne les émotions fortes. Selon le **modèle activation-coût et bénéfice** du comportement d'aide, face à une situation d'urgence, les gens vont réagir en ressentant une hausse de leur niveau d'activation qui sera en relation avec la gravité de l'urgence. Par exemple, une personne accidentée dont un des bras est sectionné provoquera un très haut niveau d'activation chez le passant. Plus l'activation est déplaisante, plus la personne est motivée à réduire ces sentiments désagréables. Elle aura tendance à choisir la méthode la plus rapide et la plus exempte de coûts nets (les coûts moins les bénéfices reliés à l'aide apportée) pour réduire cette forte activation à l'égard de la personne en détresse. Si le comportement d'aide permet de réduire l'activation et le choc ressentis, alors le comportement d'aide sera adopté. Par contre, si une façon plus facile de réduire l'activation existe (par exemple se sauver), c'est cette option qui sera choisie. Ainsi le modèle de l'activation-coût et bénéfice vient en quelque sorte compléter celui du soulagement des émotions négatives.

Les émotions empathiques et les émotions de détresse psychologique. Au cours des dernières années, les chercheurs sont allés au-delà des humeurs positive et négative et ont désigné deux grandes classes d'émotions qui semblent jouer un rôle prépondérant dans le cadre du comportement d'aide: **les émotions empathiques** et les **émotions de détresse personnelle** (voir Batson, Fultz & Shoenrade, 1987; Carlo *et al.*, 1991). Par exemple, vous vous promenez sur le campus quand tout à coup vous apercevez l'une de vos amies par terre en train de pleurer. Elle vient de se faire agresser et voler son argent de la semaine. Votre amie a été frappée durement, elle saigne et souffre de partout. Vous ressentirez alors de fortes émotions en la regardant. Plus précisément, ces émotions devraient être de deux types. D'abord, vous devriez éprouver des émotions négatives tels le dégoût, la colère; vous seriez également choqué et alarmé, et ces émotions devraient vous troubler personnellement. Ces réactions sont des émotions de détresse personnelle. Puis, au fur et à mesure que vous demeurez avec votre amie, vous commencerez peut-être à vous identifier à elle, à vous mettre un peu dans sa peau et à ressentir de la peine et de la sympathie pour elle. Dans une telle perspective, vos émotions seront différentes cette fois-ci des autres émotions décrites ci-dessus et se rapporteront plutôt à ce qu'on appelle de l'empathie. De telles émotions peuvent inclure la tendresse, la compassion et la sympathie vis-à-vis de la personne.

Bien qu'il soit évident que les deux types d'émotions décrites ci-dessus surviennent à peu près en même temps, plusieurs recherches démontrent qu'elles sont effectivement distinctes. Par exemple, Eisenberg et Fabes (1990) ont révélé que l'empathie et la détresse personnelle se distinguaient par des indices physiologiques d'expression faciale. Ainsi, l'activation physiologique est beaucoup plus grande en ce qui concerne la détresse personnelle que les réactions empathiques. De plus, il semble que les deux types de réactions émotionnelles mènent à des autoévaluations par questionnaire fort différentes (Batson *et al.*, 1987; Carlo *et al.*, 1991; Eisenberg & Fabes, 1990). En effet, les résultats de ces études ont révélé que la sympathie, la compassion, la tristesse, le souci pour l'autre et le fait de se sentir touché et attendri représentent des émotions empathiques, alors que le fait de se sentir troublé, inquiet, dérangé, mal à l'aise et de ressentir une détresse face à soi représente des émotions de détresse personnelle.

En revanche, il semble que les deux types de réactions émotionnelles puissent amener la personne à vouloir aider la victime ou l'individu qui demande de l'aide. En effet, en ce qui concerne les émotions empathiques, Krebs (1975) a prouvé que plus une personne vivait des émotions empathiques vis-à-vis d'un sujet, plus elle était prête à se défaire de ses gains financiers afin que le sujet puisse en bénéficier. Coke, Batson et McDavis (1978) ont également démontré que des sujets qui écoutaient une description de la recherche d'une étudiante à la maîtrise et qui recevaient comme message qu'ils ressentaient des émotions empathiques vis-à-vis de l'étudiante disaient ressentir effectivement plus d'émotions empathiques et se déclaraient davantage prêts à aider l'étudiante en question que ceux qui participaient à l'expérience dans une condition non empathique. De plus, comme nous l'avons vu précédemment, les travaux de Cialdini *et al.* (1987) ont indiqué que des émotions négatives englobant de la détresse personnelle de la part de l'observateur étaient également positivement reliées au comportement d'aide.

En se basant sur les travaux de McDougall (1908), Batson *et al.* (1987) proposent un modèle motivationnel afin d'expliquer comment des réactions si différentes que celles des émotions empathiques et des émotions de détresse personnelle pouvaient avoir le même impact sur le comportement d'aide. Ce modèle est présenté à la figure 10.4. Il suggère que le fait de ressentir des sentiments de détresse personnelle produit une motivation égoïste à vouloir éliminer ces émotions négatives. Lorsque la motivation est égoïste (réduction de la détresse personnelle), le comportement d'aide est adopté seulement si les sujets n'ont pas le choix. Dans la mesure où la personne croit que le comportement d'aide peut chasser ces émotions négatives et qu'il s'agit de la seule façon de les faire disparaître, alors le comportement d'aide devrait suivre. Toutefois, s'il existe une manière plus simple d'éliminer de telles émotions, ce moyen sera utilisé. Par contre, la personne qui ressent de l'empathie pour la victime voudra réduire la souffrance de cette dernière et aura donc une motivation altruiste à l'aider. L'aidant sera alors prêt à aider la victime, peu importe la situation, puisque le but premier de l'aidant consiste à arrêter la souffrance de l'autre.

Afin de vérifier son modèle, Batson a créé un paradigme expérimental. Ce paradigme consiste à demander à un sujet d'observer un autre sujet qui reçoit des chocs électriques (ce dernier sujet est un complice de l'expérimentateur et il ne reçoit pas de chocs électriques). Par la suite, les sujets observateurs sont

FIGURE 10.4 **Détresse et empathie**

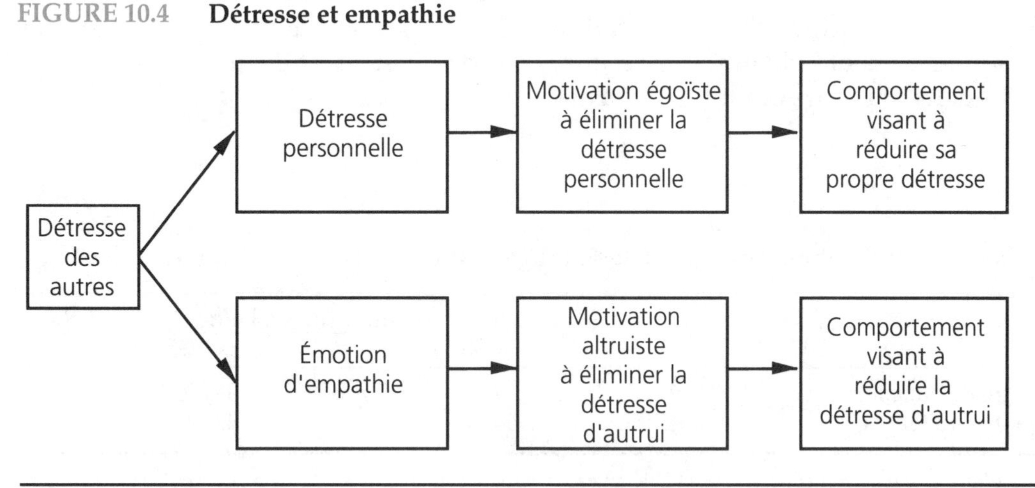

Rôle des émotions de détresse personnelle et d'empathie dans le comportement d'aide (adapté de Batson, 1987).

divisés en deux groupes: les participants du premier groupe peuvent quitter le laboratoire avant la fin de l'expérimentation s'ils le désirent et ceux du second groupe doivent assister à toute l'expérimentation et observer la souffrance de celui qui reçoit les chocs électriques. Ensuite, après avoir regardé deux essais dans lesquels l'autre sujet démontre une grande détresse à la suite de la réception des chocs électriques, les sujets observateurs ont la possibilité de prendre la place de ce sujet et donc de le soulager de sa détresse. Dans la mesure où l'observateur qui peut quitter immédiatement le laboratoire décide de prendre la place de l'autre sujet, on peut inférer qu'il y a alors présence de motivation altruiste.

De plus, Batson manipule la perspective empathique du sujet en lui disant que la personne qui reçoit les chocs électriques partage plusieurs de ses valeurs et intérêts, alors que dans l'autre condition les valeurs du sujet sont très différentes de celles de la personne qui reçoit les chocs électriques. Dans un tel paradigme, on serait en mesure de s'attendre à ce que, lorsqu'il y a empathie, le sujet observateur soit prêt à prendre la place de l'autre personne et à recevoir les chocs électriques, peu importe qu'il puisse quitter librement ou non le laboratoire. En effet, s'il ressent vraiment de l'empathie pour cette personne, il sera prêt à l'aider quelles que soient les conditions. Par contre, si peu d'empathie est éprouvée vis-à-vis de la personne recevant les chocs électriques, alors le sujet ne devrait l'aider que lorsqu'il s'y voit obligé, c'est-à-dire lorsqu'il est contraint de rester pour la durée de l'expérience (condition de fuite difficile).

Batson *et al.* (1981) ont effectué une recherche afin de vérifier ces hypothèses. Les résultats qui figurent au tableau 10.3 présentent un portrait du comportement d'aide tout à fait conforme aux hypothèses de Batson et ses collaborateurs. On remarque que le pourcentage des sujets qui ont décidé de prendre la place de la personne recevant les chocs électriques et ainsi de l'aider était relativement élevé dans la condition de fortes émotions empathiques, et ce peu importe si les sujets pouvaient quitter le laboratoire librement ou non. Par contre, lorsque les émotions empathiques étaient faibles, les sujets n'aidaient la personne que lorsqu'ils y étaient obligés. Ces résultats de Batson et ses collègues ont été reproduits dans plusieurs études (p. ex. Batson *et al.*, 1989; Shroeder *et al.*, 1988).

TABLEAU 10.3 **Proportion d'aide que les gens apportent à une personne**

		Niveau d'empathie de l'aidant	
		Faible	Élevé
Degré de difficulté à quitter la situation	Facile	18 %	91 %
	Difficile	64 %	82 %

Note: Lorsqu'une personne possède un faible niveau d'empathie et qu'il lui est facile de quitter la situation, peu d'aide est apportée à la victime. En revanche, si le niveau d'empathie est élevé, la grande majorité des gens vont aider la victime, peu importe s'il leur est difficile ou non de quitter la situation (adapté de Batson, Fultz & Shoenrade, 1987).

Les recherches de Batson et ses collègues semblent donc démontrer qu'une motivation altruiste peut mener au comportement d'aide, et ce peu importe les conditions préexistantes (voir Batson & Oleson, 1991). Par contre, lorsque la motivation est plutôt égoïste (réduction d'émotions négatives), le comportement d'aide ne sera adopté que si les sujets y sont contraints. Toutefois, dans ses propres études, Batson n'avait pas mesuré les émotions sous-jacentes au comportement d'aide. Carlo *et al.* (1991) ont donc reproduit en partie l'étude de Batson *et al.* (1981) tout en mesurant les émotions relatives à la détresse personnelle et à l'empathie. Ils ont alors établi des corrélations entre les deux types d'émotions et le comportement d'aide dans les situations de retrait libre et de non-retrait. Les résultats ont révélé que, lorsque le sujet pouvait se retirer librement de l'expérience, les émotions empathiques étaient les plus reliées au comportement d'aide. Cependant, lorsque le sujet devait assister à l'expérience et observer la souffrance de la victime, les émotions empathiques et celles de détresse personnelle étaient toutes deux reliées au comportement d'aide, même si ces dernières démontraient des corrélations plus fortes.

Pris dans leur ensemble, ces travaux démontrent donc que, selon les circonstances, le comportement d'aide peut être le fruit de **motivations altruiste ou égoïste.** Cette dualité chez l'être humain décrite depuis des millénaires (voir Allport, 1985) représenterait une réalité, du moins en ce qui concerne le comportement d'aide. Les recherches futures devraient s'efforcer de désigner les déterminants de ces deux types de motivations ainsi qu'essayer d'explorer la piste ouverte par Clary et Orenstein (1991) et déterminer dans quelle mesure le comportement d'aide issu des motivations altruiste et égoïste est qualitativement différent.

Le modèle « attributions-émotions-comportement d'aide » de Weiner. Vous est-il déjà arrivé de marcher dans la rue et de voir une personne étendue par terre sentant l'alcool et vous demandant votre aide ? Vous avez alors probablement détourné le visage et poursuivi votre chemin. En revanche, il vous est peut-être déjà arrivé de voir une personne âgée trébucher et de l'avoir aidée avant même qu'elle vous le demande. Pourquoi ces comportements sont-ils si différents ?

Selon Weiner (1980a, 1980b), une analyse attributionnelle des causes du besoin d'aide de la personne est effectuée dans de telles circonstances (voir le chapitre 5 pour une discussion sur la théorie attributionnelle de Weiner). L'individu en position d'aider quelqu'un essaie alors de comprendre pourquoi ce dernier a besoin d'aide et les attributions émises vont alors engendrer des émotions qui à leur tour dicteront s'il y aura adoption du comportement d'aide ou non. Dans la mesure où les attributions émises indiquent que la personne qui a besoin d'aide est responsable de son état, des émotions négatives tels le dégoût et la colère seront ressenties et aucune aide ne sera apportée. Cependant, si la personne qui demande de l'aide n'est pas tenue pour responsable de sa situation, alors des émotions plus positives, comme la sympathie, seront éprouvées et le comportement d'aide sera probablement émis.

Plusieurs études soutiennent le **modèle des attributions-émotions-comportement d'aide** de Weiner (p. ex. Betancourt, 1990; Meyer & Mulherin, 1980; Reisenzein, 1986; Schmidt & Weiner, 1988; Weiner, 1980a, 1980b). Par exemple, dans l'étude de Schmidt et Weiner (1988), les sujets devaient s'imaginer qu'un étudiant dans leur classe leur demandait de lui prêter leurs notes de cours soit parce qu'il avait eu des problèmes avec ses yeux durant la semaine (attribution incontrôlable indiquant la non-responsabilité du demandeur) ou parce qu'il avait été à la plage durant le cours (attribution contrôlable impliquant la responsabilité du demandeur). Par la suite, les sujets devaient répondre à différentes questions mesurant leurs attributions de contrôlabilité devant le comportement du demandeur, leurs sentiments de colère ou de sympathie vis-à-vis du demandeur ainsi que leur intention d'aider ce dernier. Les chercheurs ont effectué une analyse par équations structurelles avec l'aide du logiciel LISREL. Les résultats sont présentés à la figure 10.5. Ils soutiennent le modèle de Weiner. En effet, moins la demande d'aide semble être sous le contrôle du demandeur, plus l'aidant potentiel ressent de la sympathie et moins il éprouve de la colère vis-à-vis de celui-ci. Et plus l'aidant potentiel ressent de la sympathie et moins il éprouve de la colère, plus il aura l'intention d'aider le demandeur.

Deux points doivent être mentionnés concernant la perspective attributionnelle de Weiner sur le comportement d'aide. Premièrement, la plupart des études ont été menées selon une approche par simulation (ou scénario fictif). Donc, la validité écologique de ces études s'avère quelque peu limitée. Toutefois, il est important de souligner que des études de Betancourt (1990) ont reproduit les

FIGURE 10.5 **Le rôle des attributions dans le comportement d'aide : un test du modèle de Weiner (1980a)**

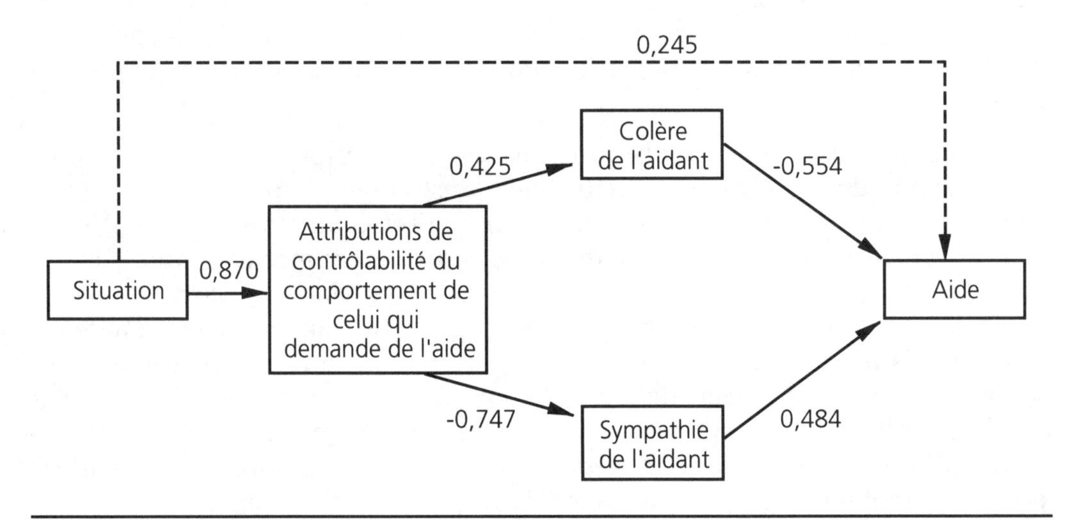

Adapté de Schmidt et Weiner (1988).

résultats de ces études avec des comportements d'aide réels. Les résultats de Betancourt permettent donc de croire à la pertinence du modèle.

Un second point important réside dans la possibilité que l'analyse attributionnelle soit influencée par différentes variables personnelles de l'individu en position d'aider autrui. Ainsi nous avons vu au chapitre 5 que les gens se distinguent selon leur style attributionnel (Peterson *et al.*, 1982). Le style attributionnel peut donc agir sur les attributions qui seront émises spontanément dans une situation d'aide ainsi que sur les autres éléments de la chaîne causale. Une autre variable susceptible d'influer sur les attributions est le degré de similarité entre l'aidant potentiel et la victime (Regan, 1978). Par exemple, si une personne en position d'aider un alcoolique est elle-même alcoolique, il est alors fort possible que les attributions émises se révèlent très différentes de celles d'une personne non alcoolique. Dans une telle circonstance, l'aidant alcoolique pourrait très bien faire une attribution incontrôlable de non-responsabilité à l'égard du demandeur, ressentir de la sympathie vis-à-vis de cette personne et l'aider à se remettre sur pied. On peut ainsi voir que l'analyse attributionnelle qui sera effectuée dans une situation d'aide peut dépendre non seulement des circonstances mais aussi de diverses variables personnelles et interpersonnelles.

En somme, plusieurs travaux de recherche soulignent l'importance des facteurs personnels dans l'adoption du comportement d'aide. Toutefois, même si de telles influences ne sont pas à négliger, une grande partie du comportement d'aide observé tous les jours semble être sous l'emprise d'autres variables, notamment les influences interpersonnelles.

LES INFLUENCES INTERPERSONNELLES

Dans cette section, nous dirigerons notre attention sur les facteurs interpersonnels qui peuvent influer sur l'adoption du comportement d'aide. Plus particulièrement, notre analyse portera sur deux points bien précis, à savoir les caractéristiques de la personne demandant de l'aide telles qu'elles sont perçues par l'aidant potentiel et la relation qui existe entre les deux personnes.

Les caractéristiques perçues de la personne demandant de l'aide

Si les caractéristiques de la personne demandant de l'aide peuvent agir sur le comportement qui sera adopté à son égard, il demeure important de souligner que ses caractéristiques interagissent avec celles de l'aidant potentiel. En effet, une victime qui sera perçue comme attirante par une personne ne le sera pas nécessairement par une autre.

Dans ce cadre interactionnel, un certain nombre de variables ont été étudiées. Une première porte sur l'attirance physique de la personne qui demande de l'aide. Nous avons vu au chapitre 8 que les personnes attirantes physiquement recevaient une foule de faveurs des autres. L'une de celles-ci est qu'elles ont plus de chances d'être aidées que celles qui ne sont pas attirantes. Par exemple, Benson, Karabenick et Lerner (1976) ont démontré que des gens qui trouvaient des documents appartenant à des personnes attirantes (variable manipulée à l'aide d'une photographie incluse dans les documents) étaient plus portés à poster les documents à la personne en question que ceux qui trouvaient des documents appartenant à une personne non attirante.

Une autre variable interactionnelle majeure déjà discutée dans la section sur les influences personnelles se réfère au sexe de l'individu ayant besoin d'aide et à celui de l'individu pouvant apporter son aide. En effet, plusieurs recherches semblent indiquer que, si la personne ayant besoin d'aide est une femme, les hommes auront plus tendance à vouloir apporter leur aide. Cependant, si cette personne est un homme ou si les victimes sont un homme et une femme ensemble, l'aide apportée par les hommes sera moindre. Les femmes, elles, auront moins tendance à aider autrui, peu importe le sexe de la personne ayant besoin d'aide (Pomazal & Clore, 1973). Ce phénomène se vérifie notamment dans des situations d'urgence telles qu'un automobiliste ayant besoin d'aide sur le bord de la route.

Le nombre de victimes constitue une autre variable qui semble avoir un impact sur le comportement d'aide. Bien que cette variable puisse paraître objective (et non interactionnelle), un nombre peut sembler grand ou petit selon l'expérience antérieure de l'aidant, et ainsi agir sur le comportement d'aide de façon subjective. Les recherches démontreraient que plus les victimes sont nombreuses, plus elles seront aidées, supposément parce que dans une telle circonstance la norme d'obligation d'aider autrui se révèle alors plus saillante (Wegner & Schaefer, 1978).

Le degré de similarité entre l'aidé et l'aidant s'avère également important. Un certain nombre de recherches indiquent que le fait de percevoir l'aidé semblable à nous augmente les chances d'adopter un comportement d'aide (Benson *et al.*, 1976; Gaertner, 1975; Hornstein, 1982). De tels résultats ont été obtenus dans diverses circonstances et avec différentes formes de similarité, que ce soit les attitudes, les intérêts ou l'habillement (voir Dovidio, 1984). Dans ce cadre, Rabow, Newcomb, Monto et Hernandez (1990) ont étudié les comportements d'aide d'étudiants universitaires dans des situations d'accidents de la route dus à l'état d'ébriété du conducteur. Leur étude a révélé que le meilleur élément prédictif du comportement d'aide était l'affinité avec la victime. Cette variable avait même eu un impact plus grand que le nombre de personnes présentes, contrecarrant ainsi l'effet du passant.

Toutefois, soulignons que l'effet de similarité en ce qui concerne la race n'a pas toujours été obtenu. En effet, certaines recherches (Katz, Cohen & Glass, 1975) ont permis de découvrir que les gens pouvaient aider encore plus quelqu'un d'une autre race qu'une personne de leur propre race alors que d'autres recherches n'ont mis au jour aucune distinction (Wispé & Freshley, 1971). Il se pourrait que ces résultats divergents soient obtenus à cause de la norme qui condamne le racisme et qui amène ainsi les gens, dans certaines circonstances, à aider encore plus quelqu'un d'une autre race (Frey & Gaertner, 1986).

La relation entre l'aidant et l'aidé

Nous tournons maintenant notre attention vers des facteurs qui portent directement sur la relation interpersonnelle entre l'aidant et l'aidé, soit le type de relation existant entre les deux personnes qui va au-delà des perceptions de l'individu ayant besoin d'aide. Une première variable concerne la relation de dépendance de l'aidé vis-à-vis de l'aidant potentiel. Ainsi Berkowitz et ses collaborateurs (Berkowitz & Connor, 1966; Berkowitz & Daniels, 1963) ont mené des études avec des superviseurs dont les récompenses étaient déterminées par le rendement de travailleurs sous leurs ordres (condition de dépendance) ou encore avec des superviseurs dont les récompenses ne dépendaient pas du rendement des subordonnés (condition sans dépendance). Les résultats ont démontré que la productivité des travailleurs augmentait dans la condition de dépendance même lorsqu'ils croyaient que leur rendement personnel ne pouvait pas être identifié.

Il s'est déjà avéré, dans une étude de Midlarsky (1968), que les gens sont plus portés à aider une personne ayant un problème de vision parce que ses lunettes sont brisées qu'une personne dont le problème de vision est autre. Toutefois, il est important de souligner que nous ne subirons pas toujours une pression pour aider les gens qui dépendent de nous. En effet, comme l'a démontré Schopler (1967), une telle aide ne sera apportée que si la personne se sent investie de la responsabilité d'aider l'individu dans le besoin. Dans la mesure où plusieurs passants sont présents, il se produira alors un effet de diffusion de responsabilité tel que le prédit le modèle de Darley et Latané (1968), et l'aide ne sera pas accordée même si l'individu dans le besoin dépend des personnes présentes.

Une variable influente à considérer dans la relation entre l'aidé et l'aidant porte sur la qualité de cette relation. Dans ce cadre, plusieurs concepts ont été analysés. Un premier a trait au degré de communalité existant dans la relation (Clark & Mills, 1979). Les **relations communales** sont celles dans lesquelles les personnes ressentent le besoin d'aider un individu lorsque celui-ci en exprime le besoin et non seulement parce que ce dernier leur a déjà rendu service dans le passé. Dans le cadre de deux études, Clark, Ouellette, Powell et Milberg (1987) ont démontré qu'effectivement lorsqu'une relation entre deux personnes est caractérisée par un esprit de communalité les gens en position d'aider les autres les aidaient beaucoup plus que ceux engagés dans des relations non communales, notamment lorsque le besoin d'aide était clairement exprimé.

Le degré d'intimité entre l'aidé et l'aidant représente la seconde variable reflétant la qualité de la relation. Comme vous vous en doutez sûrement, un certain nombre de recherches révèlent que dans l'ensemble les amis intimes s'aident beaucoup plus qu'ils n'aident des étrangers (Sawyer, 1966; Shoenrade, Batson, Brandt & Loud, 1986). En effet, si nous ne sommes pas capables d'aider nos proches, qui aiderons-nous ? Toutefois, devrions-nous nous attendre à ce que nous aidions toujours nos amis ? Ainsi, ne vous est-il jamais arrivé de ne pas vouloir aider un de vos amis afin qu'il ne puisse obtenir une meilleure note que vous au même examen ? Comment ce type de comportement, bien que logique, s'explique-t-il?

Le **modèle du maintien de l'autoévaluation,** d'Abraham Tesser (1988), permet d'expliquer cette attitude apparemment contradictoire. Selon ce modèle, la performance des autres peut avoir un impact significatif sur nos sentiments et comportements, et le type de tâche accomplie joue un rôle prépondérant afin de déterminer s'il y aura adoption ou pas du comportement d'aide. Par exemple, si l'un de vos amis effectue une tâche sans importance à vos yeux, vous serez alors enclin, selon le modèle de Tesser, à l'aider pour qu'il obtienne le meilleur rendement possible. Vous pourrez par la suite faire savoir aux autres que votre ami a très bien exécuté cette tâche ; la performance de votre ami pourra ainsi rehausser votre estime personnelle. Par contre, si votre ami effectue une tâche importante à vos yeux, il serait alors menaçant pour votre estime personnelle qu'il réussisse mieux que vous. Dans une telle situation, vous seriez moins enclin à aider votre ami comparativement à la condition où la tâche vous importait peu. Plusieurs études révèlent même que dans une situation menaçante les gens préfèrent aider les étrangers plutôt que leurs amis (Tesser & Smith, 1980; voir Tesser, 1988, pour une recension des écrits à ce sujet).

En somme, les recherches présentées dans cette section soulignent que la relation entre la personne ayant besoin d'aide et la personne en position de l'aider joue un rôle considérable dans l'adoption du comportement d'aide. Même si une telle analyse n'est pas à première vue surprenante, le fait qu'à l'occasion nous soyons plus motivés à aider les étrangers que nos amis l'est bien davantage. Audelà de la relation interpersonnelle, il semble donc important de tenir compte du contexte global dans lequel l'aide est accordée. Une telle perspective élargie permet une compréhension accrue des déterminants du comportement d'aide.

LES CONSÉQUENCES DU COMPORTEMENT D'AIDE

Jusqu'ici dans le chapitre, nous avons étudié les déterminants du comportement d'aide, c'est-à-dire les variables qui peuvent amener une personne à aider ou ne pas aider une autre personne. Il ne faudrait toutefois pas se limiter aux simples déterminants du comportement d'aide, mais également étudier les conséquences de ce dernier. En effet, le comportement d'aide peut engendrer plusieurs conséquences psychologiques susceptibles d'affecter sérieusement l'aidant autant que l'aidé. De telles conséquences sont du ressort de la psychologie sociale. Dans ce cadre, nous nous arrêterons aux conséquences relatives à l'aide apportée, à celles qu'entraîne le fait de ne pas aider autrui, et ce autant pour la personne en position d'aide que pour celle qui en fait la demande.

Les conséquences reliées à l'aide apportée

Les conséquences pour l'aidant. Comme vous l'avez sûrement vécu à de nombreuses reprises, aider les autres ne comporte pas que des coûts ; plusieurs conséquences positives peuvent en résulter. En fait, ce que les gens retirent de l'aide apportée aux autres représente un déterminant important de leur engagement à long terme dans des activités d'aide, tel le bénévolat (Snyder & Omoto, 1992) (voir l'encadré 10.4 à ce sujet).

ENCADRÉ 10.4

LE BÉNÉVOLAT

En 1980, une étude statistique évaluait à 4,5 milliards de dollars la contribution économique du secteur bénévole au Canada. Le bénévolat représente en fait une véritable force économique. Il se niche partout, même en plein cœur de l'actualité : services sociaux de soutien et d'aide, bien entendu, mais aussi action culturelle, éducation populaire, préoccupations environnementales et écologiques. Acte de charité chrétienne, il est devenu « geste d'action sociale ». En effet, le nombre grandissant de bénévoles québécois nous fait nous rendre compte que plusieurs gens ont le désir et le temps d'offrir leur aide. Par ailleurs, ce comportement d'aide suscite des questions. Par exemple, pourquoi les gens aident-ils les autres de cette façon ?

Beaucoup d'entre vous doivent penser que les gens qui font du bénévolat sont ceux qui ont du temps à perdre ; des personnes assez riches pour se laisser vivre et assez bonnes pour aider autrui ; des personnes qui sortent d'une dépression et qui ressentent le besoin d'aider les autres ; ou encore des individus qui ont la vocation. Détrompez-vous, le bénévolat constitue une aide qui a plusieurs raisons d'être. Si autrefois l'oubli de soi et le désintéressement étaient caractéristiques du geste bénévole, aujourd'hui, même les justifications et les motivations les plus égoïstes ont droit de cité : désir de rendre un service qui nous affecte directement ; envie d'utiliser et de faire valoir les compétences qu'on possède déjà ; besoin de combler sa solitude ; et même, pourquoi pas, envie d'exercer un certain pouvoir dans sa communauté.

Prenons l'exemple du sida : vous êtes-vous déjà demandé pourquoi certaines personnes s'offrent pour être bénévoles auprès des sidatiques alors que

→

ENCADRÉ 10.4 (suite)

d'autres fuient tout contact avec ces gens? Snyder et Omoto (1992) ont analysé la motivation des individus à faire du bénévolat auprès des populations atteintes du sida. Ils en sont venus à décrire cinq catégories de motivations. Le premier type de motivation porte sur les valeurs personnelles: par exemple, aider des victimes, dans ce cas, fait partie des besoins à but humanitaire de la personne. La deuxième catégorie sert davantage à la compréhension et à l'apprentissage de la part de la personne: ainsi cette dernière aidera les sidatiques pour mieux comprendre et apprendre comment ils adaptent leur mode de vie par rapport à cette maladie. La troisième concerne surtout la conscientisation des communautés et des groupements sociaux: dans ce cas-ci, la personne se sentirait proche, entre autres, de la communauté homosexuelle. La quatrième catégorie a trait à la croissance et au développement personnel de l'individu: celui-ci voudra relever de nouveaux défis et tester ses limites. Enfin, la cinquième et dernière catégorie de motivation à l'égard du bénévolat est définie comme le rehaussement de l'estime personnelle: les gens motivés de cette façon seront bénévoles auprès des populations sidatiques pour sentir qu'ils accomplissent un geste utile; ils viendront combler un vide dans leur vie et se revaloriseront de cette manière.

Comme on peut le remarquer, les différents types de motivations à faire du bénévolat sont nombreux. Les cinq catégories de motivations permettraient également, selon Snyder et Omoto, d'expliquer pourquoi certains bénévoles poursuivent leur action et d'autres pas. Les résultats de leur étude révélèrent que sur le plan de la satisfaction du bénévole il n'existe pas de différence entre les gens qui abandonnent leur bénévolat et ceux qui le poursuivent. Par contre, en ce qui concerne les perceptions de ce que leur coûte le bénévolat, celles des individus qui ne poursuivent pas leur action et celles des autres étaient différentes. En effet, les premiers trouvaient que le bénévolat prenait trop de leur temps et se sentaient embarrassés, mal à l'aise ou même jugés de manière défavorable par les autres lorsqu'ils faisaient du bénévolat. C'est donc par rapport aux conséquences du bénévolat que se distinguent les premiers des seconds.

Les différentes raisons pour lesquelles les gens sont bénévoles et les motivations qui se cachent derrière ces raisons se révèlent d'une très grande importance aux yeux des employeurs qui «engagent» les bénévoles. C'est grâce à ces différents types de motivations qu'on peut déterminer qui sont les personnes qui continueront ou non leur bénévolat. La source de motivation d'un individu à faire du bénévolat devient également un aspect de considération important aux yeux de ceux qui le côtoient puisque la motivation influera sur son humeur et sur la qualité de ses gestes bénévoles quels qu'ils soient.

Les conséquences du comportement d'aide peuvent être de nature cognitive, affective, comportementale et adaptative. Sur le plan cognitif, certaines recherches démontrent que l'aidant en vient à modifier sa perception de lui-même conséquemment à l'adoption du comportement d'aide. En effet, l'aidant en arrive souvent à se percevoir comme une personne « aidante » et compréhensive. Et cette nouvelle autoperception peut s'inscrire dans le concept de soi de l'aidant. Toutefois, certaines études (Batson, Coke, Jasnoski & Hanson, 1978; Paulhus, Shaffer & Downing, 1977) ont prouvé que l'adoption du comportement d'aide n'amenait pas toujours des changements d'autoperception chez l'aidant. En effet, il apparaît que les gens se percevront comme des personnes aidantes dans la mesure où ils émettent des attributions internes pour l'adoption de leur comportement d'aide. Par exemple, les sujets qui avaient reçu une récompense pour aider quelqu'un d'autre (condition d'attribution externe) se sont évalués comme des personnes moins altruistes que les sujets qui n'en avaient pas reçu (Batson *et al.*, 1978).

Comme nous l'avons vu dans la section sur les facteurs émotionnels, sur le plan affectif, les recherches démontrent qu'aider autrui amène l'aidant à se sentir beaucoup mieux (p. ex. Cialdini & Kenrick, 1976; Harris, 1977). Apporter son aide à quelqu'un non seulement augmente les émotions positives, mais cet acte contribue également à diminuer les émotions négatives. La recherche d'émotions positives serait en fait l'une des motivations majeures amenant les aidants à s'engager dans des activités d'aide à long terme (Clary & Snyder, 1991; Snyder & Omoto, 1992).

Sur le plan comportemental, les études révèlent que plus les gens aident autrui, plus ils seront portés à aider les autres dans l'avenir (p. ex. Schwartz & Gottlieb, 1980). En effet, il semble plausible qu'ayant déjà aidé autrui la personne ait acquis une perception de compétence et certaines habiletés nécessaires à faire face à une situation similaire dans l'avenir. Ce phénomène sera particulièrement vrai dans le cas où le comportement d'aide initial a mené l'individu à se percevoir comme une personne aidante (Freedman & Fraser, 1966).

Enfin, un dernier type de conséquences intéressantes qui a été négligé en recherche porte sur l'effet adaptatif que peut produire sur une personne ayant elle-même besoin d'aide le fait d'aider d'autres individus : la personne âgée qui ressent de la solitude, mais qui aide les autres résidents du centre d'accueil au cours des activités sociales ; le grand frère qui réconforte le plus jeune à la suite du divorce des parents ; le basketteur qui n'a pas joué durant le match, mais qui a encouragé tout de même son équipe, etc. Quelles sont les conséquences reliées à une action de la sorte ? Selon Midlarsky (1991), celle-ci permet à la personne de mieux s'adapter à sa propre situation. Dans de telles circonstances, l'individu a le choix de se percevoir comme une victime qui décide de ne rien faire et qui attend l'aide des autres ou il peut se considérer comme une personne-ressource qui peut agir et aider les autres. Puisque aider autrui engendre des conséquences affectives positives pour l'aidant, accomplir ce geste peut donc avoir des conséquences adaptatives positives chez les gens même lorsqu'ils pourraient bénéficier eux-mêmes de l'aide d'autrui.

Midlarsky (1991) rapporte les résultats de plusieurs de ses études, notamment celles menées auprès des personnes âgées, qui soutiennent cette interprétation. Ainsi, dans une étude corrélationnelle auprès de cette population, il a été découvert que le fait d'aider les autres était corrélé positivement avec des indices de santé mentale tels l'intégration sociale, l'estime personnelle et un bon moral. Dans une autre étude de nature expérimentale, il a été démontré que le fait d'encourager les personnes âgées à aider les autres résidents du centre avait produit une augmentation du comportement d'aide ainsi qu'une amélioration de la santé mentale telle qu'elle fut mesurée six mois après l'intervention.

Il semble donc que les victimes qui réussissent à surmonter leurs problèmes et qui aident les autres s'adaptent mieux et plus sainement sur le plan psychologique à leur propre situation. Il reste toutefois aux chercheurs à démontrer les processus psychologiques responsables d'un tel effet.

Les conséquences pour l'aidé. Au-delà des conséquences directes associées au comportement d'aide lui-même (par exemple se sortir d'une impasse), le fait d'être aidé peut entraîner plusieurs conséquences psychologiques pour la personne recevant l'aide en question. Ces conséquences peuvent être de nature cognitive, affective et comportementale.

Sur le plan cognitif, le fait pour une victime d'être aidée peut avoir des effets importants sur son autoperception. Dans la mesure où l'aide est accordée dans un contexte de respect pour l'aidé, ce dernier peut se percevoir comme une « bonne personne », comme un individu digne de respect qui mérite l'aide des autres. Par contre, si l'aide est offerte de façon hautaine, l'aidé peut alors se considérer comme une personne incapable de réussir sans l'aide des autres (Nadler & Fisher, 1986). Parfois, le seul fait d'être aidé alors que d'autres ne le sont pas est suffisant pour mener à des autoperceptions d'incompétence (Nadler & Mayseless, 1983). Si l'on considère qu'en plus les observateurs de la séance d'aide auront une perception de l'aidé semblable à sa propre autoperception (Graham & Barker, 1990), il se peut fort que le contexte social ambiant de l'aidé l'amène à se percevoir comme une personne incompétente pendant une période prolongée. De telles conséquences peuvent avoir des effets perfides sur la motivation de la personne et sur sa performance à venir dans l'activité en question (p. ex. Graham, 1984).

Sur le plan affectif, la personne aidée peut ressentir de la satisfaction et de la gratitude à la suite de l'aide reçue, mais elle peut également éprouver de l'humiliation et de la honte selon les circonstances entourant le comportement d'aide (Graham, 1984). Dans la même veine, même si le réconfort (ou le soutien social) des autres peut avoir des conséquences positives pour la santé mentale des gens (Cohen & Wills, 1985; Midlarsky, 1991), il n'en demeure pas moins que les effets ne sont pas toujours aussi évidents. Ainsi Wortman et Dunkel-Schetter (1979, 1987) proposent que ceux qui apportent leur aide aux victimes d'événements traumatisants, tels un viol ou une agression, ne savent pas toujours comment s'y prendre pour les aider. La victime se sentira rejetée, abandonnée ou critiquée plus souvent qu'autrement (voir Peters-Golden, 1982, à cet effet).

Dans une étude auprès des victimes du cancer du sein, Dakof et Taylor (1990) ont analysé les comportements d'aide issus de différentes sources qui engendraient le plus de satisfaction et d'insatisfaction chez l'aidée. Ainsi les patientes ressentaient beaucoup de satisfaction lorsque l'aidant (conjoint) était présent et disponible, lorsqu'il démontrait de l'empathie (autres membres de la famille et amis), lorsqu'il donnait de l'information utile (médecin) ou lorsqu'il démontrait une compréhension particulière (autre victime du cancer du sein). Par contre, les patientes se sentaient insatisfaites de l'aide lorsque l'aidant critiquait leur façon de faire face à la maladie (conjoint), lorsqu'il minimisait l'importance du cancer (famille), lorsqu'il les évitait (amis), lorsqu'il ne leur offrait pas d'information utile (médecin) et lorsqu'il n'agissait pas comme un bon modèle pour elles (autres patientes).

Si les comportements de l'aidant n'entraînent pas toujours des conséquences affectives positives pour la victime, les comportements utiles varient selon la personne qui les adoptent. Cette information s'avère intéressante dans la mesure où l'on voudra maximiser la satisfaction de l'aidé à l'égard de l'aide reçue. En effet, certaines études révèlent que la satisfaction de l'aidé vis-à-vis de l'aide reçue représente un déterminant important de sa santé mentale. Plus l'aidé est satisfait de l'aide reçue, plus sa santé mentale sera par la suite positive (Krause, Liang & Yatomi, 1989).

Enfin, le dernier type de conséquences porte sur le comportement de l'aidé. Ce dernier aura généralement tendance à rendre l'aide reçue. Ainsi donc la personne ayant reçu de l'aide sera plus encline à aider la personne qui l'a secourue, et ceci dans une mesure largement équivalente à l'aide reçue (Wilke & Lanzetta, 1970). Plus l'aide aura été généreuse et plus elle le sera dans l'avenir. Il semble donc que les normes de réciprocité et d'échange social soient à l'œuvre dans une telle situation. Dans pareil cadre, les travaux de Pruitt (1968) indiquent que l'échange social sous-jacent au futur comportement d'aide de la personne ayant reçu l'aide initiale sera fonction du sacrifice consenti par l'aidant. Par exemple, une personne millionnaire qui donnerait un dollar à une œuvre de charité recevrait moins d'aide par la suite qu'une personne pauvre ayant donné un dollar.

Toutefois, nous sommes tous conscients que, dans plusieurs cas, l'individu ayant reçu de l'aide ne sera pas porté à aider la personne qui a adopté le comportement d'aide initial. Ne vous est-il jamais arrivé d'aider un étudiant et de vous faire refuser son aide ensuite? Si oui, ce qui suit pourrait vous intéresser. Généralement, il n'y aura pas réciprocité en matière de comportement d'aide si l'aidé n'est pas satisfait de l'aide reçue ou des conditions qui y sont associées. Un certain nombre de facteurs particuliers ont été identifiés dans ce cadre. Un premier porte sur la perte de liberté de l'aidé. Ainsi certaines recherches démontrent que les gens sont beaucoup moins enclins à aider les personnes qui les ont aidés s'ils se sentent obligés de le faire en retour (Brehm & Cole, 1966). Dans un tel cas, l'obligation d'aider la personne qui nous avait aidés auparavant peut être vécue comme une contrainte importante à notre liberté et peut produire un effet de **réactance psychologique** (Brehm, 1966; Brehm & Brehm, 1981). La personne se sent alors motivée à restaurer sa liberté et agira de façon contraire au comportement attendu, c'est-à-dire qu'elle n'aidera pas l'individu qui lui avait apporté son aide. La norme de réciprocité ne se voit donc pas toujours respectée.

Un deuxième facteur qui amènera l'aidé à ne pas assister l'aidant concerne l'aspect d'iniquité de la situation. En effet, s'il est impossible pour la personne ayant reçu de l'aide de pouvoir aider l'autre de façon équitable ou à peu près équivalente dans l'avenir, probablement que l'aide ne sera pas apportée, l'aidé préférant ne pas aider l'autre plutôt que de se sentir humilié et obligé d'accorder une aide non équivalente à celle reçue (Berscheid & Walster, 1978).

Enfin, un troisième facteur susceptible d'influer négativement sur la réciprocité du comportement d'aide a trait à la menace de l'estime personnelle de l'aidé (Fisher, Nadler & Whitcher-Alagna, 1982; Nadler & Fisher, 1986). Selon le **modèle de la menace de l'estime personnelle** (Fisher *et al.*, 1982), lorsque le comportement adopté amène la personne recevant de l'aide à se sentir menacée, méprisée ou inférieure, cette personne aura tendance à ne pas rendre l'aide reçue. En revanche, lorsque l'individu qui apporte son aide amène l'aidé à se sentir soutenu, encouragé et apprécié, alors ce dernier adoptera sans doute le comportement d'aide dans l'avenir.

Selon ce modèle, au moins trois conditions peuvent rendre l'aide reçue menaçante pour l'estime personnelle de l'aidé et, par conséquent, enrayer un comportement d'aide à venir vis-à-vis de l'aidant. Premièrement, les personnes aidées par un individu semblable à elles réagiront de façon négative puisqu'une personne dans la même situation ou condition qu'elles se trouve en mesure de les aider. Le processus de comparaison sociale indique alors une infériorité vis-à-vis de l'aidant et peut mener à une baisse d'estime personnelle (Fisher, Harrison & Nadler, 1978). Une deuxième condition renvoie au degré d'estime personnelle de l'individu recevant de l'aide. Les recherches suggèrent que les gens qui possèdent une forte estime personnelle réagissent de façon plus négative vis-à-vis de l'aide reçue que ceux dont l'estime personnelle est faible parce qu'ils sont plus sensibles à leur incapacité de prendre soin d'eux-mêmes (Nadler & Mayseless, 1983).

Enfin, une troisième condition susceptible de menacer l'estime personnelle de l'aidé et, par conséquent, de l'empêcher d'accorder son aide à l'aidant concerne le type de relation qui existe entre l'aidant et l'aidé ainsi que l'activité reliée au contexte d'aide. Dans la même veine que le modèle du maintien de l'autoévaluation de Tesser, Nadler et ses collaborateurs (1983) ont proposé et démontré que recevoir de l'aide d'un proche pour une tâche importante à nos yeux implique une menace pour notre estime personnelle, alors que le fait de recevoir une telle aide pour une tâche peu importante à nos yeux ne comporte aucune menace.

Les conséquences reliées à la non-adoption du comportement d'aide

Les conséquences pour celui qui n'aide pas autrui. Comme nous l'avons vu tout au long de ce chapitre, plusieurs facteurs peuvent amener une personne à ne pas vouloir aider celle qui en ressent le besoin (voir Barnett, Thompson & Schroff, 1987, pour une enquête validant plusieurs facteurs énoncés dans ce chapitre). Pour celui qui n'aide pas les autres, des conséquences non négligeables peuvent se produire. Ainsi, sur le plan cognitif, la personne pourrait modifier son concept de soi et se percevoir comme une «mauvaise personne» ou du moins comme une «personne qui n'aide pas les autres». Toutefois, cette réaction risque peu de survenir, et ce pour au moins deux raisons. Premièrement, parce que les gens ont tendance à se voir sous un jour généralement positif (Taylor, 1989), ils ne devraient pas accepter de se considérer comme des personnes insensibles. Secondement, comme nous l'avons vu au chapitre 5, les travaux sur la théorie de la perception de soi (Bem, 1972) démontrent que les gens font plus d'inférences sur eux à partir de l'adoption du comportement qu'à partir de la non-adoption de ce dernier (Fazio, 1987).

Sur le plan affectif, la personne qui n'adopte pas le comportement d'aide peut ressentir des sentiments négatifs telles la culpabilité et l'anxiété (Salovey *et al.*, 1991). De tels sentiments dérangent et la personne aura probablement tendance à essayer de les éliminer. Comme nous l'avons vu précédemment, il se peut que l'individu n'ayant pas initialement accordé son aide veuille par la suite aider la personne dans le besoin afin de chasser ses sentiments négatifs. Toutefois, dans la mesure où un tel comportement est jugé inadmissible, d'autres conséquences se produiront. D'abord, nous allons carrément éliminer de notre pensée les personnes demandant de l'aide. Ce type de comportement n'est pas nouveau et nous l'affichons tous plus ou moins régulièrement. Ainsi nous tournons la tête afin de ne pas regarder les mendiants ou nous tentons d'oublier les gens qui auraient besoin de notre aide comme les personnes âgées en centre d'accueil ou les oncles et les tantes qui restent à la maison et qui souhaiteraient recevoir des visites ou du réconfort.

Cependant, s'il nous est impossible de chasser de notre pensée les personnes que nous ne pouvons, ou voulons, aider, nous blâmerons plutôt la victime afin d'éliminer les sentiments négatifs que nous ressentons (Lerner & Simmons, 1966). En effet, au lieu de nous sentir coupables de ne pas les avoir aidées, il semble plus approprié, du moins dans notre esprit, de rendre les victimes responsables de leur condition. Bien sûr, en accord avec l'hypothèse du monde juste développée par Lerner (1977), il devient dès lors justifié de ne pas aider ces gens et nos sentiments négatifs disparaîtront.

Enfin, une troisième conséquence est reliée à la précédente: si une personne est responsable de ce qui lui arrive, pourquoi l'aider? Ainsi, nous serons beaucoup moins portés à aider une victime que nous jugeons responsable de son sort qu'une personne qui subit vraiment une situation malheureuse. Ce jugement mène à un cercle vicieux où le fait de ne pas vouloir aider un individu une première fois conduit à une évaluation négative de la victime, qui en retour amène à ne pas l'aider de nouveau. Donc, il se peut que nous n'aidions jamais certaines personnes ! N'est-ce pas malheureusement ce processus de **stigmatisation** (Jones *et al.*, 1984) qui se produit avec différents groupes tels les sans-abri ?

Les conséquences pour celui qui n'est pas aidé. Pour la personne qui a besoin d'aide, les conséquences d'un refus peuvent s'avérer relativement banales (marcher un kilomètre pour aller chercher de l'essence dans un garage) ou carrément dramatiques (mourir parce qu'aucun automobiliste ne s'est arrêté). Au-delà de ces conséquences physiques, d'autres conséquences psychologiques bien réelles seront également vécues par la personne qui a besoin d'aide. Ainsi, sur le plan cognitif, le rejet vécu par la victime peut l'amener à intérioriser l'évaluation négative que se fait d'elle la personne qui ne l'aide pas. Ce phénomène est d'autant plus vrai que le rejet est vécu régulièrement. Sur le plan affectif, bien sûr, la victime pourrait se sentir rejetée, dépréciée ou encore en colère selon les attributions qu'elle fait pour expliquer le refus des autres de l'aider. Dans la mesure où la personne effectue des attributions internes pour expliquer l'absence d'aide (« Je ne mérite pas d'être aidée. »), elle se sentira rejetée et sans valeur. Par contre, si des attributions externes à sa personne sont faites (« Les gens sont égoïstes. »), elle pourrait être en colère contre les gens qui n'aident pas autrui. Sur le plan comportemental, les personnes qui ont vécu un rejet pourraient en venir à éviter les interactions futures dans lesquelles elles auraient à demander de l'aide (Rosen, 1983). Ceci pourrait mener à la situation malheureuse où les individus qui ont le plus besoin d'aide sont ceux qui en demandent le moins.

Enfin, une dernière conséquence mérite d'être soulignée : il s'agit de l'effet produit par la personne ayant besoin d'aide sur l'aidant potentiel lorsqu'elle-même refuse l'aide d'autrui. En effet, il n'est pas rare qu'on soit prêt à aider une personne qui, pour une raison ou pour une autre, refuse notre aide. Rosen, Mickler et Collins (1987) ont étudié les conséquences d'une telle situation. Ils ont demandé à des étudiants universitaires de participer à une étude dans laquelle ils auraient à aider d'autres étudiants dans une activité de formation de mots. Dans certaines conditions, les sujets se sont vu refuser leur aide, alors que dans d'autres leur aide a été acceptée. Enfin, un groupe témoin dans lequel aucune aide n'était offerte ni donnée fut également formé. Les chercheurs ont par la suite demandé aux sujets de juger la personne à qui ils avaient offert leur aide sur différentes questions évaluatives et affectives.

Les résultats figurent au tableau 10.4. On remarque que les sujets dont l'aide a été refusée ont ressenti des émotions plus négatives et ont porté un jugement plus défavorable sur la personne qu'ils voulaient aider que les sujets des autres groupes. De plus, ils ont moins désiré rencontrer de nouveau cette personne que les autres groupes. Ces résultats soulignent que, par le rejet d'une offre d'aide, la personne qui aurait eu besoin de soutien peut induire chez l'aidant potentiel des conséquences cognitives, affectives et comportementales négatives vis-à-vis d'elle. En retour, ces conséquences pourraient avoir un impact important sur ses

TABLEAU 10.4 **Jugement porté par les sujets sur la personne à qui ils avaient offert leur aide quant à différentes questions évaluatives et affectives**

Réactions	L'aide offerte par les sujets est:		
	rejetée	non offerte	acceptée
Émotions	-1,15	0,34	0,75
Évaluation	-1,96	0,19	1,69
Désir de rencontrer de nouveau la personne	-0,33	0,08	0,23

Note: Les sujets dont l'aide a été refusée ont ressenti des émotions plus négatives et ont porté un jugement plus défavorable sur la personne qu'ils voulaient aider que les sujets des autres groupes (adapté de Rosen, Mickler & Collin, 1987).

chances de recevoir de l'aide à d'autres occasions. Il semble donc que, dans certaines circonstances, un individu ayant besoin d'aide puisse être son propre ennemi (voir Nadler, 1991, à cet effet)!

RÉSUMÉ

Le but de ce chapitre était d'effectuer un survol des différentes connaissances sur le comportement d'aide. D'abord, nous avons distingué le comportement d'aide du comportement altruiste. Alors que le comportement altruiste résulte d'un désir chez l'aidant d'apporter son aide sans qu'aucun impact positif ou récompense n'en découle pour lui-même, le comportement d'aide peut être adopté pour une foule de raisons, y compris pour des motifs égoïstes ou altruistes.

Par la suite, nous avons discuté de différents types d'influences sur l'adoption du comportement d'aide. Un premier type d'influences abordé a trait aux rôles des influences situationnelles. Ainsi, nous avons vu que les normes inhérentes à certaines situations peuvent amener les gens à vouloir aider autrui. Également, le rôle des modèles a été étudié. De plus, nous nous sommes penchés sur la présence des autres en tant que variable influant sur l'adoption du comportement d'aide. Dans ce cadre, le modèle de Latané et Darley (1970) a été présenté. Ce modèle propose qu'en situation d'urgence un passant doit effectuer une analyse cognitive à plusieurs niveaux avant que l'aide puisse être accordée. Ainsi la personne doit 1) percevoir la situation comme une situation d'urgence, 2) interpréter correctement la situation, 3) se sentir responsable de l'aide à offrir, 4) décider quel geste accomplir et 5) choisir d'adopter le comportement.

Un deuxième type d'influences porte sur les influences personnelles. Dans ce cadre, nous avons vu que les facteurs génétiques, notamment ceux proposés par la perspective sociobiologique, pouvaient agir sur l'adoption du comportement d'aide. Le sexe de l'aidant semble également jouer un rôle important à ce titre. En effet, plusieurs recherches soulignent que les hommes aident plus autrui que les femmes. Cependant, il faut noter à cet effet que la variable cruciale semble être une orientation psychologique masculine et non pas le sexe biologique de la personne en tant que tel. Également, les femmes seraient plus portées à aider les autres dans les relations interpersonnelles que dans des situations d'urgence tels les accidents de la circulation. Dans ce dernier type de situations, ce sont surtout les hommes qui aident les victimes. La personnalité altruiste de l'aidant représente une autre variable personnelle qui semble jouer un rôle considérable dans l'adoption du comportement d'aide. En effet, certains travaux révèlent qu'une telle personnalité existerait et se trouverait à l'origine du comportement d'aide.

Enfin, nous avons étudié le rôle des facteurs émotionnels dans l'adoption du comportement d'aide. Dans cette perspective, nous avons présenté les travaux de deux écoles de pensée, soit celle qui suggère que le comportement d'aide est issu d'une motivation égoïste et celle qui suggère qu'un tel comportement résulte d'une motivation altruiste. Selon les tenants de la première école, le comportement d'aide est adopté afin de chasser les sentiments négatifs de détresse que l'aidant peut ressentir ; les tenants de l'école altruiste suggèrent que le comportement d'aide est adopté afin d'éliminer la situation négative vécue par la victime. Jusqu'à ce jour, les recherches ont soutenu les deux écoles en question. Il se peut donc que, selon les circonstances, les gens aident autrui pour différentes raisons. La perspective attributionnelle de Weiner a été également étudiée. Nous avons vu que les attributions émises pour expliquer la condition de la victime peuvent amener les gens à ressentir différents types d'émotions vis-à-vis de cette dernière et à l'aider ou pas selon le cas.

Les influences interpersonnelles existant entre l'aidant et l'aidé peuvent aussi jouer un rôle non négligeable dans l'adoption du comportement d'aide. Dans ce cadre, autant les caractéristiques de la personne aidée telles qu'elles sont perçues par l'aidant (par exemple l'attirance de l'aidé ainsi que le degré de similarité entre les deux individus) que la relation elle-même entre l'aidant et l'aidé (l'aspect de dépendance ou encore l'amitié existant entre les deux personnes) auront un impact important sur le comportement d'aide qui sera adopté.

Enfin, nous avons discuté des diverses conséquences, autant pour l'aidé que pour l'aidant, reliées au fait que le comportement d'aide soit adopté ou non. Ainsi nous avons vu que le fait d'aider autrui pouvait amener des conséquences généralement positives pour l'aidant, que ce soit sur le plan des émotions positives ressenties que sur celui des autoperceptions, alors que la personne se considère comme un individu serviable qui adoptera le comportement d'aide dans l'avenir. De plus, le fait d'être aidé peut engendrer des conséquences autant positives que négatives chez la personne recevant de l'aide. En effet, il peut arriver que l'aide reçue ne soit pas perçue de façon positive. Dans de telles situations, la personne aidée pourrait éprouver de l'insatisfaction et ressentir des sentiments négatifs vis-à-vis de l'aidant, et pourrait ne pas rendre l'aide reçue ultérieurement.

Des conséquences peuvent aussi résulter de la non-adoption du comportement d'aide. Dans ce cas, afin de se protéger, la personne en position d'aider autrui pourrait dénigrer la personne qui a besoin d'aide. Donc, plus souvent qu'autrement des conséquences psychologiques négatives d'ordre cognitif, affectif et comportemental seront vécues par la personne ayant besoin d'aide mais qui se l'est vu refuser, et ce particulièrement si c'est elle-même qui a repoussé l'aide d'autrui.

En somme, comme nous avons pu le voir dans ce chapitre, les études sur le comportement d'aide se révèlent très intéressantes et importantes, et ce sur les plans tant scientifique que pratique puisqu'il en va souvent de la survie de l'être humain. Même si ce secteur de recherche représente l'un des plus récents en psychologie sociale, n'ayant été exploré que vers la fin des années 1960 avec les travaux de Darley et Latané (1968), il constitue quand même un domaine vigoureux de recherche qui devrait progresser énormément au cours des prochaines années.

BIBLIOGRAPHIE SPÉCIALISÉE

Batson, C.D. (1987). Prosocial motivation : Is it ever truly altruistic ? In L. Berkowitz (Ed.), *Advances in experimental social psychology* (Vol. 20, pp. 65-122). New York: Academic Press

Clark, M.S. (Ed.). (1991). *Review of personality and social psychology: Vol. 12. Prosocial behavior*. Newbury Park, CA: Sage.

Clary, E.G. & Snyder, M. (1991). A functional analysis of altruism and prosocial behavior : The case of volunterism. In M.S. Clark (Ed.), *Review of personality and social psychology: Vol. 12. Prosocial behavior* (pp.119-148). Newbury Park, CA: Sage.

Eisenberg, N. (1986). *Altruistic emotion, cognition and behavior*. Hillsdale, NJ: Erlbaum.

Spacapan, S. & Oskamp, S. (Eds.). (1992). *Helping and being helped : Naturalistic studies*. Newbury Park, CA: Sage.

Staub, E., Bar-Tal, D., Karylowsky, J. & Reykowski, J. (Eds.). (1984). *Development and maintenance of prosocial behavior*. New York: Plenum.

QUATRIÈME
PARTIE

LES INFLUENCES SOCIALES ET LES RELATIONS DE GROUPES

Chapitre 11

Les influences sociales

Chapitre 12

Les groupes sociaux

Chapitre 13

Les préjugés, la discrimination et les relations intergroupes

CHAPITRE 11

LES INFLUENCES SOCIALES

Michel Alain
Université du Québec à Trois-Rivières

Mise en situation

Introduction

Le conformisme

- Pourquoi se conforme-t-on ?
- L'influence de la majorité
- Les types de conformisme
- L'indépendance : l'influence de la minorité

L'acquiescement

- La présentation
- La réciprocité
- L'insinuation
- La stratégie du pied dans la porte
- La stratégie de la porte dans la face
- La faveur déguisée
- Ce n'est pas tout !
- Quelques variantes

Le pouvoir social

- Les récompenses
- La coercition
- Les connaissances
- L'information
- Le pouvoir de référence
- L'autorité légitime

L'obéissance à l'autorité

- L'obéissance à l'autorité selon Milgram
- Les variantes du modèle original

Résumé

Bibliographie spécialisée

MISE EN SITUATION

« QUI M'AIME ME SUIVE! »

C'était la première réunion de l'association étudiante et Pierre éprouvait d'autant plus de nervosité qu'il était le « petit nouveau » parmi les six membres du comité. Enfin, il avait obtenu son poste ! Il voulait tellement faire partie de l'association pour essayer de tempérer un peu l'ardeur du comité. Le Gouvernement menaçait d'augmenter les droits de scolarité et il y avait des rumeurs de débrayage dans l'air. Comme la majorité des étudiants ne semblaient pas d'accord pour débrayer (il existait d'autres moyens de pression), il était important qu'il soit présent à l'association pour éviter que des décisions fâcheuses ne soient prises. Cette première réunion pour Pierre promettait donc d'être orageuse. Les anciens avaient l'air de bien se connaître et de s'estimer, ils blaguaient ensemble, et lui, il se sentait isolé.

Sans même faire de préambule, le président se lança dans un réquisitoire contre le Gouvernement, contre l'injustice dont les étudiants étaient la cible, etc. Les membres du comité avaient l'air gagnés d'avance, ils approuvaient de la tête et applaudissaient. Le président termina son discours avec fougue en faveur du débrayage des étudiants. Puis les autres membres prirent la parole à tour de rôle. Les « anciens » parlèrent d'abord : était-ce une stratégie ? se demandera Pierre plus tard. Le deuxième membre qui s'adressa au groupe était entièrement d'accord avec son « copain » président ; quant au troisième, il trouvait même qu'on n'allait pas assez loin ; le quatrième reprit les mêmes arguments ; puis le cinquième... Pierre ne s'était jamais senti aussi petit dans ses souliers ! Que se passait-il donc ? Avaient-ils tous perdu la raison ? Ou bien était-ce lui qui était peureux? Leurs arguments lui semblaient pourtant convaincants... Le cinquième membre se prononça également en faveur du débrayage. Puis les yeux se braquèrent sur Pierre : le « nouveau » était-il un gars « correct »? Par conséquent, pensait-il comme eux? Pierre aurait aimé être ailleurs ! Ce poste n'en valait pas la peine ! Pourquoi se donner tant de mal? Après des hésitations et des éclaircissements de la voix, Pierre conclut rapidement que le débrayage pourrait en effet faire bouger le Gouvernement. « Proposition adoptée : on recommande le débrayage ! »

INTRODUCTION

Pourquoi Pierre a-t-il soudainement changé d'idée ? Il était fondamentalement contre toute forme de débrayage et pourtant il a voté en faveur de celui-ci. Comment expliquer une telle volte-face ? Cette volte-face, c'est le résultat de l'influence sociale. Pierre a été victime de pressions subtiles de son groupe d'appartenance, qui l'a forcé à se conformer à lui.

Que pensez-vous de Pierre? Quelle image avez-vous en tête lorsque vous songez à lui, le conformiste? Vous vous faites peut-être l'image négative de quelqu'un d'influençable, qui n'est pas capable de défendre ses idées, qui se range facilement derrière les paroles ou les actes des autres. Toutefois, notez que le conformisme peut être perçu de différentes façons suivant le point de vue que l'on prend ou la situation qui s'impose. Par exemple, un conformiste peut être perçu négativement selon qu'on fait référence à l'image d'un faible, d'un mouton de Panurge, de celui qui se plie aux règlements ou à tout ce qu'on lui dit d'accomplir. Par le fait même, son contraire, le non-conformiste, est perçu positivement parce qu'il évoque l'image de l'indépendant, de l'aventurier peut-être, de celui qui rejette les valeurs de la masse, une sorte de Daniel Boone des temps modernes.

Mais changez de perspective maintenant. Pensez, par exemple, à une équipe de hockey ou de football. Dans une telle situation, celle-ci a besoin que chacun de ses membres fasse *exactement* tout ce que son entraîneur lui dira. Ainsi, ce qui compte, c'est se conformer au groupe et à ses directives pour la réalisation d'un but commun; tout le monde travaille de façon à atteindre un objectif: la victoire. L'équipe a besoin d'un effort collectif: tous pour un, un pour tous. Dans cette situation, le non-conformiste (c'est-à-dire le déviant) nuit à l'esprit du groupe. Il devient le trouble-fête. Parce qu'il ne s'intègre pas au groupe, il est perçu de plus en plus négativement, jusqu'à être rejeté par le groupe.

Ainsi le conformisme ne doit pas être considéré uniquement comme une chose négative, même si une telle perception est plus répandue. Imaginons ce qui se passerait si personne ne se conformait aux règles de la circulation. À la campagne, il serait toujours possible de s'en tirer (!), mais on peut deviner un peu le chaos qui régnerait dans une grande ville...

Ce chapitre porte sur les influences sociales. Il concerne l'effet de la présence des autres et de leurs comportements comme source d'influence sur nos comportements (incitations à de nouveaux comportements ou modifications d'anciens). Le fait de vivre en société, de se trouver dans un milieu culturel donné, d'être en compagnie d'une ou de plusieurs personnes peut amener un individu à agir (ou à réagir) différemment simplement à cause de la présence des autres dans son entourage: il s'agit là d'influences sociales. Le contexte social peut entraîner des modifications importantes dans nos comportements, modifications qui n'auraient peut-être pas eu lieu n'eût été la pression sociale. D'abord, nous définirons et éclaircirons différents termes semblables à celui de « conformisme ». Ensuite, nous présenterons les « classiques » du conformisme, soit les premiers chercheurs dans ce domaine. Par la suite, nous examinerons des situations plus générales d'influence sociale (l'acquiescement) en nous demandant comment une personne s'y prend pour en influencer une autre. Puis nous considérerons les diverses formes que peut prendre le pouvoir social, lequel constitue une autre stratégie d'influence. Nous verrons finalement une situation particulière d'influence, l'obéissance à l'autorité.

Selon les psychologues sociaux, il y a **conformisme** lorsqu'il y a un changement dans le comportement, dans les opinions ou dans les perceptions résultant de la présence réelle ou imaginée d'une personne ou d'un groupe. Ces influences sont souvent très subtiles, non intentionnelles, et nos réactions ressemblent alors à des réflexes, comme le mentionne Cialdini (1985). Par exemple, on bâille en voyant quelqu'un bâiller; on rit en entendant les autres rire. C'est peut-être pour cette raison que les producteurs de séries humoristiques à la télévision font appel à des rires enregistrés. Selon une recherche de Porterfield *et al.* (1988), il semble que cette technique soit efficace.

Tous les jours, nous entendons les gens se référer aux termes « conformisme » et « anticonformisme » ou à des termes semblables. Wrightsman et Deaux (1981) ont clarifié les différents termes susceptibles d'être utilisés. Par exemple, ils soulignent que l'**uniformité** est différente du conformisme et renvoie à la similitude des idées et des opinions de personnes qui n'est pas due aux pressions sociales. Le **conventionnalisme** concerne une personne qui adopte les valeurs de la société sans subir aucune pression sociale (comme le fait de suivre la mode). L'**indépendance** désigne l'attitude de quelqu'un qui garde ses idées et ses valeurs en dépit des pressions sociales. Par ailleurs, l'**anticonformisme** renvoie à l'attitude d'une personne qui lutte contre les pressions sociales par esprit de contradiction. L'anticonformiste est donc très conformiste; il va simplement à l'opposé des pressions sociales. Il peut être facilement manipulé quand on sait comment le prendre... Enfin, la **déviance** fait référence à l'attitude d'une personne dont le comportement échappe aux règles admises par la société.

LE CONFORMISME

Pourquoi se conforme-t-on?

L'un des pionniers dans l'étude du conformisme fut Sherif (1936). Celui-ci prétendait que lorsque les gens sont dans une situation peu familière, qu'ils ne savent pas de quelle façon agir, qu'ils ne connaissent pas les « normes » en vigueur, les personnes autour d'eux leur servent de guides pour modeler leurs comportements. Afin de tester cette hypothèse, Sherif utilisa l'**effet autocinétique.** Dans une pièce obscure, une petite source lumineuse semble se déplacer. Cette impression est purement subjective puisque la lumière est fixe, mais certains individus la voient se déplacer de quelques centimètres, d'autres d'un mètre ou plus; un sujet l'a même vue bouger de plus de 25 mètres! Dans un premier temps, les sujets étaient laissés seuls et donnaient leurs estimations, lesquelles présentaient de fortes différences individuelles. Par la suite, pendant trois sessions consécutives et par petits groupes de trois sujets, ceux-ci fournissaient leurs estimations à tour de rôle. Après trois jours, chaque groupe établit ses propres normes d'estimations, et celles-ci convergèrent vers une estimation semblable, même si elles étaient très différentes au début.

Ce type de recherche permit de conclure que, lorsque la réalité n'indique pas clairement la ligne de conduite à suivre, les gens se conforment aux autres, qui servent de cadre de référence pour le bon comportement à adopter. Rappelez-vous la première fois que vous vous êtes trouvé dans un endroit nouveau, par exemple un restaurant ultrachic. Pour ne pas faire de gaffes, pour paraître bien éduqué, discrètement vous avez jeté des coups d'œil rapides pour découvrir comment les autres mangeaient leurs artichauts ou quels ustensiles ils employaient, etc.

Quinze ans après Sherif, Asch (1951) amena l'idée que, même dans des situations où la réalité physique est évidente, on peut observer le conformisme. Imaginez la situation suivante. On vous a recruté pour participer à une expérience de psychologie. Lorsque vous arrivez au local indiqué, six autres sujets y sont déjà. Vous vous asseyez donc sur la dernière chaise libre. L'expérimentateur arrive ensuite et explique la tâche à exécuter : il s'agit d'un test de discrimination visuelle. On vous montrera des cartons illustrant des lignes de différentes longueurs et votre tâche consistera à dire quelle ligne ressemble le plus à la ligne critère (voir la figure 11.1). Cela semble facile. En fait, une préexpérimentation a prouvé que la très grande majorité des sujets réussissaient correctement l'exercice (ceux qui échouaient étaient peut-être des anticonformistes comme ceux décrits précédemment). On commence de gauche à droite ; vous serez donc le dernier à répondre... Les deux premiers tours passent rapidement et sans incident. Tous les sujets donnent rapidement la bonne réponse : cette recherche vous

FIGURE 11.1 **Comparaisons entre une ligne critère (standard) et d'autres lignes**

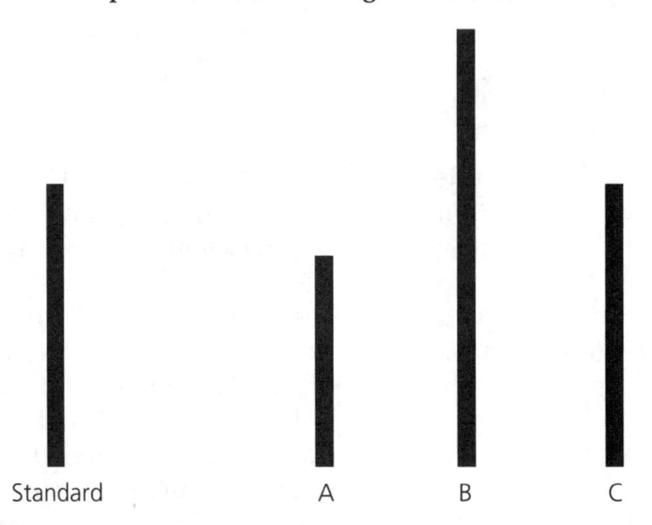

Quelle ligne parmi celles de droite ressemble le plus à la ligne de gauche ?

paraît un peu banale parce qu'elle est trop facile et que les stimuli présentés sont évidents. Tout à coup, au troisième tour, le premier sujet donne une réponse erronée, mais sans que sa voix ni son comportement marquent d'hésitation. Que se passe-t-il? A-t-il perdu la tête, la vue ou les deux à la fois? Le deuxième sujet donne la même réponse erronée. Lui aussi a perdu la tête! Le troisième sujet réagit de la même façon, en ayant l'air également sûr de lui. Avant même que vous ayez trouvé une bonne explication à ces comportements, les six sujets qui vous précèdent ont donné la même réponse mauvaise. Votre tour arrive. Qu'allez-vous faire? Il y a fort à parier que vous ferez comme les sujets d'Asch (et des nombreuses répétitions de l'expérience qui ont été faites) et que vous vous conformerez au groupe.

Vous avez sûrement deviné que six des sept sujets étaient en fait des complices de l'expérimentateur auxquels on avait demandé de se comporter de cette façon pendant un certain nombre de fois. Les sujets de cette recherche se sont conformés à cette majorité incorrecte dans 37 % des cas. Ce ne sont donc pas tous les sujets qui s'y sont conformés. Environ 25 % des sujets ont refusé systématiquement de s'y conformer. Par ailleurs, environ 50 % des sujets s'y sont conformés une fois sur deux. Les autres sujets s'y sont conformés occasionnellement.

Asch a donc prouvé que, même lorsque la réalité est évidente (contrairement aux affirmations de Sherif), les gens peuvent être amenés à se conformer. Combien de fois vous êtes-vous conformé tout bêtement à un groupe, par exemple en applaudissant un conférencier que vous aviez trouvé ennuyeux, mais que les autres semblaient apprécier?

Pourquoi se conforme-t-on? Comparons les situations expérimentales de Sherif et d'Asch. Les deux chercheurs ont démontré que nos perceptions pouvaient être fortement influencées par les autres. Mais ces situations sont-elles vraiment semblables? Les sujets de ces deux situations ont-ils présenté la même sorte de conformisme et pour les mêmes raisons?

Même si les résultats des recherches précédentes sont semblables, celles-ci donnent deux raisons différentes du conformisme: les effets de l'influence de l'information et de l'influence des normes. Si plusieurs personnes semblent d'accord, je peux en venir à penser qu'elles ont sûrement raison (pourquoi autant de personnes se tromperaient-elles?), et cela est d'autant plus vrai lorsque la réalité n'est pas évidente (comme la situation de Sherif). J'aurai donc davantage tendance à me conformer, pensant que les autres ont raison. Ils possèdent de l'information que je n'ai pas ou à laquelle je n'ai pas accès. Dans la recherche de Sherif, c'est probablement ce qui s'est passé. La tendance à se conformer en raison de l'**influence de l'information** dépendra de deux aspects de la situation: jusqu'à quel point le groupe (ou les personnes en cause) est perçu comme étant bien informé et quelle confiance la personne a en ses propres jugements. Par exemple, vous faites partie d'un comité d'experts en santé mentale alors que vous êtes étudiant au premier cycle en psychologie. Les autres personnes possèdent sans doute plus d'information que vous pour mieux évaluer la situation. Si votre opinion diffère de la leur, vous vous rallierez probablement à celle-ci.

L'**influence des normes** m'amènera à me conformer par peur des conséquences négatives ou pour être davantage aimé ou accepté. Qu'est-ce que les autres penseront de moi si je ne dis pas ou ne fais pas comme eux? Les autres servent alors de critères parce que j'ai besoin de leur approbation, que j'ai peur d'être rejeté par eux ou que je ne veux tout simplement pas avoir de problèmes avec eux. Une des implications de cette démarche est que je dirai ou ferai comme les autres, mais au fond de moi-même je demeure convaincu que c'est moi qui ai raison. Ces deux types d'influences peuvent être présents en même temps. En somme, la motivation à se conformer provient du désir d'avoir une attitude correcte et d'être aimé par le groupe. La force de ces deux motivations varie beaucoup selon les situations.

Le conformisme peut aussi se vivre à des intensités différentes. Ainsi on distingue le **conformisme public** du **conformisme privé.** Si je suis convaincu que j'ai raison mais si je me soumets aux idées des autres, je fais alors preuve de conformisme public. J'ai une opinion *publique* et une opinion *privée.* Dans une variante de l'expérimentation d'Asch, on demandait au vrai sujet de répondre par écrit (sans que les autres sachent sa réponse) mais après avoir entendu la réponse des sujets complices de l'expérimentateur. À ce moment, le conformisme diminuait fortement (Deutsch & Gerard, 1955). Par contre, je peux changer d'opinion après avoir pris connaissance de cette nouvelle source d'influence; il s'agira alors de conformisme privé.

L'influence de la majorité

Est-on vraiment beaucoup influencé par les autres? Si c'est le cas, de quelles façons? De nombreuses recherches ont été menées sur le paradigme d'Asch afin d'examiner les variables qui augmentent ou réduisent le conformisme.

La grandeur du groupe. Est-ce que plus il y a de personnes qui donnent la même réponse mauvaise (majorité unanime), plus le taux de conformisme augmente? Malgré ce qu'on pourrait croire, les choses ne se passent pas ainsi. Asch (1956) a observé que le conformisme augmentait en fonction de la grandeur du groupe (1, 2, 3, 4, 8 ou 15 complices), mais jusqu'à un certain point seulement (voir la figure 11.2). Quand il y avait plus de 3 ou 4 complices, le taux de conformisme se stabilisait autour de 37 % (voir aussi Gerard, Whilhelmy & Connolley, 1968).

Ce qui serait déterminant, ce serait moins le nombre de personnes que le nombre de personnes *différentes.* Il se peut que, lorsqu'il y a un certain nombre de personnes, le sujet perçoive celles-ci comme formant un tout (c'est-à-dire un groupe très homogène) et que le nombre total de personnes perde alors de son effet. Wilder (1977) a testé une hypothèse semblable. Ainsi il a découvert que les personnes étaient davantage influencées par deux groupes de deux personnes que par un groupe de quatre personnes, et par deux groupes de trois personnes

FIGURE 11.2 **Effet de la majorité**

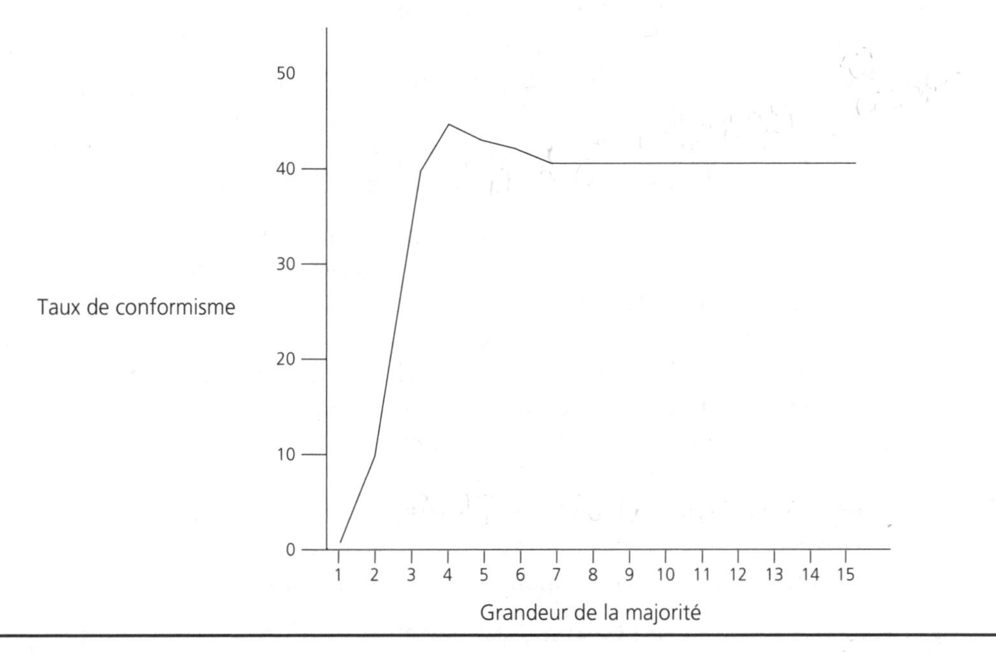

La grandeur de la majorité unanime n'augmente pas le taux de conformisme quand il y a plus de trois ou quatre personnes (adapté d'Asch, 1951).

que par un groupe de six personnes. C'est peut-être pour cette raison que l'influence de la majorité n'augmente pas de façon linéaire.

Une majorité unanime ou non. Dans la situation originale, les sujets faisaient face à une majorité unanime. Que se passerait-il maintenant si les sujets avaient un allié ? Par exemple, sur cinq complices, il pourrait y en avoir quatre qui donnent la même réponse mauvaise, et le cinquième complice donnerait la bonne réponse. Dans une telle situation, Asch a observé que le conformisme diminuait grandement, pour se situer autour de 6 %. On a aussi constaté que si ce dernier complice donnait une *autre* réponse mauvaise, cela diminuait le taux de conformisme de la même façon (Allen & Levine, 1969). Dans une variante sur ce thème, Allen et Levine (1971) ont modifié la compétence de cet allié. Par exemple, dans une situation, il portait des verres très épais et se plaignait que sa vision n'était pas très bonne tandis qu'il examinait les cartons que l'expérimentateur présentait. Cela ne faisait pas de lui un allié très rassurant, n'est-ce pas ? Faux! Sa présence a suffi à réduire le taux de conformisme.

Ces expériences suggèrent que ce n'est pas tant le fait qu'une autre personne ait la même idée que nous qui importe, mais bien qu'il y ait une autre personne qui ose défier la majorité.

Le fait de se prononcer en premier. Une personne qui s'est prononcée publiquement changera difficilement d'idée, même si elle se rend compte qu'elle est la seule à avoir cette opinion. Dans une autre variante de la situation expérimentale d'Asch, le vrai sujet répondait en premier. Lorsque celui-ci entendait par la suite la majorité unanime choisir la même réponse mauvaise et qu'on lui donnait l'occasion de changer sa réponse, on remarqua qu'il était beaucoup moins influencé par cette majorité; le taux de conformisme se situait autour de 5 % à 6 %. Il semble qu'il soit plus important de sauver la face contre vents et marées que de subir le rejet ou la désapprobation de la part du groupe.

Les traits de personnalité. Nous connaissons tous des gens qui semblent se conformer socialement plus que d'autres. Cette tendance serait-elle liée à des caractéristiques de la personnalité? Les recherches ont en effet relevé des différences quant à la personnalité de deux types d'individus. Ainsi les individus ayant une faible estime d'eux-mêmes (c'est-à-dire qui se sentent inférieurs aux autres, qui ne sont pas sûrs d'eux-mêmes) sont plus susceptibles de se conformer, tandis que ceux qui ont une estime d'eux-mêmes élevée risquent moins de le faire. La raison en est relativement simple: les gens qui ont une faible estime d'eux-mêmes n'ont pas beaucoup confiance dans leurs capacités de sorte que, lorsqu'ils se trouvent avec des personnes qui ont une opinion différente de la leur (et qui sont unanimes), ils en concluent que celles-ci ont raison (Stang, 1972).

Les gens qui ont un grand besoin d'affiliation se conforment plus rapidement que ceux dont le besoin est moins grand. Les premiers semblent ainsi essayer de se faire aimer des autres (McGhee & Teevan, 1967).

Dans la plupart des cas, les individus qui obtiennent un résultat élevé sur l'échelle F mesurant l'autoritarisme se conforment plus que ceux qui enregistrent un résultat plus faible. La personne autoritaire se conformerait en raison de son respect inconditionnel des conventions, des normes, du pouvoir et de l'autorité (Crutchfield, 1955).

Les différences culturelles. La recherche d'Asch a été reprise dans d'autres pays que les États-Unis. Par exemple, on a trouvé des taux de conformisme semblables (soit autour de 30 %) à Hong Kong, au Liban et au Brésil. Mais chez le peuple bantu, au Zimbabwe, où le non-conformisme est puni, 51 % des sujets se conformaient (Whittaker & Meade, 1967). Milgram (1961) a indiqué, sans toutefois expliquer pourquoi, que les Norvégiens se conformaient plus que les Français et que les Américains se conformaient plus que les Japonais. De tout cela, retenons qu'en raison de leurs traditions, de leur environnement, etc., certaines cultures demandent davantage de conformisme que d'autres.

Les différences selon le sexe. Les hommes se conforment-ils davantage que les femmes ou est-ce l'inverse? Ou encore, y a-t-il des différences réelles entre les hommes et les femmes? Les recherches dans ce domaine ont conclu que les femmes avaient tendance à se conformer davantage que les hommes. Toutefois, les recherches qui se sont penchées sur cette question à partir des années 1970 montrent qu'il faut considérer deux aspects: la familiarité avec la tâche expérimentale et le type de pression sociale à laquelle les gens font face dans une telle situation. Après avoir examiné les recherches passées dans le domaine du conformisme sur les différences sexuelles, Sistrunk et McDavid (1971) en sont arrivés à suspecter un biais possible dans les méthodes utilisées. Il semble effectivement que le matériel employé dans les situations de conformisme soit plus adapté aux sujets masculins qu'aux sujets féminins. Il était donc normal, dans ces cas-là, que les sujets féminins manifestent plus de conformisme puisque les sujets masculins paraissaient plus compétents dans ce domaine. Pour tester cette idée, ces chercheurs ont demandé à des sujets masculins et féminins de remplir un questionnaire touchant un éventail de faits et d'opinions. Certains thèmes étaient associés aux hommes (les autos sport, la politique, les mathématiques), tandis que d'autres thèmes étaient reliés aux femmes (le maquillage, la couture, la cuisine). Pour induire le conformisme, dans le questionnaire était indiqué, après chaque question, comment la majorité des étudiants avaient prétendument répondu.

Les résultats ont montré que les hommes se conformaient plus que les femmes sur les thèmes féminins et que les femmes se conformaient plus que les hommes sur les thèmes masculins. Dans le cas des thèmes neutres, il n'y avait pas plus de conformisme chez l'un ou l'autre sexe (voir la figure 11.3).

FIGURE 11.3 **Conformisme : comparaison entre les hommes et les femmes**

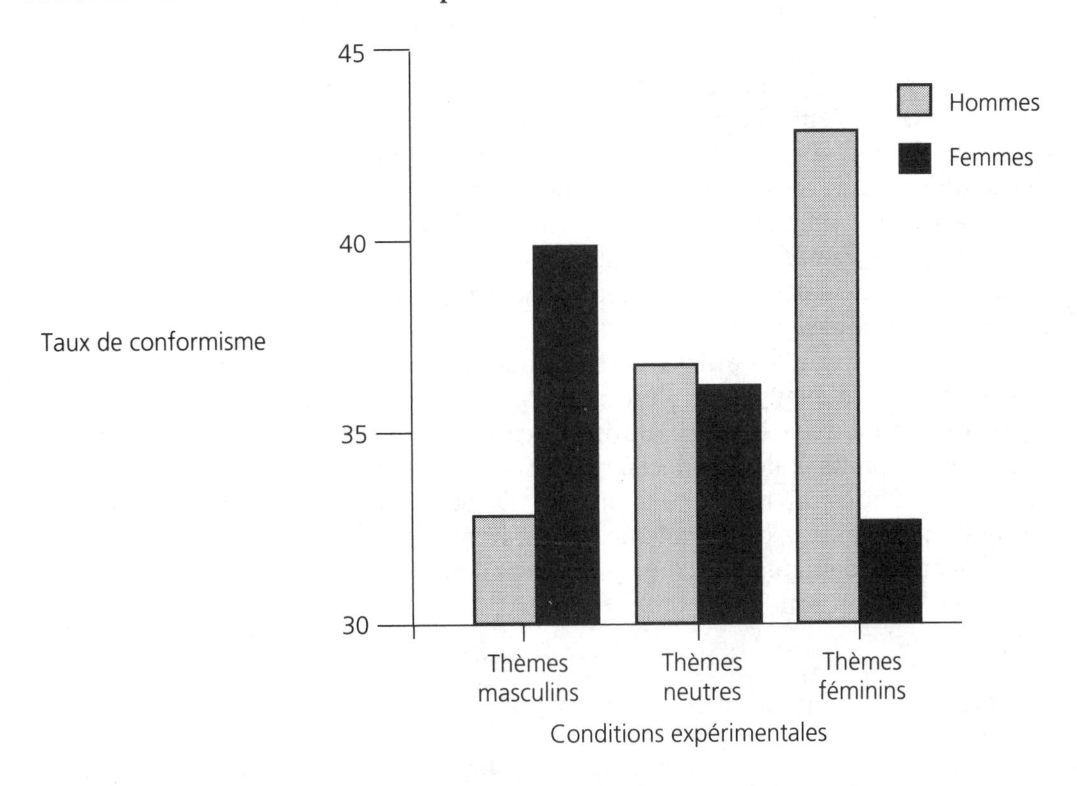

Les différences de conformisme entre les hommes et les femmes dépendraient des types de situations qui se présentent (adapté de Sistrunk & McDavid, 1971).

Le fait de se sentir observé et évalué a une influence sur les comportements. Lorsque les gens pensent qu'ils sont observés, les femmes se conforment plus que les hommes (Eagly & Chravala, 1986; Eagly, Wood & Chaiken, 1981; Eagly, Wood & Fishbaugh, 1981). La présentation de soi serait une explication, selon Eagly (1987; voir aussi Alain, 1985), de sorte que les hommes, pour projeter l'image stéréotypée d'hommes (c'est-à-dire des êtres dominants, fiers, affirmatifs, etc.), se conformeraient moins en public, alors que, pour paraître « femmes » (c'est-à-dire gentilles, compréhensives, etc.), les femmes se conformeraient davantage. Notez que cette explication comporte des limites culturelles et historiques. En effet, l'image de l'homme et celle de la femme diffèrent selon les cultures et les époques ; par conséquent, le conformisme varie également.

La composition du groupe. Le taux de conformisme varie aussi selon la composition du groupe. Supposons que vous soyez seul à différer d'opinion parmi un groupe d'experts en psychologie dans une réunion portant sur une étude de cas en psychopathologie. Il y a fort à parier que vous finirez par vous conformer à l'opinion de cette majorité. Ainsi vous risquerez de considérer que les membres du groupe détiennent plus d'information que vous pour prendre une décision éclairée.

Si l'approbation du groupe ou de certains de ses membres s'avère importante pour une personne, il y a bien des chances pour qu'elle se conforme. La formation de bandes constitue un bon exemple de ce phénomène : pour être bien acceptés par le groupe, certains jeunes commettent (ou sont forcés de commettre) toutes sortes de délits. La recherche de Dittes et Kelley (1956) illustre bien l'enjeu de l'approbation sociale. Des personnes furent invitées à joindre un groupe de discussion à l'université. On savait d'avance que ce groupe était très bien vu par les sujets qui y participaient. Au cours de la discussion, on interrompit les échanges pour demander aux participants de noter ce qu'ils pensaient de chacun des autres participants. L'expérimentateur prit connaissance de ces impressions et donna une fausse rétroaction au vrai sujet. Dans une première condition, il affirma au sujet que les autres participants l'aimaient bien, qu'ils le trouvaient intègre et qu'il n'avait pas à s'en faire, car le groupe l'avait accepté définitivement. Dans une deuxième condition, l'expérimentateur informa le sujet que les autres participants étaient indécis, qu'ils ne savaient pas s'ils devaient l'accepter ou non, qu'ils désiraient attendre un peu. Dans les deux situations, à la fin de la discussion, on testa le conformisme. Le sujet qui ne se sentait pas encore accepté par ce groupe prestigieux se conforma davantage aux pressions sociales que celui dont l'acceptation était chose faite.

Les types de conformisme

Le conformisme est un terme général qui définit différentes sortes d'influences sociales. Nous avons vu précédemment que le conformisme peut être public ou privé. Kelman (1958) propose une autre distinction intéressante entre trois types de processus d'influences qui apparaissent dans des conditions sociales différentes.

L'acquiescement (ou la confirmation). L'**acquiescement,** selon Kelman, qui constitue le premier type de conformisme, est motivé par l'attrait d'une chose positive ou par l'évitement d'une chose négative. Il est typique des conditions dans lesquelles le conformisme joue un rôle purement instrumental : il s'agit pour le sujet de gagner l'approbation sociale ou d'éviter les désagréments pouvant résulter d'un non-conformisme.

Lorsqu'un individu désire particulièrement obtenir l'amitié des autres, il est sous l'influence d'une pression normative à laquelle acquiescer. Dans ce cas, plus l'individu est attiré par les autres, plus l'acquiescement risque d'être fort. L'individu veut alors désespérément éviter de ne pas être aimé.

Il faut toutefois indiquer que, dans ce type de conformisme, un individu peut acquiescer publiquement mais rejeter l'opinion sociale en privé (par exemple s'il y a un vote secret). Les croyances profondes du sujet ne sont pas atteintes.

En résumé, l'acquiescement, ou la complaisance, est motivé par l'attrait du renforcement positif ou par l'évitement du renforcement négatif. Cette technique d'influence s'avère limitée. Par exemple, elle est temporaire : elle durera tant et aussi longtemps que la pression sociale apportera des sanctions ou que la personne estimera que les sanctions des autres sont importantes. On n'observe pas d'adhésion durable aux idées des autres puisque les croyances profondes ne sont pas atteintes. Il s'agit seulement d'une acceptation publique des idées ou des opinions des autres.

L'identification. Le deuxième type de conformisme, selon Kelman, est le processus d'**identification.** Il survient lorsque l'individu désire établir ou maintenir des relations sociales positives qu'il juge intéressantes. Le sujet croirait réellement en ce qu'il affirme, mais l'important pour lui, ce n'est pas la réponse particulière à un contenu particulier, mais plutôt sa relation avec les autres. Le processus d'identification se produit quand l'individu cède à la pression sociale parce que les autres possèdent des qualités ou des caractéristiques qu'il souhaite avoir. La préférence sociale est adoptée à la fois en public et en privé.

Généralement, les effets de l'identification sont plus profonds et plus durables que les effets de l'acquiescement ou de la complaisance. Cette identification peut se faire avec une seule personne d'un groupe donné (par exemple le leader). Ce type de conformisme est motivé par le désir d'être comme quelqu'un que l'on estime beaucoup. Ainsi on se conformera à ses valeurs, à ses opinions et même à son habillement. L'habillement de certains adolescents illustre bien leur identification aux musiciens, acteurs ou chanteurs rock qu'ils préfèrent.

En somme, l'identification est motivée par le désir d'un individu d'être comme une personne qu'il estime. Il y a alors une acceptation publique et privée de ses opinions, de ses valeurs, etc., mais cela ne se fait pas en profondeur. L'individu adhérera à ces valeurs aussi longtemps que la personne à laquelle il s'identifie restera importante à ses yeux, qu'elle conservera ses valeurs ou que ses valeurs ne seront pas attaquées par des arguments meilleurs.

L'intériorisation. Finalement, dans la perspective de Kelman, le troisième type de conformisme est le processus d'**intériorisation.** Il intervient lorsque les réponses conformistes ne proviennent ni du contrôle social ni de la présence d'un groupe, mais plutôt de l'intégration au système de valeurs de l'individu. Le sujet est motivé par le besoin ou le désir d'être juste et honnête. L'agent d'influence sera la personne digne de confiance, qui a un bon jugement. L'individu acceptera alors ses opinions et ses idées, et il les intégrera à son système de valeurs. Il se conformera non pas pour s'identifier au groupe ou parce qu'il a peur d'être rejeté, mais parce que cela rejoint ses valeurs, sa ligne de conduite. Le processus d'intériorisation se produit lorsqu'un individu en vient à croire que la source d'influence a raison. Celui-ci a assimilé les opinions, les préférences ou les actions des autres : il y a donc à la fois acceptation publique et acceptation privée.

Par conséquent, l'intériorisation représente l'influence la plus solide (c'est-à-dire le type de conformisme le plus stable et le plus permanent). Elle est suscitée par le désir d'être intègre, elle n'est pas influencée par des renforcements extérieurs et elle implique une acceptation publique et une acceptation privée.

Ces trois types de conformisme ont à leur base trois composantes différentes. L'acquiescement illustre le pouvoir que détient une personne ou un groupe de récompenser ou de punir une personne ; il s'agit donc d'une relation d'influence fondée sur des rapports de pouvoir. Pour sa part, l'identification montre l'attraction pour une personne, pour un modèle ; l'individu veut alors être comme cette personne. Enfin, l'intériorisation traduit la crédibilité, l'intégrité de la source.

Ces trois types de conformisme ne sont pas indépendants les uns des autres. On peut les trouver simultanément chez une personne. De même, dans un processus de développement, ces types de conformisme peuvent intervenir. Essayons de comprendre comment des individus « normaux », sains d'esprit, deviennent soudainement des adeptes de sectes mystico-religieuses comme on en compte beaucoup dans nos sociétés. Le premier type de conformisme est sûrement présent. L'individu puise dans ce groupe du réconfort, une acceptation inconditionnelle (croit-il !) de sa personne. Bref, il est à l'aise, il se sent accepté par le groupe. Celui-ci le soutient psychologiquement, lui procure un renforcement positif. De plus, la plupart du temps dans ce genre de groupes, le leader est extrêmement habile à convaincre, il possède un tel charisme que tous veulent l'imiter, être comme lui. Cette identification au leader favorise le conformisme. Il obtient facilement l'obéissance, la soumission totale de la part de ses membres. À force d'accomplir de petits gestes de conformisme, probablement parce qu'ils ont besoin de se justifier (de réduire la dissonance) et qu'ils sont éloignés des autres sources d'influences, les individus en viennent à intégrer parfaitement les valeurs véhiculées par la secte de sorte qu'ils deviennent convaincus que cette façon d'être et de vivre est la seule possible. Imaginons, alors, la force de cette conviction et tout le travail qui sera nécessaire pour arracher un individu à cette source d'influence, et pour le réintégrer à la société.

L'Office national du film du Canada a réalisé un documentaire très intéressant sur le phénomène de l'endoctrinement (*Les prisons de l'esprit*, 1981). On y montre entre autres les techniques d'endoctrinement utilisées par une secte religieuse (les «moonistes» du révérend Moon, qui a fui les États-Unis pour fraude fiscale!). On y reconnaît toute la puissance de l'influence sociale et on y relève facilement les trois types de conformisme établis par Kelman, que nous venons d'examiner.

L'indépendance: l'influence de la minorité

Le fait de se conformer à une majorité constitue un aspect crucial de notre vie sociale. L'accent mis sur le pouvoir de la majorité ne devrait cependant pas nous faire oublier l'importance de l'influence d'une minorité. Une minorité déterminée peut quelquefois modifier la position de la majorité. Les premières études qui montraient que la dissension réduisait le conformisme ont soulevé des questions sur l'influence de la toute-puissante majorité. Au cours des 20 dernières années, beaucoup de recherches sur le conformisme ont sondé l'influence d'une minorité (Maass & Clark, 1984). Les travaux de Moscovici (1985) dans ce domaine ont été particulièrement percutants. Par exemple, dans l'une des premières études sur ce sujet, Moscovici, Lage et Naffrechoux (1969) placèrent une majorité de sujets naïfs devant une minorité de complices de l'expérimentateur dans une situation semblable au paradigme d'Asch. Face à la pression du groupe minoritaire, environ le tiers des sujets majoritaires se conformèrent lors de certains essais. La minorité eut donc un effet sur cette majorité naïve.

Moscovici (1985) mentionne que le style comportemental de la minorité est ce qui importe. Pour s'avérer efficace, une minorité doit être logique, cohérente et énergique. Ce style comportemental est interprété par la majorité comme un signe de confiance et de certitude de la minorité devant sa position (Maass, Clark & Haberkorn, 1982). Même si les membres d'une telle minorité sont moins aimés que les membres d'une majorité, ils sont perçus comme des individus davantage compétents et honnêtes (Bassili & Provencal, 1988).

Les recherches ont précisé d'autres facteurs qui déterminent l'influence d'une minorité (Maass & Clark, 1984; Moscovici, Mugny & Van Avermaet, 1985). Par exemple, une minorité agit plus efficacement lorsque son style comportemental est logique, cohérent, mais non rigide, c'est-à-dire lorsqu'elle est perçue comme ayant à la fois des positions bien définies et un style de présentation flexible. De plus, le climat social général doit être considéré. Une minorité sera plus efficace si ses idées suivent les tendances sociales qui prévalent et si ses membres ressemblent à ceux de la majorité sur beaucoup de points, hormis celui en litige.

Nous avons vu que, de façon subtile, les autres peuvent modifier notre comportement de telle sorte qu'il se rapproche de la source d'influence. Mais il existe une autre forme d'influence sociale (l'acquiescement) par laquelle une personne désire en amener une autre à adopter une attitude ou un comportement précis. Par exemple, la publicité (à la télé ou ailleurs) souhaite que les personnes qui la regardent adoptent une attitude favorable vis-à-vis du produit de façon qu'elles modifient leur comportement de consommateurs. Dans la section suivante, nous examinerons différentes techniques d'influence sociale qui se sont avérées particulièrement efficaces. Peut-être pourrez-vous faire des liens avec des situations que vous avez déjà vécues.

L'ACQUIESCEMENT

Comment peut-on amener quelqu'un à accepter une idée, à poser une action que l'on veut qu'il pose et qu'il n'a pas nécessairement l'intention de poser ? On pourrait être tenté d'utiliser la force, mais cela ne constitue pas le meilleur moyen. Même si les gens exécutent l'action en question, ils s'y sentiront contraints et ne répéteront sûrement pas celle-ci d'eux-mêmes en l'absence de la coercition. Il faut une technique plus subtile pour les inciter à agir d'eux-mêmes, sans qu'ils puissent percevoir une source d'influence sociale. L'*acquiescement* constitue une forme d'influence sociale basée sur une demande présentée de façon plus ou moins directe. Différentes techniques permettent de provoquer l'acquiescement ; nous en examinerons quelques-unes.

La présentation

De quelle façon peut-on amener les gens à faire ce qu'on aimerait qu'ils fassent ? En observant les experts de l'influence (c'est-à-dire les publicitaires, les politiciens, les prédicateurs à la télévision ou les animateurs de téléthons), les psychologues sociaux ont mieux appris les mécanismes qui favorisent l'influence sociale. Par exemple, lorsque les gens sont surpris par l'aspect inhabituel d'une demande, ils ont plus de chances d'acquiescer à celle-ci. Dans une recherche de Milgram et Sabini (1978), la moitié des sujets passagers du métro étaient avertis que quelqu'un se présenterait pour leur demander leur siège. Le moment venu, 28 % des gens ont cédé leur siège tout de suite après que la demande fut faite. Par contre, dans le cas de l'autre moitié des sujets qui n'étaient pas avertis qu'une telle demande surviendrait, deux fois plus de personnes (56 %) ont laissé leur place.

Il semble que, dans une large mesure, l'effet d'acquiescement réside dans la façon de demander quelque chose. Dans l'étude de Langer, Blank et Chanowitz (1978), par exemple, une personne attendait qu'un sujet potentiel arrive devant la photocopieuse de la bibliothèque pour lui demander si elle pouvait se servir de l'appareil avant lui. Dans le premier groupe, la demande se faisait à peu près comme suit : « Excuse-moi, j'ai cinq pages, est-ce que je peux utiliser la photocopieuse?» Alors, 60 % des sujets ont acquiescé à cette demande. Ce résultat s'explique en partie par l'aspect inhabituel de la demande. Dans le deuxième groupe, la demande était ainsi modifiée: «Excuse-moi, j'ai cinq pages, est-ce que je peux utiliser la photocopieuse? Je suis pressé.» Dans ces cas-là, 94 % des sujets ont dit oui. (Les gens sont généreux, prêts à rendre service à quelqu'un dans le besoin!) Dans le troisième groupe, la demande était la suivante: «Excuse-moi, j'ai cinq pages, est-ce que je peux utiliser la photocopieuse? Je veux faire des photocopies.» Dans ces cas-là, 93 % des sujets ont accédé à cette requête!

Il est à remarquer que la raison invoquée dans la troisième condition n'est pas très valable. Pourquoi voudrait-on utiliser la photocopieuse, sinon pour faire des photocopies? Ce dernier aspect concerne ce que Langer appelle l'«esprit passif» *(mindlessness)*, lequel constitue un état de non-conscience ou encore d'automatisme. Par exemple, lorsque les gens nous demandent une faveur, nous nous attendons la plupart du temps à ce qu'ils nous donnent une raison. Ainsi s'ils ajoutent à leur demande «parce que...», nous considérerons rapidement cette information comme justifiée, peu importe la valeur anodine de celle-ci. Le tout se fait de façon non consciente, automatique. Notons que lorsque la demande est si importante qu'elle nous «ramène à la réalité», cette façon passive de traiter l'information est stoppée. Dans la recherche de Langer *et al.* (1978), il y avait trois autres conditions semblables à celles énumérées précédemment, mais cette fois la demande était plus sérieuse, l'expérimentateur ayant 20 pages à photocopier au lieu de 5. Le groupe auquel on avait présenté une raison anodine («car je veux faire des photocopies») n'acquiesça pas à cette demande (il était semblable au groupe contrôle).

La réciprocité

Vous êtes-vous déjà senti mal à l'aise après avoir reçu un cadeau tout à fait inattendu? Si c'est le cas, la première chose qui vous est peut-être venue à l'esprit (si ce n'est de refuser le cadeau!) a été de vous demander comment vous pourriez rendre à cette personne quelque chose d'équivalent. La **norme de réciprocité** constitue un facteur d'influence très efficace. Les gens veulent répondre aux faveurs qu'on leur fait. Regan (1971) fit appel à deux sujets en même temps, dont l'un était un complice de l'expérimentateur. Dans la moitié des situations, ce complice se comportait de façon aimable, alors que dans l'autre moitié des situations il était un compagnon de travail tout à fait détestable. Pendant une pause, le complice s'absenta et revint avec un coca-cola pour lui et pour l'autre sujet (dans deux autres conditions, rien n'était offert ou bien le coca-cola était donné par l'expérimentateur). À la fin de la recherche, le complice annonça qu'il vendait des billets 0,25 $ chacun pour un tirage et proposa au sujet d'en acheter. En moyenne, les sujets achetèrent plus de billets après avoir reçu une faveur (surtout quand elle provenait du complice plutôt que de l'expérimentateur) que lorsqu'ils n'en avaient pas reçu. La norme de réciprocité était à ce point forte que les sujets rendirent même la faveur (en achetant des billets) au complice désagréable. En fait, les sujets de cette dernière condition achetèrent en moyenne pour 0,43 $ de billets. Considérant que le coca-cola coûtait moins de 0,25 $ à cette époque, cette tactique s'avéra une bonne stratégie d'investissement!

Selon Greenberg et Westcott (1983), certaines personnes ont plus tendance que d'autres à recourir à la norme de réciprocité lorsque des gains personnels sont en cause. Ces chercheurs nomment «créditeurs» les individus susceptibles d'utiliser la norme de réciprocité de cette façon, car ils laisseront aux autres une dette envers eux-mêmes et pourront retirer des avantages de cette situation lorsque le besoin se fera sentir. Eisenberger, Cottrell et Marvel (1987) ont élaboré une échelle de réciprocité qui permet de déterminer jusqu'à quel point un individu est «créditeur» ou «débiteur». Par exemple, un créditeur pourra être d'accord avec un énoncé comme celui-ci: «Si une personne vous fait une faveur, il est bon de lui accorder en retour une plus grande faveur.» Pour sa part, un débiteur est plus susceptible de refuser une faveur qui lui créerait une «dette» vis-à-vis d'une autre personne. Le débiteur serait d'accord avec un énoncé comme celui-ci: «Le fait de demander de l'aide à une personne donne à celle-ci du pouvoir sur votre vie.»

La manipulation

Pour essayer d'influencer les autres et ainsi d'obtenir ce qu'ils désirent, les individus tentent de se montrer sous leur meilleur jour; ils parleront avec adresse et subtilité afin de parvenir à leurs fins. La technique de la manipulation, popularisée par Jones (1964; Jones & Wortman, 1973), est basée sur la présentation de soi (l'idée de paraître le mieux possible) et sur la flatterie. Par exemple, un individu qui veut refiler à un collègue une tâche qu'il n'aime pas faire pourrait lui dire: «C'est bien, ce que tu fais; tu as le tour avec les gens. Je suis certain que tu es le mieux placé pour aller rencontrer M. Martin afin de l'aider à régler ce problème-là.»

Comme vous l'avez sûrement constaté, Jones n'a rien inventé; peut-être même aviez-vous déjà utilisé cette stratégie! Si c'est le cas, vous aurez sans doute appris (à vos dépens!) qu'elle ne fonctionne pas toujours... Jones mentionne que cette stratégie doit être employée d'une façon subtile, sinon les gens n'en seront pas dupes, et alors elle risquera de se retourner contre vous et d'avoir des conséquences désastreuses. Une étude de Dickoff (1961) illustre bien les conséquences possibles de la manipulation. Des sujets féminins écoutaient une évaluation d'elles-mêmes faite par une étudiante diplômée qui les avait observées auparavant derrière un miroir unidirectionnel. L'étudiante en question (qui était complice de l'expérimentateur) variait la proportion de compliments présentés selon trois conditions expérimentales: elle faisait des compliments excessifs, elle faisait des compliments en nombre raisonnable et elle donnait une rétroaction sans compliments. L'expérimentateur avait aussi prévu le fait que l'étudiante diplômée avait quelque chose ou non à gagner pour agir de la sorte. Par exemple, dans une condition, on amenait les sujets à penser que l'étudiante essayait d'être le plus possible précise et honnête. Dans la deuxième condition, l'étudiante avait prétendument une bonne raison d'agir comme elle le faisait: elle voulait demander aux sujets de participer à des recherches ultérieures. Les résultats ont montré que le fait de complimenter une personne augmente son attirance pour la personne qui complimente, mais lorsque la personne complimentée devine les intentions de l'autre, son attirance envers celle-ci diminue fortement.

La stratégie du pied dans la porte

Le fait de présenter d'abord une demande anodine à quelqu'un pourrait-il faciliter l'obtention d'une demande plus importante par la suite? Prenons un exemple. Une personne reçoit un appel téléphonique au sujet d'un sondage sur différents produits de consommation. On lui demande au début si elle veut bien répondre à quelques questions sur les produits de consommation qu'elle utilise fréquemment; cela ne prendra que quelques minutes de son temps, ajoute-t-on. Effectivement, après quelques questions banales, le sondage semble se terminer. Mais juste avant de raccrocher (et après les remerciements d'usage!), le sondeur lui demande si elle veut remplir un autre questionnaire, qu'on lui enverra par la poste, qui prolonge ce sondage mais va plus en profondeur et s'avère donc plus important pour la maison en question. Eh bien, malgré ses connaissances sur l'influence sociale et sur les stratégies d'acquiescement, cette personne donne gentiment son nom et son adresse afin de recevoir le fameux questionnaire! Elle vient d'être victime de la stratégie du pied dans la porte.

La **stratégie du pied dans la porte** *(foot-in-the-door)* fonctionne de la manière suivante. Il faut d'abord présenter à une personne une demande si peu importante qu'il lui sera difficile de ne pas y acquiescer. Par la suite, on fait la deuxième demande, celle qui nous intéresse vraiment. Cette technique est simple, n'est-ce pas? Mais quel est le mécanisme ou la théorie qui permet de comprendre son fonctionnement? Nous verrons cela un peu plus loin; pour le moment, examinons la recherche.

Freedman et Fraser (1966) ont testé l'efficacité de cette stratégie au moyen d'une expérimentation en milieu naturel. Dans une première étude, un expérimentateur, qui se présentait comme un employé d'un organisme étudiant les habitudes de consommation, appela plusieurs femmes à la maison et leur demanda de bien vouloir répondre à quelques questions sur les produits domestiques. À celles qui acceptèrent, il leur posa des questions banales telles que «Quelle marque de détersif utilisez-vous?», les remercia de leur participation et raccrocha. Trois jours plus tard, l'expérimentateur rappela ces dernières pour leur demander une grande faveur: une équipe de cinq ou six hommes pouvait-elle aller chez elles pendant environ deux heures pour inventorier tous les produits qu'elles utilisaient, recenser le contenu des armoires, du garde-manger, des penderies, etc.? La stratégie du pied dans la porte s'avéra très efficace. Lorsque les sujets du groupe témoin reçurent uniquement cette requête excessive, 22 % de ceux-ci acceptèrent. Par contre, plus du double des sujets du groupe expérimental (ceux de la stratégie du pied dans la porte) l'acceptèrent (53 %)!

Dans une deuxième étude, les auteurs (Freedman & Fraser, 1966) ont plutôt demandé aux sujets de placer sur leur petite pelouse un immense panneau publicitaire où était écrit «Conduisez prudemment» pour rappeler aux gens de leur quartier que c'était la semaine de la sécurité au volant. Des sujets qui reçurent uniquement cette demande importante, 16 % acceptèrent de s'y plier. Par contre, lorsque la stratégie du pied dans la porte fut utilisée, 76 % acquiescèrent.

Ces résultats ont été répétés plusieurs fois depuis. Ainsi on a constaté que les gens étaient plus susceptibles de donner de leur temps, de leur argent, de leur sang, de permettre l'utilisation de leur maison ou d'autres ressources lorsqu'on utilisait la stratégie du pied dans la porte. Même si les taux de succès ne sont pas toujours aussi élevés que ceux qu'ont obtenus Freedman et Fraser (1966), il reste que, chaque fois qu'on demandait d'abord une petite faveur aux sujets, on obtenait de meilleurs résultats (Beaman *et al.*, 1983; Dillard, Hunter & Burgoon, 1984).

Pour bien comprendre ce phénomène, il faut se référer à la théorie de la perception de soi (Bem, 1972). Cette théorie postule que les gens déterminent leurs attitudes en examinant leurs comportements (voir le chapitre 5 sur les attributions). Appliquée à la stratégie du pied dans la porte, cette explication suggère l'existence de deux étapes (Dejong, 1979). D'abord, en observant ses comportements d'acquiescement lors de petites demandes, on en vient à adopter une image de soi d'un individu qui est bon, gentil, serviable, qui coopère dans ce genre de requête, etc. Une fois que cette caractéristique a été intégrée, lorsqu'une autre requête se présente, même si elle est plus importante, on y acquiescera de façon à maintenir cette nouvelle image de soi.

Des recherches ont confirmé cette explication. Par exemple, lorsque la première demande est trop banale (de sorte qu'elle ne risque pas d'affecter l'image de soi) ou que les gens sont payés pour leur premier acquiescement, ils ne se verront pas comme des gens coopératifs et la technique ne fonctionnera pas (Seligman, Bush & Kirsch, 1976; Zuckerman, Lazzaro & Waldgeir, 1979). De même, l'effet se produira seulement quand les gens seront poussés à se comporter d'une façon qui corresponde à leur image de soi. S'ils ne sont pas satisfaits des effets de leur comportement sur leur image de soi ou encore si la correspondance avec leur image de soi n'est pas importante, la technique ne fonctionnera pas (Eisenberger *et al*, 1987; Kraut, 1973).

La théorie de l'engagement (Kiesler, 1971) explique également, du moins en partie, certains résultats des recherches sur la stratégie du pied dans la porte (et sur l'acquiescement en général) (voir aussi Joule & Beauvois, 1987). Selon cette théorie, lorsque des conditions de choix libres sont présentes, une personne se sent liée par ses comportements et il devient de plus en plus difficile pour elle de changer de direction. Par exemple, en ce qui concerne la stratégie du pied dans la porte, la personne a déjà adopté une ou plusieurs fois des comportements semblables de sorte que, lorsqu'une demande plus importante se présente, elle continue d'acquiescer parce qu'elle est engagée dans cette voie.

L'efficacité de la stratégie du pied dans la porte est à la fois excitante et inquiétante : elle est excitante pour le propriétaire du pied mais inquiétante pour le propriétaire de la porte. Cialdini (1985) résume bien cette situation :

> Vous pouvez accomplir de petits gestes d'engagement pour modifier l'image qu'une personne a d'elle-même ; vous pouvez faire ces gestes pour transformer de simples citoyens en « serviteurs publics », des acheteurs éventuels en « clients », des prisonniers en « collaborateurs ». Et une fois que l'image de soi de la personne correspondra à celle que vous désirez qu'elle ait, cette dernière devrait se soumettre facilement à toute une gamme de requêtes qui confirmeront cette nouvelle image de soi (p. 64).

La stratégie de la porte dans la face

« L'autre jour, mon meilleur ami est venu me demander une grande faveur, dit-il. Comme sa voiture était au garage depuis plusieurs jours, il voulait que je lui prête la mienne pour toute la fin de semaine. C'était effectivement une grande faveur. Même si c'est mon meilleur ami, j'ai dû, à regret, refuser, car j'avais vraiment besoin de mon auto. Trois jours sans auto, c'est difficile. Suivant mon refus, il m'a demandé si je pouvais la lui prêter vendredi seulement, il aurait alors le temps de faire toutes ses courses pour la fin de semaine. Eh bien, j'ai accepté ! Je venais d'être la victime de la stratégie de la porte dans la face ! »

Cet exemple fictif nous montre que la **stratégie de la porte dans la face** *(door-in-the-face)* est à l'inverse de la stratégie du pied dans la porte et elle fonctionne aussi bien (voir Price Dillard, 1991, pour une analyse des deux stratégies) ! Il s'agit d'abord de présenter une demande extrême, qui sera probablement refusée (tant mieux si elle est acceptée), puis une demande plus raisonnable, celle que l'on souhaitait effectuer de toute façon. Le fait de procéder ainsi augmente la probabilité qu'une personne acquiesce à la demande qu'on lui fait.

Cialdini *et al.* (1975) ont demandé à un groupe d'étudiants de l'université en psycho-éducation de devenir des conseillers bénévoles pendant deux ans, à raison de deux heures par semaine, auprès d'un groupe de jeunes délinquants. Il n'est pas surprenant que tous les étudiants aient dit non à une telle demande, refermant en quelque sorte la porte dans la face de l'expérimentateur ! Cependant, celui-ci est tout de suite revenu à la charge en demandant aux mêmes sujets de se porter volontaires pour accompagner un groupe de jeunes délinquants au zoo de la ville pendant deux heures. Cette stratégie a marché à merveille ! Parmi le groupe d'étudiants qui ont reçu uniquement cette dernière requête (la visite au zoo), seulement 17 % ont accepté. En revanche, lorsque celle-ci était précédée de la demande irréaliste, 50 % des étudiants ont accepté ! Et il ne s'agit pas seulement d'une promesse, car les sujets ont respecté leur engagement (Cialdini & Ascani, 1976).

On peut expliquer de trois façons le fonctionnement de cette stratégie. En premier lieu, il y a le principe du contraste perceptuel. Venant après la demande exagérée, la seconde demande paraît plus modeste et plus raisonnable que si elle était présentée seule. Cela n'explique pas tout le phénomène, car il suffirait de présenter au sujet la demande irréaliste sans lui demander d'acquiescer et, par simple contraste, la demande réelle semblerait plus raisonnable et susciterait davantage le consentement. Cependant, lorsqu'elle se déroule de cette façon, la stratégie ne fonctionne pas (Cialdini *et al.*, 1975). Les sujets qui ont entendu la demande irréaliste sans avoir à se prononcer sur elle ont accepté l'autre demande dans une proportion à peine plus élevée (25 %) que ceux qui n'ont reçu que la vraie demande (17 %).

En deuxième lieu, il y a la présentation de soi. Après avoir refusé une première fois, une personne craindra peut-être de mal paraître aux yeux des autres ou d'avoir l'air égoïste. Elle acquiescera donc à une demande ultérieure pour restaurer son image sociale vis-à-vis des autres. Qu'est-ce que mon ami penserait de moi si je rejetais également sa deuxième demande? En tout cas, j'aurais intérêt à me chercher un autre ami!

En dernier lieu, il y a le mécanisme de concession réciproque. Semblable à la norme de réciprocité, la notion de «concession réciproque» renvoie au fait que la personne qui formule une demande donne l'impression de faire une concession lorsqu'elle revient à la charge avec une demande plus limitée. Cela augmente la pression sur l'autre personne pour qu'elle fasse à son tour une concession. Il ressort de cela que, pour que cette technique fonctionne, il faut que ce soit les deux mêmes personnes qui participent à la négociation (Cialdini *et al.*, 1975). En outre, si la première requête est à ce point excessive qu'elle ne s'apparente pas à une première offre (dans la perspective de la négociation), la technique ne fonctionnera pas (Schwarzwald, Raz & Zvibel, 1979).

Même si les deux dernières stratégies se ressemblent, elles sont vraiment très différentes à cause des mécanismes et des théories qu'implique leur fonctionnement et à cause de leurs conditions d'application. Nous avons vu précédemment que la stratégie du pied dans la porte pouvait s'expliquer par la théorie de la perception de soi (Bem, 1972). Par contre, trois mécanismes rendent compte du fonctionnement de la stratégie de la porte dans la face, soit le contraste perceptuel, la présentation de soi et la concession réciproque. Par ailleurs, les deux techniques s'utilisent dans des conditions différentes. Pour ce qui est de la stratégie du pied dans la porte, les deux demandes (la modeste et la véritable) peuvent être effectuées par la même personne ou par deux personnes. Cela s'explique par le fait que la personne qui reçoit la première demande intègre dans son image de soi une nouvelle facette d'elle-même; peu importe alors qui lui adresse l'autre demande, elle continuera à se considérer comme une personne qui collabore, qui aide, etc.

Pour ce qui est maintenant de la stratégie de la porte dans la face, il faut que ce soit la même personne qui fasse les deux demandes (la demande irréaliste et la vraie demande) à cause des mécanismes de présentation de soi et de concession réciproque. Une troisième distinction entre les deux stratégies réside dans les conditions d'application, c'est-à-dire les séquences de présentation. En effet, dans la première stratégie, il peut y avoir un long intervalle entre les deux demandes. Par contre, dans la deuxième stratégie, les deux demandes doivent se faire consécutivement.

La faveur déguisée

« Un de mes amis voulait s'acheter une auto neuve. Étant un consommateur averti, il savait qu'il devrait magasiner un peu et marchander beaucoup avec le vendeur pour s'assurer le meilleur prix. Ayant arrêté son choix sur un modèle, il alla voir le vendeur et commença son marchandage. Après une longue négociation, le vendeur lui fit une offre « définitive » très alléchante, qu'il n'aurait pu obtenir ailleurs. Il accepta d'emblée et se voyait déjà au volant de son petit bijou. Il pourrait d'ailleurs repartir avec sa nouvelle voiture, lui avait-on assuré. Mais il y avait un "mais". C'est le patron qui devait approuver toutes les offres que les vendeurs faisaient aux clients. Le vendeur dut donc aller consulter celui-ci. Quelques minutes plus tard, il revint la mine basse... Son patron avait refusé le prix convenu parce qu'il était trop bas et que l'entreprise ne ferait alors aucun profit, mais il était d'accord pour fixer le prix à tel montant (quelques centaines de dollars de plus que précédemment). En fait, le prix final était plus élevé que celui que mon ami aurait obtenu ailleurs (ayant magasiné auparavant, il connaissait les chiffres). Malgré cela, il accepta cette proposition. Pour le rassurer, je lui dis qu'il venait d'être la victime d'une faveur déguisée (connaître le diagnostic aide souvent à la guérison !). »

L'idée qui se trouve derrière la **stratégie de la faveur déguisée** et que montre l'exemple fictif plus haut, c'est que les gens ne connaissent pas tous les coûts réels (incluant les coûts cachés) qu'implique un accord ; mais comme ils sont déjà engagés psychologiquement (Kiesler, 1971), il devient difficile pour eux de changer d'idée. Pour le personnage de notre exemple qui se voyait déjà dans sa voiture neuve, lorsque le vendeur revint lui annoncer qu'il ne pouvait lui accorder le prix qui avait été négocié, il aurait été malaisé de faire abstraction de son engagement psychologique. La théorie de l'engagement, selon Kiesler, nous aide à comprendre les mécanismes qui sont en œuvre. Les gestes qu'une personne accomplit ont un effet sur ses comportements ultérieurs parce que celle-ci se sentira engagée psychologiquement à répéter ses comportements initiaux.

Cialdini, Cacioppo, Bassett et Miller (1978) ont utilisé cette stratégie pour recruter davantage de sujets pour leurs expérimentations. Voici comment ils ont procédé. Ils demandèrent à des personnes de participer à une recherche en psychologie. Dans le groupe expérimental (qui reçut la faveur déguisée), l'expérimentateur demanda au sujet potentiel s'il désirait participer à cette recherche (qu'il décrivit). Lorsque le sujet donnait son accord, il ajoutait: « C'est très bien, elle aura lieu lundi à sept heures du matin. Êtes-vous toujours intéressé?» Dans le groupe témoin, la demande se faisait d'un seul coup; on demanda donc au sujet potentiel s'il désirait participer à une recherche en psychologie (qu'on décrivit) qui aurait lieu lundi à sept heures du matin. Parmi les sujets du groupe témoin, 31 % acceptèrent de participer à la recherche, comparativement à 56 % des sujets qui reçurent la faveur déguisée. Peut-être pensez-vous que les gens ont dit oui sans avoir vraiment l'intention d'y aller. Loin de là! Parmi les sujets du groupe témoin, 24 % (du total, non pas de ceux qui acceptèrent) se présentèrent à l'heure déterminée ainsi que 53 % des sujets du groupe qui reçut la faveur déguisée (voir la figure 11.4).

Ce n'est pas tout!

Il vous est peut-être déjà arrivé, en faisant du magasinage, de tomber sur une offre que vous ne pouviez pas refuser. Parce que vous étiez le premier, le dernier ou le énième client de la journée, on vous offrait « juste à vous » une aubaine

FIGURE 11.4 **Faveur déguisée**

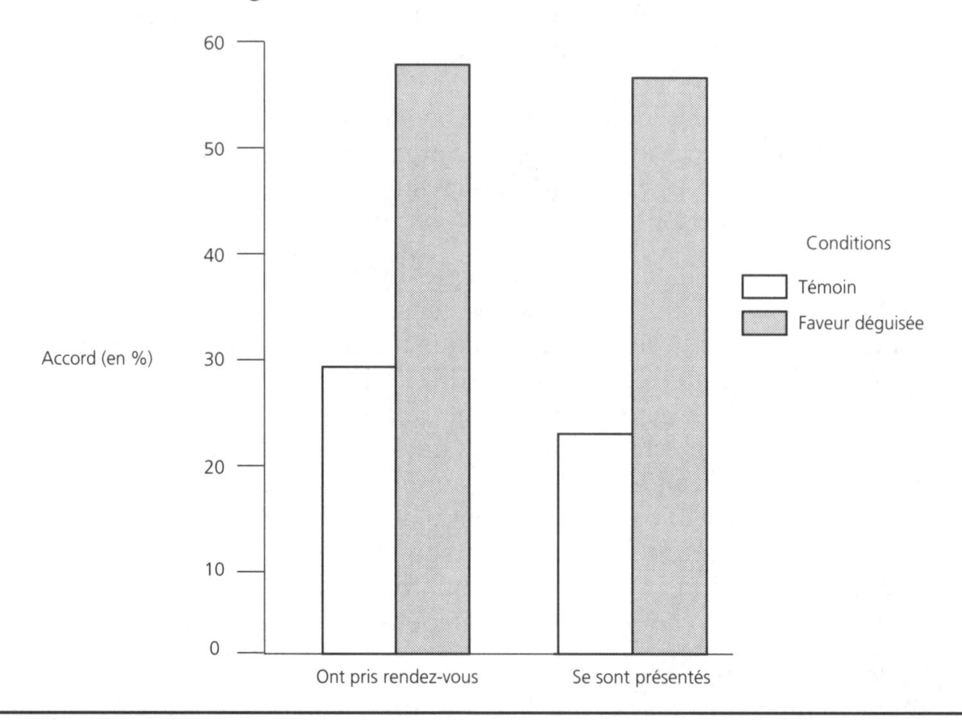

La faveur déguisée représente une bonne stratégie d'influence sociale (adapté de Cialdini, Cacioppo, Bassett & Miller, 1978).

extraordinaire; ou bien on réduisait le prix, ou bien on ajoutait quelque chose pour le même prix. Comment avez-vous réagi? Vous avez probablement sauté sur l'occasion! Le contexte sérieux et contrôlé de l'expérimentation montre que cette stratégie fonctionne très bien. La recherche de Burger (1986a) l'a prouvé. Sur un campus universitaire, il avait installé un stand pour la vente de gâteaux. À certains clients qui s'informaient du prix de ceux-ci, on disait qu'ils coûtaient 0,75 $ chacun. À un autre groupe, on disait qu'ils coûtaient 1 $ chacun, mais juste avant qu'ils puissent répondre quelque chose, on réduisait le prix à 0,75 $ chacun. Comme le prix des gâteaux était finalement le même dans les deux conditions, il n'aurait pas dû y avoir de différences entre celles-ci. On a pourtant observé que, dans la condition «contrôle» (où le prix était fixé dès le départ à 0,75 $), il y a eu 44 % de ventes. En revanche, dans la condition où les sujets croyaient à une réduction soudaine des prix, les ventes ont été de 73 %. Dans une variante de cette expérience, Burger (1986a) a obtenu les mêmes résultats, non pas en diminuant soudainement les prix, mais en ajoutant des produits pour le même prix.

Quelques variantes

Lorsqu'on voit plusieurs personnes acquiescer à une demande, il y a plus de chances pour qu'on acquiesce à son tour. Par exemple, si dans le métro vous voyez tour à tour un certain nombre de personnes donner de l'argent à un musicien, il est probable que vous donnerez de l'argent, vous aussi. Cette situation crée un effet de consensus, de norme sociale. Par exemple, Reingen (1982) a observé que les gens donnaient beaucoup à une œuvre de charité quand d'autres personnes avaient donné beaucoup avant eux et donnaient peu quand d'autres personnes avant eux avaient donné peu.

Lorsqu'une faveur est demandée par deux personnes, les chances sont plus grandes pour que vous l'accordiez. Est-ce pour cette raison que, dans certains groupes religieux, on se présente chez les gens par paire pour tenter de les convertir?

LE POUVOIR SOCIAL

Lorsque Kipnis (1984) a demandé à des administrateurs de diverses organisations comment ils amenaient leurs employés à exécuter une tâche, ils ont répondu des choses comme «Je leur ordonne simplement de faire ce que je veux qu'ils fassent», «J'agis de façon très humble en présentant ma demande» ou «J'explique les raisons de ma demande.» Lorsque le chercheur a demandé à des couples comment ils s'y prenaient pour influencer leur conjoint, il a obtenu des réponses comme «Je me mets en colère et j'exige qu'il cède», «Je me comporte avec une telle gentillesse qu'elle ne peut pas refuser ce que je lui demande» ou encore «Nous discutons à propos de notre désaccord.»

Le pouvoir social concerne l'utilisation de telles stratégies d'influence. French et Raven (1959; Raven, 1988) ont établi une classification intéressante qui permet d'analyser ces stratégies d'influence. Ils ont désigné six bases importantes de pouvoir, chacune représentant une ressource qui peut servir à influencer quelqu'un.

Les récompenses

L'une des bases de pouvoir consiste dans la possibilité de procurer des gratifications à une personne (l'aider à atteindre un objectif qu'elle s'est fixé ou lui offrir une récompense intéressante). Certaines récompenses sont très personnelles, telles qu'un sourire d'approbation à un ami. D'autres, comme de l'argent, sont plutôt impersonnelles. Parfois, une personne utilise le pouvoir des récompenses pour négocier autre chose; c'est le cas du père qui promet de l'argent à son enfant si celui-ci range sa chambre.

La coercition

La coercition consiste dans l'usage de la force physique de même que dans les menaces de punition ou les signes subtils de désapprobation. Par exemple, après avoir en vain essayé de convaincre un bébé de dormir, la mère peut tout simplement le placer dans son berceau et sortir de la chambre. Un directeur peut menacer de congédiement un employé qui arrive toujours en retard au travail.

Les récompenses et la coercition ne sont pas les contraires parfaits. Pour obtenir une récompense, les gens ont la motivation pour faire savoir qu'ils ont adopté le «bon» comportement. Par contre, la personne qui subit la contrainte risque de faire ce qui lui est demandé, mais uniquement lorsqu'elle est sous surveillance. Le pouvoir de la récompense ne requiert pas de surveillance, tandis que le pouvoir de la coercition l'exige.

Les connaissances

Des connaissances particulières, une formation ou une habileté donnée constituent des sources de pouvoir. Nous nous soumettons aux spécialistes et nous suivons leurs conseils parce que nous croyons que leurs connaissances nous aideront à atteindre nos objectifs. Si un médecin nous recommande de prendre trois pilules vertes par jour pour combattre une allergie, nous lui obéirons même si nous ne connaissons ni les composantes ni les effets de ces pilules.

L'information

Nous essayons souvent d'influencer les autres en leur donnant de l'information ou des arguments dont nous croyons qu'ils indiquent la voie à suivre. Ainsi un ami nous convaincra d'aller au cinéma en nous renseignant sur le film qui est présenté. Dans ce cas, la personne qui influence n'est pas une spécialiste; c'est plutôt le contenu du message qui produit l'influence. Le pouvoir de l'information est aussi appelé « pouvoir de persuasion ».

Le pouvoir de référence

Il y a pouvoir de référence lorsque nous admirons un individu ou un groupe ou lorsque nous nous identifions à lui. Dans cette situation, nous pouvons copier volontairement les comportements appréciés ou faire ce qui nous est demandé parce que nous voulons être comme cet individu ou ce groupe. Le jeune enfant qui admire son grand frère et qui reproduit ses façons d'agir constitue un exemple du pouvoir de référence. La personne qui adopte telle marque de bière parce qu'elle s'associe à l'image machiste projetée par la publicité est un autre exemple de celui-ci. Raven (1988) signale aussi le pouvoir de référence inverse, qui se produit lorsqu'une personne adopte certaines attitudes pour se distinguer d'un individu ou d'un groupe détesté.

L'autorité légitime

Parfois, une personne est autorisée à demander à une autre personne d'agir d'une certaine façon. Le directeur qui ordonne à un subordonné d'exécuter une tâche ou le général qui lance ses troupes au combat utilisent le pouvoir de l'autorité légitime. Certains rôles sociaux, comme ceux de père ou mère et d'enfant, d'enseignant et d'élève, de directeur et d'employé, s'appuient sur des droits ou des responsabilités légitimes. Même de jeunes enfants, par exemple, sentent qu'on doit obéir à ce qu'un médecin ou un dentiste demandent. L'un des préalables du pouvoir de l'autorité légitime est que les diverses parties doivent s'entendre sur les normes en cause.

Un cas particulier du pouvoir légitime est ce que Raven nomme le « pouvoir de l'impuissance ». Le jeune enfant qui demande à sa mère d'attacher ses chaussures, le touriste étranger qui sollicite un renseignement, la personne partiellement aveugle qui demande à quelqu'un le prix indiqué sur une boîte de conserve constituent des exemples du pouvoir de l'impuissance. La personne qui requiert de l'aide est dans une situation d'impuissance. Notre culture véhicule une norme de responsabilité sociale qui guide nos comportements dans de telles situations.

L'OBÉISSANCE À L'AUTORITÉ

Nous avons vu tout au long de ce chapitre que les gens qui nous entourent peuvent avoir une très grande influence sur nos actions. Face aux pressions qui visent à nous amener à nous conformer, nous risquons de nier publiquement nos croyances les plus profondes et d'être d'accord avec des énoncés nettement faux.

L'autorité représente une source d'influence extrêmement puissante. Nous sommes éduqués avec l'idée qu'il faut obéir à nos parents, à nos enseignants, aux lois et aux règlements, à nos employeurs, à notre entraîneur, aux gouvernements, etc. Même des signes faibles d'autorité, comme un titre (docteur, maître, Votre Honneur) ou un uniforme, peuvent nous influencer. Par exemple, l'expérimentatrice de Bushman (1988) arrêtait des passants et leur ordonnait de donner de l'argent à une personne étrangère qui n'avait plus de monnaie pour le parcomètre. Obéiriez-vous à quelqu'un qui vous demanderait une telle chose? Lorsqu'elle était habillée en mendiante ou de façon ordinaire, à peu près une personne sur deux obéissait à son ordre. Mais lorsqu'elle revêtit un uniforme d'agent de sécurité, 72 % des gens obtempérèrent!

Si les gens sont à ce point influencés par des marques «faibles» d'autorité, que penser alors lorsque les ordres viennent d'une autorité établie? Dans la société, il existe un grand nombre de structures hiérarchiques de pouvoir: les enfants et leurs parents, les adultes et les lois, le monde du travail et les patrons, l'armée et ses généraux, etc. Les soldats doivent exécuter les ordres qu'on leur donne sous peine de représailles. Il suffit de se rappeler le lieutenant américain William Calley, qui fut poursuivi en cour martiale pour avoir massacré des villages entiers de femmes et d'enfants pendant la guerre du Viêt-Nam. Pour expliquer ses gestes, il dit qu'il n'avait fait que suivre les ordres qu'on lui avait donnés.

Que penser du suicide collectif des disciples du Temple de Jésus? Sentant une menace venir de l'extérieur, le leader, Jimmy Jones, ordonna à tous ses disciples (ils étaient près de 900) de tuer leurs enfants (en leur faisant boire un liquide empoisonné) et de se suicider par la suite.

La Seconde Guerre mondiale nous a laissé son lot d'horreurs avec l'extermination de millions de Juifs. Comment les gens ont-ils pu être amenés à tant de cruauté? Avaient-ils déjà des tendances personnelles à la cruauté? Cela serait rassurant pour nous s'il en était ainsi: nous pourrions en quelque sorte avoir la conscience tranquille. Mais vous connaissez maintenant assez bien la psychologie sociale pour savoir que la réponse est tout autre...

L'hôpital est un autre milieu où il existe une hiérarchie du pouvoir, les médecins dominant tout le personnel. Considérons la recherche suivante de Hofling *et al.* (1966). Le Dr Smith demanda à 22 infirmières d'administrer 20 milligrammes d'un médicament à un patient, pour laisser le temps au médicament d'agir jusqu'à ce qu'il arrive sur les lieux. Dans la pharmacie de l'hôpital, sur la bouteille en question, il était clairement indiqué que la dose maximale était de 10 milligrammes par jour. Selon vous, les infirmières ont-elles donné une surdose pour obéir au médecin, mettant cependant en danger la santé du patient? Heureusement qu'on avait remplacé le médicament par un placebo parce que 21 infirmières sur 22 ont obéi aux ordres du médecin!

L'obéissance à l'autorité selon Milgram

Tout cela n'arrive qu'aux autres, n'est-ce pas? Mettez-vous à la place des personnes qui ont agi comme sujets dans les expériences de Milgram (1963). Afin d'obtenir 4,50 $ l'heure, vous arrivez au laboratoire d'une université prestigieuse (Yale) en même temps qu'une autre personne, un homme d'un certain âge, presque chauve et faisant de l'embonpoint. Vous apprenez que l'étude porte sur la punition et l'apprentissage. L'un de vous deux agira à titre de professeur et l'autre à titre d'élève. Vous êtes chanceux, un tirage vous désigne comme professeur, l'autre personne sera l'élève. C'est donc lui qui recevra les punitions, des chocs électriques. L'appareil contient des boutons associés à des chocs d'intensité croissante, allant de 15 volts à 450 volts. Le plus petit voltage est étiqueté «choc léger», alors que le plus élevé indique «danger: choc grave».

Votre tâche est de vous assurer que l'élève apprend bien; s'il fait des erreurs, vous devrez le punir par des chocs d'intensité toujours croissante. Mais l'élève n'est pas très bon. Il commet beaucoup d'erreurs, de telle sorte que vous passez vite de 15 volts à 45 volts. À 75 volts, l'élève commence à gémir. À 150 volts, il crie qu'il ne veut plus participer à l'expérience et, à 350 volts, il ne montre plus aucune réaction. Il s'était pourtant plaint auparavant qu'il avait le cœur fragile...

Lorsque vous émettez des doutes sur le déroulement de l'expérience, l'expérimentateur vous répond en vous donnant trois ordres de plus en plus sévères: «S'il vous plaît, continuez.» Après le premier refus: «C'est absolument essentiel que vous continuiez.» Après le deuxième refus: «Vous n'avez pas le choix, vous devez continuer.» Après le troisième refus, il y a arrêt de l'expérimentation.

L'élève était en réalité un complice de Milgram, un acteur semi-professionnel bien formé pour ce rôle: aucun choc n'avait vraiment été donné. Avant de commencer, Milgram ne croyait pas qu'un seul sujet puisse obéir jusqu'au bout. Quarante psychiatres partageaient son avis. Ceux-ci prédirent que la majorité des sujets ne dépasseraient pas 150 volts, que de rares individus (1 %) (névrotiques probablement) iraient au-delà. Des diplômés en psychologie firent à peu près les mêmes prédictions (3 %).

Les résultats montrent que 65 % des sujets se sont pleinement soumis et ont continué à infliger des chocs jusqu'à la limite de 450 volts (voir la figure 11.5). Il est à noter que les sujets n'éprouvaient aucun plaisir à faire souffrir quelqu'un, bien au contraire; mais ils continuaient quand même à obéir à l'autorité.

FIGURE 11.5 **Obéissance à l'autorité**

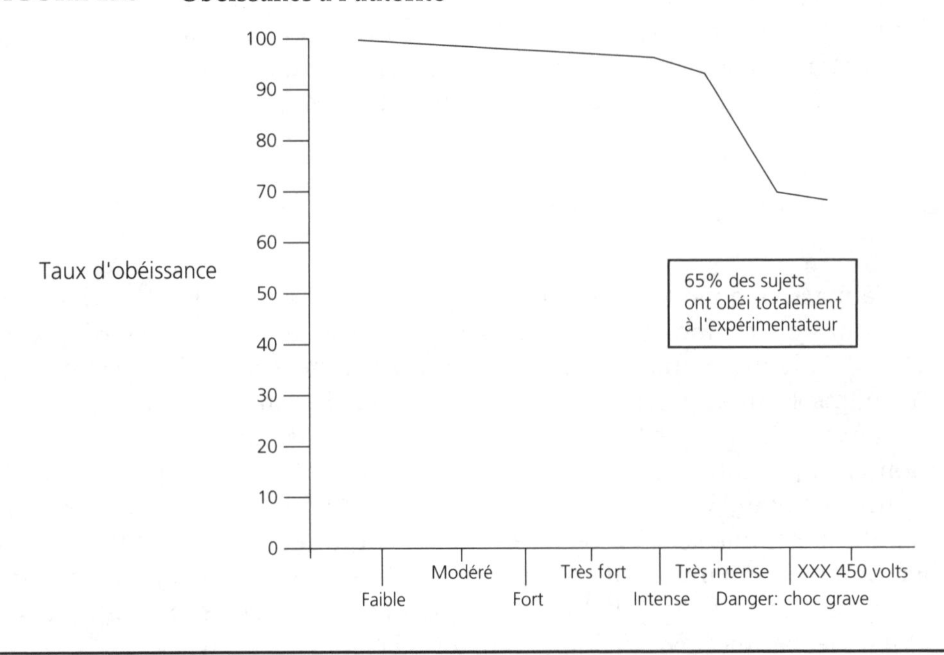

Adapté de Milgram (1963).

Les variantes du modèle original

La recherche de Milgram (1963) est peut-être celle qui a été le plus souvent répétée à travers le monde, peut-être à cause des résultats percutants qu'elle a obtenus. Chaque fois qu'on a reproduit cette situation expérimentale, le taux d'obéissance à l'autorité a été aussi élevé (Shanab & Yahya, 1978). D'après ces constatations, on a commencé à étudier les conditions qui pourraient influer sur le taux de soumission à l'autorité. Quelques situations expérimentales entraînent des taux d'obéissance différents.

La proximité de la victime. Plus la victime est éloignée du sujet, plus celui-ci a tendance à se conformer aux directives de l'expérimentateur. Dans une recherche de Miller (1986), la victime dans la première condition – « victime éloignée » – se trouvait dans une autre pièce et n'était ni vue ni entendue (si ce n'est qu'elle donnait quelques coups de poing dans le mur) du sujet, les communications se faisant par signaux lumineux. Dans la deuxième condition – « victime éloignée, voix seulement » –, la victime était dans une autre pièce, mais les communications se faisaient verbalement par interphone. Dans la troisième condition – « victime proche » –, le complice se trouvait dans la même pièce que le sujet, à quelques mètres de lui. Finalement, dans la quatrième condition – « toucher, proche » –, le sujet devait prendre la main de la victime (avec de gros gants isolants) et la placer sur une plaque électrique pour lui infliger la punition.

FIGURE 11.6 **Proximité ou éloignement de la victime**

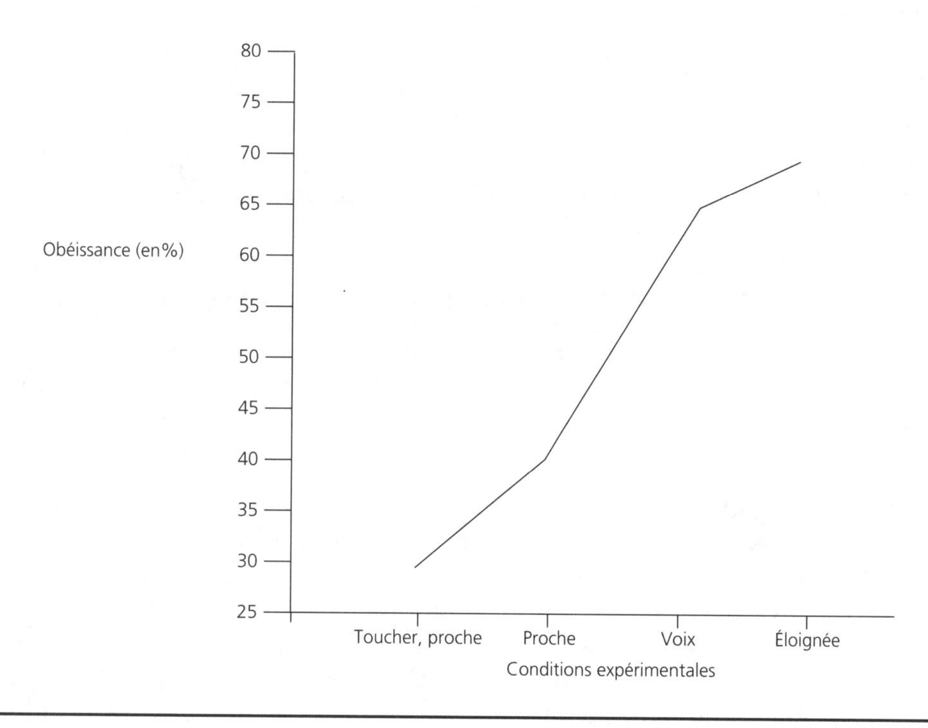

Plus la victime est éloignée, plus il est facile d'obéir aux ordres donnés (adapté de Lamberth, 1980).

Comme l'illustre la figure 11.6, les résultats présentent une relation linéaire à mesure que la victime s'éloigne du sujet. Lorsque le sujet doit toucher la victime pour la punir, on observe 30 % d'obéissance, puis 40 % lorsque le sujet est dans la même pièce, près de 60 % lorsqu'il est dans la pièce voisine et que les échanges sont personnels, et finalement près de 70 % lorsque aucun contact personnel n'est permis. Il est donc plus facile d'obéir à quelqu'un et d'infliger une punition à une autre personne lorsqu'on ne voit pas les conséquences de ses gestes.

La proximité de l'autorité. Cette grande soumission à l'autorité est peut-être due au prestige de l'expérimentateur de même qu'au fait que celui-ci soit toujours présent pour veiller à ce que ses ordres soient exécutés. Dans une deuxième étude (Miller, 1986), on a mis l'accent sur la proximité ou sur l'éloignement de l'expérimentateur par rapport au sujet. Dans la première condition, l'expérimentateur était toujours présent, comme dans la recherche originale, alors que, dans la deuxième condition, il donnait ses instructions par téléphone. Le taux d'obéissance diminua grandement lorsque l'expérimentateur était absent (il se situait autour de 40 %). Mais, de plus, on observa que plusieurs sujets mentaient à propos de leurs comportements. Par exemple, ils affirmaient qu'ils avaient infligé des chocs d'intensité croissante, comme le voulait la règle, mais l'appareil révéla que ce n'était pas le cas: les sujets donnaient souvent les chocs les plus faibles.

Les caractéristiques personnelles des sujets. Les recherches se sont aussi penchées sur les caractéristiques personnelles des sujets, lesquelles pourraient expliquer certains comportements d'obéissance observés. En général, peu de caractéristiques de la personnalité se sont avérées de bons éléments prédictifs des comportements des sujets. Les sujets qui obéissaient avaient plus tendance que les sujets qui n'obéissaient pas à juger la victime responsable de ce qui lui arrivait. Cette réaction constituait une bonne justification des gestes qui venaient d'être accomplis (voir la théorie du monde juste de Lerner [1980] au chapitre 5).

Les sujets élevés sur l'échelle F de l'autoritarisme (Adorno, Frenkel-Brunswick, Levinson & Sanford, 1950) sont davantage enclins à obéir et à donner des chocs plus forts que les sujets qui sont moins élevés sur cette échelle (Elms & Milgram, 1966).

La différence sexuelle. Kilham et Mann (1974) ont étudié une variante intéressante qui touchait à la fois des différences possibles entre les hommes et les femmes et des différences possibles entre les transmetteurs d'ordres et les exécutants. Ils ont émis l'hypothèse qu'il était probablement plus facile d'obéir en donnant l'ordre qui cause du tort à une personne qu'en exécutant personnellement cet ordre. Leur situation expérimentale mettait en présence deux vrais sujets (deux hommes ou deux femmes) au lieu d'un seul. L'un des sujets agissait à titre de transmetteur d'ordres, c'est-à-dire qu'il suggérait, en conformité avec les règles établies, des chocs d'intensité croissante au fur et à mesure que l'élève commettait des erreurs. L'autre sujet agissait à titre d'exécutant, c'est-à-dire qu'il tournait les boutons pour infliger les chocs électriques suggérés.

Les résultats ont montré que le taux d'obéissance était plus élevé chez les transmetteurs d'ordres (54 %) que chez les exécutants (28 %). Il s'avère en effet plus facile d'obéir à ce type d'ordres lorsqu'on n'a pas à les exécuter personnellement. Par ailleurs, les femmes avaient tendance à moins obéir que les hommes, autant chez les transmetteurs (40 % contre 80 %) que chez les exécutants (10 % contre 50 %).

C'est peut-être le contexte particulier de cette recherche qui explique les différences entre les sujets masculins et féminins, car Milgram (1963) avait découvert un taux d'obéissance aussi élevé (65 %) chez des sujets féminins que chez les sujets masculins dans le modèle original de sa recherche.

L'effet de l'âge. Shanab et Yahya (1977) ont obtenu des taux d'obéissance semblables à ceux des adultes auprès d'enfants de trois groupes d'âge différents, soit de 6 à 8 ans (75 %), de 10 à 12 ans (80 %) et de 14 à 16 ans (63 %).

L'effet du groupe. Dans cette variante de l'expérimentation (Milgram, 1965), il y avait trois sujets au lieu d'un (dont deux étaient complices). Selon les instructions, on infligerait le choc le plus léger parmi ceux recommandés par les trois personnes. Il n'y avait donc plus d'autorité comme dans la recherche originale.

Cette recherche était surtout une étude sur le conformisme, que nous avons défini au début du chapitre. Les deux complices de l'expérimentateur suggérèrent des chocs de plus en plus forts. En fin de compte, c'est le troisième sujet (le vrai) qui déterminait l'intensité du choc. Il pouvait alors proposer un choc faible (et risquer d'être détesté par ses collègues) ou le même choc qu'eux (et ainsi être accepté par eux). Dans cette situation, seulement 18 % des sujets se sont conformés aux deux complices. La pression du conformisme, même si elle est moins forte que la pression de l'obéissance à une autorité, s'avère importante.

Une autre variante de cette expérimentation (Milgram, 1965) montre cette fois que la présence d'autres personnes peut inciter les sujets à désobéir à des ordres contraignants. Dans cette expérience, il y avait aussi trois sujets (dont deux complices de l'expérimentateur qui devaient lui désobéir). Le premier complice refusa de continuer à donner des chocs après que ceux-ci eurent atteint 150 volts. Le deuxième complice abandonna à son tour après que les chocs eurent atteint 210 volts. Ayant comme modèles deux personnes qui osaient défier l'autorité, le vrai sujet continuerait-il à donner des chocs ? Dans cette situation, seulement 10 % des sujets infligèrent des chocs allant jusqu'à 450 volts.

Comme vous avez pu le constater, les recherches sur l'obéissance à l'autorité ont été amplement documentées. On peut résumer les effets de l'autorité en fonction de trois dimensions. La figure 11.7 résume les pourcentages d'obéissance à l'autorité obtenus selon les différentes variantes expérimentales.

L'autorité. L'autorité est importante si l'on veut obtenir l'obéissance des sujets. Lorsque l'autorité était absente de la salle d'expérimentation, les sujets

FIGURE 11.7 **Facteurs influençant l'obéissance**

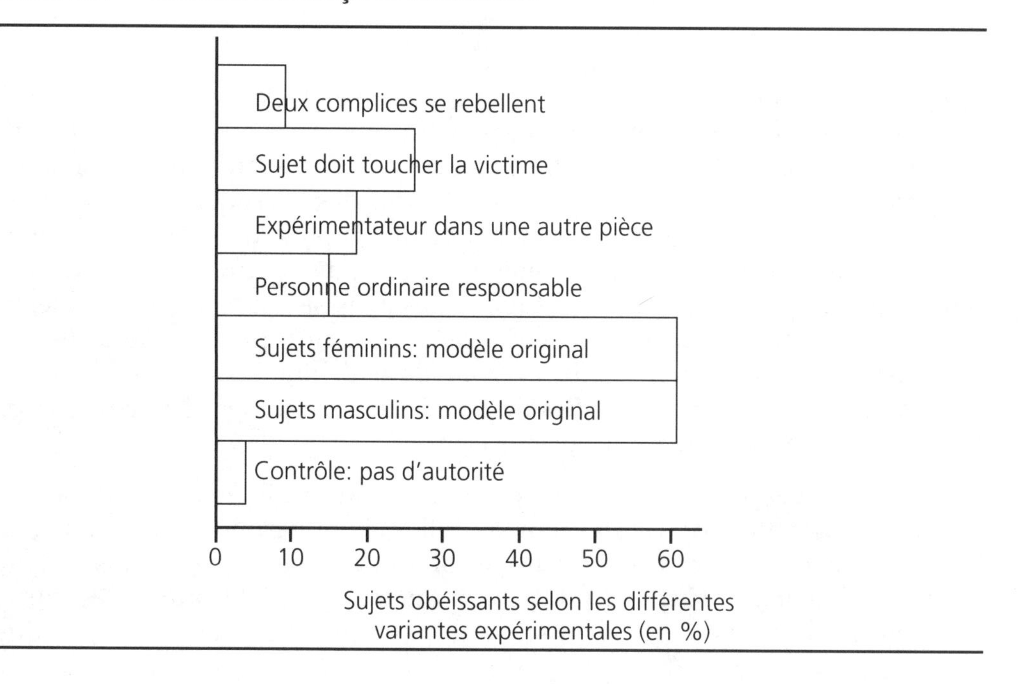

obéissaient beaucoup moins. De même, lorsque l'autorité était contestée par certaines personnes, le taux d'obéissance diminuait. L'expérimentateur représente aux yeux des sujets une personne qui possède une position sociale et un prestige élevés, et qui peut par conséquent inciter davantage à l'obéissance. Lorsqu'on modifie l'autorité – lorsque par exemple l'expérimentateur est remplacé par une personne ordinaire –, le taux d'obéissance s'abaisse à environ 20 %.

La victime. La situation dans laquelle la victime se trouve aide à déterminer l'ampleur de l'obéissance. Milgram raconte que le criminel de guerre nazi Adolf Eichmann a eu un haut-le-cœur en visitant les camps de concentration; mais pour remplir son rôle dans l'holocauste, il n'avait qu'à signer des papiers assis derrière un bureau. Là-dessus, nous avons vu que plus la victime était éloignée de son bourreau, plus il était facile pour celui-ci d'obéir.

La méthode. Dans la situation originale de l'obéissance à l'autorité, les sujets relevaient de l'expérimentateur, lequel assumait entièrement les conséquences éventuelles de l'expérience. Lorsque les sujets étaient amenés à croire qu'ils étaient eux-mêmes responsables de celles-ci, le degré d'obéissance diminuait considérablement (Tilker, 1970). Se borner à transmettre des ordres suscite beaucoup plus l'obéissance que devoir les exécuter directement. Gilbert (1981) a comparé la méthode de Milgram à la stratégie du pied dans la porte et à la psychologie de l'engagement (Kiesler, 1971). Le sujet est progressivement engagé dans l'escalade de la punition. Chaque geste de punition exécuté le pousse à donner des chocs plus forts. À quel moment prend-il conscience qu'il est allé trop loin ? Et n'est-il pas déjà trop tard lorsqu'il prend conscience de cela ?

RÉSUMÉ

Dans ce chapitre, nous avons vu que la présence réelle ou imaginée des autres peut modifier nos comportements, nos attitudes ou nos opinions. En effet, les autres définissent dans une certaine mesure ce qui devrait être dit ou fait dans une situation donnée. Le conformisme peut avoir des conséquences importantes sur notre pouvoir d'action et de décision. Lorsque la pression provient d'une personne en autorité, la soumission a également des conséquences notables sur nos comportements. Dans certaines conditions, les gens se soumettent aveuglément aux ordres émanant d'une autorité. Nous avons, en outre, étudié différentes stratégies d'acquiescement utilisées pour amener quelqu'un à exécuter une action donnée. Ces petites stratégies de tous les jours régissent une partie appréciable de nos comportements en société.

Comme nous l'avons vu, les conséquences de l'influence sociale peuvent s'avérer très importantes. Heureusement, celles-ci ont besoin de situations particulières pour se produire. Les gens ne se conforment pas tout le temps. De plus, les temps changent. Même à l'intérieur d'une culture déterminée, les valeurs changent. Posez-vous la question suivante: si vous étiez père ou mère, quels traits voudriez-vous que votre enfant développe? Lorsque cette question fut posée à des mères de famille américaines en 1924, elles optèrent pour l'obéissance stricte et la loyauté, qui sont des caractéristiques du conformisme. Lorsqu'on posa la même question 54 ans plus tard, les choix se portèrent sur l'indépendance et la tolérance envers les autres, caractéristiques de l'autonomie. On a observé des tendances semblables dans des enquêtes dans l'ex-Allemagne de l'Ouest, en Italie, en Angleterre et au Japon (Remley, 1988).

Est-il possible que les enfants d'aujourd'hui, qui sont les adultes de demain, résistent davantage à l'influence sociale? Les changements dans les valeurs entraîneront-ils des changements dans les comportements? Quels effets cela aura-t-il sur nos sociétés? Comme nous l'avons vu au début de ce chapitre, le conformisme peut être aussi bien associé à un manque d'indépendance, d'affirmation de soi et de questionnement qu'à une incitation à l'unité, à l'harmonie, à la solidarité entre les groupes et à l'entente. Plutôt que de bannir de nos valeurs l'un ou l'autre aspect des choses, il faudra sans doute trouver un équilibre entre les deux.

BIBLIOGRAPHIE SPÉCIALISÉE

Cialdini, R.B. (1984). *Influence: How and why people agree to things*. New York: Morrow.

Cialdini, R.B. (1985). *Influence: Science and practice*. Glenview, Il: Scott, Foresman and Co.

Cialdini, R.B. (1987). *Influence: soyez celui qui persuade, ne soyez pas celui qu'on manipule*. Paris: Albin Michel.

Joule, R.V. & Beauvois, J.L. (1987). *Petit traité de manipulation à l'usage des honnêtes gens*. Grenoble: Presses universitaires de Grenoble.

Milgram, S. (1974). *Soumission à l'autorité*. Paris: Calmann-Levy.

Moscovici, S. (1979). *Psychologie des minorités actives*. Paris: Presses universitaires de France.

CHAPITRE 12

LES GROUPES SOCIAUX

Serge Guimond
Collège militaire royal de Kingston

Mise en situation

Introduction

Les individus et les groupes en psychologie sociale

La nature des groupes : qu'est-ce qu'un groupe social?

- Les différents types de groupes

La formation des groupes : pourquoi se joint-on à un groupe ?

- Le modèle fonctionnaliste : le groupe comme lieu d'assouvissement de besoins psychologiques
- Le modèle de la cohésion sociale : on se joint aux gens qu'on aime
- Le modèle de l'identification sociale : on aime les gens auxquels on s'est joint

Le groupe comme agent de socialisation

- La structure des groupes
- La socialisation
- Une théorie générale de la socialisation à l'intérieur des groupes
- En conclusion

L'influence d'un individu sur le groupe : le leadership

- Une définition
- Les théories personnalistes
- Les théories interactionnistes

L'influence du groupe sur le comportement individuel

- La facilitation sociale
- Est-ce que deux têtes valent mieux qu'une ?
- La théorie de l'impact social
- Les décisions individuelles et collectives
- La désindividuation : comprendre l'effet psychologique des foules

Résumé

Réponses de l'encadré 12.3

Bibliographie spécialisée

Encadré 12.1 Quand l'appartenance au groupe coûte plus cher que prévu

Encadré 12.2 Le leadership en tant que transaction

Encadré 12.3 Quelques problèmes disjoints

Si nos activités se font pressantes, c'est que nous ressentons violemment l'urgent besoin de l'union. Là, le succès éclate ! Hier, nous étions seuls et indécis. Aujourd'hui un groupe existe aux ramifications profondes et courageuses ; déjà elles débordent les frontières... Que ceux tentés par l'aventure se joignent à nous.

Paul-Émile Borduas, *Refus global*

MISE EN SITUATION

LES RETROUVAILLES

— Claude... Beaulieu !?

— Paul ! Comment ça va ? Tu n'as pas changé du tout... toujours en jeans, comme au collège...

— Toi, au contraire, je n'étais pas certain de te reconnaître tellement ton allure a changé, la cravate et tout. Tu as même fini par te faire couper les cheveux. C'est incroyable !

— Ça fait longtemps que je les ai coupés. Ce n'était pas très bon pour les affaires.

— Tu es en affaires ?

— Je me suis joint à un groupe de conseillers en ressources humaines, il y a deux ans.

— Super ! Je me souviens que ça te passionnait, ce domaine-là. As-tu des contacts avec les autres avec qui on allait toujours au café étudiant ?

— Non, pas vraiment. Et toi ?

— Oui, je me suis marié avec Lyne Rousseau. On voit souvent Michèle et Robert. Nous les avons d'ailleurs invités à dîner pour samedi. Tu devrais venir...

— D'accord ! Mais est-ce qu'il faut absolument porter des jeans avec un accroc ? dit Claude d'un air moqueur.

— Tu portes ce que tu veux. Nous t'attendons vers 19 heures. Salut !

INTRODUCTION

Il semble que certaines activités soient presque toujours accomplies par un individu plutôt que par un groupe. Aucun poème célèbre n'a jamais été écrit par un groupe et les grandes symphonies sont habituellement composées par une seule personne (Hackman, 1990). Monet, Cézanne, Pissarro, Renoir sont des peintres de renommée internationale et non des groupes; cela montre bien que la peinture est une activité purement individuelle. Le choix des vêtements que l'on porte est aussi une décision personnelle. Pourtant, en y regardant de plus près, on se rend compte que le groupe a une influence immense même sur ce genre d'activité ou de décision. Ce n'est pas par hasard si Claude, dans la mise en situation qui précède, semble avoir changé radicalement son apparence, contrairement à Paul, qui a conservé le même groupe d'amis. Beaucoup de changements importants surviennent dans notre vie lorsque nous nous intégrons à un nouveau groupe social. Quitter la maison, aller à l'université, trouver un travail, dans chaque cas cela implique des modifications considérables dans le tissu de nos relations sociales et des répercussions sur nos façons d'être et d'agir.

Le vibrant appel à l'action commune lancé par le peintre québécois Paul-Émile Borduas en 1948 dans son manifeste *Refus global* nous donne une autre indication de l'importance que peut avoir le groupe dans la vie des gens. En fait, ce texte, qui a été signé par une quinzaine d'individus, traduisait vraisemblablement une pensée collective. La vie de Borduas témoigne d'un souci quasi constant pour le «groupe», pour ses étudiants, pour le développement d'un mouvement artistique, d'une école de peinture – les automatistes –, attitude qui est loin d'être purement individuelle (Robert, 1972). De la même façon, les œuvres «individuelles» de Monet ou de Renoir sont en réalité intimement liées à un groupe devenu célèbre dans le monde entier, les impressionnistes, lesquels cherchaient à s'affranchir des contraintes qu'imposait en peinture un cercle dominant de l'école de Paris (Forsyth, 1990). D'ailleurs, le mot «groupe» lui-même vient de l'italien *groppo* ou *gruppo*, terme qui était utilisé précisément en peinture lorsque plusieurs individus formaient le sujet d'une œuvre (Anzieu & Martin, 1976).

Dans ce chapitre, nous examinons cette notion de «groupe» ainsi que les changements psychologiques qui se produisent lorsque les individus se trouvent en groupe. Nous analyserons les **relations intragroupes,** c'est-à-dire ce qui se passe entre les membres d'un groupe social, alors que les relations *entre* les membres de groupes différents (relations intergroupes) sont étudiées au chapitre suivant. Nous commencerons par situer brièvement dans son contexte historique la problématique du groupe en psychologie sociale. Ensuite, chaque section du chapitre permettra de faire le point sur les questions suivantes:

1. Qu'est-ce qu'un groupe? Y a-t-il différents types de groupes?
2. Comment et pourquoi se joint-on à un groupe?
3. Que se passe-t-il par suite de la formation d'un groupe et de notre adhésion à un groupe? Quels changements temporels se produisent à l'intérieur des groupes?
4. Qu'est-ce que le leadership? Comment un individu peut-il arriver à influencer un groupe et à le faire agir avec enthousiasme dans le sens de certains objectifs communs?
5. Quel effet le groupe a-t-il sur le rendement dans une activité? Prenons-nous de meilleures décisions lorsque nous sommes seuls ou en groupe?

LES INDIVIDUS ET LES GROUPES EN PSYCHOLOGIE SOCIALE

On peut résumer comme suit un problème central à l'origine de la psychologie sociale en tant que discipline scientifique : l'étude de la psychologie des groupes, ou la psychologie collective, nécessite-t-elle une approche conceptuelle, théorique et méthodologique distincte de l'étude de la psychologie des individus ? Cette question suscite encore aujourd'hui un débat très animé (voir Brown, 1988; Brown & Turner, 1981; Steiner, 1974; Tajfel, 1972, 1979; Taylor & Brown, 1979; Taylor & Guimond, 1978). On peut soutenir d'une part que, tous les groupes sociaux étant composés d'individus, il devrait être suffisant d'étudier ces individus pour comprendre les groupes. Ainsi F.H. Allport écrivit en 1924: « Il n'y a pas de psychologie de groupes qui ne soit pas essentiellement et entièrement une psychologie d'individus. La psychologie sociale ne doit pas être vue en opposition avec la psychologie de l'individu ; *c'est une partie de la psychologie de l'individu*» (p. 4; italique dans l'original).

D'autre part, n'est-il pas vrai que le groupe est plus que la somme des individus qui le composent ? N'y a-t-il pas des phénomènes nouveaux qui émergent lorsqu'on se trouve en groupe et qui ne seraient pas bien compris si on étudiait uniquement les individus pris séparément ? Par exemple, les recherches expérimentales de Sherif (1936) à l'aide de l'effet autocinétique (voir le chapitre 11) ne démontrent-elles pas qu'en groupe les individus font converger leur jugement vers une norme commune au groupe, que cette norme guide le comportement des individus même lorsqu'ils ne sont plus en présence du groupe et que l'addition des jugements individuels ne permet pas d'arriver au jugement collectif des individus réunis en groupe ? Durant les années 1940 et 1950, de nombreux psychologues sociaux appuyaient le développement d'une psychologie de groupe qui serait autre chose qu'un dérivé de la psychologie individuelle. Mais les années 1960 à 1980 ont vu l'individualisme prôné par Allport (1924) s'assurer une position prédominante. Au cours des 10 dernières années, les recherches sur le groupe ont connu un regain d'énergie (voir Aebischer & Oberlé, 1990; Brown, 1988; Moreland & Hogg, 1993; Moscovici, 1972, 1979; Mullen & Goethals, 1987; Paulus, 1989; Tajfel, 1972, 1978; Turner, 1987) de sorte que l'étude du groupe en psychologie sociale a retrouvé toute son importance.

LA NATURE DES GROUPES : QU'EST-CE QU'UN GROUPE SOCIAL ?

Le bon sens nous dit qu'il faut au moins deux individus pour composer un groupe. Mais le simple critère numérique semble insuffisant pour nous permettre de désigner ce qu'on entend habituellement par la notion de « groupe ». Par exemple, s'il y a sept personnes dans un ascenseur, pourra-t-on dire pour autant qu'il existe un groupe dans l'ascenseur ? Est-ce que les 10 personnes qui font la queue à l'arrêt d'autobus forment un groupe ? Dans ces deux exemples, nous avons affaire, selon les psychologues sociaux, à un agrégat de personnes, mais pas vraiment à un groupe. Pour qu'on puisse utiliser le concept de **groupe,** la plupart des auteurs prétendent qu'il faut non seulement qu'il y ait un ensemble d'individus, mais aussi 1) que ces personnes aient une certaine forme d'interaction sociale entre elles, habituellement une interaction face à face; 2) qu'elles aient un but commun; 3) qu'elles s'influencent; ou 4) qu'il y ait une interdépendance entre les différents membres du groupe (Alcock, Carment & Sadava, 1991; Deaux & Wrightsman, 1988).

Ainsi les personnes qui attendent l'autobus passeraient de l'état d'agrégat à l'état de groupe dans la mesure où elles se mettraient à interagir les unes avec les autres pour discuter par exemple du retard prolongé de l'autobus ou des autres moyens possibles de se rendre à leur destination. D'ailleurs, lorsqu'il y a une grève des transports en commun, on a souvent l'impression, exception faite des embouteillages, qu'il y a une vie sociale plus intense sans doute parce que les gens qui utilisent les transports en commun en agrégat deviennent alors des groupes réels. Le même commentaire s'applique à toute une gamme de situations d'urgence (une panne d'ascenseur, une prise d'otages, un tremblement de terre, etc.) qui semblent transformer, parfois presque sous nos yeux, une collection d'individus hétérogènes en un groupe capable d'une action commune. Pourquoi ? C'est que, nous explique Lewin (1948), dans de telles circonstances, les individus deviennent presque totalement interdépendants. Le sort de l'un est lié au sort de l'autre. Le fait d'être « logé à la même enseigne » représente donc un des éléments essentiels de la notion de « groupe ». C'est à ce moment, dirait-on, que nous cessons d'être de simples individus pour nous fondre dans le groupe.

Les recherches récentes en psychologie sociale ont montré l'importance d'une approche cognitive dans l'étude du groupe. Turner (1982), notamment, propose qu'on définisse un groupe comme « deux personnes ou plus [...] qui se considèrent membres de la même catégorie sociale » (p. 15). Il est vrai que, d'un point de vue psychologique, ce qui compte, c'est de savoir dans quelle mesure les gens se sentent membres d'un groupe. Il apparaît difficile d'étudier la psychologie du groupe dans d'autres conditions. Il est donc primordial d'ajouter ce critère de définition du groupe aux précédents.

Les différents types de groupes

Il existe différents types de groupes. Les éléments de définition que nous venons d'examiner peuvent s'appliquer plus ou moins bien selon le type de groupe qu'on envisage d'étudier.

Le groupe formel et le groupe informel. On distingue fréquemment, dans la documentation scientifique, le groupe formel du groupe informel. Selon Maillet (1988), « le groupe formel est un groupe qui a pour fonction de s'acquitter d'un travail spécifique et bien défini » (p. 297). Il est habituellement formé par la direction d'une organisation qui fixe les normes de rendement, l'objectif et le statut des membres. À l'inverse, le groupe informel se développe naturellement selon des préférences ou des intérêts communs (Savoie, 1993). L'adhésion au groupe informel est volontaire et aucun membre n'est nommé comme dans le cas du groupe formel. Les caissières des marchés d'alimentation feraient donc partie d'un groupe formel alors que les employés qui s'unissent pour revendiquer certains droits particuliers feraient plutôt partie d'un groupe informel. On le voit, il s'agit là d'une question de degré de « formalisme » plus ou moins élevé dans les différents groupes. Mais cette distinction s'est avérée importante notamment dans le domaine des sciences de l'organisation. En effet, il paraît sensé de s'attendre à ce que, à l'échelle de l'entreprise privée par exemple, les groupes formels qui sont créés spécialement pour accomplir le travail aient plus d'influence sur le rendement de l'entreprise que les groupes informels. Mais les recherches désormais classiques d'Elton Mayo à la société Western Electric de Hawthorne à Chicago vers 1923 ont confirmé l'idée que les groupes informels avaient autant, sinon plus d'influence que les groupes formels. Et c'est aussi, entre autres choses, l'influence et le rôle des groupes informels qui distinguent de nos jours les entreprises américaines les plus performantes, selon les observations plus récentes de Peters et Waterman (1982).

Le groupe primaire et le groupe secondaire. Une deuxième distinction d'importance est celle entre le groupe primaire et le groupe secondaire. Le groupe primaire est celui qui nous touche le plus personnellement. Il est composé de personnes ayant des contacts réguliers, personnels et intimes avec nous, comme notre famille ou nos amis (Van der Zanden, 1987). Le groupe secondaire, par contre, désigne un ensemble de personnes habituellement plus imposant qui ont des contacts entre elles de façon plus sporadique et dans un contexte plus officiel et impersonnel. L'université, l'usine, le syndicat ou l'escadron constituent des exemples de groupes secondaires (Michener, DeLamater & Schwartz, 1986).

Les groupes d'appartenance et les groupes de référence. On a longtemps pensé, en psychologie sociale, que les groupes auxquels on appartient influent sur nos attitudes et sur nos valeurs. Ce qui est peut-être moins apparent, c'est le fait que des groupes dont nous ne faisons pas nécessairement partie peuvent avoir autant d'effet sur nous (Merton & Kitt, 1965). Les groupes qu'un individu adopte comme cadre de référence pour ses comportements, ses attitudes ou ses valeurs sont appelés **groupes de référence,** concept introduit en 1942 par Hyman. Souvent, le groupe de référence d'un individu est aussi un groupe d'appartenance (Sherif, 1953). Par exemple, la personne qui adopte le mode de vie des gens peu fortunés, qui aime habiter dans un quartier défavorisé et qui est elle-même démunie sur le plan économique prend les pauvres comme groupe de référence tout en faisant partie de ce groupe. Cependant, les groupes de référence peuvent aussi être des groupes dont on ne fait pas partie mais qui nous servent de modèle et auxquels on aspire à appartenir un jour. Ainsi la personne qui est issue d'un milieu défavorisé, qui interagit la plupart du temps avec des gens de ce milieu mais qui adopte le langage et l'accent de personnes issues de la bourgeoisie prend probablement comme groupe de référence un groupe dont elle ne fait pas partie, c'est-à-dire les gens des classes aisées de la société.

Le groupe restreint, la catégorie sociale et la foule. Enfin, il peut être utile de distinguer les groupes selon leur taille. Ainsi on parlera de « groupe restreint » pour désigner un groupe relativement bien structuré qui est composé d'un petit nombre d'individus ayant des contacts face à face de façon plus ou moins régulière (Anzieu & Martin, 1976). À l'inverse, on utilisera le concept de « catégorie sociale » ou celui de « foule » pour faire référence à un groupe très grand, relativement peu structuré, composé de centaines ou de milliers de personnes et où il n'est pas question de parler d'interactions face à face entre ses différents membres (Anzieu & Martin, 1976; Brown, 1988). Les francophones, les femmes, les riches sont des catégories sociales, alors que le comité des priorités à l'intérieur du gouvernement du Québec ou le jury des Assises criminelles constituent des exemples de groupes restreints.

LA FORMATION DES GROUPES : POURQUOI SE JOINT-ON À UN GROUPE?

L'une des questions fondamentales dans l'étude de la psychologie des groupes concerne l'explication de la formation des groupes. Pourquoi et dans quelles circonstances des individus isolés en viennent-ils à s'associer pour former un groupe? Intimement rattachée à cette question est celle de la pérennité du groupe ou, au contraire, de son éclatement à plus ou moins brève échéance. Pourquoi les membres de certains groupes semblent-ils unis par des liens très forts alors que d'autres groupes se désintègrent dès le premier obstacle? Sans pouvoir fournir toutes les réponses, la psychologie sociale a fait beaucoup de progrès dans l'analyse de ces questions. Nous discuterons trois grandes approches du problème de la formation des groupes : le modèle fonctionnaliste, le modèle de la cohésion sociale et le modèle de l'identification sociale (Forsyth, 1990; Moreland, 1987; Turner, 1982, 1987).

Le modèle fonctionnaliste : le groupe comme lieu d'assouvissement de besoins psychologiques

Selon une première approche que l'on peut qualifier de « fonctionnaliste », il importe, pour être en mesure d'expliquer la formation des groupes, de bien saisir les fonctions psychologiques et sociales que ceux-ci remplissent. Autrement dit, on se joint à un groupe tout simplement parce qu'il est utile de le faire, parce que l'appartenance au groupe permet de combler certains besoins.

Nous nous trouvons souvent, en tant qu'individus, dans des situations menaçantes où notre bien-être, voire notre survie, est en danger. Il est très utile dans de telles circonstances d'avoir l'appui de quelqu'un qui nous est sympathique, de pouvoir nous confier ou de nous entraider. Un groupe peut donc se former afin de satisfaire le besoin de sécurité des individus. Schachter (1959) a présenté une démonstration expérimentale de cette idée. Les étudiantes qui ont servi de sujets dans cette étude étaient reçues par un chercheur qui affirmait qu'il appartenait au département de neurologie et de psychiatrie médicale. Il précisait d'un air sérieux qu'il étudiait les effets des chocs électriques sur les êtres humains. Dans une condition d'anxiété faible, les étudiantes apprenaient que les chocs seraient si faibles qu'ils seraient ressentis comme des chatouillements. Les sujets affectés au hasard à la condition d'anxiété élevée apprenaient par contre que les chocs seraient de forte intensité, qu'ils feraient mal, sans bien sûr causer de dommages permanents. L'expérimentateur expliquait ensuite aux sujets qu'ils devaient attendre leur tour et il leur demandait si elles désiraient attendre seules, avec d'autres personnes ou si elles n'avaient pas de préférence. Comme prévu, les résultats ont indiqué que le pourcentage d'étudiantes désirant se joindre à d'autres personnes était beaucoup plus important dans la condition d'anxiété élevée (63 %) que dans la condition d'anxiété faible (33 %). Ainsi, c'est peut-être afin de diminuer leur insécurité que les gens ont tendance à se regrouper.

Par ailleurs, de nombreuses recherches ont porté sur l'existence d'un besoin d'affiliation proprement dit, c'est-à-dire la nécessité que nous éprouverions tous, à divers degrés, d'avoir des contacts sociaux (voir McClelland, 1985). Le fait de se joindre à un club de l'âge d'or ou de devenir membre d'une équipe de hockey peut très bien être un moyen utilisé par les individus de combler ce besoin d'affiliation.

Enfin, il existe des tâches difficiles à exécuter seul. On cherchera donc à réunir un groupe lorsqu'on veut atteindre un objectif commun ou exécuter une tâche particulière qui requiert la participation d'autrui. Dans tous ces cas, le modèle fonctionnaliste met l'accent sur l'utilité du groupe, sur le rôle qu'il joue dans la satisfaction des besoins humains.

Le modèle de la cohésion sociale : on se joint aux gens qu'on aime

Selon ce qu'il est convenu d'appeler le « modèle de la cohésion sociale », c'est l'attirance que les individus ressentent les uns pour les autres qui les conduit éventuellement à former un groupe. Par conséquent, il est ici question d'attraction interpersonnelle comme processus fondamental intervenant dans la formation des groupes et non de la satisfaction des besoins psychologiques. Les théories et les recherches examinées au chapitre 8 peuvent permettre de comprendre la formation des groupes. Cependant, dans le contexte de l'étude des groupes, le concept crucial utilisé pour désigner l'attraction entre les membres d'un groupe est celui de **cohésion.** Ce concept correspond à la force des liens qui unissent les différents membres d'un groupe. Les groupes cohésifs sont des groupes attirants auxquels les gens désirent appartenir. Des recherches ont permis d'élaborer des instruments pour mesurer la cohésion des groupes (voir

Brawley, Carron & Widmeyer, 1987) et de désigner les facteurs susceptibles d'augmenter ou de diminuer l'attraction entre les membres d'un groupe.

Les facteurs favorables à la cohésion. Les observateurs de la politique internationale remarquent fréquemment que le chef d'un gouvernement n'est jamais aussi populaire que lorsque son pays entre en conflit avec un pays étranger. À ce moment, tous les citoyens semblent se tenir fermement derrière leur chef bien qu'ils aient pu, par ailleurs, le critiquer sévèrement. Ce phénomène illustre un principe bien connu en psychologie sociale : la compétition intergroupe augmente la cohésion intragroupe (Sherif & Sherif, 1953). Ce phénomène peut s'expliquer par la notion de « menace » (Dion, 1979). Dans un conflit entre deux groupes, le groupe adverse constitue une menace. Or, il semble que toute forme de menace extérieure, qu'elle soit de nature physique, psychologique ou sociale, ait comme propriété d'accroître la cohésion intragroupe. On a observé, par exemple, que les communautés victimes de désastres (Quarantelli & Dynes, 1972) ou les populations civiles soumises à des bombardements (Janis, 1951) se serrent les coudes pour affronter de telles situations.

L'issue de la compétition est un deuxième facteur qui peut avoir un effet sur la cohésion. Habituellement, les groupes qui réussissent à atteindre leur objectif sont plus unis que ceux qui échouent (Dion, 1979; Lott & Lott, 1965). Mais ce n'est pas toujours le cas. Considérons les données présentées à la figure 12.1, qui proviennent d'une recherche effectuée au Québec par Taylor, Doria et Tyler (1983). Celle-ci révèle le niveau de cohésion d'une équipe de hockey inter-universitaire au cours d'une saison de 25 parties. L'équipe a perdu un total de

FIGURE 12.1 **Cohésion d'une équipe de hockey inter-universitaire au cours d'une saison de 22 défaites et de 3 victoires**

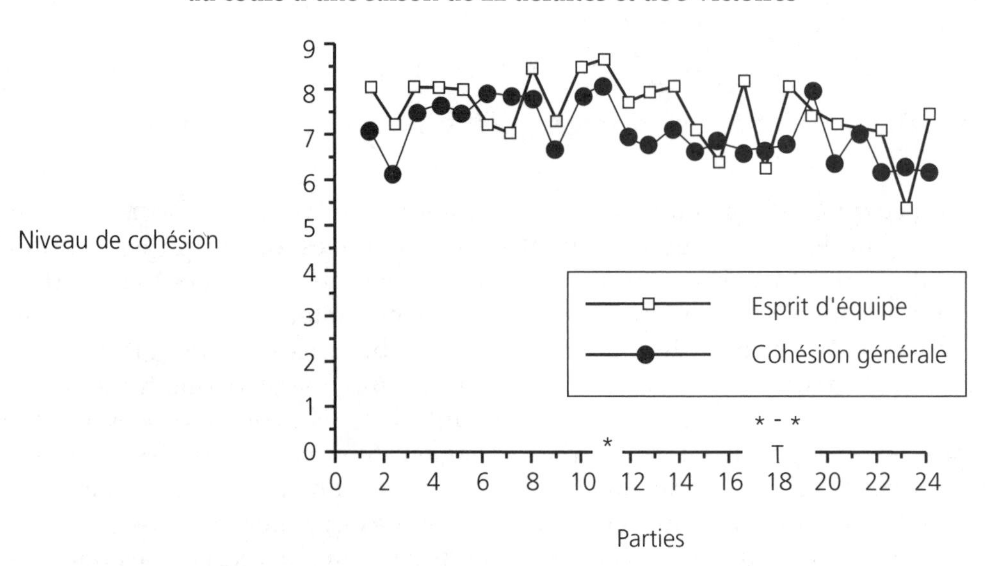

Adapté de Taylor *et al.* (1983).

22 parties, souvent par une marge importante, et remporté la victoire en 3 occasions seulement. Pourtant, comme on peut le voir, la cohésion de l'équipe s'est maintenue à un niveau appréciable tout au long de la saison. Or, selon le modèle de la cohésion sociale, les groupes qui atteignent leur objectif devraient manifester un niveau de cohésion plus élevé que les groupes qui n'y parviennent pas. Ces derniers devraient perdre leur cohésion et éventuellement cesser d'exister si rien ne change (Turner, 1982). Mais de toute évidence, ces propositions ne s'appliquent pas toujours, comme dans le cas étudié par Taylor *et al.* Alors, comment expliquer la bonne entente et l'esprit d'équipe qui règnent dans un groupe qui n'apporte que des échecs à ses membres ?

Il est possible que les objectifs visés par le groupe (le plaisir, la victoire ou la détente ?) modulent les effets du succès ou de l'échec sur son fonctionnement interne. Mais Taylor et ses collègues suggèrent une autre réponse en faisant appel à la théorie de l'attribution (voir le chapitre 5). Le succès serait associé à une cohésion supérieure parce que les membres du groupe attribuent habituellement les résultats positifs à des facteurs internes au groupe (« Nous sommes les meilleurs ! »). De la même façon, l'échec peut diminuer la cohésion dans la mesure où les membres du groupe commencent à s'accuser de leurs déboires. Mais lorsque l'échec ne reflète pas de façon évidente une tare au sein du groupe, il peut être attribué à des causes extérieures et être favorable à la cohésion (Streufert & Streufert, 1969). Ainsi une étude expérimentale de Worchel et Norvell (1980) a démontré que l'attraction entre les membres d'un groupe qui échoue *augmente* lorsque ceux-ci peuvent attribuer la cause de l'échec à des conditions de l'environnement. Taylor *et al.* (1983), pour leur part, ont mis en évidence un processus d'attribution encore plus subtil. Dans leur étude, l'explication des échecs répétés de l'équipe était essentiellement de deux ordres : soit que chaque joueur de l'équipe se tenait *lui-même* personnellement pour responsable de l'échec, soit qu'on disait que l'échec était attribuable au groupe dans son ensemble. Mais jamais on ne pointait le doigt vers un autre membre de l'équipe en particulier ou même vers un sous-groupe (les défenseurs ou les avants). Il s'établissait de la sorte un processus de répartition de la responsabilité entre les divers membres du groupe qui permettait aux relations entre ceux-ci de demeurer cordiales et positives.

Les frictions interpersonnelles à l'intérieur d'un groupe découlent non pas nécessairement de l'échec en soi, mais plutôt de la tendance des individus à désigner des coupables et à blâmer les autres. Lorsque tous les membres du groupe partagent la responsabilité de la situation du groupe et acceptent d'être en partie personnellement responsables de la faute au lieu de l'attribuer à quelqu'un d'autre, la cohésion peut demeurer très élevée.

Les conséquences de la cohésion. Logiquement, la cohésion devrait s'accompagner de différentes manifestations comportementales telles qu'un faible taux de roulement dans le groupe ou une participation élevée et assidue aux activités de celui-ci. Les recherches confirment ces prédictions (Carron, Widmeyer & Brawley, 1988). Mais la cohésion a d'autres effets importants sur le conformisme à l'égard des normes d'un groupe et sur le rendement des groupes (Stephan & Stephan, 1990). Les gens sont davantage enclins à se conformer aux normes d'un groupe ayant une cohésion élevée qu'à celles d'un groupe ayant une cohésion faible (Lott & Lott, 1965; Wyer, 1966). Une étude expérimentale classique de Schachter, Ellerston, McBride et Gregory (1951) a très bien illustré ce phénomène.

Pour manipuler la cohésion, Schachter a fait varier le degré d'attrait des activités d'un groupe auquel des étudiants étaient invités à se joindre. Chaque étudiant fut affecté soit à un groupe qui l'attirait beaucoup (condition de cohésion élevée), soit à un groupe qui l'attirait peu (condition de cohésion faible). Au total, 32 groupes furent créés. Chaque groupe avait pour tâche de se réunir et de discuter du cas d'un jeune délinquant, Johnny Rocco. L'objectif de l'exercice était de suggérer un traitement pour celui-ci en utilisant une échelle allant d'un traitement tendre et bon à un traitement sévère et extrêmement rigoureux. Or, chaque groupe était composé d'environ six sujets naïfs mais aussi de trois participants payés que les autres considéraient comme des membres ordinaires. Ces trois complices jouaient l'un des trois rôles pour lesquels ils avaient été formés : le rôle du « déviant », la personne qui adopte une position diamétralement opposée à l'orientation prédominante du groupe ; le rôle du « conformiste », la personne qui prend la même position que celle suivie par la plupart des sujets réels ; et le rôle du « flottant », la personne dont la position initiale est celle du déviant mais qui, au cours de la discussion, en vient à se conformer à la position des autres membres du groupe. Les résultats démontrent clairement que le rejet du déviant est beaucoup plus fort dans les groupes ayant une forte cohésion que dans ceux ayant une faible cohésion. Autrement dit, la cohésion semble aller de pair avec une intolérance à l'égard de la déviance. Si, de façon générale, le conformiste est préféré au déviant, c'est dans les groupes cohésifs que ce phénomène s'articule réellement.

Les conséquences de ces résultats sont considérables. La même opinion « déviante » ou « contestataire » serait réprimée avec beaucoup plus de vigueur au sein d'un groupe ayant une forte cohésion. Ainsi, dans la mesure où l'on considère que le groupe francophone a une cohésion plus élevée que le groupe anglophone au Canada (cela doit être démontré), cela veut dire qu'une position déviante sera plus fortement rejetée chez les francophones que chez les anglophones. Mais cette intolérance apparemment plus forte des francophones serait le produit d'une situation de groupe très précise (cohésion élevée) et non le reflet d'une tendance innée à l'intolérance. Des recherches intéressantes pourraient être menées dans cette veine.

La cohésion entraîne donc dans la vie des groupes une inclination plus marquée au conformisme. Nous verrons plus loin des conséquences potentiellement néfastes de cet aspect des choses pour la prise de décision en groupe. Notons pour l'instant que cette augmentation du conformisme n'explique pas l'intérêt que l'on porte au concept de « cohésion », loin de là. Cette raison se trouve plutôt dans l'hypothèse selon laquelle la cohésion aurait aussi comme conséquence d'améliorer de manière significative le rendement des groupes et des organisations. Cette hypothèse a été largement étudiée, notamment dans le contexte militaire, et plus d'un spécialiste n'hésite pas à affirmer que la cohésion constitue l'arme la plus efficace d'une unité militaire (Henderson, 1985; Maillet, 1988; Stewart, 1988). Henderson (1985), par exemple, soutient que, malgré tous les progrès technologiques, la cohésion demeurera un élément humain fondamental dans les conflits armés de demain. Il en veut pour preuve qu'au Viêt-Nam, la superpuissance américaine, tout en ayant dépensé plus de 25 milliards de dollars par année durant cette période et surpassé son adversaire en nombre, en moyens logistiques, en mobilité et en armement, a vu la victoire lui échapper. Pourquoi? Un des éléments essentiels, selon Henderson (1985), est que l'armée nord-vietnamienne a su établir et maintenir une forte cohésion, ce qui n'était pas le cas de l'armée américaine. D'après certaines recherches, la même conclusion s'applique au conflit des îles Falkland ayant opposé l'Angleterre à l'Argentine. L'armée argentine, un groupe ayant une faible cohésion, n'a pu tenir tête à un groupe ayant une cohésion supérieure, l'armée britannique, qui était pourtant moins nombreuse et désavantagée sur le plan technique (Henderson, 1985; Stewart, 1988). Shils et Janowitz (1948) ont relié l'efficacité des soldats allemands durant la Seconde Guerre mondiale à la capacité de reproduire dans les unités d'infanterie le type de cohésion et d'union qu'on trouve habituellement au sein des groupes familiaux.

Plus récemment et dans une situation mieux contrôlée, Mendes (1990) a vérifié le lien entre la cohésion et le rendement du groupe en démontrant que le rendement des recrues au Collège militaire de Saint-Jean est fonction de la cohésion de leur escadron. Les escadrons les plus performants au cours de tâches comprenant à la fois des éléments de compétition intergroupe et des éléments de coopération intragroupe furent ceux qui obtinrent les résultats de cohésion intragroupe les plus élevés.

Il est donc clair que le groupe ayant une forte cohésion offre un rendement supérieur à celui du groupe ayant une faible cohésion. Toutefois, les recherches ont révélé l'existence d'autres facteurs importants dont il faut tenir compte pour bien comprendre la relation entre la cohésion et le rendement. Vous connaissez sans doute des étudiants qui sont toujours ensemble et qui forment un groupe très uni. Pourtant, après les avoir observés, il est possible que vous concluiez que cette cohésion ne semble pas les amener à obtenir un rendement scolaire supérieur. Au contraire, ces étudiants ont peut-être tendance à faire moins d'efforts et à réussir moins bien que d'autres qui n'appartiennent pas à un groupe aussi cohésif! Serait-ce que la cohésion peut aussi, dans certaines conditions, entraîner une baisse du rendement du groupe? C'est effectivement ce que Schachter *et al.* (1951) ont démontré. En comparant des groupes ayant une cohésion élevée avec des groupes ayant une cohésion faible, et en faisant appel à des complices, ces chercheurs ont pu établir que, lorsque les complices incitent les autres membres du groupe à accroître leur rendement, le groupe ayant une forte cohésion donne un meilleur rendement; ce résultat est conforme aux études chez des militaires mentionnées précédemment. Cependant, Schachter et ses collaborateurs ont aussi montré qu'à l'inverse, lorsque les complices incitent les autres membres du groupe à ralentir la cadence, c'est encore le groupe ayant une forte cohésion qui l'emporte, en ce sens qu'il présente alors un rendement inférieur à celui d'un groupe ayant une faible cohésion. La loyauté aux normes du groupe interagit donc avec la cohésion pour déterminer la nature du rendement d'un groupe. Si vous faites partie d'un groupe d'étudiants ayant une forte cohésion qui dévalorisent le travail scolaire, vous risquez de subir des pressions pour diminuer votre rendement scolaire ; ce phénomène reflétera tout de même l'effet de la cohésion.

Le modèle de l'identification sociale : on aime les gens auxquels on s'est joint

Récemment, le modèle de l'identification sociale a été présenté par Turner et ses collègues (Hogg & Abrams, 1988; Turner, 1982, 1987) comme solution de rechange au modèle de la cohésion sociale. En effet, Turner propose une explication différente de la formation des groupes en s'appuyant essentiellement sur les mécanismes de l'identification sociale. Il soutient que l'appartenance psychologique à un groupe et la formation de celui-ci sont des phénomènes ayant une base perceptuelle ou cognitive et non une base affective, comme le prétend le modèle de la cohésion sociale. Pour Turner (1982), la question fondamentale en matière de formation psychologique du groupe n'est pas « Est-ce que j'aime ces individus ? » mais « Qui suis-je ? » Ainsi, selon le modèle de l'identification sociale, pour comprendre la formation des groupes sociaux, il faut savoir comment les individus se perçoivent et se définissent. De ce point de vue, la cause nécessaire et suffisante de la formation d'un groupe, c'est que les individus se classifient comme membres d'une catégorie sociale particulière (Turner, 1987).

Dans toute situation sociale, il existe différentes catégories sociales. Supposons qu'il y ait, dans une salle d'attente, quatre personnes, deux femmes et deux hommes. Dans la mesure où la situation rend saillante l'appartenance à la catégorie « hommes » par opposition à la catégorie « femmes », le modèle de l'identification sociale posera qu'il y a formation psychologique d'un groupe. Autrement dit, les comportements des deux hommes traduiront alors des comportements de membres d'un groupe et non des comportements purement individuels, et il en sera de même pour les femmes. Si, par contre, la situation rendait saillante l'appartenance aux groupes francophone et anglophone et si une femme et un homme étaient francophones et les deux autres personnes anglophones, on observerait de nouveau la formation psychologique de groupes, mais cette fois les individus agiraient en tant que membres du groupe francophone ou du groupe anglophone (voir Hogg & Turner, 1987, pour une confirmation expérimentale de ce type de prédiction).

Ce modèle a des répercussions intéressantes sur le concept d'« attraction interpersonnelle » entre les membres d'un groupe et sur celui de « cohésion ». En effet, l'attraction interpersonnelle ne s'avère plus nécessaire à la formation du groupe. Comme l'écrit Turner (1982): « La cohésion sociale peut émerger comme produit direct de l'identification sociale. On ne formerait pas un groupe avec des individus qu'on aime autant qu'on aimerait des individus parce qu'ils font partie du même groupe que nous » (p. 25). Ainsi, dans la situation de la salle d'attente, le modèle de l'identification sociale suggérerait que les sentiments d'attraction interpersonnelle ne sont pas à l'origine de la formation du groupe entre les deux personnes qui se perçoivent comme membres de la même catégorie (disons la catégorie francophone), mais il est fort probable que des sentiments positifs naîtront à la suite de la formation psychologique du groupe.

On peut donc affirmer que le simple fait de se percevoir et de se définir comme membre d'un groupe constitue une des principales causes de la formation des groupes. Le chapitre 13 présentera les effets de ce point de vue sur la psychologie des relations intergroupes.

LE GROUPE COMME AGENT DE SOCIALISATION

Une fois que nous avons défini la notion de « groupe » et discuté la formation des groupes, nous pouvons nous demander ce qui se passe par suite de la formation d'un groupe et de l'adhésion à celui-ci. Dans cette section, nous examinerons donc les changements qui se produisent dans les groupes à travers le temps. Nous envisagerons d'abord la question de l'apparition d'une structure au sein du groupe et nous montrerons ensuite, en observant des groupes particuliers (famille, amis, collègues de travail), comment cette structure permet de comprendre les changements qui s'opèrent dans la vie des groupes. Nous terminerons cette partie par l'étude d'un modèle général de la socialisation à l'intérieur des groupes.

La structure des groupes

Lorsque des individus se réunissent, on observe après quelque temps certaines constantes dans la manière d'agir des différents membres du groupe. Merei (1949), par exemple, déclare qu'après trois réunions les groupes de jeunes enfants auront déjà établi des traditions. Ainsi chaque enfant aura choisi la place qui lui appartient dans la salle, qui jouera avec quel jouet et quelle séquence d'activités suivra. On appelle ces tendances relativement constantes des groupes, peu importe qui en fait partie, la **structure des groupes.** Les trois concepts importants qui ont trait à la structure de tous les groupes sociaux sont les « rôles », les « normes » et le « statut ».

Les rôles. Pensez à un groupe auquel vous appartenez, que ce soit un parti politique, une équipe sportive ou un club quelconque. Maintenant, demandez-vous si tous les membres de ce groupe remplissent exactement la même fonction. Il est fort probable que votre réponse sera non. On remarque en effet qu'il existe habituellement, au sein de chaque groupe, une différenciation sur le plan des activités et des tâches qui incombent à chacun. Certains sont des attaquants, d'autres des défenseurs. Un tel est nommé trésorier, une autre est nommée présidente. Bref, chaque membre du groupe a son «rôle» à jouer. La notion de rôle implique donc une certaine spécialisation des tâches à l'intérieur du groupe. Mais sur le plan psychologique, ce qui importe surtout, ce sont les attentes consécutives à l'adoption d'un rôle. Effectivement, lorsqu'un individu adopte un **rôle** donné, les autres membres du groupe s'attendent à ce qu'il agisse conformément à ce rôle et se comportent eux-mêmes envers lui en fonction de ces attentes. C'est pourquoi l'on définit en général le rôle comme un ensemble de comportements attendus et jugés appropriés pour un individu occupant une certaine position dans un groupe (Sarbin & Allen, 1968).

Les normes. Il a déjà été question du deuxième élément de la structure des groupes que sont les **normes** (voir le chapitre 11). Rappelons qu'il s'agit de règles habituellement implicites qui suggèrent aux membres du groupe les comportements appropriés ou inappropriés dans une situation donnée. Nous ne sommes pas toujours pleinement conscients de l'existence de ces normes, et cela même lorsque notre comportement est régi par elles. Les députés et ministres en complet, comme les jeunes qui portent des jeans, parviennent peut-être à se convaincre que ces vêtements reflètent leur préférence personnelle, alors qu'en réalité les différents styles vestimentaires constituent de bons exemples de conduites normatives. Le ministre qui se présenterait en jeans et l'étudiant qui échangerait ses jeans contre un complet essuieraient tous deux des commentaires de la part de leur groupe respectif leur rappelant qu'il n'est pas de mise de déroger de la sorte à une norme commune.

Le statut. Pour comprendre le fonctionnement psychosocial du groupe, il importe de considérer comment les rôles et les normes interagissent avec le troisième élément de la structure du groupe: le statut. En effet, les rôles attribués aux différents membres d'un groupe n'ont pas nécessairement le même prestige et les normes ne s'appliquent pas à tous avec la même sévérité. Le concept de **statut** permet de tenir compte de ces variations. Il renvoie précisément aux différences relativement stables de prestige, de domination ou de maîtrise entre les membres du groupe (Forsyth, 1990). Le rôle de chef cuisinier, par exemple, possède un plus grand prestige que celui de serveur, et l'on observe que les membres ayant un statut élevé peuvent s'écarter plus facilement des normes du groupe que ceux qui ont un statut faible (Brown, 1988). Les groupes sociaux se caractérisent donc fréquemment par une structure hiérarchique où l'égalité paraît exceptionnelle.

La socialisation

L'adhésion à un groupe social implique l'insertion dans un système de rôles, de normes et de statuts. Ces concepts sont utiles pour analyser les groupes sociaux et comprendre leur influence sur les individus. Mais ils sont insuffisants. Les rôles sociaux, notamment, ne font pas partie de notre patrimoine génétique. Ils présupposent une période d'apprentissage ou de socialisation. La **socialisation,** écrit Serge Albouy (1976), « est le mécanisme par lequel une société transmet sa culture, c'est-à-dire son système de valeurs, de normes, de rôles sociaux et de sanctions » (p. 417). Dans les sociétés modernes, cette socialisation s'exerce principalement par l'entremise de la famille, de l'école et du milieu de travail.

Le groupe familial. « Naître, c'est se retrouver membre d'un groupe qu'on n'a pas choisi », remarquent Aebischer et Oberlé (1990, p. 41). Et pourtant, le groupe familial aura une influence marquante sur notre développement psychologique et social. De tout temps, on a reconnu que la famille était le principal agent de socialisation. C'est bien à travers le groupe familial qu'on est placé pour la première fois devant un système de rôles, de normes et de statuts. Les rôles de père et de mère que nos parents ou tuteurs ont dû assumer à notre égard deviennent pour nous des points de référence fondamentaux. Dans votre famille, est-ce votre père ou votre mère qui s'occupait de l'épicerie ? Alliez-vous souvent dîner au restaurant en famille ? Votre mère préparait-elle seule les repas ? De quelle couleur peignait-on votre chambre lorsque vous étiez jeune ? Ces manifestations de la vie de famille peuvent avoir des effets considérables sur la psychologie individuelle.

Dès la naissance, la plupart des parents traitent les garçons et les filles de façon distincte en leur offrant des jouets différents ou en leur faisant porter des vêtements différents (Masters, Johnson & Kolodny, 1982). Plus tard, les filles se verront confier des travaux ménagers alors qu'on demandera aux garçons d'exécuter des travaux à l'extérieur de la maison tels que le ratissage des feuilles ou le pelletage de la neige (Atkinson, Atkinson, Smith & Hilgard, 1987). De cette façon, les garçons et les filles acquièrent petit à petit des conceptions stéréotypées des rôles sexuels. Or, les variations dans le milieu familial semblent donner lieu à des visions différentes. Ainsi les enfants, garçons ou filles, dont la mère travaille à l'extérieur de la maison ont une perception moins stéréotypée et plus positive de la femme comparativement aux enfants dont la mère travaille à la maison (Bloom-Feshbach, Bloom-Feshbach & Heller, 1982, cités dans Stephan & Stephan, 1990). Plus généralement, de nombreuses recherches ont confirmé notre tendance à imiter les conduites qu'on a pu observer chez nos parents (Leyens, 1977).

La famille représente aussi un système de normes. Pour vous en convaincre, vous pouvez effectuer l'expérience que le sociologue Garfingel (cité dans Gergen & Gergen, 1984) proposa à ses étudiants. Il leur suggéra simplement d'adopter le comportement d'un invité lorsqu'ils retourneraient chez eux, c'est-à-dire d'agir de façon distinguée et respectueuse à l'égard de leurs parents, de parler uniquement lorsqu'on leur adresserait la parole, de se montrer extrêmement polis, etc. La logique sous-jacente à cette conduite résidait dans l'idée qu'on prend conscience de l'existence d'une norme particulière lorsque celle-ci est transgressée et qu'en se comportant en invités on transgresse les normes régissant les relations entre les membres de la famille. Il fallait donc s'attendre à certaines réactions de la part de l'entourage familial. Celles-ci n'ont pas tardé à se produire, accompagnées parfois d'une bonne dose d'agressivité. On qualifia l'étudiant-invité de «bizarre», de personne en état de transe, d'élément nuisible à la famille cherchant à créer des conflits, etc. Par conséquent, même si les comportements des étudiants ne causaient, en eux-mêmes, aucun inconvénient «objectif» aux autres membres de la famille, ils semblaient comprendre certains inconvénients psychologiques. C'est que, dans chaque famille, on construit des règles implicites qui définissent les comportements appropriés. On peut alors s'attendre à ce genre de comportement, ce qui facilite grandement l'ajustement de nos propres comportements à ceux d'autrui. Les normes sociales ont donc pour fonction de favoriser l'interaction sociale, de rendre l'interaction à l'intérieur du groupe plus efficace ou plus satisfaisante au regard des objectifs du groupe (Brown, 1988).

Il est cependant clair que les rôles et les normes peuvent changer avec le temps, et le milieu familial en a fourni de nombreux exemples. Les rôles de père et de mère, notamment, ont connu des transformations considérables ces dernières années. L'analyse de ces changements montrerait que le système de rôles, de normes et de statuts qui caractérise un groupe particulier à un moment donné est fonction d'un univers social et culturel plus vaste.

L'école. Dès que l'âge scolaire est atteint, la famille commence peu à peu à perdre son emprise sur l'enfant au profit du groupe d'amis (Bar-Tal, Raviv, Raviv & Brosh, 1991; Berndt, 1979). Le groupe de pairs qui se forme en milieu scolaire a depuis longtemps été désigné comme le deuxième agent de socialisation. Il est clair que notre intégration dans un groupe d'amis modifie considérablement notre conduite. Par exemple, si la plupart de vos amis fument la cigarette ou font usage de drogues, cela augmente d'une manière significative la probabilité que vous consommiez de telles substances (Atkinson *et al.*, 1987; Humphrey, O'Malley, Johnston & Bachman, 1988). C'est souvent par l'intermédiaire de l'école que se forment les réseaux d'amitié. L'allongement de la période scolaire pour un grand nombre de jeunes constitue un phénomène relativement nouveau dont on commence à peine à saisir la portée. À tel point qu'on est en droit de se demander si l'école n'est pas devenue, avec la société industrielle, le principal agent de socialisation, dont l'influence s'avérerait encore plus déterminante que celle de la famille (Trottier, 1983). En 1943 déjà, les résultats obtenus par Newcomb dans l'étude du collège de Bennington soulevaient cette question.

Theodor Newcomb était professeur dans un petit collège universitaire américain qui accueillait chaque année quelques centaines d'étudiantes provenant pour la plupart de familles aisées et conservatrices. Étant donné que les normes en vigueur au collège de Bennington étaient libérales, la question était de savoir comment les jeunes filles habituées à des normes conservatrices s'adapteraient à

FIGURE 12.2 **Changements d'attitudes au collège universitaire de Bennington**

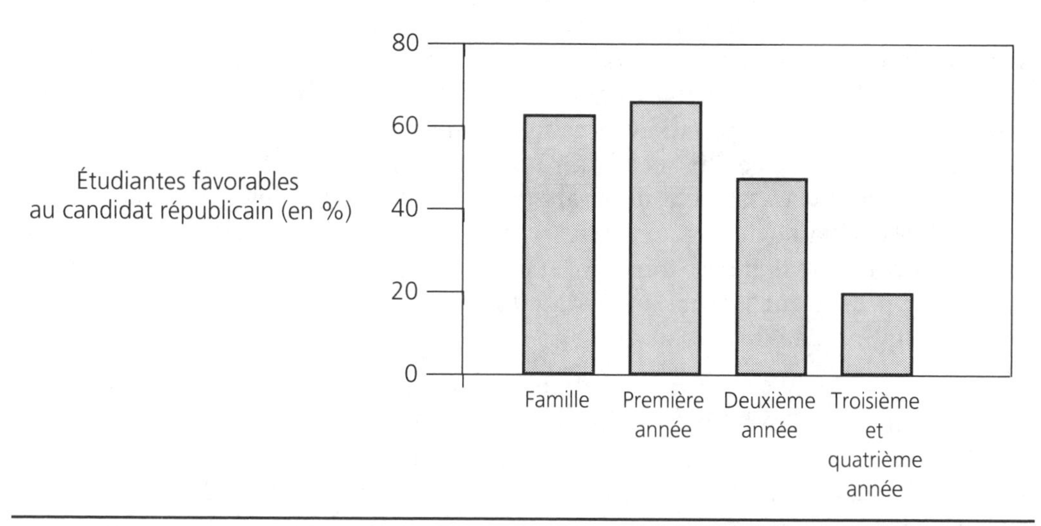

Adapté de Newcomb (1943).

ce nouvel environnement. Pour y répondre, Newcomb décida de mesurer les attitudes sociales et politiques des étudiantes à plusieurs reprises au cours de leur formation. Les résultats permirent de mettre au jour des transformations très nettes dans ces attitudes : de conservatrices qu'elles étaient, la grande majorité des étudiantes devinrent de plus en plus libérales.

La figure 12.2 montre qu'en première année les étudiantes appuyaient le même candidat que leurs parents lors des élections présidentielles américaines, c'est-à-dire le candidat républicain (conservateur). Mais en deuxième année, cette tendance diminuait et, chez les étudiantes de troisième et de quatrième année, on ne trouvait plus qu'une minorité d'étudiantes prêtes à faire les mêmes choix politiques que leurs parents. En fait, au cours des quatre années de leur formation, la proportion d'étudiantes favorables à une candidature socialiste (une candidature d'un parti plus à gauche que le Parti démocrate) passait de moins de 10 % à plus de 30 %. Newcomb a donc pu observer que les étudiantes changeaient d'attitude jusqu'à ce que leur préférence politique s'accorde avec celle de leurs professeurs et de leurs pairs.

Ces résultats correspondent à un phénomène général en matière de relations intragroupes. En somme, les individus cherchent à se conformer aux normes de leur groupe et de la société. S'il est bien vu dans un cercle d'amis d'être favorable à telle option politique, à tel genre de film ou de musique, si la norme est de se teindre les cheveux en rouge ou en vert, l'individu tendra petit à petit à répondre à cette demande implicite du groupe. Comme Festinger, Schachter et Back (1950) le notent : « Lorsqu'une personne désire rester membre d'un groupe, elle est sujette aux influences provenant du groupe et elle voudra se conformer aux règles que le groupe établit » (p. 91).

Si l'on examine les études plus récentes au Québec ou ailleurs, on peut noter des tendances analogues à celles présentées par Newcomb (1943): les étudiants deviennent moins autoritaires, moins dogmatiques et plus tolérants sous l'influence du milieu universitaire (Berry, Kalin & Taylor, 1977; Bowen, 1977; Feldman, 1972; Feldman & Newcomb, 1969; Finney, 1974). Une étude longitudinale québécoise particulièrement notable (Bernier, 1978) démontre que le passage de la cinquième année du secondaire à la fin du niveau collégial (deuxième année du cégep) est associé à un changement d'attitude à l'égard de la loi et de l'ordre. Les étudiants deviennent plus critiques vis-à-vis du pouvoir en place. Par contre, au cours de la même période, aucun changement n'est constaté chez ceux et celles qui quittent l'école après la cinquième année du secondaire afin de s'intégrer au marché du travail.

Comment s'expliquent ces résultats? Pourquoi les étudiants deviennent-ils plus libéraux sous l'influence de l'école? L'interprétation proposée par Newcomb (1943, 1958) se fonde sur la théorie du groupe de référence. Selon lui, les étudiantes ont changé d'attitude parce qu'elles ont changé de groupe de référence. Effectivement, à Bennington, les étudiantes qui sont devenues libérales étaient celles qui s'identifiaient fortement à la communauté universitaire, elle-même largement progressiste, et qui recherchaient l'approbation de cette communauté. Autrement dit, le collège universitaire constituait pour ces étudiantes un nouveau groupe de référence. Par contre, la minorité d'étudiantes ayant maintenu une attitude conservatrice était composée de celles qui continuaient à prendre leur famille comme groupe de référence et qui étaient relativement isolées de la communauté ou qui y étaient moins bien intégrées. C'est dire que, pour certaines étudiantes, le collège représentait un groupe d'appartenance sans nécessairement être un groupe de référence.

Il serait faux, cependant, de prétendre que l'influence du milieu universitaire sur les attitudes et les comportements des étudiants va toujours dans le sens proposé par Newcomb, c'est-à-dire du conservatisme au libéralisme. Si l'on tient compte du domaine d'études, on pourra éventuellement observer des tendances inverses.

La figure 12.3 présente quelques données d'une enquête effectuée récemment (Guimond, Palmer & Bégin, 1989) auprès d'étudiants québécois, laquelle comparait des individus appartenant à trois domaines d'études et à deux niveaux de scolarité. Ces étudiants devaient indiquer à l'aide d'une échelle de 1 (défavorable) à 5 (favorable) leur attitude à l'égard de différents groupes, dont les « conservateurs ». On peut voir d'abord qu'à la fin du secondaire il y a peu de différences dans les attitudes à l'égard des conservateurs entre les étudiants qui se destinent à des études universitaires en sciences sociales, en administration ou en sciences. Cependant, si l'on compare des individus qui étudient à l'université depuis deux ans dans l'une ou l'autre de ces disciplines, on constate des écarts significatifs: les étudiants en administration et en sciences sont nettement plus favorables aux conservateurs que les étudiants en sciences sociales. Ces résultats suggèrent que les jeunes qui sont intégrés à des domaines comme l'administration

FIGURE 12.3 **Attitudes envers les « conservateurs » en fonction du niveau de scolarité et du domaine d'études**

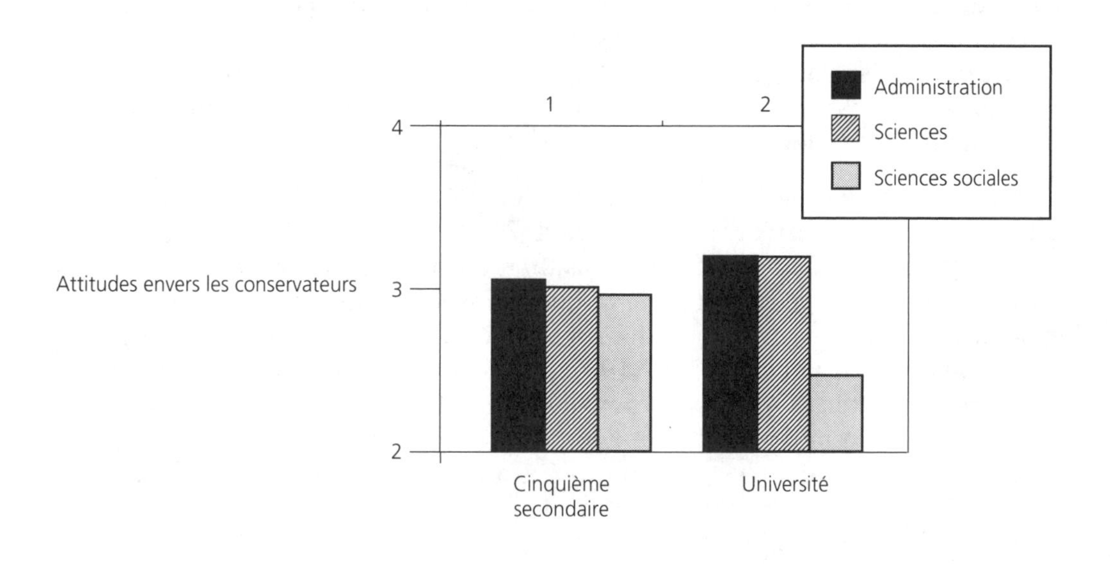

Adapté de Guimond, Bégin et Palmer (1989).

ou les sciences deviennent non pas plus libéraux mais plus conservateurs. À l'inverse, les étudiants en sciences sociales semblent devenir moins conservateurs. On obtient des résultats opposés à ceux présentés à la figure 12.3 lorsqu'on examine les attitudes envers les « socialistes » (voir Guimond, Palmer & Bégin, 1989).

Les recherches longitudinales dont on dispose actuellement suggèrent que, si l'on suit les mêmes étudiants d'une année à l'autre à partir de la fin du secondaire jusqu'à la fin du premier cycle universitaire, on découvrira de telles tendances opposées selon le domaine d'études (Altemeyer, 1988; Bugelski & Lester, 1940; Feldman & Newcomb, 1969; Guimond, 1992; Guimond & Palmer, 1990). Comme le soulignent Kinder et Sears (1985), les attitudes des jeunes personnes déjà socialisées par la famille peuvent donc changer considérablement par la suite et il semble que le « mécanisme clé » responsable de ce changement soit « les liens affectifs de l'individu avec un groupe social concret » (p. 723).

Le travail. La fin des études entraîne une intégration dans un nouveau milieu social, notamment dans le cadre de l'entrée à temps complet sur le marché du travail. D'une part, on peut dire que les changements idéologiques qu'a amenés le milieu universitaire ne disparaîtront pas nécessairement à ce moment-là. Il existe en effet de nombreuses études attestant la persistance des effets de l'éducation sur les attitudes et les valeurs (voir Altermeyer, 1987; Guimond & Palmer, 1990; Hyman & Wright, 1979). Dans l'une des démonstrations les plus significatives de ce phénomène, Newcomb, Koenig, Flacks et Warwick (1967) ont joint, 25 ans plus tard, les étudiantes qui avaient participé à l'enquête initiale de Newcomb au collège de Bennington. Ils ont constaté que les changements d'attitudes survenus au moment des études étaient toujours décelables non seulement 25 ans mais même 50 ans plus tard (voir Alwin, Cohen & Newcomb, 1991). D'autre part, il est clair que l'arrivée sur le marché du travail signifie l'adaptation à un nouveau système de rôles, de normes et de statuts provoquant divers changements psychologiques.

On sait, par exemple, que les nouveaux employés arrivent souvent à leur travail avec des attentes irréalistes (Wanous, 1977). En raison de l'information plutôt positive que leur communique l'organisation au moment du recrutement, ils se construisent une image trop rose de ce que seront leurs nouvelles tâches. La dure réalité des premiers mois de travail provoque donc chez eux le désenchantement et la déprime. Meyer et Allen (1987) ont étudié, auprès de diplômés de l'Université Western Ontario, le développement du sentiment d'engagement envers l'organisation de travail au cours des premiers mois suivant le recrutement. Les sujets avaient pour la plupart un diplôme de premier cycle, ils en étaient à leur premier travail à temps plein pour une organisation de grande taille (plus de 500 employés) dans les secteurs des assurances, de l'actuariat ainsi que de la conception et de la vente de matériel informatique. Confirmant les hypothèses des chercheurs, les résultats ont démontré un déclin significatif de la satisfaction au travail et de l'engagement dans l'organisation au cours des neuf premiers mois de travail.

Les psychologues sociaux s'intéressent aussi de façon plus générale au processus de **socialisation organisationnelle,** c'est-à-dire les facteurs qui influent sur l'acquisition, par les nouveaux membres d'une organisation, des normes, des rôles et des valeurs propres à cette organisation (Baron, 1986). En effet, le nouvel employé doit non seulement être en mesure d'exécuter les tâches qu'on lui confie, mais il doit aussi démontrer qu'il est capable d'agir en fonction des normes et des valeurs propres à cette organisation. C'est ainsi qu'une passionnée de technologie japonaise qui ne cessait d'en vanter les mérites au cours de ses études à l'université ne pourra plus tard dire que du bien des voitures américaines étant donné qu'elle fait maintenant partie de l'organisation d'un des grands constructeurs américains. Elle aura donc appris à ne pas critiquer l'organisation en public, à porter les vêtements appropriés, à utiliser un langage conforme à l'organisation, etc. John DeLorean, ex-directeur chez General Motors et concepteur d'un défunt modèle de voiture qui portait son nom, a décrit le genre de pressions que peut exercer une grande entreprise comme GM sur la socialisation de ses administrateurs :

> [...] Le complet foncé, la chemise pâle et la cravate neutre étaient la règle de la société. Je suivais la règle à la lettre, mais je portais des complets de style italien, des chemises pastel à grand collet et de larges cravates.
>
> « Nom de Dieu, John ! criait-il [le patron de DeLorean]. N'es-tu pas capable de t'habiller comme un homme d'affaires ? Et pourrais-tu te faire couper les cheveux aussi...? »

> [...] Mon habillement et mon style de vie faisaient jaser mes supérieurs, tout comme l'énorme publicité que ma vie personnelle et professionnelle engendrait. On me détestait de plus en plus parce que mon style de vie allait à l'encontre d'un précepte non écrit mais vénéré par tous: personne ne peut éclipser General Motors (cité dans DeCenzo & Robbins, 1988, pp. 217-218).

Mais l'individu doit-il accepter toutes les valeurs et normes de l'organisation? Heureusement, cela ne semble ni dans l'intérêt de l'organisation ni dans celui de l'individu. Comme le propose Schein (1987), les valeurs et les normes d'une organisation n'ont pas toutes la même importance; certaines sont capitales, d'autres sont simplement désirables. Schein déduit trois types de réponses individuelles face à la socialisation organisationnelle: 1) la rébellion: le rejet de toutes les valeurs et normes; 2) l'individualisme créatif: l'acceptation des valeurs et des normes capitales seulement, le rejet des autres valeurs ou normes; 3) le conformisme: l'acceptation de toutes les valeurs et de toutes les normes.

Le rebelle sera probablement expulsé de l'organisation. Le conformiste pourra conserver sa place, mais il réprime sa créativité à tel point qu'il engage l'organisation dans la voie d'une bureaucratie stérile. Seul le deuxième type d'employé adhère aux normes fondamentales de l'organisation tout en conservant sa liberté et sa créativité, qualités chères à la plupart des organisations, selon Schein.

L'âge adulte représente donc une période de socialisation importante au même titre que l'enfance ou l'adolescence (Dion, 1985). Schein (1987) note que «les attitudes et les valeurs changent plusieurs fois au cours d'une carrière» (p. 84). La mobilité à l'intérieur d'une organisation sera généralement conditionnelle à l'acceptation par l'individu des principales valeurs, attitudes ou conventions du sous-groupe ou de l'organisation auquel il s'est joint.

Une théorie générale de la socialisation à l'intérieur des groupes

L'intégration dans un groupe, qu'il s'agisse de la famille, de l'école ou du milieu de travail, marque un moment crucial de la vie sociale. Évidemment, plusieurs épisodes de la vie en société n'ont pas été abordés dans les pages qui précèdent bien qu'ils puissent avoir une grande importance. Le chômage, par exemple, est une réalité tout aussi fondamentale que le travail et il constitue certainement une période de socialisation qui influence beaucoup les individus (voir Guimond *et al.*, 1989). Mais la tâche qui consisterait à examiner la situation particulière de chaque groupe existant risquerait d'être sans fin. C'est pourquoi il paraît particulièrement utile d'établir une théorie générale de la socialisation à l'intérieur des groupes susceptible de s'appliquer à tout un éventail de groupes. C'est précisément ce qu'ont proposé Moreland et Levine (1982; Levine & Moreland, 1985; Levine & Pavelchak, 1984). Prenant en considération différentes recherches, ils ont élaboré un modèle qui décrit comment les individus sont influencés par leur adhésion à un groupe et comment, à l'inverse, le groupe est influencé par l'intégration ou non de nouveaux membres.

Selon Moreland et Levine (1982), l'individu et le groupe évaluent en permanence diverses facettes de leur relation et ces évaluations donnent naissance à des sentiments d'engagement plus ou moins forts entre le groupe et l'individu. Lorsque l'engagement atteint un certain niveau, il se produit un changement de rôle et l'individu entre dans une nouvelle phase d'appartenance au groupe. De cette façon, l'individu passe par cinq stades de socialisation : l'investigation, la socialisation, le maintien, la resocialisation et le souvenir. Avant de décrire ces stades, nous verrons en quoi consistent les trois processus qui sont à la base du modèle, soit l'évaluation, l'engagement et le changement de rôle.

L'évaluation. Avant de faire une demande d'admission à l'université, vous avez probablement pesé le pour et le contre de votre entrée dans cet établissement. Vous vous êtes probablement demandé dans quelle mesure celui-ci pouvait satisfaire vos besoins personnels. De la même façon, les responsables de l'admission de cet établissement ont évalué votre demande en examinant sa correspondance avec les objectifs de l'organisation et votre contribution éventuelle à ceux-ci. C'est à cette dynamique d'appréciation entre l'individu et le groupe que Moreland et Levine (1982) font allusion en parlant du processus d'évaluation. Ces chercheurs prétendent que le groupe et l'individu acquièrent un sentiment global de la probabilité d'une gratification pouvant provenir d'une relation mutuelle. Pour l'individu, cette probabilité dépendra d'une estimation des récompenses et des coûts associés au comportement du groupe, alors que pour le groupe elle sera basée sur une estimation des récompenses et des coûts reliés au comportement de l'individu.

Mentionnons que ce processus d'évaluation s'applique non seulement aux relations que l'individu et le groupe peuvent avoir ensemble, mais à d'autres relations possibles. Ainsi, dans le cas d'une demande d'admission à l'université X, en plus d'évaluer cette université, vous jugerez l'université Y ou Z dans la mesure où une admission dans ces universités vous semble possible.

L'engagement. Selon la théorie de Moreland et Levine, l'évaluation détermine les sentiments d'engagement mutuels entre l'individu et le groupe, c'est-à-dire essentiellement la motivation que peut avoir un individu à faire partie du groupe et la motivation que peut avoir un groupe à garder un individu comme membre. Ainsi plus un individu retire des gratifications de son appartenance à un groupe, plus son engagement à l'égard de ce groupe sera élevé, et inversement en ce qui concerne l'engagement du groupe à l'égard de l'individu. Mais ici aussi les auteurs soulignent l'importance de la comparaison entre une relation présente et une relation passée, une relation future ou une autre relation potentielle. Par exemple, l'engagement sera largement tributaire de la comparaison des gratifications qui peuvent être retirées d'une relation présente avec celles qui proviendraient d'une autre relation possible. Suivant cette théorie, si la société A vous offre un emploi alors que la société B ne retient pas votre candidature, votre engagement à l'égard de la société A sera plus fort que si la société B vous avait fait une offre encore plus intéressante que celle de la société A. Autrement dit, les membres d'un groupe pour lesquels il ne se présente pas d'autre relation possible sont souvent les plus engagés envers leur groupe d'appartenance. Par contre, les individus qui disposent de plusieurs autres relations possibles sont habituellement moins engagés envers un groupe particulier lorsque les autres groupes éventuels peuvent se révéler plus gratifiants.

L'investissement en temps, en énergie ou en ressources effectué à l'endroit d'un groupe constitue une autre cause importante de l'engagement. Plusieurs recherches ont documenté le fait que l'investissement peut maximiser l'engagement à l'égard d'un groupe (voir l'encadré 12.1). Cette relation semble paradoxale puisque l'investissement implique des coûts élevés associés à l'appartenance au groupe et donc probablement des gratifications nettes moins importantes. Mais la théorie de la dissonance cognitive (Festinger, 1957; voir le chapitre 6) donne une explication de ce paradoxe. Le fait de se dire « J'ai investi beaucoup dans ce groupe » ne coïncide pas avec l'idée que « Ce groupe a très peu d'importance pour moi. » Cette dissonance entre deux cognitions crée un inconfort psychologique que les gens tenteront de réduire. Une solution simple consiste à surestimer les avantages qu'on retire du groupe ou l'importance qu'on accorde à celui-ci. Ainsi on a investi beaucoup « parce que cela en vaut vraiment la peine », « parce que ces gens me tiennent beaucoup à cœur», « parce qu'il s'agit d'une relation vraiment privilégiée », etc. On éprouve alors un engagement réel vis-à-vis du groupe.

Le changement de rôle. Le troisième processus qui se trouve à la base de la théorie de Moreland et Levine est celui de transition ou changement de rôle. Les auteurs notent que, dans la vie des groupes, les personnes peuvent occuper tour à tour une foule de rôles. Ils mettent cependant l'accent sur trois rôles principaux : les rôles de non-membre, de quasi-membre et de membre à part entière. Les non-membres incluent non seulement les gens qui désirent se joindre au groupe et qui ne l'ont pas encore fait, mais aussi les ex-membres qui ont quitté le groupe. Les quasi-membres sont constitués des nouveaux membres qui n'ont pas encore atteint le statut de membre à part entière et des membres marginaux qui ont perdu ce statut. Enfin, les membres à part entière « sont ceux qui s'identifient le plus fortement au groupe et qui possèdent tous les privilèges et les responsabilités associés à l'appartenance au groupe » (Moreland & Levine, 1982, p. 149).

Avec le temps, l'engagement de l'individu ou du groupe peut changer. Selon le modèle que nous examinons, lorsque l'engagement du groupe à l'égard d'un individu augmente ou diminue par rapport à un critère particulier, le groupe perçoit différemment le rôle de cette personne et institue un changement de rôle. Mais tant que l'individu visé n'accepte pas cette transition, les relations à l'intérieur du groupe demeurent tendues. À l'inverse, l'individu dont l'engagement à l'égard du groupe augmente ou diminue pourra rechercher un changement de rôle (de quasi-membre à membre à part entière par exemple). Mais ce changement devra être accepté par le groupe. En raison de cette dimension

ENCADRÉ 12.1

QUAND L'APPARTENANCE AU GROUPE COÛTE PLUS CHER QUE PRÉVU

L'engagement dans une secte religieuse apparaît souvent mystérieux et suscite beaucoup de commentaires. Pourquoi des individus changent-ils complètement de style de vie et, apparemment, retirent-ils très peu d'avantages en contrepartie? Festinger, Riecken et Schachter (1956) ont mené une enquête auprès d'une secte au moment où, selon ses adhérents, la fin du monde devait se produire. Le leader de ce groupe affirmait en effet qu'il avait reçu des messages l'avertissant de la destruction imminente du monde et l'informant que lui et ses disciples seraient sauvés avant la date fatidique du 21 décembre.

Que se passerait-il après le 21 décembre? Le groupe se désagrégerait-il en se rendant compte de la fausseté des déclarations de son chef spirituel?

À mesure que le 21 décembre approchait, le coût de l'appartenance à la secte augmentait. Pendant des semaines, les membres avaient soutenu la prévision du groupe souvent à l'encontre de leurs amis et au péril de leur sécurité financière. Certains, encore aux études, avaient cessé d'étudier, car ils n'en voyaient plus du tout l'importance. D'autres avaient quitté leur travail et accumulaient des dettes. Mais lorsque la journée du 21 décembre s'écoula sans problème, la secte, loin de vivre son éclatement, sortit en quelque sorte grandie par l'expérience. Le leader affirma qu'il avait reçu de nouveaux messages lui révélant que le dévouement du groupe avait été tel qu'il avait sauvé le monde. Dans les jours suivant le « miracle », l'engagement des membres à l'égard de la secte augmenta. Chacun accomplissait avec encore plus d'ardeur les activités du groupe et le recrutement de nouveaux membres. Le coût de l'appartenance à la secte était donc des plus élevés, mais tout se passait comme si chaque investissement rassemblait davantage les membres.

critique de l'acceptation mutuelle des moments de transition, les groupes établissent fréquemment des modalités, ou des rites de passage, afin de marquer les changements de rôles. L'assermentation des députés et des ministres, la montre en or offerte à l'employé qui prend sa retraite ou même le rite de la circoncision (Bourdieu, 1982) constituent autant d'exemples de l'affirmation publique d'un changement de rôle.

Les stades de socialisation. La notion de « changement de rôle » implique l'existence de différentes phases d'appartenance au groupe. Comme nous l'avons mentionné précédemment, Moreland et Levine (1982) ont dégagé cinq phases

FIGURE 12.4 **Théorie de la socialisation intragroupe présentant le passage d'un individu à travers cinq stades de socialisation**

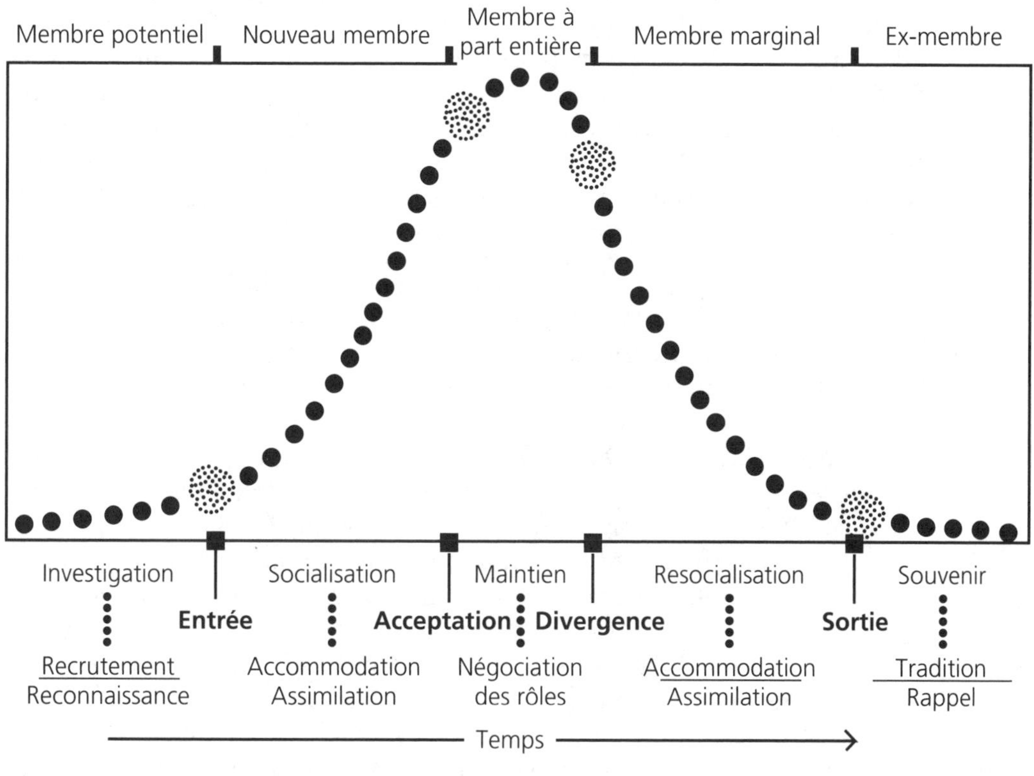

Adapté de Moreland et Levine (1982).

d'appartenance ou stades de socialisation qui permettent de décrire le passage de l'individu dans le groupe (voir la figure 12.4). Chaque stade représente une relation qualitativement distincte entre l'individu et le groupe. Une séquence temporelle de type récursif relie un stade à un autre.

L'investigation. La figure 12.4 montre qu'au départ l'individu et le groupe sont au stade de l'investigation, c'est-à-dire que chacun recherche de l'information sur l'autre afin d'estimer la valeur de la formation d'une relation. Au cours de cette période, les personnes aspirant à devenir membres du groupe s'engagent dans un processus de reconnaissance : elles comparent les groupes auxquels elles pourraient se joindre afin de trouver celui qui est le plus à même de satisfaire leurs besoins. Le groupe, quant à lui, effectue du recrutement, en ce sens qu'il tente de désigner les personnes les plus susceptibles de contribuer à la réalisation des objectifs collectifs. Lorsque cette investigation se révèle mutuellement favorable, le groupe propose à l'aspirant de se joindre au groupe et ce dernier accepte. On se situe alors au premier point de transition appelé « entrée dans le groupe » (voir la figure 12.4).

La socialisation. Avec l'entrée de l'individu dans le groupe débute le deuxième stade, celui de la socialisation. Le groupe tente alors d'inculquer au nouveau membre les comportements, les attitudes et les valeurs « appropriés ». Dans la mesure où le groupe réussit à transformer l'individu, celui-ci démontre une assimilation des normes et des valeurs du groupe. Au même moment, l'individu cherche à modifier les intérêts et les valeurs du groupe dans le sens de ses propres besoins. Lorsque l'individu réussit à transformer le groupe de cette façon, celui-ci fait preuve d'accommodation. Après cette période d'adaptation réciproque, on arrive au point de transition suivant, celui de l'acceptation, où l'individu devient membre du groupe à part entière.

Le maintien. Avec le stade du maintien, le groupe et l'individu s'engagent dans la négociation des rôles. Par exemple, le groupe peut rechercher un leader afin d'organiser les activités du groupe et de motiver les membres. Il est possible, par contre, que l'individu ait des ambitions plus modestes et désire seulement accomplir des activités courantes. Le groupe et l'individu doivent donc négocier la nature de la participation de chacun dans la poursuite des objectifs du groupe. Plusieurs membres du groupe demeureront au stade du maintien jusqu'à ce que leur appartenance au groupe atteigne une échéance prévue. L'employé qui prend sa retraite ou l'étudiant qui obtient son diplôme de doctorat quittent leur groupe après avoir passé plusieurs années au stade du maintien. Toutefois, dans certains cas, ce stade conduit à une période de transition que Moreland et Levine nomment « divergence » étant donné que la négociation des rôles s'est avérée un échec. En effet, ou bien le groupe impose à un individu un rôle que celui-ci considère comme insatisfaisant, ou bien celui-ci ne remplit pas adéquatement, aux yeux du groupe, le rôle qui lui a été attribué. Lorsqu'on se trouve dans cette impasse, le processus de socialisation arrive à un nouveau stade, celui de la resocialisation.

La resocialisation. Au cours de la resocialisation, l'ancien membre du groupe à part entière voit son identité redéfinie comme celle d'un membre marginal dont l'avenir au sein du groupe n'est pas garanti. Il y aura donc une tentative de resocialisation, c'est-à-dire que le groupe cherchera de nouveau à faire assimiler au membre marginal les notions qui lui manquent, alors que l'individu essaiera de son côté d'accroître l'accommodation du groupe à son égard. Cette resocialisation peut aboutir à l'un des deux résultats suivants : la convergence ou la sortie. Pour ce qui est de la convergence, l'assimilation et l'accommodation se déroulent de façon mutuellement profitable de sorte que le membre marginal atteint le point de transition appelé « convergence » et redevient membre du groupe à part entière. En ce qui concerne la sortie, l'échec des efforts de resocialisation amène l'individu ou le groupe à conclure qu'il vaut mieux que l'individu quitte le groupe. On atteint alors une période de transition finale, la sortie du groupe, représentée à la figure 12.4. À ce moment, l'individu se trouve redéfini en tant qu'ex-membre du groupe.

Le souvenir. À la suite du départ de l'individu, on entre dans le dernier stade, celui du souvenir. Le groupe cherche alors le consensus concernant la contribution qu'a apportée cet ex-membre du groupe dans l'accomplissement des objectifs de celui-ci; ce consensus devient partie intégrante de la tradition du groupe. L'individu, quant à lui, se remémore la relation qu'il a eue avec le groupe et conclut dans quelle mesure cette appartenance a été satisfaisante.

En conclusion

La figure 12.4 fournit un résumé utile du modèle de Moreland et Levine (1982) en illustrant le parcours d'un individu type dans un groupe quelconque. Évidemment, ce parcours peut être très différent et le modèle ne précise pas un ordre rigoureux dans lequel les stades de la socialisation sont franchis ni la nécessité de passer par les cinq stades proposés. Les travaux de Moreland et Levine fournissent cependant un cadre permettant d'analyser les influences réciproques du groupe sur l'individu et de l'individu sur le groupe. À ce titre, ils constituent un premier pas important vers la désignation des lois régissant la socialisation dans les différents groupes sociaux.

L'INFLUENCE D'UN INDIVIDU SUR LE GROUPE : LE LEADERSHIP

Jésus, Mahomet, Napoléon, Gandhi ou Lénine, voilà quelques personnages historiques qu'on n'hésiterait pas à qualifier de leaders. Ils ont tous à leur manière exercé une influence considérable sur des groupes et, comme nous le verrons dans cette section, l'influence d'un individu sur un groupe est au cœur de ce qu'on appelle le « leadership ». Les psychologues sociaux cherchent à élucider les mystères du leadership depuis plusieurs années. Comment devient-on leader ? Qu'est-ce qui caractérise les leaders ? Le leadership est-il entièrement fondé sur les qualités personnelles d'un individu ? Avant d'aborder ces questions, il convient de préciser ce qu'on entend par « leadership ».

Une définition

On peut définir le concept de « leadership » en le distinguant des notions connexes d'« autorité » et de « pouvoir ». L'autorité constitue une forme de pouvoir ou d'influence qui s'appuie sur la position occupée par un acteur dans la structure sociale (l'autorité de la mère, du patron, du policier). Pour sa part, le pouvoir est aisément associé à l'idée de force ; c'est la capacité d'influencer autrui même contre son gré en ayant recours à diverses ressources économiques ou politiques (l'armée, le système judiciaire, etc.). Mais le leadership est une forme d'influence qui n'a rien de tout cela. Dans les mots de Moscovici (1988), le leadership, et en particulier le leadership charismatique, a « pour préalable un don personnel de convaincre, alors que le pouvoir traditionnel ou le pouvoir légal existent d'emblée, appuyés sur des qualités ou des moyens impersonnels » (p. 272). Ainsi un leader est une personne qui influence un groupe sans toutefois utiliser de moyens externes apparents autres que la communication (Bergeron, 1979; Moscovici, 1988). Un deuxième élément de définition réside dans l'aspect volontaire et même souvent enthousiaste de la soumission au chef. Le véritable leader est la personne qui met l'accent sur la persuasion, sur l'exhortation à l'action plutôt que sur la contrainte, la force ou la menace; c'est aussi la personne à qui l'on se rallie d'emblée, avec ardeur et en toute confiance. Et l'on se rallie au leader, comme le note Moscovici (1988), parce que « le meneur d'hommes est convaincu d'être investi d'une mission » (p. 255). Le leader est la personne qui formule un projet collectif, qui définit un objectif commun et chez qui semble exister « un sentiment de fusion entre le destin individuel et collectif » (p. 254). C'est en étant totalement engagé dans la tâche commune et en faisant preuve d'une énergie incomparable que le meneur parvient à subjuguer le groupe. Enfin, on peut dire que le leadership s'applique strictement à la relation entre un individu et un groupe, alors que le pouvoir peut renvoyer autant à un rapport intergroupe qu'à une relation interpersonnelle.

Si l'on regroupe tous ces traits essentiels du leadership en une définition, on obtient une formule semblable à celle proposée par Bergeron (1979) selon laquelle le **leadership,** c'est l'ensemble des activités et surtout des communications par lesquelles un individu exerce une influence sur le comportement des membres d'un groupe dans le sens d'une réalisation volontaire de certains objectifs communs.

On peut distinguer trois principales approches de l'étude du leadership: l'approche personnaliste, l'approche situationniste et l'approche interactionniste. L'**approche personnaliste,** comme son nom l'indique, suggère que l'essentiel dans le leadership, c'est la personne, le leader, son caractère, sa personnalité, ses comportements. À l'opposé se trouve l'**approche situationniste,** pour laquelle la personne a bien peu d'importance à côté de la situation dans laquelle elle se trouve. À la question de savoir si le leader fait l'histoire, cette deuxième approche répond carrément par la négative. C'est l'époque qui fait l'être humain, c'est la situation historique dans laquelle est placée une personne à un moment donné qui expliquerait en majeure partie pourquoi cette personne devient célèbre et célébrée plutôt que déchue. L'approche situationniste a suscité peu de recherches en psychologie sociale et ne sera pas discutée davantage ici. Enfin, l'**approche interactionniste** combine les deux premières approches en proposant que, pour comprendre le leadership, il faut tenir compte à la fois de l'individu, de ses qualités personnelles et de la situation dans laquelle il se trouve. Selon ce point de vue, le leader efficace serait celui qui possède les prédispositions personnelles qui s'allient le mieux à une situation donnée.

Les théories personnalistes

Les travaux avançant une théorie personnaliste du leadership sont principalement de deux types: les études des traits physiques et psychologiques du leader et les études du comportement du leader.

Les traits physiques et psychologiques du leader. De nombreuses enquêtes ont voulu démontrer que les leaders se distinguent des non-leaders par une série de traits physiques ou psychologiques. Comme les résultats obtenus sont souvent différents, voire contradictoires, d'une étude à l'autre, il est difficile de tirer des conclusions générales qui rendraient justice à ces recherches. Néanmoins, on trouve habituellement une corrélation positive entre la taille et le leadership: les gens de grande taille, peut-être parce qu'ils donnent une impression de puissance, ont souvent plus de chances d'accéder à des postes de leadership (Forsyth, 1990). Par exemple, dans l'armée, les recrues de grande taille qui, au moment de leur entrée en service, reçoivent évidemment le même salaire que leurs collègues de petite taille, ont pourtant 25 ans plus tard des revenus supérieurs à ces derniers (voir Gergen & Gergen, 1984). Mais l'explication de ces données par l'hypothèse selon laquelle la taille suscite le leadership est difficilement conciliable avec l'existence de nombreuses personnalités de petite taille qui ont fortement marqué leur époque (Napoléon, René Lévesque, etc.). La taille n'est donc pas un préalable du leadership, mais ce facteur peut dans certains cas avoir une influence (Higham & Carment, 1992).

La même constatation s'applique au rôle des traits de personnalité. Il semble bien y avoir un certain type de personnalité qui prédispose au leadership (Forsyth, 1990; Maillet, 1988). Comparativement aux suiveurs, les leaders font preuve d'une plus grande confiance en eux-mêmes, d'un besoin d'accomplissement plus important, d'une capacité d'adaptation et de prise de responsabilités supérieure et d'un niveau d'intelligence et de sociabilité plus élevé (Forsyth, 1990). Toutefois, on ne peut conclure que le leadership soit un talent. Même si les relations obtenues entre les traits de personnalité et le leadership étaient toujours très fortes, ce qui n'est pas le cas, il resterait toujours à se demander quelle est la direction du lien unissant ces variables. La confiance en soi élevée, notamment, peut très bien constituer une conséquence du fait d'être choisi comme leader plutôt qu'une de ses causes.

Un certain nombre de recherches suggèrent que les individus talentueux ou ceux qui possèdent des habiletés valorisées par les autres membres du groupe et qui peuvent augmenter les chances de succès de celui-ci ont davantage de chances d'être choisis comme leaders (Forsyth, 1990). Il est en effet raisonnable de penser qu'on suivra plus facilement une personne talentueuse qu'une autre qui serait totalement incompétente par rapport à la tâche à accomplir. Ainsi on constate dans les études portant sur les militaires une corrélation très forte entre, d'une part, les habiletés physiques et les aptitudes générales dans l'exécution des tâches et, d'autre part, l'évaluation des aptitudes au leadership militaire (Rice, Instone & Adams, 1984).

Cependant, contrastant avec le facteur « compétence », on a aussi observé que le taux de participation aux activités du groupe, peu importe la valeur de celle-ci, est souvent déterminant en matière de leadership (Forsyth, 1990). Autrement dit, la personne qui parle le plus dans le groupe a fréquemment plus de chances de devenir leader de celui-ci et les gens qui font beaucoup de commentaires inutiles peuvent être préférés à ceux dont les remarques sont moins nombreuses mais de meilleure qualité. C'est ce qu'ont démontré Sorrentino et Boutillier (1975). Dans cette expérience, pendant que des groupes de quatre hommes travaillaient à la solution d'une tâche, un membre du groupe, complice des chercheurs, faisait beaucoup ou très peu de commentaires selon les conditions expérimentales, et ces commentaires étaient soit de très grande qualité, soit de très faible qualité. Lorsque les sujets évaluaient par la suite ce complice, c'est la quantité de commentaires émis et non la qualité de ces derniers qui influait le plus sur leur perception de sa compétence et de son influence dans le groupe. Ces résultats indiquent qu'un faible taux de participation à la solution de la tâche du groupe, même si la qualité de cette participation est très élevée, peut communiquer un manque d'intérêt pour le groupe ou témoigner d'un manque de volonté à contribuer à la réalisation des objectifs du groupe et constituer par conséquent un sérieux handicap au leadership.

Le comportement du leader. Certains auteurs ont voulu trouver l'essence du leadership en examinant non pas la personnalité des leaders mais leurs comportements. De ces travaux ont émergé ce qu'on nomme les « dimensions du leadership », c'est-à-dire des caractéristiques ou des tendances générales qu'on a pu observer dans le comportement des leaders au sein d'une grande variété de groupes. Malgré les appellations souvent différentes selon les auteurs, ces deux dimensions ont été repérées avec une constance remarquable : il s'agit des comportements orientés vers la tâche et des comportements orientés vers les relations (Maillet, 1988). La dimension des comportements orientés vers la tâche « concerne l'efficacité du groupe, la réalisation de son but et tout ce qui peut être mis en œuvre pour qu'il réussisse sa tâche » (Aebischer & Oberlé, 1990, p. 177). Tous les comportements qu'un leader peut adopter en rapport avec la tâche du groupe, le travail à accomplir, composent donc cette dimension. La dimension des comportements orientés vers les relations, quant à elle, touche les aspects émotionnels et affectifs du groupe. Il s'agit de tous les comportements qui témoignent d'un intérêt pour les relations interpersonnelles dans le groupe, pour le bien-être de ses membres et pour la préservation d'un climat socio-émotionnel positif dans celui-ci.

La **grille managériale** de Blake et Mouton (1978) est un bon exemple d'une théorie du leadership qui s'inspire de ces deux dimensions fondamentales. La grille se présente sous forme d'un espace bidimensionnel ayant la dimension « intérêt pour la production » en abscisse et la dimension « intérêt pour les relations » en ordonnée. Ces deux dimensions peuvent prendre une valeur entre 1 (intérêt faible) et 9 (intérêt élevé). Blake et Mouton identifient cinq styles de leadership résultant du croisement de ces deux dimensions à neuf degrés chacune. Il y aurait d'abord le style anémique (1,1) du leader, qui accorde peu d'intérêt à la production (et qui aurait donc un résultat de 1 sur cette dimension) et qui accorde également peu d'intérêt à l'élément humain (résultat de 1 sur la deuxième dimension, donc style 1,1). Il s'agit en quelque sorte de l'antithèse du leader : une personne qui désire passer inaperçue, qui prend peu de décisions et qui ne s'intéresse aucunement aux sentiments de ses subordonnés. Il y a ensuite le style centré sur la tâche (9,1) de l'individu, qui éprouve un intérêt maximal pour la production (9) et un intérêt minimal pour les personnes (1). Cet individu recherche des résultats et se soucie peu du reste. À l'opposé, on trouve le style de la gestion de type club social (1,9) chez les leaders qui se préoccupent avant tout du bien-être et de la satisfaction des personnes (9), peu importe le rendement au travail (1). Par ailleurs, il y a le style intermédiaire (5,5) de la personne, qui accorde un intérêt moyen au rendement (5) de même qu'aux relations humaines (5). Enfin, il y a le style du travail en équipe (9,9) du leader, qui recherche à la fois la satisfaction des membres du groupe (9) et un bon rendement (9). Selon Blake et Mouton (1978), le leader idéal, celui qui sera le plus efficace en toutes circonstances, n'est évidemment pas le leader du style anémique (1,1), mais bien la personne qui adopte le style du travail en équipe (9,9) en valorisant hautement les personnes et la productivité.

On peut intégrer dans ce cadre les travaux classiques de Lewin, Lippitt et White (1939) concernant les leaders autoritaires, démocratiques ou « laisser-faire ». Rappelons que, dans le but de comparer les effets de ces trois styles de leadership, ces chercheurs s'étaient arrangés pour que des groupes de jeunes garçons de 10 ou 11 ans travaillant à une tâche soient dirigés soit par un leader autoritaire, soit par un leader démocratique ou par un leader laisser-faire. Le leader autoritaire utilisait un style très directif. Il n'acceptait aucune suggestion des membres du groupe, prenait les décisions lui-même et attribuait les tâches à chacun. Le leader démocratique, en revanche, encourageait la participation des membres du groupe et favorisait la création d'un climat égalitaire. Le leader laisser-faire, enfin, intervenait très rarement dans les activités du groupe. Les membres du groupe étaient laissés à eux-mêmes et le leader constituait tout au plus une source d'information technique. Les auteurs espéraient sans doute démontrer que le leader démocratique obtiendrait de meilleurs résultats. Mais la situation ne s'est pas révélée aussi simple. S'il est vrai que le leadership démocratique est apparu supérieur au leadership autoritaire ou laisser-faire pour ce qui est de susciter un sentiment de satisfaction chez les membres du groupe et l'amitié entre ceux-ci, il est en revanche difficile de dire la même chose en ce qui concerne le travail accompli. En effet, les résultats montrent que, lorsque le leader était présent, les groupes dirigés par un leader autoritaire effectuaient autant de travail sinon plus que les groupes dirigés par un leader démocratique. C'est seulement lorsque le leader s'absentait qu'on a observé un avantage du leadership démocratique sur le leadership autoritaire. Dans ce cas, la productivité des groupes dirigés de façon autoritaire diminuait considérablement alors que celle des groupes menés de manière démocratique demeurait assez constante.

Il importe ici de retenir deux points. D'une part, les trois styles de leadership dont parlent Lewin et ses collègues peuvent se réduire à une variante des types de leaders qu'on distingue en fonction des dimensions fondamentales du leadership dont il a été question précédemment (Hersey & Blanchard, 1988). Le leader autoritaire peut donc être vu, sous certains aspects, comme un leader dont les comportements sont essentiellement orientés vers la tâche, soit le style 9,1 de la grille managériale; le leader démocratique correspondrait plutôt au style 1,9 de la théorie de Blake et Mouton (1978), c'est-à-dire un leader qui s'oriente vers les relations; enfin, le leader laisser-faire serait celui qui accorde peu d'intérêt à la tâche ou aux personnes, soit le style 1,1 de la grille managériale. D'autre part, étant donné que l'étude des effets de ces trois styles de leadership permet difficilement de conclure à la supériorité de l'un par rapport à l'autre (voir Forsyth, 1990), on aboutit à l'idée que l'efficacité d'un style de leadership est peut-être fonction de la situation particulière que vit le groupe. Cette idée se trouve à la base des théories interactionnistes.

Les théories interactionnistes

Pour illustrer les théories interactionnistes, nous présentons brièvement le modèle de Fiedler (1978), lequel est sans doute celui qui a eu le plus d'influence en psychologie sociale. L'encadré 12.2 évoque quelques éléments d'une deuxième conception interactionniste du leadership.

Refusant l'idée qu'il existe un style de leadership idéal, quelle que soit la situation, de même que l'idée selon laquelle un leader peut aisément changer de style de leadership d'une situation à l'autre, Fiedler (1967, 1978) croit que la clé du leadership efficace réside dans la modification des facteurs de situations de façon à les rendre compatibles avec le style personnel du leader. Le modèle contingent définit des styles de leadership, des facteurs de situations qui conviennent à ces styles et le type d'interaction entre ces deux facteurs qui donne les résultats les plus positifs.

En ce qui concerne les styles de leadership, Fiedler en distingue deux principaux, le leader qui s'oriente vers la tâche et celui qui s'oriente vers les relations. On observe donc encore ici les deux dimensions fondamentales du leadership. Mais Fiedler classifie aussi les situations de groupe selon un continuum allant des situations très favorables au leader, celles où le chef a une grande maîtrise du groupe, jusqu'aux situations très défavorables, celles où le leader a une maîtrise très faible du groupe, en passant par des situations intermédiaires où le leader a une maîtrise moyenne du groupe. Par exemple, le professeur qu'on nomme responsable d'une classe, qui est aimé et respecté de ses élèves et à qui on fournit un programme scolaire bien structuré se trouve, selon le modèle de Fiedler, dans une situation très favorable. Ce professeur peut diriger sa classe en toute aisance et s'attendre notamment à une bonne coopération de la part de ses élèves. À l'autre extrême, une situation très défavorable serait celle du jeune professeur suppléant, sans expérience dans l'enseignement, à qui l'on demande de remplacer au pied levé un professeur chevronné afin de préparer les élèves à des examens du ministère de l'Éducation sur une matière qui ne figure pas dans le programme habituel de l'école. Dans ce contexte, le leader n'a pas une autorité légitime, il n'a pas établi de contacts harmonieux avec les membres du groupe et

ENCADRÉ 12.2

LE LEADERSHIP EN TANT QUE TRANSACTION

Que le leader influence les suiveurs, cela se conçoit aisément. Par définition, le leader est la personne qui a le plus d'influence dans le groupe. Que les suiveurs aient une influence importante sur les meneurs, cela paraît moins évident. C'est pourtant une réalité que l'approche transactionnelle du leadership a permis d'élucider (Hollander, 1985). De ce point de vue, le leadership doit être envisagé comme une relation d'échange impliquant des influences bidirectionnelles entre le meneur et les suiveurs. Le leader influence les suiveurs, mais il est aussi influencé par eux. Le leadership serait en fait une ressource que les membres du groupe peuvent échanger dans une transaction. Par exemple, si un membre fait plus que les autres pour promouvoir l'esprit d'équipe, il pourra être élu capitaine en échange de sa contribution.

Cette approche, qui peut être située dans le courant interactionniste, présente une image plus complexe du leadership. Elle met l'accent sur le processus, le contexte social, et accorde un rôle actif aux suiveurs. De nombreuses recherches ont appuyé ces idées. Crowe, Bochner et Clark (1972), notamment, ont démontré qu'en faisant varier expérimentalement le comportement des suiveurs on obtenait des comportements différents de la part des leaders. En d'autres mots, le comportement des suiveurs peut déterminer l'action du leader. Bien qu'elle comporte certaines limites, cette approche nous amène à comprendre que les leaders et les suiveurs ne sont pas aussi différents les uns des autres qu'on ne le croirait (Hollander, 1985). D'une part, tous les leaders sont aussi ou ont déjà été des suiveurs et les suiveurs deviennent également, en certaines occasions, des meneurs. D'autre part, le leader ne peut pas tout faire. Il sollicite donc fréquemment l'assistance des suiveurs et leur délègue certaines responsabilités. Enfin, bien que les actions du leader soient souvent celles qui retiennent le plus l'attention, il n'en demeure pas moins – l'histoire l'a démontré à plusieurs reprises – que ces actes de leadership ont été possibles grâce aux efforts accomplis par ceux qu'on appelle les « suiveurs ». Le leader peut récolter le crédit ou s'attirer le blâme, cela ne change rien au fait qu'il fallait une réponse enthousiaste des suiveurs pour arriver à un résultat quelconque. En somme, le leadership est non pas une personne mais un processus (Hollander, 1985).

il fait face à une tâche complexe. Son niveau de maîtrise de la situation est donc réduit au minimum.

Les recherches de Fiedler visaient à démontrer quel type de leader serait le plus efficace dans ces différentes situations. Les résultats d'études menées auprès de nombreux échantillons, en particulier dans des organisations militaires, civiles et publiques des États-Unis et du Canada, ont permis de valider les principales hypothèses du modèle: le leader qui s'oriente vers la tâche est plus efficace à la fois dans les situations très favorables où il a une grande maîtrise du groupe et dans les situations très défavorables où il a très peu de maîtrise du groupe. Le leader qui s'oriente vers les relations est quant à lui plus efficace dans les situations intermédiaires lorsqu'il a un niveau de maîtrise moyen du groupe. Pourquoi en est-il ainsi? Selon Fiedler, il suffit de se rappeler les forces et les faiblesses de chaque type de leader pour répondre à cette question. Lorsque la situation est très défavorable, on a besoin d'une personne qui puisse se servir de son autorité pour prendre en charge la situation et éviter le désastre. Le leader qui s'oriente vers la tâche est donc susceptible d'avoir plus de succès dans ces circonstances. Lorsque, au contraire, la situation est très favorable, le chef qui s'oriente vers la tâche aura aussi le plus de succès parce que lui seul retire de la satisfaction principalement du travail accompli. Dans ces conditions, le leader peut se détendre en sachant que le travail sera effectué sans son intervention. Un leader centré sur les relations ne serait pas très efficace dans de telles situations parce que, même si le travail est accompli, ce leader continuera de s'immiscer dans le travail de ses employés étant donné son besoin prédominant d'avoir des contacts humains, d'être appuyé ou estimé par ses employés. Enfin, lorsqu'on se trouve dans une situation intermédiaire, où les bonnes relations sont remises en question et où les membres doivent résoudre des conflits interpersonnels, le tact et la compétence sociale du leader qui s'oriente vers les relations pourront être mis à profit, alors que le leader centré sur la tâche risquera de se sentir impuissant et de ne pas savoir où donner de la tête. En somme, comme le propose le modèle, le leader qui s'oriente vers la tâche n'est pas nécessairement un meilleur leader. L'efficacité de ce style de leadership, ou de tout autre style, dépend des caractéristiques de la situation dans laquelle se trouve le leader.

L'INFLUENCE DU GROUPE SUR LE COMPORTEMENT INDIVIDUEL

Quelle est l'influence du groupe sur le rendement au travail d'un individu? Voilà une question fondamentale concernant la psychologie sociale du groupe. Une question qui est reliée à celle-ci a trait à l'influence d'autrui dans la prise de décision. Chaque jour, des comités, des syndicats, des gouvernements prennent des décisions qui ont des répercussions très importantes sur la vie sociale. Dans certains cas, ces décisions émanent d'un groupe; dans d'autres, elles sont essentiellement le fruit du travail d'un individu. Peut-on soutenir que les décisions individuelles diffèrent de façon systématique des décisions prises en groupe? Nous examinerons ces problèmes en guise de conclusion à ce chapitre en débutant par la question de l'influence d'autrui sur le rendement individuel.

La facilitation sociale

Une des premières expériences en laboratoire qui aient été effectuées en psychologie sociale concerne l'influence d'autrui sur le rendement individuel. Un mordu de cyclisme du nom de Norman Triplett avait en effet remarqué que les coureurs cyclistes semblaient obtenir des performances différentes selon qu'ils couraient seuls, contre la montre ou en présence d'autres cyclistes. En 1897/1898, il publia les résultats des travaux de laboratoire qu'il avait menés afin d'examiner cette question dans des conditions contrôlées (voir le chapitre 1). Il prouva qu'effectivement le rendement de ses sujets dans une tâche était supérieur lorsqu'ils accomplissaient cette tâche en présence d'autrui plutôt que seuls. Il s'agissait de la première démonstration de ce qu'on appela plus tard la **facilitation sociale.**

On a pu observer des effets de facilitation sociale dans des conditions d'auditoire mais aussi dans des conditions de coaction. Dans les conditions d'auditoire, les autres individus présents dans la situation agissent en tant que spectateurs, alors que dans les conditions de coaction ces personnes effectuent la même tâche que les sujets expérimentaux. De plus, on remarqua que ce phénomène se produisait non seulement chez les êtres humains mais aussi chez les animaux et chez les insectes. Comment expliquer de telles données? Les coureurs cyclistes, entre autres, ne cherchent-ils pas toujours à aller au bout d'eux-mêmes et à obtenir la meilleure performance? Dans ce cas, comment parviennent-ils à courir encore plus vite dans des conditions d'auditoire ou de coaction? Où puisent-ils cette énergie nouvelle qui leur permet de parvenir à de meilleurs résultats? Il va sans dire que la réponse à toutes ces questions intéresserait beaucoup de personnes. Mais, pour compliquer les choses, on enregistra aussi des résultats inverses: la présence d'autrui pouvait également diminuer le rendement individuel. Dans les études initiales d'Allport (1924), par exemple, les gens réfutaient beaucoup plus un argument lorsqu'ils étaient en groupe, mais la qualité de leur travail était inférieure à celle observée lorsqu'ils étaient seuls. Ils commettaient plus d'erreurs en groupe! D'autres chercheurs constatèrent dans certains cas une amélioration du rendement dans des conditions de coaction ou d'auditoire, mais, dans d'autres cas, ils notèrent une détérioration du rendement (Levine, Resnick & Higgins, 1993).

Avec l'accumulation de ce type de résultats contradictoires, l'intérêt des psychologues sociaux pour la facilitation sociale chuta dramatiquement, et avec raison. Il semblait impossible de comprendre pourquoi la présence d'autrui pouvait à la fois aider et nuire. Il fallut attendre la publication d'un article de Zajonc en 1965 pour s'apercevoir qu'on pouvait résoudre cette contradiction.

La théorie de Zajonc. Zajonc (1965) a proposé une théorie qui explique à la fois les effets positifs et les effets négatifs de la présence d'autrui sur le rendement individuel. Selon cette théorie (voir la figure 12.5), la présence d'autrui a d'abord comme effet d'augmenter le niveau d'activation ou de motivation de

FIGURE 12.5 **La théorie de la facilitation sociale de Zajonc**

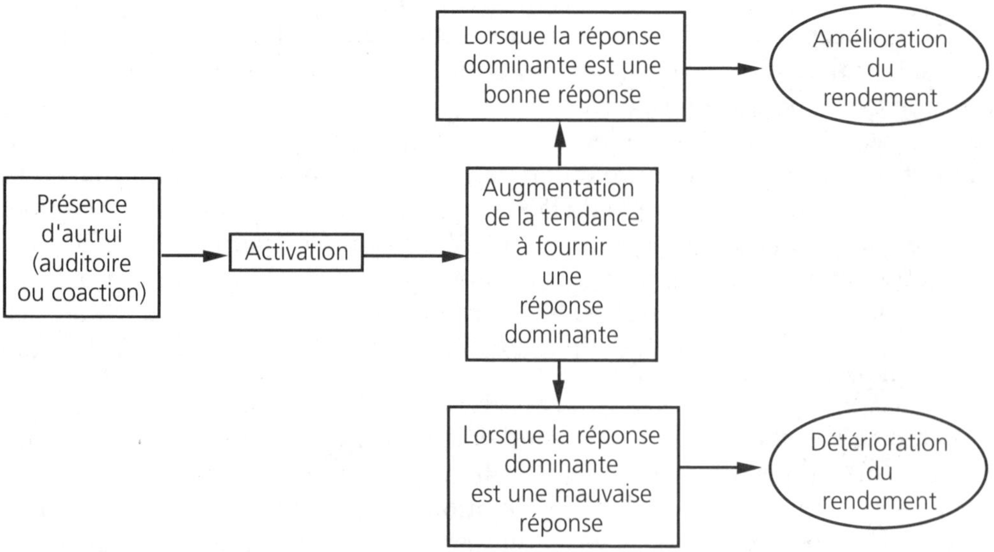

Adapté de Zajonc (1965).

l'organisme. Il s'agit, selon Zajonc, d'une réaction innée et donc ayant un fondement biologique. Les comédiens qui ont tous le trac au moment de monter sur scène ou les athlètes olympiques sur la ligne de départ avant la course qui ressentent une tension particulière constituent des exemples de cette réaction.

Mais le génie de l'explication se situe sur le plan des conséquences présumées de ce niveau d'activation. En se basant sur les recherches effectuées dans le domaine de l'apprentissage, Zajonc a noté que l'augmentation du degré d'activation accroît la probabilité que se manifestent des réponses dominantes. En effet, il est bien établi que, dans le répertoire de comportements de chaque organisme, il existe des **réponses dominantes,** c'est-à-dire des comportements qui ont de très fortes probabilités d'être adoptés dans une situation donnée (par exemple, le fait qu'on ait tendance à sourire à quelqu'un qui nous sourit). Or, ces réponses dominantes peuvent être, dans certains cas, de bonnes réponses, à savoir des réponses correctes, mais elles peuvent également constituer des réponses erronées. Par conséquent, on constate que si, par rapport à la tâche X, la réponse dominante de l'organisme A représente une bonne réponse, l'effet de la présence d'autrui, qui est d'augmenter cette réponse dominante, sera positif : le rendement s'améliorera avec la présence d'autrui. Mais si, par rapport à la même tâche, la réponse dominante de l'organisme B consiste en une erreur, l'effet d'autrui, qui est toujours d'augmenter la réponse dominante, sera dans ce cas négatif : le rendement se détériorera avec la présence d'autrui. La théorie de Zajonc permet donc de comprendre pourquoi le groupe rend tantôt l'individu plus performant et le rend tantôt moins performant.

On peut illustrer les prédictions de cette théorie en prenant comme tâche la conduite automobile. Si vous conduisez depuis plusieurs années et que vous vous y connaissiez bien dans cette matière, on supposera que vos réponses dans le domaine de la conduite automobile sont habituellement bonnes. Par conséquent, on prédira que la présence d'un passager à vos côtés améliorera votre conduite. Si, par contre, vous commencez à peine à vous familiariser avec la conduite automobile et que vous demandiez à votre meilleur ami de vous accompagner, alors vous accumulerez les maladresses. Pourquoi ? Tout simplement parce que, selon la théorie de Zajonc, la présence de votre ami augmente votre activation, ce qui a pour effet d'accroître la probabilité que vous donniez des réponses dominantes, et vos réponses dominantes sont, dans ce cas, plutôt chancelantes.

En faisant la revue de la documentation existante et en présentant les résultats de ses propres expérimentations, Zajonc a pu démontrer la validité empirique de sa théorie et des prédictions qui en découlent. Le fondement biologique de l'explication en particulier a été bien éprouvé puisque le comportement de sujets humains s'est avéré tout à fait comparable au comportement de sujets non humains tels que des blattes. Ces travaux ont contribué à stimuler les recherches dans le domaine de sorte que le rôle de nouveaux facteurs pouvant expliquer l'effet du groupe sur le rendement individuel a été défini.

L'interprétation de Cottrell. Si l'explication de Zajonc (1965) sur les effets de la présence d'autrui sur le rendement individuel a un fondement biologique, celle de Cottrell (1972) est beaucoup plus sociale. Selon cet auteur, il est illusoire de penser que les autres sont neutres et qu'ils agissent sur nous de la même manière qu'un excitant chimique. Le facteur crucial dans les effets de facilitation sociale, selon Cottrell, serait précisément le fait que les autres ne sont pas neutres mais ont la capacité de nous évaluer. L'employé qui améliore son rendement lorsqu'il est sous surveillance ne réagit pas ainsi en raison d'une tendance innée à être activé en présence d'autres membres de l'espèce, mais parce qu'il a appris à se préoccuper de la façon dont les autres évaluent son rendement. Confirmant ce point de vue, diverses recherches ont montré que la présence d'autrui sans qu'il y ait capacité d'évaluation (un auditoire ayant les yeux bandés) ne provoque pas l'amélioration du rendement individuel qu'on observe lorsque cet auditoire (qui n'a pas les yeux bandés) peut porter un jugement sur le comportement des sujets (voir p. ex. Henchy & Glass, 1968).

Le rôle de la distraction. Une dernière interprétation du phénomène de la facilitation sociale se base sur la façon dont on traite l'information dans différentes situations (voir Sanders, Baron & Moore, 1978). Selon ce point de vue, l'auditoire peut créer une distraction et causer un conflit entre l'attention qu'il faut avoir pour accomplir la tâche et l'attention portée à l'auditoire lui-même. Pour ce qui est des tâches simples qui requièrent peu d'attention, l'interférence causée par la présence d'autrui conduit à un regain d'efforts de la part du sujet comme mécanisme de compensation ; cela peut donc contribuer à l'amélioration du rendement. Pour ce qui est des tâches complexes, la distraction peut causer l'effet inverse et diminuer le rendement étant donné notre capacité limitée à traiter une information surabondante. Cette explication, qui a aussi été validée par la recherche empirique, permet de comprendre d'une autre façon pourquoi le groupe peut ou aider, ou nuire au rendement individuel.

Est-ce que deux têtes valent mieux qu'une?

Considérons maintenant le rendement des groupes. Les groupes sont-ils plus efficaces que les individus? Si vous aviez le choix d'exécuter un travail seul ou en équipe, que feriez-vous? Votre travail sera-t-il de meilleure qualité si vous le faites en équipe? La plupart des gens ont une réponse à ces questions même si celles-ci se rapportent à un problème très complexe. En fait, selon Steiner (1972), il n'y a pas de réponse générale qui s'applique à toutes les situations, car tout dépend du type de tâche que l'on a à accomplir. Steiner distingue quatre types de tâches et montre que la supériorité du groupe par rapport à l'individu varie en fonction de la tâche.

Les tâches additives. La situation la plus simple est celle où l'on additionne le résultat de chaque membre pour obtenir le résultat total du groupe. Dans ce cas, Steiner parle de tâches additives et souligne que l'on peut s'attendre à ce que le rendement du groupe soit supérieur au rendement d'un individu. Le pelletage de la neige, la campagne de financement, les applaudissements dans une salle de spectacle sont des exemples du type de tâche où plus il y a de gens prêts à travailler, plus la productivité sera grande.

La productivité du groupe sera donc supérieure à celle de l'individu, mais jusqu'à quel point? Si cinq personnes déblaient une entrée enneigée, on s'attendra à ce que l'effort soit quintuplé, et ainsi de suite. Or, de nombreuses recherches affirment que ces prédictions sont erronées. Le groupe accomplit évidemment plus de travail que l'individu mais pas autant que ce à quoi on pourrait s'attendre compte tenu du nombre de personnes dans le groupe. Pourquoi? Principalement à cause d'un phénomène appelé **flânerie sociale.**

En effet, on a observé que lorsque les gens savent que leur travail sera combiné avec celui des autres (afin d'arriver à un résultat global pour le groupe), ils travaillent moins fort que s'ils étaient seuls apparemment afin que les autres fassent le travail à leur place. Dans l'une des démonstrations expérimentales de ce phénomène, Latané, Williams et Harkins (1979) ont demandé à des étudiants d'applaudir le plus fort possible prétendument pour mesurer le bruit que les gens peuvent faire dans un endroit public. Les sujets participaient à l'expérience seuls ou en groupe de deux, quatre ou six personnes. Les résultats ont prouvé, sans l'ombre d'un doute, que la force des sons émise par chaque personne *diminuait* de manière significative en même temps que le nombre de personnes dans le groupe augmentait. Comment expliquer ce résultat? Les gens se transforment-ils en de véritables fainéants lorsqu'ils sont en groupe? On peut être porté à le croire si l'on considère que l'une des conditions essentielles à l'obtention de cet effet est l'impossibilité pour quiconque de désigner les personnes qui font moins d'efforts. En effet, lorsque les individus ne peuvent se dissimuler derrière le groupe et qu'on peut percevoir nettement la contribution de chaque personne, la tendance à la flânerie sociale disparaît (Williams, Harkins & Latané, 1981).

Les tâches communes. Le deuxième type de tâches distingué par Steiner (1972) consiste dans les tâches communes. Ce sont des situations où tous les membres du groupe ont à peu près la même fonction, mais où le sort des uns est intimement lié au sort des autres. Les tâches effectuées par une équipe d'alpinistes sont de ce type. Le fait d'ajouter le rendement d'un individu n'augmente pas nécessairement la productivité du groupe et peut même la diminuer, car dans une tâche commune le rendement du groupe ne peut dépasser le rendement de son membre le moins compétent. Les alpinistes, par exemple, ne peuvent aller plus vite que le membre le plus lent de l'expédition. Par conséquent, dans ce cas, le rendement du groupe n'est généralement pas supérieur à celui de l'individu.

Les tâches disjointes. Dans une tâche disjointe, le rendement du groupe est aussi déterminé par le travail d'un de ses membres. Dans ce cas, contrairement au précédent, il s'agit du membre le plus compétent ou le plus habile. En effet, les tâches disjointes se caractérisent par le fait que, si un seul membre du groupe trouve la solution au problème, tout le groupe réussit (pour trouver quelques exemples de problèmes disjoints, voir l'encadré 12.3). Autrement dit, le

ENCADRÉ 12.3

QUELQUES PROBLÈMES DISJOINTS

Il peut être intéressant de considérer dans quels types de conditions la solution aux problèmes disjoints suivants serait trouvée avec le plus de facilité. (**Les réponses sont données après le résumé du chapitre.**)

Problème nº 1. Une vendeuse de voitures d'occasion achète une auto 3000$ et la revend 4000$ à un client. Elle la rachète ensuite à ce client pour 5000$ et la revend plus tard 6000$. Combien d'argent cette personne a-t-elle gagné au moyen de ces transactions? (Adapté de Greenberg, 1986.)

Problème nº 2. Trois missionnaires et trois cannibales se trouvent du même côté de la rivière. Pour aller de l'autre côté, ils doivent utiliser un bateau qui ne peut transporter que deux personnes à la fois. Alors que tous les missionnaires peuvent ramer, un seul cannibale en est capable. Pour des raisons évidentes, les missionnaires ne doivent en aucune circonstance être surpassés en nombre par les cannibales, sauf s'il n'y a aucun missionnaire présent. Combien de traversées devra-t-on effectuer pour transporter les six personnes de l'autre côté de la rivière? (Adapté de Forsyth, 1990.)

succès du groupe dépend de la qualité de la meilleure idée ou solution proposée dans le groupe. En conséquence, le rendement du groupe ne dépasse pas habituellement celui de son meilleur membre.

La démarche adoptée par le groupe peut jouer un rôle important dans le cas des tâches disjointes. Supposons qu'un membre du groupe trouve la bonne réponse et que les autres membres ne s'en rendent pas compte ou ne l'acceptent pas. Le rendement du groupe dans son ensemble en souffrira, alors que le rendement de ce membre, si celui-ci ne change pas d'avis, sera supérieur au rendement du groupe dans son ensemble.

Les tâches discrétionnaires. Dans le quatrième type de tâches, les tâches discrétionnaires, les membres du groupe peuvent combiner leurs efforts de n'importe quelle façon. Supposons que la tâche consiste à estimer la température de la pièce. On pourrait faire la moyenne des jugements de chaque membre du groupe pour arriver à une solution ou alors choisir la réponse la plus fréquente, etc. Dans ce cas, la façon dont les efforts sont répartis et coordonnés détermine le résultat du groupe.

La typologie proposée par Steiner (1972) nous montre qu'il est faux de penser que le travail en groupe constitue généralement une perte de temps. Par rapport à certaines tâches, le travail en groupe est nettement préférable au travail individuel.

La théorie de l'impact social

Les sections précédentes illustrent bien la variété et la complexité des effets du groupe sur l'individu. L'objectif ultime des psychologues sociaux est d'arriver à décrire ces effets de la manière la plus simple, c'est-à-dire en établissant un nombre limité de variables qui, par leurs combinaisons, rendraient compte d'un grand nombre d'effets différents. La théorie de l'impact social de Latané (1981) est un exemple intéressant de ce type de tentative.

Selon Latané, l'influence du groupe sur l'individu dépend de trois facteurs: 1) le *nombre* de personnes dans le groupe, c'est-à-dire le nombre de sources d'influence; 2) la *force* de ces sources d'influence (mesurée par exemple en fonction du statut, du pouvoir ou des ressources); et 3) la *proximité* de la source par rapport à la cible d'influence. Pour comprendre l'effet de ces facteurs, Latané suggère l'analogie qu'offre l'ampoule électrique. La quantité de lumière qui atteint une surface dépend évidemment du nombre d'ampoules, de la force de celles-ci et de leur proximité par rapport à la surface. De la même façon, plus les sources d'influence sont nombreuses, plus elles ont de la force et plus elles sont proches de la cible d'influence, plus leur effet sera prononcé. Une grande quantité de phénomènes d'interaction ou d'influences sociales peuvent être examinés sous l'angle de cette théorie. Ainsi les travaux de Milgram sur l'obéissance à l'autorité (voir le chapitre 11) illustrent la notion de «proximité». Les sujets avaient beaucoup plus tendance à obéir aux ordres de l'expérimentateur lorsque celui-ci était sur les lieux de l'expérience.

De même, les travaux concernant la persuasion (voir Jackson, 1987) ont montré que les communicateurs dont le statut ou la crédibilité est élevé (source forte) ont plus d'impact que ceux dont le statut ou la crédibilité est faible (source faible). Enfin, le nombre de personnes constituant la source d'influence s'est aussi révélé un facteur déterminant en matière d'impact social. L'expérience de Milgram, Bickman et Berkowitz (1969), notamment, a permis de constater que plus il y a de gens dans la rue qui regardent vers le ciel, plus ces sources d'influence ont un impact sur le comportement des passants et suscitent chez eux le même geste.

Parmi les recherches qui ont été menées dans le but précis de tester la théorie de l'impact social, celle de Sedikides et Jackson (1990) s'avère particulièrement originale. L'expérience s'est déroulée dans un jardin zoologique aux États-Unis. Plus de 200 visiteurs d'une salle fermée présentant une grande variété d'oiseaux exotiques ont été sujets de l'expérience à leur insu. Cette salle avait la particularité de présenter les oiseaux non pas en cage mais à l'air libre dans un environnement naturel simulé. Le seul obstacle séparant les visiteurs des oiseaux était une rampe basse qui ajoutait une touche de fantaisie à la présentation et sur laquelle presque tous les visiteurs finissaient par s'appuyer.

L'objectif de la recherche était de vérifier certains aspects de la théorie de l'impact social en examinant les facteurs qui réussiraient le mieux à empêcher les visiteurs de s'appuyer sur la rampe. Par conséquent, lorsqu'ils étaient dans cette position, l'expérimentateur s'approchait d'eux pour les avertir de ne pas s'appuyer sur la rampe. On a fait varier deux facteurs pour évaluer l'effet de la *force* de la source d'influence : l'intensité du message et la tenue vestimentaire de l'expérimentateur qui communiquait le message. Celui-ci était vêtu soit de l'uniforme des gardiens du zoo, soit d'une tenue estivale (tee-shirt, culottes courtes et sandales), et il émettait un message de forte intensité (« Excusez-moi, ne vous appuyez pas sur la rampe. ») ou de faible intensité (« Excusez-moi, je voudrais vous demander de ne pas vous appuyer sur la rampe. »).

Après avoir transmis son message, l'expérimentateur quittait la salle. Un visiteur, qui, apparemment, lisait des renseignements à propos des oiseaux, était en fait un deuxième expérimentateur qui notait le comportement des sujets avant et après la réception du message. Ces observations ont permis de constater que les visiteurs étaient plus enclins à se soumettre à l'expérimentateur-gardien du zoo qu'à une personne sans uniforme ; de même, ils obéissaient davantage au message de forte intensité qu'à celui de faible intensité.

Pour évaluer l'effet de la proximité de la source, la tendance des sujets à s'appuyer sur la rampe était mesurée à plusieurs reprises : immédiatement après le message de l'expérimentateur (proximité élevée), juste après que l'expérimentateur eut quitté la salle (proximité moyenne) et lorsque les sujets se trouvèrent dans la salle adjacente (proximité faible). Comme le prévoyait la théorie, les résultats ont clairement démontré que le degré de soumission des sujets diminuait à mesure que la source d'influence s'éloignait.

Enfin, pour examiner l'influence du nombre de cibles, Sedikides et Jackson (1990) ont comparé le taux de respect du message de l'expérimentateur en fonction du nombre de personnes faisant partie d'un groupe de visiteurs, que ce soit des parents ou des amis. Ce nombre variait entre un et six. Les résultats ont révélé que l'effet du message sur les visiteurs était inversement proportionnel au nombre de personnes composant le groupe. Plus précisément, 60 % des visiteurs ont obéi à l'expérimentateur lorsqu'ils étaient seuls ou accompagnés d'une personne. Dans les groupes de trois ou quatre personnes, le taux d'obéissance chutait à 49 %, alors qu'il était de 14 % seulement dans les groupes de cinq ou six personnes. En somme, cette expérience confirme que la théorie de l'impact social peut s'appliquer à une grande variété de phénomènes. Cette théorie pose cependant un problème. Peut-être avez-vous remarqué que Sedikides et Jackson ont étudié le rôle du nombre de *cibles* d'influence et non celui du nombre de *sources* d'influence, ce qui illustre une lacune de cette approche. En effet, comme le note Jackson (1987), la théorie ne permet pas encore de distinguer avec précision les concepts de « source » et de « cible » d'influence.

Les décisions individuelles et collectives

L'une des fonctions majeures du groupe dans les sociétés humaines consiste dans la prise de décisions. Les gouvernements, les grandes entreprises, les forces armées et les syndicats confient à des groupes le soin de prendre des décisions importantes. Pourquoi ? Sans doute parce que ces décisions s'appliquent à des problèmes complexes et qu'on cherche à mettre en commun la compétence de plusieurs personnes afin d'arriver au meilleur résultat. Il est donc d'un grand intérêt de comprendre les différences qui existent entre les décisions individuelles et les décisions collectives, et d'analyser les processus qui sont en jeu lorsqu'un groupe délibère en vue de prendre une décision. Dans ce contexte, l'effet de polarisation et la pensée de groupe constituent deux phénomènes importants que les psychologues sociaux ont mis en lumière.

L'effet de polarisation. De quelle nature sont les décisions prises en groupe comparativement aux décisions que peut prendre un individu ? Pour le savoir, de nombreuses recherches ont rapproché, par rapport au même problème, les décisions que prennent les individus lorsqu'ils sont seuls et celles qu'ils prennent en groupe lorsqu'ils doivent parvenir à un consensus. Les études de ce type ont d'abord mis en évidence le phénomène du **déplacement vers l'audace,** c'est-à-dire que les décisions que prenaient les groupes étaient plus risquées, plus hasardeuses ou moins sûres que celles que prenaient les individus (voir Baron & Byrne, 1987). Par exemple, si vous aviez le choix entre le poste A, un poste sans sécurité d'emploi mais comprenant un salaire très impressionnant, et le poste B, un poste comportant la sécurité d'emploi mais un salaire légèrement moins élevé, quelle décision prendriez-vous? Les recherches ont montré que les groupes avaient plus tendance que les individus à opter pour le poste A, l'option comprenant le plus grand risque.

Stimulés par les conséquences de cette découverte, des chercheurs ont entrepris des centaines de recherches entre 1960 et 1970 afin de mieux comprendre le phénomène. On en est alors venu à observer que l'inverse pouvait aussi se produire: les groupes pouvaient dans certains cas prendre des décisions plus conservatrices que les individus. Mais comment cela est-il possible? Comment la discussion de groupe peut-elle à la fois amener les individus à avoir plus d'audace et à manquer d'audace? La solution de ce problème fut trouvée par des chercheurs européens, qui démontrèrent que le groupe a pour effet de polariser les attitudes (Doise, 1969; Moscovici, 1992; Moscovici & Zavalloni, 1969). Autrement dit, en vertu de l'**effet de polarisation,** lorsque les gens discutent d'un problème en groupe, ils ont tendance à aboutir à une position plus tranchée que celle qu'ils prennent individuellement et la direction de cet «extrémisme» dépend du point de vue prédominant dans le groupe. Supposons qu'une décision doive être prise quant au problème de l'avortement. Le groupe n° 1 réunit deux personnes neutres et trois autres légèrement antiavortement. La discussion de groupe ayant pour effet de polariser les opinions, le groupe n° 1 en viendrait à une décision qui serait plus tranchée vers le pôle antiavortement. Le groupe n° 2 comprend aussi deux personnes neutres et trois autres légèrement proavortement. Dans ce cas, la décision de groupe serait aussi plus tranchée que les décisions individuelles, mais dans le sens d'un plus grand libéralisme à l'égard de l'avortement puisque c'était la position initiale prédominante au sein de ce groupe. On voit donc que le phénomène du déplacement vers l'audace désigné au départ est en réalité une composante du processus plus général de polarisation des attitudes à la suite de la discussion de groupe.

La pensée de groupe. Le 4 avril 1961, le président des États-Unis, John F. Kennedy, et ses conseillers discutèrent d'un plan d'invasion de Cuba et finirent par se mettre d'accord. La proposition consistait à envoyer au combat un groupe d'exilés cubains vivant aux États-Unis et bien entraînés militairement afin qu'ils s'emparent d'une petite bande de terre dans la baie des Cochons au sud de l'île. De là, il serait possible de mener des attaques contre l'armée de Fidel Castro et d'encourager la révolte des civils, le but ultime de l'opération étant le renversement du régime communiste dirigé par Castro. Il était prévu que les envahisseurs pourraient au besoin s'établir dans les montagnes des environs puisque des guérilleros anti-Castro s'y trouvaient déjà. Curieusement, personne ne s'est avisé de consulter une carte de la région. Cela aurait permis de constater qu'environ 200 kilomètres de terrain marécageux séparaient la région de l'atterrissage de ces montagnes et qu'aucune armée au monde ne pouvait y passer. En fait, le reste du plan était d'une conception si douteuse que les envahisseurs ont presque été anéantis avant même de pouvoir considérer une retraite.

Comment a-t-on pu accepter un plan aussi incomplet? Pourquoi personne ne s'est-il opposé à la décision désastreuse qui était prise? Irving Janis (1972) s'est penché sur ces questions. Il ressort de ses travaux que le groupe dirigé par le président Kennedy a probablement été victime de ce que Janis appelle la **pensée de groupe,** un processus qui amène les groupes à prendre de très mauvaises décisions. Il s'agit plus précisément d'une forme de pensée qui se manifeste lorsque les membres d'un groupe ayant une forte cohésion voient leur désir d'unanimité l'emporter sur le besoin d'apprécier d'une manière réaliste les différentes options possibles. Dans de telles conditions, les membres du groupe sont en quelque sorte aveuglés par leur volonté de bien s'entendre entre eux. Ils commettent alors de graves erreurs qui, autrement, seraient évitées.

Le processus de pensée de groupe a joué un rôle, selon Janis, dans de nombreux épisodes de la politique étrangère américaine où des comités de spécialistes prenaient des décisions qui, après coup, apparurent de toute évidence erronées (par exemple, le manque total de préparation face à l'attaque aérienne japonaise à Pearl Harbor en 1941, l'escalade de la guerre du Viêt-Nam ou le scandale du Watergate). On observe fréquemment ce processus au sein d'un groupe qui se sent invulnérable et excessivement optimiste. Les membres du groupe sont convaincus d'être « les meilleurs » et de se trouver à l'abri de toute erreur. Mais Janis soutient qu'il s'agit là de symptômes de la pensée de groupe, laquelle aurait en fait quatre causes : l'existence d'un groupe ayant une forte cohésion, qui est isolé des sources d'influence externes, qui est dirigé par un leader puissant et qui se trouve dans une situation critique. Dans ces circonstances, le leader pourra argumenter avec force en faveur d'une solution particulière du problème. Les membres du groupe n'exprimeront pas leur désaccord en partie de peur d'être rejetés par le groupe, mais aussi parce qu'ils veulent à tout prix éviter de briser la bonne entente qui règne dans le groupe (voir à ce sujet la discussion antérieure des conséquences de la cohésion). Comme aucune source externe ne peut remettre en question la proposition du leader, celle-ci sera adoptée à l'unanimité, alors qu'en réalité beaucoup de points de désaccord n'ont tout simplement pas été exprimés au grand jour. La solution devient un moyen utile de réduire le stress auquel le groupe fait face.

Cette analyse fait donc ressortir le caractère irrationnel du fonctionnement des individus en groupe ; elle nous rappelle en cela les propos de Gustave Le Bon, l'un des pionniers de la psychologie sociale. En 1895, Le Bon publiait sa *Psychologie des foules,* livre dans lequel il soutenait que la vie en groupe se caractérise par une perte de rationalité et par un gain d'émotivité.

Avec l'effet de polarisation, le processus de pensée de groupe nous permet de mieux comprendre pourquoi un regroupement de personnes apparemment rationnelles et intelligentes peuvent se mettre d'accord sur une décision qui n'est autre chose qu'une catastrophe.

La désindividuation : comprendre l'effet psychologique des foules

Les différents travaux dont il vient d'être question concernent l'effet de groupes de taille restreinte sur le comportement individuel. Qu'en est-il de l'influence des grands groupes, de celle des foules? Agissons-nous différemment lorsque nous sommes plongés dans une masse de gens? Quelle est la nature de cette influence et comment l'expliquer? Les théories et les recherches reliées au concept de « désindividuation » ont permis de faire avancer les connaissances dans ce domaine.

La notion de **désindividuation** renvoie aux conditions qui entraînent le masquage de l'identité personnelle d'un individu, ce qui le rend relativement anonyme. Ces conditions caractérisent évidemment la situation d'une personne au milieu d'une foule. Peu importe ce que cette personne fait, elle est maintenant anonyme et, en un sens, ce n'est plus elle qui agit mais la foule. Or, de nombreuses recherches ont révélé que la désindividuation augmente la probabilité de comportements agressifs ou antisociaux (Prentice-Dunn & Rogers, 1989). On attribue à Festinger, Pepitone et Newcomb (1952) la première utilisation de ce concept en psychologie sociale, mais c'est Le Bon (1963) encore une fois qui fut le précurseur des analyses actuelles. Le Bon a décrit comment l'individu, lorsqu'il est immergé dans une foule, devient capable de certaines actions proscrites qui lui sont totalement étrangères autrement. Ainsi cette personne, qui d'habitude est une véritable incarnation du pacifisme, peut, si elle se trouve dans une manifestation populaire, se laisser emporter par la foule et commettre des actes violents (comme le fait de lancer des pierres, de mettre le feu à un véhicule ou d'attaquer un opposant). Selon Le Bon, ces comportements peuvent s'expliquer par l'effet de la foule sur l'individu, par l'idée que, dans la foule, l'individu perd ses inhibitions et écarte tout sentiment de responsabilité sociale.

Zimbardo (1970) a élaboré un programme de recherche qui a donné beaucoup de crédibilité à ce genre d'explication. Par exemple, il a vérifié en laboratoire l'effet de la désindividuation sur l'agressivité. Les sujets participaient à l'expérience en groupe. Dans la condition de désindividuation, ils portaient des vêtements de laboratoire et des cagoules identiques de façon qu'il soit impossible de les identifier. Les sujets de la condition individualisée, par contre, gardaient leurs vêtements et avaient de gros macarons sur lesquels leurs noms étaient inscrits clairement. Au cours de l'expérience, les sujets devaient donner des chocs électriques à un autre étudiant dans le cadre d'une tâche d'apprentissage. Comme prévu, et malgré l'apparente souffrance de la victime (en réalité complice de l'expérimentateur), les sujets désindividualisés ont donné deux fois plus de chocs électriques que les sujets individualisés. De la même façon, quand on a fourni à des enfants l'occasion de voler de l'argent ou des bonbons durant la soirée de l'Halloween, les vols furent plus fréquents lorsque les enfants étaient en groupe et qu'un déguisement masquait leur identité (Diener, Fraser, Beaman & Kelem, 1976). Ce type d'effet ne semble pas propre à la culture occidentale. À l'aide d'un échantillon de 200 cultures à travers le monde, Watson (1973) a montré que la désindividuation, mesurée par des changements dans la conscience individuelle au cours de danses collectives ou de chants, est reliée de manière significative aux tortures et aux mutilations infligées à l'ennemi lors de combats guerriers.

La notion de « désindividuation » apparaît utile également pour comprendre les conséquences potentielles de la vie moderne dans les grandes villes. La masse de gens vivant à Toronto, Montréal ou Chicago et interagissant avec les autres de manière impersonnelle et anonyme sans jamais former de relations durables n'est-elle pas dans un état de désindividuation ? De là pourraient découler divers comportements antisociaux tels que le vandalisme, le vol ou la violence. Dans cette optique, Zimbardo (cité par Wrightsman, 1977) décida d'acheter une voiture d'occasion et de la laisser dans une rue passante du Bronx, un quartier de New York, près d'un campus universitaire. Au même moment, une voiture semblable était abandonnée dans une ville beaucoup plus petite à proximité de l'Université Stanford en Californie. Afin de bien montrer que les autos étaient abandonnées, on enleva les plaques d'immatriculation et on ouvrit le capot.

Que s'est-il passé ? À New York, durant les 26 heures suivant l'abandon de la voiture, celle-ci fut soumise à un pillage en règle : radiateur, filtre à air, antenne radio, pneus, essuie-glace, batterie, presque tout y passa. Les pilleurs étaient des personnes bien habillées qui ne furent jamais dérangées par les passants. Les choses se déroulèrent très différemment en Californie. La voiture était en effet dans son état original à la fin des sept jours d'abandon. En fait, un jour de pluie, un passant prit la peine de baisser le capot pour éviter qu'il n'y ait un problème de moteur !

Évidemment, beaucoup de facteurs non contrôlés pourraient expliquer ces résultats. En ce qui concerne les recherches décrites précédemment, on peut se demander si ce n'est pas le simple fait de courir moins de risques d'être pris qui explique les résultats plutôt que la désindividuation. Il y a donc place pour d'autres recherches afin notamment de mesurer d'une façon directe l'état psychologique de désindividuation (Prentice-Dunn & Rogers, 1989).

Il ne faut pas conclure non plus que les personnes anonymes sont toujours dangereuses. Les recherches récentes indiquent que les conditions de désindividuation peuvent libérer les gens de toutes sortes d'inhibitions sociales, et pas seulement des inhibitions face à l'agression. En effet, selon Prentice-Dunn et Rogers, une des caractéristiques de l'état de désindividuation serait la perte de contact avec le soi privé, c'est-à-dire la partie de soi qui contient nos standards et nos règles de conduite internes (voir le chapitre 3). Ayant une conscience de soi affaiblie, les gens seraient naturellement portés à compter sur la situation immédiate pour fixer leurs comportements. Par conséquent, si les circonstances sont empreintes de violence, ils seront violents. Mais ils devraient être influencés tout autant par d'autres types de conditions. Ainsi Spivey et Prentice-Dunn (1990) ont démontré expérimentalement que la désindividuation peut être à la source de comportements altruistes. La désindividuation s'avère donc un état qui rend les membres d'un groupe particulièrement sujets aux influences des situations, que ces influences soient antisociales ou prosociales. Tout n'est donc pas perdu pour les amoureux de la ville !

RÉSUMÉ

Plusieurs facteurs contribuent à transformer une quantité d'individus hétérogènes en un groupe véritable : l'interaction entre les membres du groupe et les influences mutuelles, le fait de partager un but commun, d'être interdépendant et de se percevoir comme membre d'un groupe. On peut distinguer plusieurs types de groupes : les groupes formel et informel, les groupes primaire et secondaire, les groupes d'appartenance et de référence, le groupe restreint, la catégorie sociale et la foule.

Pour expliquer la formation des groupes, le modèle fonctionnaliste se concentre sur les besoins psychologiques ou sociaux que l'appartenance à un groupe permet de combler. Selon le modèle de la cohésion sociale, par contre, c'est l'attraction qu'éprouvent les individus les uns pour les autres qui les amène à former un groupe. Le concept de « cohésion » renvoie aux sentiments amicaux qui unissent les membres d'un groupe. Le succès, la menace extérieure et la compétition intergroupe sont des facteurs qui influent sur la cohésion des groupes. Celle-ci peut entraîner un conformisme plus important à l'égard des normes du groupe et améliorer le rendement de ce dernier. Enfin, le modèle de l'identification sociale postule que la façon dont les individus se perçoivent et se définissent constitue une des principales causes de la formation psychologique du groupe.

Les rôles, les normes et le statut représentent trois concepts importants qui se rapportent à la structure des groupes. Le groupe est un puissant agent de socialisation. Les recherches révèlent des changements d'attitudes, de valeurs et de comportements attribuables à l'influence de la famille, de l'école et du milieu de travail. Une théorie générale de la socialisation à l'intérieur des groupes prétend que ce phénomène est lié à trois processus dynamiques régissant les influences mutuelles entre les individus et le groupe : l'évaluation, l'engagement et le changement de rôle. Selon cette théorie, ces processus interviennent lors de cinq stades de socialisation décrivant le passage de l'individu dans le groupe : l'investigation, la socialisation, le maintien, la resocialisation et le souvenir.

Le leadership peut se définir comme l'ensemble des activités et surtout des communications par lesquelles un individu exerce une influence sur le comportement d'un groupe dans le sens d'une réalisation volontaire de certains objectifs communs. Parmi les approches de l'étude du leadership, on distingue l'approche personnaliste, selon laquelle les traits psychologiques du leader constituent le fondement du leadership, l'approche situationniste, pour laquelle la situation où se trouve un individu détermine son potentiel de leadership, et l'approche interactionniste, qui est une combinaison des deux approches précédentes. Le modèle de Fiedler s'inscrit dans l'approche interactionniste puisque, selon celui-ci, l'efficacité d'un style de leadership dépend des caractéristiques de la situation dans laquelle se trouve le leader.

Le groupe influe sur le rendement individuel de ses membres ainsi que sur la prise de décisions. Le concept de « facilitation sociale » désignait à l'origine l'effet bénéfique de la présence d'autrui sur le rendement d'un individu. Les recherches ont montré par la suite que des effets inverses étaient également possibles. L'une des théories proposées pour clarifier cette question suggère que la présence d'autrui améliore le rendement dans une tâche familière et bien apprise, mais nuit à l'accomplissement d'une nouvelle tâche qui n'est pas bien maîtrisée par l'individu. Les types de tâches (additives, communes, disjointes ou discrétionnaires) apparaissent aussi déterminantes pour comprendre les conditions dans lesquelles le travail en groupe sera supérieur au travail individuel.

Les groupes ont tendance à prendre des décisions plus tranchées que les individus isolés. Le phénomène de l'effet de polarisation conduit à des décisions soit plus conservatrices que les décisions individuelles, soit plus hasardeuses selon la position initiale prédominante au sein du groupe. Les groupes peuvent être amenés à prendre de mauvaises décisions en raison d'un processus appelé « pensée de groupe ». Il s'agit d'une forme de pensée qui se manifeste lorsque le désir de l'unanimité chez les membres d'un groupe ayant une forte cohésion l'emporte sur leur besoin d'apprécier d'une manière réaliste les différentes options possibles. L'influence de la foule sur l'individu semble également plutôt négative. Les recherches dans le domaine de la désindividuation concluent que le fait de se sentir anonyme et de se trouver dans une situation où l'on ne peut être identifié (comme lorsqu'on fait partie d'une foule) affaiblit les résistances que nous éprouvons à l'idée de commettre des actions antisociales. Les psychologues sociaux essaient cependant de démontrer que les conditions de désindividuation peuvent aussi favoriser les actions altruistes ou prosociales dans la mesure où le contexte social le demande. En somme, la désindividuation s'avère une condition neutre rendant les membres d'un groupe particulièrement sensibles aux influences des situations.

RÉPONSES DE L'ENCADRÉ 12.3

QUELQUES PROBLÈMES DISJOINTS

Problème n° 1. 2 000 $.

Problème n° 2. Il faut 13 traversées organisées de la façon suivante entre les missionnaires (M1, M2, M3), les deux cannibales qui ne peuvent ramer (C1, C2) et celui qui est capable de ramer (CC):

1. M1 et C1 traversent; 2. M1 revient; 3. CC et C2 traversent; 4. CC revient; 5. M1 et M2 traversent; 6. M1 et C1 reviennent; 7. CC et M1 traversent; 8. M1 et C2 reviennent; 9. M1 et M3 traversent; 10. CC revient; 11. CC et C1 traversent; 12. CC revient; et 13. CC et C2 traversent.

BIBLIOGRAPHIE SPÉCIALISÉE

Aebischer, V. & Oberlé, D. (1990). *Le groupe en psychologie sociale.* Paris : Bordas.

Brown, R.J. (1988). *Group processes : Dynamics within and between groups.* New York: Basil Blackwell.

Forsyth, D.R. (1990). *Group dynamics.* Pacific Grove, CA: Brooks-Cole Publishing Co.

Moscovici, S. (1981). *L'âge des foules.* Paris : Fayard.

Moscovici, S. (1988). *La machine à faire des dieux : sociologie et psychologie.* Paris : Fayard.

Turner, J.C. (1987). *Rediscovering the social group : A self-categorization theory.* Oxford : Basil Blackwell.

CHAPITRE 13

LES PRÉJUGÉS, LA DISCRIMINATION ET LES RELATIONS INTERGROUPES

Richard Y. Bourhis
Université du Québec
à Montréal

et

André Gagnon
Université du Québec
en Abitibi-Témiscamingue

Mise en situation

Introduction

Survol des attitudes et des relations interethniques au Québec

La psychologie sociale des préjugés, des stéréotypes et de la discrimination

- Les préjugés
- Les stéréotypes
- La discrimination

Les origines des préjugés et de la discrimination

- La personnalité autoritaire
- L'apprentissage social
- La compétition et la coopération intergroupes
- La catégorisation et l'identité sociale
- L'équité, la privation relative et l'action collective

Peut-on atténuer les préjugés et la discrimination intergroupes ?

- L'hypothèse du contact intergroupe
- Les buts communs et la coopération
- L'approche sociocognitive
- Vers une intégration des aspects cognitif et motivationnel

Résumé

Bibliographie spécialisée

Encadré 13.1 Le racisme moderne

MISE EN SITUATION

Être un « nègre », ce n'est pas être un homme en Amérique, mais être l'esclave de quelqu'un. Pour le riche Blanc de l'Amérique yankee, le « nègre » est sous-homme. Même les pauvres Blancs considèrent le « nègre » comme inférieur à eux. [...] Très souvent, ils ne se doutent même pas qu'ils sont eux aussi des nègres, des esclaves, des « nègres blancs ».

Le racisme blanc cache la réalité, en leur donnant l'occasion de mépriser un inférieur, de l'écraser mentalement ou de le prendre en pitié. Mais les pauvres Blancs qui méprisent ainsi le Noir sont doublement nègres, car ils sont victimes d'une aliénation de plus, le racisme, qui loin de les libérer, les emprisonne dans un filet de haines ou les paralyse dans la peur d'avoir un jour à affronter le Noir dans une guerre civile.

Au Québec, les Canadiens français ne connaissent pas ce racisme irrationnel qui a causé tant de tort aux travailleurs blancs et aux travailleurs noirs des États-Unis. Ils n'ont aucun mérite à cela puisqu'il n'y a pas, au Québec, de « problème noir ». La lutte de libération entreprise par les Noirs américains n'en suscite pas moins un intérêt croissant parmi la population canadienne-française, car les travailleurs du Québec ont conscience de leur condition de nègres, d'exploités, de citoyens de seconde classe. Ne sont-ils pas, depuis l'établissement de la Nouvelle-France, au XVIIe siècle, les valets des impérialistes, les « nègres blancs d'Amérique » ? N'ont-ils pas, tout comme les Noirs américains, été importés pour servir de main-d'œuvre à bon marché dans le Nouveau Monde ? Ce qui les différencie : uniquement la couleur de la peau et le continent d'origine. Après trois siècles, leur condition est demeurée la même. Ils constituent toujours un réservoir de main-d'œuvre à bon marché que les détenteurs de capitaux ont toute liberté de faire travailler ou de réduire au chômage, au gré de leurs intérêts financiers, qu'ils ont toute liberté de mal payer, de maltraiter et de fouler aux pieds, qu'ils ont toute liberté, selon la loi, de faire matraquer par la police et emprisonner par les juges « dans l'intérêt public », quand leurs profits semblent en danger.

Pierre Vallières, 1969, p. 23

INTRODUCTION

Nègres blancs d'Amérique a été écrit en prison par un Québécois, Pierre Vallières, qui fut arrêté à New York en 1966 alors qu'il manifestait devant l'édifice de l'Organisation des Nations Unies pour attirer l'attention de l'opinion mondiale sur la lutte de libération au Québec et sur le sort des prisonniers politiques québécois, tous membres du Front de libération du Québec (FLQ). En proposant une lutte des classes propre au contexte québécois, *Nègres blancs d'Amérique* a marqué l'opinion politique d'un grand nombre de gauchistes et d'indépendantistes de l'époque. Vingt-cinq ans plus tard, ni la révolution ouvrière ni l'instauration d'un Québec socialiste et souverain n'ont vu le jour.

Entre-temps, le sort économique de la majorité francophone du Québec s'est considérablement amélioré par rapport à celui de la minorité anglophone. Ainsi, à partir des années 1980, les études comparatives de Vaillancourt (1992) ont démontré qu'à compétence égale le revenu des francophones avait rejoint celui des anglophones, ce qui n'était pas le cas jusqu'aux années 1960 au Québec. Par contre, la pauvreté est une réalité toujours présente au Québec. En 1986, le Québec constituait un important foyer de pauvreté au Canada puisqu'on y recensait 32 % de la totalité des personnes pauvres du pays, malgré le fait que la population du Québec ne représentait que 25 % de la population canadienne (Langlois, 1990).

Pour bien comprendre la réalité des relations intergroupes, il est utile de choisir un cas dont les caractéristiques sociologiques sont bien connues. Les relations interethniques au Québec offrent un contexte idéal permettant d'aborder les principaux thèmes de la psychologie sociale des relations intergroupes. Cette approche par l'étude de cas s'inspire des travaux de psychologues sociaux européens qui ont souligné l'importance de situer les phénomènes psychosociaux dans leur contexte historique et social particulier (Doise, 1976; Tajfel, 1972). Cette prise en considération du contexte social convient particulièrement à l'étude des relations intergroupes puisque seule une telle approche peut aider à bien saisir la dynamique complexe de ces phénomènes. La première partie de ce chapitre présente un survol des relations interethniques au Québec. La présentation du cas québécois permet, dans la deuxième partie, d'illustrer les concepts fondamentaux reliés à la dynamique intergroupe, soit le «préjugé», le «stéréotype» et la «discrimination». Dans la troisième partie, nous abordons les principales théories qui expliquent les préjugés et la discrimination. Le chapitre se termine par l'examen des différentes solutions qui ont été proposées pour réduire les préjugés et la discrimination.

SURVOL DES ATTITUDES ET DES RELATIONS INTERETHNIQUES AU QUÉBEC

La pauvreté demeure, mais la composition ethnique du Québec a considérablement changé depuis la publication de *Nègres blancs d'Amérique*. L'immigration a longtemps contribué à la diversité ethnique et culturelle du Québec. À partir des années 1970, on note une diminution de l'immigration en provenance des pays d'Europe, laquelle coïncide avec une libéralisation des critères d'admission des immigrants désirant s'installer au pays. Grâce à cette nouvelle politique d'ouverture, l'origine des immigrants admis au Québec et au Canada s'est beaucoup diversifiée depuis les années 1970 et 1980. Par exemple, l'immigration des Asiatiques en provenance du Viêt-Nam est passée de moins de 800 durant les années 1960 à près de 10 000 durant les années 1970 et à plus de 13 000 durant les années 1980. De même, l'immigration des Haïtiens est passée de moins de 3 500 durant les années 1960 à plus de 19 000 durant les années 1970 et à 17 000 durant la décennie des années 1980.

C'est l'arrivée de ces immigrants, dont plusieurs font partie d'une « minorité visible », qui a eu le plus d'effet sur la dynamique des relations intergroupes au Québec ces dernières années (Moghaddam, 1992). En tout, 87 % des immigrants du Québec se sont installés à Montréal, pour constituer, en 1986, 16 % de la population de la métropole (Termotte & Gauvreau, 1988). Comme c'est le cas dans la plupart des grandes villes du Canada (Herberg, 1989), les différentes communautés ethniques de Montréal ont tendance à s'établir dans certains quartiers de la ville (Balakrishnan & Kralt, 1987). La concentration d'individus membres de la même communauté ethnique dans un quartier donné facilite l'entraide et permet à ces communautés de maintenir une certaine cohésion sociale tout en s'adaptant au pays d'accueil (Blanc, 1986).

De plus, le caractère multilingue de la région montréalaise est évident quand on considère que, par rapport à ses trois millions d'habitants, la proportion de la population dont la langue maternelle n'est ni le français ni l'anglais (les allophones) est passée de 14,6 % en 1986 à 17,1 % en 1991. Par contre, la proportion d'anglophones qui déclaraient l'anglais comme langue maternelle à Montréal est passée de 19,2 % en 1986 à 17,3 % en 1991. De même, la proportion des francophones du Montréal métropolitain est passée de 72,4 % de la population en 1986 à 70,3 % en 1991. Il demeure qu'à l'échelle de la province la proportion de Québécois qui estimaient que le français était leur langue maternelle constituait 81,4 % de la population en 1986 et 81,2 % en 1991, alors que la proportion d'anglophones passait de 12,1 % en 1986 à 10,7 % en 1991. Par contre, la proportion d'allophones à l'échelle de la province est passée de 7,4 % en 1986 à 8,8 % en 1991. Ces données démontrent que c'est la population francophone de Montréal plutôt que celle en région qui vit de façon la plus intense le défi du pluralisme ethnique et linguistique au Québec (Termotte & Gauvreau, 1988). Par conséquent, c'est à Montréal qu'on a le plus étudié les questions du préjugé, de la discrimination et des relations intergroupes (Helly, 1992; Langlais, Laplante & Levy, 1990).

L'étude des préjugés et de la discrimination est d'autant plus délicate si l'on considère que les Québécois francophones sont eux-mêmes minoritaires à l'échelle à la fois du Canada (25 %) et de l'Amérique du Nord (2,1 %). Pendant longtemps, la supériorité démographique et économique des anglophones du Canada a constitué une menace pour la survie des francophones en tant que minorité linguistique et culturelle distincte du reste de l'Amérique du Nord (Bourhis & Lepicq, 1993). L'anglicisation massive des francophones hors Québec, la chute de la natalité au Québec et le fait que la majorité des immigrants ont longtemps choisi de scolariser leurs enfants en anglais plutôt qu'en français sont des facteurs qui ont contribué à l'insécurité démographique et linguistique des francophones du Québec (D'Anglejan, 1984). De plus, historiquement, la domination de l'économie québécoise par la minorité anglophone a longtemps été de nature à faire de l'anglais la langue du travail et de la mobilité sociale dans la province (Gouvernement du Québec, 1972). Ces facteurs ont incité le gouvernement du Québec à légiférer dans le domaine linguistique (lois 22, 101, 178) afin de rehausser le statut du français par rapport à celui de l'anglais comme langue de la majorité de cette province (Bourhis, 1984; Maurais, 1987). La législation en faveur du français a suscité de vives tensions entre la minorité anglophone et la majorité francophone du Québec (Bourhis & Lepicq, 1988, 1993; Legault, 1992; Levine, 1990).

Pour les allophones et les immigrants du Québec, la force d'attraction de la langue anglaise et de la culture anglo-américaine a été quelque peu atténuée par la législation linguistique en faveur du français et le poids démographique de la majorité francophone de la province (Bourhis, 1993a). De plus, l'adhésion linguistique et culturelle des allophones et des immigrants à l'une ou l'autre des deux communautés linguistiques du Québec est devenue un enjeu stratégique important étant donné la baisse de la natalité parmi la communauté francophone et l'exode vers le Canada anglais de plus de 12 % de la communauté anglophone du Québec entre 1976 et 1986. À la fois la majorité francophone et la minorité anglophone aimeraient se rallier les communautés culturelles du Québec pour mieux assurer la vitalité de leur communauté linguistique respective (Bourhis, 1993a). Ces pressions contradictoires placent les communautés culturelles du Québec dans une position unique au Canada. Plutôt que de s'assimiler rapidement à la majorité comme ailleurs au Canada, les communautés culturelles du Québec ont tendance à maintenir plus longtemps leur langue et leur culture d'origine tout en faisant l'apprentissage et de l'anglais et du français (Bourhis, 1987; Herberg, 1989). Ainsi, selon les données du recensement canadien de 1986, on constate que 70 % des allophones de première génération du Québec font un usage exclusif de leur langue d'origine à la maison, alors que seulement 54 % des allophones hors Québec réussissent à faire de même. L'écart entre l'usage linguistique des allophones du Québec et celui des allophones hors Québec s'accentue à la deuxième génération. Alors que seulement 34 % des allophones de deuxième génération hors Québec parviennent à maintenir l'usage exclusif de leur langue d'origine à la maison, on observe que 63 % des allophones du Québec conservent l'usage exclusif de leur langue d'origine même à la deuxième génération. Ce maintien des langues patrimoniales constitue un capital linguistique avantageux pour le Québec puisqu'il pourrait faciliter les échanges économiques à l'échelle internationale et contribuer à la diversité culturelle de la province.

Quelles perceptions de l'immigration et des différentes communautés culturelles ont les francophones et les anglophones du Québec et du Canada ? En ce qui a trait à l'intégration des immigrants, on se souviendra que la politique canadienne du multiculturalisme promulguée en 1971 avait comme objectifs 1) de promouvoir l'acceptation des immigrants et des minorités ethniques et la tolérance à leur égard ; 2) de promouvoir la participation pleine et équitable des minorités ethniques dans tous les aspects de la société canadienne; et 3) de favoriser la préservation et l'enrichissement des patrimoines culturels des minorités ethniques (Berry, 1991). La première étude importante en psychologie sociale sur le thème de l'immigration et du multiculturalisme a été entreprise en 1974 auprès d'un échantillon représentatif de 1 825 anglophones, francophones et néo-Canadiens de l'ensemble du Canada (Berry, Kalin & Taylor, 1977). En général, les résultats de cette vaste enquête démontrèrent que la majorité des participants étaient en faveur de l'immigration et du multiculturalisme. Comme dans bien d'autres études de ce genre, les résultats indiquèrent aussi que plus le niveau d'instruction et la situation économique des participants étaient élevés, moins ils avaient des opinions négatives envers les conséquences de l'immigration et à l'égard des immigrants. Par exemple, les participants qui n'avaient fait que des études primaires étaient moins bien disposés à l'endroit des «immigrants de couleur» et des «immigrants en général» que ceux qui avaient un niveau d'instruction plus élevé. L'effet du statut socio-économique sur les attitudes envers le multiculturalisme et les immigrants s'appliquait, quelle que soit l'origine ethnique des participants.

Par contre, les résultats de l'enquête démontrèrent que les anglophones et les néo-Canadiens étaient plus favorables à la politique du multiculturalisme et à ses conséquences sur l'harmonie sociale et la diversité culturelle du pays que ne l'étaient les participants francophones. De plus, les francophones étaient plus préoccupés par les répercussions de l'immigration sur le chômage et par le «danger pour la pureté de la race» que les anglophones et les néo-Canadiens. Les francophones étaient aussi ceux qui trouvaient les immigrants moins acceptables et qui étaient les plus enclins à avoir des attitudes défavorables à leur endroit. Berry *et al.* (1977) observèrent que les francophones font preuve de moins de tolérance que les anglophones surtout envers les immigrants qui ne connaissent pas le français et qui, par conséquent, sont perçus comme une menace pour la survie du français au Québec. Lambert et Curtis (1983) corroborèrent cette interprétation dans leur analyse d'une enquête entreprise auprès de plus de 3 000 participants anglophones du Canada et francophones du Québec. Ces chercheurs observèrent qu'autant les anglophones que les francophones se sentent menacés par l'immigration, mais l'origine de cette crainte diffère chez les deux communautés linguistiques. Pour les anglophones, la menace est perçue surtout sous la forme de «minorités visibles», tandis que les craintes des francophones se situent sur le plan linguistique, particulièrement en ce qui a trait à la survie du français au Québec.

Dans l'analyse d'une étude plus récente des attitudes des Québécois envers la question de l'immigration, Bolduc et Fortin (1990) ont obtenu des résultats qui appuient plusieurs conclusions des études précédentes. Ces chercheurs ont analysé les résultats d'un sondage téléphonique entrepris en 1987 auprès d'un échantillon régionalement stratifié, composé de francophones et d'anglophones du Québec. Les résultats démontrent qu'un peu plus de la moitié des francophones et des anglophones ne reconnaissent pas d'emblée l'apport des immigrants à l'économie et à l'emploi au Québec. Les deux groupes linguistiques veulent exercer la sélection des immigrants à l'entrée avec une certaine rigueur tout en étant défavorables à des critères de sélection basés sur le pays d'origine, la race ou la religion. La majorité des participants des deux groupes linguistiques désirent voir le nombre d'immigrants se stabiliser ou diminuer dans l'ensemble de la province et dans leur quartier. Ces tendances semblent toutefois plus marquées chez les francophones que chez les anglophones. Même si dans les deux groupes linguistiques la majorité est favorable au multiculturalisme, les anglophones témoignent d'un plus grand enthousiasme que les francophones pour cette notion.

Dans une analyse plus poussée des résultats du sondage, Bolduc et Fortin (1990) ont étudié le rôle de certains facteurs pouvant expliquer la tendance des francophones à être moins favorables que les anglophones au multiculturalisme et à l'immigration. Ils sont arrivés à la conclusion que cette différence est surtout due au fait que la menace pour la survie du français est plus fortement ressentie par les francophones que par les anglophones. Cette différence est aussi attribuable au fait qu'en général les francophones sont moins scolarisés que les anglophones. En effet, si l'on contrôle statistiquement l'effet de ces deux facteurs, la différence d'attitude, entre francophones et anglophones de Montréal, disparaît. Bolduc et Fortin ont vu dans les différences entre les régions du Québec un autre facteur important expliquant l'écart entre les opinions des francophones et celles des anglophones à l'égard de l'immigration. Ainsi les réticences des francophones vis-à-vis de l'immigration sont plus fortes dans les régions où l'immigration est restreinte (Bas-Saint-Laurent, Saguenay–Lac-Saint-Jean et Estrie). La méconnaissance relative de l'immigrant et la méfiance devant l'inconnu, pouvant aboutir au rejet de l'« étranger», seraient les conséquences de cette absence de contact avec les immigrants (Stephan & Stephan, 1984). Les analyses de Bolduc et Fortin (1990) infirment le point de vue, assez répandu dans les médias anglophones, voulant que les francophones du Québec soient intrinsèquement moins tolérants, comme collectivité, envers les immigrants et les minorités ethniques que les anglophones.

Il faut souligner que le sentiment de menace pour la survie du français pourrait être utilisé par des démagogues pour alimenter les préjugés et les stéréotypes à l'égard des anglophones et des allophones. De même, ce sentiment de menace pourrait facilement devenir la justification de comportements discriminatoires à l'endroit de groupes minoritaires au Québec. Sous prétexte, par exemple, « qu'ils ne veulent pas s'assimiler culturellement et continuent de parler avec un accent étranger», on pourrait leur refuser un emploi ou empêcher leur promotion au sein d'organismes publics ou privés.

Notre survol des attitudes et des relations interethniques au Québec depuis la parution de *Nègres blancs d'Amérique* démontre que la question du préjugé et de la discrimination demeure d'actualité au Québec (Bourhis & Guimond, 1992). Dès lors, la tâche du psychologue social est de bien définir les termes « préjugé », « stéréotype » et « discrimination ».

LA PSYCHOLOGIE SOCIALE DES PRÉJUGÉS, DES STÉRÉOTYPES ET DE LA DISCRIMINATION

Les préjugés

Le phénomène qu'on appelle **préjugé** implique le rejet de « l'autre » en tant que membre d'un groupe envers lequel on entretient des sentiments négatifs. Plus précisément, Allport (1954) a défini le préjugé comme une attitude négative ou une prédisposition à adopter un comportement négatif envers un groupe, ou envers les membres de ce groupe, qui repose sur une généralisation erronée et rigide.

Il faut souligner d'emblée que les préjugés sont des attitudes injustifiables, car ils imposent des généralisations défavorables envers chacun des individus qui sont membres d'un groupe particulier. Les individus peuvent être la cible de préjugés à cause de leur appartenance à une catégorie sexuelle ou ethnique ou à cause de leur âge ou d'un handicap physique ou mental. En fait, il est possible d'entretenir des préjugés envers les membres de plusieurs types de groupes ou de plusieurs catégories sociales. On peut avoir des préjugés contre les individus membres d'une classe socio-économique (comme les pauvres), d'une affiliation religieuse (comme les protestants), d'un parti politique (comme les communistes), d'une équipe sportive rivale (comme les Maple Leafs de Toronto) ou même contre les membres d'une discipline scientifique autre que la sienne (comme les sociologues). On peut donc avoir des préjugés à l'endroit des membres de n'importe quelle catégorie sociale qui est autre que la sienne et envers laquelle on éprouve des sentiments défavorables.

On classe souvent les préjugés selon la catégorie sociale qui fait l'objet de la généralisation. Par exemple, le sexisme est le préjugé envers les femmes ou les hommes; l'antisémitisme est le préjugé envers les juifs et le racisme est le préjugé envers les individus d'une autre « race » ou ethnie. Il faut noter que la notion de « race » a son origine en biologie et désigne une espèce génétiquement distincte d'une autre (Osborne, 1971). Au siècle dernier, les ethnologues divisaient l'espèce humaine en trois « races » en fonction de la couleur de la peau : noire, jaune et blanche. Depuis cette époque, les généticiens ont constaté que les différences existant entre les individus catégorisés dans la même « race » sont bien plus importantes que les différences entre les « races » (Stringer, 1991). En conséquence, les scientifiques de toutes les disciplines s'entendent sur le fait que le terme « race » ne peut s'appliquer aux êtres humains (UNESCO, 1969). Par contre, des individus et des groupes « racistes » continuent à véhiculer cet ancien système de classification et à voir dans les différences de pigmentation de la peau l'indice de l'appartenance à différents sous-groupes humains (voir le débat à ce sujet entre Rushton, 1988a, 1988b, et Zuckerman & Brody, 1988). En effet, l'idéologie raciste demeure un instrument politique souvent employé pour légitimer le traitement inégal de groupes sociaux (Taguieff, 1987; Wieviorka, 1991). À cet égard, nous partageons la position de Palmer (1991) affirmant que:

> Notre emploi des termes «race», «racial» et «racisme» renvoie aux perceptions de ces personnes imbues de préjugés qui croient à tort qu'il existe des «races» à l'intérieur de l'espèce humaine et qui considèrent une personne d'une autre ethnie comme appartenant à une «race» différente. Nous n'utilisons ces termes qu'afin de bien décrire ce problème social, mais sans souscrire d'aucune façon à la notion de «race» (p. 114).

En revanche, les termes «endogroupe» et «exogroupe» sont très utiles pour traiter le préjugé (Bourhis, Cole & Gagnon, 1992). L'**endogroupe** est composé des individus qu'une personne a catégorisés comme membres de son propre groupe d'appartenance et avec qui elle a tendance à s'identifier. Par contre, on peut définir l'**exogroupe** comme étant composé de tous les individus qu'une personne a catégorisés comme membres d'un groupe d'appartenance autre que le sien et avec qui elle n'a pas tendance à s'identifier. Ces groupes psychologiques définis en fonction des termes «nous» et «eux» sont le produit d'un des processus les plus fondamentaux de l'être humain, la **catégorisation** (Fiske & Neuberg, 1990; Tajfel, 1981). À l'aide de cet outil cognitif, nous découpons, classifions et ordonnons notre environnement physique et social. Le découpage de la réalité en catégories distinctes nous permet de répartir plus efficacement notre temps et nos efforts, et s'avère très adaptatif pour l'être humain (Anderson, 1991). Mais comme nous le verrons, ce processus n'a pas que des aspects positifs.

Dans la vie quotidienne, nous sommes membres de plusieurs catégories sociales en même temps. Une étudiante à l'université peut s'identifier à la fois à la catégorie «nous, les femmes» et à la catégorie «nous, les étudiantes à l'université». Elle est donc membre de différents endogroupes. Le caractère saillant de ces catégories pour l'identité sociale de chaque individu change en fonction des circonstances. Par exemple, la catégorie endogroupe «nous, les étudiantes à l'université» prendrait le dessus dans l'éventualité où le Gouvernement annoncerait que les droits de scolarité à l'université doubleront au prochain trimestre. Au même moment, le caractère saillant de la catégorie exogroupe «eux, les politiciens» prendrait aussi de l'importance. Par contre, pour cette même étudiante, la catégorie endogroupe «nous, les femmes» prend plus d'importance lorsqu'on relate la tuerie qui s'est déroulée à l'École polytechnique de Montréal, en décembre 1989. Sans vouloir prétendre expliquer cet événement déconcertant, il est intéressant de noter que les victimes, anonymes pour l'agresseur, ont été choisies uniquement en fonction de leur appartenance sexuelle et de leur domaine d'études, le génie, traditionnellement réservé aux hommes. On se rappellera que le jeune homme, après avoir fait sortir les hommes de la salle de classe, a traité les étudiantes de «féministes qui veulent prendre la place des hommes». Malgré les protestations de certaines d'entre elles qui affirmaient ne pas être féministes, le jeune homme a tué 14 femmes et en a blessé 11 autres avant de se suicider. De tels événements tragiques renforcent le caractère saillant de la catégorie endogroupe «nous, les femmes» et peuvent inciter plusieurs femmes à considérer les hommes non seulement comme des individus, mais aussi comme membres d'une catégorie exogroupe « eux, les hommes » (Bourhis, 1993b; Bourhis *et al.*, 1992). Comme le note Tajfel (1981):

> Le maintien d'un système de catégories sociales acquiert une importance qui va bien au-delà de la simple fonction de mise en ordre et de systématisation de l'environnement. Il représente une puissante protection pour le système de valeurs existant et toute « erreur » commise est une erreur dans la mesure où elle met le système en danger (p. 154).

Traditionnellement, les psychologues sociaux se sont surtout intéressés aux préjugés basés sur les catégories reliées à l'ethnie, au sexe, à l'âge et au handicap physique. Les individus membres de ces catégories peuvent difficilement nier qu'ils sont membres de ces groupes et ils ne peuvent pas facilement changer d'appartenance. Une femme noire aux prises avec le racisme et le sexisme ne peut évidemment s'extraire de sa double appartenance à un sexe et à une « race » pour échapper aux préjugés qu'elle subit quotidiennement. D'où l'importance non seulement de mieux comprendre la dynamique des préjugés, mais aussi de trouver les moyens d'en limiter les manifestations néfastes. Comme le montrent les coupures de presse rapportées à la figure 13.1, nous observons depuis quelques années une montée de l'intolérance envers les minorités ethniques en Europe. Devons-nous craindre que cette tendance ne s'exprime également au Québec et au Canada ?

Les stéréotypes

Puisque les préjugés sont des attitudes (voir le chapitre 6), ils impliquent des cognitions et des croyances à l'égard d'individus membres d'endogroupes et d'exogroupes. Leyens (1983) définit les **stéréotypes** comme « des théories implicites de personnalité que partage l'ensemble des membres d'un groupe à propos de l'ensemble des membres d'un autre groupe et du sien propre » (p. 67). Le *contenu* des stéréotypes est composé des croyances concernant les caractéristiques des membres d'un exogroupe, croyances qui sont généralisées à tous les membres de ce groupe. Les stéréotypes, qui ne sont pas nécessairement négatifs, ont pour fonction de rendre l'environnement complexe dans lequel on vit plus compréhensible et prévisible (Hamilton & Trolier, 1986). Les **autostéréotypes** sont les croyances que nous entretenons envers les individus membres de notre propre groupe d'appartenance. Grâce à leurs *aspects cognitifs*, les stéréotypes s'avèrent très utiles puisqu'ils aident à mettre de l'ordre et de la cohérence dans notre univers social, qui autrement serait passablement chaotique. Nous aborderons brièvement le contenu de certains stéréotypes véhiculés au Québec pour ensuite examiner certains éléments cognitifs qui caractérisent les stéréotypes en général.

Le contenu des stéréotypes. Le contenu des stéréotypes se manifeste souvent à travers l'humour (Gadfield, Giles, Bourhis & Tajfel, 1979). Qui ne connaît

FIGURE 13.1 Préjugés et discrimination dans le monde

La Marseillaise - Mardi 24 novembre 1992 – ALLEMAGNE

Vague de crimes néo-nazis

Deux femmes et une fillette turques brûlées vives près de Luebeck. Un jeune squatter poignardé à Berlin. Un homme désigné comme juif martyrisé à mort dans la Ruhr

Les crimes néo-nazis continuent d'ensanglanter l'Allemagne. Cinq tués viennent de s'ajouter à la liste des victimes, sur laquelle onze noms s'étaient déjà inscrits depuis le début de l'année. Les dernières tragédies se sont produites dans deux localités ouest-allemandes et à Berlin.

Deux femmes turques et une fillette de dix ans sont mortes au cours de la nuit de dimanche à lundi, dans l'incendie de leur domicile, à Moelln, près de Luebeck. *«Il s'agit de meurtres commis par des racistes»*, a déclaré le substitut du procureur de Luebeck, Guenther Moeller. Le sinistre a fait en outre neuf blessés.

• Le Monde • Samedi 28 novembre 1992

HONGRIE : à l'issue d'un procès de six mois

Quarante-huit skinheads condamnés pour des crimes racistes

BUDAPEST

de notre correspondant

Alors qu'une partie de l'opinion hongroise s'inquiète de la montée d'un climat d'intolérance, le tribunal de Budapest a condamné, mercredi 25 novembre, un groupe de skinheads accusés d'avoir agressé des Tziganes et des étrangers. Les avocats de la défense vont faire appel.

FRANCE L'EXPRESS - 30 MARS 1990

GOUVERNEMENT

Racisme : terrain miné

Le mal s'étend partout, affirme le rapport remis à Matignon. Rocard sait qu'il y aurait aussi péril à dramatiser.

La France compte-t-elle une majorité de Dupont-Lajoie? Sortons-nous de la célébration des droits de l'homme pour mieux les injurier aujourd'hui? À lire le copieux rapport de la Commission nationale consultative des droits de l'homme remis, mardi dernier, à Michel Rocard, le verdict semble sans appel : «Un racisme antimaghrébin "soft" s'étend comme une marée noire partout.»

D'autant plus accablant que, récemment, on venait de tuer des Franco-Maghrébins. Comme ça. Et qu'à Antony (Hauts-de-Seine), le 24 mars, des inconnus tiraient encore au pistolet à grenaille sur trois jeunes filles maghrébines portant foulard. Odieux.

LA PRESSE, MONTRÉAL, MERCREDI 3 FÉVRIER 1993

Les polices d'Europe complices du racisme, selon Amnesty

Agence France-Presse Londres

La montée du racisme en Europe occidentale bénéficie de la complaisance des forces de police dans la plupart des pays, dénonce Amnesty International, qui considère la passivité des gouvernements face aux coupables comme «une caution implicite».

«Dans de nombreux pays européens, les policiers, c'est-à-dire ceux-là mêmes qui sont censés lutter contre la violence raciste, prennent part à des attaques sanglantes et à des actions dégradantes», écrit l'organisation internationale de défense des droits de la personne dans un rapport publié aujourd'hui à Londres.

«Pire encore, ajoute Amnesty, il est scandaleusement rare que de tels policiers soient poursuivis en justice. La responsabilité des gouvernements est alors en cause: en refusant de punir leurs représentants, ils cautionnent implicitement la montée du racisme dans la société.»

L'organisation cite des cas récents dans neuf pays d'Europe occidentale, en précisant qu'il ne s'agit que «de quelques exemples» illustrant un problème global:

• En Allemagne, la police a été accusée d'avoir participé en 1992 à plusieurs attaques contre des demandeurs d'asile, notamment «lors d'un raid contre un hôtel de Granitz (nord-est), dont les occupants ont été jetés de leurs lits et frappés à coups de bâtons».

• En Autriche, un Autrichien d'origine égyptienne, Mustafa Ali, a été grièvement blessé après avoir été défenestré par des policiers qui l'avaient arrêté parce qu'il avait traversé la rue en dehors d'un passage clouté. Sa plainte n'a toujours pas abouti.

• Au Danemark, la police de Copenhague a été accusée à plusieurs reprises depuis 1990 de mauvais traitements et «d'abus racistes», y compris à l'égard de simples touristes.

• En Espagne, «deux touristes arabes ont été violemment battus après que l'un d'entre eux se fut adressé en italien à un garde civil».

• En France, un Français né de parents marocains, Alssa Ihich, a succombé en 1991 à une crise d'asthme dans les locaux de la police. Celle-ci est soupçonnée d'avoir molesté le jeune homme et de lui avoir refusé un traitement médical.

• En Grande-Bretagne, Scotland Yard a été condamné en 1991 à payer 40 000 livres (60 000 $) de dommages et intérêts à un jardinier, violemment battu et traité de «sale bâtard noir» après un accident de voiture. La police a payé mais n'a jamais admis sa responsabilité.

• En Grèce, un Kurde de Turquie, Sehmus Ukus, a été torturé en 1990 par des policiers chargés de la lutte contre la drogue, qui lui ont brûlé les parties génitales avec un briquet. Aucune action n'a été entreprise contre les coupables, assure Amnesty.

• En Italie, un demandeur d'asile venu de Somalie, Daud Addawe Ali, a été hospitalisé d'urgence en 1992 après avoir été laissé inconscient par la police, qui n'a toujours pas justifié de manière convaincante son arrestation.

• Au Portugal, un Portugais de 19 ans, Luis Gravanita, a été sévèrement battu par la police qui lui reprochait d'être né en Angola.

Amnesty «recommande» en conséquence aux autorités de prendre urgemment des «mesures fermes», pour que les forces de police ne se sentent pas encouragées par un sentiment d'impunité.

«Dans le climat actuel, alors que les attaques racistes augmentent et que les groupes racistes prennent de l'importance, il est temps que les gouvernements réagissent», conclut Amnesty.

La cible de crimes haineux varie d'un contexte social à l'autre et reflète la dynamique des relations intergroupes propre à chacun des pays en question. En Allemagne, la violence se manifeste surtout contre les travailleurs immigrés turcs et contre les juifs. En France, l'intolérance vise surtout les Arabes maghrébins. En Hongrie, les skinheads expriment leur haine surtout à l'endroit des gitans et des étrangers. Dans l'ex-Yougoslavie, l'épuration ethnique se fait aux dépens des musulmans et des Croates. Tous ces cas ont en commun la catégorisation d'individus comme membres d'exogroupes qui sont dénigrés et systématiquement attaqués, quelles que soient leurs caractéristiques personnelles.

pas au moins une blague sur les «Newfies»? Voici un exemple de blague où, dans un premier temps, des stéréotypes positifs à l'endroit de certains groupes nationaux sont présentés et où, dans un deuxième temps, des stéréotypes négatifs à l'endroit des mêmes groupes sont ensuite suggérés par la permutation des premiers énoncés.

Le ciel ou l'enfer ?

Le ciel, c'est le lieu où:

Les Français sont les cuisiniers,
Les Italiens sont les amants,
Les Anglais sont les policiers,
Les Allemands sont les mécaniciens,
Et le tout est organisé par les Suisses.

L'enfer, c'est le lieu où:

Les Anglais sont les cuisiniers,
Les Suisses sont les amants,
Les Allemands sont les policiers,
Les Français sont les mécaniciens,
Et le tout est organisé par les Italiens.

Comme cet exemple le montre, les stéréotypes peuvent contenir des croyances à la fois positives et négatives au sujet des caractéristiques de divers groupes sociaux. Les stéréotypes deviennent problématiques lorsqu'ils sont inexacts et qu'ils résistent au changement même quand des informations les contredisent. De plus, l'usage des stéréotypes mène souvent à des jugements erronés en raison de généralisations concernant les caractéristiques de tous les individus membres d'une catégorie sociale donnée. Croire que les Françaises qu'on pourrait rencontrer à Paris seront toutes habillées comme des mannequins, seront toutes d'excellentes cuisinières et seront toutes fumeuses de cigarettes Gauloise contient certainement un brin de vérité, mais ces stéréotypes demeurent des généralisations excessives au regard des différences individuelles distinguant les Françaises les unes des autres.

Nous avons déjà considéré l'essentiel des enjeux qui fondent la dynamique des relations interethniques au Québec. L'acceptation ou non de la présence des minorités culturelles se reflète souvent par le genre de stéréotypes qu'entretiennent les membres majoritaires de la société d'accueil. Quels genres de stéréotypes au sujet des membres des différentes communautés culturelles trouvons-nous chez les francophones? Jusqu'à tout récemment, peu de psychologues sociaux s'étaient penchés sur cette question au Québec. Ce n'est que depuis les années 1980 que nous disposons d'études empiriques sur les stéréotypes dans le contexte québécois. Nous examinerons l'une de ces études plus en détail, puisqu'elle semble résumer assez bien l'état de la question chez plusieurs jeunes étudiants francophones de Montréal.

L'étude qui nous intéresse a été entreprise au Cégep de Saint-Laurent en 1987 par Tchoryk-Pelletier (1989). Ce cégep francophone de l'agglomération de Montréal a vu sa part d'étudiants nés à l'étranger passer de 15 % en 1983 à 23 % en 1987. L'étude portait sur un vaste ensemble de thèmes reliés au pluralisme ethnique vécu par les étudiants du niveau collégial à Montréal. Nous limiterons cette présentation aux résultats concernant les stéréotypes. Un échantillon de 150 francophones du cégep ont été conviés à porter un jugement sur le représentant typique de cinq minorités ethniques importantes dans ce cégep. Les groupes étaient les suivants : les Haïtiens, les Asiatiques (Vietnamiens), les Latino-Américains, les juifs sépharades et les Européens francophones. Ce dernier regroupement a été choisi étant donné que ces immigrants francophones (Français, Belges) partagent la langue maternelle avec la majorité d'accueil et ne sont pas catégorisés comme membres d'une « minorité visible » au Québec.

Les collégiens francophones portaient un jugement sur chacun de ces groupes à l'aide de 11 caractéristiques choisies spécialement pour l'étude. Ainsi les collégiens indiquaient jusqu'à quel point ils considéraient que les représentants typiques de chaque groupe étaient sympathiques, travailleurs, ponctuels, intelligents, respectueux des règlements, agressifs ou violents, réussissaient bien à l'école, se tenaient en bande, etc. Chacune de ces évaluations était faite à l'aide d'une échelle de Likert en neuf points (voir le chapitre 6). La moyenne obtenue pour chaque groupe pour chaque caractéristique était calculée et révélait jusqu'à quel point chaque groupe était jugé favorablement ou négativement sur ces 11 caractéristiques.

Supposons que les collégiens jugent que les Latino-Américains sont « sympathiques » en leur attribuant un résultat de 5,5 sur l'échelle de 9 points. Peut-on interpréter ce résultat comme indiquant que le groupe latino-américain est jugé positivement puisqu'il se situe du côté positif de la médiane de 5 sur l'échelle de 9 points ? Pas nécessairement, car il est possible que les participants francophones pensent que la plupart des néo-Québécois de leur cégep sont sympathiques en leur attribuant un résultat global de 7 sur l'échelle pour l'ensemble des cinq minorités. Dans ce cas, un résultat de 5,5 indiquerait plutôt un jugement relativement négatif envers le groupe latino-américain. Tout jugement sur les groupes ethniques doit donc être analysé dans une perspective de relativité. Il serait imprudent d'interpréter de tels résultats de façon absolue puisque chaque participant utilisait ses propres critères pour émettre ses jugements (Berry *et al.*, 1977).

Pour contourner ce problème commun à la majorité des études portant sur les stéréotypes, il est conseillé de suivre la méthode employée par Tchoryk-Pelletier (1989) dans son étude au Cégep de Saint-Laurent. Pour chaque caractéristique, on calcule le résultat moyen accordé à l'ensemble des cinq minorités par chaque participant. Ensuite, on examine le résultat attribué à chaque minorité ethnique par le même participant pour savoir s'il est supérieur ou inférieur au résultat moyen donné à l'ensemble des cinq minorités. Par conséquent, en soustrayant le résultat moyen global du résultat attribué à une minorité ethnique en particulier, on réussit à déterminer le degré de relativité des stéréotypes ethniques de chaque participant. Cette méthode permet d'éviter les jugements absolus tout en fournissant un portrait plus juste de la façon dont chaque groupe est jugé par rapport aux autres (Berry *et al.*, 1977). En appliquant cette méthode à l'ensemble des participants francophones, l'auteure de la recherche a obtenu un portrait de leurs stéréotypes des cinq minorités ethniques du cégep. Le tableau 13.1 présente ces stéréotypes en faisant ressortir les caractéristiques pour lesquelles chaque minorité ethnique a obtenu un résultat supérieur ou inférieur à la moyenne globale d'au moins 0,5 point.

TABLEAU 13.1 **Stéréotypes que 150 collégiens québécois francophones entretiennent envers cinq groupes ethniques au Québec**

Groupes ethniques[1]	Différence moyenne + 0,5 au-dessus de la moyenne[2]	Différence moyenne - 0,5 au-dessous de la moyenne[2]
Asiatiques (Vietnamiens, Khmers)	• travailleurs • ponctuels • réussissent bien à l'école • intelligents • dignes de confiance • respectueux des règlements • habiles dans les choses pratiques	• agressifs ou violents
Européens francophones	• réussissent bien à l'école • dignes de confiance • sympathiques • francs, sincères	• se tiennent en bande
Juifs	• travailleurs	• agressifs ou violents • dignes de confiance • sympathiques • francs, sincères
Latino-Américains	• agressifs ou violents	• travailleurs • réussissent bien à l'école • respectueux des règlements
Haïtiens	• agressifs ou violents • se tiennent en bande	• travailleurs • ponctuels • réussissent bien à l'école • intelligents • dignes de confiance • respectueux des règlements

1. Le tableau indique les caractéristiques pour lesquelles les cinq groupes ethniques ont eu des résultats supérieurs ou inférieurs à la moyenne.
2. L'absence d'une caractéristique ne dénote aucun écart notable par rapport aux notes moyennes obtenues pour l'ensemble des cinq groupes ethniques.

Adapté de Tchoryk-Pelletier (1989).

Ces résultats montrent que les collégiens francophones ont un stéréotype très positif à l'endroit des Asiatiques, auxquels ils attribuent les qualités de l'élève modèle: travailleur, intelligent, qui réussit bien à l'école, par rapport aux jugements portés envers l'ensemble des cinq minorités ethniques. Les stéréotypes vis-à-vis des Européens francophones sont aussi très positifs sur tous les points reliés à la réussite scolaire. La présence du trait «sympathique» indique un degré de proximité affective des participants par rapport aux Européens francophones, avec qui ils partagent la langue et plusieurs éléments culturels. Les stéréotypes envers les juifs, les Latino-Américains et les Haïtiens sont beaucoup moins favorables. Même si les juifs sont stéréotypés comme étant plus travailleurs et moins violents que la moyenne, ils sont jugés moins favorablement sur les traits affectifs tels que «sympathiques», «sincères» et «dignes de confiance». Cet ensemble de croyances à l'égard des juifs montre bien que les individus peuvent avoir des stéréotypes à la fois positifs et négatifs envers un exogroupe selon les dimensions d'évaluation considérées. Les Latino-Américains et les Haïtiens n'ont droit qu'à des stéréotypes négatifs de la part des participants francophones. Les Haïtiens obtiennent 8 évaluations négatives sur un total de 11 caractéristiques. Ce résultat est exactement l'inverse de celui obtenu par les Asiatiques, qui eux aussi doivent composer avec la réalité d'être membres d'une minorité visible au Québec.

Nous avons déjà mentionné que les stéréotypes contiennent souvent des éléments de vérité (Taylor, 1981). La polarisation des stéréotypes envers les Asiatiques et les Haïtiens s'explique en partie par les résultats scolaires obtenus par ces deux minorités ethniques au Cégep de Saint-Laurent. Dans son étude, Tchoryk-Pelletier (1989) analyse les résultats scolaires des collégiens en fonction de leur lieu de naissance. Selon les dossiers scolaires du cégep, les ressortissants des pays asiatiques ont toujours des résultats supérieurs ou égaux à ceux des autres groupes, incluant non seulement les Haïtiens mais aussi les Québécois francophones. Par contre, les collégiens haïtiens ont des résultats scolaires inférieurs à la moyenne de tous les autres groupes du cégep, sauf en éducation physique où ils se classent parmi les groupes dont la réussite est moyenne. Le taux de succès des Haïtiens est particulièrement bas (moins de 50 %) en mathématiques, en sciences et en techniques physiques et biologiques. Il est donc inévitable que le stéréotype à l'endroit des Haïtiens reflète en partie les difficultés qui caractérisent la vie scolaire de beaucoup de membres de cette communauté culturelle. C'est lorsqu'on généralise ces données à tous les individus de la minorité en question, malgré l'existence de différences individuelles, que de tels jugements deviennent erronés et néfastes en tant que stéréotypes.

Dans l'étude de Tchoryk-Pelletier, les collégiens québécois francophones devaient aussi émettre des jugements concernant les membres typiques de leur propre groupe sur les 11 caractéristiques en question. Ces autostéréotypes exprimés à l'endroit des Québécois francophones étaient tellement favorables comparativement aux évaluations des cinq exogroupes néo-québécois que ces jugements n'ont pas été inclus dans le calcul des moyennes globales de l'étude. Les autostéréotypes des Québécois francophones étaient supérieurs aux résultats moyens attribués à l'ensemble des néo-Québécois (de 0,5 à 1,6) pour chacune des caractéristiques suivantes: «sympathiques», «francs et sincères», «habiles dans les choses pratiques», «dignes de confiance», «travailleurs» et «moins enclins à se tenir en bande». La seule caractéristique négative que les participants québécois francophones reconnaissaient aux membres de l'endogroupe était qu'ils se révélaient plus agressifs ou violents que la majorité des néo-Québécois sur lesquels ils s'étaient prononcés. La tendance des Québécois francophones à attribuer des stéréotypes plus favorables à leur endogroupe qu'à certains exogroupes reflète l'effet classique du **biais proendogroupe.** Cette tendance à favoriser les membres de son propre groupe se trouve dans la plupart des études portant sur les relations intergroupes à travers le monde (Brewer & Kramer, 1985; LeVine & Campbell, 1972; Messick & Mackie, 1989; Tajfel, 1982). Nous verrons plus loin que le biais proendogroupe est un phénomène fondamental puisqu'il se manifeste non seulement sur le plan des stéréotypes, mais aussi sur celui du comportement discriminatoire (Brewer, 1979; Dovidio & Gaertner, 1986; Tajfel & Turner, 1986; Turner & Giles, 1981).

Les aspects cognitifs des stéréotypes. Comme nous l'avons déjà mentionné, la catégorisation est un processus cognitif très important qui permet aux individus de mieux s'adapter à l'environnement complexe dans lequel ils vivent (Anderson, 1991). Lors du processus de catégorisation, les individus sélectionnent, filtrent l'immense quantité d'information qui leur provient de l'environnement et simplifient le traitement de celle-ci en ignorant certaines dissemblances et en exagérant les ressemblances entre les stimuli (Fiske & Taylor, 1991). Quand le processus de catégorisation s'applique aux humains, il s'agit alors de catégorisation sociale (Tajfel, 1981). Ce processus de catégorisation sociale influe d'une façon systématique sur les impressions que font naître en nous les individus membres de l'endogroupe et de l'exogroupe (Fiske & Neuberg, 1990). Il s'avère que les aspects cognitifs des stéréotypes découlent directement du processus fondamental de catégorisation sociale.

Une des conséquences de la catégorisation sociale est que nous accentuons les différences entre les personnes appartenant à des groupes distincts et que nous minimisons les différences entre les individus appartenant au même groupe (Doise, Deschamps & Meyer, 1978; Eiser, 1990; McGarty & Penny, 1988; Tajfel, 1981). Par conséquent, ce phénomène cognitif peut nous porter à exagérer les différences entre les Asiatiques et les Noirs et à minimiser en même temps les différences réelles qui existent entre les membres de chacun de ces deux groupes. Cependant, le degré de réduction des différences intragroupes dépend du groupe en question. Nos perceptions du groupe auquel nous appartenons, l'endogroupe, se distinguent de nos perceptions des membres des groupes auxquels nous n'appartenons pas, les exogroupes. De façon générale, nous avons plus tendance à minimiser les différences individuelles entre les membres de l'exogroupe qu'entre les membres de notre propre groupe (Rothbart, Dawes & Park, 1984). Ce phénomène de l'**homogénéisation de groupe,** appliqué à l'exogroupe, nous amène à percevoir qu'«eux» sont tous pareils, alors que

« nous » sommes très différents les uns des autres (Mullen & Hu, 1989). Cette homogénéisation de l'exogroupe, qui est à la base des stéréotypes, nous permet de faire l'économie de jugements complexes sur chacun des innombrables individus que nous côtoyons dans nos activités journalières (Tajfel, 1981).

En tant que produit du processus de catégorisation, les stéréotypes sont des raccourcis cognitifs permettant de percevoir un ensemble d'individus comme faisant partie de la même catégorie et d'en inférer par la suite que toutes ces personnes ont des caractéristiques communes (Anderson, 1991; Ashmore, 1981). Justement parce qu'ils sont des raccourcis, les stéréotypes conduisent souvent à des inférences erronées. Par exemple, les **corrélations illusoires** consistent à percevoir une relation, qui n'existe pas réellement, entre l'appartenance à un groupe et le fait de posséder certains traits inusités (Hamilton & Gifford, 1976). Des recherches ont montré qu'une personne d'un groupe minoritaire, qui adopte un comportement inusité, se fait particulièrement remarquer et risque d'être gardée en mémoire (Hamilton & Sherman, 1989). De plus, nous serions plus enclins à faire des inférences au sujet de celle-ci qu'au sujet des membres du groupe majoritaire (Hamilton, 1979). Cette tendance à mieux nous souvenir d'un comportement rare adopté par un groupe minoritaire peut mener à percevoir une corrélation illusoire entre le fait d'appartenir à ce groupe et ce type particulier de comportement. Par exemple, au Québec, la proportion de Latino-Américains est très faible par rapport aux Québécois francophones. Par conséquent, les Latino-Américains sont une des minorités ethniques de la province. De même, le fait d'attaquer des passants avec un couteau est un événement relativement rare à Montréal. Un article de journal rapportant qu'un groupe de jeunes Latino-Américains ont attaqué une personne à l'arme blanche serait doublement inusité et resterait ainsi plus facilement en mémoire. Cela pourrait nous conduire à associer fortement le fait d'être un jeune Latino-Américain au fait d'être violent, même si la plupart des agressions au couteau signalées dans les médias sont commises par de jeunes Québécois francophones. Les recherches sur la stabilité cognitive des stéréotypes nous aide à mieux comprendre pourquoi il est si difficile d'éliminer le préjugé. En effet, les gens qui ont des préjugés à l'égard des membres d'exogroupes ont souvent recours à des stéréotypes pour rationaliser leurs attitudes et leurs actions discriminatoires. Comme le note Leyens (1983): « Les stéréotypes maintiennent notre cohésion et notre image, ils nous distinguent des autres et justifient nos croyances, notamment et surtout celles qui font de nous un groupe "à part", meilleur, davantage responsable » (p. 79).

Les gens qui entretiennent des stéréotypes peuvent être amenés à rencontrer des personnes qui ne correspondent pas à ceux-ci. Par exemple, il pourrait leur arriver de rencontrer des Anglais chaleureux et exubérants, des homosexuels qui ne sont pas efféminés ou des coiffeurs qui ne sont pas homosexuels. Alors, comment conservent-ils leurs stéréotypes à l'égard de ces membres d'exogroupes? Plusieurs notions issues des travaux en cognition sociale peuvent nous éclairer à ce propos (Mackie & Hamilton, 1992). Nos stéréotypes sont essentiellement des schémas et nous interprétons et nous nous rappelons l'information qui confirme nos schémas (Hamilton & Trolier, 1986). De même, une personne peut se souvenir d'une négociation très difficile avec un commerçant juif et oublier la contribution de ce commerçant à la fondation de l'hôpital local. Ainsi l'image selon laquelle les juifs sont durs en affaires est maintenue de manière irrationnelle. De plus, les recherches sur l'**effet du cas exceptionnel** démontrent que l'information individualisante qui contredit un stéréotype nous amène très rarement à modifier le stéréotype en question (Krueger & Rothbart, 1988). En effet, le stéréotype continue à s'appliquer à l'ensemble du groupe, sauf au cas particulier ; ce dernier devient l'exception qui confirme la règle du stéréotype (Rothbart & Lewis, 1988). Désignés comme cas exceptionnels, le skinhead antiraciste, l'athlète intéressé par les études ou la femme compétente en mécanique ne vont plus à l'encontre du stéréotype.

Un autre phénomène favorisant la stabilité cognitive des stéréotypes consiste dans la **prophétie qui s'autoréalise.** Puisque nos comportements à l'égard d'un membre d'un exogroupe se fondent sur nos stéréotypes, ils peuvent conduire cette personne à réagir conformément à nos attentes. Par exemple, dans une conversation téléphonique, si un homme croit qu'une femme est très attirante, il aura tendance à se comporter, à son égard, d'une manière très amicale et chaleureuse. Ce comportement amènera la femme à être calme et assurée, confirmant ainsi le stéréotype selon lequel les femmes attirantes sont socialement compétentes (Snyder, Tanke & Berscheid, 1977; voir le chapitre 4 à ce sujet).

Dans un autre ordre d'idées, les résultats d'une étude américaine montrèrent qu'un stéréotype auquel nous n'adhérons pas peut influer sur notre perception d'une personne sans que nous nous en rendions compte (Devine, 1989). Les sujets de cette étude étaient des étudiants blancs qui avaient ou non des préjugés envers les Noirs. On leur a présenté des mots sur un écran à une vitesse telle que, par la suite, ils ont été incapables de les reconnaître parmi d'autres mots qui ne leur avaient pas été présentés. Dans la première situation expérimentale, les mots présentés très rapidement étaient des mots dont les étudiants savaient généralement qu'ils étaient associés aux Noirs, tels que « blues », « rythme », « ghetto » et « esclavage ». Dans la deuxième situation, la plupart des mots n'étaient pas associés aux Noirs. De cette façon, pour la moitié des sujets, les stéréotypes sur les Noirs étaient déclenchés par les mots communément associés aux Noirs et, pour l'autre moitié des sujets, les stéréotypes n'étaient pas déclenchés. Par la suite, tous les sujets lisaient des renseignements en fonction desquels ils devaient se former une impression d'une personne nommée Donald, dont le comportement pouvait ou non être perçu comme hostile et agressif. Aucune mention n'était faite à propos de son origine ethnique. Les résultats indiquèrent que les sujets dont les stéréotypes sur les Noirs avaient été déclenchés ont davantage perçu le comportement de Donald comme agressif, s'accordant en cela avec un stéréotype américain des Noirs, que ceux dont les stéréotypes n'avaient pas été déclenchés. Les résultats furent les mêmes pour les sujets qui avaient des préjugés à l'égard des Noirs que pour ceux qui n'en avaient pas. Bref, on peut exposer une personne à des stéréotypes à son insu et ainsi influer défavorablement sur sa perception des membres d'un exogroupe.

Les préjugés, de même que les stéréotypes, se situent sur le plan des jugements cognitifs et des réactions affectives. Lorsqu'on passe aux actes, lorsque des réactions comportementales sont observables, il est question du concept de « discrimination ».

La discrimination

Le plus souvent, la **discrimination** est un comportement négatif à l'égard des membres d'un exogroupe envers lequel nous entretenons des préjugés (Dovidio & Gaertner, 1986). Bien que la discrimination émane souvent de préjugés, cette relation n'est pas automatique. Nous avons vu au chapitre 6 que les attitudes et les comportements ne sont pas nécessairement reliés entre eux. Notre comportement est tributaire à la fois de nos convictions personnelles et des circonstances externes qui peuvent échapper à notre contrôle personnel. Par exemple, une personne peut avoir des préjugés ancrés contre une minorité ethnique mais sentir qu'il lui est impossible d'agir en fonction de ses sentiments négatifs parce que de tels comportements discriminatoires sont socialement indésirables ou carrément interdits par la loi. Par contre, un individu qui n'a pas de préjugés contre les femmes peut être obligé de faire de la discrimination à leur endroit à cause de lois ou de règlements sexistes existant dans l'organisation où il travaille ou dans le pays où il habite. Par exemple, plusieurs pays du Moyen-Orient ont des lois sévères contre la participation des femmes à de nombreux domaines d'activités professionnelles et sociales, malgré le désaccord d'un bon nombre de femmes et d'hommes qui ne croient pas à l'idéologie qui légitime ce sexisme institutionnalisé.

Le refus d'un propriétaire de louer un logement à une famille simplement parce que les individus qui la composent sont membres d'une minorité visible constitue un exemple classique de comportement discriminatoire. Récemment, ce type de comportement discriminatoire a été révélé dans une étude effectuée auprès de propriétaires de logements de Montréal (Hilton, Potvin & Sachdev, 1989). Des entrevues ont été menées auprès d'un échantillon aléatoire de 59 propriétaires québécois francophones résidant dans un secteur majoritairement francophone de Montréal. L'entrevue de 45 minutes, qui garantissait l'anonymat des participants, avait pour thème le marché du logement locatif à Montréal. Au cours de l'entrevue, les propriétaires étaient invités à se prononcer sur l'importance de l'origine ethnique comme critère d'évaluation des locataires potentiels de leurs logements. On demandait ensuite aux propriétaires s'ils accepteraient ou non de louer un appartement à des individus membres de chacun des groupes ethniques suivants : Québécois francophones, Québécois anglophones, Italiens d'origine, Asiatiques d'origine et Haïtiens d'origine. De plus, en tant que locataires potentiels, ces cinq groupes étaient évalués en fonction des effets qu'ils pourraient avoir sur la valeur marchande des immeubles de chacun des propriétaires qui participèrent à l'étude.

Les résultats montrèrent que seulement 15 % des propriétaires avaient déjà loué un de leurs logements à d'autres individus que des Québécois francophones. De plus, 75 % des propriétaires déclarèrent que l'origine ethnique était un critère important dans le choix d'un locataire, alors que seulement 25 % des participants affirmèrent que ce critère n'avait aucune importance pour eux. En général, les propriétaires purent plus aisément énumérer des désavantages que des avantages au fait de louer leurs logements à des individus autres que des Québécois francophones. Cette tendance se manifesta chez 34 % des propriétaires dans le cas de locataires asiatiques, chez 44 % des propriétaires dans le cas de locataires italiens et chez 81 % des propriétaires dans le cas des locataires haïtiens.

Les résultats portant sur la « désirabilité » des locataires en fonction de leur origine ethnique sont présentés à la figure 13.2. Ils indiquent clairement que les propriétaires québécois francophones préfèrent louer leurs logements à des

FIGURE 13.2 **Décision des propriétaires francophones de louer leurs logements aux locataires selon l'origine ethnique**

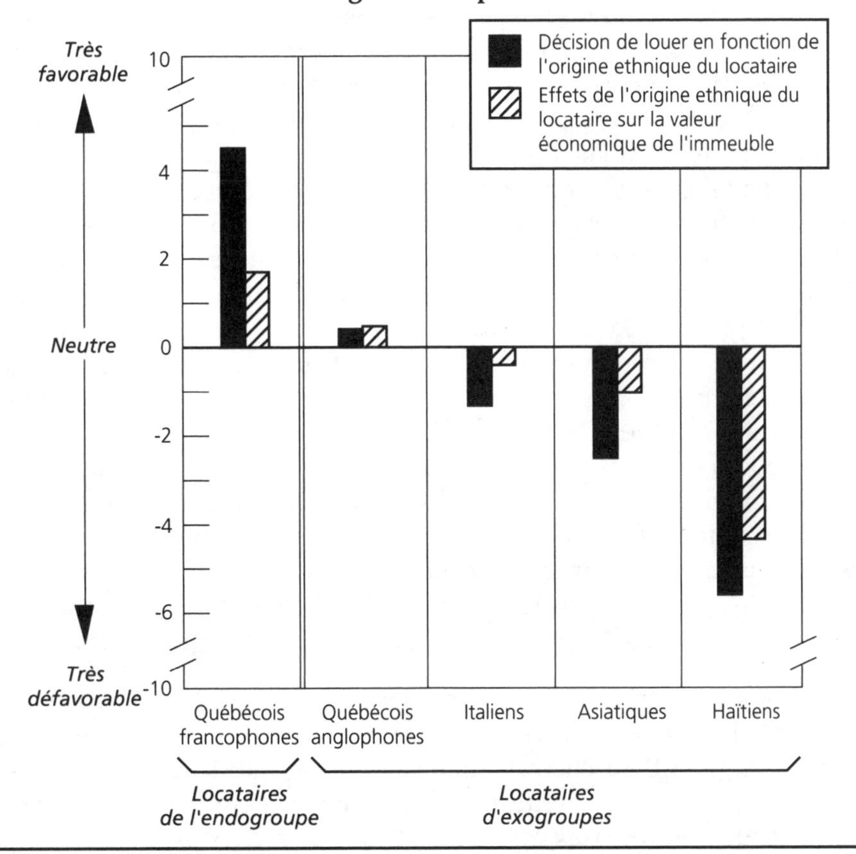

Adapté de Hilton, Potvin et Sachdev (1989).

locataires membres de leur endogroupe plutôt qu'à des membres d'un exogroupe. Les propriétaires étaient plutôt neutres à l'égard des locataires anglophones et quelque peu défavorables vis-à-vis des locataires italiens et asiatiques. Par contre, les propriétaires étaient particulièrement défavorables aux Haïtiens, qu'ils rejetaient d'emblée comme locataires potentiels. Ces résultats révèlent, encore une fois, l'effet classique du biais proendogroupe tel qu'il s'exprime sur le plan des intentions de comportement, dans ce cas-ci, la discrimination dans le logement locatif. Les résultats démontrent aussi que la discrimination peut se manifester à des niveaux d'intensité différents selon l'origine ethnique de l'exogroupe visé. Les Asiatiques et les Haïtiens sont deux minorités visibles au Québec, mais le rejet des Haïtiens comme locataires est plus fort que celui exprimé envers les Asiatiques.

Les autres résultats présentés à la figure 13.2 suggèrent que les effets de l'origine ethnique des locataires sur la valeur des immeubles locatifs pourraient expliquer en partie les intentions discriminatoires des propriétaires québécois francophones. Ces derniers perçoivent que les locataires de leur propre groupe contribuent à augmenter la valeur marchande de leurs immeubles, alors que les locataires haïtiens font baisser la valeur des logements locatifs. Les auteurs de l'étude ont poussé leur analyse en vérifiant statistiquement l'incidence de ce facteur économique sur les intentions de discrimination des propriétaires. Les résultats démontrèrent que, même en éliminant statistiquement l'effet positif des locataires québécois francophones sur la valeur des immeubles, les propriétaires continuaient à favoriser les locataires de leur endogroupe ethnique. Par contre, les résultats des mêmes analyses au sujet de locataires québécois anglophones indiquèrent qu'à la fois le facteur économique et le facteur ethnique expliquaient l'indifférence relative des propriétaires envers les anglophones. Dans le cas des locataires italiens et asiatiques, les analyses révélèrent que c'était davantage le facteur économique que le facteur ethnique qui semblait influer sur le rejet mitigé de ces deux groupes de locataires. Finalement, dans le cas des Haïtiens, l'analyse démontra que, même en éliminant l'effet négatif de cette catégorie de locataires sur la valeur des immeubles, les propriétaires rejetaient systématiquement les locataires de cette origine. Des facteurs ethniques plutôt qu'économiques semblent donc expliquer le biais proendogroupe envers les locataires québécois francophones, d'une part, et les intentions discriminatoires à l'endroit des locataires haïtiens, d'autre part. Il faut noter que la discrimination dans le logement locatif est formellement interdite par la Charte des droits et libertés de la personne du Québec et que les cas de discrimination peuvent être portés à l'attention de la Commission des droits de la personne du Québec (voir la figure 13.3).

Comme vous vous en doutez certainement, la discrimination ne se manifeste pas seulement dans le domaine du logement locatif. C'est souvent dans le domaine de l'emploi et du cheminement de carrière au sein des organisations que la discrimination s'exprime de façon particulièrement subtile et pernicieuse. Une série d'études entreprises auprès d'étudiants anglo-canadiens du sud de l'Ontario démontre bien l'effet pervers de la discrimination dans le monde du

FIGURE 13.3 **Affiche contre la discrimination dans le logement**

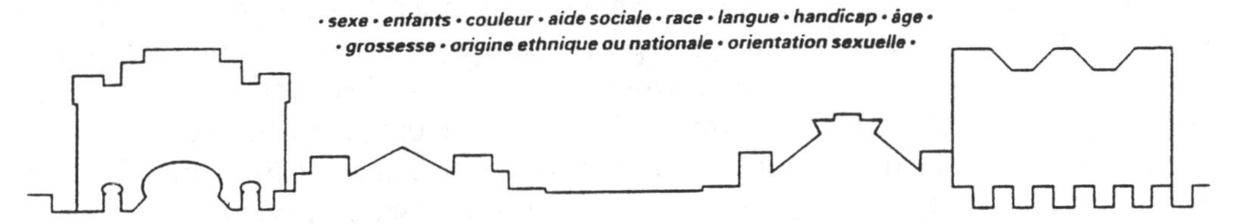

travail (Kalin, 1981). Dans une première étude, 200 étudiants du premier cycle à l'Université Queen's devaient jouer le rôle d'un directeur du personnel qui avait à évaluer et à sélectionner 10 candidats pour des postes de positions différentes dans une grande entreprise manufacturière (Kalin & Rayko, 1978). Le poste ayant la position la plus haute était celui de contremaître, suivi de celui de mécanicien industriel et de celui d'assembleur sur la ligne d'assemblage. Le poste ayant la position la moins élevée était celui de préposé au nettoyage de l'entrepôt. Les participants devaient évaluer chaque candidat pour chacun des quatre postes à pourvoir. L'information concernant chaque candidat était présentée de telle sorte qu'elle était équivalente en ce qui a trait à l'âge, à l'état civil, à l'éducation et à l'expérience de travail préalable. Par contre, l'origine ethnique des candidats variait systématiquement. En plus d'étudier le dossier de chaque candidat, les participants écoutaient un extrait de 30 secondes portant sur une portion anodine d'une entrevue de sélection déjà effectuée avec chaque candidat. C'est par le biais de l'accent des locuteurs que l'origine ethnique des candidats a pu être variée systématiquement dans l'étude.

Comme nous l'avons vu au chapitre 7, l'accent d'un locuteur peut servir d'indice qui nous permet de déterminer l'origine ethnique ou régionale d'un individu (Giles & Powesland, 1975; Giles & Robinson, 1990; Ryan & Giles, 1982). Dans l'étude en question, cinq candidats s'exprimaient en anglais avec un accent canadien-anglais typique du sud de l'Ontario, donc semblable à celui des participants eux-mêmes. Les cinq autres candidats parlaient anglais avec les accents étrangers suivants : italien, grec, portugais, slovaque et ouest-africain. Des juges indépendants avaient estimé préalablement que les accents étrangers et canadien-anglais étaient tout aussi compréhensibles les uns que les autres.

Quels étaient les candidats jugés les plus aptes à occuper chacun des postes disponibles ? Les principaux résultats de l'étude sont présentés à la figure 13.4. Premièrement, il est clair que les cinq candidats canadiens-anglais ont été jugés plus aptes à occuper les postes ayant une position élevée (contremaître, mécanicien) que les cinq candidats étrangers. À l'inverse, en ce qui concerne le poste à la position moins élevée (préposé à l'entretien), ce sont les candidats étrangers plutôt que canadiens-anglais qui ont été jugés plus aptes à l'occuper. Étant donné l'équivalence des candidats à tous les points de vue, hormis l'origine ethnique, Kalin et Rayko (1978) en ont conclu que le traitement des candidats étrangers était discriminatoire. De plus, ce traitement est pernicieux, car il affecte les candidats étrangers au bas de l'échelle occupationnelle, ce qui retarde inévitablement leur accès à des postes de prestige au sein de l'entreprise. Ce type d'embauchage discriminatoire renforce la perception que les immigrants ont plus de mal à gravir les échelons sociaux dans le pays d'accueil. Par contre, les résultats révèlent aussi que les participants canadiens-anglais n'hésitaient pas à manifester un biais proendogroupe, ce qui facilite leur propre réussite sociale dans l'entreprise.

Dans une suite logique de cette étude, Kalin, Rayko et Love (1980) ont voulu éliminer l'effet du biais proendogroupe en proposant seulement des candidats

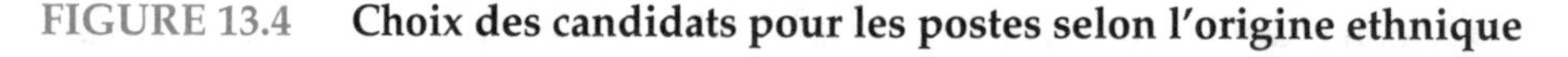

FIGURE 13.4 **Choix des candidats pour les postes selon l'origine ethnique**

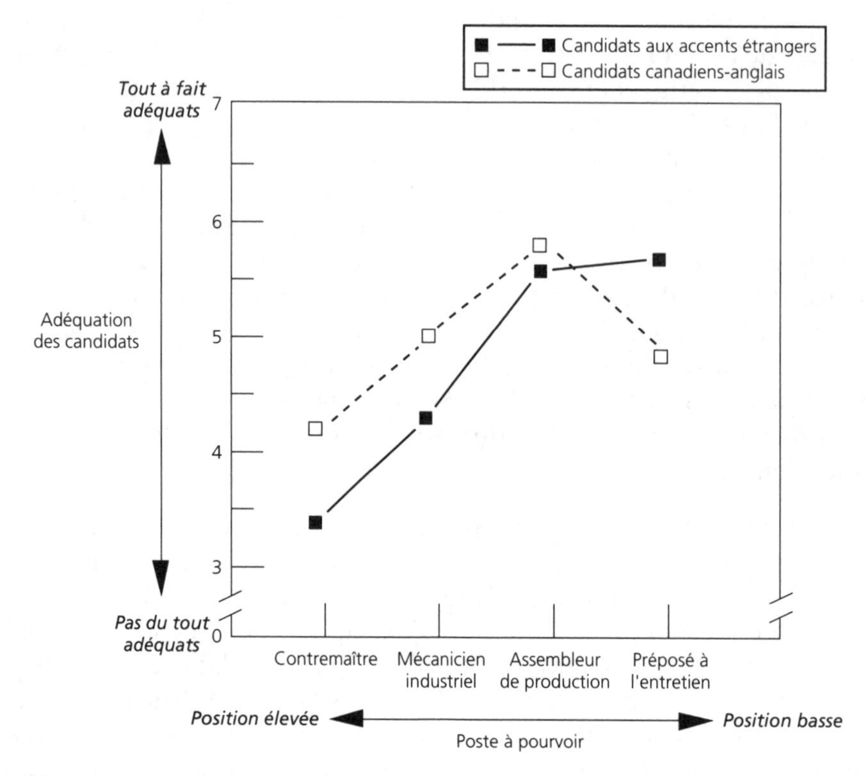

Adapté de Kalin et Rayko (1978).

« étrangers » pour les postes de positions différentes au sein de l'entreprise. Conformément à la démarche expérimentale utilisée dans l'étude précédente, les étudiants canadiens-anglais devaient évaluer l'aptitude de quatre types de candidats immigrants, dont l'origine ethnique était révélée par leur accent distinctif en anglais : des anglophones d'origine britannique, des Allemands, des Antillais et des Indo-Pakistanais. Quatre candidats de chaque groupe ethnique furent évalués pour chacun des postes en question. Sachant que les candidats étaient tous des locuteurs dont l'accent était « étranger» et dont les caractéristiques professionnelles étaient équivalentes, on aurait pu s'attendre à des résultats identiques pour les quatre types de candidats étrangers.

Les résultats obtenus montrèrent que pour le poste ayant la position la plus élevée, ce sont les candidats d'origine anglo-britannique qui ont nettement été favorisés comparativement aux autres candidats. Les candidats de « minorités visibles » d'origine indo-pakistanaise et antillaise ont été défavorisés d'une façon marquée pour le poste de contremaître. Par contre, en ce qui a trait au poste de préposé à l'entretien, ce sont les candidats issus d'une « minorité visible » qui ont été jugés les plus aptes à occuper cette fonction ayant la position la moins élevée. Ces résultats démontrent clairement le comportement discriminatoire des étudiants anglo-canadiens envers les candidats d'origine antillaise et indo-pakistanaise. Inversement, ces étudiants avantagèrent les immigrants anglo-britanniques, un groupe de référence positif ayant la même souche qu'un grand nombre de Canadiens anglais.

La discrimination révélée par ces études canadiennes a été observée dans une situation d'embauchage hypothétique dans le cadre d'une expérimentation en laboratoire. Peut-on s'attendre à retrouver ce genre de discrimination dans la vie quotidienne, auprès des vrais employeurs qui, eux, font face aux contraintes économiques et aux difficultés associées au recrutement d'un personnel qualifié afin d'affronter la concurrence ? Dans une étude de terrain, Henry (1989) a repris sa propre étude publiée en 1985 pour cerner l'évolution de la discrimination dans l'embauchage à Toronto (Henry & Ginzberg, 1985). Dans les deux études, des compères noirs antillais et blancs canadiens-anglais jouèrent le rôle de candidats à un emploi au cours d'entrevues réelles dans des entreprises de Toronto. Les candidats noirs et blancs, qui avaient une compétence équivalente, se présentèrent aux entrevues de sélection à une heure d'intervalle au maximum. Le comportement discriminatoire des employeurs fut évident dans l'étude de 1984: les candidats blancs avaient été retenus quatre fois plus souvent que les candidats noirs. Par contre, les résultats obtenus en 1989 révélèrent que les candidats noirs s'étaient vu offrir un poste aussi souvent que les candidats blancs. Les auteurs notèrent que la pénurie de main-d'œuvre sur le marché du travail à Toronto en 1989 ne pouvait avoir influé directement sur les résultats étant donné que les employeurs pouvaient choisir entre des candidats blancs ou noirs qui avaient une compétence équivalente.

Un deuxième volet des études de Henry (1989) consistait à recueillir un grand nombre d'offres d'emploi publiées dans les journaux torontois et à téléphoner aux employeurs anglo-canadiens pour solliciter une entrevue de sélection. Pour chaque emploi, quatre compères ayant une compétence équivalente téléphonaient, dans un court laps de temps, pour obtenir une entrevue. Comme dans les études de Kalin (1981), l'origine ethnique était suggérée par l'accent respectif des candidats. Les quatre accents en anglais étaient les suivants: indo-pakistanais, antillais, italien et canadien-anglais. On notait pour chaque candidat et chaque emploi si la conversation téléphonique aboutissait ou non à une offre d'entrevue de sélection.

En 1984, les résultats avaient montré que les candidats ayant un accent étranger avaient reçu systématiquement moins d'offres d'entrevue que ceux qui avaient un accent canadien-anglais (Henry & Ginzberg, 1985). De plus, parmi les candidats dont l'accent était étranger, les candidats ayant un accent antillais ou indo-pakistanais furent particulièrement désavantagés. Les résultats obtenus en 1989 se révélèrent semblables à ceux de 1984. Les candidats ayant un accent étranger furent victimes de discrimination, car ils obtinrent systématiquement moins d'offres d'entrevue que les candidats canadiens-anglais. Parmi les candidats étrangers, ce sont les candidats indo-pakistanais qui obtinrent le moins d'offres d'entrevue, alors que les candidats antillais et italiens se virent offrir un nombre équivalent d'entrevues. Ces résultats démontrent que la discrimination raciale persiste dans le domaine de l'emploi, même dans une ville aussi cosmopolite que Toronto. De plus, ces études suggèrent qu'il est peut-être plus facile de faire de la discrimination à la suite d'une conversation téléphonique qu'à la suite d'une entrevue. L'entrevue face-à-face semble en effet présenter plus de possibilités pour l'employeur de surmonter ses préjugés comparativement à l'entrevue téléphonique, qui est moins personnelle. Par contre, il s'avère que c'est justement au cours du premier contact téléphonique que se décide souvent l'offre d'une entrevue de sélection.

Nous terminerons cette partie du chapitre en notant les conclusions d'une vaste étude du Conseil économique du Canada (CEC) portant sur les écarts de revenu entre les immigrants issus d'une «minorité visible» et les Canadiens nés au pays (CEC, 1991). Le Conseil s'inquiète du fait que, si ces immigrants n'obtiennent pas un emploi et un salaire comparables à ceux de Canadiens nés au pays qui ont une compétence semblable, on peut supposer qu'il en résultera du ressentiment chez les premiers et des conflits raciaux à plus ou moins long terme. L'étude révèle d'abord que, selon le recensement de 1986, les immigrants récents comptent, contrairement à la croyance populaire, une proportion de prestataires de l'aide sociale plus faible que les Canadiens nés au pays (12,5 % contre 13,8 %). Les mêmes données montrent, de plus, qu'en 1986 les immigrants enregistraient un taux de chômage plus faible que celui de la population née au Canada: 8,2 % contre 10,8 %. S'appuyant toujours sur les données du recensement de 1986, l'étude procède à une comparaison des revenus des immigrants issus d'une «minorité visible» avec ceux des personnes nées au Canada. Ces comparaisons sont faites en contrôlant statistiquement tous les facteurs reliés à la réussite sociale, tels que le niveau de scolarité, la connaissance des langues officielles et l'expérience professionnelle. Les résultats indiquent qu'à compétence égale et avec la scolarité et l'expérience de travail acquise au Canada, les revenus des immigrants antillais et de l'Asie de l'Est (Chinois, Coréens, Vietnamiens) demeurent statistiquement inférieurs (de 26 % et 20 % respectivement) à ceux des Canadiens nés au pays. Ces derniers résultats illustrent le fait que ce sont surtout les immigrants antillais et asiatiques qui souffrent de discrimination dans le monde du travail au Canada. De plus, les analyses du CEC (1991) ont démontré que ce sont les femmes, tant immigrantes que nées au pays, qui demeurent les plus grandes victimes de la discrimination sur le plan du revenu au Canada. Le sexisme et le racisme sont donc des phénomènes néfastes qui sévissent encore dans notre société. Pour combattre ceux-ci, nous devons mieux les comprendre grâce à l'étude systématique des origines des préjugés et de la discrimination.

LES ORIGINES DES PRÉJUGÉS ET DE LA DISCRIMINATION

D'où viennent les préjugés envers les immigrés et les autres groupes minoritaires? Qu'est-ce qui déclenche la discrimination? Pourquoi avons-nous tendance à percevoir plus positivement les membres de notre propre groupe que ceux des autres groupes? Quels facteurs déterminent l'évolution des relations intergroupes vers des rapports conflictuels plutôt qu'harmonieux? Les différentes sciences humaines ont abordé ces problèmes selon leur niveau d'analyse respectif, aboutissant à des réponses partielles mais complémentaires (Allport, 1954).

Le point de vue sociologique met l'accent sur la stratification sociale fondée sur les inégalités de richesse, de pouvoir et de prestige entre les groupes sociaux (Herberg, 1989; Marger, 1991). Les groupes dominants de la plupart des sociétés légitiment le système de stratification par une idéologie qui justifie la situation d'inégalité qui les avantage (Bourdieu & Passeron, 1970; Schermerhorn, 1970; Taguieff, 1987). Ainsi, en Afrique du Sud, c'est l'idéologie du racisme, institutionnalisé par les lois de l'apartheid, qui a longtemps été utilisée par la minorité blanche pour justifier son exploitation de la majorité noire dans ce pays (Omond, 1986; Van den Berghe, 1976).

La psychologie sociale, de son côté, propose un niveau d'analyse permettant l'articulation des plans social et psychologique de la réalité intergroupe. L'originalité de son apport réside dans la possibilité qu'elle offre de faire le pont entre une analyse se situant au niveau individuel et une autre, au niveau collectif. Dans un premier temps, nous considérerons les explications intra-individuelles qui aident à comprendre d'où viennent les préjugés. La personnalité autoritaire, la frustration et le rôle des boucs émissaires constituent les éléments classiques de ces explications intra-individuelles du préjugé et de la discrimination (Adorno, Frenkel-Brunswick, Levinson & Sanford, 1950). La théorie de l'apprentissage social se situe à un niveau d'analyse qui fait état à la fois de facteurs socioculturels et de développement dans l'explication du préjugé et de la discrimination (Aboud, 1988).

L'explication du préjugé et de la discrimination s'incarne aux niveaux social et psychologique dans la théorie des conflits réels d'intérêts élaborée par Sherif (1966). La théorie de l'identité sociale de Tajfel et Turner (1986) fait appel à des facteurs motivationnels et cognitifs pour expliquer la différenciation sociale et la discrimination intergroupe. Enfin, les notions d'«équité» et de «privation relative» nous amènent à examiner la mobilisation sociale des groupes défavorisés qui tentent d'améliorer leur sort dans la structure sociale (Dubé-Simard & Guimond, 1986; Walker & Pettigrew, 1984).

La personnalité autoritaire

La fin de la Seconde Guerre mondiale a placé l'humanité devant la manifestation la plus tragique du racisme qu'ait connue l'histoire du monde. Nous parlons de l'extermination, dans les camps de concentration et les chambres à gaz, de plus de six millions de juifs et de membres d'autres «races» que le régime nazi d'Adolf Hitler qualifiait d'inférieures. Comme le note François Mauriac dans sa préface du volume de Léon Poliakov (1951) sur l'holocauste:

> La proscription de toute une race d'hommes par d'autres hommes n'est pas un événement nouveau dans l'histoire humaine; elle fut toujours le fait de personnages instruits qui agissaient selon des principes, des idées, s'ils étaient mus par la haine. Mais notre génération aura eu le privilège d'être le témoin du massacre le plus étendu, le mieux mené, le plus médité: un massacre administratif, scientifique, consciencieux [...] (p. IX).

Comment expliquer la mentalité des officiers, gardiens et fonctionnaires qui, durant toute la guerre, se sont chargés quotidiennement d'organiser la déportation et l'extermination des millions de victimes des camps de concentration? Ces fonctionnaires de la mort étaient-ils recrutés parmi les nazis les plus fanatiques ou étaient-ils de simples individus accomplissant de leur mieux les tâches de militaires ou de fonctionnaires en période de guerre? Comment comprendre que la grande majorité des Allemands de cette époque ait pu accepter l'idéologie nazie (Peukert, 1989) qui, à travers les croyances racistes et fascistes, légitimait l'extermination de peuples entiers sur leur territoire? À la fin de la Seconde Guerre mondiale, le Comité juif américain subventionna une vaste enquête sur l'antisémitisme aux États-Unis. Le but de cette étude était justement de déterminer pourquoi certains individus plus que d'autres acceptaient si volontiers des idées racistes. L'enquête visait aussi à évaluer la possibilité d'une montée des croyances fascistes aux États-Unis. Les résultats de cette étude furent publiés dans un des volumes les plus importants de la psychologie sociale de l'époque intitulé *The authoritarian personality* (Adorno *et al.*, 1950).

Des centaines d'individus, surtout issus de la classe moyenne blanche, furent interviewés au sujet de leurs sentiments à leur propre égard, à l'égard de leur enfance, de la famille et de la société américaine en général. Les participants remplirent également des questionnaires spécialement conçus pour mesurer l'autoritarisme, l'ethnocentrisme et l'antisémitisme. Adorno *et al.* (1950) avancèrent l'hypothèse que le racisme et l'antisémitisme sont des phénomènes non pas isolés mais généralisés, découlant de caractéristiques fondamentales de la personnalité situées dans l'inconscient.

Les résultats de l'étude permirent de dégager le concept de la **personnalité autoritaire.** Le caractère autoritaire comporte ce qu'on a appelé la « soumission autoritaire », qui comprend l'acceptation sans condition, par l'individu, d'une autorité morale idéalisée, accompagnée d'un profond désir d'être associé au symbole de l'autorité et de faire partie de l'endogroupe idéalisé. La personne autoritaire a aussi des tendances à l'agression autoritaire, c'est-à-dire qu'elle surveille les manquements aux valeurs traditionnelles, puis condamne et punit les coupables. L'autoritaire valorise le pouvoir et la fermeté ; sa pensée est organisée en fonction de catégories sociales rigides.

De plus, Adorno et ses collaborateurs constatèrent que les relations des individus autoritaires avec les membres d'exogroupes se caractérisaient par l'**ethnocentrisme.** Le sociologue William Graham Sumner (1906), qui a présenté ce concept toujours utile aujourd'hui, le définit ainsi :

> L'ethnocentrisme est le nom scientifique de l'attitude qui consiste à considérer son propre groupe comme le centre de l'univers et à évaluer et à juger tous les autres groupes en fonction du sien. [...] Chaque groupe entretient sa propre fierté et son orgueil, se croit supérieur aux autres, a ses propres dieux et méprise les étrangers. Chaque groupe estime que seules ses coutumes sont valables, et la constatation que d'autres groupes ont leurs propres coutumes aiguise son mépris (p. 12).

L'ethnocentrisme se caractérise, chez un individu, par 1) des attitudes positives à l'endroit de l'endogroupe, 2) des attitudes négatives à l'égard des exogroupes et 3) la conviction que les exogroupes sont inférieurs à l'endogroupe. Adorno *et al.* (1950) constatèrent que les personnes ethnocentriques non seulement étaient antisémites, mais qu'elles avaient aussi des attitudes négatives envers plusieurs exogroupes ethniques, religieux et culturels des États-Unis. La plus importante contribution de l'étude fut d'observer que l'ethnocentrisme était tributaire de la personnalité autoritaire.

Comment se développe la personnalité autoritaire et pourquoi les personnes autoritaires sont-elles particulièrement ethnocentriques ? Dans leurs entrevues avec les participants, Adorno et ses collaborateurs constatèrent que les personnes autoritaires avaient grandi dans des familles où la discipline était très sévère et menaçante. De plus, les individus autoritaires avaient des parents qui entretenaient des espoirs démesurés concernant la réussite sociale de leurs enfants. Les chercheurs ont proposé que, dans un tel environnement, les enfants répriment les sentiments négatifs et les frustrations qu'ils finissent par entretenir à l'égard de leurs parents trop exigeants et rigides. C'est donc ce type d'encadrement familial très strict et compétitif qui engendre la personnalité autoritaire. Selon cette théorie, l'hostilité réprimée lors de l'enfance est finalement «projetée» sur les minorités ethniques et sur d'autres exogroupes jugés indésirables dans un contexte social donné. C'est ainsi que l'«agression autoritaire» à l'endroit des minorités indésirables peut servir de soupape à des sentiments de frustration longtemps réprimés dans le contexte familial. C'est ce type de dynamique familiale qui permit aux chercheurs de proposer que la personnalité autoritaire est à la source de l'ethnocentrisme, du racisme et de la discrimination.

L'idée plus générale selon laquelle la frustration peut provoquer l'agression envers les groupes minoritaires fait partie de la **théorie du bouc émissaire** (Dollard *et al.*, 1939). Cette théorie veut que les frustrations que nous vivons tous les jours au travail, chez nous ou collectivement en tant que membres de notre propre groupe d'appartenance peuvent nous porter à être très agressifs envers autrui (Berkowitz, 1962, 1989). Lorsque les causes de cette frustration sont trop puissantes, nous sommes portés à diriger notre hostilité vers des minorités plus faibles. Les cibles de ce déplacement de l'agression changent en fonction de la dynamique des relations intergroupes dans chaque contexte culturel. Ainsi les Allemands, qui souffraient énormément du chaos économique engendré par leur défaite lors de la Première Guerre mondiale et de la dépression des années 1930, pouvaient difficilement s'en prendre de façon directe à la France ou à la Grande-Bretagne pour résoudre leurs problèmes sociaux et économiques. Comme le note Allport (1954), la minorité juive, malgré sa forte assimilation culturelle à la société allemande, fut choisie par les nazis comme bouc émissaire face à tous les problèmes de l'Allemagne. Une fois les nazis au pouvoir, l'antisémitisme mena rapidement aux lois discriminatoires du Reichstag qui excluaient les juifs des professions libérales, de l'administration publique, de l'enseignement et de tous les secteurs de la vie sociale allemande (Poliakov, 1951). Dès 1933, les clients allemands soumirent les commerces des juifs à un boycottage de plus en plus strict, alors qu'une loi de 1935 interdisait, au nom de la «pureté de la race allemande», les mariages et rapports sexuels entre Allemands et juifs (Peukert, 1989).

La théorie du bouc émissaire a été corroborée par plusieurs études empiriques (Campbell, 1947; Hovland & Sears, 1940). Celle de Campbell fut entreprise immédiatement après la Seconde Guerre mondiale aux États-Unis. Trois cents Anglo-Américains furent interviewés sur leurs attitudes envers les juifs, sur leur degré de satisfaction concernant la scène politique américaine et sur leur situation financière personnelle. Les participants insatisfaits et frustrés de leur situation économique étaient plus enclins à exprimer des attitudes défavorables envers les juifs que ceux qui étaient satisfaits de leur sort. Comme en Allemagne, l'hostilité engendrée par les frustrations économiques et politiques se projetait sur la minorité juive, qui servait de bouc émissaire aux mécontents. La théorie du bouc émissaire pourrait aussi aider à expliquer l'antisémitisme qui sévissait au Canada anglais (Altermeyer, 1987) et au Québec (Anctil, 1988a, 1988b) durant les années 1930 et 1940. En effet, malgré le sort déplorable de millions de juifs d'Europe, le Canada décida d'admettre moins de 500 réfugiés juifs durant la période 1933-1945. Aujourd'hui, la théorie du bouc émissaire semble s'appliquer en France dans le cas du parti raciste Front national, qui accuse les immigrants arabes d'être la cause du chômage et de l'insécurité dans ce pays (Taguieff, 1987). Le Front national prône, au nom de la « pureté de la race française », la déportation des immigrés d'origine arabe du sol français (Wieviorka, 1991).

Les recherches sur la personnalité autoritaire ont été critiquées méthodologiquement et conceptuellement (Brown, 1965). Malgré ces critiques, il demeure que les individus autoritaires et ethnocentriques ont tendance à entretenir des attitudes d'intolérance envers les exogroupes. Même dans les sociétés déjà très racistes comme l'Afrique du Sud (Omond, 1986), les Blancs les plus favorables au maintien de la ségrégation raciale sont justement ceux dont l'autoritarisme est une composante particulièrement importante de leur personnalité (Van Staden, 1987). Pour Adorno *et al.* (1950), les différences individuelles liées à la personnalité autoritaire et à l'ethnocentrisme expliquent en partie les comportements extrêmes des nazis qui étaient directement affectés à l'extermination des juifs et des autres « minorités indésirables » telles que les homosexuels, les gitans et les handicapés mentaux (Poliakov, 1951).

Les liens entre l'autoritarisme, l'ethnocentrisme, l'intolérance et les préjugés envers les minorités ethniques ont fait l'objet de plusieurs recherches au Canada (Altermeyer, 1987; Moghaddam & Vuksanovic, 1990). À titre d'exemple, revenons à l'étude de Berry *et al.* (1977) sur les attitudes des Canadiens envers le multiculturalisme et l'immigration au Canada. Comme dans l'étude originale d'Adorno *et al.* (1950), John Berry et ses collègues ont mesuré, à l'aide d'échelles adaptées au contexte canadien, le degré d'autoritarisme et d'ethnocentrisme de leur échantillon représentatif de participants canadiens. À l'aide d'échelles de Likert en sept points, les participants ont exprimé leur degré d'accord (7) ou de désaccord (1) avec chaque énoncé composant l'échelle d'autoritarisme (F: fascisme) et l'échelle d'ethnocentrisme (E: ethnocentrisme). Par exemple, sur l'échelle d'autoritarisme, les résultats ont indiqué que 80 % de l'ensemble des Canadiens étaient d'accord avec l'énoncé suivant: « L'obéissance et le respect de l'autorité sont les vertus les plus importantes qu'un enfant doit apprendre. » Le résultat moyen obtenu pour l'ensemble des participants canadiens sur les huit énoncés de l'échelle d'autoritarisme était de 4,86, ce qui est très élevé par rapport au résultat de 4,12 obtenu 20 ans plus tôt sur le même type d'échelle F auprès d'un échantillon équivalent de participants anglo-américains (Hyman & Sheatsley, 1954). Étant donné la tendance générale à la libéralisation des croyances depuis qu'a été effectuée l'étude américaine des années 1950, Berry *et al.* (1977) ont estimé que les Canadiens étaient peut-être plus autoritaires que les Américains.

Voici deux exemples des énoncés contenus dans l'échelle d'ethnocentrisme utilisée par Berry *et al.* (1977). Dans l'étude canadienne, 52 % des participants étaient d'accord avec l'énoncé suivant: « Il est tout à fait juste et normal que chacun trouve sa famille meilleure que toutes les autres. » Par contre, la majorité des participants canadiens (69 %) étaient en désaccord avec l'énoncé suivant: «Ce serait une erreur que de placer un jour des gens de couleur comme contremaîtres ou chefs au-dessus des Blancs.» Le résultat d'ethnocentrisme obtenu pour l'ensemble des participants à l'étude de Berry *et al.* était de 3,53 sur l'échelle E de sept points, ce qui a amené ces chercheurs à conclure que, selon cet échantillon national, les Canadiens ne seraient pas plus ethnocentriques que les échantillons d'Américains déjà recensés à l'aide de ce type d'échelle aux États-Unis (Adorno *et al.*, 1950).

Pour l'ensemble des participants à l'étude de Berry *et al.* (1977), la corrélation entre l'autoritarisme et l'ethnocentrisme était positive et significative (r = 0,61), ce qui corroborait l'idée voulant que l'autoritarisme joue un rôle dans le développement de l'ethnocentrisme, comme l'ont démontré les études américaines (Adorno *et al.*, 1950; Brown, 1965). Les résultats ont ensuite été corrélés avec les attitudes à l'égard des immigrants obtenues dans l'ensemble de l'enquête de Berry *et al.* (1977). Les résultats indiquèrent que c'étaient les individus les plus ethnocentriques qui exprimaient les attitudes les moins favorables envers les minorités ethniques telles que les Chinois ou les juifs et envers les immigrants en général. De plus, tant chez les francophones que chez les anglophones, les résultats démontrèrent que plus les individus étaient ethnocentriques, plus ils évaluaient positivement leur endogroupe par rapport aux minorités ethniques du Canada. Il faut souligner d'autres résultats importants de cette étude qui sont reliés à l'ethnocentrisme. Ainsi, plus les anglophones et les francophones évaluaient positivement les membres de leur propre groupe, moins positives étaient leurs évaluations des minorités ethniques canadiennes et des immigrants en général. L'hypothèse centrale de l'ethnocentrisme fut donc confirmée: les participants les plus ethnocentriques furent effectivement les plus enclins à exprimer des attitudes positives envers leur endogroupe et des attitudes négatives envers les exogroupes (Adorno *et al.*, 1950; Brewer, 1979; LeVine & Campbell, 1972).

Finalement, les résultats de l'étude de Berry *et al.* (1977) indiquèrent que les participants francophones étaient significativement plus autoritaires et ethnocentriques (F = 5,1; E = 4,0) que les participants anglophones (F = 4,7; E = 3,4) et les néo-Canadiens (F = 4,9; E = 3,4). Les chercheurs expliquent ces différences en invoquant le fait que les francophones se sentent menacés en tant que minorité linguistique au Canada. Même si nous voulions croire que les résultats obtenus par Berry *et al.* (1977) ne sont plus pertinents aujourd'hui, il n'en demeure pas moins que cette recherche démontre le lien existant entre l'autoritarisme, l'ethnocentrisme et les préjugés envers les minorités ethniques (Altermeyer, 1987). Les différences individuelles reliées aux croyances autoritaires et ethnocentriques nous aident à mieux comprendre l'origine des préjugés et de la discrimination. Mais l'hypothèse de la personnalité autoritaire et de l'ethnocentrisme ne peut rendre compte de l'omniprésence des préjugés et de la discrimination dans la plupart des sociétés du monde.

L'apprentissage social

L'existence d'un phénomène tel que l'Allemagne nazie des années 1933-1945 démontre que des processus autres que des différences de personnalité jouent un rôle dans la genèse du préjugé et de la discrimination. La théorie du bouc émissaire aide à comprendre pourquoi Adolf Hitler n'a pas eu trop de mal à faire accepter ses théories racistes pour blâmer les juifs de tous les problèmes économiques et sociaux que connaissait l'Allemagne durant les années 1930. Par contre, les préjugés antisémites étaient répandus depuis déjà fort longtemps dans la société allemande quand le parti national-socialiste prit le pouvoir en 1933 (Poliakov, 1951). À cette époque, beaucoup de jeunes Allemands avaient déjà appris l'antisémitisme sur les genoux de leurs parents ou sur les bancs de l'école (Peukert, 1989).

La socialisation de l'enfant dans la famille, à l'école et par les médias peut occuper une place importante dans l'apprentissage des préjugés, des stéréotypes et de la discrimination. Par exemple, les études américaines des années 1950 montrèrent que les enfants blancs apprenaient une bonne part de leurs préjugés envers les Noirs simplement en observant et en copiant les attitudes et les comportements racistes de leurs propres parents (Kelly, Ferson & Holtzam, 1958). Des entrevues, auprès de parents blancs américains, entreprises au début des années 1950, révélèrent que la moitié de ces familles avaient des règlements interdisant à leurs enfants de jouer avec les enfants noirs du quartier (Bird, Monachesi & Burdick, 1952). Les enfants blancs du sud des États-Unis pouvaient entendre leurs parents raconter des blagues racistes sur les Noirs ou ils constataient que leurs parents évitaient d'inviter des collègues de travail noirs à la maison. Ces modèles parentaux de croyances, d'attitudes et de comportements permettent l'apprentissage des préjugés et des stéréotypes chez l'enfant, et favorisent la transmission d'attitudes et de comportements racistes d'une génération à l'autre (Aboud, 1988; Phinney & Rotheram, 1987).

À l'adolescence, les attitudes racistes apprises durant l'enfance ont plus de chances de s'actualiser dans des comportements discriminatoires, surtout quand l'individu se trouve dans un cercle d'amis qui partagent les mêmes préjugés (Pettigrew, 1958). Ce n'est pas par hasard que, jusqu'aux années 1960 aux États-Unis, les agressions contre les Noirs furent le résultat d'attaques perpétrées par des groupes de jeunes Blancs plutôt que par des individus seuls. Pettigrew (1959) démontra dans ses études que le conformisme occupe un rôle crucial dans le développement et le maintien des préjugés et de la discrimination. Les adolescents ont tendance à formuler leurs propres attitudes en accord avec celles de leur groupe de référence. Le **groupe de référence** est le groupe auquel un individu s'identifie et dont il aimerait faire partie (voir le chapitre 12). Si le groupe de référence a des attitudes plus racistes que celles de l'adolescent en question, ce dernier sera enclin à se conformer aux attitudes plus extrêmes du groupe. L'étude classique de Newcomb (1943) établit le rôle du conformisme et de l'apprentissage dans le développement des attitudes d'étudiants blancs à l'université. L'étude indiqua qu'après un certain nombre de mois passés à l'université les étudiants blancs conservateurs adoptaient les attitudes raciales plus tolérantes qui correspondaient à celles de leur nouveau groupe de référence.

Peut-on conclure que l'expérience scolaire en soi suscite nécessairement des attitudes plus tolérantes envers les minorités ? Nous avons déjà noté que la plupart des études canadiennes révèlent une corrélation positive entre le nombre d'années de scolarité et les attitudes plus favorables envers les groupes minoritaires et l'immigration. Une série d'études récentes de Serge Guimond (1992) apportent un éclairage intéressant sur cette question. Comme nous l'avons vu au chapitre 12, tant le niveau de scolarité que la socialisation particulière à l'intérieur des domaines d'études ont une influence sur les attitudes intergroupes des étudiants québécois francophones. Guimond constate que, quel que soit leur domaine d'études, les attitudes des étudiants francophones envers les immigrants deviennent plus positives à mesure qu'augmente le nombre d'années de scolarité postsecondaire. En ce qui concerne le domaine d'études, les résultats obtenus auprès des étudiants en administration indiquent que ces derniers acquièrent des attitudes de plus en plus défavorables à l'égard des syndicats et des socialistes à mesure que leur niveau d'instruction s'accroît. Ces résultats montrent de plus que ces étudiants apprennent les attitudes de leur groupe de référence qui, dans ce cas-ci, sont celles du monde des affaires, lequel est peu sympathique à l'égard des syndicats et des socialistes. Par contre, chez les étudiants en sciences sociales, les attitudes envers les syndicats deviennent plus favorables à mesure que le nombre d'années de scolarité dans ce domaine augmente. Les résultats obtenus auprès d'étudiants ontariens confirment ceux observés chez des étudiants du Québec et permettent de conclure que la socialisation à l'intérieur de chaque discipline amène les étudiants à élaborer une vision du monde et à choisir des allégeances sociales et politiques conformes à leur domaine d'études (Guimond & Palmer, 1990). Ces recherches témoignent du rôle des groupes de référence et de la socialisation dans le développement des préjugés et de la discrimination.

Plusieurs études démontrent qu'à l'âge de 12 ans une forte proportion d'enfants canadiens et américains ont déjà passé plus de temps devant le téléviseur qu'à l'école (Gerbner & Gross, 1976). On peut croire que les séries télévisées qui décrivent systématiquement les femmes ou les membres des « minorités visibles » dans des occupations subalternes ou des rôles déviants sont en partie responsables de la formation et de la perpétuation des stéréotypes envers les femmes et les minorités ethniques. Longtemps au Canada comme au Québec, la publicité télévisée a été faite essentiellement par des acteurs blancs pour un auditoire blanc, sans aucune préoccupation pour une meilleure représentation des minorités ethniques, qui constituent une part grandissante du marché de la consommation en Amérique du Nord (Moore & Cadeau, 1985). La façon dont les bulletins de nouvelles et les articles de journaux rapportent les incidents qui impliquent les groupes minoritaires peut renforcer les stéréotypes envers ces groupes. Songez un instant à la manière dont les différents postes de radio et de télévision francophones et anglophones ont suivi la crise d'Oka durant l'été 1990. Quelles impressions des autochtones, de la Sûreté du Québec, des forces armées canadiennes, des citoyens d'Oka et de Châteauguay se dégagent du travail des médias dans cette crise qui a retenu l'attention au Québec et au Canada ?

Malgré le fait que les stéréotypes soient enseignés très tôt et qu'ils influent sur nos perceptions des individus membres d'exogroupes, il faut souligner l'importance de faire la distinction entre notre *connaissance* des stéréotypes et notre *adhésion* aux stéréotypes. Il est possible que nous apprenions très jeunes certains stéréotypes, mais aussi que nous les rejetions à l'âge adulte. Cela ne signifie pas pour autant que nous puissions éliminer les stéréotypes de notre esprit, mais lorsque nous y faisons référence de manière consciente, nous pouvons marquer notre désaccord à leur égard (Devine, 1989).

La compétition et la coopération intergroupes

La **théorie des conflits réels** propose que la concurrence entre les groupes pour l'obtention de ressources limitées est une des causes fondamentales des préjugés et de la discrimination (Sherif, 1966). Selon Muzafer Sherif, l'existence ou non d'un conflit réel d'intérêts entre deux groupes détermine la qualité des relations qu'ils entretiennent entre eux. La coopération engendre des perceptions et des comportements intergroupes positifs, alors que la compétition entraîne des attitudes et des comportements défavorables envers l'exogroupe. La théorie des conflits réels propose que, plus la concurrence pour l'obtention de ressources limitées est grande, plus les préjugés, la discrimination et l'hostilité seront intenses entre les groupes en question (Sherif, 1966).

La crise d'Oka de l'été 1990 constitue un excellent exemple de cette compétition entre deux groupes pour l'obtention de ressources limitées. D'une part, la municipalité d'Oka voulait agrandir son golf municipal sur un terrain légalement acheté par la Ville. D'autre part, la communauté autochtone s'opposait à l'agrandissement du terrain de golf en affirmant que le terrain acheté par la municipalité n'avait jamais vraiment appartenu aux Blancs puisque ce territoire ancestral autochtone avait jadis été saisi illégalement par les Blancs. Après une négociation infructueuse, les Mohawks érigèrent des barricades pour empêcher la municipalité d'Oka de procéder à l'aménagement de ce terrain. C'est alors que la municipalité demanda à la Sûreté du Québec de déloger les Mohawks du terrain. L'assaut de la Sûreté du Québec fut repoussé par des Mohawks armés ; un policier de la Sûreté fut tué au cours de l'affrontement. Cet incident eut lieu le 11 juillet 1990 et déclencha la crise d'Oka, qui se termina, 78 jours plus tard, par la reddition des Mohawks et des « Warriors » face aux forces armées canadiennes. Durant la crise, les affrontements entre, d'un côté, la Sûreté du Québec et les forces armées canadiennes et, de l'autre, les « Warriors » et les Mohawks furent souvent violents et provoquèrent des tensions très fortes entre les Blancs et les autochtones des régions touchées par la crise.

C'est donc une concurrence vive pour la maîtrise d'une parcelle de territoire qui fut à l'origine d'un affrontement majeur entre les autochtones et les forces de l'ordre du Québec. Les incidents entre les parties en cause ainsi que les innombrables témoignages d'intolérance et de racisme diffusés à la radio dans les tribunes téléphoniques suffisent pour démontrer que la compétition intergroupe joue un rôle important dans la création du préjugé et de la discrimination.

C'est à partir de 1953 que Muzafer Sherif et ses collaborateurs effectuèrent leurs expériences sur le terrain qui permirent de mettre au point la théorie des conflits réels (Sherif, 1966; Sherif & Sherif, 1953). Cette série d'études, qui s'échelonnèrent sur plusieurs années, furent entreprises dans des colonies de vacances typiques des États-Unis. Chaque étude regroupait plus d'une vingtaine de jeunes garçons de 10 à 12 ans qui ne savaient pas qu'ils participaient en fait à une recherche pendant leur séjour à la colonie de vacances. Tous ces jeunes garçons blancs étaient psychologiquement bien adaptés et avaient été soigneusement choisis parmi des familles stables de la classe moyenne anglo-américaine. Chaque étude a duré de deux à trois semaines et avait pour but de vérifier empiriquement les assises de la théorie des conflits réels (Sherif, 1966). Étant donné la similitude de ces études, nous les discuterons dans leur ensemble. Chaque étude comportait trois phases: 1) la formation des groupes; 2) la compétition intergroupe; et 3) la coopération intergroupe.

Première phase: la formation des groupes. À leur arrivée à la colonie de vacances, les jeunes furent répartis en deux groupes égaux, appariés sur les plans physique et psychologique. On s'assura aussi de séparer les garçons qui étaient déjà liés par l'amitié. Durant les premiers jours, les chercheurs, se présentant comme les moniteurs de la colonie de vacances, observèrent les deux groupes d'enfants durant leurs activités respectives (natation, repas, excursions, basket-ball, balle molle, etc.). Rapidement, chaque groupe élabora sa structure et sa culture intragroupe. Chaque groupe s'était choisi un nom et un leader, et avait établi ses règles informelles de fonctionnement. En dépit de l'absence de contact entre les groupes, les chercheurs notèrent qu'à l'occasion les jeunes aimaient bien se comparer avec l'exogroupe tout en déclarant que leur endogroupe était certainement supérieur à l'exogroupe (Sherif, 1966). Il faut noter que ces comparaisons sociales avec les membres de l'exogroupe se firent spontanément, avant l'amorce de la deuxieme phase de l'expérience (Billig, 1976).

Deuxième phase: la compétition intergroupe. Les moniteurs annoncèrent aux jeunes que des tournois entre les deux groupes auraient lieu dans la deuxième semaine de la colonie de vacances. L'équipe gagnante des tournois de balle molle et de basket-ball obtiendrait un trophée, et chacun des membres recevrait un canif. L'aspect «jeu à somme nulle» de la compétition intergroupe fut consacré par l'annonce que l'équipe perdante ne recevrait ni trophée ni canifs. La dynamique intergroupe passa d'une relation d'indépendance entre les deux groupes (première phase) à une relation d'interdépendance négative dans laquelle le gain d'un groupe se fait aux dépens de l'exogroupe (deuxième phase). C'est dans cette situation de compétition pour l'obtention de ressources limitées (les récompenses) que Sherif (1966) s'attendait à voir apparaître des attitudes et des comportements très négatifs entre les groupes.

Comme prévu, la compétition intergroupe provoqua des attitudes et des comportements hostiles entre les groupes de jeunes. Les chercheurs organisèrent une série de mises en situation permettant de suivre l'évolution des attitudes et des comportements intergroupes durant la semaine de tournois. Malgré les liens d'amitié existant avant la formation des groupes, les choix sociométriques recueillis durant la semaine de tournois indiquèrent que 90 % des choix des « meilleurs amis » se limitaient maintenant aux membres de l'endogroupe. La structure interne des équipes se modifia sous l'effet de la compétition intergroupe : les équipes devinrent plus cohésives et des changements de leaders se firent en faveur d'individus plus combatifs et plus aptes à diriger le groupe dans la compétition avec l'équipe adverse. Systématiquement, les jeunes jugeaient les membres de leur propre équipe et son rendement plus favorablement que les membres de l'équipe adverse et son rendement. De plus, les résultats démontrèrent que les équipes gagnantes manifestaient un biais proendogroupe encore plus prononcé que les équipes perdantes. Ces résultats remettent en question l'hypothèse voulant que la frustration soit à la source du préjugé : dans ce cas-ci, les équipes gagnantes étaient évidemment moins frustrées que les équipes perdantes. Finalement, après seulement quelques jours de tournois, les tensions dégénérèrent en conflit ouvert entre les équipes (bagarres, vandalisme dans les dortoirs de l'équipe adverse, etc.). L'hypothèse de la personnalité autoritaire est également difficile à soutenir dans ce cas-ci étant donné que les jeunes garçons avaient été choisis justement en fonction de la stabilité de leur famille et de leur personnalité particulièrement bien adaptée et non autoritaire (Sherif, 1966).

Troisième phase : la coopération intergroupe. Dès lors, le défi des chercheurs fut de rétablir des relations plus harmonieuses entre les équipes adverses. Selon la théorie des conflits réels, il s'agissait de remplacer la compétition par des relations d'interdépendance positive entraînant la coopération intergroupe. Grâce à une série de mises en scène, Sherif (1966) créa des buts communs « supraordinaux» exigeant la réunion des efforts des participants des deux équipes en vue d'assurer la survie de l'ensemble des jeunes de la colonie de vacances. La collaboration des deux groupes fut rendue nécessaire pour la réalisation de buts tels que le dépannage du camion de livraison des provisions de la colonie de vacances et la détermination de l'origine d'une panne de l'approvisionnement en eau. C'est grâce à ces activités de collaboration intergroupe orientées vers la réalisation d'un but commun que les attitudes et les comportements intergroupes devinrent plus harmonieux. À la suite du succès des équipes à résoudre ensemble ces problèmes collectifs, les évaluations des équipes adverses furent plus positives. La mise en commun de l'argent de poche des équipes pour l'achat de friandises à partager consacra la réconciliation des équipes. De plus, les jeunes des deux équipes décidèrent de prendre le même autobus pour le retour à la ville à la fin de la colonie de vacances.

Les résultats des études de terrain de Sherif (1966) démontrèrent clairement l'effet de la compétition et de la coopération intergroupes sur la formation des préjugés et sur les comportements discriminatoires.

Les recherches de Sherif inspirèrent un grand nombre d'études intergroupes aux États-Unis et en Europe. Entre autres, Blake et Mouton (1962) appliquèrent la théorie des conflits réels dans une série d'études menées dans le monde du travail aux États-Unis. Dans une de ces études, 48 équipes de cadres d'entreprises participèrent à des compétitions mises sur pied pour résoudre des problèmes propres à leurs organisations. Chaque équipe devait évaluer son propre rendement par rapport à celui de l'équipe adverse. L'effet du biais proendogroupe fut observé dans 46 des 48 équipes. Deux équipes jugèrent les rendements des deux équipes égaux, alors qu'aucune équipe ne concéda la supériorité à l'équipe adverse ! Des résultats semblables furent obtenus par Kahn et Ryen (1972) avec des équipes d'étudiants américains dont les membres étaient anonymes. Malgré cet anonymat, les membres de l'endogroupe furent jugés plus favorablement que les membres de l'exogroupe. Comme dans les études de Sherif (1966), l'effet du biais proendogroupe fut plus marqué chez les membres des équipes gagnantes que chez ceux des équipes perdantes. En Angleterre, une étude de Brown *et al.* (1986) démontra aussi l'effet du biais proendogroupe entre des équipes de travail d'une manufacture de papier. Chaque équipe de travail au sein de l'entreprise évaluait sa contribution au bon fonctionnement de l'usine par rapport à la contribution respective des autres unités de travail. Plus une équipe de travail sentait qu'elle était en concurrence avec une autre équipe, plus l'effet du biais proendogroupe se manifestait fortement envers l'équipe rivale en question (voir aussi Brown & Williams, 1984).

Les études de Sherif (1966) dans des colonies de vacances ont aussi démontré que la compétition intergroupe peut entraîner des comportements agressifs envers l'exogroupe. Dans une étude récente menée en Israël, Struch et Schwartz (1989) corroborèrent l'effet de la compétition intergroupe sur les intentions de comportements agressifs envers un exogroupe. Des adultes juifs ayant des croyances religieuses modérées remplirent un questionnaire portant sur leurs sentiments envers leur propre groupe religieux et envers une minorité de juifs ultra-orthodoxes récemment installés dans leur quartier de Jérusalem. Comme dans les études antérieures, les évaluations faites de l'endogroupe furent beaucoup plus favorables que celles portant sur l'exogroupe. Mais cet effet du biais proendogroupe n'avait pas de lien direct avec le désir de se comporter d'une façon agressive envers la minorité ultra-orthodoxe. Les intentions agressives envers la minorité furent plutôt reliées à la perception de l'existence d'un conflit réel entre les deux communautés religieuses. Cette relation était d'autant plus forte chez les juifs qui s'identifiaient fortement à leur endogroupe et déshumanisaient systématiquement l'exogroupe en prétendant que les valeurs des juifs ultra-orthodoxes étaient à l'antipode des leurs. Par conséquent, les juifs modérés qui percevaient un conflit réel entre les groupes religieux, qui s'identifiaient fortement à leur propre groupe d'appartenance et qui déshumanisaient systématiquement l'exogroupe étaient ceux qui avaient les intentions les plus agressives envers la minorité juive ultra-orthodoxe installée depuis peu dans leur quartier.

Plusieurs études ont confirmé d'autres aspects des études de Sherif (1966) en démontrant que la compétition intergroupe pouvait susciter une augmentation de la cohésion et de la solidarité intragroupes chez les membres du groupe gagnant, alors que la cohésion et la solidarité diminuaient chez les perdants (Deutsh, 1949; Stagner & Eflal, 1982). Dans une étude longitudinale, Taylor, Doria et Tyler (1983) ont suivi l'équipe de hockey des Redmen de l'Université McGill au cours d'une saison complète. Malgré ses performances désastreuses de 22 défaites en 25 parties, l'équipe conserva un bon moral et une bonne cohésion tout au long de la saison. Comment expliquer ces résultats qui contredisent ceux des études américaines des années 1960 et 1970? Turner, Hogg, Oakes et Smith (1984) ont suggéré que, dans ce type de situation, les joueurs choisissent librement de se joindre à l'équipe sportive, ce qui suscite chez eux une forte identification sociale au groupe et entraîne un engagement très marqué envers les autres membres de l'équipe. Face aux échecs répétés de l'équipe, les joueurs réduisirent leur dissonance cognitive en se disant que l'adhésion au groupe en soi était en fait plus importante que la réalisation des objectifs communs du groupe. Pour vérifier cette hypothèse, Turner *et al.* (1984) ont formé plusieurs équipes rivales de filles qui avaient pour tâche de résoudre correctement le plus grand nombre possible de problèmes. Dans un cas, les filles furent amenées à croire que l'expérimentateur avait décidé seul de leur répartition dans les équipes. Dans l'autre cas, on laissa entendre aux filles qu'elles avaient le choix de se joindre à l'une ou l'autre des équipes. Après la compétition, les équipes gagnantes et perdantes remplissaient un questionnaire mesurant la cohésion et l'estime de soi des filles des deux types d'équipes. Chez les filles qui n'avaient pas eu l'occasion de choisir leur équipe d'appartenance, les résultats habituels furent observés. En effet, les membres des équipes gagnantes étaient plus cohésives et avaient une estime de soi plus positive que les membres des équipes perdantes. Par contre, des résultats opposés furent obtenus dans les équipes formées de filles qui croyaient avoir choisi librement leur groupe d'appartenance. Il est apparu que les filles de ces équipes perdantes étaient plus cohésives et avaient une estime de soi plus positive que celles des équipes gagnantes. Ces résultats appuyèrent l'explication basée sur l'identification sociale et la dissonance cognitive proposée par Turner *et al.* (1984).

Comme dans le cas des membres des groupes formés sur une base non volontaire de l'étude de Turner *et al.* (1984), nous ne choisissons pas les groupes sociaux dont nous faisons partie à notre naissance (classe sociale, sexe, ethnie). Tous les individus ne peuvent pas naître dans le « groupe gagnant » ou la classe dominante d'une société donnée. Les résultats de l'étude de Turner *et al.* (1984) indiquent que les échecs répétés d'un groupe défavorisé peuvent avoir pour effet de réduire la cohésion sociale et l'estime de soi de ses membres. Nous verrons plus loin que les minorités désavantagées se trouvent souvent dans une situation de «perdants» face aux classes dominantes qui contrôlent les leviers de la société.

La catégorisation et l'identité sociale

En analysant les études de Sherif (1966) dans les colonies de vacances, le chercheur britannique Michael Billig (1976) remarqua que les perceptions négatives de l'exogroupe étaient apparues avant même que les chercheurs fassent appel à la compétition entre les groupes. Par exemple, Sherif avait noté qu'avant même le début de la phase de compétition, des graffiti anti-exogroupe avaient fait leur apparition dans les toilettes de la colonie de vacances. On s'est alors demandé quelles sont les conditions minimales qui peuvent provoquer la discrimination intergroupe.

La répartition d'individus en deux groupes sur une base arbitraire est-elle suffisante pour susciter le préjugé et la discrimination? Rabbie et Horwitz (1969) avaient déjà montré qu'une catégorisation arbitraire en un «groupe vert» et un «groupe bleu» suffit pour déclencher des évaluations plus favorables à l'endroit de l'endogroupe qu'à l'endroit de l'exogroupe. Tajfel, Flament, Billig et Bundy (1971) ont établi qu'à la suite d'une catégorisation arbitraire le biais proendogroupe ne se limite pas aux perceptions, mais se manifeste aussi dans le comportement discriminatoire des sujets. C'est justement la catégorisation arbitraire «eux-nous» qui constitue le fondement de la démarche de Henri Tajfel pour déterminer les conditions nécessaires et suffisantes à l'apparition du biais proendogroupe. Tajfel et ses collaborateurs ont jeté les bases d'un paradigme expérimental en isolant les conditions minimales de la discrimination entre les groupes sociaux (Tajfel, 1978a, 1981; Tajfel *et al.*, 1971). En invoquant que l'expérience avait pour but d'étudier les processus de prise de décision, on attribua aux sujets la tâche de distribuer des ressources importantes entre des individus membres de l'endogroupe et de l'exogroupe. Bourhis, Sachdev et Gagnon (1993) résument les éléments de ce paradigme expérimental de la façon suivante:

1. deux groupes sont créés à partir d'une répartition arbitraire (pile ou face);
2. aucune histoire de conflits d'intérêts ou de compétition intergroupe n'existe entre ces groupes. Les groupes ne sont formés que pour les besoins immédiats de l'expérience;
3. l'anonymat des sujets est complet, tant sur le plan individuel que sur le plan de l'appartenance de groupe, ce qui élimine les effets possibles des affinités interpersonnelles ou des conflits de personnalité préalables;
4. aucune interaction sociale n'a lieu entre les participants, ni entre les membres de l'endogroupe ni avec les membres de l'exogroupe, ce qui élimine le développement d'incompatibilité interpersonnelle ou intergroupe;
5. il y a absence de lien instrumental entre les réponses des sujets et leur intérêt propre, les sujets ne s'allouant jamais de ressources personnellement.

C'est cette situation expérimentale, dans laquelle la catégorisation sociale est l'unique variable indépendante manipulée, qui constitue le paradigme des groupes minimaux (PGM) [Tajfel, 1978a ; Tajfel *et al.*, 1971]. Cette situation expérimentale visait à éliminer tous les facteurs habituellement reconnus comme étant la cause de la discrimination entre les groupes. Une situation aussi épurée pouvait-elle susciter des attitudes et des comportements discriminatoires de la part des sujets ? Tajfel et ses collaborateurs furent très surpris de constater que, malgré le caractère minimal de la situation, la représentation d'un environnement social uniquement composé des catégories « eux-nous » était suffisante pour entraîner des comportements discriminatoires en faveur de l'endogroupe. Ce biais proendogroupe peut aller jusqu'à amener l'endogroupe à préférer un gain absolu inférieur pourvu qu'il constitue un gain supérieur à celui de l'exogroupe, en d'autres termes à se contenter de moins pour son groupe pour s'assurer qu'il en ait plus que l'autre groupe. Cet effet a été corroboré par une multitude d'études qui ont tenté de cerner les balises du PGM en faisant intervenir des facteurs aussi variés que l'âge, le sexe, l'appartenance de classe ou la culture (Bourhis, 1993b; Brewer, 1979; Brewer & Kramer, 1985; Messick & Mackie, 1989; Tajfel, 1982; Wetherell, 1982). De plus, l'effet de discrimination en faveur de l'endogroupe a été confirmé à l'aide de diverses mesures telles que les perceptions intergroupes, l'évaluation de traits et de rendement à des tâches variées, les biais de la mémoire et la distribution de ressources diverses comme des points symboliques, de l'argent, des points-bonis pour un cours et des congés supplémentaires (Bourhis *et al.*, 1993; Brewer & Kramer, 1985; Brown, 1986; Messick & Mackie, 1989; Sachdev & Bourhis, 1987, 1991).

Selon la première tentative d'explication du biais proendogroupe obtenu dans les études utilisant le PGM, la catégorisation « eux-nous » suffisait pour activer une norme de compétition associée aux jeux d'équipe très en vogue dans les pays de l'Occident (Tajfel *et al.*, 1971). Cette norme amènerait les sujets à distribuer les ressources inégalement dans l'espoir de « gagner » la partie. De même, on a invoqué l'influence de la norme d'égalité pour expliquer le comportement paritaire des participants. C'est donc l'influence relative de la norme de compétition opposée à celle de parité qui expliquerait les résultats obtenus dans les études utilisant le PGM. Mais, comme le note Turner (1980), l'explication normative doit prédire dans quels cas l'une ou l'autre des normes aura le plus d'influence sur les réponses des sujets. Des normes de compétition, de gain maximal, d'égalité ou d'équité pourraient toutes être en jeu dans cette situation. Mais comment préciser leur apport respectif autrement qu'une fois que les résultats ont été obtenus ? En plus d'être trop générale et imprécise, l'explication normative se limite, au mieux, à une redescription des résultats obtenus (Turner, 1981).

De son côté, l'explication cognitive de la discrimination observée dans le PGM se fonde sur les effets du processus de catégorisation. Selon le modèle de la **différenciation catégorielle** (Doise *et al.*, 1978), l'accentuation des similitudes intragroupes et des différences intergroupes, à la suite de la catégorisation, amène les sujets à se percevoir comme semblables aux autres membres de l'endogroupe et différents de ceux de l'exogroupe (Allen & Wilder, 1975; Wilder, 1986). Cette différenciation entre l'endogroupe et l'exogroupe sur le plan de la perception entraînerait des différenciations correspondantes sur le plan des évaluations et sur celui des comportements (Doise, 1976). Ainsi les sujets qui sont dans la situation des groupes minimaux avantageraient les membres de leur endogroupe dans le but de rendre l'endogroupe le plus différent possible de l'exogroupe. La distribution inégale des ressources entre les membres de l'endogroupe et ceux de l'exogroupe serait la manifestation du processus cognitif de la différenciation catégorielle dans les études du PGM. Par conséquent, selon Doise (1976), un phénomène purement cognitif pourrait expliquer la discrimination obtenue dans le cadre du PGM.

Mais l'explication cognitive n'est pas suffisante pour nous aider à comprendre pourquoi les individus distribuent toujours plus de ressources aux membres de l'endogroupe qu'aux membres de l'exogroupe. La différenciation catégorielle pourrait s'accomplir autant par le favoritisme proexogroupe que par le favoritisme proendogroupe. Or, le favoritisme proexogroupe ne se produit jamais dans les études classiques du PGM. De plus, comment expliquer l'usage systématique de la stratégie irrationnelle, engendrant un sacrifice économique quant au gain absolu, dans le but d'assurer à l'endogroupe un avantage par rapport à l'exogroupe ?

Ces considérations ont poussé Tajfel (1978a) à proposer une explication à la fois cognitive et motivationnelle du biais proendogroupe observé dans les études utilisant le PGM. Selon la **théorie de l'identité sociale,** la catégorisation sociale permet à l'individu de se définir en tant que membre de groupes particuliers au sein de la structure sociale (Tajfel, 1981). Le résultat de ce processus de catégorisation, c'est que l'individu en vient à s'identifier à certains groupes reliés au sexe, à l'âge, à l'ethnie, à la classe sociale, etc. Selon Tajfel et Turner (1986), il serait fondamental pour l'individu de vouloir maintenir ou atteindre une identité sociale positive en tant que membre de son propre groupe. L'**identité sociale** est cette « partie du concept de soi des individus qui provient de leur connaissance de leur appartenance à un groupe social, associée à la valeur et à la signification émotive de cette appartenance » (Tajfel 1981, p. 255).

Pour arriver à une identité sociale positive, le groupe d'appartenance doit apparaître différent des autres groupes sur des dimensions jugées positives et importantes par l'individu membre de ce groupe. En s'inspirant de la théorie de la comparaison sociale formulée par Festinger (1954), Tajfel (1978a) précise que c'est par l'intermédiaire de **comparaisons sociales** favorables à l'endogroupe qu'une identité sociale positive peut être établie. Les individus de l'endogroupe et de l'exogroupe se comparent par rapport à des dimensions valorisées dans le contexte intergroupe donné. Plus les membres d'un groupe se comparent favorablement aux membres d'un exogroupe, plus ils bénéficient d'une identité sociale positive. Par contre, les comparaisons défavorables aux membres de l'endogroupe suscitent une identité sociale négative qui peut avoir un effet néfaste sur l'estime de soi des individus en question (Brewer, 1979, 1991; voir aussi le chapitre 3). Cette identité sociale négative peut entraîner un rejet du groupe d'appartenance comme groupe de référence (Tajfel, 1978a). L'identité sociale négative peut aussi mener à une surévaluation de l'exogroupe perçu comme ayant la plupart des caractéristiques valorisées par la société dominante (Brown, 1986; Sachdev & Bourhis, 1987, 1991).

Un exemple de ce phénomène fut documenté dans les études sur l'identité sociale des jeunes Noirs américains qui préféraient les poupées blanches aux poupées noires tout en sachant que les poupées noires leur ressemblaient davantage (Clark & Clark, 1947). De plus, ces choix en faveur du symbole de l'exogroupe allaient souvent de pair avec des évaluations plus positives des membres de l'exogroupe blanc que de l'endogroupe afro-américain (Brown, 1986). Des résultats semblables ont été obtenus auprès d'autres enfants membres de groupes désavantagés, incluant les Antillais en Angleterre (Milner, 1975), les Maoris en Nouvelle-Zélande (Vaugham, 1978), les autochtones du Manitoba (Corenblum & Annis, 1987) et les Antillais anglophones de Montréal (Doyle, Aboud & Sufrategui, 1992). Comme le note Aboud (1988), les enfants apprennent très jeunes s'ils sont membres d'un groupe défavorisé, plus ou moins mal perçu par la majorité dominante. Le développement cognitif, le choix du groupe de référence ainsi que le besoin d'avoir une identité sociale positive sont des facteurs qui influent sur l'identité sociale des membres des groupes minoritaires de l'enfance à la vie adulte.

Tajfel et Turner (1986) proposent que, si la comparaison sociale est défavorable aux membres de l'endogroupe, ceux-ci peuvent avoir recours à des stratégies individuelles ou collectives pour rehausser leur image de soi collective. Les stratégies individuelles sont surtout adoptées quand les membres du groupe perçoivent la situation intergroupe comme plutôt stable et légitime (Tajfel, 1978a). Dans les situations intergroupes où la mobilité sociale est possible, les individus qui se comparent défavorablement peuvent tenter de se joindre au groupe dominant en adoptant ses caractéristiques culturelles et ses valeurs fondamentales. Apprendre la langue du groupe dominant, changer son nom et adopter les valeurs culturelles du groupe majoritaire sont des stratégies de mobilité individuelle qui caractérisent les personnes qui tentent d'améliorer leur sort en tant qu'individus plutôt qu'en tant que membres de leur groupe d'appartenance. Des études récentes démontrent que les individus choisissent la stratégie de mobilité individuelle même quand leurs chances d'accéder au groupe avantagé sont presque nulles (Wright, Taylor & Moghaddam, 1990). L'autre stratégie individuelle consiste à améliorer son estime de soi en se comparant avec d'autres individus qui sont moins avantagés sur certaines dimensions de comparaison. Par exemple, les membres d'un groupe désavantagé peuvent choisir une comparaison intragroupe afin de se comparer avec des membres de l'endogroupe qui sont plus démunis qu'eux-mêmes. L'usage de ces deux types de stratégies individuelles ne remet pas en cause la structure de la relation intergroupe et permet aux groupes dominants de se maintenir en place.

Les stratégies collectives sont adoptées dans les situations où la structure de la relation intergroupe est perçue comme plus ou moins illégitime et instable (Turner & Brown, 1978). Parmi ces stratégies, la créativité sociale permet aux membres d'un groupe de réinterpréter positivement les caractéristiques de l'endogroupe ou de créer de nouvelles dimensions de comparaison qui pourront les avantager lors de comparaisons sociales avec les membres de l'exogroupe (Tajfel, 1978a). Par exemple, les Noirs américains des années 1970 ont redéfini d'une façon positive les caractéristiques de leur négritude qui avaient si longtemps été dénigrées par la majorité blanche anglo-américaine. Le mouvement *Black is beautiful* a revalorisé les caractéristiques physiques et culturelles des *African-Americans* sur des dimensions de comparaison autres que celles imposées par la majorité blanche (Brown, 1986). Cette différenciation positive sur de nouvelles dimensions de comparaison a contribué à une valorisation de l'identité sociale des Noirs américains et encouragé la lutte pour l'émancipation de cette minorité visible de 12 millions de personnes aux États-Unis (Pinkney, 1987). On a observé le même phénomène, au Québec, au cours de la Révolution tranquille, alors que la langue et la culture québécoises sont devenues des dimensions de comparaison valorisantes pour la majorité francophone (Bourhis & Lepicq, 1988, 1993; Sachdev & Bourhis, 1990b). Un phénomène semblable de revalorisation de l'identité sociale se poursuit en ce moment parmi les nations autochtones du Québec et du Canada (Frideres, 1989).

Les membres de l'endogroupe peuvent aussi décider de surpasser les membres de l'exogroupe sur la dimension même qui les désavantage. Selon Tajfel et Turner (1986), la compétition rend possible l'établissement et le maintien d'une distinction positive de l'endogroupe vis-à-vis des autres groupes. Turner (1975) a nommé **compétition sociale** cette forme particulière de concurrence motivée par l'autoévaluation du groupe et qui apparaît à la suite de comparaisons sociales. Dans la situation des groupes minimaux, la distribution de ressources en faveur de l'endogroupe est la seule dimension qui puisse permettre de créer une distinction positive entre les deux groupes. C'est ainsi que la discrimination contribue directement à la construction de l'identité sociale positive des individus dans les études utilisant le PGM. Selon Tajfel et Turner (1986), ce désir de différenciation positive vis-à-vis de l'exogroupe est à l'origine du préjugé et de la discrimination non seulement dans la situation des groupes minimaux, mais aussi dans les relations intergroupes de la vie courante. Plusieurs études de laboratoire et de terrain appuient cette hypothèse fondamentale de la théorie de l'identité sociale (Abrams & Hogg, 1990; Bourhis & Hill, 1982; Brewer & Kramer, 1985; Brown, 1988; Hogg & Abrams, 1988; Tajfel, 1982; Turner & Giles, 1981).

Par conséquent, selon la théorie de l'identité sociale, la discrimination contribue à l'identité sociale positive, qui influe directement sur l'estime de soi des individus (Tajfel & Turner, 1986). Dans une étude très astucieuse, Lemyre et Smith (1985) ont exploré les effets de la catégorisation et de la discrimination sur l'estime de soi comme mesure du caractère positif de l'identité sociale. Les situations expérimentales variaient en fonction de trois paramètres : 1) les sujets étaient catégorisés ou non ; 2) ils accomplissaient des tâches différentes de distribution de points ; et 3) ces distributions de points avaient lieu avant qu'ils aient complété des instruments de mesure de l'estime de soi ou après. Premièrement, les résultats ont démontré que l'estime de soi des sujets non catégorisés demeurait constante. À l'inverse, les sujets catégorisés qui avaient eu la possibilité de faire de la discrimination en faveur de leur endogroupe (librement ou contre leur gré) ont manifesté une estime de soi supérieure à celle des autres sujets qui n'avaient pas eu l'occasion de faire de la discrimination en faveur de leur endogroupe. Ainsi, plus les sujets ont avantagé leur endogroupe, plus ils ont manifesté une estime de soi élevée. Ces résultats confirment le fait que la discrimination contribue à une estime de soi plus élevée qui reflète une identité sociale positive. De plus, Lemyre et Smith (1985) avancent que la simple catégorisation pourrait être en elle-même une menace à l'estime de soi, menace que la personne peut réduire par la compétition sociale, qui prend souvent la forme de la discrimination. Cette étude confirme très clairement l'aspect central de la théorie de l'identité sociale dans l'explication de la discrimination intergroupe (Brown, 1988; Hogg & Abrams, 1990).

Malgré la pertinence des théories de l'identité sociale (Tajfel, 1978a) et des conflits réels (Sherif, 1966) pour l'explication des préjugés et de la discrimination, les études s'inspirant de ces approches ont longtemps négligé les asymétries sur le plan du statut et du pouvoir dans l'analyse des relations intergroupes. Par exemple, Sachdev et Bourhis (1984, 1985, 1987) notent qu'en général les études en laboratoire de type « groupes minimaux » n'ont porté que sur des groupes dont le pouvoir et le statut relatifs étaient implicitement égaux, stables et légitimes. De même, les études de Sherif (1966) ne se sont penchées que sur des groupes de jeunes dont le statut, le pouvoir et le poids numérique étaient égaux. Or, il s'avère que la plupart des conflits intergroupes se produisent entre des groupes minoritaires et majoritaires qui bénéficient d'un prestige social plus ou moins grand et dont les rapports dominants-dominés sont souvent perçus comme plus ou moins stables ou légitimes (Bourhis, 1993b).

Récemment, dans une étude utilisant le paradigme des groupes minimaux, Sachdev et Bourhis (1991) ont tenté de combler les lacunes désignées par ces critiques. On a effectué cette étude en modifiant systématiquement le statut, le pouvoir et le poids numérique de groupes ad hoc composés d'étudiants anglophones du sud de l'Ontario. Dans ce type d'étude, le statut social reflète la position relative d'un groupe par rapport à un autre sur une dimension de comparaison valorisée (Tajfel & Turner, 1986). Dans l'étude en question, les sujets effectuaient un test de créativité et, d'après leurs résultats, ils étaient répartis en deux groupes : le groupe très créatif (statut élevé) et le groupe peu créatif (statut bas). Le poids numérique était manipulé par le biais de l'information donnée aux sujets concernant les résultats du test qui les situaient soit dans le groupe majoritaire (80 %), soit dans le groupe minoritaire (20 %) à l'université.

Dans cette étude, le pouvoir social était défini comme le degré de contrôle dont bénéficie un groupe quant à sa propre destinée et à celle des exogroupes

(Jones, 1972; Sachdev & Bourhis, 1985). La perception d'une relation de pouvoir arbitraire fut induite par un tirage à pile ou face qui donna le pouvoir absolu à un groupe (100 % du pouvoir) et n'attribua aucun pouvoir à l'autre groupe (0 % du pouvoir). Le pouvoir absolu donna au groupe dominant le contrôle total de la distribution des récompenses aux deux groupes pour le rendement dans une tâche de créativité sans lien avec le test. Les récompenses distribuées constituaient une ressource importante pour les sujets puisqu'il s'agissait de points de cours dont l'obtention exemptait les étudiants de l'obligation de rédiger un travail pour le cours d'introduction à la psychologie!

Les résultats confirment le biais proendogroupe suscité par la catégorisation sociale sur le plan des attitudes: tous les sujets ont déclaré qu'ils préféraient les membres de l'endogroupe à ceux de l'exogroupe, quels que soient le pouvoir, le statut ou le poids numérique de leur groupe (Brewer, 1979; Tajfel, 1982). Par contre, la position de pouvoir et de statut des groupes a un effet marqué sur le comportement discriminatoire des individus. Les résultats démontrent clairement que le comportement des membres du groupe dominant est beaucoup plus discriminatoire que celui des membres du groupe subordonné. Le pouvoir absolu permet une manifestation marquée du biais proendogroupe dans la distribution des ressources. Cependant, le biais proendogroupe ne peut s'actualiser par un comportement discriminatoire chez les sujets sans pouvoir. Ces résultats confirment la proposition de Ng (1982b) selon laquelle sans pouvoir, la catégorisation sociale en soi ne permet pas la discrimination à l'endroit de l'exogroupe (Sachdev & Bourhis, 1985).

Les résultats montrent aussi que le comportement des individus ayant un statut élevé est plus discriminatoire que celui des individus ayant un statut bas. Ces résultats corroborent ceux observés dans d'autres études qui indiquent que, dans une situation intergroupe perçue comme stable et légitime, les groupes ayant un statut élevé font plus de discrimination que ceux qui ont un statut bas (Sachdev & Bourhis, 1987; Turner & Brown, 1978). De plus, comme dans les études antérieures, les individus ayant un statut élevé jouissent d'une identité sociale plus positive que les individus ayant un statut bas.

Par contre, les résultats de Sachdev & Bourhis (1991) soulignent l'interaction du pouvoir et du statut dans le comportement discriminatoire des sujets. Les individus ayant un statut bas mais bénéficiant du pouvoir absolu sont très discriminatoires envers l'exogroupe. Ainsi, malgré leur statut bas sur une importante dimension de comparaison, nous constatons que ces individus infériorisés profitent de leur pouvoir pour désavantager l'exogroupe ayant un statut élevé mais ne détenant aucun pouvoir. Il semble que, par le biais de la discrimination, le pouvoir absolu permette aux individus ayant un statut bas de se reconstruire une identité sociale plus positive dans la structure sociale. Toutefois, lorsqu'ils n'ont pas de pouvoir, les individus ayant un statut élevé ne peuvent pas actualiser leur sentiment de supériorité par l'exercice de la discrimination à l'égard de l'exogroupe.

Finalement, l'effet combiné du pouvoir, du statut et du poids numérique s'exprime nettement dans le cas des membres du groupe minoritaire, subordonné et ayant un statut bas. Ce groupe possède une identité sociale négative et se démarque des autres groupes en étant le seul à avantager l'exogroupe. Ce comportement de minoritaire infériorisé et subordonné ressemble à celui des minorités défavorisées antillaise, maorie et autochtone dont nous avons parlé précédemment. Cependant, dans cette étude, le comportement de minoritaire défavorisé a été induit expérimentalement chez des sujets qui, dans la vie réelle, sont des Anglo-Canadiens majoritaires de classe aisée du sud de l'Ontario. Nous pouvons donc conclure que c'est la position des groupes dans la structure sociale, plutôt que leurs caractéristiques intrinsèques, qui détermine en grande partie les perceptions et comportements intergroupes des membres de ces collectivités (Bourhis, 1993b ; Sachdev & Bourhis, 1991).

Les résultats des études de Sachdev et Bourhis (1984, 1985, 1987, 1991) illustrent clairement le fait que les théories du conflit réel et de l'identité sociale doivent mieux rendre compte d'une réalité fondamentale: la plupart des relations intergroupes se vivent entre groupes sociaux dont le pouvoir, le statut et le poids numérique sont inégaux. De plus, la majorité de ces relations sont perçues comme plus ou moins stables et légitimes (Tajfel, 1978a). Des études indiquent que les préjugés et la discrimination sont d'autant plus virulents que la situation d'inégalité intergroupe est jugée illégitime et instable (Caddick, 1982; Ellemers, Van Knippenberg & Wilke, 1990; Grant, 1992). Par ailleurs, une série d'études récentes démontrent que, dans une situation d'instabilité intergroupe, les femmes autant que les hommes préfèrent être membres du groupe dominant plutôt que du groupe dominé (Bourhis, 1993b). Sans vouloir s'approprier le pouvoir absolu, autant les femmes que les hommes aimeraient mieux que leur endogroupe bénéficie de deux fois plus de pouvoir (66 %) que l'exogroupe (33 %). Il semble que l'avantage du pouvoir soit l'outil par excellence qui permet aux groupes de s'assurer un certain contrôle sur les ressources qu'ils convoitent (Bourhis, 1993b). Les inégalités de pouvoir et de statut entre les groupes entraînent inévitablement des inégalités dans la distribution des ressources matérielles et symboliques. Ces inégalités évoquent les questions de l'équité, de la privation relative et de l'action collective dont le but est justement une redistribution du pouvoir, des ressources et du statut entre les groupes sociaux.

L'équité, la privation relative et l'action collective

Qu'est-ce qui pousse les groupes défavorisés à percevoir que leur sort collectif est injuste ? Selon la **théorie de l'équité,** en général les gens cherchent à atteindre une certaine justice dans leurs relations avec autrui et se sentent affligés quand ils font face à l'injustice sociale (Walster, Walster & Berscheid, 1978). Même si la plupart des recherches dans ce domaine ont porté sur les sentiments d'équité éprouvés au niveau interpersonnel (voir le chapitre 8), cette perspective peut nous être utile pour mieux comprendre ce qui se passe quand un groupe désavantagé compare son sort avec celui d'exogroupes plus avantagés (Austin, 1986; Tajfel, 1984; Taylor & Moghaddam, 1987).

La théorie de l'équité propose que nous évaluons la justice d'une situation en considérant à la fois les efforts consacrés par les individus pour parvenir à leurs buts et les résultats obtenus. La contribution inclut des éléments tels que les efforts et le temps consacrés, la compétence et les habiletés acquises. La contribution inclut aussi des éléments négatifs tels que des conditions de travail pénibles, des tâches ingrates et le harcèlement psychologique subi (le racisme, le sexisme). Les résultats sont constitués des récompenses tangibles pour ces efforts ; ils comprennent entre autres la rémunération, la qualité de vie, le pouvoir et le prestige. Une relation intergroupe est perçue comme équitable et juste lorsque le rapport entre la contribution et les résultats de l'endogroupe est jugé équivalent à celui de l'exogroupe. Ainsi, en comparant le sort des cadres avec celui des ouvriers d'une entreprise, on tient compte non seulement du salaire et du statut respectifs de ces catégories de gens (les résultats), mais aussi des efforts consacrés à l'atteinte de leur position respective dans l'entreprise (la contribution). Par conséquent, même en constatant que le salaire des cadres est le triple de celui des ouvriers, on pourrait estimer que cet écart est juste et équitable si l'on considère que les cadres ont consacré plus de temps et d'efforts à acquérir leur compétence d'administrateurs et qu'ils travaillent durant un plus grand nombre d'heures que les ouvriers.

La théorie de l'équité soutient que nous sommes généralement assez rationnels dans l'application des règles de proportionnalité qui nous permettent de porter des jugements sur la justice sociale (Walster *et al.*, 1978). Par contre, les recherches démontrent que nos jugements au sujet de l'ampleur des efforts accomplis et des récompenses obtenues par l'endogroupe et par l'exogroupe sont souvent biaisés en faveur de l'endogroupe (Taylor & Moghaddam, 1987). En effet, comme nous l'avons vu précédemment, le biais proendogroupe fait en sorte que les gens ont tendance à exagérer les efforts de l'endogroupe et à minimiser ceux de l'exogroupe (Ng, 1984; Van Knippenberg & Van Oers, 1984).

La théorie de l'équité avance que la perception de l'injustice sociale provoque un malaise psychologique qui nous porte à vouloir rétablir l'équité. Selon Walster *et al.* (1978), la justice sociale peut se rétablir de deux façons distinctes : l'une matérielle, l'autre psychologique. Dans un contexte intergroupe, l'équité peut se rétablir grâce à un ajustement matériel qui change systématiquement les rapports entre les résultats et les contributions de l'endogroupe et de l'exogroupe. Ainsi, en constatant qu'à compétence égale les femmes gagnent moins que les hommes pour le même travail, le patron d'une entreprise pourrait tout simplement augmenter le salaire des femmes pour qu'il soit égal à celui des hommes, ce qui représente la solution préférée des femmes pour résoudre cette situation d'injustice sociale (Tougas & Veilleux, 1992).

Le deuxième type d'ajustement proposé par Walster *et al.* (1978) consiste à élaborer des ajustements psychologiques en opérant des déformations cognitives de la valeur de la contribution et des résultats obtenus par l'endogroupe et par l'exogroupe. Ces déformations cognitives permettent de rétablir la perception de la justice sociale sans toutefois changer la situation objective des groupes en présence. Du point de vue d'un groupe avantagé de cadres, l'une des déformations cognitives possibles serait d'exagérer la contribution de l'endogroupe (la compétence acquise, des responsabilités plus lourdes, etc.) servant à légitimer les salaires très généreux qu'ils obtiennent comparativement à ceux des ouvriers. Une autre déformation cognitive employée par un groupe avantagé consisterait à rejeter le blâme sur l'exogroupe désavantagé en se convainquant que la contribution de l'exogroupe est minime ou déficiente et que, par conséquent, elle ne justifie pas de compensation particulière (Lerner & Lerner, 1981). Les cadres masculins d'une entreprise pourraient, par exemple, justifier le salaire inférieur des femmes en invoquant le fait qu'elles sont moins motivées au travail et moins intéressées par le développement de l'entreprise à cause de leur rôle familial, qui les empêche de faire des heures supplémentaires. Pour des raisons pécuniaires évidentes, on constate qu'en général les groupes avantagés préfèrent recourir à des ajustements psychologiques plutôt que matériels pour rétablir leur sentiment d'équité.

Par contre, certaines recherches portent à croire que les groupes avantagés peuvent être amenés à opter pour une compensation matérielle en faveur du groupe défavorisé pour autant que des mécanismes précis garantissent que ces compensations ne seront pas excessives (Gunderson, 1989). De plus, un groupe avantagé peut en venir à accorder une compensation matérielle par le biais d'une information systématique au sujet de l'inégalité de la situation intergroupe (Tougas & Veilleux, 1989). La transmission de cette information objective empêcherait le groupe avantagé d'avoir recours à des déformations cognitives justifiant le sort des groupes défavorisés (Taylor & Moghaddam, 1987). Un contact soutenu entre les membres du groupe avantagé et ceux des groupes défavorisés a aussi pour effet de contrer l'utilisation de déformations cognitives qui légitiment l'iniquité. Toutefois, il faut noter que, dans la plupart des sociétés, les groupes avantagés réussissent assez bien à s'isoler, de façon officielle (l'apartheid en Afrique du Sud) ou non officielle (la ségrégation résidentielle au Canada et aux États-Unis), des couches défavorisées de la population, limitant ainsi les contacts entre les riches et les pauvres, les Blancs et les Noirs, les Blancs et les autochtones, etc.

Comme nous l'avons souligné précédemment, les groupes défavorisés préfèrent que l'équité soit restaurée par des compensations matérielles plutôt que par des compensations psychologiques. Cependant, les groupes défavorisés sont souvent dépourvus des ressources et du pouvoir qui leur permettraient de s'assurer qu'ils obtiendraient les compensations matérielles requises pour la restauration de l'équité. Cette situation porte souvent les groupes défavorisés à accepter les déformations cognitives véhiculées par les groupes avantagés qui légitiment l'injustice sociale dont ils sont victimes. Ces déformations cognitives consistent à minimiser la contribution du groupe défavorisé (un manque d'habiletés, de formation et de compétence) et à exagérer celle du groupe avantagé («Ils sont plus intelligents, éduqués et compétents que nous.»). Ces déformations cognitives conduisent les groupes défavorisés à croire que leur situation désavantageuse est méritée et que la relation intergroupe est, en fait, équitable (Taylor & Moghaddam, 1987). Nous avons vu dans la section précédente que ce type d'autodépréciation peut avoir un effet négatif sur l'identité sociale des groupes défavorisés (Tajfel & Turner, 1986). L'adoption de telles déformations cognitives est souvent encouragée par l'idéologie du groupe dominant, qui a tout intérêt à blâmer les victimes de l'injustice sociale. Il est notoire que la plupart des stéréotypes entretenus par les groupes dominants laissent entendre que les minorités sont désavantagées parce qu'elles sont composées de gens paresseux, mal formés ou peu motivés au travail (Marger, 1991; Taguief, 1987).

Les mécanismes de déformation cognitive que distingue la théorie de l'équité nous permettent-ils de mieux comprendre pourquoi si peu de groupes défavorisés s'engagent spontanément dans les actions collectives de revendication pour obtenir une distribution plus juste des ressources? C'est la **théorie de la privation relative** qui nous aide à mieux saisir les processus qui poussent les groupes défavorisés à agir collectivement au nom de leurs revendications (Crosby, 1982; Runciman, 1966). L'hypothèse initiale de cette théorie propose que le mécontentement et la révolte surgissent lorsque les individus perçoivent subjectivement une contradiction entre leur niveau de vie actuel et celui auquel ils croient avoir droit (Gurr, 1970). Selon cette théorie, plus l'écart entre les réalisations actuelles et les attentes subjectives est prononcé, plus le sentiment de privation relative est vif et plus les individus seront tentés d'agir pour atteindre leurs buts. Cette version initiale de la théorie met l'accent sur le sentiment personnel de privation relative qui suscite la frustration individuelle et risque de pousser à des actes de violence (Berkowitz, 1962). Dans une enquête menée quelque temps après de graves émeutes raciales à Detroit, Crawford et Naditch (1970) ont découvert que les Noirs qui ressentaient le plus intensément la privation relative étaient justement ceux qui étaient les plus favorables à l'usage de la force, plutôt qu'à la persuasion, pour changer les attitudes raciales des Blancs.

Le sociologue Runciman (1966) distingue la privation relative vécue au niveau individuel de celle vécue au niveau collectif. La **privation relative collective** est ressentie lorsque les membres d'un groupe perçoivent une contradiction entre le sort actuel de l'endogroupe et celui auquel ils pensent avoir droit collectivement. Runciman (1966) propose que les mouvements collectifs de revendication sont le résultat du sentiment de privation relative ressentie au niveau du groupe plutôt qu'au niveau personnel. Il note que les participants aux émeutes sont rarement les individus les plus défavorisés sur le plan personnel; ce sont plutôt ceux qui ont déjà atteint un niveau relatif de réussite sociale au sein du groupe. Dans le même sens, l'étude américaine de Caplan (1970) a montré que, dans le cas des plus démunis, les sentiments de privation relative individuelle et collective ne parviennent pas toujours à aller au-delà du désespoir et de la résignation acquise (Seligman, 1975; Walker & Pettigrew, 1984).

Au Québec, une série d'études empiriques ont montré que c'est le sentiment de privation relative collective plutôt que le sentiment de privation relative personnelle qui est relié directement aux attitudes et aux comportements de revendication sociale (Dubé-Simard & Guimond, 1986). Ainsi les résultats ont clairement démontré que plus les francophones ressentaient la privation relative collective, plus ils appuyaient la souveraineté du Québec et plus ils étaient d'accord avec la Charte de la langue française (la loi 101) [Bourhis, 1984]. Par contre, le sentiment de **privation relative personnelle** n'était pas du tout relié aux attitudes de revendication collective (Guimond & Dubé-Simard, 1983).

Une autre étude menée auprès de chômeurs australiens est venue corroborer les résultats obtenus au Québec (Walker & Mann, 1987). Cette étude a pu démontrer que c'est le sentiment de privation relative collective, plutôt que personnelle, qui détermine les intentions de revendications violentes de jeunes chômeurs. Plus le sentiment de privation relative collective des chômeurs australiens était fort, plus ceux-ci désiraient s'engager dans des activités militantes, allant de simples manifestations jusqu'à la destruction de propriétés publiques et privées. Par contre, les chômeurs qui ressentaient surtout la privation relative personnelle n'étaient pas tentés par l'action collective; ils présentaient plutôt des symptômes de stress individuel incluant des maux de tête, des troubles digestifs et l'insomnie. Ces résultats ont amené Walker et Mann (1987) à conclure que la privation relative a des effets systématiques sur les attitudes et les comportements des individus. La privation relative personnelle semble avoir un effet nocif sur la santé mentale des individus. Par contre, le sentiment de privation relative collective agirait surtout sur des attitudes et des comportements intergroupes pouvant conduire à des revendications collectives plus ou moins violentes.

Finalement, des études récentes de Tougas et Veilleux (1992) et d'Abrams (1992) ont démontré que tant la perception de l'inégalité sociale entre l'endogroupe et l'exogroupe que le degré d'identification au groupe d'appartenance suscitent l'intensité du sentiment de privation relative collective. Les recherches d'Abrams (1992) auprès de nationalistes écossais indiquent, de plus, que la privation relative collective mène à des revendications collectives surtout chez les gens qui ont déjà acquis une idéologie collective prônant le changement social.

En conclusion, les recherches démontrent que l'intensité du sentiment de privation relative relève plus du sentiment subjectif de privation que de la réalité objective. À cet égard, la théorie de la privation relative complète la théorie de l'équité, qui néglige le problème du biais perceptuel dans l'appréhension du sort de l'endogroupe par rapport à celui de l'exogroupe. Par contre, la théorie de l'équité souligne l'importance des processus de déformation cognitive, nous permettant de mieux comprendre pourquoi des groupes désavantagés ne se mobilisent pas nécessairement dans le but d'agir collectivement pour améliorer leur sort. Les deux théories se complètent en illustrant les processus nécessaires pour que les individus en viennent à percevoir qu'une relation intergroupe est injuste, illégitime et susceptible d'être changée. C'est à cet égard que les théories de l'équité et de la privation relative complètent la théorie de l'identité sociale puisque cette dernière ne spécifie pas clairement par quel processus les individus arrivent à percevoir qu'une relation intergroupe est illégitime et instable (Brown, 1986; Tajfel, 1984). De plus, alors que la théorie de l'identité sociale semble bien expliquer les causes du préjugé et de la discrimination, la théorie de la privation relative fournit des explications pour des comportements intergroupes plus extrêmes, tels que les manifestations, le militantisme et la violence contre les institutions et certains groupes. Comme le note Friedland (1988), la violence intergroupe est parfois utilisée pour forcer un groupe avantagé à partager d'une façon plus équitable les ressources avec les groupes défavorisés. La théorie des conflits réels (Sherif, 1966) démontre que les relations intergroupes ne peuvent pas toujours être harmonieuses étant donné le nombre limité de ressources qui peuvent être partagées entre les groupes. La théorie de l'identité sociale propose que les individus préfèrent être membres d'un groupe qui se compare favorablement plutôt que défavorablement avec les exogroupes saillants de l'environnement social. Cette forme de compétition sociale, qui débouche souvent sur le préjugé et sur la discrimination, s'ajoute à la compétition objective pour l'obtention de ressources limitées et augmente le potentiel chronique et destructeur des rivalités intergroupes. De plus, les biais et les déformations cognitives concernant la justice et l'équité du partage des ressources rendent plus difficile la résolution des conflits réels entre les groupes (Morley, Webb & Stephenson, 1988). Par ailleurs, le sentiment de privation relative collective facilite la mobilisation orientée vers le changement social qui mène souvent aux actes de violence intergroupes. Étant donné que le partage inégal des ressources entre les groupes est la règle plutôt que l'exception, il faut en conclure que le conflit autant que l'harmonie doivent faire partie de l'étude des relations intergroupes (Condor & Brown, 1988). Il reste maintenant à déterminer quels processus sont les plus susceptibles d'atténuer les préjugés et la discrimination intergroupes.

PEUT-ON ATTÉNUER LES PRÉJUGÉS ET LA DISCRIMINATION INTERGROUPES?

Selon la théorie de l'équité, il suffirait de partager les ressources matérielles d'une façon équitable pour éliminer les préjugés, la discrimination et les conflits intergroupes (Austin, 1986). Dans la mesure où le partage équitable des ressources élimine en grande partie la compétition intergroupe, la théorie des conflits réels de Sherif (1966) implique que la justice sociale est la solution la plus susceptible de réduire les hostilités intergroupes. Par conséquent, le partage équitable des ressources dans une société donnée constitue sans doute la mesure la plus efficace pour atténuer les préjugés et la discrimination (Marger, 1991).

Par contre, la stratification sociale qui caractérise la plupart des sociétés démontre que le partage inégal du pouvoir, du statut et des ressources est la règle plutôt que l'exception dans les relations intergroupes (Lenski, 1984; Schermerhorn, 1970). Il revient donc aux psychologues sociaux de proposer des mesures efficaces pour atténuer les préjugés et la discrimination dans les contextes où l'inégalité sociale demeure une réalité difficilement contournable. De plus, les recherches indiquent que la catégorisation sociale «nous-eux» est suffisante pour déclencher le préjugé et la discrimination malgré l'absence de conflits réels entre les groupes sociaux (Tajfel & Turner, 1986). Trois approches susceptibles de diminuer quelque peu les préjugés et la discrimination ont été proposées par les psychologues sociaux: 1) l'hypothèse du contact intergroupe; 2) les buts communs et la coopération; et 3) l'approche sociocognitive. Nous aborderons brièvement chacune de ces approches en faisant valoir leurs forces et leurs faiblesses.

L'hypothèse du contact intergroupe

Dans ses études effectuées dans des colonies de vacances, Sherif (1966) avait organisé une phase de contact intergroupe dans l'espoir de réduire l'hostilité entre les équipes adverses qui venaient de terminer la semaine de tournois. Sherif souhaitait que le fait de créer des situations de contact agréable entre les équipes adverses ait pour effet d'établir des relations plus harmonieuses entre les groupes. Les jeunes des deux équipes furent conviés à participer ensemble à des événements spéciaux qui incluaient une soirée de cinéma, un festin et un feu d'artifice. Sherif constata que ces événements ne produisirent pas les effets escomptés. Plutôt, les groupes de jeunes profitèrent des rencontres intergroupes pour s'insulter et se battre. Sherif dut conclure que le contact intergroupe n'était pas suffisant pour réduire les sentiments et comportements hostiles entre les groupes rivaux.

En fait, Gordon Allport (1954), dans son ouvrage classique intitulé *The nature of prejudice*, avait déjà énuméré les conditions nécessaires à la réduction des préjugés et de l'hostilité par le biais du contact intergroupe. Premièrement, le contact doit être soutenu et comporter un élément de coopération en vue d'atteindre un but commun. Un contact intergroupe sans but apparent n'est pas susceptible de changer les attitudes intergroupes. C'est précisément la coopération intergroupe visant à atteindre un but commun qui a le mieux réussi à réduire les attitudes et comportements hostiles dans la troisième phase de l'étude de Sherif (1966). Deuxièmement, Allport (1954) propose que le contact intergroupe doit être sanctionné par un appui officiel des autorités. Par conséquent, une politique officielle d'intégration culturelle et ethnique doit être mise en place pour permettre au processus de contact intergroupe de porter des fruits. Troisièmement, le contact intergroupe doit se faire entre des groupes ayant un statut et un pouvoir égaux. Allport note qu'un contact soutenu entre des groupes dont le statut et le pouvoir sont inégaux risque tout simplement de consolider des attitudes et des comportements négatifs existant déjà entre les groupes. L'époque de l'esclavage démontre bien que le contact soutenu entre les Blancs et leurs esclaves n'a guère changé les attitudes négatives des Blancs envers les Noirs (Marger, 1991; Taguieff, 1987). Allport (1954) avance que c'est en réunissant ces conditions optimales que les politiques de contact et d'intégration ethniques ont des chances d'atteindre leurs buts dans les domaines de l'emploi, de l'éducation et de l'urbanisme.

En général, les recherches des 40 dernières années appuient l'hypothèse du contact tout en démontrant que le contact intergroupe ne produit ses effets bénéfiques que dans des situations très particulières (Amir, 1976; Hewstone & Brown, 1986; Miller & Brewer, 1984). Deux questions sont soulevées par les études empiriques effectuées ces dernières années sur l'hypothèse du contact intergroupe. La première porte sur un élément clé de l'hypothèse qui suggère que le contact augmente nos connaissances et notre compréhension de l'exogroupe, ce qui aide les individus à concevoir des attitudes moins négatives à l'endroit de l'exogroupe. Les études de Stephan et Stephan (1984) démontrent que la méconnaissance de l'exogroupe est reliée à la formation des préjugés. En se basant sur la théorie de la similitude-attraction (Byrne, 1971), ces chercheurs avancent qu'un contact intergroupe qui ferait ressortir les similitudes entre les caractéristiques de l'endogroupe et celles de l'exogroupe stimulerait l'attraction interpersonnelle entre les membres de chaque groupe et diminuerait les préjugés. Par contre, Brown (1988) note qu'il est dangereux d'enseigner que les groupes ethniques (ou autres) sont semblables en tous points sans reconnaître les différences réelles qui existent entre ces groupes. Une telle stratégie ne pourra que rendre plus pénible la constatation ultérieure des différences réelles. Brown (1988) remarque que, dans le domaine des attitudes et des valeurs fondamentales, le contact intergroupe peut faire ressortir autant de similitudes intergroupes que de différences irréconciliables. Dans ce dernier cas, le contact intergroupe risquerait d'avoir pour effet de susciter la suspicion et les préjugés intergroupes plutôt que de les atténuer.

La deuxième question porte sur la généralisation des attitudes à la suite du contact intergroupe. Les attitudes positives envers les membres de l'exogroupe avec qui nous avons eu des contacts positifs se généralisent-elles aux autres individus de l'exogroupe avec qui nous n'avons eu aucun contact? La plupart des recherches démontrent que l'effet bénéfique du contact intergroupe ne se généralise pas à l'ensemble de la collectivité de l'exogroupe (Hewstone & Brown, 1986). Par exemple, les études américaines de Cook (1978) indiquent que le contact coopératif entre les groupes ethniques provoque des attitudes plus favorables envers les membres de l'exogroupe qui ont participé aux rencontres, mais ces attitudes ne se généralisent pas à l'ensemble de la collectivité. Deux facteurs paraissent expliquer ces résultats peu encourageants (Hewstone & Brown, 1986). Premièrement, il semble que beaucoup de ces contacts soient en fait des rencontres interpersonnelles plutôt qu'intergroupes. En d'autres mots, la situation de contact se passe entre des individus qui ne se définissent pas en fonction de leurs collectivités respectives mais plutôt en tant qu'individus (Tajfel, 1978a). Ainsi, les attitudes positives qui se développent après de telles rencontres se limitent aux participants eux-mêmes et ne risquent guère de se généraliser à l'ensemble des membres de l'exogroupe.

L'absence de généralisation survient aussi parce que les individus ont tendance à traiter comme des exceptions les contacts positifs qu'ils ont eus avec les membres de l'exogroupe (Pettigrew, 1979). L'expérience positive vécue avec un membre de l'exogroupe peut être ressentie comme dissonante étant donné les préjugés déjà existants à l'égard de ce groupe. Les individus réussissent à maintenir leurs préjugés envers l'exogroupe en interprétant le contact positif comme une exception à la règle (Rothbart & John, 1985). En effet, dans une étude astucieuse, Wilder (1984) a démontré que le contact plaisant avec un individu clairement catégorisé comme étant *typique* de l'exogroupe produit une plus grande généralisation positive envers l'ensemble du groupe qu'un contact tout aussi plaisant avec un membre de l'exogroupe perçu comme *atypique* du groupe en question.

C'est en s'appuyant sur l'ensemble de ces constatations que Pettigrew (1979, 1986) recommande que les contacts intergroupes se fassent en accentuant plutôt qu'en atténuant l'appartenance de groupe de chaque participant. C'est ce type d'approche qui semble le plus susceptible de produire une généralisation de l'effet bénéfique du contact intergroupe à l'ensemble des collectivités en question (Hewstone & Brown, 1986). Selon la théorie de l'identité sociale (Tajfel & Turner, 1986), cette approche a aussi l'avantage de respecter le désir de différenciation positive des groupes qui entrent en contact, ce qui ne menace pas leurs identités sociales respectives.

Les buts communs et la coopération

Depuis les travaux originaux de Sherif (1966), plusieurs études de terrain et de laboratoire ont établi que la coopération intergroupe pour la réalisation d'un but commun peut atténuer les préjugés et la discrimination (Aronson *et al.*, 1978; Blake, Shepard & Mouton, 1964; Brown & Abrams, 1986; Johnson, Johnson & Maruyama, 1983). Par exemple, dans une étude de laboratoire mettant en contact des équipes adverses dans une phase compétitive suivie d'une phase coopérative, Ryen et Kahn (1975) ont obtenu une atténuation, et non l'élimination, du biais proendogroupe à la suite de la phase coopérative. L'étude a également démontré que les individus des équipes adverses s'asseyaient plus près les uns des autres à la suite de la tâche coopérative qu'à la suite de la phase compétitive de l'étude.

Par contre, Worchel (1986) prétend que même la coopération pour la réalisation d'un but commun n'aboutit pas nécessairement à une atténuation du préjugé et de l'hostilité intergroupes. Worchel, Andreoli et Folger (1977) notent que, dans toutes les études de Sherif (1966), la coopération intergroupe avait abouti à la solution des problèmes communs auxquels faisaient face les équipes concurrentes. Qu'advient-il des attitudes et des comportements intergroupes si la coopération n'aboutit pas à la réalisation du but commun visé? Pour répondre à cette question, Worchel *et al.* (1977) ont entrepris une étude dans laquelle la collaboration de deux équipes, pour atteindre un but commun, se soldait soit par un succès, soit par un échec. Dans une phase préalable, les équipes avaient ou compétitionné, ou collaboré ou n'avaient eu aucun rapport entre elles durant la tâche précédente. Dans ces deux derniers cas, la coopération intergroupe suscita des attitudes plus favorables envers l'exogroupe, quel que fût l'aboutissement de la collaboration (succès ou échec). De même, comme dans les études de Sherif (1966), les équipes qui avaient compétitionné dans la première phase, puis avaient collaboré et atteint leur but commun manifestèrent des attitudes plus favorables envers l'équipe adverse. Par contre, les équipes qui avaient compétitionné dans la première phase et dont la coopération ultérieure s'était soldée par un échec manifestèrent des attitudes encore moins favorables envers l'exogroupe que dans la phase de compétition et eurent tendance à blâmer l'exogroupe pour ce revers. Worchel et Norvell (1980) ont exploré cette réaction de blâme en créant un environnement de laboratoire perçu comme soit tout à fait idéal pour l'accomplissement de la tâche, soit inapproprié pour la tâche en question. À la suite d'une tâche préalable de compétition, les équipes s'engagèrent dans une tâche de coopération qui se solda par un succès ou par un échec. Dans l'environnement idéal, l'échec de la coopération intergroupe fut attribué à l'exogroupe, comme dans l'étude précédente de Worchel *et al.* (1977). Les attitudes envers celui-ci furent encore plus négatives que dans la phase préalable de compétition. Par contre, dans le cas de l'échec de la coopération intergroupe qui eut lieu dans un environnement jugé défavorable, l'environnement défavorable servit de bouc émissaire de telle sorte que l'exogroupe ne fut pas blâmé pour l'échec des équipes. Par conséquent, les attitudes envers l'exogroupe devinrent plus favorables par rapport à la phase de compétition antérieure. Finalement, quel que soit l'environnement, la coopération qui se solde par un succès commun provoque une nette amélioration des perceptions intergroupes.

Les études de Worchel (1986) démontrent que c'est la réussite plutôt que l'activité de coopération en soi qui semble à l'origine de l'amélioration des perceptions et des relations intergroupes à la suite de la mobilisation vers un but commun. Worchel (1986) nous met en garde contre les tentatives trop hâtives d'utiliser la coopération intergroupe comme moyen d'atténuer les conflits intergroupes. Avant de s'engager dans la voie de la coopération intergroupe, il est important de bien évaluer les chances de succès d'une telle collaboration. Sinon, l'échec de la coopération intergroupe mènera à une accentuation du biais proendogroupe, par le blâme de l'exogroupe, et risquera d'accentuer les tensions intergroupes au lieu de les atténuer. De plus, il faut admettre qu'il n'est pas facile, dans la vie réelle, d'instaurer la coopération intergroupe entre des groupes rivaux qui sont déjà en situation de conflit réel. Finalement, il reste à démontrer si l'effet bénéfique de la coopération peut être généralisé aux situations intergroupes plus communes qui se caractérisent par un partage inégal du pouvoir, du statut et des ressources.

L'approche sociocognitive

Une autre approche visant à réduire les préjugés et la discrimination se concentre sur la composante cognitive de ces phénomènes. Étant donné que plusieurs études ont démontré le lien existant entre les processus cognitifs et les préjugés et stéréotypes, il semble logique de tenter d'atténuer ces phénomènes en agissant directement sur les processus cognitifs en jeu.

Nous avons vu que la coopération intergroupe peut, dans certaines circonstances, atténuer les préjugés et la discrimination. Selon l'explication fonctionnelle de Sherif (1966), l'interdépendance positive entre deux groupes suscite nécessairement des attitudes et des comportements plus positifs entre les membres de ces groupes. Mais une explication cognitive peut aussi nous aider à comprendre le potentiel bénéfique de la coopération intergroupe (Brewer & Miller, 1984).

Selon la composante cognitive de la théorie de l'identité sociale (Tajfel & Turner, 1979, 1986), la coopération intergroupe a pour effet de réduire le caractère saillant des catégories «eux-nous» et peut inciter les individus à se concevoir en tant que membres d'un seul groupe, composé d'un «nous» collectif (Brown & Turner, 1981; Doise, 1976). Dans leurs études effectuées dans les colonies de vacances, Sherif et Sherif (1953) avaient eux-mêmes observé que la coopération en vue d'atteindre des buts communs avait entraîné une réduction de l'importance des distinctions entre les équipes et facilité l'émergence d'une seule entité composée de tous les jeunes participants à la colonie de vacances. Par conséquent, la coopération pour atteindre un but commun peut stimuler la formation d'une catégorie commune «nous», qui suscite des perceptions plus positives des membres de l'exogroupe et atténue l'effet du biais proendogroupe (Turner, 1982, 1985).

Dans une étude de laboratoire s'inspirant de cette analyse, deux groupes distincts d'étudiants ont été amenés ou à se maintenir en deux groupes distincts, ou à recomposer un groupe unique (Gaertner, Mann, Dovidio & Pomare, 1990). Dans chaque cas, les deux groupes coopéraient pour résoudre un problème commun ou ils demeuraient indépendants en accomplissant chacun une tâche. Chez les groupes demeurés distincts, la coopération a eu l'effet classique d'atténuer le biais proendogroupe par rapport aux groupes dont la tâche était indépendante. De plus, comme dans les études de Sherif (1966), la coopération a créé une perception plus unifiée des deux groupes. Les résultats les plus importants sont ceux qui démontrent que le biais proendogroupe est plus faible chez les sujets du groupe unifié que chez ceux demeurés distincts, même dans la situation où il n'y a eu aucune coopération intergroupe. Ces résultats indiquent que la *recatégorisation* en un seul groupe unifié, indépendamment de la coopération, augmente l'attrait des individus anciennement membres de l'exogroupe et diminue d'autant l'effet du biais proendogroupe. Ils appuient les prémisses cognitives de la théorie de l'identité sociale et poussent Gaertner *et al.* (1990) à proposer la recatégorisation comme outil cognitif susceptible d'atténuer le biais proendogroupe.

D'autres processus cognitifs aident à réduire le biais proendogroupe indépendamment de l'effet de la coopération intergroupe. Par exemple, Wilder (1978) a démontré que le biais proendogroupe s'estompe lorsque les membres de l'exogroupe sont redéfinis comme des individus ayant chacun leurs caractéristiques et leurs opinions propres. Selon Wilder (1986), l'information personnalisée sur chaque membre de l'exogroupe a pour effet de atténue le caractère saillant et l'étanchéité des catégories «eux-nous», et atténue par conséquent l'effet du biais proendogroupe. De plus, ce genre de contact réduit l'homogénéité des perceptions des membres de l'endogroupe et de l'exogroupe, et de ce fait atténue le biais proendogroupe. Miller, Brewer et Edwards (1985) ont justement obtenu ce type d'effet dans leurs recherches sur les répercussions de l'interaction personnalisée entre des Blancs et des Noirs dans les classes «désagréguées» de jeunes élèves aux États-Unis. Leurs résultats démontrent que l'individuation des membres de l'endogroupe et de l'exogroupe rend les catégories «eux-nous» moins étanches et réduit l'homogénéité des perceptions de l'exogroupe et de l'endogroupe. C'est ainsi que l'individuation des membres de l'exogroupe peut contribuer à atténuer le biais proendogroupe (Miller *et al.*, 1985; Wilder, 1986).

Dans une étude effectuée en laboratoire, Gaertner, Mann, Murrell et Dovidio (1989) ont poussé à sa limite la logique de l'effet de l'individuation en décatégorisant totalement les individus membres de deux groupes préalablement distincts. En invoquant les aspects cognitifs de la théorie de l'identité sociale (Tajfel & Turner, 1979), les chercheurs proposent que la *décatégorisation* totale des individus rend inutile la catégorie «eux-nous» et réduit la saillance de l'identité sociale collective au profit d'une identité personnelle basée sur le soi individualisé (Brewer, 1979, 1991; Turner, 1982, 1985). Leurs résultats établissent clairement que la décatégorisation atténue de façon systématique le biais proendogroupe. Puisque l'endogroupe n'est plus catégorisé en tant que tel, la décatégorisation réduit d'autant le favoritisme envers les membres de l'endogroupe. Par conséquent, Gaertner *et al.* (1989, 1990) avancent que la recatégorisation et la décatégorisation peuvent toutes deux servir d'outils cognitifs pour atténuer les préjugés et la discrimination. Toutefois, il demeure que la composante motivationnelle de la théorie de l'identité sociale soutient que les processus de différenciation sociale amènent les individus à s'identifier fortement et positivement à leur groupe d'appartenance (Tajfel & Turner, 1986). Cette loyauté envers l'endogroupe rend problématique une stratégie d'atténuation du biais proendogroupe basée sur l'abolition ou sur la transformation de l'identité sociale des individus. Les gens sont rarement prêts à sacrifier leur identité sociale particulière pour adopter une identité plus large qui reflète moins bien leur particularité en tant que collectivité. Par exemple, combien de Québécois accepteraient

ENCADRÉ 13.1

LE RACISME MODERNE

Depuis plusieurs années, nombre d'efforts ont été accomplis pour combattre le racisme. Les programmes d'accès à l'égalité, par exemple, ont permis de dénoncer et de réduire certains cas patents de discrimination. Mais cette atténuation des comportements discriminatoires les plus évidents correspond-elle à une plus grande tolérance de la part de la majorité ? Le racisme a-t-il réussi à se camoufler sous des formes plus subtiles ? Ces questions ont amené des chercheurs à élaborer différentes perspectives sur le racisme moderne. Ces perspectives ont des éléments en commun. Ainsi, elles reconnaissent le fait que le racisme n'est plus ouvertement accepté dans la société et que la plupart des gens tentent de le combattre d'une manière ou d'une autre. Elles soulignent de plus que les membres du groupe majoritaire éprouvent quand même des sentiments négatifs à l'endroit des groupes minoritaires de leur société respective.

Le racisme symbolique. Selon cette perspective appliquée aux relations ethniques aux États-Unis, les Blancs dissimuleraient tout simplement leur racisme et le manifesteraient de manière plus subtile qu'autrefois (McConahay, 1986). Cette forme de racisme se trouverait particulièrement chez les personnes défendant des valeurs conservatrices et qui percevraient que la minorité noire constitue une menace pour les valeurs de la majorité blanche. Selon ces personnes, les revendications des Noirs, justifiées à une certaine époque, ne le sont plus maintenant, car le problème a été réglé par les interventions gouvernementales des 30 dernières années. On peut détecter le racisme symbolique dans différentes formes de résistance face aux préoccupations de la minorité noire, tel le vote systématique contre les candidats noirs aux élections. Ce racisme serait exprimé dans toute situation où le comportement ne pourrait pas être directement étiqueté comme raciste.

La théorie de l'ambivalence-amplification. Cette perspective est la seule à soutenir que les Américains blancs ont des sentiments réellement positifs à l'égard des Noirs, mais que ces sentiments sont aussi mêlés de sentiments négatifs (Katz, Wackenhut & Hass, 1986). Selon les circonstances, les sentiments négatifs ou positifs prennent le dessus et sont amplifiés. Ainsi, dans un contexte où des valeurs humanistes, égalitaires sont saillantes, les Blancs partageant ces valeurs expriment des sentiments plus positifs à l'égard des Noirs. Par contre, dans un contexte où des valeurs de travail et de mérite prédominent, leurs sentiments négatifs à l'égard des Noirs prennent le dessus (Katz & Hass, 1988).

Le racisme régressif. Cette perspective affirme que, de nos jours aux États-Unis, les Blancs partagent une norme plus égalitariste qui entre en

→

ENCADRÉ 13.1 (suite)

contradiction avec les anciennes façons d'agir envers les Noirs (Rogers & Prentice-Dunn, 1981). Cette norme guide les comportements dans la plupart des situations sociales. Cependant, dans des situations de stress, les membres de la majorité ont tendance à régresser vers les anciennes façons d'agir, c'est-à-dire à revenir à des comportements discriminatoires à l'égard des groupes minoritaires.

Le racisme aversif. Cette perspective, appliquée au contexte américain, soutient que certaines personnes blanches se cachent leur racisme à elles-mêmes, particulièrement les personnes libérales et bien intentionnées (Gaertner & Dovidio, 1986). D'une part, il est très important pour ces personnes de ne pas avoir de préjugés et de ne pas faire de discrimination ; d'autre part, leurs sentiments à l'égard des Noirs sont plutôt négatifs. De façon générale, leur comportement se plie à la norme interdisant la discrimination. Cependant, leurs véritables sentiments s'expriment seulement lorsque leur comportement discriminatoire peut être attribué à des motifs n'ayant rien à voir avec le racisme. Par exemple, on peut justifier le refus d'accorder un emploi à des Noirs en invoquant le manque d'expérience de ces derniers alors qu'en fait les Noirs n'ont jamais eu l'occasion d'acquérir cette expérience en raison du fait que l'on a toujours préféré les candidats blancs.

Ces différentes perspectives qui tentent de rendre compte du racisme moderne suscitent de nombreuses questions concernant les actions à entreprendre pour contrer les préjugés et la discrimination. À la lumière des tensions interethniques que connaissent l'Amérique du Nord et l'Europe, nous sommes en droit de nous demander si nous n'assistons pas au développement d'un racisme latent, maintenant que les manifestations ouvertes de discrimination sont interdites par la loi et perçues comme socialement indésirables. Par ailleurs, il serait également intéressant d'étudier la question des relations femmes-hommes à la lumière de ces perspectives. En effet, il est difficile de ne pas déceler un certain « sexisme symbolique » dans les propos de ceux qui affirment que l'égalité entre les hommes et les femmes est maintenant atteinte et que, par conséquent, les revendications actuelles des femmes s'avèrent exagérées et donc peu légitimes.

d'abandonner totalement leur identité québécoise pour prendre une identité strictement canadienne ou américaine ?

Vers une intégration des aspects cognitif et motivationnel

Plusieurs auteurs ont insisté sur l'importance de tenir compte à la fois des aspects cognitif et motivationnel dans l'étude des phénomènes liés aux relations intergroupes (Brewer, 1979; Maass & Schaller, 1991; Tajfel & Turner, 1986). En effet, l'existence du biais proendogroupe montre bien que notre appartenance à une catégorie donnée influe sur nos perceptions et sur nos jugements au sujet des membres d'exogroupes. Dans cette perspective, de nombreuses recherches révèlent que nous n'agissons pas de la même manière lorsque notre appartenance à un groupe est mise en évidence, ce qui constitue, en fait, un des postulats de la théorie de l'identité sociale (Tajfel & Turner, 1986).

Par exemple, les recherches sur les attributions intergroupes indiquent que, lorsque nous observons un comportement positif adopté par un membre de l'endogroupe, nous avons tendance à l'attribuer à une disposition intrinsèquement positive caractéristique des membres de l'endogroupe (Hewstone & Ward, 1985). Par contre, lorsque ce même comportement positif est adopté par un membre d'un exogroupe, nous avons plutôt tendance à l'attribuer au contexte particulier de la situation (Taylor & Jaggi, 1974). Le biais proendogroupe se manifeste donc aussi sur le plan des attributions concernant les comportements des membres de l'endogroupe et de l'exogroupe (Hewstone, 1988, 1990).

D'autres recherches sur différents aspects des relations intergroupes soulignent l'importance de facteurs motivationnels dans ces phénomènes abordés généralement d'un point de vue purement cognitif. Par exemple, des recherches ont montré que la perception de l'homogénéité d'un groupe varie en fonction du poids numérique relatif de l'endogroupe et de l'exogroupe. Ainsi les membres de groupes majoritaires ou égaux percevront l'exogroupe comme plus homogène que l'endogroupe, alors que les membres de groupes minoritaires percevront leur endogroupe comme plus homogène (Simon & Brown, 1987; Stephan, 1977). L'appartenance à un groupe minoritaire amènerait les membres de celui-ci à vouloir augmenter la cohésion interne pour s'assurer d'une identité de groupe distincte de celle de la majorité (Brown, 1988; Simon, 1992).

D'autres recherches révèlent que l'effet d'homogénéisation des groupes varie aussi en fonction des dimensions ou des caractéristiques utilisées dans les jugements sur l'homogénéité des groupes. En effet, les résultats indiquent que, lorsque l'identité sociale est saillante, l'endogroupe, indépendamment de sa position minoritaire ou majoritaire, est perçu comme plus homogène que l'exogroupe en rapport avec les caractéristiques qui sont importantes dans sa propre définition, son identité sociale. Selon Simon (1992), c'est la valeur, sur le plan de l'identité sociale, de la caractéristique typique de l'endogroupe qui détermine la perception d'une similitude entre les membres de l'endogroupe. Évidemment, c'est l'exogroupe qui est considéré comme plus homogène lorsque les jugements sur l'homogénéité des groupes sont produits en fonction de caractéristiques typiques de l'exogroupe. Par conséquent, l'endogroupe sera perçu comme plus homogène d'après des caractéristiques valorisées par ses membres, alors que l'exogroupe sera perçu comme plus homogène d'après des caractéristiques que les membres de l'endogroupe ne valorisent pas, c'est-à-dire qui ne sont pas associées à leur propre identité sociale. Ainsi l'homogénéisation de l'exogroupe est un indice du fait que l'exogroupe est perçu de façon stéréotypée; de même, l'homogénéisation de l'endogroupe est l'indice de l'existence d'autostéréotypes. Dans cette perspective, l'homogénéisation des groupes ne peut être strictement le produit de processus cognitifs: la valorisation de l'endogroupe et la dévalorisation de l'exogroupe semblent également au cœur du phénomène (Simon, 1992).

Dans un autre domaine, Maass et Schaller (1991) ont aussi souligné l'importance de l'aspect motivationnel qu'entraîne l'identification à une catégorie donnée dans le phénomène de la corrélation illusoire. Les résultats de leurs recherches indiquent que la perception erronée d'une relation entre l'appartenance à un groupe particulier et le fait de posséder telle ou telle caractéristique se modifie selon que les sujets jugent des groupes dont ils ne font pas partie ou appartiennent à l'un des deux groupes. Ainsi, les sujets non membres d'un groupe ont perçu une relation entre l'appartenance au groupe minoritaire et les comportements inusités (désirables ou non), alors que les sujets membres de l'un ou l'autre groupe n'ont généralement pas eu cette perception erronée (Schaller & Maass, 1989, expérience n° 1). La catégorisation endogroupe-exogroupe, provoquant le biais proendogroupe, amènerait les sujets à porter sur les membres des groupes des jugements biaisés en faveur de l'endogroupe. En effet, les sujets membres d'un groupe majoritaire ou minoritaire avaient tendance à percevoir une corrélation illusoire entre l'appartenance à l'endogroupe et les comportements désirables. Par contre, ils étaient très peu enclins à percevoir une telle corrélation dans les cas où les membres de l'endogroupe se comportaient de façon indésirable (Schaller & Maass, 1989, expérience n° 2). Selon Maass et Schaller (1991), ces résultats montrent que la motivation à maintenir une identité sociale positive, que postule la théorie de l'identité sociale, empêcherait la formation des corrélations illusoires pouvant susciter une perception négative de l'endogroupe.

Une approche cognitive qui tient compte de l'aspect motivationnel pour réduire le biais proendogroupe consiste à faire ressortir le caractère saillant de la **catégorisation croisée,** qui peut caractériser notre appartenance simultanée à deux catégories sociales (Deschamps & Doise, 1978). Malgré le fait que notre environnement social peut nous paraître essentiellement composé de deux groupes seulement (dans une situation de conflit par exemple), la réalité est telle que plusieurs catégorisations dichotomiques existent en même temps. Lorsque ces différentes catégorisations sont saillantes, il devient évident que certaines catégories ne sont plus mutuellement exclusives, mais se chevauchent plutôt (Vanbeselaere, 1991). La figure 13.5 illustre une telle situation où deux catégorisations dichotomiques s'entrecroisent. Ainsi les membres des groupes 1 et 2 appartiennent à des groupes différents selon la catégorie du sexe tout en faisant partie du même groupe selon la langue. De plus, les groupes 1 et 3 diffèrent sur la base linguistique mais se rejoignent du point de vue du sexe. Appliquée à un contexte interethnique, la catégorisation croisée pourrait faire en sorte que les préjugés d'un Blanc de classe moyenne envers les Noirs soient atténués lorsque des Noirs partagent une catégorie commune avec ce Blanc, par exemple s'ils sont également membres de la classe moyenne. La différenciation négative envers l'exogroupe des Noirs est alors neutralisée par le biais proendogroupe envers un

FIGURE 13.5 **Catégorisation croisée de deux catégories dichotomiques : le sexe et la langue**

		SEXE	
		Féminin	Masculin
LANGUE	Français	1 Femmes francophones	2 Hommes francophones
	Anglais	3 Femmes anglophones	4 Hommes anglophones

membre de la classe moyenne (Doise, 1976). De tels résultats ont été obtenus dans des études de catégorisations croisées auprès de groupes expérimentaux et réels (Deschamps & Doise, 1978; Vanbeselaere, 1987, 1991).

L'effet bénéfique de la catégorisation croisée dépend du fait que les deux catégories sociales mises en présence ont un caractère également saillant et important pour les individus. L'avantage de la catégorisation croisée, comme outil cognitif servant à réduire le biais proendogroupe, est évident lorsqu'on considère que son effet est positif, sans que l'identification à l'endogroupe soit abolie ou transformée. Autrement dit, l'identité sociale particulière des membres des groupes visés est préservée. Par contre, l'effet négatif de l'appartenance simultanée à deux catégories se manifeste lorsque les deux catégories coïncident pour distinguer un individu d'un autre; on parle alors de **double catégorisation** (par exemple les groupes 1 et 4, d'une part, et les groupes 2 et 3, d'autre part, dans la figure 13.5). Ainsi la différenciation négative à l'endroit de l'exogroupe des Noirs peut être accentuée, de la part du Blanc de classe moyenne, lorsque le Noir est de surcroît membre de la classe ouvrière. Les études empiriques montrent clairement que la double catégorisation accentue le biais proendogroupe (Brown & Turner, 1981; Vanbeselaere, 1991).

L'effet bénéfique de la catégorisation croisée peut s'appliquer dans les contextes où de multiples catégories sociales deviennent saillantes pour un grand nombre de groupes qui se côtoient régulièrement. Ainsi un environnement multilingue et multiethnique peut contenir des permutations et combinaisons de catégorisations croisées tellement complexes que l'usage même de catégories ethniques, linguistiques ou culturelles devient cognitivement inutile comme outil de simplification de l'environnement social. Dans de telles circonstances, la

FIGURE 13.6 **Au Québec comme ailleurs, les autorités en place ainsi que les divers regroupements sociaux doivent dénoncer tous les gestes xénophobes accomplis envers les minorités. Une telle vigilance de la part de chaque individu peut servir d'avertissement aux démagogues qui seraient tentés de se gagner des avantages politiques sur le dos des minorités dans la société.**

Un survivant de l'Holocauste, Morris Proshetsky, tentait hier d'effacer une croix gammée sur le mur de la synagogue Beth-Israël Beth Aaron. Montréal est l'une des villes qui comptent le plus grand nombre de survivants de l'Holocauste.

Concert de dénonciations des gestes racistes

Jean-Pierre Bonhomme

■ Le gouvernement du Québec, par la voix de la ministre des Communautés culturelles et de l'Immigration, Mme Monique Gagnon-Tremblay, a vivement dénoncé hier les actes de profanation perpétrés le week-end dernier contre sept synagogues de la région de Montréal. Diverses institutions culturelles et municipales ont fait de même.

Mme Gagnon-Tremblay a en effet exprimé son indignation, mais elle a aussi instamment prié la population d'exercer toute la vigilance qui s'impose devant les diverses expressions de racisme. «Il n'y a pas et il n'y aura pas, au Québec, de tolérance à l'intolérance», a-t-elle lancé.

La ministre a signalé que ces actes (des inscriptions injurieuses) qui «rappellent les événements les plus douloureux de l'histoire juive» sont condamnables et «jettent du discrédit sur toute la société québécoise». Elle a dit croire que sa tristesse est partagée par la très grande majorité de la population «résolument tolérante et attachée aux principes de la liberté des religions».

Elle a rappelé que le gouvernement du Québec, dans sa Déclaration sur les relations interethniques et interraciales (10 décembre 1986) a condamné sans réserve «le racisme sous toutes ses formes» et qu'il s'est engagé «à appliquer les mesures prévues par les lois contre les manifestations du racisme et de la discrimination raciale». Elle souhaite que les auteurs de ces actes soient rapidement traduits en justice.

Le leader de l'opposition en ces matières, le député Michel Bourdon, tout en rappelant que ce genre de crime n'a pas la même ampleur qu'en d'autres pays, en a appelé vigoureusement «à la vigilance de la majorité des citoyens et des autorités policières».

Le président de la Société Saint-Jean-Baptiste de Montréal, M. Jean Dorion, a été parmi les premiers à s'élever contre «ces gestes de vandalisme odieux». Il a dit vouloir donner à la communauté juive de Montréal toutes les assurances de sa sympathie et de sa solidarité. Il a lui aussi invité les autorités policières «à accorder à ce dossier la priorité que justifie son extrême gravité».

Le maire de Montréal, M. Jean Doré, dit exprimer les sentiments de la plupart des Montréalais en se disant «personnellement outragé» par les profanations des synagogues.

Le conseil des communautés culturelles et de l'immigration et le Comité consultatif de la Communauté urbaine de Montréal ont exprimé leur indignation devant ces actes «avilissants». La présidente du Conseil des communautés culturelles, Mme Raymonde Folcoo, a rappelé que les Québécois d'origine juive sont présents dans tous les milieux sociaux et que leur contribution est «exemplaire». M. Waheed Malik, président du Comité consultatif de la CUM a dit souhaiter que les autorités municipales «imaginent des formes d'action qui inciteraient la population à manifester un esprit de solidarité à l'égard des citoyens qui subissent de pareils actes».

L'organisme Jeunesse au Soleil a «reçu un engagement» de 5000 $ qui s'ajoute à la récompense de 5000 $ actuellement offerte par le Congrès juif pour tout renseignement devant conduire à l'arrestation et à la condamnation des personnes responsables.

On peut communiquer les renseignements à la police de la Communauté urbaine (280-2214).

Tiré de *La Presse*, Cahier A, 6 janvier 1993

catégorisation multiple peut avoir pour effet d'atténuer les préjugés et la discrimination par la perception selon laquelle tous les groupes sont constitués de catégories qui se chevauchent en partie (Vanbeselaere, 1991).

Pour en arriver à atténuer les effets négatifs des préjugés, des stéréotypes et de la discrimination, la psychologie sociale se doit de mieux intégrer les approches cognitive et motivationnelle de ces phénomènes. L'intégration théorique des recherches sur les stéréotypes à celles qui se font sur le préjugé et sur la discrimination serait certainement le premier pas dans ce sens (Zanna & Olson, 1993). L'ampleur grandissante de l'intolérance en Europe, au Canada et au Québec (voir la figure 13.6) pousse de plus en plus de psychologues sociaux à se consacrer à l'étude des mécanismes susceptibles d'atténuer les préjugés, de contrer la discrimination et de résoudre les conflits intergroupes.

RÉSUMÉ

Le survol des relations interethniques au Québec permet de constater que la perception d'une menace pour la survie de la langue française colore les attitudes des Québécois francophones à l'endroit des anglophones et des allophones de la province. Il faut être conscient du fait que ce sentiment de menace pourrait être récupéré par des démagogues pour justifier un traitement discriminatoire à l'égard des minorités ethniques et linguistiques du Québec.

Le préjugé se définit comme une attitude négative qu'une personne entretient à l'endroit de l'ensemble des membres d'une catégorie sociale ; cette attitude se fonde simplement sur le fait que ces personnes appartiennent à une catégorie en particulier. Les stéréotypes sont des croyances au sujet des caractéristiques des membres d'un groupe ou d'une catégorie sociale ; ces croyances sont aussi généralisées à l'ensemble des membres du groupe en question. La discrimination représente toute action négative dirigée contre un membre d'un exogroupe résultant d'un préjugé à l'égard du groupe dont il fait partie.

Les principales explications de l'origine des préjugés et de la discrimination peuvent être classées selon qu'elles se situent à un niveau strictement individuel ou à un niveau plus social. Du côté individuel, la théorie de la personnalité autoritaire associe les préjugés et la discrimination à un type de personnalité particulier. La théorie de l'apprentissage social fonde son explication sur l'influence que la société exerce, par le biais de la famille, de l'école et des médias, sur l'apprentissage d'attitudes et de croyances qui influeront sur le comportement des gens. Du côté psychosocial, la théorie des conflits réels de Sherif (1966) affirme que le type de relations existant entre deux groupes détermine les attitudes et les comportements intergroupes adoptés par les membres de ces groupes. Ainsi, la collaboration favorise les attitudes positives, alors que la compétition pour l'accès à des ressources limitées entraîne les préjugés, les stéréotypes et la discrimination. La théorie de l'identité sociale soutient qu'une catégorisation «eux-nous» est suffisante pour déclencher les préjugés et la discrimination intergroupes, indépendamment de l'intérêt personnel ou de la compétition pour l'accès à des ressources. Selon cette théorie, le besoin d'une identité sociale positive pousserait les gens à faire de la discrimination en faveur de leur endogroupe pour qu'il se distingue avantageusement des exogroupes. Les concepts d'«équité» et de «privation relative» nous aident à mieux comprendre les circonstances dans lesquelles les membres de groupes défavorisés agiront collectivement pour améliorer leur sort par rapport aux groupes avantagés et souvent dominants au sein d'une société.

La psychologie sociale a proposé divers moyens d'atténuer les préjugés et la discrimination entre les groupes. Parmi ceux-ci, le contact intergroupe peut atténuer le préjugé et la discrimination, mais dans des circonstances particulières et sans que ces effets se généralisent à d'autres situations de contact intergroupe. Par ailleurs, les effets bénéfiques de la collaboration intergroupe pour la réalisation d'un but commun ne se manifestent que si cette collaboration est couronnée de succès. L'approche cognitive propose de diminuer le caractère saillant des catégorisations sociales en décatégorisant ou en recatégorisant les individus dans une seule catégorie englobant les catégories en présence. La solution la plus prometteuse intègre les apects cognitif et motivationnel des phénomènes intergroupes. Ainsi, la catégorisation croisée permet d'atténuer les préjugés et la discrimination intergroupes tout en préservant l'identité sociale des membres de chacun des groupes. Par contre, cette solution n'a pas que des conséquences positives. Le pendant de la catégorisation croisée, la double catégorisation, accentue les attitudes négatives et les comportements discriminatoires en additionnant les différences de catégories entre les individus. En conclusion, il n'existe aucune solution miracle pour atténuer les préjugés et la discrimination.

BIBLIOGRAPHIE SPÉCIALISÉE

Bourhis, R.Y. & Guimond, S. (Eds.). (1992). Préjugés et discrimination. *Revue québécoise de psychologie, 13,* 59-157. Numéro thématique sur la psychologie sociale des préjugés et de la discrimination.

Dovidio, J.F. & Gaertner, S.L. (Eds.). (1986). *Prejudice, discrimination and racism.* New York: Academic Press.

Hogg, M.A. & Abrams, D. (1988). *Social identification : A social psychology of intergroup relations and group processes.* London : Routledge and Kegan Paul.

Katz, P.A. & Taylor, D.A. (Eds.). (1988). *Eliminating racism : Profiles in controversy.* New York: Plenum.

Tajfel, H. (Ed.). (1978). *Differentiation between social groups.* London : Academic Press.

Taylor, D.M. & Moghaddam, F.M. (1987). *Theories of intergroup relations : International social psychological perspectives.* New York: Praeger.

Worchel, S. & Austin, W.G. (Eds.). (1986). *Psychology of intergroup relations*. Chicago: Nelson Hall.

Zanna, M. & Olson, J.M. (Eds.). (1993). *The Ontario symposium: The psychology of prejudice* (Vol. 7). Hillsdale, NJ: Erlbaum.

GLOSSAIRE

Les chiffres entre parenthèses renvoient au chapitre où figurent les termes du glossaire.

Accessibilité de l'attitude (6): propriété renvoyant à la facilité de rappel d'une attitude à partir de la mémoire; l'attitude est plus accessible lorsqu'il existe une association forte entre l'objet d'attitude et l'évaluation affective de cet objet d'attitude.

Acquiescement (11): le fait de céder à la pression d'un groupe ou d'une personne pour éviter une punition ou pour obtenir un renforcement positif.

Acteur (5): personne qui accomplit une action.

Affectation aléatoire (2): affectation des sujets par processus de hasard aux diverses conditions expérimentales.

Âgéisme (6): attitude non favorable aux personnes âgées et qui est fondée sur des croyances (stéréotypes) douteuses.

Agression (9): tout comportement physique ou verbal dirigé vers une personne avec l'intention de lui causer du tort sur le plan physique ou psychologique.

Agression défensive (9): comportement agressif provoqué par les actions d'autrui. Il présente généralement une composante affective forte, étant souvent associé à la colère ou à la peur.

Agression hostile (9): comportement agressif qui a pour objectif d'infliger la douleur à autrui et de le blesser.

Agression instrumentale (9): comportement agressif qui a pour but d'avoir accès à certaines ressources, d'atteindre ou de maintenir une position sociale. Il peut avoir pour conséquence d'infliger la douleur à autrui ou de le blesser, mais dans le but de réaliser d'autres objectifs.

Aidant (10): personne qui apporte son aide à autrui.

Aidé (10): individu à qui l'on apporte son aide.

Alternance des codes (7): changement de code coïncidant avec le changement de tour de parole.

Altruisme (10): comportement dont bénéficie autrui et pour lequel aucune récompense n'est attendue.

Amitié (8): relation intime entre deux personnes qui ont beaucoup de plaisir à interagir ensemble et qui exclut habituellement l'intimité sexuelle.

Amour (8): relation très intime où l'on trouve habituellement une composante sexuelle.

Amour B (8): selon Maslow, le bon amour, l'amour de l'autre pour l'autre.

Amour D (8): selon Maslow, l'amour déficient, l'amour basé sur l'insécurité, sur les besoins d'amour et d'appartenance.

Amour-affection (8): amour dans lequel on éprouve une grande affection pour l'autre, un attachement rempli de confiance, semblable en fait à une amitié profonde. Ce type d'amour est différent de l'amour-passion.

Amour-passion (8): état émotionnel très intense où l'on est complètement absorbé par l'autre et où l'on constate une confusion de sentiments positifs et négatifs.

Analyse archivistique (2): étude de différentes sources d'information déjà quantifiées et issues de matériel stocké dans des endroits tels des bureaux de statistique, de recensement et autres services gouvernementaux.

Analyse de contenu (2): étude systématique d'information déjà existante afin d'en désigner les dimensions sous-jacentes.

Analyse de variance (2): analyse statistique traditionnelle permettant de vérifier les différences dans les moyennes de divers groupes, ces différences ayant été généralement induites par diverses variables indépendantes.

Analyse intuitive du comportement social (1): analyse non scientifique que les gens font de leur comportement et de celui des autres.

Analyse multidimensionnelle (2): analyse statistique sophistiquée permettant de vérifier les dimensions sous-jacentes aux jugements et perceptions des sujets.

Analyse statistique (2): analyse permettant de vérifier les différences entre divers groupes ou encore l'exactitude de modèles théoriques à partir de chiffres, et la probabilité que l'effet obtenu soit dû au hasard.

Analyse statistique sophistiquée (2): nouveau type d'analyse permettant d'aller au-delà des analyses statistiques traditionnelles, comme l'analyse multidimensionnelle, le modelage par équations structurelles, l'analyse log-linéaire, etc.

Analyse statistique traditionnelle (2): type d'analyse utilisée couramment, telles l'analyse de variance, les corrélations.

Anticonformisme (11): attitude d'une personne qui lutte contre les pressions sociales par esprit de contradiction.

Appréhension de l'évaluation (2): souci de la part du sujet d'être bien perçu par l'expérimentateur.

Approche interactionniste (1): perspective d'étude qui prend en considération l'impact de la situation et de la personnalité sur le comportement social.

Approche interactionniste du leadership (12): approche selon laquelle, dans le leadership, les traits psychologiques d'un individu interagissent avec les caractéristiques de la situation pour déterminer le comportement social.

Approche personnaliste du leadership (12): approche selon laquelle, dans le leadership, les traits psychologiques d'un individu déterminent son comportement, peu importe la situation.

Approche pragmatique de l'attribution (5): ensemble des positions qui postulent que les attributions ne sont pas nécessairement émises de la façon la plus logique en fonction d'une analyse complexe de tous les facteurs en cause, mais plutôt en fonction de l'analyse la plus efficace selon la situation dans laquelle l'attribution doit être émise.

Approche situationniste du leadership (12): approche selon laquelle, dans le leadership, le comportement d'un individu est déterminé par la situation et non par ses traits psychologiques.

Aptitude linguistique (7): capacité cognitive d'apprendre des langues étrangères.

Aspect déontologique (2): perspective qui s'intéresse au bien-être et à la protection du sujet en contexte expérimental.

Assertion (9): comportement assuré, énergique, orienté vers la réalisation d'un objectif.

Association (2): concept qui renvoie au degré de relation entre deux variables.

Assoupissement (effet) (6): accroissement à retardement du changement d'attitude de sorte qu'un message suscite un impact persuasif plus important ultérieurement plutôt qu'immédiatement après sa présentation.

Attachement (8): sentiment souvent réciproque qui s'exprime par un désir de contact et de proximité accompagné d'une tendance à rechercher chez l'autre attention et réconfort.

Attention flexible (*mindfulness*) (3): état marqué par un accroissement d'activité et de flexibilité cognitives qui amène la personne à s'ouvrir davantage à l'environnement et ainsi à pouvoir utiliser de façon plus efficace les diverses ressources du soi.

Attention insouciante (*mindlessness*) (3): état marqué par une rigidité cognitive accrue qui inhibe l'utilisation du répertoire cognitif du soi, ce qui incite la personne à agir avec automatisme ou de façon insouciante.

Attitude (6): état affectif général et persistant, positif ou négatif, ressenti à l'égard d'une personne, d'un objet ou d'un thème.

Attributeur (5): personne qui émet l'attribution.

Attribution (5): inférence à propos de la cause d'un événement ou du comportement d'une personne.

Attribution causale (5): raison utilisée afin d'expliquer un succès, un échec ou encore la nature des causes de différents événements.

Attribution de responsabilité (5): attribution qui a pour effet de blâmer une personne pour un événement qui s'est produit.

Attribution défensive (5): attribution dispositionnelle émise par l'attributeur afin de réduire son anxiété.

Attribution dispositionnelle (5): attribution portant sur les traits de personnalité d'une personne afin d'expliquer son comportement.

Augmentation de soi (3): processus permettant à la personne de maintenir ou d'augmenter son estime de soi.

Autoefficacité (3): perception de la personne, dans une situation donnée, d'être capable d'adopter le comportement requis pour produire l'effet escompté. Les perceptions de compétence ou d'efficacité agissent comme déterminants de la motivation vis-à-vis de l'activité donnée.

Autostéréotype (13): croyance qu'une personne entretient au sujet des caractéristiques des membres de son endogroupe.

Balanciers compensatoires (7): approche des relations interethniques selon laquelle l'effet de certains facteurs structuraux qui entraînent l'assimilation linguistique (comme un statut socio-économique peu élevé) pourrait être compensé par l'effet d'autres facteurs (comme l'emprise sur les écoles).

Besoin d'affiliation (8): tendance à rechercher et à valoriser la compagnie des autres, à trouver important le fait de prendre soin des autres.

Besoin de cognition (6): trait de personnalité indiquant une tendance à s'engager dans des activités cognitives requérant l'effort et à en retirer du plaisir.

Biais (4): en ce qui concerne les cognitions sociales, tendance à traiter l'information de telle façon que des inférences ou conclusions erronées sont tirées.

Biais acteur-observateur (5): tendance des acteurs à attribuer leur comportement à des facteurs situationnels et à attribuer le comportement des autres à des facteurs dispositionnels.

Biais confirmatif de soi (5): tendance de l'acteur à émettre des attributions dispositionnelles si son comportement soutient la perception qu'il a de lui-même, mais à faire des attributions situationnelles si le résultat ou son comportement est contraire à ses perceptions de lui-même.

Biais de fausse perception d'unicité (3): biais qui renvoie à la tendance chez l'individu à sous-estimer le caractère général de ses habiletés ou attributs désirables.

Biais de faux consensus (3): biais qui renvoie à la tendance des gens à surestimer le caractère général de leurs attitudes ou opinions.

Biais de l'expérimentateur (2): comportement de l'expérimentateur non relié à la variable indépendante qui influe sur le résultat de l'étude.

Biais égocentrique (5): tendance des gens à attribuer leur succès à des causes internes et leurs échecs à des causes externes.

Biais en recherche (2): facteurs du contexte expérimental non reliés à la variable indépendante qui peuvent influer sur l'issue de la recherche.

Biais proendogroupe (13): tendance à être plus favorable à l'égard des membres de son endogroupe qu'à l'égard de ceux d'exogroupes. Cette tendance peut se manifester tant sur le plan des évaluations (préjugés), des perceptions et croyances (stéréotypes) que sur celui des comportements (discrimination).

Blâme personnel caractériel (5): attribution d'une personne qui blâme son caractère ou disposition stable pour expliquer un événement qui s'est produit.

Blâme personnel comportemental (5): attribution d'une personne qui blâme son comportement pour un événement qui est survenu.

Calcul du passant (10): dans le modèle de Piliavin, Dovidio, Gaertner et Clark (1981), analyse faite par la personne des coûts et bénéfices relatifs à l'adoption du comportement d'aide qui l'amène à décider d'aider ou non la victime.

Catégorisation (13): processus cognitif par lequel l'être humain segmente son environnement physique et social en catégories, et classe différents éléments dans ces catégories. Le terme «catégorisation sociale» renvoie au processus de la catégorisation appliqué aux êtres humains.

Catégorisation croisée (13): situation dans laquelle deux catégorisations dichotomiques se combinent pour créer des groupes qui partagent une catégorie tout en étant différents dans l'autre catégorie.

Catharsis (9): idée selon laquelle la pulsion agressive doit s'exprimer pour être réduite.

Cible (4): personne étant l'objet d'une perception.

Cognition sociale (4): domaine de la psychologie sociale traitant des processus utilisés par les individus pour interpréter, analyser, se remémorer et utiliser l'information provenant de leur monde social.

Cohérence de soi (3): processus qui amène l'individu à maintenir un équilibre cognitif en recherchant de l'information qui confirme ses préconceptions de lui-même et ainsi à ressentir qu'il a une vision cohérente de lui-même.

Cohésion (12): force des liens unissant les membres d'un groupe.

Communication (7): ensemble des comportements et des processus psychologiques servant à transmettre et à recevoir de l'information.

Comparaison sociale (3, 8, 13): processus de comparaison avec les autres qui permet de se former une idée de soi-même et de s'autoévaluer, soi-même ou le groupe dont on fait partie.

Compétition sociale (13): forme de compétition motivée par l'autoévaluation, à la suite d'une comparaison sociale, et qui vise à établir et à maintenir une distinction en faveur de l'endogroupe par rapport aux exogroupes.

Complexité attributionnelle (5): disposition selon laquelle les personnes ayant un haut niveau de complexité attributionnelle feront non seulement plus d'attributions mais également des attributions plus complexes que les personnes possédant un faible niveau de complexité attributionnelle.

Complexité intégrative (6): style cognitif caractérisé par un nombre relativement élevé de croyances différentes qui sont perçues comme peu, modérément ou très reliées.

Comportement d'aide (10): type de comportement dans lequel une personne accomplit un geste au bénéfice d'une autre. Aussi désigné «comportement prosocial».

Comportement de domination visuelle (7): tendance chez les individus dont la position sociale est plus élevée que celle de leur interlocuteur à moins regarder ce dernier en l'écoutant et à plus le regarder en lui parlant.

Comportement non verbal (4): information à propos des attitudes ou émotions transmises par des mouvements ou caractéristiques du corps telles que la posture, le regard ou le toucher.

Concept de soi (3): résumé des perceptions de la personne qui comporte des représentations cognitives sur soi; compréhension générale de ce que nous sommes, de nos qualités et de nos caractéristiques.

Confiance basée sur la fiabilité (8): probabilité que l'autre personne, dans une relation interpersonnelle, fera ce qu'elle a promis de faire.

Confiance émotionnelle (8): assurance que chacune des deux personnes, dans une relation, agira dans le but de protéger le bien-être de l'autre.

Confiance langagière (7): confiance qu'éprouve une personne en sa capacité d'utiliser une langue seconde d'une façon adaptative et efficace dans un contexte donné.

Conflit interrôles (1): discordance entre deux rôles (par exemple ceux d'étudiant et de père ou mère) qu'une personne doit «jouer».

Conflit intrarôles (1): discordance entre différents choix et comportements à l'intérieur d'un même rôle (par exemple avoir à choisir entre deux cours en tant qu'étudiant).

Conformisme (11): changement dans les croyances ou dans les comportements résultant de la présence réelle ou imaginée d'une personne ou d'un groupe.

Conformisme privé (11): conformisme de l'individu qui change d'opinion après avoir pris connaissance d'une nouvelle source d'influence.

Conformisme public (11): conformisme de l'individu qui se conforme devant les autres mais qui conserve ses idées.

Conscience de soi (3): état où l'attention est dirigée sur soi-même et selon lequel le soi de la personne devient l'objet de sa conscience.

Conscience de soi privée (3): État de conscience de soi où l'attention est orientée vers les aspects de soi invisibles aux autres, telles les croyances ou les valeurs personnelles.

Conscience de soi publique (3): état de conscience de soi où l'attention est dirigée sur les aspects de soi visibles aux autres, tels que l'apparence physique ou le comportement.

Conscience dispositionnelle de soi privée (3): disposition ou tendance générale chez la personne à diriger son attention sur des aspects non observables de soi-même, par exemple ses attitudes.

Conscience dispositionnelle de soi publique (3): disposition ou tendance générale chez la personne à orienter son attention vers des aspects observables de soi, par exemple sa taille.

Consensus (5): dans la théorie de Kelley, le fait, pour différentes personnes, d'agir ou de ne pas agir de la même façon devant une entité quelconque.

Consistance (5): dans la théorie de Kelley, le fait, pour une personne, d'agir ou de ne pas agir de la même façon lorsqu'une cause particulière est présente.

Contraste (6): tendance du jugement à percevoir les attitudes et les opinions inacceptables de façon à les rendre plus extrêmes qu'elles ne le sont en fait.

Contrôlabilité (5): dans la théorie de Weiner, le fait, pour un acteur ou pour un observateur, de juger une cause comme un élément qu'ils peuvent contrôler.

Conventionnalisme (11): adoption des valeurs de la société sans qu'il y ait de pression sociale.

Convergence langagière (7): modification du comportement langagier en vue de le rendre semblable à celui de l'interlocuteur.

Corrélation (2): mesure d'association entre deux variables. Cet indice peut varier de -1 (corrélation inverse parfaite) à +1 (corrélation directement proportionnelle parfaite).

Corrélation illusoire (4, 13): croyance selon laquelle deux éléments sont reliés entre eux parce que nos attentes antérieures nous incitent à croire qu'ils le sont, alors qu'en réalité ces deux éléments n'ont que très peu de relations ou aucune relation entre eux.

Correspondance (5): dans la théorie de Jones et Davis, attribution dispositionnelle pour expliquer le comportement de l'acteur.

Craquer sous la pression (*choking*) (3): processus selon lequel il se produit une baisse de la performance lorsque les conditions exigent un rendement optimal.

Crédibilité (6): caractéristique d'un communicateur fondée sur le savoir-faire et l'intégrité (c.-à-d. digne de confiance).

Crise de confiance (1): période durant laquelle les chercheurs en psychologie sociale ont remis en question plusieurs approches, notamment le type de sujets (étudiants universitaires) et d'expérimentation (laboratoire) utilisés.

Croyance (6): relation cognitive entre une propriété et l'objet d'attitude, ou encore opinion à propos de l'objet d'attitude.

Degré d'interculturalité (7): mesure dans laquelle la communication se déroule entre des individus de cultures (c.-à-d. de valeurs, de normes, de codes langagiers) différentes.

Déplacement vers l'audace (12): tendance des groupes à prendre des décisions plus audacieuses que celles prises par des individus isolés.

Désindividuation (3, 12): Perte prolongée de conscience de soi où l'individu vient à déterminer son comportement en fonction de l'environnement ou des comportements des gens dans son entourage immédiat.

Désir de contrôle (5): tendance à vouloir contrôler les événements qui surviennent.

Désirabilité sociale (6): tendance à avoir des réactions socialement approuvées aux questions pour lesquelles la réponse socialement désirable a des chances de ne pas traduire l'attitude réelle.

Déviance (11): attitude d'une personne dont le comportement échappe aux règles admises par la société.

Devis à séries temporelles interrompues (2): méthode de recherche dans laquelle plusieurs mesures d'une variable dépendante donnée sont recueillies avant et après l'impact d'une variable indépendante.

Devis avec groupe témoin non équivalent (2): méthode de recherche dans laquelle deux groupes non affectés de façon aléatoire aux conditions de recherche sont comparés et où les mesures des sujets ne sont prises qu'à un seul moment dans le temps.

Devis corrélationnel (2): devis de recherche dans lequel le but est d'étudier l'association entre deux ou plusieurs variables dépendantes.

Devis factoriel expérimental (2): devis de recherche dans lequel une ou plusieurs variables indépendantes sont manipulées afin d'en étudier l'impact sur la variable dépendante.

Devis prétest—post-test avec groupe témoin non équivalent (2): devis dans lequel deux groupes de sujets sont comparés sans avoir été aléatoirement affectés aux conditions de l'étude, mais où, en plus, les sujets sont mesurés à deux moments dans le temps, ce qui permet une mesure des changements qui pourraient être dus à l'événement vécu par les sujets dans l'un des deux groupes.

Devis quasi expérimental (2): méthode de recherche dans laquelle les réactions à un événement vécu par un groupe de sujets sont comparées avec celles d'un autre groupe témoin, mais sans que ces deux groupes aient été aléatoirement affectés aux deux conditions.

Diagnosticité (3): qualité de l'information que procure une tâche par sa rétroaction pertinente, claire et précise quant à une habileté donnée, ce qui permet de réduire l'incertitude de la personne face à cette habileté.

Dialectes (7): variétés régionales d'une langue qui, en général, ne sont pas mutuellement intelligibles (p. ex. le wallon de Belgique et le créole d'Haïti).

Différenciation catégorielle (13): tendance à surestimer les similitudes entre les membres de la même catégorie et à accentuer les différences entre les catégories.

Dimension causale (5): dans la théorie de Weiner, les différentes dimensions qui peuvent sous-tendre diverses attributions. On retrouve notamment les dimensions de lieu de causalité, de stabilité et de contrôlabilité.

Discrimination (13): tout comportement négatif dirigé contre une personne reflétant une attitude défavorable uniquement fondée sur l'appartenance à un groupe donné.

Dissonance cognitive (6): relation cognitive qui découle de l'inconsistance entre des croyances, des attitudes ou des conduites; il en résulte un état d'activation physiologique désagréable.

Distinction (5): dans la théorie de Kelley, le fait, pour une personne, de réagir ou de ne pas réagir de la même façon à différents stimuli ou dans différentes situations.

Divergence langagière (7): modification du comportement langagier en vue de le distinguer davantage de celui de l'interlocuteur.

Données de sources secondaires (2): données recueillies dans le cadre de recherches menées par d'autres chercheurs ou encore issues d'études archivistiques.

Double catégorisation (13): situation dans laquelle deux catégorisations dichotomiques se combinent pour créer des groupes qui sont différents dans chacune des catégories dont ils font partie.

Duperie (2): processus par lequel les chercheurs cachent le vrai but de l'étude aux sujets participant à la recherche. L'utilisation de cette technique provient de la croyance selon laquelle les sujets qui ne connaissent pas le vrai but de l'étude ne modifieront pas leur comportement et l'attitude observée sera la plus réelle possible.

Économie cognitive (5): principe selon lequel la recherche d'information pour effectuer l'attribution est limitée à la recherche préliminaire d'une cause plausible avant de faire une recherche plus approfondie afin de confirmer cette cause.

Effet autocinétique (11): illusion d'optique produite par un point lumineux fixe qui semble bouger; technique utilisée par Sherif pour mesurer le conformisme.

Effet d'être de bonne humeur (10): processus qui rend une personne de bonne humeur plus apte à aider les autres que celle qui est dans un état neutre.

Effet d'interaction statistique (2): variation de l'impact de la première variable indépendante sur la variable dépendante selon le niveau d'une seconde variable indépendante.

Effet de confusion (2): effet qui se produit lorsque des facteurs autres que la manipulation de la variable indépendante dans l'étude varient. Avec cet effet de confusion, il s'avère impossible de déterminer si les résultats obtenus sont dus à la variable indépendante de l'étude ou aux autres facteurs.

Effet de confusion de responsabilité (10): processus par lequel les gens ont tendance à croire que l'aidant est responsable de ce qui arrive à la victime; ceci empêche les gens d'apporter leur aide de peur d'être tenus pour responsables de la situation de la victime.

Effet de polarisation (12): phénomène selon lequel les jugements de groupe sont plus tranchés que les jugements individuels dans le sens de la position initiale prédominante au sein du groupe.

Effet du cas exceptionnel (13): tendance à créer une sous-catégorie pour mettre à part les personnes qui ne correspondent pas aux stéréotypes d'un groupe dans lequel elles ont été catégorisées. Les stéréotypes sont maintenus pour l'ensemble des membres de ce groupe, à l'exception des cas mis à part, plutôt que d'être modifiés ou abandonnés.

Effet du passant (10): processus par lequel la présence d'autres individus inhibe le comportement d'aide.

Effet principal (2): impact produit par une variable indépendante sur la variable dépendante.

Effets biosociaux (2): impact des variables reliées à l'apparence physique, tels le sexe, l'âge, la taille, etc., de l'expérimentateur sur la variable dépendante de l'étude.

Effets situationnels (2): biais en recherche dû à un événement qui amène l'expérimentateur à changer son comportement vis-à-vis du sujet et qui ainsi modifie les résultats de l'étude.

Emblème (7): mouvement du corps qui a une signification propre aux membres d'une communauté particulière.

Émotions de détresse personnelle (10): émotions négatives, troublantes qui sont vécues par une personne à l'égard de la souffrance d'une autre personne.

Émotions empathiques (10): émotions de compassion, de sympathie vécues par l'aidant et qui sont compatibles avec les émotions vécues par la victime.

Endogroupe (13): groupe d'appartenance d'une personne composé de l'ensemble des individus que cette personne a catégorisés comme membres de son propre groupe et avec qui elle a tendance à s'identifier.

Engagement (8): force qui stabilise le comportement d'une personne lorsque celle-ci est placée devant des obstacles ou devant la tentation offerte par une autre option qui s'avère intéressante.

Engagement comportemental (8): engagement qui renvoie au pouvoir des actions passées qui force l'individu à maintenir une ligne d'action même s'il n'existe plus aucun attachement émotionnel vis-à-vis de la chose, de la personne ou de la cause en question.

Engagement personnel (8): engagement qui renvoie au pouvoir de l'enthousiasme émanant de la personne, lequel amène celle-ci à maintenir une ligne d'action, à donner à quelque chose ou à quelqu'un son attention et son énergie, durant une longue période, pour la simple raison que ces actions lui procurent de la joie et des récompenses.

Enquête (2): collecte d'information sur des comportements de la vie quotidienne tels qu'ils ont été recensés par questionnaire ou par entrevue.

Entrevue (2): collecte de données obtenues de façon directe en interrogeant le sujet.

Erreur attributionnelle fondamentale (5): tendance chez les attributeurs à inférer que le comportement de l'acteur reflète des dispositions internes et à ignorer les facteurs externes qui pourraient expliquer ce comportement.

Estime de soi (3): composante affective du soi qui renvoie à l'évaluation subjective des aspects positifs et négatifs de soi-même.

Estime de soi collective (3): évaluation subjective ou jugement de valeur de la personne quant aux aspects du soi qui ont trait aux caractéristiques des groupes auxquels elle s'identifie.

Estime de soi d'état (3): évaluation subjective ponctuelle de soi-même dans une situation quelconque.

Estime de soi dispositionnelle (3): évaluation subjective générale et relativement stable de soi-même.

Estime de soi personnelle (3): évaluation subjective des aspects du soi qui ont trait aux attributs propres à l'individu, telles les compétences ou les qualités.

Ethnocentrisme (13): tendance générale à surévaluer son endogroupe et à dénigrer les exogroupes.

Étude de cas (2): méthode de recherche portant sur l'étude approfondie d'un individu, d'un groupe ou d'un événement.

Exogroupe (13): tout groupe autre que le groupe d'appartenance d'une personne. L'exogroupe est composé de l'ensemble des individus catégorisés comme membres d'autres groupes et avec qui la personne n'a pas tendance à s'identifier.

Expérience à double insu (2): approche de recherche permettant de contrôler les biais présents dans une expérience pour laquelle ni le sujet ni l'expérimentateur ne sont au courant des conditions expérimentales (ou variable indépendante) auxquelles le sujet a été affecté.

Facilitation sociale (12): amélioration du rendement d'une personne lorsque celle-ci travaille en présence d'autrui.

Fidélité (2): facilité avec laquelle certains résultats obtenus sont reproduits (consistance dans les résultats).

Fidélité de reproductibilité (2): degré de cohérence démontré par différentes études portant sur un même thème.

Fidélité interjuges ou interitems (2): cohérence entre les jugements d'observateurs ou les mesures de certains items.

Fidélité temporelle (2): capacité d'un test à reproduire les mêmes résultats avec un intervalle temporel.

Flânerie sociale (12): tendance chez les individus à mettre moins d'efforts dans l'accomplissement d'une tâche lorsqu'ils effectuent celle-ci avec d'autres personnes plutôt que seuls.

Formation d'impression (4): processus par lequel nous combinons plusieurs renseignements sur une personne pour ne former qu'une seule impression.

Formule de consentement (2): formulaire informant le sujet de la recherche dans laquelle il décide de s'engager et qui demande sa signature afin de démontrer sa participation libre à l'expérience.

Gène altruiste (10): gène responsable du comportement d'aide qui a été sélectionné au fil des générations et qui prédispose biologiquement les gens à aider ceux qui en ont besoin.

Gène égoïste (10): gène antagoniste au gène altruiste qui prédispose les gens à ne pas aider les autres.

Globalité (5): dans la théorie de Abramson, Seligman et Teasdale, dimension causale qui renvoie à une stabilité intersituationnelle, c'est-à-dire qu'une cause donnée sera globale si elle se retrouve de situation en situation.

Grille managériale (12): théorie du leadership proposée par Blake et Mouton selon laquelle les leaders les plus efficaces sont ceux qui font preuve d'un intérêt marqué à la fois pour la production et pour les relations.

Groupe (12): ensemble d'individus interdépendants qui s'influencent et se perçoivent comme membres de la même entité sociale.

Groupe de référence (12, 13): groupe qu'un individu adopte comme cadre de référence pour ses attitudes ou ses valeurs.

Heuristique (4): règle ou principe permettant aux individus de porter un jugement social rapidement et avec un minimum d'efforts.

Heuristiques d'ancrage (4): stratégie mentale qui consiste, pour l'appréciation d'un événement, à se servir d'un événement similaire comme point de référence.

Heuristiques de disponibilité (4): stratégie basée sur la facilité de se rappeler rapidement une information pour porter un jugement.

Heuristiques de représentativité (4): stratégie basée sur la ressemblance entre un stimulus ou un événement et un élément d'information considéré comme typique par un individu pour porter un jugement.

Heuristiques par simulation (4): stratégie mentale basée sur nos connaissances du sujet ou de l'individu et dont le but est de déterminer ce qui va se passer dans l'avenir ou ce qui s'est passé antérieurement.

Homogénéisation de groupe (13): tendance à percevoir plus de similitudes entre les membres d'un groupe qu'entre ceux d'un autre groupe. Ce phénomène peut se produire par rapport à l'endogroupe ou à l'exogroupe, selon le contexte social.

Humeur (10): état affectif d'une personne à un moment bien précis.

Hypothèse (2): prédiction testable issue de formulations théoriques.

Hypothèse de la relativité linguistique (7): hypothèse selon laquelle notre pensée serait déterminée par les éléments et les caractéristiques de notre langue.

Hypothèse du monde juste (5): croyance suivant laquelle les gens méritent ce qui leur arrive et ce qui arrive aux gens est mérité.

Identification (11): le fait de céder à la pression d'un groupe à cause d'une identification à celui-ci ou à l'un de ses membres.

Identité sociale (13): ensemble des aspects du concept de soi découlant de l'appartenance à différents groupes et catégories sociales.

Illustrateur (7): geste qui est employé pour appuyer une communication verbale.

Indépendance (11): désigne l'attitude d'une personne qui conserve ses idées et ses valeurs en dépit des pressions d'une ou plusieurs personnes ou encore d'un groupe.

Indice comportemental composite (6): critère de mesure comprenant des comportements différents en relation avec une attitude spécifique; l'objectif est d'inférer une tendance comportementale générale.

Influence de l'information (11): influence qui amène un individu à se conformer parce qu'il croit que les autres ont raison. (Pourquoi autant de gens se tromperaient-ils ?)

Influence des normes (11): influence qui amène un individu à se conformer par peur des conséquences négatives ou pour être davantage accepté des autres.

Inoculation psychosociale (6): technique pour susciter la résistance à la persuasion par l'exposition à des arguments faibles et aisément réfutables.

Intention comportementale (6): concept renvoyant à la prédisposition à agir dans les modèles de l'action raisonnée et du comportement planifié.

Interactionnisme réciproque (3): renvoie au biais de sélection que manifeste la personne dans son choix des situations qu'elle décide d'intégrer, ce qui a un impact sur elle-même et sur les gens qui l'entourent.

Interactionnisme symbolique (3): position selon laquelle la personne acquiert une conception d'elle-même par l'entremise de ses relations interpersonnelles et des communications qu'elle entretient avec les autres.

Intériorisation (11): processus par lequel un individu fait siennes les valeurs véhiculées par une autre personne ou un groupe.

Intimité (8): renvoie à ce qui est contenu au plus profond d'un être, à ce qui est lié étroitement par ce qu'il y a de plus profond.

Jeu de rôles (2): méthode de recherche qui demande aux sujets d'agir comme s'ils se trouvaient en situation réelle.

Justice (8): standard social pour évaluer la distribution des ressources dans les relations humaines.

Justice distributive (8): standard social par lequel la distribution des ressources doit se faire de façon telle que les récompenses sont proportionnelles aux coûts engagés, que les profits sont proportionnels aux investissements.

Langage (7): langue utilisée selon les contraintes reliées à un contexte donné.

Langue (7): système de communication verbal normalisé propre à une communauté linguistique.

Leadership (12): ensemble des activités et surtout des communications par lesquelles un individu exerce une influence sur le comportement des membres d'un groupe dans le sens d'une réalisation volontaire de certains objectifs communs.

Lieu de causalité (5): dans la théorie de Weiner, dimension causale qui situe l'attribution à l'intérieur de la personne ou à l'extérieur de celle-ci.

Maintien langagier (7): stratégie par laquelle un interlocuteur conserve le même code langagier tout au long de l'interaction, quel que soit le comportement de l'autre interlocuteur.

Médiane (2): point milieu d'une distribution de points.

Mélange des codes (7): introduction de mots ou d'expressions d'un autre code à l'intérieur d'un tour de parole.

Mésattribution (5): processus attributionnel par lequel une personne attribue incorrectement son activation physiologique interne à certaines causes externes.

Mesure d'observation comportementale (2): variable dépendante portant sur l'observation du comportement.

Mesure non réactive (2): variable dépendante mesurée à l'insu du sujet afin de l'empêcher de réagir de façon favorable ou défavorable à cette mesure.

Méta-analyse (2): analyse statistique d'une large collection de résultats issus de sources secondaires ayant pour but d'intégrer ces résultats.

Méthodologie (2): procédé scientifique ayant pour but de tester de façon objective l'hypothèse d'une recherche.

Mini-théorie (1): théorie ayant pour but d'expliquer et de prédire un type de phénomène relativement restreint, comme l'agression et le comportement d'aide.

Modelage par équations structurelles (2): analyse statistique sophistiquée permettant de tester un modèle théorique dans son ensemble, y compris les diverses variables indépendantes.

Modèle (10): personne ou groupe de gens auquel on se réfère ou qu'on imite pour adopter un comportement d'aide.

Modèle activation-coût et bénéfice (10): processus proposé par Piliavin *et al.* par lequel un individu choisit la méthode la plus rapide et la moins coûteuse pour réduire sa forte activation vis-à-vis d'une situation d'urgence.

Modèle cognitif du comportement d'aide (10): modèle proposé par Darley et Latané (1968) présentant les cinq niveaux d'analyse cognitive qui permettent à un individu de décider s'il apporte son aide ou non lorsqu'il est confronté à une situation d'urgence, tel un individu en détresse.

Modèle de la menace de l'estime personnelle (10): processus proposé par Nadler et Fisher (1986) par lequel le comportement de l'aidant (menaçant ou compatissant) influe sur les perceptions de l'aidé et par le fait même sur le futur comportement d'aide de ce dernier vis-à-vis de l'aidant.

Modèle des attributions-émotions-comportement d'aide (10): modèle de Weiner (1980a) qui postule que les raisons invoquées ou les attributions émises par l'aidant potentiel afin d'expliquer l'aide demandée influent sur les émotions de sympathie ou de mépris qui, à leur tour, agiront sur le comportement d'aide vis-à-vis de cette personne.

Modèle du maintien de l'autoévaluation (10): modèle de Tesser (1988) permettant d'expliquer l'impact que peut avoir la performance des autres et l'importance du type de tâche effectuée sur les sentiments et comportements d'aide.

Modèle du soulagement des émotions négatives (10): modèle de Cialdini *et al.* (1987) selon lequel l'aidant adopte le comportement d'aide afin d'enrayer ou de diminuer les émotions négatives qu'il ressent.

Monitorage de soi (3): capacité de la personne à exercer un contrôle sur sa présentation verbale et non verbale en fonction des caractéristiques de la situation.

Morphème (7): assemblage de phonèmes qui constitue la plus petite unité porteuse de sens dans une langue donnée.

Motivation altruiste (10): besoin d'aider une personne non pas pour augmenter les émotions positives ou pour diminuer les émotions négatives ressenties, mais pour simplement aider la personne qui en ressent le besoin.

Motivation attributionnelle à l'accomplissement (5): théorie de Weiner selon laquelle les attributions influent sur les attentes et émotions vécues en contexte d'accomplissement, et ces deux concepts influent à leur tour sur la motivation à l'accomplissement futur.

Motivation égoïste (10): besoin de vouloir aider une personne afin de pouvoir éliminer les émotions négatives ressenties à l'égard de la personne qui demande de l'aide.

Motivation intégrative (7): ensemble des facteurs affectifs sous-jacents à la motivation à apprendre une langue seconde.

Motivation intrinsèque (5): le fait d'accomplir une activité par plaisir et non pour des raisons externes à celle-ci.

Moyenne (2): somme des points des sujets divisée par le nombre de sujets.

Niveau de comparaison (8): standard par lequel une personne évalue les coûts et les gains d'une relation donnée au regard de ce qu'elle pense qu'elle devrait recevoir. Si l'échange avec l'autre amène plus que le standard de comparaison, il y aura une augmentation du sentiment positif.

Niveau de comparaison d'une alternative (8): standard utilisé par une personne afin de décider si elle maintiendra une relation ou y mettra fin. Il renvoie aux renforcements positifs que l'on estime possible d'obtenir dans une autre relation (ou dans une absence de relation). Si la relation actuelle dépasse le niveau de comparaison d'une alternative, la relation sera stable et satisfaisante. Si la relation actuelle offre moins qu'une autre relation possible (ou qu'une absence de relation), il y a de fortes chances pour que l'individu se retire de la relation.

Norme (10, 12): valeur, opinion ou règle de conduite implicite qui reflète des standards d'approbation ou de désapprobation sociales.

Norme d'équité (10): cette norme propose que les gens qui se perçoivent dans des situations non équitables où ils croient recevoir plus de bénéfices qu'ils n'en procurent aux autres devraient alors aider ceux qui en ressentent le besoin afin de réduire l'inéquité et ainsi de restaurer l'équilibre.

Norme de justice (10): cette norme amène les gens à aider les autres surtout dans la mesure où ils croient que ceux qui en expriment le besoin le méritent.

Norme de réciprocité (10, 11): cette norme repose sur des principes d'échange social et postule que les gens aident autrui parce qu'un jour ils désirent être aidés à leur tour par les autres.

Norme de responsabilité sociale (10): règle sociale qui induit chez les gens un besoin moral d'aider les autres et surtout ceux qui dépendent d'eux. Elle crée un sentiment d'obligation et de devoir qui les amène à vouloir aider les autres.

Observateur (5): personne qui observe un acteur.

Observation vicariante (1): processus par lequel de nouvelles réponses sont apprises par l'observation et l'imitation des autres.

Orientation instrumentale (7): fait d'être motivé à apprendre une langue seconde pour des raisons pragmatiques telles que le gain ou l'avancement.

Orientation intégrative (7): fait d'être motivé à apprendre une langue seconde afin de ressembler aux membres valorisés du groupe qui parle cette langue.

Oubli sélectif (3): phénomène par lequel les gens semblent oublier les événements dont ils ne veulent pas se souvenir.

Paralangage (7): ensemble des éléments du discours qui contribuent à sa caractérisation sonore, comme la force, le ton et le débit.

Parole puissante (7): type d'intervention verbale caractérisée par des définitions précises de la situation et de l'interlocuteur, conférant au locuteur une certaine domination sur ce dernier.

Pensée de groupe (12): dans la prise de décisions, désir d'unanimité des membres d'un groupe ayant une forte cohésion qui l'emporte sur la nécessité d'apprécier d'une manière réaliste les différentes options possibles.

Perception de soi (5): processus par lequel nous essayons de comprendre nos sentiments et états intérieurs en étudiant notre comportement observable.

Perception sociale (4): processus par lequel nous cherchons à connaître et à comprendre les autres personnes.

Percevant (4): individu cherchant à connaître et à comprendre les autres personnes.

Personnalisme (5): processus par lequel l'attribution de l'observateur est directement concernée par le comportement de l'acteur.

Personnalité autoritaire (13): type de personnalité caractérisée par une pensée rigide et par un ensemble de croyances, de valeurs et de tendances, dont la soumission et l'identification à l'autorité.

Pertinence hédonique (5): selon la théorie de Jones et Davis, les attributions de l'observateur seront influencées par le comportement de l'acteur lorsque celles-ci ont des conséquences pour l'observateur.

Peur de l'assimilation (7): un des facteurs influant sur la motivation à apprendre une langue seconde qui correspond à la peur de perdre l'identité première lorsque la compétence sera accrue.

Phénomène de diffusion de responsabilité (10): dans une situation d'urgence, plus le nombre de personnes qui sont en mesure d'aider la victime augmente, moins chacune d'elles sentira personnellement le besoin de le faire et chaque personne pensera, dans la plupart des cas, que quelqu'un d'autre peut apporter son aide à sa place.

Phénoménologie (1): perspective théorique selon laquelle le comportement est dicté par la perception que la personne a de la situation.

Phonème (7): élément sonore d'une langue.

Pipeline bidon (6): technique incitant les sujets à révéler honnêtement leur attitude en leur faisant croire qu'un appareil enregistre leur attitude véritable.

Popularité (8): attirance générale ou collective envers d'autres personnes. Une personne populaire est une personne aimée par plusieurs personnes qui n'interagissent pas nécessairement avec elle. La popularité fait référence au prestige social, à l'admiration, au charisme.

Postulat de la *drive* unidirectionnelle vers le haut (3): selon la théorie de la comparaison sociale de Festinger, la personne a tendance à se comparer avec quelqu'un de sensiblement supérieur à elle, ce qui lui offre une norme qu'elle peut envisager atteindre dans l'avenir.

Préjugé (13): attitude négative généralisée envers les membres d'un groupe et fondée uniquement sur leur appartenance à ce groupe.

Présentation de soi (3, 7): activités et processus qui consistent à présenter aux autres une image pouvant correspondre à notre perception réelle de nous-mêmes ou à une impression bien précise que nous souhaitons créer chez l'autre.

Présentation de soi authentique (3): stratégies qui consistent à nous présenter aux autres sous notre vrai jour, sans maquillage ou jeu théâtral, afin qu'ils puissent mieux nous connaître.

Présentation de soi stratégique (3): stratégies visant à contrôler les perceptions des autres et à influer sur leurs impressions de nous-mêmes.

Principe d'augmentation (5): dans la théorie de Kelley, tendance à attribuer à un événement une cause facilitante si cette cause se produit en la présence de un ou de plusieurs facteurs inhibiteurs.

Principe d'ignorement (5): dans la théorie de Kelley, principe selon lequel le rôle d'une cause donnée est ignoré si d'autres causes plausibles sont aussi présentes.

Principe de covariation (5): dans la théorie de Kelley, principe selon lequel un effet est attribué à l'une des causes plausibles avec lesquelles il covarie.

Privation relative (8): concept d'abord proposé par Stouffer pour tenir compte du fait que le sentiment de privation est habituellement moins lié à des conditions objectives qu'à des sentiments subjectifs émanant de la comparaison avec certaines personnes.

Privation relative collective (13): sentiment éprouvé par une personne après qu'elle a perçu une contradiction entre le sort actuel de son endogroupe et celui auquel elle estime que les membres de son endogroupe ont droit collectivement.

Privation relative personnelle (13): sentiment éprouvé par une personne après qu'elle a perçu une contradiction entre son sort actuel et celui auquel elle estime avoir droit personnellement.

Procédés d'échantillonnage (2): procédés par lesquels les sujets devant participer à une étude sont choisis.

Procédés d'échantillonnage aléatoire (2): procédés par lesquels les sujets de l'étude sont choisis au hasard.

Procédés d'échantillonnage aléatoire simple (2): procédés par lesquels les représentants de la population visée sont choisis de sorte qu'ils ont tous une chance égale de participer à l'étude.

Procédés d'échantillonnage aléatoire stratifié (2): procédés d'échantillonnage par lesquels les sujets d'une population sont choisis au hasard et de façon égale parmi les différentes ethnies ou groupes représentant la population.

Processus de coercition familiale (9): dynamique familiale marquée par un manque de constance dans les réponses parentales ou par des sanctions inadéquates face aux comportements inappropriés de l'enfant, ce qui conduit à des échanges de plus en plus négatifs avec le temps, l'incohérence ou l'inefficacité des réponses incitant l'enfant à reproduire ces comportements et les parents à accentuer le caractère punitif de leurs sanctions.

Programme de recherche (1): série de recherches ayant pour but de faire avancer les connaissances sur un thème précis.

Prophétie qui s'autoréalise (4, 13): effet que les attentes d'un percevant quant au comportement futur d'une cible ont sur le comportement du percevant qui en retour amène la cible à agir de façon à confirmer les attentes initiales du percevant.

Prosodie (7): ensemble des éléments du discours, habituellement mesurés de façon discrète, qui contribuent au rythme de celui-ci, comme l'accent tonique, le nombre de pauses et l'inflexion de la voix.

Protection de soi (3): processus permettant à la personne de contrer une menace à son estime de soi.

Prototype (4): schéma défini par les caractéristiques propres à un type particulier d'individus comme un professeur, un athlète ou une personne snob.

Proxémique (7): étude des distances optimales entre les individus selon le contexte culturel et le degré d'intimité.

Psychologie sociale (1): domaine d'étude scientifique qui analyse la façon par laquelle nos pensées, sentiments et comportements sont influencés par la présence imaginaire, implicite ou explicite des autres, par leurs caractéristiques et par les divers stimuli sociaux qui nous entourent, et qui en plus examine comment nos propres composantes psychologiques personnelles influent sur notre comportement social.

Psychologie sociale appliquée (1): aspect de la psychologie sociale qui a pour but d'étudier les problèmes sociaux afin de mieux en cerner les déterminants et éventuellement de proposer des pistes d'action permettant de les enrayer.

Psychologie sociale psychologique (1): branche de la psychologie sociale qui favorise surtout l'utilisation de la méthode expérimentale en laboratoire et qui s'intéresse au comportement individuel influencé par le contexte social.

Psychologie sociale sociologique (1): branche de la psychologie sociale qui encourage surtout l'utilisation d'enquêtes et d'observations systématiques, et qui s'intéresse aux liens entre les individus et les groupes auxquels ils appartiennent.

Questionnaire auto-rapport (2): série de questions permettant de mesurer les réponses des sujets.

Rappel sélectif (3): rappel biaisé qui permet à la personne de réviser le passé de sorte à le rendre plus cohérent avec le présent.

Réactance psychologique (10): lorsqu'une personne est contrainte dans sa liberté d'agir comme bon lui semble, elle agira de façon contraire à ce qui lui est demandé.

Réalisme expérimental (2): capacité avec laquelle une situation expérimentale permet de faire participer les sujets et de les amener à agir de façon naturelle.

Réalisme trivial (2): condition dans laquelle le sujet d'une étude n'est pas engagé et qui peut mener à des résultats douteux.

Réattribution (5): processus par lequel les gens apprennent à modifier leurs attributions incorrectes afin d'utiliser des attributions « plus adaptatives » dans le but d'expliquer divers événements négatifs.

Recherche commanditée (2): recherche qui a été commandée par un organisme ou par un individu et donnée sous forme de contrat à un chercheur.

Règle de manifestation des émotions du visage (7): règle qui dicte à quel moment et à quel endroit, dans un contexte culturel particulier, certaines émotions peuvent être extériorisées.

Relation interpersonnelle (8): interaction intermittente entre deux personnes qui suppose des échanges durant une assez longue période.

Relation intime (8): relation caractérisée par l'intensité du sentiment, une interdépendance élevée (fort besoin de l'autre pour la satisfaction de ses désirs) et un engagement vis-à-vis de l'autre et de la relation.

Relations communales (10): relations dans lesquelles les personnes aident un individu lorsque celui-ci en exprime le besoin et non seulement parce qu'il leur a déjà rendu service dans le passé.

Relations intragroupes (12): interactions entre les membres d'un groupe social.

Renforcement (1): processus par lequel les comportements « renforcés » par des récompenses, gains ou bénéfices seront exprimés de nouveau.

Réponse dominante (12): réponse très bien apprise que l'organisme est prédisposé à émettre dans une situation donnée.

Résignation acquise (5): croyance d'un individu, ayant résulté d'échecs répétitifs, selon laquelle aucune de ses actions ne peut changer la situation présente.

Révélation de soi (3): forme de présentation de soi authentique qui consiste à divulguer de l'information réelle sur soi.

Rôle (12): ensemble des comportements jugés appropriés qui sont attendus d'un individu occupant une certaine position dans un groupe.

Saillance (4): qualité qui fait en sorte qu'un stimulus particulier ressort et est perçu.

Schéma (3, 4): structure cognitive qui comporte un ensemble de connaissances organisées et relatives à un domaine particulier, ce qui permet de catégoriser et d'interpréter l'information nouvelle qui a trait à ce domaine.

Schémas sur le soi (3, 4): généralisations cognitives sur soi, contenant les observations de nos interactions sociales antérieures, qui servent à guider le processus de traitement de l'information sur soi.

Script (4): ensemble organisé de connaissances incluant les aspects invariables ou normalement rencontrés dans une situation.

Se couvrir de gloire indirectement (3): comportements visant à augmenter son estime de soi en s'associant avec des personnes qui connaissent du succès.

Sélection familiale (10): processus par lequel se fait la sélection du gène altruiste. C'est grâce à ce processus que le gène altruiste se transmet et survit de génération en génération.

Sentiments d'autodétermination (3, 5): perceptions relatives à l'impression de choix ou à la liberté d'agir que l'individu éprouve dans une situation donnée. Les sentiments d'autodétermination agissent comme déterminants de la motivation vis-à-vis de l'activité ou de la situation.

Sentiment de compétence (5): sentiment d'efficacité que les gens ressentent dans une situation donnée.

Session d'information postexpérimentale (ou de désengagement – « debriefing ») [2]: session d'information suivant l'expérience dans laquelle les sujets sont informés des procédés par lesquels ils ont été dupés dans le cadre de l'étude et qui les aide à interpréter et à comprendre les hypothèses et le but de la recherche.

Simple exposition (effet) (6): formation d'une attitude résultant de l'exposition répétée et non renforcée à un stimulus.

Simple fait d'y penser (effet) (6): changement d'attitude lorsque, en l'absence de l'objet d'attitude ou d'information nouvelle à propos de cet objet, la réflexion seule a comme résultat de rendre une attitude préexistante plus extrême.

Simulation (2): procédé méthodologique par lequel les sujets sont appelés à agir comme s'ils se trouvaient en situation réelle.

Situation d'urgence (10): situation dans laquelle un ou plusieurs individus sont victimes d'un accident quelconque et ont un besoin d'aide immédiate.

Socialisation (12): acquisition par l'individu des attitudes, des valeurs et des normes propres à un groupe et, réciproquement, accommodation du groupe aux valeurs, aux attitudes et aux intérêts de l'individu.

Socialisation organisationnelle (12): acquisition, par les nouveaux membres d'une organisation, des normes, des rôles et des valeurs propres à celle-ci.

Sociobiologie (10): étude scientifique des principes d'évolution biologique appliqués aux comportements sociaux.

Sociogramme (8): instrument de mesure qui permet d'obtenir des données quantitatives sur les préférences des membres d'un groupe quant à leur association à d'autres membres du même groupe.

Soi idéaux (3): visions de soi qui reflètent ce que nous voulons ou souhaitons être idéalement.

Soi possibles (3): visions, plus ou moins lointaines, de ce qu'on pourrait devenir, autant de ce qu'on souhaite devenir que de ce qu'on a peur de devenir.

Solitude émotionnelle (8): résulte de la non-satisfaction dans les relations intimes existantes ou encore de l'absence ou de la perte d'une relation intime satisfaisante avec quelqu'un. Cette solitude est considérée comme beaucoup plus douloureuse que la solitude sociale.

Solitude existentielle (8): condition inévitable de l'expérience humaine qui suppose une prise de conscience de l'incapacité des autres de faire disparaître l'anxiété d'exister et de devoir faire face à la mort.

Solitude interpersonnelle (8): expérience désagréable qu'éprouve une personne lorsque son réseau de relations sociales est déficient d'une façon quantitative ou qualitative.

Solitude sociale (8): résultat d'un manque de relations sociales satisfaisantes avec des amis, des voisins ou des collègues. Ce type de solitude fait que la personne se sent rejetée par les autres en général, n'a pas l'impression d'appartenir ou d'être intégrée à une communauté quelconque. Cette solitude, qui provoque souvent un sentiment d'ennui, est reliée au nombre et à la fréquence des relations sociales.

Soutien social (8): échange interpersonnel dans lequel une personne en aide une autre.

Stabilité (5): dans la théorie de Weiner, propriété d'une cause qui se veut stable selon une perspective temporelle.

Standard d'une langue (7): style langagier jugé comme étant la langue de mise dans les occasions à caractère officiel.

Statut (12): différences relativement stables de prestige entre les membres d'un groupe.

Stéréotype (4, 13): croyance qu'une personne entretient au sujet des caractéristiques des membres d'un exogroupe.

Stigmatisation (10): phénomène par lequel les gens sont beaucoup moins portés à aider une victime qu'ils jugent responsable de son sort qu'une autre qui ne l'est pas et en viennent à blâmer la victime de ce qui lui est arrivé.

Stratégie de la faveur déguisée (11): technique d'influence sociale qui consiste à accorder une faveur, pour réduire ensuite celle-ci.

Stratégie de la porte dans la face (11): technique d'influence sociale qui consiste à faire une demande exagérée, qui sera sans doute repoussée, avant d'en faire une autre moins importante, qui, elle, sera exaucée.

Stratégie du pied dans la porte (11): technique d'influence sociale par laquelle on fait une demande peu importante avant de présenter la vraie demande.

Stratégies autohandicapantes (3): comportements visant à préparer à l'avance des excuses de sorte à avoir de bonnes raisons pour justifier une contre-performance ou de façon à pouvoir se dire talentueux dans le cas d'une bonne performance en dépit d'une préparation inadéquate.

Stratégies de la manipulation (3): techniques utilisées par une personne afin que les autres fassent ce qu'elle désire.

Structure des groupes (12): ensemble de relations plutôt stables entre les membres d'un groupe.

Style attributionnel (5): tendance relativement stable des gens à émettre des attributions de la même façon, peu importe la situation.

Style d'attachement (8): façon dont les gens se comportent dans leurs relations intimes; comportement relativement constant qu'ils auraient appris dans les premières années de leur vie.

Styles d'une langue (7): variétés d'une langue associées à différentes occasions et en général mutuellement intelligibles, qui se distinguent principalement par le lexique, l'intonation et l'accent.

Sujets volontaires (2): sujets qui participent volontairement à une étude.

Symbole (7): tout comportement ou signe qui, en vertu d'une convention, est porteur de sens dans une communauté donnée.

Tâches importantes (3): nouvelles activités ou tâches à réaliser, sélectionnées par la personne, au moment de périodes de transition dans la vie, telles que le passage du cégep à l'université.

Tendance centrale (2): réponse représentative de l'ensemble des sujets de l'étude.

Théorie (2): postulat présenté sous forme intégrée ayant pour but d'expliquer et de prédire différents phénomènes observés.

Théorie attributionnelle (5): théorie cherchant à expliquer les conséquences des attributions sur les plans cognitif, affectif et comportemental.

Théorie cognitive (1): théorie qui postule que les gens sont actifs dans leur perception et leur interprétation des stimuli dans leur environnement.

Théorie de l'accommodation langagière (7): théorie visant à expliquer le comportement langagier selon l'appartenance des individus à des groupes dont les caractéristiques ethnoculturelles varient.

Théorie de l'amour-passion (8): basée sur la théorie des émotions de Schachter, elle postule deux conditions essentielles à l'amour: une activation physiologique très intense accompagnée d'une activité cognitive où l'individu nomme cette émotion et lui attribue une cause.

Théorie de l'apprentissage social (1): perspective théorique selon laquelle les comportements sociaux peuvent être compris grâce aux principes généraux de l'apprentissage.

Théorie de l'attachement (8): théorie selon laquelle l'attachement à la mère ou à toute autre figure réconfortante a une fonction importante de survie pour l'enfant.

Théorie de l'attribution (5): théorie cherchant à expliquer les mécanismes par lesquels les gens en viennent à émettre des attributions.

Théorie de l'équilibre (8): théorie de l'harmonie cognitive proposée par Heider qui postule que les gens recherchent l'équilibre dans les cognitions et les émotions touchant leurs relations avec les autres.

Théorie de l'équité (13): théorie selon laquelle la perception de l'injustice sociale provoque chez l'individu un malaise psychologique qui le porte à vouloir rétablir l'équité matérielle ou psychologique.

Théorie de l'évaluation de soi (3): approche élaborée par Trope selon laquelle la personne incertaine vis-à-vis d'une habileté donnée aurait tendance à se tester par la réalisation de tâches fournissant de l'information claire (ou possédant une diagnosticité élevée) qui permettrait ainsi de réduire le degré d'incertitude à l'égard de l'habileté en question.

Théorie de l'identité sociale (13): explication du biais proendogroupe fondée sur des aspects cognitifs (différenciation catégorielle) et motivationnels (besoin d'une identité sociale positive) qui entraîneraient les gens à agir de manière à faire partie de groupes se comparant avantageusement aux exogroupes.

Théorie de la comparaison sociale (3, 8): théorie proposée par Festinger qui postule qu'afin de fonctionner efficacement dans leur environnement les humains éprouvent le besoin fondamental d'évaluer leurs opinions, leurs valeurs, leurs compétences et leurs émotions; ils peuvent ainsi se former une idée d'eux-mêmes. Comme il arrive souvent que cette évaluation ne soit pas possible par des moyens objectifs, ils doivent alors obtenir cette information en se comparant avec les autres.

Théorie de la dépression réactive de la conscience de soi (3): théorie de Pyszczynski et Greenberg selon laquelle la personne peut être plongée dans un cercle vicieux d'autorégulation lorsqu'elle adopte, à la suite de la perte d'une source importante d'estime de soi, un état de conscience de soi privée quasi constant, lequel intensifie l'affect négatif et amène la personne à se déprécier davantage. Éventuellement, ce style attentionnel dépressif perpétue la dépression.

Théorie de la dissonance cognitive (8): théorie de l'harmonie cognitive proposée par Festinger qui postule que les gens essaient d'éviter ou de changer les cognitions, les émotions et les comportements qui provoquent chez eux de la dissonance sur le plan cognitif.

Théorie de la Gestalt (1): théorie qui met l'accent sur la perception intégrative des formes et des stimuli comme déterminants du sens donné à un objet ou à un événement.

Théorie de la gestion de la terreur de l'estime de soi (3): approche de Greenberg, Pyszczynski et Solomon qui soutient que les gens sont motivés à maintenir une estime de soi positive afin de contrer diverses sources anxiogènes, notamment la peur de mourir.

Théorie de la perception de soi (3): selon Bem, lorsque nous sommes incertains de nos attitudes, émotions et autres états intérieurs, nous les interprétons en effectuant des inférences à partir de notre propre comportement.

Théorie de la privation relative (13): théorie selon laquelle le mécontentement et la révolte surgissent lorsque les individus perçoivent subjectivement une contradiction entre leur niveau de vie actuel et celui auquel ils croient avoir droit.

Théorie de la symétrie (8): théorie de l'harmonie cognitive proposée par Newcomb qui postule que les gens recherchent la symétrie dans les cognitions et les émotions touchant leurs relations avec les autres.

Théorie de la vérification de soi (3): théorie de Swann selon laquelle l'individu a une préférence pour les personnes confirmant sa vision (positive ou négative) de lui-même, qui serait due à son désir de prédire et de contrôler la façon dont les autres vont agir à son égard.

Théorie des conflits réels (13): explication du biais proendogroupe en fonction de la compétition entre les groupes pour l'accès à des ressources limitées.

Théorie des rôles (1): perspective théorique qui cherche à expliquer le comportement social en faisant référence aux rôles, aux attentes et exigences des rôles, aux habiletés exigées par les rôles et par les groupes de référence ayant un impact sur les participants dans des interactions sociales.

Théorie du bouc émissaire (13): explication du biais proendogroupe selon laquelle l'individu, après avoir vécu une frustration, déplacerait son agressivité vers les membres d'un exogroupe plus faible lorsque la source réelle de la frustration est inattaquable.

Théorie du champ (1): perspective théorique qui accorde beaucoup d'importance aux perceptions qu'ont les individus de leur environnement social ou ce que Lewin appelle « espace vital » (*life space*). Contrairement à l'approche phénoménologique ou cognitive, l'élément de conscience n'est pas nécessaire pour que les perceptions et le sens donné aux divers stimuli sociaux dans l'espace vital influent sur le comportement social.

Théorie du jugement social (6): théorie postulant que la position attitudinale du receveur détermine l'acceptation ou le rejet de l'attitude prônée par le message. L'étendue des positions attitudinales qu'un sujet peut accepter correspond à la zone d'acceptation; les autres positions attitudinales font partie de la zone de rejet ou d'indifférence.

Théories de l'échange social (1, 8): nom générique donné à certaines théories du renforcement qui postulent l'importance des échanges de ressources dans la formation et le maintien des relations interpersonnelles. Les interactions sociales sont considérées comme semblables aux transactions économiques.

Théories du renforcement (8): emprunt des concepts de la théorie de l'apprentissage appliqués au contexte des relations interpersonnelles qui sont vues à travers le paradigme stimulus-réponse. On s'intéresse principalement à l'étude des causes de l'attraction interpersonnelle et de l'attirance initiale entre deux personnes.

Théories implicites (8): théories non scientifiquement fondées, auxquelles chacun de nous a recours pour expliquer et prédire sa propre vie ou celle des autres. Ces théories sont dites « implicites » ou encore « naïves » parce que les personnes qui les défendent n'en sont pas nécessairement conscientes et ne savent sans doute pas les exprimer d'une manière rigoureuse.

Théories implicites du bonheur (8): croyances générales entretenues par les humains pour expliquer et prédire le bonheur dans leur propre vie ou dans celle des autres.

Tour de parole (7): période pendant laquelle un locuteur s'exprime d'une façon ininterrompue.

Transfert d'excitation (9): activation physiologique résiduelle pouvant inciter un individu à se comporter de façon agressive selon le contexte.

Transmission intergénérationnelle de la violence (9): idée selon laquelle un enfant qui est témoin ou victime de *patterns* de comportements violents à la maison sera plus susceptible d'adopter ces modes de fonctionnement à l'âge adulte.

Triangulation (2): procédé par lequel des résultats sont reproduits de maintes façons, à partir de mesures ou de variables dépendantes différentes, dans le cadre de recherches distinctes et à l'occasion durant des périodes temporelles variées et avec des populations différentes.

Tromperie (7): toute communication interpersonnelle par laquelle le trompeur vise à induire son interlocuteur en erreur.

Uniformité (11): similitude des idées et des opinions qui n'est pas due aux pressions du groupe.

Universaux linguistiques (7): ensemble des caractéristiques communes à toutes les langues.

Validité (2): degré de précision avec lequel une variable dépendante ou indépendante correspond à ce qu'elle est censée correspondre.

Validité de construit (2): justesse avec laquelle les variables dépendantes et indépendantes, telles qu'elles sont utilisées dans la recherche, correspondent bien au concept postulé dans l'hypothèse de la recherche.

Validité externe (2): degré de généralisation des résultats d'une étude à une population beaucoup plus vaste que celle étudiée dans la recherche en question.

Validité interne (2): concept qui indique à quel point les résultats d'une recherche sont le seul fruit des variables manipulées (variables indépendantes).

Variabilité (2): étendue des réponses des sujets.

Variable concomitante (2): variable non manipulée par l'expérimentateur qui covarie avec la variable indépendante et qui produit un effet de confusion.

Variable dépendante (2): variable mesurée qui sert à vérifier l'hypothèse de la recherche.

Variable indépendante (2): variable manipulée par l'expérimentateur et qui a un impact sur la variable dépendante.

Vérification confirmative d'une hypothèse (4): stratégie consistant à trier de façon sélective de l'information sur une autre personne qui confirme une hypothèse plutôt que de l'information susceptible d'infirmer cette hypothèse.

Vitalité ethnolinguistique (7): caractéristique d'un groupe ethnolinguistique correspondant à sa capacité de traiter avec son milieu d'une façon active, autonome et distincte.

Vraisemblance d'élaboration cognitive (théorie) (6): théorie du changement d'attitude qui affirme que la persuasion peut s'effectuer selon deux routes: la route centrale (soit l'analyse des arguments du message) et la route périphérique (c.-à-d. les facteurs associés au message).

RÉFÉRENCES BIBLIOGRAPHIQUES

Abbey, A., Cozzarelli, C., McLaughlin, K. & Xharnish, R.J. (1987). The effects of clothing and dyad sex composition on perceptions of sexual intent: Do women and men evaluate these cues differently. *Journal of Applied Social Psychology, 17,* 108-126.

Abbondanza, M. & Dubé-Simard, L. (1982). La mère au travail et la mère au foyer: deux réalités cognitives et évaluatives. *Revue québécoise de psychologie, 3,* 3-16.

Abelson, R.P. (1959). Models of resolution of belief dilemmas. *Journal of Conflict Resolution, 3,* 343-352.

Abelson, R.P. (1972). Are attitudes necessary? In B.T. King & E. McGinnies (Eds.), *Attitudes conflict, and social change* (pp. 19-32). New York: Academic Press.

Abelson, R.P. (1981). The psychological status of the script concept. *American Psychologist, 36,* 715-729.

Abelson, R.P. (1983). Whatever became of consistency theory? *Personality and Social Psychology Bulletin, 9,* 37-54.

Abelson, R.P. (1986). Beliefs are like possessions. *Journal for the Theory of Social Behavior, 16,* 223-250.

Abelson, R.P. & Rosenberg, M.J. (1958). Symbolic psycho-logic: A model of attitudinal cognition. *Behavioral Science, 3,* 1-13.

Aboud, F. (1988). *Children and prejudice.* Oxford: Basil Blackwell.

Aboud, F.E., Clément, R. & Taylor, D.M. (1974). Evaluational reactions to discrepancies between social class and language. *Sociometry, 37,* 239-250.

Abrams, D. (1992). Political identity: Relative deprivation, social identity and the case of Scottish nationalism. *Social Statistics Research Unit. Paper No. 24* (pp. 1-32).

Abrams, D. & Hogg, M.A. (1990). An introduction to the social identity approach. In D. Abrams & M.A. Hogg (Eds.), *Social identity theory: Constructive and critical advances.* London: Harvester Wheatsheaf.

Abramson, L.Y., Seligman, M.E.P. & Teasdale, J.D. (1978). Learned helplessness in humans: Critique and reformulation. *Journal of Abnormal Psychology, 87,* 49-74.

Adair, J.G., Sharpe, D. & Huynh, C.L. (1989). Placebo, Hawthorne, and other artifact controls: Researchers' opinions and practices. *Journal of Experimental Education, 57,* 341-35

Adams, J.S. (1963). Towards an understanding of inequity. *Journal of Abnormal Social Psychology, 67,* 422-436.

Adams, J.S. (1965). Inequity in social exchange. In L. Berkowitz (Ed.), *Advances in experimental social psychology* (Vol. 2). New York: Academic Press.

Adler, R.B., Rosenfeld, L.B. & Towne, N. (1986). *Interplay: The process of interpersonal communication* (3rd ed.). New York: Holt, Rinehart and Winston.

Adorno, T.W., Frenkel-Brunswick, E., Levinson, D.J. & Sanford, R.N. (1950). *The authoritarian personality.* New York: Harper.

Aebischer, V. & Oberlé, D. (1990). *Le groupe en psychologie sociale.* Paris: Bordas.

Affleck, G., Tennen, H., Pfeiffer, C. & Fifield, J. (1987). Appraisals of control and predictability in adapting to a chronic disease. *Journal of Personality and Social Psychology, 53,* 273-279.

Ainsworth, M.D.S., Blehar, M.C., Waters, E. & Wall, S. (1978). *Patterns of attachment: A psychological study of the strange situation.* Hillsdale, NJ: Erlbaum.

Ajzen, I. (1985). From intentions to actions: A theory of planned behavior. In J. Kuhl & J. Beckmann (Eds.), *Action control: From cognition to behavior.* Hillsdale, NJ: Erlbaum.

Ajzen, I. (1987). Attitudes, traits and actions: Dispositional prediction of behavior in personality and social psychology. In L. Berkowitz (Ed.), *Advances in experimental social psychology* (Vol. 20, pp. 1-63). New York: Academic Press.

Ajzen, I. (1988). *Attitudes, personality, and behavior.* Chicago, IL: Dorsey Press.

Ajzen, I. (1989). Attitude structure and behavior. In A.R. Pratkanis, S.J. Breckler & A.G. Greenwald (Eds.), *Attitude, structure and function* (pp. 241-274). Hillsdale, NJ: Erlbaum.

Ajzen, I. & Fishbein, M. (1977). Attitude-behavior relations: A theoretical analysis and review of empirical research. *Psychological Bulletin, 84,* 888-918.

Ajzen, I. & Fishbein, M. (1980). *Understanding attitudes and predicting social behavior.* Englewood Cliffs, NJ: Prentice-Hall.

Ajzen, I. & Holmes, W.H. (1976). Uniqueness of behavioral effects in causal attribution. *Journal of Personality, 44,* 98-108.

Ajzen, I. & Madden, J.T. (1986). Prediction of goal-directed behavior: Attitudes, intentions and perceived behavioral control. *Journal of Experimental Social Psychology, 22,* 453-474.

Alain, M. (1985). Self-presentation and physical attraction. *Canadian Journal of Behavioural Science, 17*, 271-276.

Alba, J.W. & Hasher, L. (1983). Is memory schematic? *Psychological Bulletin, 93*, 203-231.

Albouy, S. (1976). *Éléments de sociologie et de psychologie sociale*. Toulouse: Privat.

Albright, L., Kenny, D.A. & Malloy, T.E. (1988). Consensus in personality judgments at zero acquaintance. *Journal of Personality and Social Psychology, 55*, 387-395.

Alcock, J.E., Carment, D.W. & Sadava, S.W. (1991). *A textbook of social psychology*. Scarborough, Ont.: Prentice-Hall.

Alicke, M.D., Braun, J.C., Glor, J.E., Klotz, M.L., Magee, J., Sederholm, H. & Siegel, R. (1992). Complaining behavior in social interaction. *Personality and Social Psychology Bulletin, 18*, 286-295.

Allard, R. & Landry, R. (1992). Ethnolinguistic vitality beliefs and language maintenance and loss. In W.W. Fase, K. Jaespert & S. Kroon (Eds.), *Maintenance and loss of minority language*. Amsterdam: Benjamins.

Allen, J.L. & Schroeder, D.A. (1988). Anxiety, cognitive development, and correspondence: Attributions and behavioral prescriptions. *Personality and Social Psychology Bulletin, 14*, 221-230.

Allen, V.L. & Levine, J.M. (1969). Consensus and conformity. *Journal of Experimental Social Psychology, 5*, 389-399.

Allen, V.L. & Levine, J.M. (1971). Social support and conformity: The role of independent assessment of reality. *Journal of Experimental Social Psychology, 7*, 48-58.

Allen, V.L. & Wilder, D.A. (1975). Categorization, belief similarity and intergroup discrimination. *Journal of Personality and Social Psychology, 32*, 971-977.

Alloy, L.B. & Abramson, L.Y. (1979). Judgment of contingency in depressed and non-depressed students: Sadder but wiser? *Journal of Experimental Psychology: General, 108*, 441-485.

Allport, F.H. (1924). *Social psychology*. Boston, MA: Houghton Mifflin Co.

Allport, F.H. & Hartman, D.A. (1925). The measurement and motivation of atypical opinion in a certain group. *The American Political Review, 19*, 735-763.

Allport, G.W. (1935). Attitudes. In C. Murchison (Ed.), *Handbook of social psychology* (pp. 798-844). Worcester, MA: Clark University Press.

Allport, G.W. (1954). *The nature of prejudice*. Reading, MA: Addison-Wesley.

Allport, G.W. (1968). The historical background of modern social psychology. In G. Lindzey & E. Aronson (Eds.), *The handbook of social psychology* (2nd ed.). Reading, MA: Addison-Wesley.

Allport, G.W. (1985). The historical background of social psychology. In G. Lindzey & E. Aronson (Eds.), *The handbook of social psychology* (Vol. 1, pp. 1-46). New York: Random House.

Altermeyer, B. (1987). *Enemies of freedom: Understanding right-wing authoritarianism*. London: Jossey-Bass.

Altman, I. & Taylor, D.A. (1973). *Social penetration: The development of interpersonal relationships*. New York: Holt, Rinehart and Winston.

Alwin, D.F., Cohen, R.L. & Newcomb, T.M. (1991). *Political attitudes over the life span: The Bennington women after fifty years*. Madison, WI: University of Wisconsin Press.

Amabile, T.M. (1983). *The social psychology of creativity*. New York: Springer-Verlag.

Amato, P.R. (1985). An investigation into planned helping behavior. *Journal of Research in Personality, 19*, 232-252.

Amir, Y. (1976). The role of intergroup contact in change of prejudice and ethnic relations. In P.A. Katz (Ed.), *Towards the elimination of racism*. New York: Pergamon.

Anastasi, A. (1976). *Psychological testing* (4th ed.). New York: Macmillan.

Anctil, P. (1988a). *Le rendez-vous manqué. Les juifs de Montréal face au Québec de l'entre-deux-guerres*. Québec: Publications de l'Institut québécois de recherche sur la culture.

Anctil, P. (1988b). *Le Devoir, les juifs et l'immigration. De Bourassa à Laurendeau*. Québec: Publications de l'Institut québécois de recherche sur la culture.

Andersen, S.M. & Ross, L. (1984). Self-knowledge and social inference: 1. The impact of cognitive/affective and behavioral data. *Journal of Personality and Social Psychology, 46*, 280-293.

Andersen, S.M. & Williams, M. (1985). Cognitive/affective reactions in the improvement of self-esteem: When thoughts and feelings make a difference. *Journal of Personality and Social Psychology, 49*, 1086-1097.

Anderson, C.A. (1983). Abstract and concrete data in the perseverance of social theories: When weak data lead to unshakeable beliefs. *Journal of Experimental Social Psychology, 19*, 93-108.

Anderson, C.A. & Godfrey, S.S. (1987). Thoughts about actions: The effects of specificity and availability of imagined behavioral scripts on expectations about oneself and others. *Social Cognition, 5*, 238-258.

Anderson, C.A., Horowitz, L.M. & French, R.D. (1983). Attributional style of lonely and depressed people. *Journal of Personality and Social Psychology, 45*, 127-136.

Anderson, C.A. & Riger, A.L. (1991). A controllability attributional model of problems in living: Dimensional and situational interactions in the prediction of depression and loneliness. *Social Cognition, 9*, 149-181.

Anderson, C.A. & Slusher, M.P. (1986). Relocating motivational effects: A synthesis of cognitive and motivational effects on attributions for success and failure. *Social Cognition, 4*, 250-292.

Anderson, J.R. (1991). The adaptive nature of human categorization. *Psychological Review, 98*, 409-429.

Anderson, N.H. (1965). Averaging versus adding as a stimulus combination rule in impression formation. *Journal of Experimental Psychology, 70*, 394-400.

Anderson, N.H. (1968). Likableness rating of 555 personality-trait words. *Journal of Personality and Social Psychology, 9*, 272-279.

Anderson, N.H. (1974). Information integration: A brief survey. In D.H. Krantz, R.C. Atkinson, R.D. Luce & P. Suppes (Eds.), *Contemporary developments in mathematical psychology* (pp. 236-305). San Francisco: Freeman.

Anderson, N.H. (1981). *Foundations of information integration theory*. New York: Academic Press.

Andrews, B. & Brewin, C.R. (1990). Attribution of blame for marital violence: A study of antecedents and consequences. *Journal of Marriage and the Family, 52*, 757-767.

Anisfeld, E. & Lambert, W.E. (1961). Social and psychological variables in learning Hebrew. *Journal of Abnormal and Social Psychology, 63*, 524-529.

Antill, J.K. (1983). Sex role complementarity versus similarity in married couples. *Journal of Personality and Social Psychology, 45*, 145-155.

Antonovsky, A. (1987). *Unraveling the mystery of health: How people manage stress and stay well*. San Francisco, CA: Jossey-Bass.

Anzieu, D. & Martin, J.Y. (1976). *La dynamique des groupes restreints*. Paris: Presses universitaires de France.

Archer, D., Iritani, B., Kimes, D.D. & Barrios, M. (1983). Face-ism: Five studies of sex differences in facial prominence. *Journal of Personality and Social Psychology, 45*, 725-735.

Archer, R.L. (1980). Self-disclosure. In D.M. Wegner & R.R. Vallacher (Eds.), *The self in social psychology*. New York: Oxford University Press.

Archer, R.L. & Berg, J.H. (1978). Disclosure reciprocity and its limits: A reactance analysis. *Journal of Experimental Social Psychology, 14*, 527-540.

Archer, R.L. & Burleson, J.A. (1980). The effects of timing of self-disclosure on attraction and reciprocity. *Journal of Personality and Social Psychology, 38*, 120-130.

Argyle, M. (1987a). *Bodily communication* (2nd ed.). London: Methuen.

Argyle, M. (1987b). *The psychology of happiness*. London: Methuen.

Argyle, M. & Dean, J. (1965). Eye-contact, distance and affiliation. *Sociometry, 28*, 289-304.

Arnold, M.B. (1960). *Emotion and personality* (2 vols.). New York: Columbia.

Aron, A. & Aron, E.N. (1986). *Love as the expansion of self: Understanding attraction and satisfaction*. New York: Hemisphere.

Aron, A., Aron, E.N. & Smollan, D. (1992). Inclusion of Other in the Self Scale and the structure of interpersonal closeness. *Journal of Personality and Social Psychology, 63*, 596-612.

Aron, A., Aron, E.N., Tudor, M. & Nelson, G. (1991). Close relationships as including other in the self. *Journal of Personality and Social Psychology, 60*, 241-253.

Aronson, E. (1969). The theory of cognitive dissonance: A current perspective. In L. Berkowitz (Ed.), *Advances in experimental social psychology* (Vol. 4, pp. 1-34). New York: American Press.

Aronson, E., Blaney, N., Stephan, C., Sikes, J. & Snapp, M. (1978). *The jig-saw classroom*. London: Sage.

Aronson, E., Brewer, M. & Carlsmith, J.M. (1985). Experimentation in social psychology. In G. Lindzey & E. Aronson (Eds.), *The handbook of social psychology* (Vol. 1, pp. 441-486). New York: Random House.

Aronson, E., Ellsworth, P.C., Carlsmith, J.M. & Gonzales, M.H. (1990). *Methods of research in social psychology*. New York: McGraw-Hill.

Arvey, R.D., Bouchard, T.J., Jr., Segal, N.L. & Abraham, L.M. (1989). Job satisfaction: Environmental and genetic components. *Journal of Applied Psychology, 74*, 187-192.

Asch, S.E. (1946). Forming impressions of personality. *Journal of Abnormal and Social Psychology, 41*, 258-290.

Asch, S.E. (1951). Effects of group pressure upon the modification and distortion of judgments. In H. Guetzkow (Ed.), *Groups, leadership, and men*. Pittsburgh, PA: Carnegie Press.

Asch, S.E. (1952). *Social psychology*. New York: Prentice-Hall.

Asch, S.E. (1956). Studies of independence and conformity: A minority of one against a unanimous majority. *Psychological Monographs, 70*, 416.

Asher, H.B. (1983). *Causal modeling*. Newbury Park, CA: Sage.

Ashmore, R.D. (1981). Sex stereotyping and implicit personality theory. In D.L. Hamilton (Ed.), *Cognitive processes in stereotyping and intergroup behavior* (pp. 37-81). Hillsdale, NJ: Erlbaum.

Aspinwall, L.G. & Taylor, S.E. (1992). Modeling cognitive adaptation: A longitudinal investigation of the impact of individual differences and coping on college adjustment and performance. *Journal of Personality and Social Psychology, 63*, 989-1003.

Atkinson, J.W. (1964). *An introduction to motivation.* Princeton, NJ: Van Nostrand Reinhold.

Atkinson, R.L., Atkinson, R.C., Smith, E.E. & Hilgard, R.E. (1987). *Introduction à la psychologie.* Montréal: Études vivantes.

Austin, W. (1986). Justice in intergroup conflict. In S. Worchel & G.W. Austin (Eds.), *Psychology of intergroup relations.* Chicago, IL: Nelson Hall.

Axsom, D. (1989). Cognitive dissonance and behavior change in psychotherapy. *Journal of Experimental Social Psychology, 25*, 234-252.

Axsom, D. & Cooper, J. (1985). Cognitive dissonance and psychotherapy: The role of effort justification in inducing weight loss. *Journal of Experimental Social Psychology, 21*, 149-160.

Axsom, D., Yates, S. & Chaiken, S. (1987). Audience response as a heuristic cue in persuasion. *Journal of Personality and Social Psychology, 53*, 30-40.

Backman, C.W. (1981). Attraction in interpersonal relationships. In R. Turner & M. Rosenberg (Eds.), *Sociological perspectives on social psychology.* New York: Basic Books.

Bagozzi, R.P. (1981). Attitudes, intentions, and behaviors: A test of some key hypotheses. *Journal of Personality and Social Psychology, 41*, 607-627.

Bagozzi, R.P. & Yi, Y. (1989). The degree of intention formation as a moderator of the attitude-behavior relationship. *Social Psychology Quarterly, 52*, 266-279.

Baillargeon, J., Dubois, G. & Marineau, R. (1986). Traduction française de l'échelle d'ajustement dyadique. *Revue canadienne des sciences du comportement, 18*, 25-34.

Baker, T.B. & Brandon, T.H. (1990). Validity of self-reports in basic research. *Behavioral Assessment, 12*, 33-51.

Balakrishnan, T.R. & Kralt, J. (1987). Segregation of visible minorities in Montreal, Toronto and Vancouver. In L. Driedger (Ed.), *Ethnic Canada* (pp. 138-157). Toronto: Copp Clark.

Bales, R.F. (1950). A set of categories for the analysis of small group interaction. *American Sociological Review, 15*, 257-263.

Bales, R.F. (1970). *Personality and interpersonal behavior.* New York: Holt, Rinehart and Winston.

Ball-Rokeach, S.J., Rokeach, M. & Grube, J. (1984). *The Great American Values Test: Influencing behavior and belief through television.* New York: The Free Press.

Bandura, A. (1973). *Aggression: A social learning analysis.* New York: Holt, Rinehart and Winston

Bandura, A. (1974). Behavior theory and the models of man. *American Psychologist, 29*, 859-869.

Bandura, A. (1977a). Self-efficacy: Toward a unifying theory of behavior change. *Psychological Review, 84*, 191-215.

Bandura, A. (1977b). *Social learning theory.* Englewood Cliffs, NJ: Prentice-Hall.

Bandura, A. (1978). The self system in reciprocal determinism. *American Psychologist, 33*, 344-358.

Bandura, A. (1982). Self-efficacy mechanism in human agency. *American Psychologist, 37*, 122-147.

Bandura, A. (1983). Psychological mechanism of aggression. In R.G. Geen & E.I. Donnerstein (Eds.), *Aggression: Theoretical and empirical review* (Vol. 1, pp. 1-40). New York: Academic Press.

Bandura, A. (1986a). From thought to action: Mechanism of personal agency. *New Zealand Journal of Psychology, 15*, 1-17.

Bandura, A. (1986b). *Social foundations of thought and action: A social cognitive theory.* Englewood Cliffs, NJ: Prentice-Hall.

Bandura, A. (1989). Human agency in social cognitive theory. *American Psychologist*, 1175-1184.

Bandura, A., Ross, D. & Ross, S.A. (1961). Transmission of aggression through imitation of aggressive models. *Journal of Abnormal and Social Psychology, 63*, 575-582.

Bandura, A., Ross, D. & Ross, S.A. (1963). Vicarious reinforcement and imitative learning. *Journal of Abnormal and Social Psychology, 67*, 601-607.

Bandura, A. & Schunk, D.H. (1981). Cultivating competence, self-efficacy, and intrinsic interest through proximal self-motivation. *Journal of Personality and Social Psychology, 41*, 586-598.

Bandura, A. & Walters, R.H. (1963). *Social learning and personality development.* New York: Holt, Rinehart and Winston.

Banuazizi, A. & Movahedi, S. (1975). Interpersonal dynamics in a simulated prison: A methodological analysis. *American Psychologist, 30*, 152-160.

Bar-Tal, D. & Frieze, I.H. (1977). Achievement motivation for males and females as a determinant of attributions for success and failure. *Sex Roles, 3*, 301-313.

Bar-Tal, D., Raviv, A., Raviv, A. & Brosh, M.E. (1991). Perception of epistemic authority and attribution for its choice as a function of knowledge area and age. *European Journal of Social Psychology, 21*, 477-492.

Barden, R.C., Garber, J., Duncan, S.W. & Masters, J.C. (1981). Cumulative effects of induced affective states in children: Accentuation, inoculation, and remediation. *Journal of Personality and Social Psychology, 40*, 750-760.

Bargh, J.A. (1982). Attention and automaticity in the processing of self-relevant information. *Journal of Personality and Social Psychology, 43*, 425-436.

Bargh, J.A., Lombardi, W.J. & Higgins, E.T. (1988). Automaticity of chronically accessible constructs in person X situation effects on person perception: It's just a matter of time. *Journal of Personality and Social Psychology, 55*, 599-605.

Bargh, J.A. & Pietromonaco, P. (1982). Automatic information processing and social perception: The influence of trait information presented outside of conscious awareness on impression formation. *Journal of Personality and Social Psychology, 43*, 437-449.

Barnett, M.A., Thompson, M.A. & Schroff, J. (1987). Reasons for not helping. *Journal of Genetic Psychology, 148*, 489-498.

Baron, R.A. (1974). Aggression as a function of victim's pain cues, level of prior anger arousal, and exposure to an aggressive model. *Journal of Personality and Social Psychology, 29*, 117-124.

Baron, R.A. (1986). *Behavior in organizations*. Newton, MA: Allyn and Bacon.

Baron, R.A. (1990). Environmentally induced positive affect: Its impact on self-efficacy, task performance, negotiation, and conflict. *Journal of Applied Psychology, 75*, 235-245.

Baron, R.A. & Bell, P.A. (1973). Effects of heightened sexual arousal on physical aggression. *Proceedings of the 81st annual convention of the American Psychological Association*, pp. 171-172.

Baron, R.A. & Bell, P.A. (1977). Sexual arousal and aggression by males: Effects of type of erotic stimuli and prior provocation. *Journal of Personality and Social Psychology, 35*, 79-87.

Baron, R.A. & Byrne, D. (1981). *Social psychology: Understanding human interaction* (3rd ed.). Boston, MA: Allyn and Bacon.

Baron, R.A. & Byrne, D. (1984). Aggression: Its nature, causes, and control. In R.A. Baron & D. Byrne (Eds.), *Social psychology: Understanding human interaction* (chap. 8, pp. 322-363). Boston, MA: Allyn and Bacon.

Baron, R.A. & Byrne, D. (1987). *Social psychology: Understanding human interaction* (5th ed.). Boston, MA: Allyn and Bacon.

Baron, R.M. & Kenny, D.A. (1986). The moderator-mediator variable distinction in Social Psychological research: Conceptual, strategic, and statistical considerations. *Journal of Personality and Social Psychology, 51*, 1173-1182.

Baron, R.S. (1986). Distraction-conflict theory: Progress and problems. In L. Berkowitz (Ed.), *Advances in experimental social psychology* (Vol. 19, pp. 1-40). New York: Academic Press.

Bartlett, F.C. (1932). *Remembering*. Cambridge: Cambridge University Press.

Bassili, J.N. & Fletcher, J.F. (1991). Response-time measurement in survey research: A method for CATI and a new look at nonattitude. *Public Opinion Quarterly, 55*, 331-346.

Bassili, J.N. & Provencal, A. (1988). Perceiving minorities: A factor-analytic approach. *Personality and Social Psychology Bulletin, 14*, 5-15.

Bate, B. (1988). *Communication and the sexes*. New York: Harper.

Bateson, G. (1941). The frustration-aggression hypothesis and culture. *Psychological Review, 48*, 350-355.

Batson, C.D. (1987). Prosocial motivation: Is it ever truly altruistic? In L. Berkowitz (Ed.), *Advances in experimental social psychology* (Vol. 20, pp. 65-122). New York: Academic Press.

Batson, C.D., Batson, J.G., Griffitt, C.A., Barrientos, S., Brandt, J.R., Sprengelmeyer, P. & Bayly, M.J. (1989). Negative-state relief and the empathy-altruism hypothesis. *Journal of Personality and Social Psychology, 56*, 922-933.

Batson, C.D., Coke, J.S., Jasnoski, M.L. & Hanson, M. (1978). Buying kindness: Effect of an extrinsic incentive for helping on perceived altruism. *Personality and Social Psychology Bulletin, 4*, 86-91.

Batson, C.D., Darley, J.M. & Coke, J.S. (1978). Altruism and human kindness: Internal and external determinants of helping behavior. In L. Pervin & M. Lewis (Eds.), *Perspectives in interactional psychology* (pp. 111-140). New York: Plenum.

Batson, C.D., Duncan, B.D., Ackerman, P., Buckley, T. & Birch, K. (1981). Is empathic emotion a source of altruistic motivation? *Journal of Personality and Social Psychology, 40*, 290-302.

Batson, C.D., Fultz, J. & Shoenrade, P.A. (1987). Distress and empathy: Two qualitatively distinct vicarious emotions with different motivational consequences. *Journal of Personality, 55*, 19-39.

Batson, C.D. & Oleson, K.C. (1991). Current status of the empathy-altruism hypothesis. In M.S. Clark (Ed.), *Review of personality and social psychology: Vol. 12. Prosocial behavior* (pp. 62-85). Newbury Park, CA: Sage.

Baucom, D.H. & Aiken, P.A. (1984). Sex role identity, marital satisfaction, and response to behavioral marital therapy. *Journal of Consulting and Clinical Psychology, 52*, 438-444.

Baum, A., Fleming, R. & Singer, J.E. (1982). Stress at Three Mile Island: Applying psychological impact analysis. In L. Bickman (Ed.), *Applied social psychol-*

ogy annual (Vol. 3, pp. 217-248). Beverly Hills, CA: Sage.

Baum, A., Fleming, R. & Singer, J.E. (1983). Coping with victimization by technological disaster. *Journal of Social Issues, 39*, 117-138.

Baumann, M. (1976). Two features of "women's speech". In B.L. Dubois & I. Crouch (Eds.), *The sociology of the languages of American women* (pp. 33-40). San Antonio, TX: Trinity University.

Baumeister, R.F. (1982). A self-presentational view of social phenomena. *Psychological Bulletin, 91*, 3-26.

Baumeister, R.F. (1984). Choking under pressure: Self-consciousness and paradoxical effects of incentives on skillful performance. *Journal of Personality and Social Psychology, 46*, 610-620.

Baumeister, R.F. (1987). How the self became a problem: A psychological review of historical research. *Journal of Personality and Social Psychology, 52*, 163-176.

Baumeister, R.F. (1989). The optimal margin of illusion. *Journal of Social Clinical Psychology, 8*, 176-189.

Baumeister, R.F. (1990). Suicide as escape from self. *Psychological Review, 97*, 90-113.

Baumeister, R.F. (1991). *Escaping the self*. New York: Basic Books.

Baumeister, R.F. (1993). Understanding the inner nature of low self-esteem: Uncertain, fragile, protective, and conflicted. In R.F. Baumeister (Ed.), *Self-esteem: The puzzle of low self-regard*. New York: Plenum.

Baumeister, R.F., Heatherton, T.F. & Tice, D.M. (1993). When ego threats lead to self-regulation failure: The negative consequences of high self-esteem. *Journal of Personality and Social Psychology, 64*, 141-156.

Baumeister, R.F. & Steinhilber, A. (1984). Paradoxical effects of supportive audiences on performance under pressure: The home field disadvantage in sports championships. *Journal of Personality and Social Psychology, 47*, 85-93.

Baumeister, R.F. & Tice, D.M. (1984). Role of self-presentation and choice in cognitive dissonance under forced compliance: Necessary or sufficient causes? *Journal of Personality and Social Psychology, 46*, 5-13.

Baumgardner, A.H. (1990). To know oneself is to like oneself: Self-certainty and self-affect. *Journal of Personality and Social Psychology, 58*, 1062-1072.

Bavelas, J.B., Black, A., Chovil, N., Lemery, C. & Mullett, J. (1988). Form and function in motor mimicry. *Human Communication Research, 14*, 275-300.

Bavelas, J.B., Black, A., Lemery, C.R. & Mullett, J. (1986). "I *show* how you feel": Motor mimicry as a communicative act. *Journal of Personality and Social Psychology, 50*, 322-329.

Baxter, L.A. & Wilmot, W.W. (1985). Taboo topics in close relationships. *Journal of Social and Personal Relationships, 2*, 253-269.

Beale, D.A. & Manstead, A.S.R. (1991). Predicting mothers' intentions to limit frequency of infants' sugar intake: Testing the theory of planned behavior. *Journal of Applied Social Psychology, 21*, 409-431.

Beaman, A.L., Cole, C.M., Preston, M., Klentz, B. & Steblay, N.M. (1983). Fifteen years of foot-in-the-door research: A meta-analysis. *Personality and Social Psychology Bulletin, 9*, 181-196.

Beck, A.T., Rush, A.J., Shaw, B.F. & Emery, G. (1979). *Cognitive therapy of depression*. New York: Guilford.

Becker, H.S. (1960). Notes on the concept of commitment. *American Journal of Sociology, 66*, 32-40.

Bédard, E. & Maurais, J. (Eds.). (1983). *La norme linguistique*. Québec et Paris: Conseil de la langue française, Le Robert.

Bégin, G. & Couture, H. (1980). Construction et validation d'une échelle d'attitudes envers les détenu(e)s et les ex-détenu(e)s. *Canadian Journal of Criminology, 22*, 390-403.

Bégin, G., Tremblay, D. & Lavoie, H. (1981). Construction et validation d'une échelle d'attitudes envers les homosexuel(le)s (EAEH). *Revue québécoise de psychologie, 2*, 2-15.

Bélanger, C., Dulude, D., Sabourin, S. & Wright, J. (sous presse). Les corrélats comportementaux et conjugaux des attentes d'efficacité en matière de résolution de problèmes personnels. *Journal international de psychologie.*

Bem, D.J. (1967). Self perception: An alternative interpretation of cognitive dissonance. *Psychological Review, 74*, 183-200.

Bem, D.J. (1972). Self-perception theory. In L. Berkowitz (Ed.), *Advances in experimental social psychology* (Vol. 6, pp. 1-62). New York: Academic Press.

Bem, D.J. & McConnell, H.K. (1970). Testing the self-perception explanation of dissonance phenomena: On the salience of premanipulation attitudes. *Journal of Personality and Social Psychology, 14*, 23-31.

Bem, S.L. (1974). The measurement of psychological androgyny. *Journal of Consulting and Clinical Psychology, 42*, 155-162.

Benfield, C.Y., Palmer, D.J., Pfefferbaum, B. & Stowe, M.L. (1988). A comparison of depressed and non-depressed disturbed children on measures of attributional style, hopelessness, life stress, and temperament. *Journal of Abnormal Child Psychology, 16*, 397-410.

Benson, P.L., Karabenick, S.A. & Lerner, R.M. (1976). Pretty pleases: The effects of physical attractiveness, race and sex on receiving help. *Journal of Experimental Social Psychology, 12*, 409-415.

Bentler, P.M. & Speckart, G. (1979). Models of attitude-behavior relations. *Psychological Review, 86*, 452-464.

Berg, J.H. & Archer, R.L. (1980). Disclosure or concern: A second look at liking for the norm breaker. *Journal of Personality, 48*, 245-257.

Berg, J.H. & Archer, R.L. (1983). The discloser-liking relationship: Effects of self-perception, order of disclosure, and topical similarity. *Human Communication Research, 10*, 269-282.

Berger, C.R. & Bradac, J.J. (1982). *Language and social knowledge*. London: Arnold.

Berger, S.M. (1977). Social comparison, modeling, and perseverance. In J. Suls & R.L. Miller (Eds.), *Social comparison processes: Theoretical and empirical perspectives* (pp. 209-234). Washington, DC: Hemisphere.

Bergeron, J.L. (1979). Le leadership I: Traits personnels et comportements des leaders. In J.L. Bergeron, N.C. Léger, J. Jacques & L. Bélanger (Eds.), *Les aspects humains de l'organisation*. Chicoutimi: Gaëtan Morin éditeur.

Berglas, S.C. & Jones, E.E. (1978). Drug choice as a self-handicapping strategy in response to non-contingent success. *Journal of Personality and Social Psychology, 36*, 405-417.

Berkowitz, L. (1962). *Aggression: A social psychological analysis*. New York: McGraw-Hill.

Berkowitz, L. (1965). Some aspects of observed aggression. *Journal of Personality and Social Psychology, 2*, 359-369.

Berkowitz, L. (1972). Social norms, feelings, and other factors affecting helping and altruism. In L. Berkowitz (Ed.), *Advances in experimental social psychology* (Vol. 6). New York: Academic Press.

Berkowitz, L. (1974). Some determinants of impulsive aggression: The role of mediated associations with reinforcements for aggression. *Psychological Review, 81*, 165-176.

Berkowitz, L. (1984). Some effects of thoughts on anti- and prosocial influences of media events: A cognitive-neoassociation analysis. *Psychological Bulletin, 95* (3), 410-427.

Berkowitz, L. (1989). Frustration-aggression hypothesis: Examination and reformulation. *Psychological Bulletin, 106*, 59-73.

Berkowitz, L. & Connor, W.H. (1966). Success, failure, and social responsibility. *Journal of Personality and Social Psychology, 3*, 664-669.

Berkowitz, L. & Daniels, L.R. (1963). Responsibility and dependency. *Journal of Personality and Social Psychology, 66*, 427-436.

Berkowitz, L. & Geen, R. (1967). Stimulus qualities of the target of aggression: A further study. *Journal of Personality and Social Psychology, 5*, 364-368.

Berkowitz, L. & LePage, A. (1967). Weapons as aggression-eliciting stimuli. *Journal of Personality and Social Psychology, 7*, 202-207.

Berkowitz, L. & Walster, E. (1976). Equity theory: Toward a general theory of social interaction. In L. Berkowitz (Ed.), *Advances in experimental social psychology* (Vol. 9). New York: Academic Press.

Berman, P.W. & Smith, V.L. (1984). Gender and situational differences in children's smiles, touch, and proxemics. *Sex Roles, 10*, 347-356.

Berndt, T.J. (1979). Developmental changes in conformity to peers and parents. *Developmental Psychology, 15*, 608-616.

Bernier, L. (1978). L'impact de la scolarisation postsecondaire sur les représentations sociales des jeunes Québécois. *Revue des sciences de l'éducation, 4*, 81-104.

Bernieri, F.J. (1988). Coordinated moment and rapport in teacher-student interactions. *Journal of Nonverbal Behavior, 12*, 120-138.

Berry, D.S. & McArthur, L.Z. (1986). Perceiving character in faces: The impact of age-related craniofacial changes in social perception. *Psychological Bulletin, 100*, 3-18.

Berry, J.W. (1991). Understanding and managing multiculturalism: Some possible implications of research in Canada. *Psychology and Developing Societies, 3*, 17-49.

Berry, J.W., Kalin, R. & Taylor, D.M. (1977). *Attitudes à l'égard du multiculturalisme et des groupes ethniques au Canada*. Ottawa: Approvisionnements et Services Canada.

Berscheid, E. (1985). Interpersonal attraction. In G. Lindzey & E. Aronson (Eds.), *The handbook of social psychology* (Vol. 2). New York: Random House.

Berscheid, E. & Fei, J. (1977). Sexual jealousy and romantic love. In G. Clanton & G. Smith (Eds.), *Sexual jealousy: An anthology of research and reflection*. Englewood Cliffs, NJ: Prentice-Hall.

Berscheid, E., Graziano, W., Monson, T. & Dermer, M. (1976). Outcome dependency: Attention, attribution, and attraction. *Journal of Personality and Social Psychology, 34*, 978-989.

Berscheid, E. & Peplau, L.A. (1983). The emerging science of relationships. In H.H. Kelley, E. Berscheid, A. Christensen, J.H. Harvey, T.L. Huston, G. Levinger, E. McClintock, L.A. Peplau & D.R. Peterson (Eds.), *Close relationships*. New York: Freeman.

Berscheid, E. & Walster, E. (1974). A little bit about love. In T.L. Huston (Ed.), *Foundations of interpersonal attraction*. New York: Academic Press.

Berscheid, E. & Walster, E. (1978). *Interpersonal attraction* (2nd ed.). Reading, MA: Addison-Wesley.

Betancourt, H. (1990). An attribution-empathy model of helping behavior: Behavioral intentions and judgements of help-giving. *Personality and Social Psychology Bulletin, 16*, 573-591.

Betancourt, H. & Blair, I. (1992). A cognition (attribution)-emotion model of violence in conflict situations. *Personality and Social Psychology Bulletin, 18*, 343-350.

Betz, N.E. & Hackett, G. (1981). The relationship of career-related self-efficacy expectations to perceived career options in college women and men. *Journal of Counseling Psychology, 28*, 399-410.

Beveridge, W.I. (1961). *The art of scientific investigation*. New York: Vintage Books.

Bickman, L. (1971). The effect of another bystander's ability to help on bystander intervention in an emergency. *Journal of Experimental Social Psychology, 7*, 367-379.

Bickman, L. (1972). Social influence and diffusion of responsibility in an emergency. *Journal of Experimental Social Psychology, 8*, 438-445.

Bickman, L., Brehm, S.S., Farrington, D.P., Fisher, R.J., Leventhal, H., McConahay, J.B., Stephan, W.G. & Stokols, D. (1980). Applied social psychology and the future: A symposium. In R.F. Kidd & M.J. Saks (Eds.), *Advances in applied social psychology* (Vol. 1, pp. 177-211). Hillsdale, NJ: Erlbaum.

Biddle, B.J. & Thomas, E.J. (1966). *Role theory: Concepts and research*. Florida: Krieger.

Bierhoff, H.W., Klein, R. & Kramp, P. (1991). Evidence for the altruistic personality from data on accident research. *Journal of Personality, 59*, 263-280.

Billig, M.G. (1976). *Social psychology and intergroup relations*. London: Academic Press.

Billings, A.G. & Moos, R.H. (1982). Psychosocial theory and research on depression: An integrative framework and review. *Clinical Psychology Review, 2*, 213-237.

Bird, C., Monachesi, E.D. & Burdick, M. (1952). Studies of group tensions: III. The effects of parental discouragement of play activities of white children toward Negroes. *Child Development, 23*, 295-306.

Birdwhistell, R.L. (1970). *Kinesics and context*. Philadelphia, PA: University of Philadelphia Press.

Blais, M.R., Lacombe, D., Vallerand, R.J. & Pelletier, L.G. (1990). *Motivation en contexte de travail: nature, déterminants et conséquences*. Manuscrit inédit, Université du Québec à Montréal.

Blais, M.R., Sabourin, S., Boucher, C. & Vallerand, R.J. (1990). Toward a motivational model of couple happiness. *Journal of Personality and Social Psychology, 59*, 1021-1031.

Blais, M.R., Vallerand, R.J., Brière, N.M., Gagnon, A. & Pelletier, L.G. (1990). Signifiance, structure, and gender differences in life domains of college students. *Sex Roles, 22*, 199-212.

Blais, M.R., Vallerand, R.J., Pelletier, L.G. & Brière, N.M. (1989). L'échelle de satisfaction de vie: validation canadienne-française du « Satisfaction with Life Scale ». *Revue canadienne des sciences du comportement, 21*, 210-223.

Blake, R.R. & Mouton, J.S. (1962). Overevaluation of own group's product in intergroup competition. *Journal of Abnormal and Social Psychology, 64*, 237-238.

Blake, R.R. & Mouton, J.S. (1978). *The new managerial grid*. Houston, TX: Gulf Publishing Co.

Blake, R.R., Shepard, H.A. & Mouton, J.S. (1964). *Managing intergroup conflict in industry*. Houston, TX: Gulf Publishing Co.

Blanc, B. (1986). Problématique de la localisation des nouveaux immigrants à Montréal. *Études ethniques canadiennes, 18*, 89-108.

Blaney, P.H. (1977). Contemporary theories of depression: Critique and comparison. *Journal of Abnormal Psychology, 86*, 203-223.

Bloom-Feshbach, S., Bloom-Feshbach, J. & Heller, K.A. (1982). Work, family, and children's perception of the world. In S.B. Kammerman & C.D. Hayes (Eds.), *Families that work*. Washington, DC: National Academy Press.

Bodenhausen, G.V. (1988). Stereotypic biases in social decision making and memory: Testing process models of stereotype use. *Journal of Personality and Social Psychology, 55*, 726-737.

Boel, E. (1976). Le genre des noms désignant les professions et les situations féminines en français moderne. *Revue romane, 11*, 16-73.

Bok, D.C. (1986). *Higher learning*. Cambridge, MA: Harvard University Press.

Bolduc, D. & Fortin, P. (1990). Les francophones sont-ils plus xénophobes que les anglophones au Québec? Une analyse quantitative exploratoire. *Études ethniques canadiennes, 22*, 54-77.

Bootzin, R.R., Herman, C.P. & Nicassio, P. (1976). The power of suggestion: Another examination of misattribution and insomnia. *Journal of Personality and Social Psychology, 34*, 673-679.

Borduas, P.E. (1987). Refus global. In A.G. Bourassa, J. Fisette & G. Lapointe (Eds.), *Écrits I*. Montréal: Presses de l'Université de Montréal.

Borkowski, J.G., Weyhing, R.S. & Carr, M. (1988). Effects of attributional retraining on strategy-based reading comprehension in learning-disabled students. *Journal of Educational Psychology, 80*, 46-53.

Bornstein, R.F. (1989). Exposure and affect: Overview and meta-analysis of research, 1968-1987. *Psychological Bulletin, 106*, 265-289.

Bouchard, J. (1978). *Les 36 cordes sensibles des Québécois.* Montréal: Éditions Héritage.

Bouchard, P. & Beauchamp, S. (1980). *Le français langue des commerces et des services publics.* Québec: Éditeur officiel.

Boucher, J.D. (1974). Display rules in facial affective behaviour: A theoretical discussion and suggestions for research. *Topics in Culture Learning, 2,* 87-102.

Bourdieu, P. (1982). *Ce que parler veut dire.* Paris: Fayard.

Bourdieu, P. & Passeron, J.C. (1970). *La reproduction.* Paris: Minuit.

Bourhis, R.Y. (1982). Language policies and language attitudes: le monde de la francophonie. In E. Bouchard-Ryan & H. Giles (Eds.), *Attitudes towards language variation* (pp. 34-62). London: Arnold.

Bourhis, R.Y. (1984a). *Conflict and language planning in Quebec.* Clevedon, England: Multilingual Matters.

Bourhis, R.Y. (1984). Language policies in multilingual settings. In R.Y. Bourhis (Ed.), *Conflict and language planning in Quebec.* Clevedon, England: Multilingual Matters.

Bourhis, R.Y. (1984b). The charter of the French language and cross-cultural communication in Montreal. In R.Y. Bourhis (Ed.), *Conflict and language planning in Quebec* (pp. 174-204). Clevedon, England: Multilingual Matters.

Bourhis, R.Y. (1987). Psychologie sociale et recherche en langues ancestrales au Canada. In J. Cummins (Ed.), *Les langues ancestrales au Canada: perspectives de recherche.* Ottawa: Secrétariat d'État du Canada, Multiculturalisme.

Bourhis, R.Y. (1993a). Ethnic and language attitudes in Quebec. In J. Berry & J. Laponce (Eds.), *State of the art research on Canada's multicultural society.* Toronto: University of Toronto Press.

Bourhis, R.Y. (1993b). Power, gender and intergroup discrimination: Some minimal group experiments. In M. Zanna & J. Olson (Eds.), *The Ontario Symposium: The psychology of prejudice* (Vol. 7). Hillsdale, NJ: Erlbaum.

Bourhis, R.Y., Cole, R. & Gagnon, A. (1992). Sexe, pouvoir et discrimination: analyse intergroupe des rapports femmes-hommes. *Revue québécoise de psychologie, 13,* 103-128.

Bourhis, R.Y., Giles, H. & Lambert, W.E. (1975). Social consequences of accommodating one's style of speech: A cross-national investigation. *Linguistics, 166,* 55-71.

Bourhis, R.Y. & Guimond, S. (1992). La psychologie sociale des préjugés et de la discrimination entre groupes sociaux. *Revue québécoise de psychologie, 13,* 59-62.

Bourhis, R.Y. & Hill, P. (1982). Intergroup perceptions in British Higher Education: A field study. In H. Tajfel (Ed.), *Social identity and intergroup relations.* Cambridge et Paris: Cambridge University Press et Maison des sciences de l'homme.

Bourhis, R.Y. & Lepicq, D. (1988). Aménagement linguistique, statut et usage du français au Québec. *Présence francophone, 33,* 9-32.

Bourhis, R.Y. & Lepicq, D. (1993). Québécois French and language issues in Quebec. In R. Posner & J.N. Green (Eds.), *Trends in romance linguistics and philology: Vol. 5. Bilingualism and linguistic conflict in romance.* The Hague et Berlin: Mouton de Gruyter.

Bourhis, R.Y., Sachdev, I. & Gagnon, A. (1993). Conducting intergroup research with the Tajfel matrices: Some methodological notes. In M. Zanna & J. Olson (Eds.), *The Ontario Symposium: The psychology of prejudice* (Vol. 7). Hillsdale, NJ: Erlbaum.

Bowen, H.R. (1977). *Investment in learning.* New York: Basic Books.

Bower, G.H. (1981). Emotional mood and memory. *American Psychologist, 36,* 129-148.

Bower, G.H. (1987). Commentary on mood and memory. *Behavior research and therapy, 25,* 443-455.

Bower, R.T. (1973). *Television and the public.* New York: Holt, Rinehart and Winston.

Bowers, J.W. & Bradac, J.J. (1982). Issues in communication theory: A metatheoretical analysis. *Communication Yearbook, 5,* 1-27.

Bowlby, J. (1969). *Attachment and loss: Vol. 1. Attachment.* New York: Basic Books.

Bowlby, J. (1973). *Attachment and loss.: Vol. 2. Separation.* New York: Basic Books.

Bowlby, J. (1980). *Attachment and loss: Vol. 3. Loss.* New York: Basic Books.

Bowlby, J. (1982). Violence in the family as a disorder of the attachment and caregiving system. *American Journal of Psychoanalysis, 44,* 9-27, 29-31.

Bradac, J.J. (1990). Language attitudes and impression formation. In H. Giles & W.P. Robinson (Eds.), *The handbook of language and social psychology* (pp. 387-412). Chichester, NY: John Wiley and Sons.

Bradac, J.J. & Wisegarver, R. (1984). Ascribed status, lexical diversity and accent: Determinants of perceived status, solidarity and control of speech style. *Journal of Language and Social Psychology, 3,* 239-256.

Bradbury, T.N. & Fincham, F.D. (1988). Individual difference variables in close relationships: A contextual model of marriage as an integrative framework. *Journal of Personality and Social Psychology, 54,* 713-721.

Bradbury, T.N. & Fincham, F.D. (1990). Attributions in marriage: Review and critique. *Psychological Bulletin, 107*, 3-33.

Bradley, G.W. (1978). Self-serving biases in the attribution process: A reexamination of the fact or fiction question. *Journal of Personality and Social Psychology, 36*, 56-71.

Bradshaw, J.W.S. (1986). Mere exposure reduces cats' neophobia to unfamiliar food. *Animal Behaviour, 34*, 613-614.

Braun, O.L. & Wicklund, R.A. (1989). When discounting fails. *Journal of Experimental Social Psychology, 25*, 450-461.

Brawley, L.R., Carron, A.V. & Widmeyer, W.N. (1987). Assessing the cohesion of teams: Validity of the group environment questionnaire. *Journal of Sport Psychology, 9*, 275-294.

Breakwell, G.M. & Rowett, C. (1982). *Social work: The social psychological approach*. Wokingham: Van Nostrand Reinhold.

Breckler, S.J. (1984). Empirical validation of affect, behavior, and cognition as distinct attitude components. *Journal of Personality and Social Psychology, 47*, 1191-1205.

Breckler, S.J. (1990). Application of covariance structure modeling in psychology: Cause for concern? *Psychological Bulletin, 101*, 260-273.

Breckler, S.J. & Wiggins, E.C. (1989). On defining attitude and attitude theory: Once more with feeling. In A.R. Pratkanis, S.J. Breckler & A.G. Greenwald (Eds.), *Attitude, structure and function* (pp. 407-427). Hillsdale, NJ: Erlbaum.

Brehm, J.W. (1956). Post-decision changes in desirability of alternatives. *Journal of Abnormality and Social Psychology, 52*, 384-389.

Brehm, J.W. (1966). *A theory of psychological reactance.* New York: Academic Press.

Brehm, J.W. & Cohen, R.A. (1962). *Explorations in cognitive dissonance.* New York: John Wiley and Sons.

Brehm, J.W. & Cole, A.H. (1966). Effect of a favor wich reduces freedom. *Journal of Personality and Social Psychology, 3*, 420-426.

Brehm, S.S. (1988). Passionate love. In R.J. Sternberg & M.L. Barnes (Eds.), *The psychology of love.* New Haven, CT: Yale University Press.

Brehm, S.S. (1992). *Intimate relationships* (2nd ed.). New York: McGraw-Hill.

Brehm, S.S. & Brehm, J.W. (1981). *Psychological reactance: A theory of freedom and control*. New York: Oxford University Press.

Brehm, S.S. & Kassin, S.M. (1990). *Social psychology.* Boston, MA: Houghton Mifflin Co.

Bretherton, I. (1985). Attachment theory: Retrospect and prospect. *Monographs of the Society for Research in Child Development, 50* (1 & 2), 3-35.

Brewer, M.B. (1979). In-group bias in the minimal intergroup situation: A cognitive-motivational analysis. *Psychological Bulletin, 86*, 307-324.

Brewer, M.B. (1991). The social self: On being the same and different at the same time. *Personality and Social Psychology Bulletin, 17*, 475-482.

Brewer, M.B. & Caporael, L.R. (1990). Selfish genes vs. selfish people: Sociobiology as origin myth. *Motivation and Emotion, 14*, 237-245.

Brewer, M.B. & Kramer, R.M. (1985). The psychology of intergroup attitudes and behavior. *Annual Review of Psychology, 36*, 219-243.

Brewer, M.B. & Miller, N. (1984). Beyond the contact hypothesis: Theoretical perspectives on desegregation. In N. Miller & M.B. Brewer (Eds.), *Groups in contact: The psychology of desegregation* (pp. 281-302). Orlando, FL: Academic Press.

Brewer, W.F. (1974). There is no convincing evidence for operant or classical conditioning in adult humans. In W.B. Weiner & D.S. Palermo (Eds.), *Cognition and the symbolic processes* (pp. 1-41). New York: Halsted Press.

Brewin, C.R. (1985). Depression and causal attribution: What is their relation? *Psychological Bulletin, 98*, 297-309.

Brickman, P. (1987). *Commitment, conflict, and caring.* Englewood Cliffs, NJ: Prentice-Hall.

Brickman, P. & Janoff-Bulman, R. (1977). Pleasure and pain in social comparison. In J.M. Suls & R.L. Miller (Eds.), *Social comparison processes: Theoretical and empirical perspectives* (pp. 149-186). Washington, DC: Hemisphere.

Britt, T.W. (1992). The self-consciousness scale: On the stability of the three-factor structure. *Personality and Social Psychology Bulletin, 18*, 748-755.

Broll, L., Gross, A.E. & Piliavin, I.M. (1974). Effects of offered and requested help on help seeking and reactions to being helped. *Journal of Applied Social Psychology, 4*, 244-258.

Bronowski, J. (1978). *The origins of knowledge and imagination.* New Haven, CT: Yale University Press.

Brower, A. & Cantor, N. (1984). *College student's life tasks.* Manuscrit inédit, Université du Michigan.

Brown, J.D. (1991). Accuracy and bias in self-knowledge. In C.R. Snyder & D.R. Forsyth (Eds.), *Handbook of social and clinical psychology* (pp. 158-178). New York: Pergamon.

Brown, J.D., Novick, N.J., Lord, K.A. & Richards, J.M. (1992). When Gulliver travels: Social context, psychological closeness, and self-appraisals.

Journal of Personality and Social Psychology, 62, 717-727.

Brown, J.D. & Rogers, R.J. (1991). Self-serving attributions: The role of physiological arousal. *Personality and Social Psychology Bulletin, 17*, 501-506

Brown, J.D. & Smart, A.S. (1991). The self and social conduct: Linking self-representations to prosocial behavior. *Journal of Personality and Social Psychology, 60*, 368-375.

Brown, R. (1965). *Social psychology*. New York: Macmillan.

Brown, R. (1986). *Social psychology: The second edition*. New York: The Free Press.

Brown, R.J. (1988). *Group processes: Dynamics within and between groups*. New York: Basil Blackwell.

Brown, R.J. & Abrams, D. (1986). The effects of intergroup similarity and group interdependence on intergroup attitudes and task performance. *Journal of Experimental Social Psychology, 22*, 78-92.

Brown, R.J., Condor, S., Mathews, A., Wade, G. & Williams, J.A. (1986). Explaining intergroup differentiation in an industrial organisation. *Journal of Occupational Psychology, 59*, 273-286.

Brown, R.J. & Turner, J.C. (1981). Interpersonal and intergroup behaviour. In J.C. Turner & H. Giles (Eds.), *Intergroup behaviour*. Oxford: Basil Blackwell.

Brown, R.J. & Williams, J.A. (1984). Group identification: The same thing to all people? *Human Relations, 37*, 547-564.

Brunswick, E. (1934). *Perception and the representative design of psychological experiment*. Berkeley et Los Angeles: University of California Press.

Bryan, J.H. & Test, M.A. (1967). Models and helping: Naturalistic studies in aiding behavior. *Journal of Personality and Social Psychology, 6*, 400-407.

Bugelski, R. & Lester, O.P. (1940). Changes in attitudes in a group of college students during their college course and after graduation. *Journal of Social Psychology, 12*, 319-332.

Bugental, D.E., Kaswan, J.E. & Love, L.R. (1970). Perception of contradictory meanings conveyed by verbal and nonverbal channels. *Journal of Personality and Social Psychology, 16*, 647-655.

Bull, P. (1987). *Posture and gesture*. Oxford: Pergamon.

Bulman, R.J. & Wortman, C.B. (1977). Attribution of blame and coping in the "real world": Severe accident victims react to their lot. *Journal of Personality and Social Psychology, 35*, 351-363.

Burger, J.M. (1981). Motivational biases in the attribution of responsibility for an accident: A meta-analysis of the defensive attribution hypothesis. *Psychological Bulletin, 90*, 496-513.

Burger, J.M. (1985). Desire for control and achievement-related behaviors. *Journal of Personality and Social Psychology, 48*, 1520-1533.

Burger, J.M. (1986a). Desire for control and the illusion of control: The effects of familiarity & sequence of outcomes. *Journal of Research in Personality, 20*, 66-77.

Burger, J.M. (1986b). Temporal effects on attributions: Actor and observer differences. *Social Cognition, 4*, 377-387.

Burger, J.M. (1987). Desire for control and conformity to a perceived norm. *Journal of Personality and Social Psychology, 53*, 355-360.

Burger, J.M. (1991). Changes in attributions over time: The ephemeral fundamental attribution error. *Social Cognition, 9*, 182-193.

Burger, J.M. & Hemans, L.T. (1988). Desire for control and the use of attribution processes. *Journal of Personality, 56*, 531-546.

Burger, J.M. & Huntzinger, R.M. (1985). Temporal effects on attribution for one's own behavior: The role of task outcome. *Journal of Experimental Social Psychology, 21*, 247-261.

Burgess, R.L. & Huston, T.L. (Eds.). (1979). *Social exchange in developing relationships*. New York: Academic Press.

Burgoon, J.K. (1991). Relational message, interpretations of touch, conversational distance and posture. *Journal of Nonverbal Behavior, 15* (4), 233-259.

Burgoon, J.K. & Hale, J. (1988). Nonverbal expectancy violations: Mode elaboration and application to immediacy behaviors. *Communication Monographs, 55*, 58-79.

Burling, J.W. (1993). Death concerns and symbolic aspects of the self: The effects of mortality salience on status concern and religiosity. *Personality and Social Psychology Bulletin, 19*, 100-105.

Burns, M.O. & Seligman, M.E.P. (1989). Explanatory style accross the life span: Evidence for stability over 52 years. *Journal of Personality and Social Psychology, 56*, 471-477.

Burns, R.B. (1979). *The self concept in theory, measurement, development and behavior*. New York: Longmans.

Bushman, B.J. (1988). The effects of apparel on compliance: A field experiment with a female authority figure. *Personality and Social Psychology Bulletin, 14*, 459-467.

Buss, A.H. (1961). *The psychology of aggression*. New York: John Wiley and Sons.

Buss, A.H. (1966). Instrumentality of aggression, feedback, and frustration as determinants of physical aggression. *Journal of Personality and Social Psychology, 3*, 153-162.

Buss, A.H. (1971). Aggression pays. In J.L. Singer (Ed.), *The control of aggression and violence* (pp. 7-18). New York: Academic Press.

Buss, A.H., Booker, A. & Buss, E. (1972). Firing a weapon and aggression. *Journal of Personality and Social Psychology, 22*, 296-302.

Buss, D.M. (1988). Love acts: The evolutionary biology of love. In R.J. Sternberg & M.L. Barnes (Eds.), *The psychology of love*. New Haven, CT: Yale University Press.

Byrne, D. (1971). *The attraction paradigm*. New York: Academic Press.

Cabrel, F. (1989). *Sarbacane*. France: Éditions musicales Chandelle.

Cacioppo, J.T. & Petty, R.E. (1979). Attitudes and cognitive response: An electrophysiological approach. *Journal of Personality and Social Psychology, 37*, 2181-2199.

Cacioppo, J.T. & Petty, R.E. (1982). The need for cognition. *Journal of Personality and Social Psychology, 42*, 116-131.

Cacioppo, J.T., Petty, R.E. & Geen, T.R. (1989). Attitude structure and function: From the tripartite to the homeostasis model of attitudes. In A.R. Pratkanis, S.J. Breckler & A.G. Greenwald (Eds.), *Attitude, structure and function* (pp. 275-309). Hillsdale, NJ: Erlbaum.

Cacioppo, J.T., Petty, R.E., Kao, C.F. & Rodriguez, R. (1986). Central and peripheral routes to persuasion: An individual difference perspective. *Journal of Personality and Social Psychology, 51*, 1032-1043.

Cacioppo, J.T., Petty, R.E. & Losch, M.E. (1986). Attributions of responsibility for helping and doing harm: Evidence for confusion of responsibility. *Journal of Personality and Social Psychology, 50*, 100-105.

Cacioppo, J.T., Petty, R.E., Losch, M.E. & Kim, H.S. (1986). Electromyographic activity over facial muscle regions can differentiate the valence and intensity of affective reactions. *Journal of Personality and Social Psychology, 50*, 260-268.

Cacioppo, J.T., Petty, R.E. & Sidera, J. (1982). The effects of a salient self-schema on the evaluation of proattitudinal editorials: Top-down versus bottom-up message processing. *Journal of Experimental Social Psychology, 18*, 324-338.

Caddick, B. (1982). Perceived illegitimacy and intergroup relations. In H. Tajfel (Ed.), *Social identity and intergroup relations*. Cambridge: Cambridge University Press.

Caldwell, D.F. & O'Reilly, C.A. (1982). Responses to failure: The effects of choice and responsability on impression management. *Academic Management Journal, 25*, 121-136.

Caldwell, G. (1984). Anglo-Québec: Demographic realities and options for the future. In R.Y. Bourhis (Ed.), *Conflict and language planning in Quebec* (pp. 205-221). Clevedon, England: Multilingual Matters.

Callagan, C. & Manstead, A.S. (1983). Causal attribution for task performance: The effects of performance outcome and sex of subject. *British Journal of Educational Psychology, 53*, 14-23.

Campbell, A. (1981). *The sense of well-being in America: Patterns and trends*. New York: McGraw-Hill.

Campbell, A., Converse, P.E. & Rodgers, W.L. (1976). *The quality of American life*. New York: Sage.

Campbell, D.T. (1947). Factors associated with attitudes towards Jews. In T. Newcomb & E. Hartley (Eds.), *Readings in social psychology*. New York: Holt, Rinehart and Winston.

Campbell, D.T. (1963). Social attitudes and other acquired behavioral dispositions. In S. Koch (Ed.), *Psychology: A study of a science* (Vol. 6, pp. 94-172). New York: McGraw-Hill.

Campbell, D.T. (1975). On the conflict between biological and social evolution and between psychology and moral tradition. *American Psychologist, 30*, 1103-1126.

Campbell, D.T. & Stanley, J.C. (1966). *Experimental and quasi-experimental designs for social research*. Chicago: Rand McNally.

Campbell, J.D. (1986). Similarity and uniqueness: The effects of attribute type, relevance, and individual differences in self-esteem and depression. *Journal of Personality and Social Psychology, 50*, 281-293.

Campos, J.J., Barrett, K., Lamb, M.E., Goldsmith, H.H. & Stenberg, C. (1983). Socioemotional development. In M.M. Haith & J.J. Campos (Eds.), *Handbook of child psychology: Vol. 2. Infancy and psychobiology*. New York: John Wiley and Sons.

Cantor, N., Markus, H., Niedenthal, P. & Nurius, P. (1986). On motivation and the self-concept. In R.M. Sorrentino & E.T. Higgins (Eds.), *Handbook of motivation and cognition: Foundations of social behavior* (Vol. 1, pp. 96-121). New York: Guilford.

Capella, J.N. & Palmer, M.I. (1988). *Attitude similarity and attraction: The mediating effects of kinesic and vocal behavior*. Communication présentée lors de la rencontre annuelle de l'International Communication Association, New Orleans.

Capella, J.N. & Palmer, M.T. (1989). The structure and organization of verbal and nonverbal behavior: Data for models of reception. *Journal of Language and Social Psychology, 8*, 167-192.

Caplan, N. (1970). The new ghetto man: A review of recent empirical studies. *Journal of Social Issues, 26*, 59-73.

Caporael, L.R. & Brewer, M.B. (1990). We are darwinians, and this is what the fuss is about. *Motivation and Emotion, 14*, 287-295.

Caporael, L.R., Lukaszewski, M.P. & Culbertson, G.H. (1983). Secondary baby talk: Judgements by institutionalized elderly and their caregivers. *Journal of Personality and Social Psychology, 44*, 746-754.

Carlo, G., Eisenberg, N., Troyer, D., Switzer, G. & Speer, A.L. (1991). The altruistic personality: In what contexts is it apparent? *Journal of Personality and Social Psychology, 61*, 450-458.

Carlsmith, J., Ellsworth, P. & Aronson, E. (1976). *Methods for research in social psychology.* Reading, MA: Addison-Wesley.

Carlson, J.H. & Hatfield, E. (1992). *Psychology of emotion.* Orlando, FL: Harcourt Brace Jovanovich.

Carlson, M., Charlin, V. & Miller, N. (1988). Positive mood and helping behavior: A test of six hypotheses. *Journal of Personality and Social Psychology, 55*, 211-229.

Carranza, M. (1982). Attitudinal research on Hispanic language varieties. In E. Bouchard-Ryan & H. Giles (Eds.), *Attitudes towards language variation* (pp. 63-82). London: Arnold.

Carroll, J.B. & Sapon, S.M. (1959). *Modern language aptitude test (MLAT).* New York: Psychological Corporation.

Carroll, J.B. & Sapon, S.M. (1967). *Modern language aptitude test, elementary form.* New York: Psychological Corporation.

Carroll, J.S. (1978). Causal attributions in expert parole decisions. *Journal of Personality and Social Psychology, 36*, 1501-1511.

Carron, A.V., Widmeyer, W.N. & Brawley, L.R. (1988). Group cohesion and individual adherence to physical activity. *Journal of Sport and Exercise Psychology, 10*, 127-138.

Cartwright, D. (1987). Accommodation among the anglophone minority in Quebec to official language policy: A shift in traditional patterns of language contact. *Journal of Multilingual and Multicultural Development, 8*, 187-212.

Cartwright, D. & Harary, F. (1956). Structural balance: A generalization of Heider's theory. *Psychological Review, 63*, 277-293.

Carver, C.S. & Scheier, M.F. (1981). *Attention and self-regulation: A control-theory approach to human behavior.* New York: Springer-Verlag.

Carver, C.S. & Scheier, M.F. (1985). Aspects of self, and the control of behavior. In B.R. Schlenker (Ed.), *The self and social life* (pp. 146-174). New York: McGraw-Hill.

Carver, C.S. & Scheier, M.F. (1990). Origins and functions of positive and negative affect: A control-process view. *Psychological Review, 97*, 19-35.

Casler, L. (1969, décembre). This thing called love is pathological. *Psychology Today , 18-20*, 74-76.

Castore, C.H. & DeNinno, J.A. (1977). Investigations in the social comparison of attitudes. In J. Suls & R.L. Miller (Eds.), *Social comparison processes: Theoretical and empirical perspectives* (pp. 125-148). Washington, DC: Hemisphere.

Chaiken, A.L. & Darley, J.M. (1973). Victim or prepetrator? Defensive attribution of responsibility and the need for order and justice. *Journal of Personality and Social Psychology, 25*, 268-275.

Chaiken, S. (1987). The heuristic model of persuasion. In M.P. Zanna, J.M. Olson & C.P. Herman (Eds.), *Social influence: The Ontario symposium* (pp. 3-40). Hillsdale, NJ: Erlbaum.

Chaiken, S. & Baldwin, M.W. (1981). Affective-cognitive consistency and the effect of salient behavioral information on the self-perception of attitudes. *Journal of Personality and Social Psychology, 41*, 1-12.

Chaikin, A.L. & Cooper, J. (1973). Evaluation as a function of correspondence and hedonic relevance. *Journal of Experimental Social Psychology, 9*, 257-264.

Chaikin, A.L. & Derlega, V.J. (1974). *Self-disclosure.* Morristown, NJ: General Learning Press.

Chaikin, A.L., Derlega, V.J., Bayma, B. & Shaw, J. (1975). Neuroticism and disclosure reciprocity. *Journal of Consulting and Clinical Psychology, 43*, 13-19.

Chaikin, A.L., Derlega, V.J. & Miller, S.J. (1976). Effects of the room environment on self-disclosure in a counseling analogue. *Journal of Counseling Psychology, 23*, 479-481.

Chelune, G.J., Robinson, J.T. & Kommor, M.J. (1984). A cognitive interactional model of intimate relationships. In V.J. Derlega (Ed.), *Communication, intimacy and close relationship.* Orlando, FL: Academic Press.

Chen, H.J., Yates, B.T. & McGinnies, E. (1988). Effects of involvement on observers' estimates of consensus, distinctiveness, and consistency. *Personality and Social Psychology Bulletin, 14*, 468-478.

Chomsky, N. (1959). Review of Skinner's Verbal Behavior. *Language, 35*, 26-58.

Chomsky, N. (1965). *Aspects of the theory of syntax.* Cambridge, MA: M.I.T. Press.

Chomsky, N. (1968). *Language and mind.* New York: Harcourt Brace Jovanovich.

Chomsky, N. (1975). *Reflections on language.* New York: Pantheon.

Christy, P.R., Gelfand, D.M. & Hartmann, D.P. (1971). Effects of competition-induced frustration on two classes of modeled behavior. *Developmental Psychology, 5*, 104-111.

Cialdini, R.B. (1980). Full-cycle social psychology. In L. Bickman (Ed.), *Applied social psychology annual* (Vol. 1, pp. 21-47). Beverly Hills, CA: Sage.

Cialdini, R.B. (1985). *Influence: Science and practice.* Glenview, IL: Scott, Foresman and Co.

Cialdini, R.B. & Ascani, K. (1976). Test of a concession procedure for inducing verbal, behavioral, and further compliance with a request to give blood. *Journal of Applied Psychology, 61,* 295-300.

Cialdini, R.B., Borden, R.J., Thorne, A., Walker, M.R., Freeman, S. & Sloan, L.R. (1976). Basking in reflected glory: Three (football) field studies. *Journal of Personality and Social Psychology, 34,* 366-375.

Cialdini, R.B., Cacioppo, J.T., Bassett, R. & Miller, J.A. (1978). Low-ball procedure for producing compliance: Commitment then cost. *Journal of Personality and Social Psychology, 36,* 463-476.

Cialdini, R.B., Darby, B.L. & Vincent, J.E. (1973). Transgressional altruism: A case for hedonism. *Journal of Personality and Social Psychology, 9,* 502-516.

Cialdini, R.B. & Kenrick, D.T. (1976). Altruism as hedonism: A social development perspective on the relationship of negative mood state and helping. *Journal of Personality and Social Psychology, 34,* 907-914.

Cialdini, R.B., Schaller, M., Houlihan, D., Arps, K., Fultz, J. & Beaman, A.L. (1987). Empathy-based helping: Is it self-lessly or selfishly motivated? *Journal of Personality and Social Psychology, 52,* 749-758.

Cialdini, R.B. & Schroeder, D.A. (1976). Increasing contributions by legitimizing paltry contributions: When even a penny helps. *Journal of Personality and Social Psychology, 34,* 599-604.

Cialdini, R.B., Vincent, J.E., Lewis, S.K., Catalan, J., Wheeler, D. & Darby, B.L. (1975). Reciprocal concessions procedure for inducing compliance: The door-in-the-face technique. *Journal of Personality and Social Psychology, 31,* 206-215.

Clark, E.M., Klesges, R.C. & Neimeyer, R.A. (1992). Attributions about sexual behavior, attractiveness, and health as a function of subjects, and tagets' sex and smoking status. *Basic and Applied Social Psychology, 13,* 205-216.

Clark, H.H. (1985). Language use and language users. In G. Lindzey & E. Aronson (Eds.), *The handbook of social psychology* (Vol. 2, pp. 179-231). New York: Random House.

Clark, K.B. & Clark, M.P. (1947). Racial identification and preference in Negro children. In T.M. Newcomb & E.L. Hartley (Eds.), *Readings in social psychology.* New York: Holt, Rinehart and Winston.

Clark, M.S. & Mills, J. (1979). Interpersonal attraction in exchange and communal relationships. *Journal of Personality and Social Psychology, 37,* 12-24.

Clark, M.S., Ouellette, R., Powell, M.C. & Milberg, S. (1987). Recipient's mood, relationship type, and helping. *Journal of Personality and Social Psychology, 53,* 94-103.

Clark, M.S. & Reis, H. (1988). Interpersonal processes in close relationships. *Annual Review of Psychology, 39,* 609-672.

Clary, E.G. & Orenstein, L. (1991). The amount and effectiveness of help: The relationship of motives and abilities to helping behavior. *Personality and Social Psychology Bulletin, 17,* 58-64.

Clawson, C.J. & Vinson, D.E. (1978). Human values: An historical and interdisciplinary analysis. In H.K. Hunt (Ed.), *Advances in consumer research* (Vol. 5, pp. 396-402). Ann Arbor, MI: Association for Consumer Research.

Clément, R. (1978). *Motivational characteristics of Francophones learning English.* Québec: Centre international de recherche sur le bilinguisme, Université Laval.

Clément, R. (1980). Ethnicity, contact and communicative competence in a second language. In H. Giles, W.P. Robinson & P.M. Smith (Eds.), *Language: Social psychological perspectives.* Oxford: Pergamon.

Clément, R. (1984). Aspects sociopsychologiques de la communication interethnique et de l'identité sociale. *Recherches sociologiques, 15,* 293-312.

Clément, R. (1986). Second language proficiency and acculturation: An investigation of the effects of language status and individual characteristics. *Journal of Language and Social Psychology, 5,* 271-290.

Clément, R., Gardner, R.C. & Smythe, P.C. (1977a). Inter-ethnic contact: attitudinal consequences. *Canadian Journal of Behavioural Science, 12,* 205-215.

Clément, R., Gardner, R.C. & Smythe, P.C. (1977b). Motivational variables in second language acquisition: A study of francophones learning English. *Canadian Journal of Behavioural Science, 9,* 123-133.

Clément, R., Gardner, R.C. & Smythe, P.C. (1980). Social and individual factors in second language acquisition. *Canadian Journal of Behavioural Science, 12,* 293-302.

Clément, R. & Kruidenier, B.G. (1983). Orientations in second language acquisition: I. The effects of ethnicity, milieu, and target language on their emergence. *Language Learning, 33,* 273-291.

Clément, R. & Kruidenier, B.G. (1985). Aptitude, attitude and motivation in second language proficiency: A test of Clément's model. *Journal of Language and Social Psychology, 4,* 21-37.

Clément, R. & Laplante, L.S. (1983) L'étude de la communication en tant que paradigme fondamental de la psychologie sociale. *Psychologie canadienne, 24*, 75-80.

Clément, R. & Noels, K.A. (1991). Langue, statut et acculturation : une étude d'individus et de groupes en contact. In M. Lavallée, F. Ouellet & F. Larose (Eds.), *Identité, culture et changement social : actes du 3e colloque de l'ARIC* (pp. 315-326). Paris : L'Harmattan.

Clément, R. & Noels, K.A. (1992). Towards a situated approach to ethnolinguistic identity: The effects of status on individuals and groups. *Journal of Language and Social Psychology, 11*, 203-232.

Clément, R., Smythe, P.C. & Gardner, R.C. (1978). Persistence in second language study: Motivational considerations. *Canadian Modern Language Review, 34*, 688-694.

Cline, V.B., Croft, R.G. & Courrier, S. (1973). Desensitization of children to television violence. *Journal of Personality and Social Psychology, 27*, 360-365.

Cohen, C.E. (1981). Person categories and social perception : Testing some boundaries of the processing effects of prior knowledge. *Journal of Personality and Social Psychology, 40*, 441-452.

Cohen, S. & Wills, T.A. (1985). Stress, social support, and the buffering hypothesis. *Psychological Bulletin, 98*, 310-357.

Coke, J.S., Batson, C.D. & McDavis, K. (1978). Empathic mediation of helping: A two-stage model. *Journal of Personality and Social Psychology, 36*, 752-766.

Coleman, M. & Ganong, L.H. (1985). Love and sex role stereotypes : Do macho men and feminine women make better lovers ? *Journal of Personality and Social Psychology, 49*, 170-176.

Collins, N.L. & Read, S.J. (1990). Adult attachment, working models, and relationship quality in dating couples. *Journal of Personality and Social Psychology, 58*, 644-663.

Comstock, G. (1983). Media influences on aggression. In A.P. Goldstein & L. Krasner (Eds.), *Prevention and control of aggression*. New York: Pergamon.

Condor, S. & Brown, R. (1988). Psychological processes in intergroup conflict. In W. Stroebe, A.W. Kruglanski, D. Bar-Tal & M. Hewstone (Eds.), *The social psychology of intergroup conflict : Theory, research and applications*. New York: Springer-Verlag.

Condry, J. & Condry, S. (1976). Sex differences : A study of the eye of the beholder. *Child Development, 47*, 812-819.

Conn, M.K. & Peterson, C. (1989). Social support : Seek and ye shall find. *Journal of Social and Personal Relationships, 6*, 345-358.

Conseil économique du Canada (CEC). (1991). *Le nouveau visage du Canada : incidence économique et sociale de l'immigration*. Ottawa : Approvisionnements et Services Canada.

Conway, M. & Ross, M. (1984). Getting what you want by revising what you had. *Journal of Personality and Social Psychology, 47*, 738-748.

Cook, K.S. (1987). *Social exchange theory*. Beverly Hills, CA: Sage.

Cook, S.W. (1976). *Ethical issues in the conduct of research in social relations* (3rd ed.). New York: Holt, Rinehart and Winston.

Cook, S.W. (1978). Interpersonal and attitudinal outcomes in cooperating interracial groups. *Journal of Research and Development in Education, 12*, 97-113.

Cooley, C.H. (1902). *Human nature and the social order*. New York: Scribner's.

Cooper, J. & Croyle, R.T. (1984). Attitudes and attitude change. *Annual Review of Psychology, 35*, 395-426.

Cooper, J., Darley, J.M. & Henderson, J.E. (1974). On the effectiveness of deviant- and conventional-appearing communicators : A field experiment. *Journal of Personality and Social Psychology, 29*, 752-757.

Cooper, J. & Fazio, R.H. (1984). A new look at dissonance theory. In L. Berkowitz (Ed.), *Advances in experimental social psychology* (Vol. 17, pp. 229-266). New York: Academic Press.

Cooper, J., Zanna, M. & Goethals, G. (1974). Mistreatment of an esteemed other as a consequence affecting dissonance reduction. *Journal of Personality and Social Psychology, 20*, 224-233.

Cooper, K., Chassin, L. & Zeiss, A. (1985). The relation of sex-role self-concept and sex-role attitudes to the marital satisfaction and personal adjustment of dual-worker couples with preschool children. *Sex Roles, 12*, 227-241.

Coopersmith, S. (1967). *The antecedents of self-esteem*. San Francisco, CA: Freeman.

Corenblum, B. & Annis, R.C. (1987). Racial identity and preference in native and White Canadian children. *Canadian Journal of Behavioral Science, 19*, 254-265.

Cota, A.A. & Dion, K.L. (1986). Salience of gender and ad hoc group sex composition : An experimental test of distinctiveness theory. *Journal of Personality and Social Psychology, 50*, 770-776.

Cotton, J.L. (1981). A review of research on Schachter's theory of emotion and the misattribution of arousal. *European Journal of Social Psychology, 11*, 365-397.

Cottrell, N.B. (1972). Social facilitation. In C.G. McClintock (Ed.), *Experimental social psychology* (pp. 185-236). New York: Holt, Rinehart and Winston.

Cramer, R.E., McMaster, M.R., Bartell, P.A. & Dragna, M. (1988). Subject competence and minimization of the bystander effect. *Journal of Applied Social Psychology, 18*, 1133-1148.

Crawford, T.J. & Naditch, M. (1970). Relative deprivation, powerlessness, and militancy: The psychology of social protest. *Psychiatry, 33*, 208-223.

Crittenden, P.M. & Ainsworth, M.D.S. (1989). Child maltreatment and attachment theory. In D. Cicchetti & V. Carlson (Eds.), *Child maltreatment: Theory and research on the causes and consequences of child abuse and neglect* (pp. 432-463). Cambridge: Cambridge University Press.

Cronbach, L.J. (1955). Processes affecting scores on "understanding of others" and "assumed similarity." *Psychology Bulletin, 52*, 177-193.

Cropanzano, R. & James, J. (1990). Some methodological considerations for the behavioral genetic analysis of work attitudes. *Journal of Applied Psychology, 75*, 433-439.

Crosby, F. (1976). A model of egoistical relative deprivation. *Psychological Review, 83*, 85-113.

Crosby, F. (1982). *Relative deprivation and working women*. New York: Oxford University Press.

Crowe, B.J., Bochner, S. & Clark, A.W. (1972). The effects of subordinates' behavior on managerial style. *Human Relations, 25*, 215-237.

Crowne, D.P. & Marlowe, D. (1960). A new scale of social desirability independant of psychopathology. *Journal of Consulting Psychology, 24*, 349-354.

Croyle, R.T. & Cooper, J. (1983). Dissonance arousal: Physiological evidence. *Journal of Personality and Social Psychology, 45*, 782-791.

Crutchfield, R.S. (1955). Conformity and character. *American Psychologist, 10*, 191-198.

Csikszentmihalyi, M. (1975). *Beyond boredom and anxiety: The experience of play in work and games*. San Francisco, CA: Jossey-Bass.

Csikszentmihalyi, M. (1990). *Flow: The psychology of optimal experience*. New York: Harper

Cunningham, M.R. (1988). Does happiness mean friendliness? Induced mood and heterosexual self-disclosure. *Personality and Social Psychology Bulletin, 14*, 283-297.

Cutrona, C.E. (1982). Transition to college: Loneliness and the process of social adjustment. In L.A. Peplau & D. Perlman (Eds.), *Loneliness: A sourcebook of current theory, research and therapy* (pp. 291-309). New York: Wiley-Interscience.

D'Anglejan, A. (1984). Language planning in Quebec: An historical review and future trends. In R. Bourhis (Ed.), *Conflict and language planning in Quebec* (pp. 29-52). Clevedon, England: Multilingual Matters.

D'Anglejan, A. & Tucker, R. (1973). Sociolinguistic correlates of speech style in Quebec. In R. Shuy & R. Fasold (Eds.), *Language attitudes: Current trends and prospects* (pp. 1-27). Washington, DC: Georgetown University Press.

Dakof, G.A. & Taylor, S.E. (1990). Victims' perceptions of social support: What is helpful from whom? *Journal of Personality and Social Psychology, 58*, 80-89.

Daoust, H., Vallerand, R.J. & Blais, M.R. (1988). Motivation and education: A look at some important consequences. *Canadian Psychology, 29* (2a), 172.

Darley, J. (1970, septembre). *Diffusion of responsability and helping behavior*. Communication présentée au congrès annuel de l'American Psychological Association.

Darley, J. & Batson, C.D. (1973). "From Jerusalem to Jericho": A study of situational and dispositional variables in helping behavior. *Journal of Personality and Social Psychology, 27*, 100-108.

Darley, J.M., Fleming, J.H., Hilton, J.L. & Swann, W.B., Jr. (1988). Dispelling negative expectancies: The impact of interaction goals and target characteristics on the expectancy confirmation process. *Journal of Experimental Social Psychology, 24*, 19-36.

Darley, J.M. & Latané, B. (1968). Bystander intervention in emergencies: Diffusion of responsability. *Journal of Personality and Social Psychology, 8*, 377-383.

Darwin, C.R. (1872). *The expression of emotions in man and animals*. London: John Murray.

Dashiell, J.F. (1935). Experimental studies of the influence of social situations on the behavior of individual human adults. In C. Murchison (Ed.), *Handbook of social psychology* (1st ed., pp. 1097-1158). Worcester, MA: Clark University.

Davitz, J.R. (1952). The effects of previous training on postfrustration behavior. *Journal of Abnormal and Social Psychology, 47*, 309-315.

Dawes, R.M. & Smith, T.L. (1985). Attitude and opinion measurement. In G. Lindzey & E. Aronson (Eds.), *The handbook of social psychology* (Vol. 1, pp. 509-566). New York: Random House.

Deaux, K. (1976). Sex: A perspective on the attribution process. In J.H. Harvey, W.J. Ickes & R.F. Kidd (Eds.), *New directions in attribution research* (Vol. 1, pp. 335-352). Hillsdale, NJ: Erlbaum.

Deaux, K. (1984). From individual differences to social categories: Analysis of a decade's research on gender. *American Psychologist, 39*, 105-116.

Deaux, K. (1993). Reconstructing social identity. *Personality and Social Psychology Bulletin, 19*, 4-12.

Deaux, K. & Emswiller, T. (1974). Explanations of successful performance on sex-linked tasks: What is skill for the male is luck for the female. *Journal of Personality and Social Psychology, 29*, 80-85.

Deaux, K. & Farris, E. (1977). Attributing causes for one's own performance: The effects of sex, norms, and outcome. *Journal of Research in Personality, 11*, 59-72.

Deaux, K. & Lewis, L.L. (1984). The structure of gender stereotypes: Interrelationships among components and gender label. *Journal of Personality and Social Psychology, 46*, 991-1004.

Deaux, K. & Wrightsman, L.S. (1988). *Social psychology*. Montery, CA: Brooks-Cole Publishing Co.

DeCenzo, D.A. & Robbins, S.P. (1988). *Personnel/Human Resource Management*. Englewood Cliffs, NJ: Prentice-Hall.

Deci, E.L. (1971). Effects of externally mediated rewards on intrinsic motivation. *Journal of Personality and Social Psychology, 15*, 105-115.

Deci, E.L. (1972). Effect of contingent and non-contingent rewards and control on intrinsic motivation. *Organizational Behavior and Human Performance, 8*, 217-229.

Deci, E.L. (1975). *Intrinsic motivation*. New York: Plenum.

Deci, E.L. (1980). *The psychology of self-determination*. Lexington, MA: Lexington Books.

Deci, E.L. & Ryan, R.M. (1980). *The psychology of self-determination*. Lexington, MA: DC Heath.

Deci, E.L. & Ryan, R.M. (1985). *Intrinsic motivation and self-determination in human behavior*. New York: Plenum.

Deci, E.L. & Ryan, R.M. (1991). A motivational approach to self: Integration in personality. In R. Dienstbier (Ed.), *Nebraska symposium on motivation: Vol. 38. Perspectives on motivation* (pp. 237-288). Lincoln, NE: University of Nebraska Press.

Deci, E.L., Vallerand, R.J., Pelletier, L.G. & Ryan, R.M. (1991). Motivation in education: The self-determination perspective. *The Educational Psychologist, 26*, 325-346.

Dejong, W. (1979). An examination of self-perception mediation of the foot-in-the-door effect. *Journal of Personality and Social Psychology, 37*, 2221-2239.

Delgado, J.M.R. (1967). Social rank and radio-stimulated aggressiveness in monkeys. *Journal of Nervous and Mental Disease, 144*, 383-390.

Demo, D.H. (1985). The measurement of self-esteem: Refining our methods. *Journal of Personality and Social Psychology, 48*, 1490-1502.

Demo, D.H. (1992). The self-concept over time: Research issues and directions. *Annual Review of Sociology, 18*, 303-326.

DePaulo, B.M. (1992). Nonverbal behaviour and self-presentation. *Psychological Bulletin, 111*, 203-243.

DePaulo, B.M., Rosenthal, R., Eisenstat, R.A., Rogers, P.L. & Finkelstein, S. (1978). Decoding discrepant nonverbal cues. *Journal of Personality and Social Psychology, 36*, 313-323.

DePaulo, B.M., Stone, J.I. & Lassiter, D.G. (1985a). Deceiving and detecting deceit. In B.R. Schlenker (Ed.), *The self and social life* (pp. 323-370). New York: McGraw-Hill.

DePaulo, B.M., Stone, J.I. & Lassiter, D.G. (1985b). Telling ingratiating lies: Effects of target sex and target attractiveness on verbal and nonverbal deceptive success. *Journal of Personality and Social Psychology, 48*, 1191-1203.

DePaulo, B.M., Zuckerman, M. & Rosenthal, R. (1980). Detecting deception: Modality effects. In L. Wheeler (Ed.), *Review of personality and social psychology* (Vol. 1, pp. 125-162). Beverly Hills, CA: Sage.

Derlega, V.J., Harris, M.S. & Chaikin, A.L. (1973). Self-disclosure reciprocity, liking, and the deviant. *Journal of Experimental Social Psychology, 9*, 277-284.

Derlega, V.J., Lewis, R.J., Harrisson, S., Winstead, B.A. & Costanza, R. (1989). Gender differences in the initiation and attribution of tactile intimacy. *Journal of Nonverbal Behavior, 13*, 83-96.

Deschamps, J.C. & Doise, W. (1978). Crossed category memberships in intergroup relations. In H. Tajfel (Ed.), *Differentiation between social groups: Studies in the social psychology of intergroup relations*. London: Academic Press.

Deschênes, L. (1987). *Les ménages et les familles au Québec*. Montréal: Bureau de la statistique du Québec.

Desrochers, A. (1986). Genre grammatical et classification nominale. *Revue canadienne de psychologie, 40*, 224-250.

Deutsch, M. (1949). A theory of cooperation and competition. *Human Relations, 2*, 129-152.

Deutsch, M. & Gerard, H.B. (1955). A study of normative and informational social influences upon individual judgment. *Journal of Abnormal and Social Psychology, 51*, 629-636.

Deutscher, I. (1966). *What we say/What we do*. Glenview, IL: Scott Foresman.

Devine, P.G. (1989). Stereotypes and prejudice: Their automatic and controlled components. *Journal of Personality and Social Psychology, 56*, 5-18.

Diamond, W.D. & Loewy, B.Z. (1991). Effects of probabilistic rewards on recycling attitudes and behavior. *Journal of Applied Social Psychology, 21*, 1590, 1607.

Dickoff, H. (1961). *Reactions to evaluations by another person as a function of self evaluation and the interac-*

tion context. Thèse de doctorat inédite, Duke University.

Dickson, W.J. & Roethlisberger, F.J. (1966). *Counselling in organization: A sequel to the Hawthorne studies*. Boston, MA: Harvard University.

Diener, E. (1976). Effects of prior destructive behavior, anonymity, and group presence on deindividuation and aggression. *Journal of Personality and Social Psychology, 33*, 497-507.

Diener, E. (1979). Deindividuation, self-awareness and disinhibition. *Journal of Personality and Social Psychology, 37*, 1160-1171.

Diener, E. (1980). Deindividuation: The absence of self-awareness and self-regulation in group members. In P.B. Paulus (Ed.), *Psychology of group influence* (pp. 209-242). Hillsdale, NJ: Erlbaum.

Diener, E., Fraser, S.C., Beaman, A.L. & Kelem, R.T. (1976). Effects of deindividuation variables on stealing among Halloween trick-or-treaters. *Journal of Personality and Social Psychology, 37*, 413-423.

Dillard, J.P., Hunter, J.E. & Burgoon, M. (1984). Sequential request persuasive strategies: Meta-analysis of foot-in-the-door and door-in-the-face. *Human Communication Research, 10*, 461-488.

Dindia, K. & Allen, M. (1992). Sex differences in self-disclosure: A meta-analysis. *Psychological Bulletin, 112*, 106-124.

Dion, K.K. (1985). Socialization in adulthood. In G. Lindzey & E. Aronson (Eds.), *The handbook of social psychology* (Vol. 2, pp. 123-147). New York: Random House.

Dion, K.K., Berscheid, E. & Walster, E. (1972). What is beautiful is good. *Journal of Personality and Social Psychology, 24*, 285-290.

Dion, K.K., Dion, K.L. & Pak, A.W. (1990). The role of self-reported language proficiencies in the cultural and psychosocial adaptation among members of Toronto, Canada's Chinese community. *Journal of Asian Pacific Communication, 1*, 173-189.

Dion, K.L. (1979). Intergroup conflict and intragroup cohesiveness. In W.G. Austin & S. Worchel (Eds.), *The social psychology of intergroup relations*. CA: Brooks-Cole Publishing Co.

Dion, K.L. & Dion, K.K. (1976). Love, liking and trust in heterosexual relationships. *Personality and Social Psychology Bulletin, 2*, 187-190.

Dittes, J. & Kelley, H. (1956). Effects of different conditions of acceptance upon conformity to group norms. *Journal of Abnormal and Social Psychology, 53*, 100-107.

Dodge, K.A. (1980). Social cognition and children's aggressive behavior. *Child Development, 51*, 162-170.

Dodge, K.A. (1986). A social information processing model of social competence in children. In M. Perlmutter (Ed.), *Minnesota symposia on child psychology* (Vol. 18, pp. 75-127). Hillsdale, NJ: Erlbaum.

Dodge, K.A. (1991). *Studying mechanisms in the cycle of violence*. Conférence présentée au Biennial Meeting of the International Society for the Study of Behavioral Development, Minneapolis, MN.

Dodge, K.A., Bates, J.E. & Pettit, G.S. (1990). Mechanisms in the cycle of violence. *Science, 250*, 1678-1683.

Dodge, K.A. & Frame, C.L. (1982). Social cognitive biases and deficits in aggressive boys. *Child Development, 53*, 620-635.

Dodge, K.A., Murphy, R.M. & Buchsbaum, K. (1984). The assessment of intention-cue detection skills in children: Implications for developmental psychopathology. *Child Development, 55*, 163-173.

Dodge, K.A. & Newman, J.P. (1982). Biased decision making processes in aggressive boys. *Journal of Abnormal Psychology, 90*, 375-379.

Dodge, K.A., Pettit, G.S., McClaskey, C.L. & Brown, M. (1986). Social competence in children. *Monograph of the Society for Research in Child Development, 51* (2, Serial No. 213).

Dodge, K.A. & Richard, B.A. (1985). Peer perceptions, aggression and peer relations. In J.B. Pryor & J.D. Day (Eds.), *The development of social cognition*. New York: Springer-Verlag.

Doise, W. (1969). Intergroup relations and polarization of individual and collective judgments. *Journal of Personality and Social Psychology, 12*, 136-143.

Doise, W. (1976). *L'articulation psychosociologique et les relations entre les groupes*. Bruxelles: A. de Boeck.

Doise, W. (1986). *Levels of explanation in social psychology*. London: Cambridge University Press.

Doise, W., Deschamps, J.C. & Meyer, G. (1978). The accentuation of intra-category similarities. In H. Tajfel (Ed.), *Differentiation between social groups: Studies in the social psychology of intergroup relations*. London: Academic Press.

Dollard, J., Doob, L.W., Miller, N.E., Mowrer, O.H. & Sears, R.R. (1939). *Frustration and aggression*. New Haven, CT: Yale University Press.

Donnelly, J.H., Jr. & Ivancevich, J.M. (1970). Post-purchase reinforcement and back-out behavior. *Journal of Marketing Research, 7*, 399-400.

Donnerstein, E.I. (1983). Erotica and human aggression. In R. Geen & E. Donnerstein (Eds.), *Aggression : Theoretical and empirical reviews*. New York: Academic Press.

Donnerstein, E.I. & Barrett, G. (1978). Effects of erotic stimuli on male aggression toward females. *Journal of Personality and Social Psychology, 36*, 180-188.

Donnerstein, E.I. & Berkowitz, L. (1981). Victim reactions in aggressive erotic films as a factor in violence against women. *Journal of Personality and Social Psychology, 41*, 710-724.

Donnerstein, E.I., Donnerstein, M. & Evans, R. (1975). Erotic stimuli and aggression: Facilitation or inhibition. *Journal of Personality and Social Psychology, 32*, 237-244.

Donnerstein, E.I. & Hallam, J. (1978). Facilitating effects of erotica on aggression against women. *Journal of Personality and Social Psychology, 36*, 1270-1277.

Donnerstein, E.I., Linz, D. & Penrod, S. (1987). *The question of pornography*. London: The Free Press.

Dontas, C., Maratos, O., Fafoutis, M. & Karangelis, A. (1985). Early social development in institutionally reared Greek infants: Attachment and peer interaction. *Monographs of the Society for Research in Child Development, 50*, 136-146.

Doob, L.W. (1947). The behavior of attitudes. *Psychological Review, 54*, 135-156.

Doré, F. (1980). L'éthologie: une analyse biologique du comportement. *Sociologie et sociétés, 10*, 25-41.

Dörnyei, Z. (1990). Conceptualizing motivation in foreign-language learning. *Language Learning, 40*, 45-78.

Dovidio, J.F. (1984). Helping behavior and altruism: An empirical and conceptual overview. In L. Berkowitz (Ed.), *Advances in experimental social psychology* (Vol. 17, pp. 361-427). New York: Academic Press.

Dovidio, J.F. & Gaertner, S.L. (1986). Prejudice, discrimination and racism: Historical trends and contemporary approaches. In J. Dovidio & S.L. Gaertner (Eds.), *Prejudice, discrimination and racism*. New York: Academic Press.

Dovidio, J.F., Piliavin, J.A., Gaertner, S.L., Schroeder, D.A. & Russel III, D.C. (1991). The arousal: Cost-reward model and the process of intervention: A review of the evidence. In M.S. Clark (Ed.), *Review of personality and social psychology: Vol. 12. Prosocial Behavior* (pp. 86-118). Newbury Park, CA: Sage.

Doyle, A.B., Aboud, F. & Sufrategui, M. (1992). Le développement des préjugés ethniques durant l'enfance. *Revue québécoise de psychologie, 13*, 63-73.

Dubé, L., Blondin, J.P. & Kairouz, S. (1991, juin). Happiness: What does it mean to people? Congrès annuel de la Société canadienne de psychologie, Calgary, *Canadian Psychology/Psychologie canadienne, 32*, 356.

Dubé, L., Des Roches, M.J. & Blanchard, N. (1992). *Personal commitment and subjective well-being: Generational differences?* Communication présentée au congrès annuel de l'American Psychological Association, Washington, DC.

Dubé, L. & Kairouz, S. (1992). *Vers une nouvelle conceptualisation de l'engagement personnel: théorie et mesure*. Rapport présenté au XXVe Congrès international de psychologie, Bruxelles.

Dubé-Simard, L. (1981). Cross-cultural interaction: Potential invisible barriers. *The Journal of Social Psychology, 113*, 171-192.

Dubé-Simard, L. (1985). Relative deprivation. In A. Kuper & J. Kuper (Eds.), *The social science encyclopedia*. London: Routledge and Kegan Paul.

Dubé-Simard, L. & Guimond, S. (1986). Relative deprivation and social protest: The person-group issue. In J.M. Olson, C.P. Herman & M.P. Zanna (Eds.), *The Ontario symposium: Relative deprivation and social comparison* (Vol. 4., pp. 205-216). Hillsdale, NJ: Erlbaum.

Dubois, B.L. & Crouch, I. (1975). The question of tag questions in women's speech: They don't really use more of them do they? *Language in Society, 4*, 289-294.

Duck, S. (1986). *Human relationships: An introduction to social psychology*. London: Sage.

Dulude, D., Sabourin, S., Lussier, Y. & Wright, J. (1990). Attributions, complexité attributionnelle et satisfaction conjugale. *International Journal of Psychology, 25*, 439-454.

Duncan, D.L. (1976). Differential social perception and attribution of intergroup violence: Testing the lower limits of stereotyping of Blacks. *Journal of Personality and Social Psychology, 34*, 590-598.

Duncan, S.D. (1972). Some signals and rules for taking speaking turns in conversations. *Journal of Personality and Social Psychology, 23*, 283-292.

Duncan, S.D. & Niederehe, G. (1974). On signaling that it's your turn to speak. *Journal of Experimental Social Psychology, 10*, 234-247.

Dutton, D.G. & Aron, A.P. (1974). Some evidence for heightened sexual attraction under condition of high anxiety. *Journal of Personality and Social Psychology, 30*, 510-517.

Duval, S. & Wicklund, R.A. (1972). *A theory of objective self-awarness*. New York: Academic Press.

Duyckaerts, F. (1964). *La formation du lien sexuel*. Bruxelles: Dessart.

Eagly, A.H. (1987). *Sex differences in social behavior: A social-role interpretation*. Hillsdale, NJ: Erlbaum.

Eagly, A.H. & Chaiken, S. (1984). Cognitive theories of persuasion. In L. Berkowitz (Ed.), *Advances in experimental social psychology* (Vol. 17, pp. 267-359). San Diego, CA: Academic Press.

Eagly, A.H. & Chravala, A.C. (1986). Sex differences in conformity: Status and gender-role interpretations. *Psychology of Women Quarterly, 10*, 203-220.

Eagly, A.H. & Crowley, M. (1986). Gender and helping behavior: A meta-analytic review of the social psychological litterature. *Psychological Bulletin, 100*, 283-308.

Eagly, A.H. & Steffen, V.J. (1986). Gender and aggressive behavior: A meta-analytic review of the social psychological literature. *Psychological Bulletin, 100* (3), 309-330.

Eagly, A.H., Wood, W. & Chaiken, S. (1981). An attribution analysis of persuasion. In J. Harvey, W. Ickes & R. Kidd (Eds.), *New directions in attribution research* (Vol. 3 , pp. 37-62). Hillsdale, NJ: Erlbaum.

Eagly, A.H., Wood, W. & Fishbaugh, L. (1981). Sex differences in conformity: Surveillance by the group as a determinant of male nonconformity. *Journal of Personality and Social Psychology, 40*, 384-394.

Eaton, G., Goy, R. & Phoenix, C. (1973). Effects of testosterone treatment in adulthood on sexual behavior of pseudohermaphrodite rhesus monkeys. *Nature, 242*, 119-120.

Edwards, A.L. (1957). *Techniques of attitude scale construction*. New York: Appleton-Century-Crofts.

Edwards, J. (1985). *Language, society and identity*. Oxford: Basil Blackwell.

Edwards, J. & Chisholm, J. (1987). Language, multiculturalism and identity: A Canadian study. *Journal of Multicultural and Multilingual Development, 8*, 391-408.

Eibl-Eibesfeldt, I. (1970). *Ethology. The biology of behavior*. New York: Holt, Rinehart and Winston.

Eisenberg, N. & Fabes, R.A. (1990). Prosocial behavior and empathy: A multimethod developmental perspectives. In M.S. Clark (Ed.), *Review of personality and social psychology: Vol. 12. Prosocial behavior* (pp. 34-61). Newbury Park, CA: Sage.

Eisenberg, N., Miller, P.A., Schaller, M., Fabes, R.A., Fultz, J., Shell, R. & Shea, C.L. (1989). The role of sympathy and altruistic personality traits in helping: A reexamination. *Journal of Personality, 57*, 41-67.

Eisenberger, R., Cotterell, N. & Marvel, J. (1987). Reciprocation ideology. *Journal of Personality and Social Psychology, 53*, 743-750.

Eiser, J.R. (1990). *Social judgment*. Pacific Grove, CA: Brooks-Cole Publishing Co.

Eiser, J.R., Morgan, J., Gammage, P. & Gray, E. (1989). Adolescent smoking: Attitudes, norms and parental influence. *British Journal of Social Psychology, 28*, 193-202.

Eiser, J.R. & Van der Plight, J. (1988). *Attitudes and decisions*. London: Routledge and Kegan Paul.

Eiser, R.J., Van der Pligt, J., Raw, M. & Sutton, S.R. (1985). Trying to stop smoking: Effects of perceived addiction, attributions for failure, and expectancy of success. *Journal of Behavioral Medicine, 8*, 321-341.

Ekman, P. (1979). Biological and cultural contributions to body and facial movement. In J. Blacking (Ed.), ASA Monograph 15, *The anthropology of the body* (pp. 39-84). London: Academic Press.

Ekman, P. (1982). *Emotion in the human face*. New York: Cambridge.

Ekman, P. (1985). *Telling lies*. New York: Norton.

Ekman, P. (1992). Are there basic emotions? *Psychological Review, 99*, 550-553.

Ekman, P., Davidson, R. & Friesen, W.V. (1990). Duchenne's smile: Emotional expression and brain Physiology II. *Journal of Personality and Social Psychology, 58*, 342-353.

Ekman, P. & Friesen, W.V. (1969). Nonverbal leakage and clues to deception. *Psychiatry, 32*, 88-106.

Ekman, P. & Friesen, W.V. (1975). *Unmasking the face*. Englewood Cliffs, NJ: Prentice-Hall.

Ekman, P., Friesen, W.V. & Bear, J. (1984). The international language of gestures. *Psychology Today, 18*, 64-69.

Ekman, P., Friesen, W.V. & O'Sullivan, M. (1988). Smiles when lying. *Journal of Personality and Social Psychology, 54*, 414-420.

Ekman, P., Friesen, W.V., O'Sullivan, M., Chan, A., Diacoyanni-Tarlatzis, I., Heider, K., Krause, R., LeCompte, W.A., Pitcairn, T., Ricci-Bitti, P., Scherer, K., Tomita, M. & Tzavaras, A. (1987). Universals and cultural differences in the judgments of facial expressions of emotion. *Journal of Personality and Social Psychology, 53*, 712-717.

Elig, T.W. & Frieze, I.H. (1979). Measuring causal attribution for success and failure. *Journal of Personality and Social Psychology, 37*, 621-634.

Ellemers, N., Van Knippenberg, A. & Wilke, H. (1990). The influence of permeability of group boundaries and stability of group status on strategies of individual mobility and social change. *British Journal of Social Psychology, 29*, 233-246.

Ellsworth, P.C. (1975). Direct gaze as a social stimulus: The example of aggression. In P. Pliner, L. Kramer & T. Alloway (Eds.), *Advances in the study of communication and affect: Nonverbal communication of aggression* (Vol. 2, pp. 53-76). New York: Plenum.

Elms, A. & Milgram, S. (1966). Personality characteristics associated with obedience and defiance toward authoritative command. *Journal of Experimental Research in Personality, 1*, 282-289.

Emery, R.E. (1989). Family violence. *American Psychologist, 44*, 321-328.

Emmons, R.A., Diener, E. & Larsen, R.J. (1986). Choice and avoidance of everyday situations and affect congruence: Two models of reciprocal interactionism. *Journal of Personality and Social Psychology, 51*, 815-826.

Enzle, M.E., Hansen, R.D. & Lowe, C.A. (1975). Causal attribution in the mixed-motive game: Effects of facilitory and inhibitory environmental forces. *Journal of Personality and Social Psychology, 31*, 50-54.

Epstein, S. & Taylor, S.P. (1967). Instigation to aggression as a function of degree of defeat and perceived aggressive intent of the opponent. *Journal of Personality and Social Psychology, 35*, 265-289.

Erber, R. & Fiske, S.T. (1984). Outcome dependency and attention to inconsistent information. *Journal of Personality and Social Psychology, 47*, 709-726.

Erickson, M.F., Sroufe, L.A. & Egeland, B. (1985). The relationship between quality of attachment and behavior problems in preschool in a high-risk sample. *Monographs of the Society for Research in Child Development, 50*, 147-166.

Erikson, E.H. (1950). *Childhood and society*. New York: Norton.

Erikson, E.H. (1963). *Childhood and society* (2nd ed.). New York: Norton.

Eron, L.D. (1982). Parent-child interaction, television violence, and aggression in children. *American Psychologist, 27*, 253-263.

Eron, L.D. & Huesmann, L.R. (1980). Adolescent aggression and television. *Annals of the New York Academy of Sciences, 347*, 319-331.

Eron, L.D. & Huesmann, L.R. (1984). The control of aggressive behavior by changes in attitudes, values, and the conditions of learning. In R.J. Blanchard & C. Blanchard (Eds.), *Advances in the study of aggression* (Vol. 1). Orlando, FL: Academic Press.

Eron, L.D. & Huesmann, L.R. (1985). The role of television in the development of prosocial and antisocial behavior. In D. Olweus, M. Radke-Yarrow & J. Block (Eds.), *Development of antisocial and prosocial behavior*. Orlando, FL: Academic Press.

Eron, L.D., Huesmann, L.R., Lefkowitz, M.M. & Walder, L.O. (1972). Does television violence cause aggression? *American Psychologist, 27*, 253-263.

Exline, R.V., Ellyson, S.L. & Long, B. (1975). Visual behavior as an aspect of power role relations. In P. Pliner, L. Krames & T. Alloway (Eds.), *Advances in the study of communication and affect: Nonverbal communication of aggression* (Vol. 2, pp. 21-52). New York: Plenum.

Exline, R.V. & Winters, L.C. (1965). Affective relations and mutual glances in dyads. In S.S. Tomkins & C.E. Izard (Eds.), *Affect, cognition, and personality* (pp. 319-350). New York: Springer-Verlag.

Fantuzzo, J.W. & Lindquist, C.V. (1989). The effects of observing conjugal violence on children: A review and analysis of research methodology. *Journal of Family Violence, 4*, 77-94.

Fazio, R.H. (1981). On the self-perception explanation of the overjustification effect: The role of the salience of initial attitude. *Journal of Experimental Social Psychology, 17*, 417-426.

Fazio, R.H. (1987). Self-perception theory: A current perspective. In M.P. Zanna, J.M. Olson & C.P. Herman (Eds.), *Social influence: The Ontario Symposium* (Vol. 5, pp. 129-150). Hillsdale, NJ: Erlbaum.

Fazio, R.H. (1989). On the power and functionality of attitudes: The role of attitude accessibility. In A.R. Pratkanis, S.J. Breckler & A.G. Greenwald (Eds.), *Attitude, structure and function* (pp. 153-179). Hillsdale, NJ: Erlbaum.

Fazio, R.H., Powell, M.C. & Williams, C.J. (1989). The role of attitude accessibility in the attitude-to-behavior process. *Journal of Consumer Research, 16*, 280-288.

Fazio, R.H., Sanbonmatsu, D.M., Powell, M.C. & Kardes, F.R. (1986). On the automatic activation of attitudes. *Journal of Personality and Social Psychology, 50*, 229-238.

Fazio, R.H. & Williams, C.J. (1986). Attitude accessibility as a moderator of the attitude-perception and attitude-behavior relations: An investigation of the 1984 presidential election. *Journal of Personality and Social Psychology, 51*, 505-514.

Fazio, R.H. & Zanna, M.P. (1981). Direct experience and attitude-behavior consistency. In L. Berkowitz (Ed.), *Advances in experimental social psychology* (Vol. 13, pp. 161-200). New York: Academic Press.

Fazio, R.H., Zanna, M.P. & Cooper, J. (1977). Dissonance and self-perception: An integrative view of each theory's proper domain of application. *Journal of Experimental Social Psychology, 13*, 464-479.

Feeney, J.A. & Noller, P. (1990). Attachment style as a predictor of adult romantic relationships. *Journal of Personality and Social Psychology, 58*, 281-291.

Fehr, B. & Perlman, D. (1985). The family as a social network and support system. In L. L'Abate (Ed.), *Handbook of family psychology and therapy.* (Vol. 1, pp. 323-356). Homewood, IL: Dow-Jones Irwin.

Feingold, A. (1989). Assessment of journals in social science psychology. *American Psychologist, 44*, 961-964.

Feldman, K.A. (1972). *College and students: Selected readings in the social psychology of higher education*. New York: Pergamon.

Feldman, K.A. & Newcomb, T.M. (1969). *The impact of college on students*. San Francisco, CA: Jossey-Bass.

Felson, R.B. (1981). Self- and reflected appraisals among football players: A test of the Meadian hypothesis. *Social Psychology Quarterly, 44*, 116-126.

Felson, R.B. (1985). Reflected appraisal and the development of self. *Social Psychology Quarterly, 48*, 71-78.

Fenigstein, A. (1979). Self-conscousness, self-attention, and social interaction. *Journal of Personality and Social Psychology, 37*, 75-86.

Fenigstein, A., Scheier, M.F. & Buss, A.H. (1975). Public and private self-consciousness, assessment and theory. *Journal of Consulting and Clinical Psychology, 43*, 522-527.

Fenigstein, A. & Vanable, P.A. (1992). Paranoia and self-consciousness. *Journal of Personality and Social Psychology, 62*, 129-138.

Ferguson, T.J. & Rule, B.G. (1983). An attributionnal analysis of anger and aggression. In R.G. Geen & E.I. Donnerstein (Eds.), *Aggression: Theoretical and empirical reviews* (Vol. 1, pp. 41-74). New York: Academic Press.

Feshbach, S. (1964). The function of aggression and the regulation of aggressive drive. *Psychological Review, 71*, 257-272.

Feshbach, S. (1970). Aggression. In P.H. Mussen (Ed.), *Carmichael's manual of child psychology* (Vol. 3). New York: John Wiley and Sons.

Feshbach, S. (1989). The bases and development of individual aggression. In J. Groebel & R.A. Hinde (Eds.), *Aggression and war, their biological and social bases*. Cambridge: Cambridge University Press.

Feshbach, S., Stiles, W.B. & Bitter, E. (1967). The reinforcing effect of witnessing aggression. *Journal of Experimental Research in Personality, 2*, 133-139.

Festinger, L. (1950). Informal social communication. *Psychological Review, 57*, 271-282.

Festinger, L. (1954). A theory of social comparison processes. *Human Relations, 7*, 117-140.

Festinger, L. (1957). *A theory of cognitive dissonance*. Evanston, IL: Row & Peterson.

Festinger, L. (1964). Behavioral support for opinion change. *Public Opinion Quarterly, 28*, 404-417.

Festinger, L. & Carlsmith, J.M. (1959). Cognitive consequences of forced compliance. *Journal of Abnormal and Social Psychology, 58*, 203-210.

Festinger, L., Pepitone, A. & Newcomb, T. (1952). Some consequences of deindividuation in a group. *Journal of Abnormal and Social Psychology, 47*, 382-389.

Festinger, L., Riecken, H.W. & Schachter, S. (1956). *When prophecy fails*. Minneapolis: University of Minnesota Press.

Festinger, L., Schachter, S. & Back, K. (1950). *Social pressures in informal groups*. New York: Harper.

Fiedler, F.E. (1967). *A theory of leadership effectiveness*. New York: McGraw-Hill.

Fiedler, F.E. (1978). The contingency model and the dynamics of the leadership process. In L. Berkowitz (Ed.), *Advances in experimental social psychology* (Vol 12, pp. 59-112). New York: Academic Press.

Fincham, F.D. (1985). Attribution in close relationships. In J.H. Harvey & G. Weary (Eds.), *Attribution: Basic issues and applications* (pp. 203-234). New York: Academic Press.

Finney, H.C. (1974). Political dimensions of college impact on civil-libertarianism and the integration of political perspective: A longitudinal analysis. *Sociology of Education, 47*, 214-250.

Fischhoff, B. (1975). Hindsight = Foresight: The effects of outcome knowledge on judgment under uncertainty. *Journal of Experimental Psychology: Human Perception and Performance, 1*, 288-299.

Fishbein, M. (1967). Attitude and the prediction of behavior. In M. Fishbein (Ed.), *Readings in attitude theory and measurement* (pp. 477-492). New York: John Wiley and Sons.

Fishbein, M. (1980). A theory of reasoned action: Some applications and implications. In M.M. Page (Ed.), *Nebraska symposium on motivation 1979* (Vol. 27, pp. 65-116). Lincoln, NE: University of Nebraska Press.

Fishbein, M. & Ajzen, I. (1972). Attitudes and opinions. *Annual Review of Psychology, 23*, 487-544.

Fishbein, M. & Ajzen, I. (1974). Attitudes toward objects as predictors of single and multiple behavioral criteria. *Psychological Review, 81*, 59-74.

Fishbein, M. & Ajzen, I. (1975). *Belief, attitude, intention, and behavior: An introduction to theory and research*. Reading, MA: Addison-Wesley.

Fishbein, M. & Ajzen, I. (1981). On construct validity: A critique of Miniard and Cohen's paper. *Journal of Experimental Social Psychology, 17*, 340-350.

Fishbein, M. & Stasson, M. (1990). The role of desires, self-predictions, and perceived control in the prediction of training session attendance. *Journal of Applied Social Psychology, 20*, 173-198.

Fisher, J.D., Harrison, C.L. & Nadler, A. (1978). Exploring the generalizability of donnor-recipient similarity effects. *Personality and Social Psychology Bulletin, 4*, 627-630.

Fisher, J.D., Nadler, A. & Whitcher-Alagna, S. (1982). Recipient reactions to aid. *Psychological Bulletin, 91*, 27-54.

Fisher, J.D., Rytting, M. & Heslin, R. (1976). Hands touching hands: Affective and evaluative effects of an interpersonal touch. *Sociometry, 39*, 416-421.

Fisher, R.J. (1982). *Social psychology: An applied approach*. New York: St. Martin's Press.

Fishman, J.A. (1977). Language and ethnicity. In H. Giles (Ed.), *Language, ethnicity, and intergroup relations* (pp. 15-57). London: Academic Press.

Fishman, P.M. (1980). Conversational insecurity. In H. Giles, W.P. Robinson & P.M. Smith (Eds.), *Language: Social psychological perspectives* (pp. 127-132). New York: Pergamon.

Fiske, A.P. (1991). The cultural relativity of selfish individualism: Anthropological evidence that humans are inherently sociable. In M.S. Clark (Ed.), *Review of personality and social psychology: Vol. 12. Prosocial behavior* (pp. 176-214). Newbury Park, CA: Sage.

Fiske, S.T., Kenny, D.A. & Taylor, S.E. (1982). Structural models for the mediation of salience effects on attribution. *Journal of Experimental Social Psychology, 18*, 105-127.

Fiske, S.T. & Linville, P.W. (1980). What does the schema concept buy us? *Personality and Social Psychology Bulletin, 6*, 543-557.

Fiske, S.T. & Neuberg, S.L. (1990). A continuum of impression formation from category-based to individuating processes. In M. Zanna (Ed.), *Advances in experimental social psychology* (Vol. 23, pp. 1-74). Orlando, FL: Academic Press.

Fiske, S.T. & Pavelchak, M.A. (1986). Category-based versus piecemeal-based affective responses: Developments in schema-triggered affect. In R.M. Sorrentino & E.T. Higgins (Eds.), *Handbook of motivation and cognition : Foundations of social behavior* (pp. 167-203). New York: Guilford.

Fiske, S.T. & Taylor, S.E. (1984). *Social cognition*. Reading, MA: Addison-Wesley.

Fiske, S.T. & Taylor, S.E. (1991). *Social cognition* (2nd ed.). New York: McGraw-Hill.

Flay, B.R., Ryan, K.B., Best, J.A., Brown, K.S., Kersell, M.W., D'Avernas, J. & Zanna, M.P. (1985). Are social psychological smoking prevention programs effective? *Journal of Behavioral Medicine, 8*, 37-60.

Fleming, J.S. & Courtney, B.E. (1984). The dimensionality of self-esteem: II. Hierarchical facet model for revised measurement scales. *Journal of Personality and Social Psychology, 46*, 404-421.

Fletcher, G.J., Danilovics, P., Fernandez, G., Peterson, D. & Reeder, G.D. (1986). Attributional complexity: An individual differences measure. *Journal of Personality and Social Psychology, 51*, 875-884.

Fletcher, G.J., Reeder, G.D. & Bull, V. (1990). Bias and accuracy in attitude attribution: The role of attributional complexity. *Journal of Experimental Social Psychology, 26*, 275-288.

Folkes, V.S. (1984). Consumer reactions to product failure: An attributional approach. *Journal of Consumer Research, 10*, 398-409.

Forgas, J.P. & Bower, G.H. (1987). Mood effects on person-perception judgments. *Journal of Personality and Social Psychology, 53*, 53-60.

Forsterling, F. (1985). Attribution retraining: A review. *Psychological Bulletin, 98*, 495-512.

Forsyth, D.R. (1980). The functions of attributions. *Social Psychology Quaterly, 43*, 290-300.

Forsyth, D.R. (1990). *Group dynamics*. Pacific Grove, CA: Brooks-Cole Publishing Co.

Forsyth, D.R. & McMillan, J.H. (1981). Attributions, affect, and expectations: A test of Weiner's three dimensional model. *Journal of Educational Psychology, 73*, 393-403.

Forsyth, N.L. & Forsyth, D.R. (1982). Internality, controllability and the effectiveness of attributional interventions in counseling. *Journal of Counseling Psychology, 29*, 140-150.

Forsythe, S., Drake, M.F. & Cox, C.E. (1985). Influence of applicant's dress on interviewer's selection decisons. *Journal of Applied Psychology, 70*, 374-378.

Frable, D.E.S. (1993). Being and feeling unique: Statistical deviance and psychological marginality. *Journal of Personality, 61*, 85-110.

Frazier, P.A. (1990). Victim attributions and post-rape trauma. *Journal of Personality and Social Psychology, 59*, 298-304.

Frazier, P.A. (1991). Self-blame as a mediator of postrape depressive symptoms. *Journal of Social and Clinical Psychology, 10*, 47-57.

Fredricks, A.J. & Dossett, K.L. (1983). Attitude-behavior relations: A comparison of the Fishbein-Ajzen and the Bentler-Speckart models. *Journal of Personality and Social Psychology, 45*, 501-512.

Freedman, J. (1978). *Happy people: What happiness is, who has it, and why*. New York: Harcourt Brace Jovanovich.

Freedman, J.L. (1984). Effect of television violence on aggressiveness. *Psychological Bulletin, 96* (2), 227-246.

Freedman, J.L. & Fraser, S.C. (1966). Compliance without pressure: The foot-in-the-door technique. *Journal of Personality and Social Psychology, 4*, 195-202.

French, J.R.P. (1956). A formal theory of social power. *Psychological Review, 63*, 181-194.

French, J.R.P., Jr. & Raven, B.H. (1959). The bases of social power. In D. Cartwright (Ed.), *Studies in social power* (pp. 150-167). Ann Arbor, MI: University of Michigan Press.

Freud, S. (1950). Why war? In J. Strachey (Ed.), *Collected papers of Sigmund Freud* (Vol. 5). London: Hogarth Press.

Freund, T., Kruglanski, A.W. & Shpitzajzen, A. (1985). The freezing and unfreezing of impression primacy: Effects of nedd for structure and the fear of invalidity. *Personality and Social Psychology Bulletin, 11*, 479-487.

Frey, D.L. & Gaertner, S.L. (1986). Helping and the avoidance of inapropriate interracial behavior: A strategy that perpetuates a nonprejudiced self-image. *Journal of Personality and Social Psychology, 50*, 1083-1090.

Frideres, J.S. (1989). *Native peoples in Canada: Contemporary conflicts* (3rd ed.). Ont.: Prentice-Hall.

Friedland, N. (1988). Political terrorism: A social psychological perspective. In W. Stroebe, A.W. Kruglanski, D. Bar-Tal & M. Hewstone (Eds.), *The social psychology of intergroup conflict: Theory, research and applications*. New York: Springer-Verlag.

Friedman, H.S. & Tucker, J.S. (1990). Language and deception. In H. Giles & W.P. Robinson (Eds.), *Handbook of language and social psychology* (pp. 257-270). Chichester, NY: John Wiley and Sons.

Friedrich-Cofer, L. & Huston, A.C. (1986). Television violence and aggression: The debate continues. *Psychological Bulletin, 100* (3), 364-371.

Frieze, I.H. (1983). Investigating the causes and consequences of marital rape. *Signs, 8*, 532-553.

Frodi, A., Macauley, J. & Thome, P.R. (1977). Are women always less aggressive than men? A review of the experimental literature. *Psychological Bulletin, 84*, 634-660.

Fromkin, H.L., Goldstein, J.H. & Brock, T.C. (1977). The role of "irrelevant" derogation in vicarious aggression catharsis: A field experiment. *Journal of Experimental Social Psychology, 13*, 239-252.

Fromm, E. (1941). *Escape from freedom*. New York: Holt, Rinehart and Winston.

Fromm, E. (1956). *The art of loving*. New York: Bantam Books.

Funder, D.C. & Van Ness, M.J. (1983). On the nature and accuracy of attributions that change over time. *Journal of Personality, 51*, 17-33.

Furnham, A. (1981). Personality and activity preference. *British Journal of Social and Clinical Psychology, 20*, 57-68.

Gadfield, N., Giles, H., Bourhis, R.Y. & Tajfel, H. (1979). Dynamics of humour in ethnic group relations. *Ethnicity, 6*, 373-382.

Gaertner, S.L. (1975). The role of racial attitudes in helping behavior. *Journal of Social Psychology, 97*, 95-101.

Gaertner, S.L. & Dovidio, J.F. (1986). The aversive form of racism. In J.F. Dovidio & S.L. Gaertner (Eds.), *Prejudice, discrimination, and racism* (pp. 61-90). New York: Academic Press.

Gaertner, S.L., Mann, J.A., Dovidio, J.F. & Pomare, M. (1990). How does cooperation reduce ingroup bias? *Journal of Personality and Social Psychology, 59*, 692-704.

Gaertner, S.L., Mann, J.A., Murrell, P. & Dovidio, J.F. (1989). Reducing intergroup bias: The benefits of recategorization. *Journal of Personality and Social Psychology, 57*, 239-249.

Gaes, G.G., Kalle, R.J. & Tedeschi, J.T. (1978). Impression management in the forced compliance paradigm: Two studies using the bogus pipeline. *Journal of Experimental Social Psychology, 14*, 493-510.

Gagnon, C. & Coutu, S. (1986). Caractéristiques sociocognitives d'enfants agressifs selon un modèle de traitement de l'information. *Revue canadienne de psycho-éducation, 15* (2), 147-163.

Gangestad, S.W. & Snyder, M. (1991). Taxonomic analysis redux: Some statistical considerations for testing a latent class model. *Journal of Personality and Social Psychology, 61*, 141-146.

Garbarino, J. & Gilliam, G. (1980). *Understanding abusive families*. Lexington, MA: Lexington Books.

Gardner, R.A. & Gardner, B.T. (1971). Teaching sign language to a chimpanzee. *Science, 165*, 664-672.

Gardner, R.C. (1985). *Social psychology and second language learning: The role of attitudes and motivation*. London: Arnold.

Gardner, R.C. (1988). The socio-educational model of second language learning: Assumptions, findings and issues. *Language Learning, 38*, 101-126.

Gardner, R.C. & Clément, R. (1990). Social psychological perspectives on second language acquisition. In H. Giles & W.P. Robinson (Eds.), *The handbook of language and social psychology* (pp. 495-517). Chichester, NY: John Wiley and Sons.

Gardner, R.C., Lalonde, R.N., Moorcroft, R. & Evers, F.T. (1987). Second language attrition: The role of motivation and use. *Journal of Language and Social Psychology, 6*, 29-47.

Gardner, R.C., Lalonde, R.N. & Pierson, R. (1983). The socio-educational model of second language acquisition: An investigation using LISREL causal modeling. *Journal of Language and Social Psychology, 2*, 1-15.

Gardner, R.C. & Lambert, W.E. (1959). Motivational variables in second language acquisition. *Canadian Journal of Psychology, 13*, 266-272.

Gardner, R.C. & Lambert, W.E. (1972). *Attitudes and motivation in second language learning*. Rowley, MA: Newbury House.

Gardner, R.C. & Lysynchuk, L.M. (1990). The role of aptitude, attitudes, motivation, and language use on second language acquisition and retention. *Canadian Journal of Behavioural Science, 22*, 254-270.

Gardner, R.C. & MacIntyre, P.D. (1991). An instrumental motivation language study: Who says it isn't effective? *Studies in Second Language Acquisition, 13*, 57-72.

Gardner, R.C., Moorcroft, R. & Metford, J. (1989). Second language learning in an immersion programme: Factors influencing acquisition and retention. *Journal of Language and Social Psychology, 8*, 287-305.

Gardner, R.C. & Smythe, P.C. (1975). Second language acquisition: A social psychological approach. *Research Bulletin No. 332*, London, Ont.: Department of Psychology, University of Western Ontario.

Gazda, G.M. & Corsini, R.J. (1980). *Theories of learning: A comparative approach*. Itaska, IL: Peacock.

Geen, R.G. (1968). Effects of frustration, attack, and prior training in aggressiveness upon aggressive behavior. *Journal of Personality and Social Psychology, 9*, 316-321.

Geen, R.G. (1978). Some effects of observing violence upon the behavior of the observer. In B.A. Maher (Ed.), *Progress in experimental personality research*, (Vol. 8). New York: Academic Press.

Geen, R.G. & O'Neal, E.C. (1969). Activation of cue-elicited aggression by general arousal. *Journal of Personality and Social Psychology, 11*, 289-292.

Geen, R.G. & Quanty, M.B. (1975). The catharsis of aggression: An evaluation of a hypothesis. In L. Berkowitz (Ed.), *Advances in experimental social psychology*. New York: Academic Press.

Geen, R.G. & Thomas, S.L. (1986). The immediate effects of media violence on behavior. *Journal of Social Issues, 42* (3), 7-28.

Gelles, R.J. & Straus, M.A. (1988). *Intimate violence*. New York: Simon & Schuster.

Genesee, F. & Bourhis, R.Y. (1982). The social-psychological significance of code-switching in cross-cultural communication, *Journal of Language and Social Psychology, 1*, 1-27.

Genesee, F. & Bourhis, R.Y. (1988). Evaluative reactions to language choice strategies: The role of sociostructural factors. *Language and Communication, 8* (3/4), 229-250.

Genesee, F. & Holobow, N.E. (1989). Change and stability in intergroup perceptions. *Journal of Language and Social Psychology, 8* (1), 17-38.

Gerard, H.B. (1965). Deviation, conformity, and commitment. In I.D. Steiner & M. Fishbein (Eds.), *Current studies in social psychology*. New York: Holt, Rinehart and Winston.

Gerard, H.B. & Mathewson, G.C. (1966). The effects of severity of initiation on liking for a group: A replication. *Journal of Experimental Social Psychology, 2*, 278-287.

Gerard, H.B. & Orive, R. (1987). The dynamics of opinion formation. In L. Berkowitz (Ed.), *Advances in experimental social psychology* (Vol. 20, pp. 171-202). New York : Academic Press.

Gerard, H.B., Whilhelmy, R.A. & Connolley, R.S. (1968). Conformity and group size. *Journal of Personality and Social Psychology, 8*, 79-82.

Gerbner, G. & Gross, L. (1976). The scary world of TV's heavy viewer. *Psychology Today, 89*, 41-45.

Gerbner, G., Gross, L., Morgan, M. & Signorielli, N. (1986). Living with television: The dynamics of the cultivation process. In J. Bryant & D. Zillmann (Eds.), *Perspectives on media effects*. Hillsdale, NJ: Erlbaum.

Gerbner, G., Gross, L., Signorielli, N. & Morgan, M. (1980a). Aging with television: Images on television drama and conceptions of reality. *Journal of Communication, 30*, 37-47.

Gerbner, G., Gross, L., Signorielli, N. & Morgan, M. (1980b). Television violence, victimization, and power. *American Behavioral Scientist, 23*, 705-716.

Gergen, K. & Gergen, M.M. (1984). *Psychologie sociale*. Montréal: Études vivantes.

Gergen, K.J. (1968). Personal consistency and presentation of self. In C. Gordon & K.J. Gergen (Eds.), *The self in social interaction* (Vol. 1, pp. 299-308). New York: John Wiley and Sons.

Gergen, K.J. (1973). Social psychology as history. *Journal of Personality and Social Psychology, 26*, 309-320.

Ghiglione, R. (1985). Communiquer! Vous avez dit communiquer? *Psychologie française, 30*, 3-10.

Gibbons, F.X. (1978). Sexual standards and reactions to pornography: Enhancing behavioral consistency through self-focused attention. *Journal of Personality and Social Psychology, 36*, 976-987.

Gibbons, F.X. (1986). Social comparison and depression: Company's effect on misery. *Journal of Personality and Social Psychology, 51*, 140-148.

Gibbons, F.X. (1990). Self-attention and behavior: A review and theoretical update. In M.P. Zanna (Ed.), *Advances in experimental social psychology* (Vol. 23, pp. 249-303). New York: Academic Press.

Gibbons, F.X., Smith, T.W., Ingram, R.E., Pearce, K., Brehm, S.S. & Schroeder, D.J. (1985). Self-awareness and self-confrontation: Effects of self-focused attention on members of a clinical population. *Journal of Personality and Social Psychology, 48*, 662-675.

Gilbert, D.T. & Jones, E.E. (1986). Perceiver-induced constraint: Interpretations of self-generated reality. *Journal of Personality and Social Psychology, 50*, 269-280.

Gilbert, D.T., Krull, D.S. & Pelham, B.W. (1988). Of thoughts unspoken: Social inference and the self-regulation of behavior. *Journal of Personality and Social Psychology, 55*, 685-694.

Gilbert, D.T., Pelham, B.W. & Krull, D.S. (1988). On cognitive business: When person perceivers meet persons perceived. *Journal of Personality and Social Psychology, 54*, 733-740.

Gilbert, L.A. (1981). Toward mental health: The benefits of psychological androgyny. *Professional Psychology, 12*(1), 29-38.

Giles, H., Bourhis, R.Y. & Taylor, D.M. (1977). Towards a theory of language in ethnic group relations. In H. Giles (Ed.), *Language, ethnicity and intergroup relations*. New York: Academic Press.

Giles, H. & Byrne, J.L. (1982). An intergroup approach to second language acquisition. *Journal of Multilingual and Multicultural Development, 1*, 17-40.

Giles, H. & Johnson, P. (1981). The role of language in ethnic group relations. In J.C. Turner & H. Giles (Eds.), *Intergroup behaviour* (pp. 199-243). Oxford: Basil Blackwell.

Giles, H. & Johnson, P. (1987). Ethnolinguistic identity theory: A social psychological approach to language maintenance. *International Journal of the Sociology of Language, 68*, 69-99.

Giles, H., Mulac, A., Bradac, J. & Johnson, P. (1987). Speech accommodation theory: The first decade and beyond. *Communication Yearbook, 10*, 13-48.

Giles, H. & Powesland, P.F. (1975). *Speech style and social evaluation*. London: Academic Press.

Giles, H. & Robinson, W.P. (Eds.). (1990). *Handbook of language and social psychology*. Chichester, NY: John Wiley and Sons.

Giles, H. & Street, R.L., Jr. (1985). Communicator characteristics and behavior. In M.L. Knapp & G.R. Miller (Eds.), *Handbook of interpersonal communication*. Beverly Hills, CA: Sage.

Giles, H., Taylor, D. & Bourhis, R.Y. (1973). Towards a theory of interpersonal accommodation through language: Some Canadian data. *Language in Society, 2*, 177-192.

Gillig, P.M. & Greenwald, A.G. (1974). Is it time to lay the sleeper effect to rest? *Journal of Personality and Social Psychology, 29*, 132-139.

Gilovich, T. (1983). Biased evaluation and persistence in gambling. *Journal of Personality and Social Psychology, 44*, 1110-1126.

Gilovich, T. (1987). Secondhand information and social judgment. *Journal of Experimental Social Psychology, 23*, 59-74.

Givens, D. (1983). *Love signals: How to attract a mate*. New York: Crown.

Glass, D.C. (1977). *Behavior patterns, stress and coronary heart desease*. Hillsdale, NJ: Erlbaum.

Glass, D.C. & Singer, J.E. (1972). *Urban stress: Experiments on noise and urban stressors*. New York: Academic Press.

Gleason, H.A., Jr. (1961). *An introduction to descriptive linguistics*. New York: Holt, Rinehart and Winston.

Glick, P., Zion, C. & Nelson, C. (1988). What mediates sex discrimination in hiring decisions? *Journal of Personality and Social Psychology, 55*, 178-186.

Goethals, G.R. (1986). Fabricating and ignoring social reality: Self-serving estimates of consensus. In J.M. Oslon, C.P. Herman & M.P. Zanna (Eds.), *Relative deprivation and social comparison: The Ontario Symposium* (Vol. 4, pp. 135-157). Hillsdale, NJ: Erlbaum.

Goethals, G.R. & Darley, J. (1977). Social comparison theory: An attributional approach. In J. Suls & R.L. Miller (Eds.), *Social comparison processes: Theoretical and empirical perspectives* (pp. 259-278). Washington, DC: Hemisphere.

Goffman, E. (1959). *The presentation of self in everyday life*. New York: Doubleday.

Goldberg, S. & Rosenthal, R. (1986). Self-touching behavior in the job interview: Antecedents and consequences. *Journal of Nonverbal Behavior, 10*, 65-80.

Goldman, M. & Fordyce, J. (1983). Prosocial behavior as affected by eye contact, touch, and voice expression. *Journal of Social Psychology, 121*, 125-129.

Goldstein, A.P. (1989). Aggression reduction: Some vital steps. In J. Groebel & R.A. Hinde (Eds.), *Aggression and war, their biological and social bases*. Cambridge: Cambridge University Press.

Golin, S. & Terrell, F. (1977). Motivational and associative aspects of mild depression in skill and chance tasks. *Journal of Abnormal Psychology, 86*, 389-401.

Gollwitzer, P.M., Earle, W.B. & Stephan, W.G. (1982). Affect as a determinant of egotism: Residual excitation and performance attributions. *Journal of Personality and Social Psychology, 43*, 702-709.

Gonzales, M.H. & Meyers, S.A. (1993). "Your mother would like me": Self-presentation in the personals ads of heterosexual and homosexual men and women. *Personality and Social Psychology Bulletin, 19*, 131-142.

Goranson, R.E. (1977). *Les effets de la violence à la télévision: questions et données*. Rapport présenté à la Commission royale d'enquête de la province d'Ontario sur la violence dans l'industrie des communications (traduit de l'anglais par Guy Bégin, École de psychologie, université Laval).

Gordon, C. (1968). Self conceptions: Configurations of content. In C. Gordon & K.J. Gergen (Eds.), *The self in social interaction* (Vol. 1). New York: John Wiley and Sons.

Gordon, S. (1976). *Lonely in America*. New York: Simon & Schuster.

Gould, R. & Sigall, H. (1977). The effects of empathy and outcome on attribution: An examination of the divergent-perspectives hypothesis. *Journal of Experimental Social Psychology, 13*, 480-491.

Gouldner, A.W. (1960). The norm of reciprocity: A preliminary statement. *American Sociological Review, 25*, 161-178.

Gouvernement du Québec. (1972). *La situation de la langue française au Québec* (Vol. 1-3). Québec: Éditeur officiel du Québec.

Goy, R. (1970). Early hormonal influences on the development of sexual and sexual-related behavior. In F. Schmitt, G. Quarton, T. Melnechuck & G. Adelman (Eds.), *The neurosciences: Second study program*. New York: Rockefeller University Press.

Graham, S. (1984). Communicating sympathy and anger to black and white children: The cognitive (attributional) consequences of affective cues. *Journal of Personality and Social Psychology, 47*, 40-55.

Graham, S. & Barker, G.P. (1990). The down side of help: An attributional-developmental analysis of helping behavior as a low-ability cue. *Journal of Educational Psychology, 82*, 7-14.

Grant, P.R. (1992). Ethnocentrism between groups of unequal power in response to perceived threat to social identity and valued resources. *Canadian Journal of Behavioural Sciences, 24*, 348-370.

Graziano, W.G. & Eisenberg, N. (1991). Agreeableness: A dimension of personality. In S. Briggs, R. Hogan & W. Jones (Eds.), *Handbook of personality psychology*. New York: Academic Press.

Greenberg, J. (1986). Group dynamics: Understanding groups at work. In R.A. Baron (Ed.), *Behavior in organizations*. Newton, MA: Allyn and Bacon.

Greenberg, J. & Pyszczynski, T. (1986). Persistent high self-focus after failure and low self-focus after success: The depressive self-focusing style. *Journal of Personality and Social Psychology, 50*, 1039-1044.

Greenberg, J., Pyszczynski, T. & Solomon, S. (1986). A terror management theory of the role of the need for self-estem in social behavior. In R.F. Baumeister (Ed.), *Public self and private self* (pp. 189-212). New York: Springer-Verlag.

Greenberg, J., Pyszczynski, T., Solomon, S., Simon, L. & Jordan, K. (1993). Effects of self-esteem on vulnerability–denying defensive distorsions: Further evidence of an anxiety-buffering function of self-esteem. *Journal of Experimental Social Psychology, 29*, 229-251.

Greenberg, J., Solomon, S., Pyszczynski, T., Rosenblatt, A., Burling, J., Lyon, D., Simon, L. & Pinel, E. (1992). Why do people need self-esteem? Converging evidence that self-esteem serves an anxiety-buffering function. *Journal of Personality and Social Psychology, 63*, 913-922.

Greenberg, M.A. & Stone, A.A. (1992). Emotional disclosure about traumas and its relation to health: Effects of previous disclosure and trauma severity. *Journal of Personality and Social Psychology, 63*, 75-84.

Greenberg, M.S. & Westcott, D.R. (1983). Indebtedness as a mediator of reactions to aid. In J.D. Fisher, A. Nadler & B.M. DePaulo (Eds.), *New directions in helping:Vol. 1. Recipient reactions to aid* (pp. 85-112). New York: Academic Press.

Greenspoon, J. (1955). The reinforcing effect of two spoken sounds on the frequency of two responses. *American Journal of Psychology, 68*, 409-416.

Greenwald, A.G. (1968). Cognitive learning, cognitive response to persuasion and attitude change. In A.G. Greenwald, T.C. Brock & T.M. Ostrom (Eds.), *The psychological foundations of attitudes*. New York: Academic Press.

Greenwald, A.G. (1980). The totalitarian ego: Fabrication and revision of personal history. *American Psychologist, 35*, 603-618.

Greenwald, A.G. (1989a). Why are attitudes important? In A.R. Pratkanis, S.J. Breckler & A.G. Greenwald (Eds.), *Attitude, structure and function* (pp. 1-10). Hillsdale, NJ: Erlbaum.

Greenwald, A.G. (1989b). Why attitudes are important: Defining attitude and attitude theory 20 years laters. In A.R. Pratkanis, S.J. Breckler & A.G. Greenwald (Eds.), *Attitude, structure and function* (pp. 429-440). Hillsdale, NJ: Erlbaum.

Greenwald, A.G. & Pratkanis, A.R. (1984). The self. In R.S. Wyer & T.K. Srull (Eds.), *Handbook of social cognition* (pp. 129-178). Hillsdale, NJ: Erlbaum.

Groebel, J. & Hinde, R.A. (1989). *Aggression and war, their biological and social bases*. Cambridge: Cambridge University Press.

Grolnick, W.S. & Ryan, R.M. (1987). Autonomy in children's learning: An experimental and individual difference investigation. *Journal of Personality and Social Psychology, 52*, 890-898.

Gross, A.E. & Fleming, J. (1982). Twenty years of deception in social psychology. *Personality and Social Psychology Bulletin, 8*, 402-408.

Grove, J.R., Hanrahan, S.J. & McInman, A. (1991). Success/failure bias in attributions across involvement categories in sport. *Personality and Social Psychology Bulletin, 17*, 93-97.

Grube, J.W., Weir, I.L., Getzlaf, S. & Rokeach, M. (1984). Own value system, value images, and cigarette smoking. *Personality and Social Psychology Bulletin, 10*, 306-313.

Gruder, C.L., Cook, T.D., Hennigan, K.M., Flay, B.R., Alessis, C. & Halamaj, J. (1978). Empirical tests of the absolute sleeper effect predicted from the discounting cue hypothesis. *Journal of Personality and Social Psychology, 36*, 109-118.

Grusec, J.E., Kuczynski, L., Simutis, Z. & Rushton, J.P. (1978). Modeling, direct instruction, and attributions: Effects on altruism. *Developmental Psychology, 14*, 51-57.

Grusec, J.E. & Lytton, H. (1986). *Social development: History, theory, and research*. New York: Springer-Verlag.

Grusec, J.E. & Skubiski, S.L. (1970). Model nurturance, demand characteristics of the modelling experiment, and altruism. *Journal of Personality and Social Psychology, 14*, 352-359.

Grush, J.E. (1980). Impact of candidate expenditures, regionality, and prior outcomes on the 1976 Democratic presidential primaries. *Journal of Personality and Social Psychology, 38*, 337-347.

Gudykunst, W.B. & Ting-Toomey, S. (1990). Ethnic identity, language, and communication breakdowns. In H. Giles & W.P. Robinson (Eds.), *Handbook of language and social psychology* (pp. 309-328). Chichester, NY: John Wiley and Sons.

Guimond, S. (1992). Les effets de l'éducation postsecondaire sur les attitudes intergroupes: l'importance du domaine d'études. *Revue québécoise de psychologie, 13*, 74-93.

Guimond, S., Bégin, G. & Palmer, D.L. (1989). Education and causal attributions: The development of "person-blame" and "system-blame" ideology. *Social Psychology Quarterly, 52*, 126-140.

Guimond, S. & Dubé-Simard, L. (1983). Relative deprivation theory and the Quebec nationalist movement: The cognition-emotion distinction and the personal-group deprivation issue. *Journal of Personality and Social Psychology, 44*, 526-535.

Guimond, S. & Palmer, D.L. (1990). Type of academic training and causal attributions for social problems. *European Journal of Social Psychology, 20*, 61-75.

Guimond, S., Palmer, D.L. & Bégin, G. (1989). Education, academic program and intergroup attitudes. *Revue canadienne de sociologie et d'anthropologie, 26*, 193-216.

Gumperz, J.J. & Hymes, D. (Eds.). (1972). *Directions in sociolinguistics*. New York: Holt, Rinehart and Winston.

Gunderson, M. (1989). Implementation of comparable worth in Canada. *Journal of Social Issues, 45*, 209-222.

Gurr, T.R. (1970). *Why men rebel*. New Jersey: Princeton University Press.

Hackett, G. (1985). The role of mathematics self-efficacy in the choice of math-related majors of college women and men: A path analysis. *Journal of Counseling Psychology, 32*, 47-56.

Hackman, J.R. (1990). *Groups that work (and those that don't)*. San Francisco, CA: Jossey-Bass.

Hagège, C. (1985). *L'homme de paroles*. Paris: Fayard.

Hall, C.S. & Lindzey, G. (1985). *Introduction to theories of personality*. New York: John Wiley and Sons.

Hall, E.T. (1966). *The hidden dimension*. Garden City, NY: Doubleday.

Hamers, J.F. & Blanc, M.H.A. (1983). *Bilingualité et bilinguisme*, série Psychologie et sciences humaines. Bruxelles: Pierre Mardaga éditeur.

Hamers, J.F. & Blanc, M.H.A. (1989). *Bilinguality and bilingualism*. Cambridge: Cambridge University Press.

Hamilton, D.L. (1979). A cognitive attributional analysis of stereotyping. In L. Berkowitz (Ed.), *Advances in experimental social psychology* (Vol. 12). New York: Academic Press.

Hamilton, D.L. (1981). Illusory correlation as a basis for stereotyping. In D.L. Hamilton (Ed.), *Cognitive processes in stereotyping and intergroup behavior*. Hillsdale, NJ: Erlbaum.

Hamilton, D.L. & Gifford, R.K. (1976). Illusory correlation in interpersonal perception: A cognitive basis of stereotypic judgment. *Journal of Experimental Social Psychology, 12*, 392-407.

Hamilton, D.L. & Rose, T.L. (1980). Illusory correlation and the maintenance of stereotypic beliefs. *Journal of Personality and Social Psychology, 39*, 832-845.

Hamilton, D.L. & Sherman, S.J. (1989). Illusory correlations: Implications for stereotype theory and research. In D. Bar-Tal, C.F. Graumann, A.W. Kruglanski & W. Stroebe (Eds.), *Stereotypes and prejudice: Changing conceptions*. New York: Springer-Verlag.

Hamilton, D.L. & Trolier, T. (1986). Stereotypes and stereotyping: An overview of the cognitive approach. In J. Dovidio & S.L. Gaertner (Eds.), *Prejudice, discrimination and racism*. New York: Academic Press.

Hampson, S.E., John, O.P. & Golberg, L.R. (1986). Category breadth and hierarchical structure in personality: Studies in asymmetries in judgments of trait implications. *Journal of Personality and Social Psychology, 51*, 37-54.

Haney, C., Banks, C. & Zimbardo, P. (1973). Interpersonnal dynamics in a simulated prison. *International Journal of Criminology and Penology, 1*, 69-97.

Hansen, C.H. & Hansen, R.D. (1988). Finding the face in the crowd: An anger superiority effect. *Journal of Personality and Social Psychology, 54*, 917-924.

Hansen, R.D. (1980). Commonsense attribution. *Journal of Personality and Social Psychology, 39*, 996-1009.

Hansen, R.D. (1985). Cognitive economy and commonsense attribution processing. In J.H. Harvey &

G. Weary (Eds.), *Attribution: Basic issues and applications* (pp. 65-85). Orlando, FL: Academic Press.

Hansen, R.D. & Hall, C.A. (1985). Discounting and augmenting facilitative and inhibitory forces: The winner takes almost all. *Journal of Personality and Social Psychology, 49*, 1482-1493.

Hansen, R.D. & Hansen, C.H. (1988). Repression of emotionally tagged memories: The architecture of less complex emotions. *Journal of Personality and Social Psychology, 55*, 811-818.

Hapkiewicz, W.G. & Roden, A.H. (1971). The effect of aggressive cartoons on children's interpersonal play. *Child Development, 42*, 1583-1585.

Hapkiewicz, W.G. & Stone, R.D. (1974). The effect of realistic versus imaginary aggressive models on children's interpersonal play. *Child Study Journal, 4*, 47-58.

Harackiewicz, J.M. (1987). Attributional processes in behavior change and maintenance: Smoking cessation and continued abstinence. *Journal of Consulting and Clinical Psychology, 55*, 372-378.

Harackiewicz, J.M., Sansone, C., Blair, L.W., Epstein, J.A. & Manderlink, G. (1987). Attributional processes in behavior change and maintenance: Smoking cessation and continued abstinence. *Journal of Consulting and Clinical Psychology, 55*, 372-373.

Hare, R.D. (1965). Replication Report: Cognitive factors in transfer of meaning. *Psychological Reports, 17*, 590.

Harlow, H. (1965). Sexual behavior in the rhesus monkey. In F. Beach (Ed.), *Sex and behavior*. New York: John Wiley and Sons.

Harper, R.G., Wiens, A.N. & Matarazzo, J.D. (1978). *Nonverbal communication*, New York: John Wiley and Sons.

Harris, M.B. (1977). The effects of altruism on mood. *Journal of Social Psychology, 102*, 197-208.

Harris, R.N. & Snyder, C.R. (1986). The role of uncertain self-esteem in self-handicapping. *Journal of Personality and Social Psychology, 51*, 451-458.

Harter, S. (1982). The Perceived Competence Scale for children. *Child Development, 53*, 87-97.

Harvey, J.H., Orbuch, T.L. & Weber, A.L. (1991). *Attributions, accounts and close relationships*. New York: Springer-Verlag.

Harvey, J.H. & Weary, G. (1981). *Perspectives on attributional processes*. Dubuque, IA: Wm. C. Brown.

Harvey, J.H. & Weary, G. (1984). Current issues in attribution theory and research. *Annual Review of Psychology, 35*, 427-459.

Hastie, R. (1984). Causes and effects of causal attribution. *Journal of Personality and Social Psychology, 46*, 44-56.

Hastie, R., Park, B. & Weber, R. (1984). Social memory. In R.S. Wyer, Jr. & T.K. Srull (Eds.), *Handbook of social cognition* (Vol. 2, pp. 151-212). Hillsdale, NJ: Erlbaum.

Hatfield, E. (1984). The dangers of intimacy. In V.J. Derlaga (Ed.), *Communication, intimacy and close relationship*. Orlando, FL: Academic Press.

Hatfield, E. (1988). Passionate and companionate love. In R.J. Sternberg & M.L. Barnes (Eds.), *The psychology of love*. New Haven, CT: Yale University Press.

Hatfield, E. & Traupmann, J. (1981). Intimate relationships: A perspective from equity theory. In S. Duck & R. Gilmour (Eds.), *Personal relationships: Studying personal relationships* (pp. 165-178). London: Academic Press.

Hattie, J. (1992). *Self-concept*. Hillsdale, NJ: Erlbaum.

Hayes, K. & Hayes, C. (1952). Imitation in a home-raised chimpanzee. *Journal of Comparative and Physiological Psychology, 45*, 450-459.

Hazan, C. & Shaver, P. (1987). Romantic love conceptualized as an attachment process. *Journal of Personality and Social Psychology, 52*, 511-524.

Hazan, C. & Shaver, P. (1990). Love and work: An attachment-theoretical perspective. *Journal of Personality and Social Psychology, 59*, 270-280.

Heath, L. & Petraitis, J. (1987). Television viewing and fear of crime: Where is the mean world? *Basic and Applied Social Psychology, 8*, 97-123.

Heatherton, T.D., Polivy, J., Herman, P.C. & Baumeister, R.F. (1993). Self-awareness, task failure, and disinhibition: How attentional focus affects eating. *Journal of Personality, 61*, 49-61.

Heatherton, T.F. & Baumeister, R.F. (1991). Binge eating as an escape from self-awareness. *Psychological Bulletin, 110*, 86-108.

Heatherton, T.F. & Polivy, J. (1991). Development and validation of a scale for measuring state self-esteem. *Journal of Personality and Social Psychology, 60*, 895-910.

Heaton, A.W. & Sigall, H. (1991). Self-consciousness, self-presentation, and performance under pressure: Who chokes, and when? *Journal of Applied Social Psychology, 21*, 175-188.

Heidegger, M. (1962). *Being and time*. Traduit par J. Macquarrie et E. Robinson. New York: Harper.

Heider, F. (1944). Social perception as phenomenal causality. *Psychological Review, 51*, 358-374.

Heider, F. (1946). Attitudes and cognitive organization. *Journal of Psychology, 21*, 107-112.

Heider, F. (1958). *The psychology of interpersonal relations*. New York: John Wiley and Sons.

Heider, F. & Simmel, M. (1944). An experimental study of apparent behavior. *American Journal of Psychology, 57*, 243-259.

Heilbrun, A.B. (1976). Measurement of masculine and feminine sex role identities as independent dimensions. *Journal of Consulting and Clinical Psychology, 44*, 183-190.

Helly, D. (1992). *L'immigration : pour quoi faire ?* Québec : Publications de l'Institut québécois de recherche sur la culture.

Henchy, T. & Glass, D.C. (1968). Evaluation apprehension and the social facilitation of dominant and subordinate responses. *Journal of Personality and Social Psychology, 10*, 446-454.

Henderson, D. (1985). *Cohesion : The human element in combat*. Washington, DC: National Defence University Press.

Hendrick, C. & Hendrick, S.S. (1986). A theory and method of love. *Journal of Personality and Social Psychology, 50*, 392-402.

Hendrick, C. & Hendrick, S.S. (1988). Lovers wear rose colored glasses. *Journal of Social and Personal Relationships, 56*, 784-794.

Hendrick, C. & Hendrick, S.S. (1989). Research on love : Does it measure up ? *Journal of Personality and Social Psychology, 5*, 161-183.

Hendrick, C. & Hendrick, S.S. (1991). Dimensions of love : A sociobiological interpretation. *Journal of Social and Clinical Psychology, 10*, 206-230.

Hendrick, S.S., Hendrick, C. & Adler, N.L. (1988). Romantic relationships : Love, satisfaction, and staying together. *Journal of Personality and Social Psychology, 54*, 980-988.

Henley, N.M. (1987). This new species that seeks a new language : On sexism in language and language change. In J. Penfield (Ed.), *Women and language in transition*. Albany, NY: State University of New York Press.

Henry, E. (1989). Préjugés et tolérance au Canada. In Conseil économique du Canada (Ed.), *Le nouveau visage du Canada : incidence économique et sociale de l'immigration*. Ottawa : Approvisionnements et Services Canada.

Henry, E. & Ginsberg, E. (1985). *Who gets the work: A test of racial discrimination in employment in Toronto*. Toronto : The Urban Alliance on Race Relations et The Social Planning Council of Metropolitan Toronto.

Herberg, E. (1989). *Ethnics groups in Canada*. Scarborough, ONT: Nelson.

Herek, G.M. (1987a). Can functions be measured ? A new perspective on the functional approach to attitudes. *Social Psychology Quarterly, 50*, 285-303.

Herek, G.M. (1987b). Religious orientation and prejudice : A comparison of racial and sexual attitudes. *Personality and Social Psychology Bulletin, 13*, 34-44.

Hersen, M. & Barlow, D.H. (1976). *Single-case experimental designs*. New York: Permagon Press.

Hersey, P. & Blanchard, K.H. (1988). *Management of organizational behavior*. Englewood Cliffs, NJ: Prentice-Hall.

Heslin, R. & Alper, T. (1983). Touch: A bonding gesture. In J.M. Wiemann & R.P. Harrison (Eds.), *Nonverbal interaction*. Beverly Hills : Sage.

Heslin, R. & Boss, D. (1980). Nonverbal intimacy in airport arrival and departure. *Personality and Social Psychology Bulletin, 6*, 248-252.

Hess, U., Kappas, A., McHugo, G.J., Kleck, R.E. & Lanzetta, J.T. (1989). An analysis of the encoding and decoding of spontaneous and posed smiles : The use of facial electromyography. *Journal of Nonverbal Behavior, 13*, 121-137.

Hewstone, M.R.C. (1988). Attributional bases of intergroup conflict. In W. Stroebe, A.W. Kruglanski, D. Bar-Tal & M. Hewstone (Eds.), *The social psychology of intergroup conflict : Theory, research and applications*. New York: Springer-Verlag.

Hewstone, M.R.C. (1990). The ultimate attribution error : A review of the literature on the literature on intergroup causal attribution. *European Journal of Social Psychology, 20*, 311-335.

Hewstone, M.R.C. & Brown, R.J. (1986). Contact is not enough: An intergroup perspective on the contact hypothesis. In M.R.C. Hewstone & R.J. Brown (Eds.), *Contact and conflict in intergroup encounters*. Oxford : Basil Blackwell.

Hewstone, M.R.C. & Ward, C. (1985). Ethnocentrism and causal attribution in South East Asia. *Journal of Personality and Social Psychology, 48*, 614-623.

Higbee, K.L., Millard, R.J. & Folkman, J.R. (1982). Individual construct accessibility and subjective impression and recall. *Journal of Personality and Social Psychology, 43*, 35-47.

Higgins, E.T. (1989). Self-discrepancy theory: What patterns of self-beliefs cause people to suffer ? *Advances in Experimental Social Psychology, 22*, 93-136.

Higgins, E.T. & Bargh, J.A. (1987). Social cognition and social perception. *Annual Review of Psychology, 38*, 369-425.

Higgins, E.T., Bond, R.N., Klein, R. & Strauman, T. (1986). Self-discrepancy and emotional vulnerability: How magnitude, accessibility, and type of discrepancy influence affect. *Journal of Personality and Social Psychology, 51*, 5-15.

Higgins, E.T., Rholes, W.S. & Jones, C.R. (1977). Category accessibility and impression formation. *Journal of Experimental Social Psychology, 13*, 141-154.

Higgins, E.T., Strauman, T. & Klein, R. (1986). Standards and the process of self-evaluation : Multiple affects from multiple stages. In R. M. Sorrentino & E. T. Higgins (Eds.), *Handbook of moti-*

vation and cognition: Foundations of social behavior (Vol. 1, pp. 23-63). New York: Guilford.

Higgins, E.T., Vookles, J. & Tykocinski, O. (1992). Self and health: How "patterns" of self-beliefs predict types of emotional and physical problems. *Social Cognition, 10*, 125-150.

Higham, P.A. & Carment, D.W. (1992). The rise and fall of politicians: The judged heights of Broadbent, Mulroney and Turner before and after the 1988 Canadian federal election. *Canadian Journal of Behavioral Science, 24*, 404-409.

Hillerband, E. (1987). Philosophical tensions influencing psychology and social action. *American Psychologist, 42*, 111-118.

Hilgard, E.R. (1987). *Psychology in America: A historical survey*. Orlando, FL: Harcourt Brace Jovanovich.

Hilton, J.L., Darley, J.M. (1985). Constructing other persons: A limit on the effect. *Journal of Experimental Social Psychology, 21*, 1-18.

Hilton, T., Potvin, L. & Sachdev, I. (1989). Ethnic relations in rental housing: A social psychological approach. *Canadian Journal of Behavioural Science, 21*, 121-131.

Hinde, R.A. (1975). *The bases of social behavior*. New York: McGraw-Hill.

Hinde, R.A. (1979). *Towards understanding relationships*. New York: Academic Press.

Hindy, C.G., Schwarz, J.C. & Brodsky, A. (1989). *If this is love, why do I feel so insecure?* New York: Atlantic Monthly Press.

Hiroto, D.S. (1974). Locus of control and learned helplessness. *Journal of Experimental Psychology, 102*, 187-193.

Hiroto, D.S. & Seligman, M.E.P. (1975). Generality of learned helplessness in man. *Journal of Personality and Social Psychology, 31*, 311-327.

Hirt, E.R., Deppe, R.K. & Gordon, L.J. (1991). Self-reported versus behavioral self-handicapping: Empirical evidence for a theoretical distinction. *Journal of Personality and Social Psychology, 61*, 981-991.

Hirt, E.R. & Sherman, S.J. (1985). The role of prior knowledge in explaining hypothetical events. *Journal of Experimental Social Psychology, 21*, 519-543.

Hixon, G.J. & Swann, W.B. (1993). When does introspection bear fruit? Self-reflection, self-insight, and interpersonal choices. *Journal of Personality and Social Psychology, 64*, 35-43.

Hoffman, C., Lau, I. & Johnson, D.R. (1986). The linguistic relativity of person cognition: An English-Chinese comparison. *Journal of Personality and Social Psychology, 51*, 1097-1105.

Hofling, C.K., Brotzman, E., Dalrymple, S., Graves, N. & Pierce, C. (1966). An experimental study of nurse-physician relations. *Journal of Nervous and Mental Disease, 143*, 171-180.

Hogg, M.A. & Abrams, D. (1988). *Social identification: A social psychology of intergroup relations of group processes*. London: Routledge and Kegan Paul.

Hogg, M.A. & Abrams, D. (1990). Social motivation, self-esteem and social identity. In D. Abrams & M.A. Hogg (Eds.), *Social identity theory: Constructive and critical advances*. London: Harvester Wheatsheaf.

Hogg, M.A. & Turner, J.C. (1987). Intergroup behaviour, self-stereotyping and the salience of social categories. *British Journal of Social Psychology, 26*, 325-340.

Hokanson, J.E. (1970). Psychophysiological evaluation of the catharsis hypothesis. In E.I. Megargee & J.E. Hokanson (Eds.), *The dynamics of aggression*. New York: Harper.

Hokanson, J.E. & Burgess, M. (1962). The effects of three types of aggression on vascular processes. *Journal of Abnormal and Social Psychology, 64*, 446-449.

Hokanson, J.E., Burgess, M. & Cohen, M.E. (1963). Effects of displaced aggression on systolic blood pressure. *Journal of Abnormal and Social Psychology, 67*, 214-218.

Hokanson, J.E. & Edelman, R. (1966). Effects of three social responses on vascular processes. *Journal of Personality and Social Psychology, 3*, 442-447.

Hokanson, J.E., Willers, K.R. & Koropsak, E. (1968). The modification of autonomic responses during aggressive interchanges. *Journal of Personality, 36*, 386-404.

Hollander, E.P. (1985). Leadership and power. In G. Lindzey & E. Aronson (Eds.), *The handbook of social psychology* (Vol. 2). Reading, MA: Addison-Wesley.

Holmes, J.G. & Rempel, J.K. (1989). Trust in close relationships. In C. Hendrick (Ed.), *Review of personality and social psychology: Vol 10. Close relationships*. Newbury Park, CA: Sage.

Holtzworth-Munroe, A. & Jacobson, N.S. (1985). Causal attributions of marital couples: When do they search for causes? What do they conclude when they do? *Journal of Personality and Social Psychology, 48*, 1398-1412.

Holtzworth-Munroe, A. & Jacobson, N.S. (1988). Toward a methodology for coding spontaneous causal attributions: Preliminary results with married couples. *Journal of Social and Clinical Psychology, 7*, 101-112.

Hom, H.L., Jr. & Murphy, M.D. (1985). Low need achievers' performance: The positive impact of a self-determined goal. *Personality and Social Psychology Bulletin, 11*, 275-285.

Homans, G.C. (1961). *Social behavior.* New York: Harcourt Brace & World.

Homans, G.C. (1974). *Social behavior* (rev. ed.). New York: Harcourt Brace Jovanovich.

Homer, P.M. & Kahle, L.R. (1988). A structural equation test of the value-attitude-behavior hierarchy. *Journal of Personality and Social Psychology, 54,* 638-646.

Hornstein, H.A. (1982). Promotive tension: Theory and research. In V.J. Derlega & J. Grzelak (Eds.), *Cooperation and helping behavior: Theories and research* (pp. 229-248). New York: Academic Press.

Hornstein, H.A., Fish, E. & Holmes, M. (1968). Influence of a model's feeling about his behavior and his relevance as a comparison other on observer's helping behavior. *Journal of Personality and Social Psychology, 10,* 222-226.

Hospers, H.J., Kok, G. & Strecher, V.J. (1990). Attributions for previous failures and subsequent outcomes in a weight reduction program. *Health Education Quaterly, 17,* 409-415.

Houdebine, A.M. (1989). La féminisation des noms de métiers en français contemporain. *Contrastes, 20,* 39-72.

House, J.A. (1981). *Work stress and social support.* Reading, MA: Addison-Wesley.

Hovland, C., Janis, L. & Kelley, H. (1953). *Communication of persuasion.* New Haven, CT: Yale University Press.

Hovland, C., Lumsdaine, A. & Sheffield, F. (1949). *Experiments on mass communications.* Princeton, NJ: Princeton University Press.

Hovland, C. & Sears, R.R. (1940). Minor studies in aggression: VI. Correlation of lynchings with economic indices. *Journal of Psychology, 9,* 301-310.

Howard, G.S. (1985). The role of values in the science of psychology. *American Psychologist, 40,* 255-265.

Howard, J.W., Blumstein, P. & Schwartz, P. (1986). Sex, power, and influence tactics in intimate relationships. *Journal of Personality and Social Psychology, 51,* 102-109.

Howard, J.W. & Rothbart, M. (1980). Social categorization and memory for in-group and out-group behavior. *Journal of Personality and Social Psychology, 38,* 301-310.

Huesmann, L.R. (1982). Television violence and aggressive behavior. In D. Pearl, L. Bouthilet & J. Lazar (Eds.), *Television and behavior: Ten years of scientific progress and implications for the eighties: Vol. 2. Technical reviews* (pp. 220-256). Washington, DC: National Institute of Mental Health.

Huesmann, L.R., Lagerspetz, K. & Eron, L.D. (1984). Intervening variables in the TV violence-aggression relation: Evidence from two countries. *Developmental Psychology, 20,* 746-775.

Hughes, H.M. (1986). Research with children in shelters: Implications for clinical services. *Children Today, 46,* 11-19.

Hughes, H.M. (1988). Psychological and behavioral correlates of family violence in child witness and victims. *American Journal of Orthopsychiatry, 18,* 77-90.

Hull, J.G. & Mendolia, M. (1991). Modeling the relations of attributional style, expectancies, and depression. *Journal of Personality and Social Psychology, 61,* 85-97.

Humphrey, R.H., O'Malley, P.M., Johnston, L.D. & Bachman, J.G. (1988). Bases of power, facilitation effects, and attitudes and behavior: Direct, indirect, and interactive determinants of drug use. *Social Psychology Quarterly, 51,* 329-345.

Hunt, E. & Agnoli, F. (1991). The Whorfian hypothesis: A cognitive psychology perspective. *Psychological Review, 98,* 377-389.

Hutton, D.G. & Baumeister, R.F. (1992). Self-awareness and attitude change: Seeing oneself on the central route to persuasion. *Personality and Social Psychology Bulletin, 18,* 68-75.

Hyde, J.S. (1984a). Children's understanding of sexist language. *Developmental Psychology, 20,* 697-706.

Hyde, J.S. (1984b). How large are gender differences in aggression? A developmental meta-analysis. *Developmental Psychology, 20,* 722-736.

Hyman, H.H. (1942). The psychology of status. *Archives of Psychology,* 269.

Hyman, H.H. & Sheatsley, P.B. (1954). The authoritarian personality: A methodological critique. In R. Christie & M. Jahoda (Eds.), *Studies in the scope of the authoritarian personality.* New York: The Free Press.

Hyman, H.H. & Wright, C.R. (1979). *Education's lasting influence on values.* Chicago, IL: University of Chicago Press.

Ickes, W. & Barnes, R.D. (1978). Boys and girls together — and alienated: On enacting stereotyped sex roles in mixed-sex dyads. *Journal of Personality and Social Psychology, 36,* 669-683.

Insko, C.A. (1967). *Theories of attitude change.* Englewood Cliffs, NJ: Prentice-Hall.

Isen, A.M. (1987). Positive affect, cognitive processes, and social behavior. In L. Berkowitz (Ed.), *Advances in experimental social psychology* (Vol. 20, pp. 203-253). New York: Academic Press.

Isen, A.M. & Shalker, T.E. (1982). Do you "accentuate the positive, eliminate the negative" when you are in a good mood? *Social Psychology Quarterly, 45,* 58-63.

Izard, C.E. (1992). Basic emotions, relations among emotions, and emotion-cognition relations. *Psychological Review, 99,* 561-565.

Izard, C.E. (1993). Four systems for emotion activation: Cognitive and noncognitive processes. *Psychological Review, 100*, 68-90.

Izard, C.E., Huebner, R.R., Risser, D., McGinnes, G.C. & Dougherty, L.M. (1980). The young infant's ability to produce discrete emotion expressions. *Developmental Psychology, 16*, 132-140.

Jackson, J.M. (1987). Social impact theory: A social forces model of influence. In B. Mullen & G.R. Goethals (Eds.), *Theories of group behavior*. New York: Springer-Verlag.

Jackson, J.M., Procidano, M.E. & Cohen, C.J. (1989). Subject pool sign-up procedures: A threat to external validity. *Social Behavior and Personality, 17*, 29-43.

Jaffe, P.G., Wolfe, D.A., Wilson, S.K. & Zak, L. (1986). Emotional and physical health problems of battered women. *Canadian Journal of Psychiatry, 31*, 625-629.

Jaffe, P.G., Wolfe, P.A. & Wilson, S.K. (1990). *Children of battered women*. Newbury Park, CA: Sage.

James, W. (1890). *Principles of psychology*. New York: Holt, Rinehart and Winston.

Jamieson, D.W. & Zanna, M.P. (1989). Need for structure in attitude formation and expression. In A.R. Pratkanis, S.J. Breckler & A.G. Greenwald (Eds.), *Attitude, structure and function* (pp. 383-406). Hillsdale, NJ: Erlbaum.

Janis, I.L. (1951). *Air war and emotional stress: Psychological studies of bombing and civilian defence*. New York: McGraw-Hill.

Janis, I.L. (1972). *Victims of groupthink*. Boston, MA: Houghton Mifflin Co.

Janis, I.L. & Field, P.B. (1959). The Janis and Field personality questionnaire. In C.I. Hovland & I.L. Janis (Eds.), *Personality and persuasibility*. New Haven, CT: Yale University Press.

Janoff-Bulman, R. (1979). Characterological versus behavioral self-blame: Inquiries into depression and rape. *Journal of Personality and Social Psychology, 37*, 1798-1809.

Janoff-Bulman, R. (1992). *Shattered assumptions*. New York: The Free Press.

Janoff-Bulman, R. & Lang-Gunn, L. (1988). Coping with disease and accidents: The role of self-blame attributions. In L.Y. Abramson (Ed.), *Social-personal inference in clinical psychology* (pp. 116-147). New York: Guilford.

Janoff-Bulman, R., Timko, C. & Carli, L.L. (1985). Cognitive biases in blaming the victim. *Journal of Experimental Social Psychology, 21*, 161-177.

Johnson, B.T. & Eagly, A.H. (1989). Effects of involvement on persuasion: A meta-analysis. *Psychological Bulletin, 106*, 290-314.

Johnson, D.J. & Rusbult, C.E. (1989). Resisting temptation: Devaluation of alternative partners as a means of maintaining commitment in close relationships. *Journal of Personality and Social Psychology, 57*, 967-980.

Johnson, D.W., Johnson, R. & Maruyama, G. (1983). Interdependence and interpersonal attraction among heterogeneous and homogeneous individuals: A theoretical formulation and a meta-analysis of the research. *Review of Educational Research, 55*, 5-54 .

Johnson, J.L. (1980). Questions and role responsibility in four professional meetings. *Anthropological Linguistics, 22*, 66-76.

Johnson, M.P. (1973). Commitment: A conceptual structure and empirical application. *The Sociological Quarterly, 14*, 395-406.

Johnson, M.P. (1978). *Personal and structural commitment: Source of consistency in the development of relationships*. Article inédit, Pennsylvania State University, Département de sociologie.

Johnson, M.P. (1982). Social and cognitive features of the dissolution of commitment to relationships. In S.W. Duck (Ed.), *Personal relationships 4: Dissolving personal relationships*. London: Academic Press.

Johnson, R.N. (1972). *Aggression in man and animals*. Toronto: W.B. Saunders.

Johnson-George, C. & Swap, W. (1982). Measurement of specific interpersonal trust: Construction and validation of a scale to assess trust in a specific order. *Journal of Personality and Social Psychology, 43*, 1306-1317.

Jones, E.E. (1964). *Ingratiation: A social psychological analysis*. New York: Appleton-Century-Crofts.

Jones, E.E. (1979). The rocky road from acts to dispositions. *American Psychologist, 34*, 107-117.

Jones, E.E. (1985). Major developments in social psychology during the past five decades. In G. Lindzey & E. Aronson (Eds.), *The handbook of social psychology* (3rd ed., vol. 1, pp. 47-107). New York: Random House.

Jones, E.E. (1990). *Interpersonal perception*. New York: Freeman.

Jones, E.E. & Archer, R.L. (1976). Are there special effects of personalistic self-disclosure? *Journal of Experimental Social Psychology, 12*, 180-193.

Jones, E.E. & Baumeister, R.F. (1976). The self-monitor looks at the ingratiator. *Journal of Personality, 44*, 654-674.

Jones, E.E. & Berglas, S.C. (1978). Control of attributions about self through self-handicapping strategies: The appeal of alcohol and the role of underachievement. *Personality and Social Psychology Bulletin, 4*, 200-206.

Jones, E.E. & Davis, K.E. (1965). From acts to dispositions: The attribution process in person perception. In L. Berkowitz (Ed.), *Advances in experimental social psychology* (Vol. 2, pp. 219-266). New York: Academic Press.

Jones, E.E., Davis, K.E. & Gergen, K. (1961). Role playing variations and their informational value for person perception. *Journal of Abnormal and Social Psychology, 63*, 302-310.

Jones, E.E., Farina, A., Hastorf, A.H., Markus, H., Miller, D. & Scott, R.A. (1984). *Social stigma: The psychology of marked relationships*. New York: Freeman.

Jones, E.E., Harris, V.A. (1967). The attribution of attitudes. *Journal of Experimental Social Psychology, 3*, 1-24.

Jones, E.E. & McGillis, D. (1976). Correspondent inferences and the attribution cube: A comparative reappraisal. In H.H. Harvey, W.J. Ickes & R.F. Kidd (Eds.), *New directions in attribution research* (Vol. 1, pp. 389-420). Hillsdale, NJ: Erlbaum.

Jones, E.E. & Nisbett, R.E. (1972). The actor and the observer: Divergent perceptions of causality. In E.E. Jones, D.E. Kanouse, H.H. Kelley, R.E. Nisbett, S. Valins & B. Weiner (Eds.), *Attribution: Perceiving the causes of behavior* (pp. 79-94). Morristown, NJ: General Learning Press.

Jones, E.E. & Pittman, T.S. (1982). Toward a general theory of strategic self-presentation. In J. Suls (Ed.), *Psychological perspectives on the self* (Vol. 1, pp. 231-262). Hillsdale, NJ: Erlbaum.

Jones, E.E. & Sigall, H. (1971). The bogus pipeline: A new paradigm for measuring affect and attitude. *Psychological Bulletin, 76*, 349-364.

Jones, E.E. & Thibault, J.W. (1958). Interaction goals as bases of human inference in interpersonal perception. In R. Tagiuri & L. Petrullo (Eds.), *Person perception and interpersonal behavior*. Stanford, CA.: Stanford University Press.

Jones, E.E. & Wortman, E.E. (1973). *Ingratiation: An attributional approach*. Morristown, NJ: General Learning Press.

Jones, J.M. (1972). *Prejudice and racism*. Philadelphia, PA: Addison-Wesley.

Jones, R.A., Linder, D.E., Kiesler, C.A., Zanna, M. & Brehm, J.W. (1968). Internal states or external stimuli: Observers' attitude judgments and the dissonance-theory-self-persuasion controversy. *Journal of Experimental Social Psychology, 4*, 247-269.

Jones, S.E. & Yarbrough, A.E. (1985). A naturalistic study of the meanings of touch. *Communication Monographs, 52*, 19-56.

Jong-Gierveld, J. de. (1986). Loneliness and the degree of intimacy in interpersonal relationships. In R. Gilmour & S. Duck (Eds.), *The emerging field of personal relationships* (pp. 241-249). Hillsdale, NJ: Erlbaum.

Jöreskog, K.G. & Sörbom, D. (1982). Recent developments in structural equation modeling. *Journal of Marketing Research, 19*, 404-416.

Jöreskog, K.G. & Sörbom, D. (1984). *LISREL VI*. Chicago: National Educational Resources.

Jöreskog, K.G. & Sörbom, D. (1985). *Lisrel VI: Analysis of linear structural relationships by the method of maximum likehood*. Mooresville, IN: Scientific Software.

Jose, P.E. (1991). Measurement issues in children's immanent justice judgments. *Merrill Palmer Quarterly, 37*, 601-617.

Josephs, R.A., Markus, H.R. & Tafarodi, R.W. (1992). Gender and self-esteem. *Journal of Personality and Social Psychology, 63*, 391-402.

Joshi, P. & Marchand, P.P. (1985). La psychologie sociale appliquée: pourquoi et comment? *International Review of Applied Psychology, 33*, 315-333.

Jourard, S.M. (1964). *The transparent self: Self-disclosure and well-being*. Princeton, NJ: Van Nostrand Reinhold.

Jourard, S.M. (1971). *Self-disclosure: An experimental analysis of the transparent self*. New York: John Wiley and Sons.

Jourard, S.M. (1972). *La transparence de soi*. Sainte-Foy, QC: Éditions Saint-Yves.

Jourard, S.M. & Lasakow, P. (1958). Some factors in self-disclosure. *Journal of Abnormal and Social Psychology, 56*, 91-98.

Kahle, L.R., Beatty, S.E. & Homer, P.M. (1986). Alternative measurement approaches to consumer values: The test of Values (LOV) and Values and Lifestyles (VALS). *Journal of Consumer Research, 13*, 405-409.

Kahn, A. & Ryen, A.H. (1972). Factors influencing the bias towards one's own group. *International Journal of Group Tensions, 2*, 33-50.

Kahneman, D. & Miller, D.T. (1986). Norm theory: Comparing reality to its alternatives. *Psychological Review, 93*, 136-153.

Kahneman, D. & Tversky, A. (1982). The simulation heuristic. In D. Kahneman, P. Slovic & A. Tversky (Eds.), *Judgment under uncertainty: Heuristics and biases*. New York: Cambridge University Press.

Kalin, R. (1981). Ethnic attitudes. In R.C. Gardner & R. Kalin (Eds.), *A Canadian social psychology of ethnic relations* (pp. 132-150). Toronto: Methuen.

Kalin, R. & Rayko, D.S. (1978). Discrimination in evaluative judgments against foreign-accented job candidates. *Psychological Reports, 43*, 1203-1209.

Kalin, R., Rayko, D.S. & Love, N. (1980). The perception of evaluation of job candidates with four different ethnic accents. In H. Giles, W.P. Robinson &

P. Smith (Eds.), *Language: Social psychological perspectives*. Oxford: Pergamon.

Kalmuss, D. (1984). The intergenerational transmission of marital aggression. *Journal of Marriage and the Family, 46*, 11-19.

Kamen-Siegel, L., Rodin, J., Seligman, M.E.P. & Dwyer, J. (1991). Explanatory style and cell-mediated immunity in elderly men and women. *Health Psychology, 10*, 229-235

Kamins, M.A. & Assael, H. (1987). Two-sided versus one-sided appeals: A cognitive perspective on argumentation, source derogation, and the effect of disconfirming trial on belief change. *Journal of Marketing Research, 24*, 29-39.

Karlins, M., Coffman, J. & Walters, G. (1969). On the fading of social stereotypes: Studies in three generations of college students. *Journal of Personality and Social Psychology, 13*, 1-16.

Karoly, P. (1993). Mechanisms of self-regulation: A systems view. *Annual Review of Psychology, 44*, 23-51.

Kassarjian, H. & Cohen, J. (1965). Cognitive dissonance and consumer behavior. *California Management Review, 8*, 55-64.

Katz, D. (1960). The functional approach to the study of attitudes. *Public Opinion Quarterly, 24*, 163-204.

Katz, I., Cohen, S. & Glass, D. (1975). Some determinants of cross-racial helping. *Journal of Personality and Social Psychology, 32*, 964-970.

Katz, I. & Hass, R.G. (1988). Racial ambivalence and American value conflict: Correlational and priming studies of dual cognitive structures. *Journal of Personality and Social Psychology, 55*, 893-905.

Katz, I., Wackenhut, J. & Hass, R.G. (1986). Racial ambivalence, value duality, and behavior. In J.F. Dovidio & S.L. Gaertner (Eds.), *Prejudice, discrimination, and racism* (pp. 35-60). New York: Academic Press.

Kaufman, J. & Zigler, E. (1987). Do abused children become abusive parents? *American Journal of Orthopsychiatry, 57*, 186-192.

Kelley, H.H. (1950). The warm-cold variable in first impression of persons. *Journal of Personality, 18*, 431-439.

Kelley, H.H. (1967). Attribution theory in social psychology. In D. Levine (Ed.), *Nebraska Symposium on Motivation* (Vol. 15). Lincoln: University of Nebraska Press.

Kelley, H.H. (1972a). Attribution in social interaction. In E.E. Jones, D.E. Kanouse, H.H. Kelley, R.E. Nisbett, S. Valins & B. Weiner (Eds.), *Attribution: Perceiving the causes of behavior* (pp. 1-27). Morristown, NJ: General Learning Press.

Kelley, H.H. (1972b). Causal schemata and the attribution process. In E.E. Jones, D.E. Kanouse, H.H. Kelley, R.E. Nisbett, S. Valins & B. Weiner (Eds.), *Attribution: Perceiving the causes of behavior* (pp. 151-174). Morristown, NJ: General Learning Press.

Kelley, H.H. (1973). The process of causal attribution. *American Psychologist, 28*, 107-128.

Kelley, H.H. (1979). *Personal relationships: Their structures and processes*. Hillsdale, NJ: Erlbaum.

Kelley, H.H. (1982). The two major facets of attribution research: An overview of the field. In H. Hiebsch (Ed.), *Social psychology*. New York: North-Holland.

Kelley, H.H. (1986). Personal relationships: Their nature and significance. In Gilmour, R. & Duck, S. (Eds.), *The emerging field of personal relationships*. Hillsdale, NJ: Erlbaum.

Kelley, H.H., Berscheid, E., Christensen, A., Harvey, J.H., Huston, T.L., Levinger, G., McClintock, E., Peplau, L.A. & Peterson, D.R. (Eds.). (1983). *Close relationships*. New York: Freeman.

Kelley, H.H. & Michela, J.L. (1980). Attribution theory and research. *Annual Review of Psychology, 31*, 457-502.

Kelley, H.H. & Thibaut, J.W. (1978). *Interpersonal relations: A theory of interdependence*. New York: John Wiley and Sons.

Kelly, J.G., Ferson, J.E. & Holtzam, W.H. (1958). The measurement of attitudes toward the Negro of the South. *Journal of Social Psychology, 48*, 305-312.

Kellogg, R. & Baron, R.S. (1975). Attribution theory, insomnia, and the reverse placebo effect: A reversal of Storm's and Nisbett's finding. *Journal of Personality and Social Psychology, 32*, 231-236.

Kellogg, W.N. & Kellogg, L.A. (1933). Another film of the ape and child. *Psychological Bulletin, 31*, 581-582.

Kelman, H. (1958). Compliance, identification, and internalization: Three processes of attitude change. *Journal of Conflict Resolution, 2*, 51-60.

Kelman, H.C. (1967). Human use of human subjects: The problem of deception in social psychological experiments. *Psychological Bulletin, 67*, 1-11.

Kenny, D.A. (1985). Quantitative methods of special interest to social psychologists. In G. Lindzey & E. Aronson (Eds.), *The handbook of social psychology* (3rd ed., vol. 1, pp. 487-508). New York: Random House.

Kenrick, D.T. (1989). Bridging social psychology and sociobiology: The case of sexual attraction. In R.W. Bell & N.J. Bell (Eds.), *Sociobiology and the social sciences*. Lubbock, TX: Texas Tech University Press.

Kenrick, D.T., Montello, D.R., Gutierres, S.E. & Trost, M.R. (1993). Effects of physical attractiveness on affect and perceptual judgments: When social comparison overrides social reinforcement. *Personality and Social Psychology Bulletin, 19*, 195-199.

Kerlinger, F.N. (1973). *Foundations of behavioral research*. New York: Holt, Rinehart and Winston.

Kidder, L.H. & Judd, C.M. (1986). *Research methods in social relations* (5th ed.). New York: Holt, Rinehart and Winston.

Kierkegaard, S. (1954). *Fear and trembling/The sickness into death*. Traduit par W. Lowrie. Garden City, NY: Doubleday, Anchor.

Kiesler, C.A. (1971). *The psychology of commitment: Experiments linking behavior to belief*. New York: Academic Press.

Kihlstrom, J.F. & Cantor, N. (1984). Mental representations of the self. In L. Berkowitz (Ed.), *Advances in experimental and social psychology* (Vol. 17, pp. 1-47). New York: Academic Press.

Kilham, W. & Mann, L. (1974). Level of destructive obedience as a function of transmitter and executant roles in the Milgram obedience paradigm. *Journal of Personality and Social Psychology, 29*, 696-702.

Kimble, C.E., Forte, R.A. & Yoshikawa, J.C. (1981). Nonverbal concomitants of enacted emotional intensity and positivity: Visual and vocal behavior. *Journal of Personality, 49*, 271-283.

Kimble, G.A. (1961). *Hilgard and Marquis' conditioning and learning* (2nd ed.). New York: Appleton-Century-Crofts.

Kinder, D.R. (1978). Political person perception: The asymmetrical influence of sentiment on perceptions of presidential candidates. *Journal of Personality and Social Psychology, 36*, 859-871.

Kinder, D.R. & Sears, D.O. (1985). Public opinion and political action. In G. Lindzey & E. Aronson (Eds.), *The handbook of social psychology* (Vol. 2, pp. 659-741). New York: Random House.

Kipnis, D. (1984). The use of power in organizations and in interpersonal settings. In S. Oskamp (Ed.), *Applied social psychology annual 5* (pp. 179-210). Beverly Hills, CA: Sage.

Kirouac, G. (1993). Les émotions. In R.J. Vallerand & E. Thill (Eds.), *Introduction à la psychologie de la motivation* (pp. 41-82). Laval: Éditions Études Vivantes.

Kirouac, G. & Doré, F.Y. (1984). Judgement of facial expressions of emotion as a function of exposure time. *Perceptual and Motor Skills, 59*, 147-150.

Kirouac, G. & Doré, F.Y. (1985). Accuracy of the judgement of facial expression of emotions as a function of sex and level of education. *Journal of Nonverbal Behavior, 9*, 3-7.

Klein, D.C., Fencil-Morse, E. & Seligman, M.E.P. (1976). Depression, learned helplessness, and the attribution of failure. *Journal of Personality and Social Psychology, 33*, 508-516.

Klein, M. (1976). *Essais de psychanalyse*. Paris: Payot.

Klein, M. & Riviere, J. (1953). *Love, hate, and reparation*. London: Hogarth.

Kleinhesselink, R.R. & Edwards, R.E. (1975). Seeking and avoiding belief-discrepant information as a function of its perceived refutability. *Journal of Personality and Social Psychology, 31*, 787-790.

Kleinke, C.L. (1986). Gaze and eye contact: A research review. *Psychological Bulletin, 100*, 78-100.

Kleinke, C.L., Meeker, F.B. & La Fong, C. (1974). Effects of gaze, touch, and use of name evaluation of "engaged" couples. *Journal of Research in Personality, 7*, 368-373.

Kline, S.L. (1987). Self-monitoring and attitude-behavior correspondence in cable television subscription. *Journal of Social Psychology, 127*, 605-609.

Klinger, E. (1977). *Meaning and void: Inner experience and the incentives in people's lives*. Minneapolis: University of Minnesota Press.

Knox, R.E. & Inkster, J.A. (1968). Postdecision dissonance at post time. *Journal of Personality and Social Psychology, 8*, 319-323.

Koestner, R., Losier, G.F., Worren, N.M., Baker, L. & Vallerand, R.J. (1993). *The false consensus bias and the 1992 Canadian Referendum: Was it motivated by self-interest?* Manuscrit soumis pour publication.

Konecni, V.J. & Ebbesen, E.G. (1976). Disinhibition versus the cathartic effect: Artifact and substance. *Journal of Personality and Social Psychology, 34*, 352-365.

Korte, C. (1971). Effects of individual responsability and group communication on help-giving in an emergency. *Human Relations, 24*, 149-159.

Kratochwill, T.R., Mott, S.E. & Dodson, C.L. (1984). Case study and single-case research in clinical and applied psychology. In A.S. Bellack & M. Hersen (Eds.), *Research methods in clinical psychology* (pp. 55-99). New York: Pergamon.

Krause, N., Liang, J. & Yatomi, N. (1989). Satisfaction with social support and depressive symptoms: A panel analysis. *Psychology and Aging, 4*, 88-97.

Krauss, R.M., Apple, W., Morency, N., Wenzel, C. & Winton, W. (1981). Verbal, vocal, and visible factors in judgements of another's affect. *Journal of Personality and Social Psychology, 40*, 312-320.

Kraut, R.E. (1973). Effects of social labeling on giving to charity. *Journal of Experimental and Social Psychology, 9*, 551-562.

Kraut, R.E. & Johnston, R.E. (1979). Social and emotional messages of smilling: An ethological approach. *Journal of Personality and Social Psychology, 37*, 1539-1553.

Kraut, R.E. & Poe, D. (1980). Behavioral roots of person perception: The deceptive judgements of customs inspectors and laymen. *Journal of Personality and Social Psychology, 39*, 784-798.

Krebs, D.L. (1970). Altruism, an examination of the concept and a review of the literature. *Psychological Bulletin, 73*, 258-302.

Krebs, D.L. (1975). Empathy and altruism. *Journal of Personality and Social Psychology, 32*, 1134-1146.

Krueger, J. & Rothbart, M. (1988). Use of categorical and individuating information in making inferences about personality. *Journal of Personality and Social Psychology, 55*, 187-195.

Kruglanski, A.W. (1980). Lay epistemo-logic-process and contents: Another look at attribution theory. *Psychological Review, 87*, 70-87.

Kruglanski, A.W. (1989). *Lay epistemics and human knowledge: Cognitive and motivational bases.* New York: Plenum.

Kruglanski, A.W., & Freund, T. (1983). The freezing and unfreezing of lay-inferences: Effects on impressional primacy, ethnic stereotyping, and numerical anchoring. *Journal of Experimental Social Psychology, 19*, 448-468.

Kruglanski, A.W. & Mayseless, O. (1988). Contextual effects in hypothesis testing: The role of competing alternatives and epistemic motivations. *Social Cognition, 6*, 1-20.

Kruglanski, A.W. & Mayseless, O. (1990). Classic and current social comparison research: Expanding the perspective. *Psychological Bulletin, 108*, 195-208.

Kruglanski, A.W., Peri, N. & Zakai, D. (1991). Interactive effects of need for closure and initial confidence on social information seeking. *Social Cognition, 9*, 127-148.

Krugman, H. (1965). The impact of television advertising: Learning without involvement. *Public Opinion Quartely, 29*, 349-356.

Kruskal, J.B. & Wish, M. (1978). *Multidimensional scaling*. Beverly Hills, CA: Sage.

Kulik, J.A., Sledge, P. & Mahler, H.I. (1986). Self-confirmatory attribution, egocentrism, and the perpetuation of self-beliefs. *Journal of Personality and Social Psychology, 50*, 587-594.

Kunda, Z. (1987). Motivated inference: Self-serving generation and evaluation of causal theories. *Journal of Personality and Social Psychology, 53*, 636-647.

Kunst-Wilson, W.R. & Zajonc, R.B. (1980). Affective discrimination of stimuli that cannot be recognized. *Science, 207*, 557-558.

Kuo, Z.Y. (1930). The genesis of the cat's responses to the rat. *Journal of Comparative Psychology, 11*, 1-35.

Kurdek, L.A. (1989). Relationship quality for newly married husbands and wifes: Marital history, stepchildren, and individual-difference predictors. *Journal of Marriage and the Family, 51*, 1053-1064.

Kurdek, L.A. & Schmitt, J.P. (1986). Interaction of sex role self-concept and relationship beliefs in married, heterosexual cohabiting, and gay, and lesbian couples. *Journal of Personality and Social Psychology, 51*, 365-370.

Labov, W. (1966). *The social stratification of English in New York City*. Washington, DC: Center for Applied Linguistics.

Lacan, J. (1966). *Écrits*. Paris: Éditions du Seuil.

Lacroix, J.M. & Rioux, Y. (1978). La communication non verbale chez les bilingues. *Canadian Journal of Behavioural Science, 10*, 130-140.

La France, M. & Mayo, C. (1976). Racial differences in gaze behavior during conversation: Two systematic observational studies. *Journal of Personality and Social Psychology, 33*, 547-552.

Lakoff, R. (1975). *Language and woman's place*. New York: Harper.

Lalleman, J. (1987). A relation between acculturation and second-language acquisition in the classroom. *Journal of Multilingual and Multicultural Development, 8*, 409-431.

Lambert, R. & Curtis, J. (1983). Opposition to multiculturalism among Québécois and English-Canadians. *Canadian Review of Sociology and Anthropology, 20*, 193-206.

Lambert, W.E. (1987). The fate of old-country values in a new land: A cross-national study of child rearing. *Canadian Psychology, 28*, 9-20.

Lambert, W.E., Hodgson, R., Gardner, R.C. & Fillenbaum, S. (1960). Evaluational reactions to spoken languages. *Journal of Abnormal and Social Psychology, 60*, 44-51.

Lamberth, J. (1980). *Social Psychology*. New York: Macmillan.

Landry, R. & Allard, R. (1990). Contact des langues et développement bilingue: un modèle macroscopique. *La revue canadienne des langues vivantes, 46*, 527-553.

Landry, R. & Allard, R. (1992). Ethnolinguistic vitality and the bilingual development of minority and majority group students. In W. Fase, K. Jaespert & S. Kroon (Eds.), *Maintenance and loss of minority language*. Amsterdam: Benjamins.

Langer, E.J. (1989a). *Mindfulness*. Reading, MA: Addison-Wesley.

Langer, E.J. (1989b). Minding matters: The consequences of mindlessness-mindfulness. In L. Berkowitz (Ed.), *Advances in experimental and social psychology* (Vol. 22, pp. 137-173). New York: Academic Press.

Langer, E.J. & Abelson, R.P. (1974). A patient by any other name...: Clinician group difference in labeling biais. *Journal of Consulting and Clinical Psychology, 42*, 4-9.

Langer, E.J., Blank, A. & Chanowitz, B. (1978). The mindlessness of ostensibly thoughtful action. *Journal of Personality and Social Psychology, 36*, 635-642.

Langis, J., Mathieu, M. & Sabourin, S. (1991). Rôles sexuels et adaptation conjugale. *Revue canadienne des sciences du comportement, 23*, 66-75.

Langlais, J., Laplante, P. & Levy, J. (Eds.). (1990). *Le Québec de demain et les communautés culturelles*. Montréal: Éditions du Méridien.

Langlois, R. (1990). *S'appauvrir dans un pays riche*. Montréal: Éditions Albert Saint-Martin.

Lapadat, J. & Seesahai, M. (1977). Male versus female codes in informal contexts. *Sociolinguistics Newsletter, 8*, 7-81.

LaPiere, R.T. (1934). Attitudes vs actions. *Social Forces, 13*, 230-237.

LaPiere, R.T. & Fransworth, P.R. (1942). *Social psychology*. New York: McGraw-Hill.

Lassiter, G.D., Stone, J.I. & Weigold, M.F. (1987). Effect of leading questions on the self-monitoring-memory correlation. *Personality and Social Psychology Bulletin, 13*, 537-545.

Lasswell, M.E. & Lobsenz, N.M. (1980). *Styles of loving*. New York: Ballantine.

Latané, B. (1966). Studies in social comparison. *Journal of Experimental Social Psychology, 2* (Suppl. 1), 32-39.

Latané, B. (1981). The psychology of social impact. *American Psychologist, 36*, 334-356.

Latané, B. & Darley, J.M. (1970). *The unresponsive bystander: Why doesn't he help?* New York: Appleton-Century-Crofts.

Latané, B. & Rodin, J. (1969). A lady in distress: Inhibiting effects of friends and strangers on bystander intervention. *Journal of Experimental Social Psychology, 5*, 187-202.

Latané, B., Williams, K. & Harkins, S. (1979). Many hands make light the work: The causes and consequences of social loafing. *Journal of Personality and Social Psychology, 37*, 822-832.

Lau, R.R. (1984). Dynamics of the attribution process. *Journal of Personality and Social Psychology, 46*, 1017-1028.

Lau, R.R. & Russell, D. (1980). Attributions in the sports pages: A field test of some current hypotheses about attribution research. *Journal of Personality and Social Psychology, 39*, 29-38.

Laver, J. & Trudgill, P. (1979). Phonetic and linguistic markers in speech. In K.R. Scherer & H. Giles (Eds.), *Social markers in speech* (pp. 1-32). Cambridge: Cambridge University Press.

Lazarus, R.S. (1984). On the primacy of cognition. *American Psychologist, 39*, 124-129.

Lazarus, R.S. (1991). *Emotion and adaptation*. New York: Oxford University Press.

Le Bon, G. (1963). *Psychologie des foules*. Paris: Presses universitaires de France.

Leary, M.R. & Kowalski, R.M. (1990). Impression management: A literature review and two-component model. *Psychological Bulletin, 107*, 34-47.

Leavy, R.L. (1983). Social support and psychological disorder: A review. *Journal of Community Psychology, 11*, 3-21.

Lecky, P. (1945). *Self-consistency: A theory of personality*. New York: Island Press.

Le Devoir. Montréal, 14 avril 1987. Sondage sur les valeurs des Québécois. Les études de marché Créatec+, pour *Le Devoir*.

Lee, J.A. (1973). *The colors of love: An exploration of the ways of loving*. Don Mills, Ont.: New Press.

Lee, J.A. (1988). Love-styles. In R.J. Sternberg & M.L. Barnes (Eds.), *The psychology of love*. New Haven, CT: Yale University Press.

Lee, K.C. (1991). The problem of appropriateness of the Rokeach Value Survey in Korea. *International Journal of Psychology, 26*, 299-310.

Leeper, R. (1935). A study of a neglected portion of the field of learning. The development of sensory organization. *Journal of Genetic Psychology, 46*, 41-75.

Legault, J. (1992). *L'invention d'une minorité: les Anglo-Québécois*. Montréal: Boréal.

Lehrman, D.S. (1953). A critique of Konrad Lorenz's theory of instinctive behavior. *Quarterly Review of Biology, 28*, 337-363

Leik, R.K. & Leik, S.K. (1977). Transition to interpersonal commitment. In R. Hamblin & J.H. Kunkel (Eds.), *Behavior theory in sociology*. New Brunswick, NJ: Transaction Books.

Lemaine, J.M. (1971/1972). Initiation aux échelles d'attitudes. *Bulletin de psychologie, 25*, 72-101.

Lemyre, L. & Smith, P.M. (1985). Intergroup discrimination and self-esteem in the minimal group paradigm. *Journal of Personality and Social Psychology, 49*, 660-670.

Lenski, G.E. (1984). *Power and privilege: A theory of social stratification*. Chapel Hill, NC: University of North Carolina Press.

Le Point. Paris, décembre 1987.

Lepper, M.R., Greene, D. & Nisbett, R.E. (1973). Undermining children's intrinsic interest with external rewards: A test of the overjustification hypothesis. *Journal of Personality and Social Psychology, 28*, 129-137.

Lepper, M.R., Ross, L. & Lau, R.R. (1986). Persistence of inaccurate beliefs about the self: Perseverance effects in the classroom. *Journal of Personality and Social Psychology, 50*, 482-491.

Lerner, M.J. (1970). The desire for justice and reactions to victims. In J.R. Macaulay & L. Berkowitz (Eds.), *Altruism and helping behavior* (pp. 205-229). New York: Academic Press.

Lerner, M.J. (1977). The justice motive: Some hypotheses as to its origins and forms. *Journal of Personality, 45*, 1-52.

Lerner, M.J. (1980). *The belief in a just world: A fundamental delusion*. New York: Plenum.

Lerner, M.J. & Lerner, S. (Eds.). (1981). *The justice motive in social behavior*. New York: Plenum.

Lerner M.J. & Miller, D.T. (1978). Just world research and the attribution process: Looking back and ahead. *Psychological Bulletin, 85*, 1030-1051.

Lerner, M.J. & Simmons, C.H. (1966). Observers' reaction to the "innocent victim:" Compassion or rejection? *Journal of Personality and Social Psychology, 4*, 203-210.

Leventhal, H. (1970). Findings and theory in the study of fear communications. In L. Berkowitz (Ed.), *Advances in experimental social psychology* (Vol. 5, pp. 119-186). New York: Academic Press.

Levine, J.M. & Moreland, R.L. (1985). Innovation and socialisation in small groups. In S. Moscovici, G. Mugny & E. Van Avermaaet (Eds.), *Perspectives on minority influence*. Cambridge et Paris: Cambridge University Press et Maison des sciences de l'homme.

Levine, J.M. & Pavelchak, M.A. (1984). Conformité et obéissance. In S. Moscovici (Ed.), *Psychologie sociale*. Paris: Presses universitaires de France.

Levine, J.M., Resnick, L.B. & Higgins, E.T. (1993). Social foundations of cognition. *Annual Review of Psychology, 44*, 585-612.

Levine, M.C. (1990). *The reconquest of Montreal: Language policy and social change in a bilingual city*. Philadelphia, PA: Temple University Press.

LeVine, R.A. & Campbell, D.T. (1972). *Ethnocentrism: Theories of conflict, ethnic attitudes and group behavior*. New York: John Wiley and Sons.

Levinger, G. (1980). Toward the analysis of close relationships. *Journal of Experimental Social Psychology, 16*, 510-544.

Levinger, G. (1983). Development and change. In H.H. Kelley, E. Berscheid, A. Christensen, J.H. Harvey, T.L. Huston, G. Levinger, E. McClintock, L.A. Peplau & D.R. Peterson (Eds.), *Close relationships*. New York: Freeman.

Levinger, G. (1988). Can we picture «love»? In R.J. Sternberg & M.L. Barnes (Eds.), *The psychology of love* (pp. 139-158). New Haven, CT: Yale University Press.

Levinger, G. & Snoek, D.J. (1972). *Attraction in relationships: A new look at interpersonal attraction*. Morristown, NJ: General Learning Press.

Levy, M.B. & Davis, K.E. (1988). Lovestyles and attachment styles compared: Their relations to each other and to various relationship characteristics. *Journal of Social and Personal Relationships, 5*, 439-471.

Lewicki, P. (1985). Nonconscious biaising effects of single instance of subsequent judgments. *Journal of Personality and Social Psychology, 485*, 63-574.

Lewin, K. (1936). *Principles of topological psychology*. New York: McGraw-Hill.

Lewin, K. (1947). Group decision and social change. In T.M. Newcomb & E.L. Hartley (Eds.), *Readings in social psychology* (pp. 330-344). New York: Henry Holt and Company.

Lewin, K. (1948). *Resolving social conflicts*. New York: Harper.

Lewin, K. (1951). *Field theory in social science*. New York: Harper.

Lewin, K., Lippitt, R. & White, R. (1939). Patterns of aggressive behavior in experimentally created "social climates". *Journal of Social Psychology, 10*, 271-299.

Lewis, D.K. (1969). *Convention*. Cambridge, MA: Harvard Univiversity Press.

Leyens, J.P. (1977). *Psychologie sociale*. Bruxelles: Pierre Mardaga éditeur.

Leyens, J.P. (1983). *Sommes-nous tous des psychologues?* Bruxelles: Pierre Mardaga éditeur.

Leyens, J.P., Parke, R.D., Camino, L. & Berkowitz, L. (1975). Effects of movie violence on aggression in a field setting as a function of group dominance and cohesion. *Journal of Personality and Social Psychology, 32*, 346-360.

Lieberman, S. (1956). The effect of changes in roles on the attitudes of role occupants. *Human Relations, 9*, 385-402.

Liebert, R.M. & Baron, R.A. (1972). Some immediate effects of televised violence on children's behavior. *Developmental Psychology, 6*, 469-475.

Likert, R. (1932). A technique for the measurement of attitudes. *Archives of Psychology, No. 140*.

Limber, J. (1977). Language in child and chimp? *American Psychologist, 32*, 280-295.

Lindsay, P.H. & Norman, N.A. (1972). *Human information processing: An introduction to psychology*. London: Academic Press.

Lindzey, G. & Byrne, D. (1968). Measurement of social choice and interpersonal attractiveness. In G. Lindzey & E. Aronson (Eds.), *The handbook of social psychology* (Vol. 2). (2nd ed.). Reading, MA: Addison-Wesley.

Linville, P.W. (1987). Self-complexity as a cognitive buffer against stress-related illness and depression. *Journal of Personality and Social Psychology, 52*, 663-676.

Lippa, R. (1976). Expressive control and the leakage of dispositional introversion-extraversion during role-playing teaching. *Journal of Personality, 44,* 541-559.

Lippa, R. (1978). The effects of expressive control on expressive consistency and on the relation between expression behavior and personality. *Journal of Personality, 46,* 438-461.

Loeber, R. (1982). The stability of antisocial and delinquent child behavior: A review. *Child Development, 53,* 1431-1446.

Lopata, H.Z. (1969). Loneliness, forms and components. *Social Problems, 17,* 248-261.

Lord, C.G., Lepper, M.R. & Mackie, D. (1984). Attitude prototypes as determinants of attitude-behavior consistency. *Journal of Personality and Social Psychology, 46,* 1254-1266.

Lord, C.G., Ross, L. & Lepper, M.R. (1972). Biased assimilation and attitude polarization: The effects of prior theories on subsequently considered evidence. *Journal of Personality and Social Psychology, 37,* 2098-2109.

Lorenz, K. (1966). *On aggression.* New York: Hartcourt Brace Jovanovich.

Lortie-Lussier, M. & Crampont-Courseau, B. (1991). De quelques enjeux psychologiques de la féminisation des titres professionnels. *Revue québécoise de psychologie, 12,* 59-71.

Losch, M.E. & Cacioppo, J.T. (1990). Cognitive dissonance may enhance sympathetic tonus, but attitudes are changed to reduce negative affect rather than arousal. *Journal of Experimental Social Psychology, 26,* 289-304.

Losier, G.F., Bourque, P.E. & Vallerand, R.J. (1993). A motivational model of leisure participation in the elderly. *Journal of Psychology, 127,* 153-170.

Lott, A. & Lott, B. (1965). Group cohesiveness as interpersonal attraction: A review of relationships with antecedent and consequent variables. *Psychological Bulletin, 64,* 259-309.

Lott, B.E. & Lott, A.J. (1985). Learning theory in contemporary social psychology. In G. Lindzey & E. Aronson (Eds.), *The handbook of social psychology* (3rd ed., vol. 1, pp. 109-135). New York: Random House.

Lowe, J.B., Windsor, R.A., Adams, B., Morris, J. & Reese, Y. (1986). Use of a bogus pipeline method to increase accuracy of self-reported alcohol consumption among pregnant women. *Journal of Studies on Alcohol, 47,* 173-175.

Lowenthal, M.F. & Haven, C. (1968). Interaction and adaptation: Intimacy as a critical variable. *American Sociological Review, 33,* 20-30.

Ludwig, D., Franco, J.N. & Malloy, J.E. (1986). Effects of reciprocity and self-monitoring on self-disclosure with a new acquaintance. *Journal of Personality and Social Psychology, 50,* 1077-1082.

Luhtanen, R. & Crocker, J. (1991). Self-esteem and intergroup comparisons: Toward a theory of collective self-esteem. In J. Subs & T.A. Wills (Eds.), *Social comparison: Contemporary theory and research* (pp. 211-234). Hillsdale, NJ: Erlbaum.

Luhtanen, R. & Crocker, J. (1992). A collective self-esteem scale: Self-evaluation of one's social identity. *Personality and Social Psychology Bulletin, 18,* 302-318.

Lyle, J. (1972). Television in daily life: Patterns of use. In E.A. Rubinstein, G.A. Comstock & J.P. Murray (Eds.), *Television and social behavior: IV. Television in day-to-day life: Patterns of use.* Washington, DC: U.S. Government Printing Office.

Maass, A. & Clark, R.D. III. (1984). Hidden impact of minorities: Fifteen years of minority research. *Psychological Bulletin, 95,* 428-450.

Maass, A., Clark, R.K. & Haberkorn, G. (1982). The effects of differential ascribed category membership and norms on minority influence. *European Journal of Social Psychology, 12,* 89-104.

Maass, A. & Schaller, M. (1991). Intergroup biases and the cognitive dynamics of stereotype formation. In W. Stroebe & M. Hewstone (Eds.), *European Review of Social Psychology* (Vol. 2, pp. 189-210). Toronto: John Wiley and Sons.

Macaulay, J. (1970). A shill for charity. In J.R. Macaulay & L. Berkowitz (Eds.), *Altruism and helping behavior.* New York: Academic Press.

Maccoby, E.E. (1980). *Social development: Psychological growth and the parent-child relationship.* New York: Harcourt Brace Jovanovich.

Maccoby, E.E. & Jacklin, C.N. (1974). *The psychology of sex differences.* Stanford, CA: Stanford University Press.

Maccoby, E.E. & Jacklin, C.N. (1980). Sex differences in aggression: A rejoinder and reprise. *Child Development, 51,* 964-980.

MacCoun, R.J. & Kerr, N.L. (1987). Suspicion in the psychological laboratory: Kelman's prophecy revisited. *American Psychologist, 42,* 199.

MacIntyre, P.D. & Gardner, R.C. (1990). Anxiety and second-language learning: Toward a theoretical clarification. *Language Learning, 39* (2), 251-275.

MacKay, D.G. (1980). Psychology, prescriptive grammar, and the pronoun problem. *American Psychologist, 35,* 444-449.

MacKay, D.G. (1983). Prescriptive grammar and the pronoun problem. In B. Thorne, C. Kramarae & N. Henley (Eds.), *Language, gender and society.* Rowley, MA: Newbury House.

MacKay, D.G. & Fulkerson, D. (1979). On the comprehension and production of pronouns. *Journal of Verbal Learning and Verbal Behavior, 18,* 661-673.

Mackie, D.M. & Hamilton, D.L. (Eds.). (1992). *Affect, cognition and stereotyping: Interactive processes in group perception.* Orlando, FL: Academic Press.

MacLean, M.J. & Chown, S.M. (1988). Just world beliefs and attitudes toward helping elderly people: A comparison of British and Canadian university students. *International Journal of Aging and Human Development, 26,* 249-260.

MacLeod, L. (1987). *Battered but not beaten... Preventing wife battering in Canada.* Ottawa: Canadian Advisory Council on the Status of Women.

Maillet, L. (1988). *Psychologie et organisations.* Montréal: Agence d'arc.

Main, M., Kaplan, N. & Cassidy, J. (1985). Security in infancy, childhood, and adulthood: A move to the level of representation. *Monographs of the Society for Research in Child Development, 50,* 66-104.

Malamuth, N.M. & Check, J.V.P. (1981). The effects of mass media exposure on acceptance of violence against women: A field experiment. *Journal of Research in Personality, 15,* 436-446.

Malamuth, N.M. & Donnerstein, E. (1982). The effects of aggressive-pornographic mass media stimuli. In L. Berkowitz (Ed.), *Advances in experimental social psychology* (Vol. 15, pp. 103-136). New York: Academic Press.

Mallick, S.K. & McCandless, B.R. (1966). A study of catharsis of aggression. *Journal of Personality and Social Psychology, 4,* 591-596.

Manucia, G.K., Baumann, D.J. & Cialdini, R.B. (1984). Mood influences in helping: Direct effects or side effects? *Journal of Personality and Social Psychology, 46,* 357-364.

Marger, M.N. (1991). *Race and ethnic relations* (2nd ed.). Belmont, CA: Wadsworth.

Marks, G. & Miller, N. (1987). Ten years of research on the false-consensus effect: An empirical and theoretical review. *Psychological Bulletin, 102,* 72-90.

Markus, H. (1977). Self-schemata and processing information about the self. *Journal of Personality and Social Psychology, 42,* 63-78.

Markus, H. (1983). Self-knowledge: An expanded view. *Journal of Personality, 51,* 543-565.

Markus, H. & Cross, S. (1990). The interpersonal self. In L.A. Pervin (Ed.), *Handbook of personality: Theory and research* (pp. 576-608). New York: Guilford.

Markus, H., Hamill, R. & Sentis, K.P. (1987). *Thinking fat: Self-schemas for body weight and the processing of weight relevant information.* Manuscrit inédit, University of Michigan.

Markus, H. & Kunda, Z. (1986). Stability and malleability of the self-concept. *Journal of Personality and Social Psychology, 51,* 858-866.

Markus, H. & Nurius, P. (1986). Possible selves. *American psychologist, 41,* 954-969.

Markus, H. & Sentis, K. (1982). The self in social information processing. In J. Suls (Ed.), *Psychological perspectives on the self* (Vol. 1, pp. 41-70). Hillsdale, NJ: Erlbaum.

Markus, H., Smith, J. & Moreland, R.L. (1985). Role of the self-concept in the social perception of others. *Journal of Personality and Social Psychology, 49,* 1494-1512.

Markus, H. & Wurf, E. (1987). The dynamic self-concept: A social-psychological perspective. *Annual Review of Psychology, 38,* 299-337.

Markus, H. & Zajonc, R.B. (1985). The cognitive perspective in social psychology. In G. Lindzay & E. Aronson (Eds.), *The handbook of social psychology* (3rd ed.) (Vol. 1, pp. 137-230). New York: Random House.

Markus, H.R. & Kitayama, S. (1991). Culture and the self: Implications for cognition, emotion, and motivation. *Psychological Review, 98,* 224-253.

Marsh, H.W. (1986). Global self-esteem: Its relation to specific facets of self-concept and their importance. *Journal of Personality and Social Psychology, 51,* 1224-1236.

Marsh, H.W. (1990). The structure of academic self-concept: The Marsh/Shavelson model. *Journal of Educational Psychology, 82,* 623-636.

Marsh, H.W., Byrne, B.M. & Shavelson, R.J. (1992). A multidimensional, hierarchical self-concept. In T.M. Brinthaupt & R.P. Lipka (Eds.), *The self: Definitional and methodological issues* (pp. 44-95). Albany, NY: State University of New York Press.

Marsh, H.W., Richards, G.E. & Barnes, J. (1986a). Multidimensional self-concepts: The effect of participation in an Outward Bound program. *Journal of Personality and Social Psychology, 50,* 195-204.

Marsh, H.W., Richards, G.E. & Barnes, J. (1986b). Multidimensional self-concepts: A long term follow up of the effect of participation in an Outward Bound program. *Personality and Social Psychology Bulletin, 12,* 475-492.

Marshall, G.D. & Zimbardo, P.G. (1979). Affective consequences of inadequately explained physiological arousal. *Journal of Personality and Social Psychology, 37,* 970-988.

Martin, H. (1981). The prosodic components of speech melody. *Quarterly Journal of Speech, 67,* 81-92.

Martyna, W. (1980). Beyond the "he/man" approach: The case for nonsexist language. *Signs, 5,* 482-493.

Maslach, C. (1979). Negative emotional biaising of unexplained arousal. *Journal of Personality and Social Psychology, 37,* 953-969.

Maslow, A.H. (1941). Deprivation, threat, and frustration. *Psychological Review, 48*, 364-366.

Maslow, A.H. (1954). *Motivation and personality*. New York: Harper.

Maslow, A.H. (1968). *Toward a psychology of being*. New York: Van Nostrand Reinhold.

Masters, W.H., Johnson, V.E. & Kolodny, R.C. (1982). *Human sexuality*. Boston: Little, Brown and Co.

Matlin, M. & Stang, D. (1978). *The Pollyanna principle*. Cambridge, MA: Schenkman.

Matsumoto, D. (1989). Cultural influences on the perception of emotion. *Journal of Cross-Cultural Psychology, 20*, 92-105.

Matsumoto, D. (1992). American-Japanese cultural differences in the recognition of universal facial expressions. *Journal of Cross-Cultural Psychology, 23*, 72-84.

Mattsson, A., Schalling, D., Olweus, D., Low, H. & Svensson, J. (1980). Plasma testosterone, aggressive behavior, and personality dimensions in young male delinquents. *Journal of the Academy of Child Psychiatry, 19*, 476-490.

Maurais, J. (1987). L'expérience québécoise d'aménagement linguistique. In J. Maurais (Ed.), *Politique et aménagement liguistique*. Québec et Paris: Conseil de la langue française et Le Robert.

Mayo, C. & La France, M. (1980). Toward an applicable social psychology. In R.F. Kidd & M.J. Saks (Eds.), *Advances in applied social psychology* (Vol. 1, pp. 81-96). Hillsdale, NJ: Erlbaum.

Mazur-Hart, S.F. & Berman, J.J. (1979). Changing from fault to no-fault divorce: An interrupted time series analysis. *Journal of Applied Psychology, 7*, 300-312.

McAdams, D.P. (1985). Motivation and friendship. In S. Duck & D. Perlman (Eds.), *Understanding personal relationships*. London: Sage.

McAdams, D.P. (1988). Personal needs and personal relationships. In S.W. Duck (Ed.), *Handbook of personal relationships: Theory, research, and intervention*. New York: John Wiley and Sons.

McArthur, L.Z. (1972). The how and what of why: Some determinants and consequences of causal attribution. *Journal of Personality and Social Psychology, 22*, 171-193.

McArthur, L.Z. (1981). What grabs you? The role of attention in impression formation and causal attribution. In E.T. Higgins, C.P. Herman & M.P. Zanna (Eds.), *Social cognition: The Ontario Symposium* (Vol. 1). Hillsdale, NJ: Erlbaum.

McArthur, L.Z. & Baron, R. (1983). Toward an ecological theory of social perception. *Psychological Review, 90*, 215-238.

McArthur, L.Z. & Post, D.L. (1977). Figural emphasis and person perception. *Journal of Experimental Social Psychology, 13*, 520- 535.

McClelland, D.C. (1982). The need for power, sympathetic activation, and illness. *Motivation and Emotion, 6*, 31-41.

McClelland, D.C. (1985). How motives, skills, and values determine what people do. *American Psychologist, 40*, 812-825.

McConahay, J.B. (1986). Modern racism, ambivalence, and the modern racism scale. In J.F. Dovidio & S.L. Gaertner (Eds.), *Prejudice, discrimination and racism* (pp. 91-126). New York: Academic Press.

McDougall, W. (1908). *An introduction to social psychology*. London: Methuen.

McFarland, C. & Ross, M. (1982). Impact of causal attributions on affective reactions to success and failure. *Journal of Personality and Social Psychology, 43*, 937-946.

McFarland, C., Ross, M. & Conway, M. (1984). Self-persuasion and self-presentation as mediators of anticipatory attitude change. *Journal of Personality and Social Psychology, 46*, 529-540.

McFarland, C., Ross, M. & Giltrow, M. (1992). Biased recollections in older adults: The role of implicit theories of aging. *Journal of Personality and Social Psychology, 62*, 837-850.

McGarty, C. & Penny, R.E.C. (1988). Categorization, accentuation and social judgement. *British Journal of Social Psychology, 22*, 147-157.

McGhee, P.E. & Teevan, R.C. (1967). Conformity behavior and need for affiliation. *Journal of Social Psychology, 72*, 117-121.

McGue, M., Hirsch, B. & Lykken, D.T. (1993). Age and the self-perception of ability: A twin study analysis. *Psychology and Aging, 8*, 72-80.

McGuire, W.J. (1960). A syllogistic analysis of cognitive relationships. In M.J. Rosenberg & C.I. Hovland (Eds.), *Attitude organization and change* (pp. 65-111). New Haven, CT: Yale University Press.

McGuire, W.J. (1964). Inducing resistance to persuasion: Some contemporary approaches. In L. Berkowitz (Ed.), *Advances in experimental social psychology* (Vol. 1, pp. 191-229). New York: Academic Press.

McGuire, W.J. (1973). The yin and yang of progress in social psychology: Seven Koan. *Journal of Personality and Social Psychology, 26*, 446-456.

McGuire, W.J., (1984). Search for the self: Going beyond self-esteem and the reactive self. In R.A. Zucker, J. Aronoff & A.I. Rabin (Eds.), *Personality and the prediction of behavior* (pp. 73-120). New York: Academic Press.

McGuire, W.J. (1985). Attitudes and attitudinal change. In G. Lindzey & E. Aronson (Eds), *The handbook of social psychology* (Vol. 2, pp. 233-246). Reading, MA: Addison-Wesley.

McGuire, W.J. & McGuire, C.V. (1981). The spontaneous self-concept as affected by personal distinctiveness. In A. Norem-Hebeisen, M. D. Lynch, & K. Gergen (Eds.), *The self-concept*. New York: Ballinger.

McGuire, W.J. & McGuire, C.V. (1982). Significant others in self-space: Sex differences and developmental trends in the social self. In J. Suls (Ed.), *Psychological perspectives on the self* (Vol. 1, pp. 71-96). Hillsdale, NJ: Erlbaum.

McGuire, W.J. & McGuire, C.V. (1988). Content and process in the experience of self. In L. Berkowitz (Ed.), *Advances in experimental social psychology* (Vol. 21, pp. 97-144). San Diego, CA: Academic Press.

McGuire, W.J., McGuire, C.V., Child, P. & Fujioka, T. (1978). Salience of ethnicity in the spontaneous self-concept as a function of one's ethnic distinctiveness in the social environment. *Journal of Personality and Social Psychology, 36*, 511-520.

McGuire, W.J., McGuire, C.V. & Winton, W. (1979). Effects of household sex composition on the salience of one's gender in the spontaneous self-concept. *Journal of Experimental Social Psychology, 15*, 77-90.

McGuire, W.J. & Padawer-Singer, A. (1976). Trait salience in the spontaneous self-concept. *Journal of Personality and Social Psychology, 33*, 743-754.

McMillan, J.R., Clifton, A.K., McGrath, D. & Gale, W.S. (1977). Women's language: Uncertainty or interpersonal sensitivity and emotionality? *Sex Roles, 3*, 545-559.

McNeill, D. (1985). So you think gestures are nonverbal? *Psychological Review, 92*, 350-371.

McNeill, D. & Levy, E. (1982). Conceptual representations in language activity and gesture. In R.J. Jarvella & W. Klein (Eds.), *Speech, place, and action*. Chichester, NY: John Wiley and Sons.

Mead, G.H. (1913). The social self. *Journal of Philosophy, Psychology, and Scientifics, 7*, 397-405.

Mead, G.H. (1934). *Mind, self, and society*. Chicago, IL: University of Chicago Press.

Mehlman, R.C. & Snyder, C.R. (1985). Excuse Theory: A test of the self-protective role of attributions. *Journal of Personality and Social Psychology, 54*, 994-1001.

Mehrabian, A. (1972). *Nonverbal communication*. Chicago, IL: Aldine.

Mehrabian, A. & Ksionzky, S. (1974). *A theory of affiliation*. Lexington, MA: Heath.

Mellen, S.L.W. (1981). *The evolution of love*. San Francisco, CA: Freeman.

Mendes, H. (1990, juin). *Linking cohesion to group performance in an intergroup competition*. Communication présentée au congrès annuel de la Société canadienne de psychologie, Ottawa.

Mendolia, M. & Kleck, R.E. (1993). Effects of talking about stressful event on arousal: Does what we talk about make a difference? *Journal of Personality and Social Psychology, 64*, 283-292.

Merei, F. (1949). Group leadership and institutionalization. *Human Relations, 2*, 23-29.

Merton, R. (1948). Self-fulfilling prophecy. *Antioch Review, 8*, 193-210.

Merton, R. & Kitt, A. (1965). La théorie du groupe de référence et la mobilité sociale. In A. Levy (Ed.), *Psychologie sociale : textes fondamentaux anglais et américains*. Paris : Dunod.

Messick, D.M. & Mackie, D.M. (1989). Intergroup relations. *Annual Review of Psychology, 40*, 45-81.

Meyer, J.P. & Allen, N.J. (1987). A longitudinal analysis of the early development and consequences of organizational commitment. *Revue canadienne des sciences du comportement, 19*, 199-215.

Meyer, J.P. & Mulherin, A. (1980). From attribution to helping: An analysis of the mediating effects of affect and expectancy. *Journal of Personality and Social Psychology, 39*, 201-210.

Meyer, T.P. (1972). The effects of sexually arousing and violent films on aggressive behavior. *Journal of Sex Research, 8*, 324-333.

Meyer, W.U., Folkes, V.S. & Weiner, B. (1976). The perceived informational value and affective consequences of choice behavior and intermediate difficulty task selection. *Journal of Research in Personality, 10*, 410-423.

Meyer-Bahlburg, H. & Ehrhardt, A. (1982). Prenatal sex hormones and human aggression: A review, and new data on progestogen effects. *Aggressive Behavior, 8*, 39-62.

Michela, J.L. & Wood, J.V. (1986). Causal attributions in health and illness. *Advances in Cognitive-Behavioral Research and Therapy, 5*, 179-235.

Michener, H.A., DeLamater, J.D. & Schwartz, S.H. (1986). *Social psychology*. New York: Harcourt Brace Jovanovich.

Midlarsky, E. (1968). Aiding responses: An analysis and review. *Merrill-Palmer Quaterly, 14*, 229-260.

Midlarsky, E. (1991). Helping as coping. In M.S. Clark (Ed.), *Review of personality and social psychology: Vol. 12. Prosocial behavior* (pp. 238-264). Newbury Park, CA: Sage.

Mikulincer, M., Florian, V. & Tolmacz, R. (1990). Attachment styles and fear of personal death: A case study of affect regulation. *Journal of Personality and Social Psychology, 58*, 273-280.

Milavsky, J.R., Stipp, H.H., Kessler, R.C. & Rubens, W.S. (1982). *Television and aggression : A panel study*. New York: Academic Press.

Milgram, S. (1961). Nationality and conformity. *Scientific American, 205* (5), 45-51.

Milgram, S. (1963). Behavioral study of obedience. *Journal of Abnormal and Social Psychology, 67*, 371-378.

Milgram, S. (1965). Some conditions of obedience and disobedience to authority. *Human Relations, 18*, 57-76.

Milgram, S. (1972). The lost-letter technique. In L. Bickman & T. Henchy (Eds.), *Beyond the laboratory: Field research in social psychology*. New York: McGraw-Hill.

Milgram, S. (1977). *The individual in a social world*. Reading, MA: Addison-Wesley.

Milgram. S., Bickman, L. & Berkowitz, L. (1969). Note on the drawing power of crowds of different size. *Journal of Personality and Social Psychology, 13*, 79-82.

Milgram, S. & Sabini, J. (1978). On maintaining urban norms: A field experiment in the subway. In A. Baum, J.E. Singer & S. Valins (Eds.), *Advances in environmental psychology* (Vol. 1). Hillsdale, NJ: Erlbaum.

Mill, J. (1984). High and low self-monitoring individuals: Their decoding skills and empathic expression. *Journal of Personality, 52*, 372-388.

Millar, M.G., Millar, K.U. & Tesser, A. (1988). The effects of helping and focus of attention on mood states. *Personality and Social Psychology, 51*, 270-276.

Miller, A.G. (1986). *The obedience experiments: A case study of controversy in social science*. New York: Praeger.

Miller, D.T. (1976). Ego involvement and attributions for success and failure.*Journal of Personality and Social Psychology, 34*, 901-906.

Miller, D.T. (1977). Altruism and threat to a belief in a just world. *Journal of Experimental Social Psychology, 13*, 113-124.

Miller, D.T. & Porter, C.A. (1980). Self blame in victims of violence. *Journal of Social Issues, 39*, 139-152.

Miller, D.T. & Ross, M. (1975). Self-serving biases in the attribution of causality: Fact or fiction? *Psychological Bulletin, 82*, 213-255.

Miller, D.T., Turnbull, W. & McFarland, C. (1989). When a coincidence is suspicious: The role of mental simulation. *Journal of Personality and Social Psychology, 57*, 581-589.

Miller, M.L. & Thayer, J.F. (1989). On the existence of discrete classes in personality: Is self-monitoring the correct joint to carve? *Journal of Personality and Social Psychology, 57*, 143-155.

Miller, N. & Brewer, M.B. (Eds.). (1984). *Groups in contact: The psychology of desegregation*. New York: Academic Press.

Miller, N., Brewer, M.B. & Edwards, K. (1985). Cooperative interaction in desegregated settings: A laboratory analogue. *Journal of Social Issues, 41*, 63-79.

Miller, N.E. (1941). The frustration-aggression hypothesis. *Psychological Review, 48*, 337-342.

Miller, N.E. (1948). Theory and experiment relating psychoanalytic displacement to stimulus response generalization. *Journal of Abnormal and Social Psychology, 43*, 155-178.

Miller, N.E. & Bugelski, R. (1948). Minor studies in aggression: the influence of frustrations imposed by the in-group on attitudes expressed toward out-groups. *Journal of Psychology, 25*, 437-442.

Miller, N.E. & Dollard, J. (1941). *Social learning and imitation*. New Haven, CT: Yale University Press.

Milner, D. (1975). *Children and race*. Harmondsworth: Penguin.

Miniard, P.W. & Cohen, J.B. (1981). An examination of the Fishbein-Ajzen behavioral-intentions model's concepts and measures. *Journal of Experimental and Social Psychology, 17*, 309-339.

Mischel, W. (1968). *Personality and assessment*. New York: John Wiley and Sons.

Mischel, W. (1973). Toward a cognitive social learning reconceptualization of personality. *Psychological Review, 80*, 252-283.

Moghaddam, F.M. (1992). Assimilation et multiculturalisme: le cas des minorités du Québec. *Revue québécoise de psychologie, 13*, 140-157.

Moghaddam, F.M. & Vuksanovic, V. (1990). Attitudes and behavior toward human rights across different contexts: The role of right-wing authoritarianism, political ideology, and religiosity. *International Journal of Psychology, 25*, 455-474.

Moïse, L.C., Clément, R. & Noels, K.A. (1990). Aspects motivationnels de l'apprentissage de l'espagnol au niveau universitaire. *Revue canadienne des langues vivantes, 46*, 689-705.

Monson, T.C. & Snyder, M. (1977). Actors, observers, and the attribution process: Toward a reconceptualization. *Journal of Experimental Social Psychology, 13*, 89-111.

Montagu, M.F.A. (1968). *Man and aggression*. New York: Oxford University Press.

Monteil, J.M. (1993). *Soi et le contexte: constructions autobiographiques, insertions sociales et performances cognitives*. Paris: Armand Colin.

Montepare, J.M. & McArthur, L.Z. (1988). Impressions of people created by age-related qualities of their gaits. *Journal of Personality and Social Psychology, 55*, 547-556.

Moore, D.L., Hausknecht, D. & Thamodaran, K. (1986). Time compression, response opportunity, and persuasion. *Journal of Consumer Research, 13,* 85-99.

Moore, T.E. & Cadeau, M. (1985). The representation of women, the elderly and minorities in Canadian television commercials. *Canadian Journal of Behavioural Science, 17,* 213-225.

Moreland, R.L. (1987). The formation of small groups. *Review of Personality and Social Psychology, 8,* 80-110.

Moreland, R.L. & Hogg, M.A. (1993). Theoretical perspectives on social processes in small groups. *British Journal of Social Psychology, 32,* 1-4.

Moreland, R.L. & Levine, J.M. (1982). Socialization in small groups: Temporal changes in individual-group relations. In L. Berkowitz (Ed.), *Advances in experimental social psychology* (Vol. 15, pp. 137-192). New York: Academic Press.

Moreno, J.L. (1934). *Who shall survive? Foundations of sociometry, group psychotherapy, and sociodrama.* Washington, DC: Nervous and Mental Disease Publ. Co.

Mori, D., Chaiken, S. & Pliner, P. (1987). "Eating lightly" and the self preventation of feminity. *Journal of Personality and Social Psychology, 53,* 693-702.

Moriarty, T. (1975). Crime, commitment, and the responsive bystander: Two field experiments. *Journal of Personality and Social Psychology, 31,* 370-376.

Morley, I., Webb, J. & Stephenson, G. (1988). Bargaining and arbitration in the resolution of conflict. In W. Stroebe, A.W. Kruglanski, D. Bar-Tal & M. Hewstone (Eds.), *The social psychology of intergroup conflict: Theory, research and applications.* New York: Springer-Verlag.

Morse, S.J. & Gergen, K.J. (1970). Social comparison, self-consistency and the presentation of self. *Journal of Personality and Social Psychology, 16,* 148-159.

Moscovici, S. (1972). Society and theory in social psychology. In J. Israel & H. Tajfel (Eds.), *The context of social psychology: A critical assessment.* London: Academic Press.

Moscovici, S. (1979). A rejoiner. *British Journal of Social and Clinical Psychology, 18,* 181.

Moscovici, S. (1985). Social influence and conformity. In G. Lindzey & E. Aronson (Eds.), *The handbook of social psychology* (3rd ed., pp. 347-412). New York: Random House.

Moscovici, S. (1988). *La machine à faire des dieux: sociologie et psychologie.* Paris: Fayard.

Moscovici, S. (1992). The discovery of group polarization. In D. Granberg & G. Sarup (Eds.), *Social judgment and intergroup relations: Essays in honor of Muzafer Sherif.* New York: Springer-Verlag.

Moscovici, S., Lage, E. & Naffrechoux, M. (1969). Influence of a consistent minority on the responses of a majority in a color perception task. *Sociometry, 32,* 365-380.

Moscovici, S., Mugny, G. & Van Avermaet, E. (Eds.). (1985). *Perspectives on minority influence.* New York: Cambridge University Press.

Moscovici, S. & Zavalloni, M. (1969). The group as a polariser of attitudes. *Journal of Personality and Social Psychology, 12,* 125-135.

Moulton, J., Robinson, G.M. & Elias, C. (1978). Sex bias in language use: "Neutral" pronouns that aren't. *American Psychologist, 33,* 1032-1036.

Moustaka, G. (1961). *Loneliness.* New York: Prentice-Hall.

Mowrer, O.H. (1950). On the psychology of "talking birds". A contribution to language and personality theory. In O.H. Mowrer (Ed.), *Learning theory and personality dynamics: Selected papers.* New York: Ronald Press.

Mueller, P. & Major, B. (1989). Self-blame, self-efficacy, and adjustment to abortion. *Journal of Personality and Social Psychology, 57,* 1059-1068.

Mullen, B., Atkins, J.L., Champion, D.S., Edwards, C., Hardy, D., Story, J.E. & Vanderklok, M. (1985). The false consensus effect: A meta-analysis of 115 hypothesis tests. *Journal of Experimental Social Psychology, 21,* 262-283.

Mullen, B. & Goethals, G.R. (Eds.). (1987). *Theories of group behavior.* New York: Springer-Verlag.

Mullen, B. & Hu, L.T. (1989). Perceptions of ingroup and outgroup variability: A meta-analytic integration. *Basic and Applied Social Psychology, 10,* 233-252.

Murphy, G. (1949). *Historical introduction to modern psychology.* New York: Harcourt Brace Jovanovich.

Murstein, B.I. (1976). *Who will marry whom? Theories and research in marital choice.* New York: Springer-Verlag.

Murstein, B.I. (1987). A clarification and extension of the SVR theory of dyadic pairing. *Journal of Marriage and the Family, 49,* 929-933.

Murstein, B.I. (1988). A taxonomy of love. In R.J. Sternberg & M.L. Barnes (Eds.), *The psychology of love.* New Haven, CT: Yale University Press.

Murstein, B.I. & Williams, P.D. (1983). Sex roles and marriage adjustment. *Small Group Behavior, 14,* 77-94.

Myers, D.G. (1990). *Social psychology.* New York: McGraw-Hill.

Nadler, A. (1991). Help-seeking behavior: Psychological costs and instrumental benefits. *Review of personality and social psychology: Vol. 12. Prosocial behavior* (pp. 290-311). Newbury Park, CA: Sage.

Nadler, A. & Fisher, J.D. (1986). The role of threat to self-esteem and perceived control in recipient reaction to help: Theory development and empirical validation. In L. Berkowitz (Ed.), *Advances in experimental social psychology* (vol. 19, pp. 81-123).

Nadler, A., Fisher, J.D. & Ben-Itzhak, S. (1983). With a little help from my friend: Effect of single or multiple acts of aid as a function of donor and task characteristics. *Journal of Personality and Social Psychology, 44*, 310-321.

Nadler, A. & Mayseless, O. (1983). Recipient self-esteem and reactions to help. In J.D. Fisher, A. Nadler & B.M. DePaulo (Eds.), *New directions in helping: Vol. 1. Recipient reactions to aid* (pp. 167-188). New York: Academic Press.

Neisser, U. (1976). *Cognition and reality*. San Francisco, CA: Freeman.

Neuberg, S.L. (1988). Behavioral implications of information presented outside of conscious awareness: The effect of subliminal presentation of trait information on behavior in the Prisoner's Dilemma Game. *Social Cognition, 6*, 207-230.

Neuberg, S.L. & Fiske, S.T. (1987). Motivational influences on impression formation: Outcome dependancy, accuracy-driven attention, and individuating. *Journal of Personality and Social Psychology, 53*, 431-444.

Newcomb, M.D. & Harlow, L.L. (1986). Life events and substance use among adolescents: Mediating effects of perceived loss of control and meaninglessness. *Journal of Personality and Social Psychology, 51*, 564-577.

Newcomb, T.M. (1943). *Personality and social change*. New York: Holt, Rinehart and Winston.

Newcomb, T.M. (1956). The prediction of interpersonal attraction. *American Psychologist, 11*, 575-586.

Newcomb, T.M. (1958). Attitude development as a function of reference groups: The Bennington study. In E.E. Maccoby, T.M. Newcomb & E.L. Hartley (Eds.), *Readings in social psychology*. New York: Academic Press.

Newcomb, T.M. (1961). *The acquaintance process*. New York: Holt, Rinehart and Winston.

Newcomb, T.M. (1968). Interpersonal balance. In R.P. Abelson, E. Aronson, W.J. McGuire, T.M. Newcomb, M.J. Rosenberg & P.H. Tannenbaum (Eds.), *Theories of cognitive consistency: A sourcebook*. Chicago, IL: Rand McNally.

Newcomb, T.M., Koenig, K.E., Flacks, R. & Warwick, D.P. (1967). *Persistence and change: Bennington college and its students after twenty-five years*. New York: John Wiley and Sons.

Newcomb, T.M., Turner, R.H. & Converse, P.E. (1970). *Manuel de psychologie sociale*. Paris: Presses universitaires de France.

Newman, L.S., Higgins, T.E. & Vookles, J. (1992). Self-guide strength and emotional vulnerability: Birth order as a moderator of self-affect relations. *Personality and Social Psychology Bulletin, 18*, 402-411.

Newtson, D. (1974). Dispositional inference from effects of actions : Effects chosen and effects foregone. *Journal of Experimental Social Psychology, 10*, 487-496.

Ng, S.H. (1982a). Choosing between the ranking and rating procedures for the comparison of values across values. *European Journal of Social Psychology, 12*, 169-172.

Ng, S.H. (1982b). Power and intergroup discrimination. In H. Tajfel (Ed.), *Social identity and intergroup relations* (pp. 179-206). Cambridge et Paris: Cambridge University Press et Maison des sciences de l'homme.

Ng, S.H. (1984). Equity and social categorization effects on intergroup allocation of rewards. *British Journal of Social Psychology, 23*, 165-172.

Ng, S.H. (1990). Language and control. In H. Giles & W.P. Robinson (Eds.), *Handbook of language and social psychology* (pp. 271-285). Chichester, NY: John Wiley and Sons.

Nielson Television Index. (1982). *National audience demographics report*. Northbrook, IL: A.C. Nielsen Co.

Nisbett, R.E. & Borgida, E. (1975). Attribution and the psychology of prediction. *Journal of Personality and Social Psychology, 32*, 932-943.

Nisbett, R.E., Caputo, C., Legant, P. & Marecek, J. (1973). Behavior as seen by the actor and as seen by the observer. *Journal of Personality and Social Psychology, 27*, 154-164.

Nisbett, R.E. & Kunda, Z. (1985). Perception of social distributions. *Journal of Personality and Social Psychology, 48*, 297-311.

Nisbett, R.E. & Ross, L. (1980). *Human inferences: Strategies and shortcomings of social judgment*. Englewood Cliffs, NJ: Prentice-Hall.

Nisbett, R.E. & Wilson, T. (1977). Telling more than we can know: Verbal reports on mental processes. *Psychological Review, 84*, 231-259.

Noels, K.A. & Clément, R. (1989). Orientations to learning German: The effects of language heritage on second language acquisition. *The Canadian Modern Language Review, 45*, 245-257.

Noels, K.A., Pelletier, L., Clément, R. & Vallerand, R.J. (1990, novembre) *Motivation intrinsèque et extrinsèque et l'apprentissage d'une langue seconde*. Affiche présentée au 13e Congrès annuel de la Société québécoise pour la recherche en psychologie, Ottawa.

Nurmi, J.E. (1991). The effect of others' influence, effort, and ability attributions on emotions. *Journal of Social Psychology, 131*, 703-715.

Nuttin, J.M., Jr. (1975). *The illusion of attitude change: Towards a response contagion theory of persuasion*. New York: Academic Press.

Nuttin, J.M., Jr. (1985). Narcissism beyond gestalt and awareness: The name letter effect. *European Journal of Social Psychology, 15*, 353-361.

Oakes, P.J. & Turner, J.C. (1990). Is limited information processing capacity the cause of social stereotyping? *European Review of Social Psychology, 1*, 111-135.

O'Barr, W.M. (1982). *Linguistic evidence: Language power, and strategy in the courtroom*. New York: Academic Press.

O'Connor, B.P. & Dyce, J. (1993). Appraisals of musical ability in bar bands: Identifying the weak link in the looking-glass self chain. *Basic and Applied Social Psychology, 14*, 69-86.

O'Connor, B.P. & Gifford, R. (1988). A test among models of nonverbal immediacy reactions: Arousal-labeling, discrepancy-arousal, and social cognition. *Journal of Nonverbal Behavior, 12*, 6-33.

Ogden, J. & Wardle, J. (1990). Control of eating and attributional style. *British Journal of Clinical Psychology, 29*, 445-446

Ogilvie, D.M. (1987). The undesired self: A neglected variable in personality research. *Journal of Personality and Social Psychology, 52*, 379-385.

O'Keefe, D.J. (1990). *Persuasion: Theory and research*. Newbury Park, CA: Sage.

Olson, J.M. (1988). Misattribution, preparatory information, and speech anxiety. *Journal of Personality and Social Psychology, 54*, 758-767.

Olson, J.M., Herman, C.P. & Zanna, M.P. (1986). *The Ontario Symposium: Relative deprivation and social protest* (Vol. 4). Hillsdale, NJ: Erlbaum.

Olson, J.M. & Ross, M. (1988). False feedback about placebo effectiveness: Consequences for the misattribution of speech anxiety. *Journal of Experimental Social Psychology, 24*, 275-291.

Olweus, D. (1979). Stability of aggressive reaction patterns in males: A review. *Psychological Bulletin, 86*, 852-875.

Olweus, D., Mattsson, A., Schalling, D. & Low, H. (1980). Testosterone, aggression, physical, and personality dimensions in normal adolescent males. *Psychosomatic Medecine, 42*, 263-269.

Omond (1986). *The apartheid handbook*. New York: Viking Penguin.

Orne, M.T. (1962). On the social psychology of the psychological experiment: With particular reference to demand characteristics and their implications. *American Psychologist, 17*, 776-783.

Orvis, B.R., Kelley, H.H. & Butler, D. (1976). Attributional conflict in young couples. In J.H. Harvey, W.J. Ickes, & R.E. Kidd (Eds.), *New directions in attribution research* (Vol. 1, pp. 353-386). Hillsdale, NJ: Erlbaum.

Osborne, R. (1971). *The biological and social meaning of race*. San Francisco, CA: Freeman.

Osgood, C.E., Suci, G.J. & Tannenbaum, P.H. (1957). *The measurement of meaning*. Urbana: University of Illinois Press.

Osgood, C.E. & Tannenbaum, P. (1955). The principle of congruity in the prediction of attitude change. *Psychological Review, 62*, 42-55.

Oskamp, S. (1991). *Attitudes and opinions*. Englewood Cliffs, NJ: Prentice-Hall.

O'Sullivan, C.S. & Durso, F.T. (1984). Effect of schema-incongruent information on memory for stereotype attributes. *Journal of Personality and Social Psychology, 47*, 55-70.

O'Sullivan, M., Ekman, P., Friesen, W. & Scherer, K. (1985). What you say and how you say it: The contribution of speech content and voice quality to judgements of others. *Journal of Personality and Social Psychology, 48*, 54-62.

Otten, C.A., Penner, L.A. & Waugh, G. (1988). That's what friends are for: The determinants of psychological helping. *Journal of Social and Clinical Psychology, 7*, 34-41.

Owen, D.J. & Straus, M.A. (1975). The social structure of violence in childhood and approval of violence as an adult. *Aggressive Behavior, 1*, 193-211.

Oyserman, D. & Markus, H.R. (1990). Possible selves and delinquency. *Journal of Personality and Social Psychology, 59*, 112-125.

Page, M.M. (1969). Social psychology of a classical conditioning of attitude experiment. *Journal of Personality and Social Psychology, 11*, 177-186.

Paillé, M. (1985). *Conséquences des politiques linguistiques québécoises sur les effectifs scolaires selon la langue d'enseignement*, collection Notes et documents n° 52. Québec: Conseil de la langue française.

Paivio, A. (1986). *Mental representations. A dual coding approach*. New York: Oxford University Press.

Pak, A.W., Dion, K.L. & Dion, K.K. (1985). Correlates of self-confidence with English among Chinese students in Toronto. *Canadian Journal of Behavioural Sciences, 17*, 369-378.

Palmer, D.L. (1991). Préjugés et tolérance au Canada. In Conseil économique du Canada (Ed.), *Le nouveau visage du Canada: incidence économique et sociale de l'immigration*. Ottawa: Approvisionnements et Services Canada.

Paltridge, J. & Giles, H. (1984). Attitudes towards speakers of regional accents of French: Effects of regionality, age and sex of listeners. *Linguistische Berichte, 90*, 71-85.

Pam, A., Plutchik, R. & Conte, H.R. (1975). Love: A psychometric approach. *Psychological Reports, 37*, 83-88.

Parducci, A. (1968). The relativism of absolute judgment. *Scientific American, 219*, 84-90.

Parent, E. (1989). *Féminisation des titres occupationnels en français: stéréotypes occupationnels et de sexe.* Manuscrit inédit, Ottawa: École de psychologie, Université d'Ottawa.

Parke, R.D., Berkowitz, L., Leyens, J.P., West, S. & Sebastian, R.J. (1977). Some effects of violent and nonviolent movies on the behavior of juvenile delinquents. In L. Berkowitz (Ed.), *Advances in experimental social psychology* (Vol. 10, pp. 135-172). New York: Academic Press.

Parke, R.D. & Slaby, R.G. (1983). The development of aggression. In P.H. Mussen (Ed.), *Handbook of child psychology* (4th ed., Vol. 4). New York: John Wiley and Sons.

Parkinson, B. (1985). Emotional effects of false automatic feedback. *Psychological Bulletin, 98*, 471-494.

Parkinson, B. & Colgan, L. (1988). False autonomic feedback: Effects of attention to feedback on ratings of pleasant and unpleasant target stimuli. *Motivation and Emotion, 12*, 87-98.

Pastore, N. (1952). The role of arbitrariness in the frustration-aggression hypothesis. *Journal of Abnormal and Social Psychology, 47*, 728-731.

Patterson, F. (1978). Conversations with a gorilla. *National Geographic, 154* (4), 438-465.

Patterson, G.R. (1982). *Coercive family process.* Eugene, OR: Castalia.

Patterson, M.L. (1976). An arousal model of interpersonal intimacy. *Psychological Review, 83*, 235-245.

Patterson, M.L. (1982). A sequential function model of verbal exchange. *Psychological Review, 89*, 231-249.

Patterson, M.L. (1983). *Nonverbal behavior: A functional perspective.* New York: Springer-Verlag.

Patterson, M.L. (1990). Functions of non-verbal behavior in social interaction. In H. Giles & W.P. Robinson (Eds.), *Handbook of language and social psychology* (pp. 101-120). Chichester, NY: John Wiley and Sons.

Paulhus, D. (1982). Individual differences, self-presentation, and cognitive dissonance: Their concurrent operation in forced compliance. *Journal of Personality and Social Psychology, 43*, 838-852.

Paulhus, D.L., Shaffer, D.E. & Downing, L.L. (1977). Effects of blood donor motives salient upon donor retention. *Personality and Social Psychology Bulletin, 3*, 99-102.

Paulus, P.B. (Ed.). (1989). *Psychology of group influence.* Hillsdale, NJ: Erlbaum.

Pavelchak, M.A. (1989). Piecemeal and category-based evaluation: An idiographic analysis. *Journal of Personality and Social Psychology, 56*, 354-363.

Pavlov, I.P. (1927). *Conditioned reflexes.* London: Oxford University Press.

Peele, S. (1988). Fools for love: The romantic ideal, psychological theory, and addictive love. In R.J. Sternberg & M.L. Barnes (Eds.), *The psychology of love.* New Haven, CT: Yale University Press.

Pelletier, L.G., Blais, M.R. & Vallerand, R.J. (1986). The integration and maintenance of change with an elite swimming team: An application of a model for sport psychology. *Canadian Psychology, 27* (2a), 459.

Pelletier, L.G., Brière, N.M., Blais, M.R. & Vallerand, R.J. (1988). Persisting vs droping out: A test of Deci and Ryan's theory. *Canadian Psychology, 29* (2a), 600.

Pelletier, L.G. & Vallerand, R.J. (1990). L'échelle révisée de conscience de soi: une traduction et une validation canadienne-française du Revised Self-Consciousness Scale. *Revue canadienne des sciences du comportement, 22*, 191-206.

Pelletier, L.G., Vallerand, R.J., Blais, M.R. & Brière, N.M. (1990). Leisure motivation and mental health: A motivational analysis of self-determination and self-regulation in leisure. *Canadian Psychology, 31*(2a), 468.

Pelletier, L.G., Vallerand, R.J., Blais, M.R. & Brière, N.M. (1993). *Construction et validation de l'échelle de motivation vis-à-vis des loisirs (EML).* Manuscrit soumis aux fins de publication.

Penfield, J. (Ed.). (1987). *Women and language in transition.* Albany, NY: State University of New York Press.

Pennebaker, J.W. & Sanders, D.Y. (1976). American graffiti: Effects of authority and reactance arousal. *Personality and Social Psychology Bulletin, 2*, 264-267.

Pennington, N. & Hastie, R. (1988). Explanation-based decision-making: Effects of memory structure on judgment. *Journal of Experimental Psychology: Learning, Memory and Cognition, 14*, 521-533.

Penrod, S. (1983). *Social psychology.* Englewood Cliffs, NJ: Prentice-Hall.

Peplau, L.A. & Perlman, D. (Eds.). (1982). *Loneliness: A source book of current theory, research and therapy.* New York: Wiley-Interscience.

Peplau, L.A., Russell, D. & Heim, M. (1979). The experience of loneliness. In I.H. Frieze, D. Bar-Tal & J.S. Carroll (Eds.), *New approaches to social problems: Application of attribution theory.* San Francisco, CA: Jossey-Bass.

Perlman, D. (1984). Recent developments in personality and social psychology: A citation analysis.

Personality and Social Psychology Bulletin, 10, 493-501.

Perlman, D. & Peplau, L.A. (1981). Toward a social psychology of loneliness. In S. Duck & R. Gilmour (Eds.), *Personal relationships: Vol. 3. Personal relationships in disorder.* New York: Academic Press.

Perruchet, P. (1988). L'apprentissage sans conscience: données empiriques et implications théoriques. In P. Perruchet (Ed.), *Les automatismes cognitifs* (pp. 81-101). Bruxelles: Pierre Mardaga éditeur.

Person, E.S. (1988). *Dreams of love and fateful encounters.* New York: Norton.

Pervin, L.A. & Rubin, D.B. (1967). Student dissatisfaction with college and the college dropout: A transactional approach. *Journal of Social Psychology, 72*, 285-295.

Peters, T.J. & Waterman, R.H., Jr. (1982). *In search of excellence.* New York: Harper.

Peters-Golden, H. (1982). Breast cancer: Varied perceptions of social support in the illness experience. *Social Science and Medicine, 16*, 483-491.

Peterson, C. & Barrett, L.C. (1987). Explanatory style and academic performance among university freshmen. *Journal of Personality and Social Psychology, 53*, 603-607.

Peterson, C. & Seligman, M.E.P. (1984). Causal explanations as a risk factor for depression: Theory and evidence. *Psychological Review, 91*, 347-374.

Peterson, C., Seligman, M.E.P. & Vaillant, G. (1988). Pessimistic explanatory style is a risk factor for physical illness: A thirty-five-year longitudinal study. *Journal of Personality and Social Psychology, 55*, 23-27.

Peterson, C., Semmel, A., Baeyer, C., Abramson, L.Y., Metalsky, G.I. & Seligman, M.E.P. (1982). The Attributional Style Questionnaire. *Cognitive Therapy and Research, 6*, 287-299.

Peterson, C., Semmel, A., Von Baeyer, C., Abramson, L.Y., Metalsky, G.I. & Seligman, M.E.P. (1982). The attributional style questionaire. *Cognitive Therapy Resources, 6*, 287-300.

Peterson, C. & Villanova, P. (1988). An Expanded Attributional Style Questionnaire. *Journal of Abnormal Psychology, 97*, 87-89.

Peterson, L. (1980). Developmental changes in verbal and behavioral sensitivity to cues of social norms of altruism. *Child Development, 51*, 830-836.

Peterson, R.C. & Thurstone, L. (1933). *The effect of motion pictures on the social attitudes of high school children.* Chicago, IL: University of Chicago Press.

Pettigrew, T.F. (1958). Personality and sociocultural factors in intergroup attitudes: A cross-national comparison. *Journal of Conflict Resolution, 2*, 29-42.

Pettigrew, T.F. (1959). Regional differences in anti-Negro prejudice. *Journal of Abnormal and Social Psychology, 53*, 603-607.

Pettigrew, T.F. (1979). The ultimate attribution: Extending Allport's cognitive analysis of prejudice. *Personality and Social Psychology Bulletin, 5*, 461-476.

Pettigrew, T.F. (1986). The intergroup hypothesis reconsidered. In M.R.C. Hewstone & R.J. Brown (Eds.), *Contact and conflict in intergroup encounter.* Oxford: Basil Blackwell.

Petty, R.E. & Cacioppo, J.T. (1981). *Attitudes and persuasion: Classic and contemporary approaches.* Dubuque, IA: Brown.

Petty, R.E. & Cacioppo, J.T. (1986). The elaboration likelihood model of persuasion. In L. Berkowitz (Ed.), *Advances in experimental social psychology*, (Vol. 19, pp. 123-205). New York: Academic Press.

Petty, R.E. & Cacioppo, J.T. (1990). Involvement and persuasion: Tradition versus integration. *Psychological Bulletin, 107*, 367-374.

Petty, R.E., Wells, G.L. & Brock, T.C. (1976). Distraction can enhance or reduce yielding to propaganda: Thought disruption versus effort justification. *Journal of Personality and Social Psychology, 34*, 874-884.

Peukert, D. (1989). *Inside Nazi Germany: Conformity, opposition and racism in everyday life.* London: Penguin.

Phares, E.J. & Wilson, K.G. (1972). Responsibility attribution: Role of outcome severity, situational ambiguity and internal-external control. *Journal of Personality, 40*, 392-406.

Phillips, D. (1979). Suicide, motor vehicle fatalities and the mass media: Evidence toward a theory of suggestion. *American Journal of Sociology, 84*, 1150-1174.

Phillips, D.P. (1983). The impact of mass media violence on U.S. homicides. *American Sociological Review, 48*, 560-568.

Phillips, D.P. (1986). Natural experiments on the effects of mass media violence on fatal aggression: Strenghts and weaknesses of a new approach. In L. Berkowitz (Ed.), *Advances in experimental social psychology* (Vol. 19). Orlando, FL: Academic Press.

Phinney, J.S. & Rotheram, M.J. (Eds.). (1987). *Children's ethnic socialization.* London: Sage.

Pierson, H.D., Giles, H. & Young, L. (1987). Intergroup vitality perceptions during a period of political uncertainty: The case of Hong Kong. *Journal of Multilingual and Multicultural Development, 8*, 451-460.

Piliavin, J.A., Dovidio, J.F., Gaertner, S.S. & Clark, R.D. (1981). *Emergency intervention.* New York: Academic Press.

Piliavin, J.A. & Unger, R.K. (1985). The helpful but helpless female: Myth or reality? In V.E. O'Leary, R.K. Unger & B.S. Walston (Eds.), *Women, gender, and social psychology* (pp. 149-189). Hillsdale, NJ: Erlbaum.

Pinard, A. (1987). Communication personnelle.

Pinkney, A. (1987). *Black Americans*. Englewood Cliffs, NJ: Prentice-Hall.

Pistole, C.M. (1989). Attachment in adult romantic relationships: Style of conflict resolution and relationship satisfaction. *Journal of Social and Personal Relationships, 6*, 505-510.

Pittman, T.S. & Pittman, N.L. (1980). Deprivation of control and the attribution process. *Journal of Personality and Social Psychology, 39*, 377-389.

Poliakov, L. (1951). *Bréviaire de la haine: le IIIe Reich et les juifs*. Bruxelles: Éditions Complexe.

Pomazal, R.J. & Clore, G.L. (1973). Helping on the highway: The effects of dependency and sex. *Journal of Applied Social Psychology, 3*, 150-164.

Poplack, S., Clément, R., Miller, C., Purcell, K. & Trudel-Maggiore, M. (1988, octobre). *Peut-on entendre l'intégration d'un emprunt?* Communication présentée à NWAVE- XVII, Montréal.

Poplack, S., Sankoff, D. & Miller, C. (1988). The social correlates and linguistic processes borrowing and assimilation. *Linguistics, 26*, 47-104.

Porterfield, A.L., Mayer, F.S., Dougherty, K.G., Kredich, K.E., Kronberg, M.M., Marsee, K.M. & Okazaki, Y. (1988). Private self-consciousness, canned laughter, and responses to humorous stimuli. *Journal of Research in Personality, 22*, 409-423.

Powell, M.C. & Fazio, R.H. (1984). Attitude accessibility as a function of repeated attitudinal expression. *Personality and Social Psychology Bulletin, 10*, 139-148.

Pratkanis, A.R. (1989). The cognitive representation of attitudes. In A.R. Pratkanis, S.J. Breckler & A.G. Greenwald (Eds.), *Attitude, structure and function* (pp. 71-98). Hillsdale, NJ: Erlbaum.

Pratkanis, A.R. & Greenwald, A.G. (1989). A sociocognitive model of attitude structure and function. In L. Berkowitz (Ed.), *Advances in experimental social psychology* (Vol. 22, pp. 245-285). New York: Academic Press.

Pratkanis, A.R., Greenwald, A.G., Leippe, M.A. & Baumgardner, M.H. (1988). In search of reliable persuasion effects: III. The sleeper effect is dead. Long live the sleeper effect. *Journal of Personality and Social Psychology, 54*, 203-218.

Premack, A.J. & Premack, D. (1972). Teaching language to an ape. *Scientific American, 227*, 92-99.

Prentice, D.A. (1987). Psychological correspondence of possessions, attitudes, and values. *Journal of Personality and Social Psychology, 53*, 993-1003.

Prentice-Dunn, S. & Rogers, R.W. (1982). Effects of public and private self-awareness on deindividuation and aggression. *Journal of Personality and Social Psychology, 43*, 503-513.

Prentice-Dunn, S. & Rogers, R.W. (1989). Deindividuation and the self-regulation of behavior. In P.B. Paulus (Ed.), *Psychology of group influence* (pp. 87-109). Hillsdale, NJ: Erlbaum.

Price Dillard, J. (1991). The current status of research on sequential-request compliance techniques. *Personality and Social Psychology Bulletin, 17*, 283-289.

Pruitt, D.G. (1968). Reciprocity and credit building in a laboratory dyad. *Journal of Personality and Social Psychology, 8*, 143-147.

Purdue, C.W. & Gurtman, M.B. (1990). Evidence for the automaticity of ageism. *Journal of Experimental Social Psychology, 26*, 199-216.

Pyszczynski, T.A. & Greenberg, J. (1987). Self-regulatory preservation and the depressive self-focusing style: A self-awareness theory of reactive depression. *Psychological Bulletin, 102*, 122-138.

Quanty, M.B. (1976). Aggression catharsis: Experimental investigations and implications. In R.G. Geen & E.C. O'Neal (Eds.), *Perspectives on aggression*. New York: Academic Press.

Quarantelli, E.L. & Dynes, R.R. (1972). When disaster strikes. *Psychology Today, 5*, 66-70.

Rabbie, J.M. & Horwitz, M. (1969). Arousal of ingroup-outgroup bias by a chance win or loss. *Journal of Personality and Social Psychology, 13*, 269-277.

Rabow, J., Newcomb, M.D., Monto, M.A. & Hernandez, A.C.R. (1990). Altruism in drunk driving situations: Personal and situational factors in intervention. *Social Psychology Quaterly, 53*, 199-213.

Rajecki, D.W. (1990). *Attitudes*. Sunderland, MA: Sinauer Associates.

Rak, D.S. & McMullen, L.M. (1987). Sex-role stereotyping in television commercials: A verbal response mode and content analysis. *Canadian Journal of Behavioural Science, 19*, 25-39.

Rank, O. (1945). *Will therapy and truth and reality.* Traduit de l'allemand par J. Taft. New York: Alfred A. Knopf.

Raven, B.H. (1988). Social power and compliance in health care. In S. Maes, C.D. Spielberger, P.B. Defares & I.G. Sarason (Eds.), *Topics in health psychology* (pp. 229-244). New York: John Wiley and Sons.

Reeder, G.D. (1985). Implicit relations between dispositions and behaviors: Effects on dispositional attribution. In J.H. Harvey & G. Weary (Eds.), *Attribution: Basic issues and applications* (pp. 87-116). New York: Academic Press.

Reeder, G.D. & Brewer, M.B. (1979). A schematic model of dispositional attribution in interpersonal perception. *Psychological Review, 86*, 61-79.

Reeves, R.A., Richardson, D.C. & Hendrick, C. (1979). Bibliography of journal articles in personality and social psychology. *Personality and Social Psychology Bulletin, 5*, 524-542.

Regan, D.T. (1978). Attributional aspects of interpersonal attraction. In J. Harvey, W. Ickes & R.F. Kidd (Eds.), *New directions in attribution research* (Vol. 2, pp. 207-233). Hillsdale, NJ: Erlbaum.

Regan, D.T. (1971). Effects of a favor and liking on compliance. *Journal of Experimental and Social Psychology, 7*, 627-639.

Regan, D.T. & Totten, J. (1975). Empathy and attribution: Turning observers into actors. *Journal of Personality and Social Psychology, 32*, 850-856.

Reik, T. (1944). *A psychologist looks at love.* New York: Farrar and Rinehart.

Reik, T. (1957). *The need to be loved.* New York: Farrar, Straus and Cudahy.

Reingen, P.H. (1982). Test of a list procedure for inducing compliance with a request to donate money. *Journal of Applied Psychology, 67*, 110-118.

Reis, H.T. (1984). Social interaction and well-being. In S. Duck (Ed.), *Personal relationships 5: Repairing personal relationships* (pp. 21-45). London: Academic Press.

Reis, H.T. & Stiller, J. (1992). Publication trends in JPSP: A three-decade review. *Personality and Social Psychology Bulletin, 18*, 465-472.

Reis, T.J., Gerrard, M. & Gibbons, F.X. (1993). Social comparison and the pill: Reactions to upward and downward comparison of contraceptive behavior. *Personality and Social Psychology Bulletin, 19*, 13-20.

Reisenzein, R. (1983). The Schachter theory of emotion: Two decades later. *Psychological Bulletin, 94*, 239-264.

Reisenzein, R. (1986). A structural equation analysis of Weiner's attribution-affect model of helping bahavior. *Journal of Personality and Social Psychology, 50*, 1123-1133.

Remley, A. (1988). The great parental value shift: From obedience to independence. *Psychology Today, 22*, 56-59.

Rescorla, R.A. (1988). Pavlovian conditioning: It's not what you think it is. *American Psychologist, 43*, 151-160.

Rhodewalt, F. (1990). Self-handicappers: Individual differences in the preference for anticipatory, self-protective acts. In R. Higgins, C.R. Snyder & S. Berglas (Eds.), *Self-handicapping the paradox that isn't* (pp. 69-106). New York: Plenum.

Rhodewalt, F. & Davison, J. (1986). Self-handicapping and subsequent performance: Role of outcome valence and attributional certainty. *Basic and Applied Social Psychology, 7*, 307-323.

Rholes, W.S. & Pryor, J.B. (1982). Cognitive accessibility and causal attributions. *Personality and Social Psychology Bulletin, 8*, 719-727.

Rice, B. (1982). The Hawthorne defect: Persistence of a flawed theory. *Psychology Today, 16*, 70-74.

Rice, R.W., Instone, D. & Adams, J. (1984). Leader sex, leader success, and leadership process: Two fields studies. *Journal of Applied Psychology, 69*, 12-31.

Rinn, W.E. (1984). The neuropsychology of facial expression: A review of the neurological and psychological mechanisms for producing facial expressions. *Psychological Bulletin, 95*, 52-77.

Riseborough, M.G. (1981). Physiographic gestures as decoding facilitators: Three experiments exploring a neglected facet of communication. *Journal of Nonverbal Behavior, 5*, 172-183.

Robert, G. (1972). *Borduas.* Montréal: Presses de l'Université du Québec.

Robinson, J. & McArthur, L.Z. (1982). The impact of salient vocal qualities on causal attributions for a speaker's behavior. *Journal of Personality and Social Psychology, 43*, 236-247.

Rodin, J. (1985). The application of social psychology. In G. Lindzey & E. Aronson (Eds.), *The handbook of social psychology* (3rd ed., vol. 2, pp. 805-881). New York: Random House.

Rodin, J. & Langer, E. (1980). Aging labels : The decline of control and the fall of self-esteem. *Journal of Social Issues, 36*, 12-29.

Roethlisberger, F.J. & Dickson, W.J. (1939). *Management and the worker: An account of a research program conducted by the Western Electric Company, Hawthorne works, Chigaco.* Cambridge, MA: Harvard University Press.

Rogers, E.M. & Kincaid, D.L. (1981). *Communication Networks.* New York: The Free Press.

Rogers, R.W. & Prentice-Dunn, S. (1981). Deindividuation and anger-mediated interacial aggression: Unmasking regressive racism. *Journal of Personality and Social Psychology, 41*, 63-73.

Rogers, T.B., Kuiper, N.A. & Kirker, W.S. (1977). Self-reference and the encoding of personal information. *Journal of Personality and Social Psychology, 35*, 677-688.

Rohrberg, R.G., & Sousa-Poza, J.F. (1976). Alcohol, field dependence, and dyadic self-disclosure. *Psychological Reports, 39*, 1151-1161.

Rokeach, M. (1967). *Value survey.* Sunnyvale, CA: Halgren Tests.

Rokeach, M. (1973). *The Nature of human values.* New York: The Free Press.

Rokeach, M. & Ball-Rokeach, S.J. (1989). Stability and change in American value priorities, 1968-1981. *American Psychologist, 44*, 775-784.

Romer, D., Gruder, C.L. & Lizzadro, T. (1986). A person-situation approach to altruistic behavior. *Journal of Personality and Social Psychology, 51*, 1001-1012.

Roscoe, J.T. (1969). *Fundamental research statistics for the behavioral sciences*. New York: Holt, Rinehart and Winston.

Rosen, S. (1983). Perceived inadequacy and help-seeking. In B.M. DePaulo, A. Nadler & J.D. Fisher (Eds.), *New directions in helping: Vol. 2. Help-seeking* (pp. 73-107). New York: Academic Press.

Rosen, S., Mickler, S.E. & Collins II, J.E. (1987). Reactions of would-be helpers whose offer of help is spurned. *Journal of Personality and Social Psychology, 53*, 288-297.

Rosenberg, G.B. & Langer, J. (1965). A study of postural-gestural communication. *Journal of Personality and Social Psychology, 2*, 593-597.

Rosenberg, M. (1965). *Society and the adolescent self-image*. Princeton, NJ: Princeton University Press.

Rosenberg, M. (1979). *Conceiving the self*. New York: Basic Books.

Rosenberg, M.J. (1960). An analysis of affective-cognitive consistency. In M.J. Rosenberg, C.I. Hovland, W.J. McGuire, R.P. Abelson & J.W. Brehm (Eds.), *Attitude organization and change: An analysis of consistency among attitude components* (pp. 15-64). New Haven, CT: Yale University Press.

Rosenberg, M.J. (1965). When dissonance fails: On eliminating evaluation apprehension from attitude measurement. *Journal of Personality and Social Psychology, 1*, 28-42.

Rosenberg, M.J. & Hovland, C.I. (1960). Cognitive, affective, and behavioral components of attitude. In M.J. Rosenberg, C.I. Hovland, W.J. McGuire, R.P. Abelson & J.W. Brehm (Eds.), *Attitude organization and change: An analysis of consistency among attitude components* (pp. 1-14). New Haven, CT: Yale University Press.

Rosenblatt, P.C. (1977). Needed research on commitment in marriage. In G. Levinger & H.L. Raush (Eds.), *Close relationships: Perspectives on the meaning of intimacy*. Amherst, MA: University of Massachusetts Press.

Rosenthal, R. (1963). On the social psychology of the psychological experiment: The experimenter's hypothesis as unintended determinant of experimental results. *American Scientist, 51*, 268-283.

Rosenthal, R. (1984). *Meta-analytic procedures for social research* (1st ed.). Newbury Park, CA: Sage.

Rosenthal, R. (1991). *Meta-analytic procedures for social research* (2nd ed.). Newbury Park, CA: Sage.

Rosenthal, R. & Jacobson, L. (1968). *Pygmalion in the classroom: Teacher expectation and pupils' intellectual development*. New York: Holt, Rinehart, and Winston.

Rosenthal, R. & Rosnow, R.L. (1984). *Essentials of behavioral research*. New York: McGraw-Hill.

Rosenthal, R. & Rubin, D.B. (1978). Interpersonal expectancy effects: The first 345 studies. *Behavioral and Brain Sciences, 3*, 377-415.

Rosenweig, S. (1944). An outline of frustration theory. In J. McV. Hunt (Ed.), *Personality and the behavior disorders* (Vol. I, pp. 379-388). New York: Ronald Press.

Ross, L. (1977). The intuitive psychologist and his shortcommings: Distorsions in the attribution process. In L. Berkowitz (Ed.), *Advances in experimental social psychology* (Vol. 10, pp. 173-220). New York: Academic Press.

Ross, L., Greene, D. & House, P. (1977). The "false consensus effect": An egocentric bias in social perception and attribution processes. *Journal of Experimental Social Psychology, 13*, 279-301.

Ross, M. (1989). Relation of implicit theories to the construction of personal histories. *Psychological Review, 96*, 341-357.

Ross, M. & Conway, M. (1986). Remembering one's own past: The construction of personal histories. In R.M. Sorrentino & E.T. Higgins (Eds.), *Handbook of motivation and cognition: Foundations of social behavior* (pp. 122-144). New York: Guilford.

Ross, M. & Fletcher, G. (1985). Attribution and social perception. In G. Lindzey & E. Aronson (Eds.), *The handbook of social psychology* (3rd ed., vol. 2, pp. 73-122). New York: Random House.

Ross, M. & Olson, J.M. (1981). An expectancy-attribution model of the effects of placebos. *Psychological Review, 88*, 408-437.

Rothbart, M., Dawes, R. & Park, B. (1984). Stereotyping and sampling biases in intergroup perception. In R. Eiser (Ed.), *Attitudinal judgment* (pp. 109-134). New York: Springer-Verlag.

Rothbart, M. & John, O.P. (1985). Social categorization and behavioural episodes: A cognitive analysis of the effects of intergroup contact. *Journal of Social Issues, 41*, 81-104.

Rothbart, M. & Lewis, S. (1988). Inferring category attributes from exemplar attributes: Geometric shapes and social categories. *Journal of Personality and Social Psychology, 50*, 131-142.

Rothbaum, F., Weisz, J.R. & Snyder, S.S. (1982). Changing the world and changing the self: A two-process model of perceived control. *Journal of Personality and Social Psychology, 42*, 5-37.

Rothschild, M.L. & Hyun, Y.J. (1990). Predicting memory for components of TV commercials from EEG. *Journal of Consumer Research, 16*, 472-479.

Rotter, J.B. (1966). Generalized expectancies for interpersonal trust. *American Psychologist, 26*, 443-452.

Rotter, N.G. & Rotter, G.S. (1988). Sex differences in the encoding and decoding of negative facial emotions. *Journal of Nonverbal Behavior, 12*, 139-148.

Rubenstein, C.M. & Shaver, P. (1982). *In search of intimacy.* New York: Delacorte Press.

Rubenstein, C.M., Shaver, P. & Peplau, L.A. (1979). Loneliness. *Human Nature, 2*, 58-65.

Rubin, K.H. & Krasnor, L.R. (1986). Social cognitive and social behavioral perspectives on problem-solving. In M. Perlmutter (Ed.), *Minnesota symposia on child psychology* (Vol. 18, pp. 1-68). Hillsdale, NJ: Erlbaum.

Rubin, Z. (1970). Measurement of romantic love. *Journal of Personality and Social Psychology, 16*, 265-273.

Rubin, Z. (1973). *Liking and loving: An invitation to social psychology.* New York: Holt, Rinehart and Winston.

Rugg, E.A. (1975). *Social research practices opinion survey: Summary of results.* Manuscrit inédit, George Peabody College.

Rule, B.G., Nesdale, A.R. & McAra, M.J. (1974). Children's reaction to information about the intentions underlying an aggressive act. *Child Development, 45*, 794-798.

Runciman, W.G. (1966). *Relative deprivation and social justice.* London: Routledge and Kegan Paul.

Runge, T.E. & Archer, R.L. (1981). Reactions to the disclosure of public and private self-information. *Social Psychology Quarterly, 44*, 357-362.

Rushton, J.P. (1975). Generosity in children: Immediate and long-term effects of modeling, preaching, and moral judgment. *Journal of Personality and Social Psychology, 31*, 459-466.

Rushton, J.P. (1980). *Altruism, socialization, and society.* Englewood Cliffs, NJ: Prentice-Hall.

Rushton, J.P. (1988a). Race differences in behaviour: A review and evolutionary analysis. *Personality and Individual Differences, 9*, 1009-1024.

Rushton, J.P. (1988b). The reality of racial differences: A rejoinder with new evidence. *Personality and Individual Differences, 9*, 1035-1040.

Rushton, J.P., Fulker, D.W., Neale, M.C., Nias, D.K.B. & Eysenck, H.J. (1986). Altruism and agression: The heritability of individual differences. *Journal of Personality and Social Psychology, 50*, 1192-1198.

Rushton, J.P. & Sorrentino, R.M. (Eds.). (1981). *Altruism and helping behavior: Social, personality, and developmental perspectives.* Hillsdale, NJ: Erlbaum.

Russell, D. (1982). The Causal Dimension Scale: A measure of how individuals perceive causes. *Journal of Personality and Social Psychology, 42*, 1137-1145.

Russell, D. & McAuley, E. (1986). Causal attributions, causal dimensions, and affective reactions to success and failure. *Journal of Personality and Social Psychology, 50*, 1174-1185.

Ruvolo, A.P. & Markus, H.R. (1992). Possible selves and performance: The power of self-relevant imagery. *Social Cognition, 10*, 95-124.

Ryan, E.B. & Giles, H. (Eds.). (1982). *Attitudes toward language variation.* London: Arnold.

Ryan, E.B., Giles, H., Bartolucci, G. & Henwood, K. (1986). Psycholinguistic and social psychological components of communication by and with older adults. *Language and Communication, 6*, 1-24.

Ryan, E.D. (1970). The cathartic effect of vigorous motor activity on aggressive behavior. *Research Quarterly, 41*, 542-551.

Ryen, A.H. & Kahn, A. (1975). Effects of intergroup orientation on group attitudes and proxemic behaviors. *Journal of Personality and Social Psychology, 31*, 302-310.

Ryff, C.D. (1991). Possible selves in adulthood and old age: A tale of shifting horizons. *Psychology and Aging, 6*, 286-295.

Sabourin, S., Laporte, L. & Wright, J. (1990). Problem solving self-appraisal and coping efforts in distressed and nondistressed couples. *Journal of Marital and Family Therapy, 16*, 89-97.

Sabourin, S., Lussier, Y. & Wright, J. (1991). The effects of measurement strategy on attributions for marital problems and behaviors. *Journal of Applied and Social Psychology, 21* (9), 734-746.

Sachdev, I. & Bourhis, R.Y. (1984). Minimal majorities and minorities. *European Journal of Social Psychology, 14*, 35-52.

Sachdev, I. & Bourhis, R.Y. (1985). Social categorization and power differentials in group relations. *European Journal of Social Psychology, 15*, 415-434.

Sachdev, I. & Bourhis, R.Y. (1987). Status differentials and intergroup behaviour. *European Journal of Social Psychology, 17*, 277-293.

Sachdev, I. & Bourhis, R.Y. (1990a). Bilinguality and multilinguality. In H. Giles & W.P. Robinson (Eds.), *Handbook of language and social psychology* (pp. 293-308). Chichester, NY: John Wiley and Sons.

Sachdev, I. & Bourhis, R.Y. (1990b). Language and social identification. In D. Abrams & M.A. Hogg (Eds.), *Social identity theory: Constructive and critical advances.* London: Harvester Wheatsheaf.

Sachdev, I. & Bourhis, R.Y. (1991). Power and status differentials in minority/majority group relations. *European Journal of Social Psychology, 21*, 1-24.

Sagar, H.A. & Schofield, J.W. (1980). Racial behavioral cues in Black and White children's perceptions of ambiguously aggressive acts. *Journal of Personality and Social Psychology, 39*, 590-598.

Sahakian, W.S. (1982). *History and systems of social psychology* (2nd ed.). New York: McGraw-Hill.

Saint-Exupéry, A. de. (1946). *Le Petit Prince*. Paris: Gallimard.

Salancik, G.R. (1982). Attitude-behavior consistencies as social logics. In M. Zanna & C.P. Herman (Eds.), *Consistency in social behavior* (pp. 51-73). Hillsdale, NJ: Erlbaum.

Salancik, G.R. & Conway, M. (1975). Attitude inferences from salient and relevant cognitive content about behavior. *Journal of Personality and Social Psychology, 32*, 829-840.

Salovey, P., Mayer, J.D. & Rosenhan, D.L. (1991). Mood and helping: Mood as a motivator of helping and helping as a regulator of mood. In M.S. Clark (Ed.), *Review of personality and social psychology: Vol. 12. Prosocial behavior* (pp. 215-237). Newbury Park, CA: Sage.

Sanders, G.S., Baron, R.S. & Moore, D.L. (1978). Distraction and social comparison as mediators of social facilitation effects. *Journal of Experimental Social Psychology, 14*, 291-303.

Sandor, D. (1982). *Love, an investigation*. Thèse inédite, University of Melbourne, Department of Psychology, Melbourne.

Sapir, E. (1949). *Selected writings in language, culture and personality*. Berkeley, CA: University of California Press.

Sarason, B.R., Pierce, G.R., Shearin, E.N., Sarason, I.G. & Waltz, J.A. (1991). Perceived social support and working models of self and actual others. *Journal of Personality and Social Psychology, 60*, 273-287.

Sarason, B.R., Sarason, I.G., Hacker, T.A. & Basham, R.B. (1985). Concomitants of social support: Social skills, physical attractiveness, and gender. *Journal of Personality and Social Psychology, 49*, 469-480.

Sarason, I.G., Sarason, B.R., Shearin, E.N. & Pierce, G.R. (1987). A brief measure of social support: Practical and theoretical implications. *Journal of Social and Personal Relationships, 4*, 497-510.

Sarbaugh, L.E. (1988). A taxonomic approach to intercultural communication. In Y.Y. Kim & W.B. Gudykunst (Eds.), *Theories in intercultural communication*. Newbury Park, CA: Sage.

Sarbin, T.R. & Allen, V.L. (1968). Role theory. In G. Lindzey & E. Aronson (Eds.), *Handbook of social psychology* (Vol. 2). Reading, MA: Addison-Wesley.

Savoie, A. (1993). Les groupes informels dans les organisations: cadre général d'analyse. *Psychologie canadienne, 34*, 79-97.

Sawyer, J. (1966). The altruism scale: A measure of co-operative, individualistic, and competitive interpersonal orientation. *American Journal of Sociology, 71*, 407-416.

Scanzoni, J. (1979). Social exchange and behavioral interdependence. In R. Burgess & T. Huston (Eds.), *Social exchange in developing relationships*. New York: Academic Press.

Schachter, S. (1959). *The psychology of affiliation*. Palo Alto, CA: Stanford University Press.

Schachter, S. (1964). The interaction of cognitive and physiological determinants of emotional state. In L. Berkowitz (Ed.), *Advances in experimental social psychology* (Vol. 1, pp. 49-80). New York: Academic Press.

Schachter, S. (1965). Déviation, rejet et communication. In A. Levy (Ed.), *Psychologie sociale: textes fondamentaux anglais et américains*. Paris: Dunod.

Schachter, S., Ellerston, N., McBride, D. & Gregory, D. (1951). An experimental study of cohesiveness and productivity. *Human Relations, 4*, 229-238.

Schachter, S. & Singer, J. (1962). Cognitive, social and physiological determinants of emotional state. *Psychological Review, 69*, 379-399.

Schachter, S. & Singer, J. (1979). Comments on the Maslach and Marshall-Zimbardo experiments. *Journal of Personality and Social Psychology, 37*, 989-995.

Schaeffer, C., Coyne, J.C. & Lazarus, R.S. (1981). The health-related functions of social support. *Journal of Behavioural Medicine, 4*, 381-406.

Schafer, R.B. & Keith, P.M. (1985). A causal model approach to the symbolic interactionist view of the self-concept. *Journal of Personality and Social Psychology, 48*, 963-969.

Schaller, M. & Maass, A. (1989). Illusory correlations and social categorization: Toward an integration of motivational and cognitive factors in stereotype formation. *Journal of Personality and Social Psychology, 56*, 709-721.

Schank, R.C. & Abelson, R.P. (1977). *Scripts, plans, goals and understanding*. Hillsdale, NJ: Erlbaum.

Schaufeli, W.B. (1988). Perceiving the causes of unemployment: An evaluation of the Causal Dimension Scale in a real-life situation. *Journal of Personality and Social Psychology, 54*, 347-356.

Scheier, M.F. & Carver, C.S. (1977). Self-focused attention and the experience of emotion: Attraction, repulsion, elation, and depression. *Journal of Personality and Social Psychology, 35*, 625-636.

Scheier, M.F. & Carver, C.S. (1980). Private and public self-attention, resistance to change, and dissonance reduction. *Journal of Personality and Social Psychology, 39*, 390-405.

Scheier, M.F. & Carver, C.S. (1983). Two sides of the self: One for you and one for me. In J. Suls & A.G.

Greenwald (Eds.), *Psychological perspectives on the self* (Vol. 2, pp. 123-158). Hillsdale, NJ: Erlbaum.

Scheier, M.F. & Carver, C.S. (1985). The Self-Consciousness Scale: A revised version for use with general population. *Journal of Applied Social Psychology, 15*, 687-699.

Scheier, M.F. & Carver, C.S., & Gibbons, F.X. (1979). Self-directed attention, awareness of bodily states, and suggestibility. *Journal of Personality and Social Psychology, 37*, 1576-1588.

Schein, E.H. (1987). Organizational socialization and the profession of management. In E.H. Schein (Ed.), *The art of managing human resources* (pp. 83-100). Oxford: Oxford University Press.

Schelling, T.C. (1960). *The strategy of conflict*. Cambridge, MA.: Harvard University Press.

Schermerhorn, R.A. (1970). *Comparative ethnic relations: A framework for theory and research*. New York: Random House.

Schlenker, B.R. (1980). *Impression management: The self-concept, social identity, and interpersonal relations*. Monterey, CA: Brooks-Cole Publishing Co.

Schlenker, B.R. (1982). Translating actions into attitudes: An identity-analytic approach to the explanation of social conduct. In L. Berkowitz (Ed.), *Advances on Experimental Social Psychology* (Vol. 15, pp. 193-247). New York: Academic Press.

Schlenker, B.R. (1984). Identities, identifications, and relationships. In V. Derlega (Ed.), *Communication, intimacy, and close relationships* (pp. 71-104). New York: Academic Press.

Schlenker, B.R. (1985). Introduction: Foundations of the self in social life. In B.R. Schlenker (Ed.), *The self and social life* (pp. 1-28). New York: McGraw-Hill.

Schlenker, B.R. & Forsyth, D.R. (1977). On the ethics of psychological research. *Journal of Experimental Social Psychology, 13*, 369-396.

Schmidt, G. & Weiner, B. (1988). An attribution-affect-action theory of behavior: Replications of judgements of help-giving. *Personality and Social Psychology Bulletin, 14*, 610-621.

Schneider, D.J. (1973). Implicit personality theory: A review. *Psychological Bulletin, 73*, 294-309.

Schneider, D.J. & Hacker, S. (1973). Sex role imagery and the use of the generic "man" in introductory texts. *American Sociologist, 8*, 12-18.

Schneider, D.J., Hastorf, A.J. & Ellsworth, P.C. (1979). *Person Perception* (2nd ed.). Reading, MA: Addison-Wesley.

Schneider, W. & Shiffrin, R.M. (1977). Controlled and automatic human information processing: I. Detection, search, and attention. *Psychological Review, 84*, 1-66.

Schopler, J. (1967). An investigation of sex differences on the influence of dependence. *Sociometry, 30*, 50-63.

Schroder, H.M., Driver, M.J. & Streufert, S. (1967). *Human information processing*. New York: Holt, Rinehart and Winston.

Schuman, J.H. (1978). The acculturation model for second-language acquisition. In R.C. Gingras (Ed.), *Second language acquisition and foreign language teaching*. Arlington, VA: Center for Applied Linguistics.

Schwalbe, M.L. (1991). Role taking, self-monitoring, and the alignment of conduct with others. *Personality and Social Psychology Bulletin, 17*, 51-57.

Schwartz, G.E., Fair, P.L., Salt, P., Mandel, M.R. & Klerman, G.L. (1976). Facial muscle patterning to affective imagery in depressed and nondepressed subjects. *Science, 192*, 489-491.

Schwartz, S.H. & Bilsky, W. (1987). Toward a universal psychological structure of human values. *Journal of Personality and Social Psychology, 53*, 550-562.

Schwartz, S.H. & Gottlieb, A. (1980). Bystander anonymity and reaction to emergencies. *Journal of Personality and Social Psychology, 39*, 418-430.

Schwartz, S.H. & Gottlieb, A. (1981). Participant's post-experimental reactions and the ethics of bystander research. *Journal of Experimental Social Psychology, 17*, 396-407.

Schwartz, S.H. & Inbar-Saban, N. (1988). Value self-confrontation as a method to aid in weight loss. *Journal of Personality and Social Psychology, 54*, 396-404.

Schwarzwald, J., Raz, M. & Zvibel, M. (1979). The applicability of the door-in-the-face technique when established behavioral customs exist. *Journal of Applied Social Psychology, 9*, 576-586.

Scott, W.A. (1957). Attitude change through reward of verbal behavior. *Journal of Abnormal and Social Psychology, 55*, 72-75.

Scotton, C.M. (1985). "What the heck, Sir?": Style shifting and lexical coloring as features of powerful language. In R.L. Street, Jr. & J.N. Cappella (Eds.), *Sequence and pattern in communicative behavior* (pp. 103-119). London: Arnold.

Searle, J.R. (1975). Indirect speech acts. In P. Cole & J.L. Morgan (Eds.), *Syntax and semantics 3: Speech acts* (pp. 283-298). Hillsdale, NJ: Erlbaum.

Sears, D.O. (1968). The paradox of de facto selective exposure. In R.P. Abelson *et al.* (Eds.), *Theories of cognitive consistency: A sourcebook*. Chicago, IL: Rand McNally.

Sears, D.O. (1983). The person positivity biais. *Journal of Personality and Social Psychology, 44*, 233-240.

Sechrest, L. & Belew, J. (1983). Nonreactive measures of social attitudes. In L. Bickman (Ed.), *Applied social psychology annual* (Vol. 4, pp. 23-63). Beverly Hills, CA: Sage.

Secord, P.F. & Backman, C.W. (1965). An interpersonal approach to personality. In B. Maher (Ed.), *Progress in experimental personality research* (Vol. 2, pp. 91-125). New York: Academic Press.

Secord, P.F. & Backman, C.W. (1974). *Social psychology* (2nd ed.). New York: McGraw-Hill.

Sedikides, C. (1992). Attentional effects on mood are moderated by chronic self-conception valence. *Personality and Social Psychology Bulletin, 18*, 580-584.

Sedikides, C. & Anderson, C.A. (1992). Causal explanations of defection: A knowledge-structure approach. *Personality and Social Psychology Bulletin, 18*, 420-429.

Sedikides, C. & Jackson, J.M. (1990). Social Impact Theory: A field test of source strenght, source immediacy and number of targets. *Basic and Applied Social Psychology, 11*, 273-281.

Segall, M.H. (1989). Cultural factors, biology and human aggression. In J. Groebel & R.A. Hinde (Eds.), *Aggression and war, their biological and social bases*. Cambridge: Cambridge University Press.

Seligman, C., Bush, M. & Kirsch, K. (1976). Relationship between compliance in the foot-in-the-door paradigm and size of first request. *Journal of Personality and Social Psychology, 33*, 517-520.

Seligman, M.E.P. (1975). *Helplessness: On depression, development and death.* San Francisco, CA: Freeman.

Seligman, M.E.P., Castellon, C., Cacciola, J., Schulman, P., Luborsky, L., Ollove, M. & Downing, R. (1988). Explanatory style change during cognitive therapy for unipolar depression. *Journal of Abnormal Psychology, 97*, 13-18.

Seligman, M.E.P. & Schulman, P. (1986). Explanatory style as a predictor of productivity and quitting among life insurance sales agents. *Journal of Personality and Social Psychology, 50*, 832-838.

Seligman, M.E.P. & Maier, S.F. (1967). Failure to escape traumatic shock. *Journal of Experimental Psychology, 74*, 1-9.

Senécal, C.B., Vallerand, R.J. & Pelletier, L.G. (1992). Type de programme universitaire et sexe de l'étudiant: effets sur la perception du climat et sur la motivation. *Revue des sciences de l'éducation, 18*, 375-388.

Senneker, P. & Hendrick, C. (1983). Androgyny and helping behavior. *Journal of Personality and Social Psychology, 45*, 916-925.

Sermat, V. (1980). Some situational and personality correlates of loneliness. In J. Hartog, J.R. Audy & Y.A. Cohen (Eds.), *The anatomy of loneliness.* New York: International Universities Press.

Seta, J.J. (1982). The impact of comparison processes on coactors' task performance. *Journal of Personality and Social Psychology, 42*, 281-291.

Shaffer, D.R., Rogel, M. & Hendrich, C. (1975). Intervention in the library: The effect of increased responsability on bystanders' willingness to prevent a theft. *Journal of Applied Social Psychology, 49*, 347-356.

Shanab, M.E. & Yahya, K.A. (1977). A behavioral study of obedience in children. *Journal of Personality and Social Psychology, 35*, 530-536.

Shanab, M.E. & Yahya, K.A. (1978). A cross cultural study of obedience. *Bulletin of the Psychonomic Society, 11*, 267-269.

Shannon, C.E. & Weaver, W. (1949). *The mathematical theory of communication.* Urbana, IL: University of Illinois Press.

Shaver, K.G. (1970). Defensive attribution: Effects of severity and relevance on the responsibilities assigned for an accident. *Journal of Personality and Social Psychology, 14*, 101-113.

Shaver, K.G. (1975). *An introduction to attribution processes.* Cambridge, MA: Winthrop.

Shaver, P. & Hazan, C. (1987). Being lonely, falling in love: Perspectives from attachment theory. In M. Hojat & R. Crandall (Eds.), Loneliness: Theory, research and applications [Special issue]. *Journal of Social Behavior and Personality, 2*, 101-124.

Shaver, P. & Hazan, C. (1988). A biased overview of the study of love. *Journal of Social and Personal Relationships, 5*, 473-501.

Shaver, P., Hazan, C. & Bradshaw, D. (1988). Love as attachment: The integration of three behavioral systems. In R.J. Sternberg & M.L. Barnes (Eds.), *The psychology of love.* New Haven, CT: Yale University Press.

Shavitt, S. (1989). Operationalizing functional theories of attitude. In A.R. Pratkanis, S.J. Breckler & A.G. Greenwald (Eds.), *Attitude, structure and function* (pp. 311-337). Hillsdale, NJ: Erlbaum.

Shavitt, S. (1990). The role of attitude objects in attitude fonctions. *Journal of Experimental Social Psychology, 26*, 124-148.

Shaw, M.E. & Costanzo, P.R. (1982). *Theories of social psychology* (2nd ed.). New York: McGraw-Hill.

Sheppard, B.H., Hartwick, J. & Warshaw, P.R. (1988). A theory of reasoned action: A meta-analysis of past research with recommendations for modifications and future research. *Journal of Consumer Research, 15*, 325-343.

Shepperd, J.A. & Arkin, R.M. (1989). Self-handicapping: The moderating roles of public self-consciousness and task importance. *Personality and Social Psychology Bulletin, 15*, 252-265.

Sherif, C.W., Sherif, M. & Nebergall, R.E. (1965). *Attitude and attitude change: The social judgment-*

involvement approach. Philadelphia, PA: W.B. Saunders.

Sherif, M. (1935). A study of some social factors in perception. *Archiva Psychologia, 27*, 187.

Sherif, M. (1936). *The psychology of social norms*. New York: Harper.

Sherif, M. (1966). *Group conflict and cooperation*. London: Routledge and Kegan Paul.

Sherif, M. & Cantril, H. (1947). *The psychology of ego involvement*. New York: John Wiley and Sons.

Sherif, M., Harvey, O.J., White, B.J., Hood, W.R. & Sherif, C. (1961). *Intergroup conflict and cooperation: The Robber's Cave experiment*. Norman, OK: University of Oklahoma Press.

Sherif, M. & Sherif, C.W. (1953). *Groups in harmony and tension: An integration of studies on intergroup relations*. New York: Octagon Books.

Sherif, M. & Sherif, C.W. (1967). Attitude as the individual's own categories: The social judgement-involvement approach to attitude and attitude change. In C.W. Sherif & M. Sherif (Eds.), *Attitude, ego-involvement and change*. New York: John Wiley and Sons.

Sherif, M.O. (1953). The concept of reference group in human relations. In M. Sherif & M.O. Wilson (Eds.), *Group relations at the crossroads* (pp. 203-231). New York: Harper.

Sherman, S.J. (1987). Cognitive processes in the formation, change, and expression of attitude. In M.P. Zanna, J.M. Olson & C.P. Herman (Eds.), *Social influence: The Ontario symposium* (pp. 75-105). Hillsdale, NJ: Erlbaum.

Shils, E.A. & Janowitz, M. (1948). Cohesion and desintegration in the Wehrmacht in World War II. *Public Opinion Quarterly, 12*, 280-315.

Shoenrade, P.A., Batson, C.D., Brandt, J.R. & Loud, R.E., Jr. (1986). Attachment, accountability, and motivation to benefit another not in distress. *Journal of Personality and Social Psychology, 51*, 557-563.

Showers, C. (1992). Compartmentalization of positive and negative self-knowledge: Keeping bad apples out of the bunch. *Journal of Personality and Social Psychology, 62*, 1036-1049.

Showers, C. & Cantor, N. (1985). Social cognition: A look at motivated strategies. In M.R. Rosenzweig & L.W. Porter (Eds.), *Annual review of psychology* (Vol. 36, pp. 275-305). Palo Alto, CA: Annual Reviews.

Shroeder, D.A., Dovidio, J.F., Sibicky, M.E., Matthews, L.L. & Allen, J.L. (1988). Empathy and helping behavior: Egoism or altruism? *Journal of Experimental Social Psychology, 24*, 333-353.

Sieber, J.E. & Saks, M.J. (1989). A census of subject pool characteristics and policies. *American Psychologist, 44*, 1053-1061.

Siegman, A.W. & Pope, B. (1966). The effects of interviewer-ambiguity and topical focus on interviewee vocabulary diversity. *Language and Speech, 9*, 242-249.

Siem, F.M. & Spence, J.T. (1986). Gender-related traits and helping behaviors. *Journal of Personality and Social Psychology, 51*, 615-621.

Silver, R.L., Boon, C. & Stones, M.H. (1983). Searching for meaning in misfortune: Making sense of incest. *Journal of Social Issues, 39*, 81-100.

Silverman, I. (1977). *The human subject in the psychological experiment*. Elmsford, NY: Pergamon.

Simon, B. (1992). The perception of ingroup and outgroup homogeneity: Reintroducing the intergroup context. In W. Stroebe et M. Hewstone (Eds.), *European Review of Social Psychology* (Vol. 3, pp. 1-29). Toronto: John Wiley and Sons.

Simon, B. & Brown, R.J. (1987). Perceived intragroup homogeneity in minority-majority contexts. *Journal of Personality and Social Psychology, 53*, 703-711.

Simon, B., Glässner-Bayerl, B. & Stratenwerth, I. (1991). Stereotyping and self-stereotyping in a natural intergroup context: The case of heterosexual and homosexual men. *Social Psychology Quarterly, 54*, 252-266.

Singer, J.L. & Singer, D.G. (1980). *Television, imagination and aggression: A study of preschoolers's play*. Hillsdale, NJ: Erlbaum.

Singerman, K.J., Borkovec, T.D. & Baron, R.S. (1976). Failure of a "misattribution therapy" manipulation with a clinically relevant target behavior. *Behavior Therapy, 7*, 306-313.

Sistrunk, F. & McDavid, J.W. (1971). Sex variable in conforming behavior. *Journal of Personality and Social Psychology, 17*, 200-207.

Skinner, B.F. (1957). *Verbal behavior*. New York: Appleton-Century-Crofts.

Skinner, B.F. (1980). *Notebooks*. Englewood Cliffs, NJ: Prentice-Hall.

Skov, R.B. & Sherman, S.J. (1986). Information-gathering processes: Diagnosticity, hypothesis-confirmatory strategies, and perceived hypothesis confirmation. *Journal of Experimental Social Psychology, 22*, 93-121.

Skowronski, J.J. & Carlston, D.E. (1987). Social judgment and social memory: The role of cue diagnosticity in negativity, positivity, and extremity biaises. *Journal of Personality and Social Psychology, 52*, 689-699.

Skowronski, J.J. & Carlston, D.E. (1989). Negativity and extremity biaises in impression formation: A review of explanations. *Psychological Bulletin, 105*, 131-142.

Sloan, J.H., Kellerman, A.L., Reay, D.T., Ferris, J.A., Koepsell, T., Rivara, F.P., Rice, C., Gray, L. &

LoGerfo, J. (1988). Handgun regulations, crime, assaults and homicide: A tale of two cities. *New England Journal of Medicine, 319*, 1256-1261.

Smith, C.P. (1983). Ethical issues: Research on deception, informed consent, and debriefing. In L. Wheeler & P. Shaver (Eds.), *Review of personality and social psychology* (Vol. 4, pp. 297-328). Beverly Hills, CA: Sage.

Smith, C.P. & Berard, S.P. (1982). Why are human subjects less concerned about ethically problematic research than human subjects committees? *Journal of Applied Social Psychology, 12*, 209-221.

Smith, M.B., Bruner, J.S. & White, R.W., (1956). *Opinions and personality*. New York: John Wiley and Sons.

Smith, M.D. (1987). The incidence and prevalence of woman abuse in Toronto. *Violence and Victims, 2* (3), 173-187.

Smith, R.E. & Swinyard, W.R. (1983). Attitude-behavior consistency: The impact of product trial versus advertising. *Journal of Marketing Research, 20*, 257-267.

Snyder, C.R.. & Higgins, R.L. (1988). Excuses: Their effective role in the negotiation of reality. *Psychological Bulletin, 104*, 23-35.

Snyder, C.R., Higgins, R.L. & Stucky, R.J. (1983). *Excuses: Masquerades in search of grace*. New York: John Wiley and Sons.

Snyder, C.R. , Smith, T.W., Augelli, R.W. & Ingram, R.E. (1985). On the self-serving function of social anxiety: Shyness as a self-handicapping strategy. *Journal of Personality and Social Psychology, 48*, 970-980.

Snyder, C.R., Stephan, W.G. & Rosenfield, D. (1976). Egotism and attribution. *Journal of Personality and Social Psychology, 33*, 435-441.

Snyder, M. (1974). The self-monitoring of expressive behavior. *Journal of Personality and Social Psychology, 30*, 526-537.

Snyder, M. (1979). Self-monitoring processes. In L. Berkowitz (Ed.), *Advances in experimental social psychology* (Vol. 12, pp. 85-128). New York: Academic Press.

Snyder, M. (1984). When belief creates reality. In L. Berkowitz (Ed.), *Advances in experimental social psychology* (Vol. 18, pp. 248-306). New York: Academic Press.

Snyder, M. (1987). *Public appearences-private realities: The psychology of self-monitoring*. New York: Freeman.

Snyder, M., Berscheid, E. & Glick, P. (1985). Focusing on the exterior and the interior: Two investigations of the initiation of personal relationships. *Journal of Personality and Social Psychology, 48*, 1427-1439.

Snyder, M. & DeBono, K.G. (1985). Appeals to image and claims about quality: Understanding the psychology of advertising. *Journal of Personality and Social Psychology, 49*, 586-597.

Snyder, M. & DeBono, K.G. (1989). Understanding the functions of attitudes: Lessons from personality and social behavior. In A.R. Pratkanis, S.J. Breckler & A.G. Greenwald (Eds.), *Attitude, structure and function* (pp. 339-359). Hillsdale, NJ: Erlbaum.

Snyder, M. & Gangestad, S. (1981). Hypothesis-testing processes. In J.H. Harvey, W. Ickes & R.F. Kidd (Eds.), *New directions in attribution research* (Vol. 3, pp. 171-198). Hillsdale, NJ: Erlbaum.

Snyder, M. & Gangestad, S. (1982). Choosing social situations: Two investigations of self-monitoring processes. *Journal of Personality and Social Psychology, 43*, 123-135.

Snyder, M. & Gangestad, S. (1986). On the nature of self-monitoring: Matters of assessment, matters of validity. *Journal of Personality and Social Psychology, 51*, 125-139.

Snyder, M., Gangestad, S. & Simpson, J.A. (1983). Choosing friends as activity partners: The role of self-monitoring. *Journal of Personality and Social Psychology, 45*, 1061-1072.

Snyder, M., Grether, J. & Keller, C. (1974). Staring and compliance: A field experiment in hitch-hiking. *Journal of Applied Social Psychology, 4*, 165-170.

Snyder, M. & Ickes, W. (1985). Personality and social behavior. In G. Lindzey & E. Aronson (Eds.), *The handbook of social psychology* (3rd ed.). New York: Random House.

Snyder, M. & Jones, E.E. (1974). Attitude attribution when behavior is constrained. *Journal of Experimental Social Psychology, 10*, 585-600.

Snyder, M. & Kendzierski, D. (1982). Acting on one's attitudes: Procedures for linking attitudes and behavior. *Journal of Experimental Social Psychology, 18*, 165-183.

Snyder, M. & Monson, T.C. (1975). Persons, situations, and the control of social behavior. *Journal of Personality and Social Psychology, 32*, 637-644.

Snyder, M. & Omoto, A.M. (1992). Who helps and why? The psychology of aids volunteerism. In S. Spacapan & S. Oskamp (Eds.), *Helping and being helped: Naturalistic studies*. Newbury Park, CA: Sage.

Snyder, M. & Simpson, J.A. (1984). Self-monitoring and dating relationships. *Journal of Personality and Social Psychology, 47*, 1281-1291.

Snyder, M., Simpson, J.A. & Gangestad, S. (1986). Personality and sexual relations. *Journal of Personality and Social Psychology, 51*, 181-190.

Snyder, M. & Swann, W.B., Jr. (1976). When actions reflect attitudes: The politics of impression management. *Journal of Personality and Social Psychology, 34*, 1034-1042.

Snyder, M. & Swann, W.B., Jr. (1978). Behavioral conformation in social interaction: From social perception to social reality. *Journal of Experimental Social Psychology, 14*, 148-162.

Snyder, M., Tanke, E.D. & Berscheid, E. (1977). Social perception and interpersonal behavior: On the self-fulfilling nature of social stereotypes. *Journal of Personality and Social Psychology, 35*, 656-666.

Sobol, M.P. & Earn, B.M. (1987). Assessment of children's attributions for social experiences: Implication for social skills training. In B.H. Schneider, J.D. Ledingham & K.H. Rubin (Eds.), *Research strategies in children's social skills training*. New York: Springer-Verlag.

Solomon, S., Greenberg, J. & Pyszczynski, T. (1991). Terror management theory of self-esteem. In C.R. Snyder & D.R. Forsyth (Eds.), *Handbook of social and clinical psychology* (pp.21-39). New York: Pergamon.

Sorrentino, R.M., Bobocel, D.R., Gitta, M.Z., Olson, J.M. & Hewitt, E.C. (1988). Uncertainty orientation and persuasion: Individual differences in the effects of personal relevance on social judgments. *Journal of Personality and Social Psychology, 55*, 357-371.

Sorrentino, R.M. & Boutillier, R.G. (1975). The effect of quantity and quality of verbal interaction on ratings of leadership ability. *Journal of Experimental Research in Personality, 11*, 403-411.

Sorrentino, R.M. & Hewitt, E. (1984). The uncertainty reduction properties of achievement tasks revisted. *Journal of Personality and Social Psychology, 47*, 884-899.

Sorrentino, R.M. & Short, J.C. (1986). Uncertainty orientation, motivation, and cognition. In R.M. Sorrentino & E.T. Higgins (Eds.), *Handbook of motivation and cognition: Foundations of social behavior* (pp. 379-403). New York: Guilford.

Spanier, G.B. (1976). Measuring dyadic adjustment: New scales for assessing the quality of marriage and similar dyads. *Journal of Marriage and the Family, 38*, 15-28.

Spence, J.T., Heimreich, R. & Stapp, J. (1975). Ratings of self and peers on sex role attributes and their relation to self-esteem and conceptions of masculinity and feminity. *Journal of Personality and Social Psychology, 32*, 29-39.

Spivey, C.B. & Prentice-Dunn, S. (1990). Assessing the directionality of deindividuated behavior: Effects of deindividuation, modelling, and private self-consciousness on aggressive and prosocial responses. *Basic and Applied Social Psychology, 11*, 387-403.

Sroufe, L.A. (1983). Infant-caregiver attachment and patterns of adaptation in preschool: The roots of maladaptation and competence. In M. Perlmutter (Ed.), *Minnesota symposium on child psychology* (Vol. 16, pp. 41-83). Hillsdale, NJ: Erlbaum.

Srull, T.K. & Wyer, R.S., Jr. (1986). The role of chronic and temporary goals in social information processing. In R.M. Sorrentino & E.T. Higgins (Eds.), *Handbook of motivation and cognition: Foundations of social behavior* (pp. 503-549). New York: Guilford.

Srull, T.K. & Wyer, R.S., Jr. (1989). Person memory and judgment. *Psychological Review, 96*, 58-83.

Staats, A.W. & Staats, C.K. (1958). Attitudes established by classical conditionning. *Journal of Abnormal and Social Psychology, 57*, 37-40.

Stagner, R. & Eflal, B. (1982). Internal union dynamics during a strike: A quasi-experimental study. *Journal of Applied Psychology, 67*, 37-44.

Stang, D.J. (1972). Conformity, ability, and self-esteem. *Representative Research in Social Psychology, 3*, 97-103.

Stanton, A.L. (1992). Downward comparison in infertile couples. *Basic and Applied Social Psychology, 13*, 389-403.

Stapp, J. & Fulcher, R. (1983). The employment of APA members: 1982. *American Psychologist, 38*, 1298-1320.

Staub, E. (1978). *Positive social behavior and morality: Social and personal influences* (Vol. 1). New York: Academic Press.

Steck, L., Levitan, D., McLane, D. & Kelley, H.H. (1982). Care, need, and conceptions of love. *Journal of Personality and Social Psychology, 43*, 481-491.

Steele, C.M. (1988). The psychology of self-affirmation: Sustaining the integrity of the self. In L. Berkowitz (Ed.), *Advances in experimental social psychology* (Vol. 21, pp. 261-302). New York: Academic Press.

Steele, C.M. & Liu, T.J. (1983). Dissonance processes as self-affirmation. *Journal of Personality and Social Psychology, 45*, 5-19.

Steele, C.M., Southwick, L.L. & Critchlow, B. (1981). Dissonance and alcohol: Drinking your troubles away. *Journal of Personality and Social Psychology, 41*, 831-846.

Steinberg, M.D. & Dodge, K.A. (1983). Attributional bias in aggressive adolescent boys and girls. *Journal of Social and Clinical Psychology, 1*, 312-321.

Steiner, I.D. (1972). *Group process and productivity*. New York: Academic Press.

Steiner, I.D. (1974). Whatever happened to the group in social psychology? *Journal of Experimental Social Psychology, 10*, 94-108.

Stephan, C.W. & Stephan, W.G. (1985). *Two social psychologies: An integrative approach*. Homewood, IL: The Dorsey Press.

Stephan, W.G. (1977). Cognitive differentiation in intergroup perception. *Sociometry, 40*, 50-58.

Stephan, W.G. & Stephan, C.W. (1984). The role of ignorance in intergroup relations. In N. Miller & M.B. Brewer (Eds.), *Groups in contact : The psychology of desegregation*. New York: Academic Press.

Stephan, W.G. & Stephan, C.W. (1990). *The two social psychologies*. Pacific Grove, CA: Brooks-Cole Publishing Co.

Stern, L.D., Marrs, S., Millar, M.G. & Cole, E. (1984). Processing time and the recall of inconsistent and consistent behaviors of individuals and groups. *Journal of Personality and Social Psychology, 47*, 253-262.

Sternberg, R.J. (1986). A triangular theory of love. *Psychological Review, 93*, 119-135.

Sternberg, R.J. & Barnes, M.L. (Eds.). (1988). *The psychology of love*. New Haven, CT: Yale University Press.

Sternberg, R.J. & Grajek, S. (1984). The nature of love. *Journal of Personality and Social Psychology, 47*, 312-329.

Stewart, N.K. (1988). *South Atlantic conflict of 1982: A case study in military cohesion*. Alexandra, VA: Research Institute for the Behavioral and Social Sciences (Report 1969).

Stier, D.S. & Hall, J.A. (1984). Gender differences in touch: An empirical and theoretical review. *Journal of Personality and Social Psychology, 47*, 440-459.

Stokes, J., Fuehrer, A. & Childs, L. (1980). Gender differences in self-disclosure to various target persons. *Journal of Counseling Psychology, 27*, 192-198.

Storms, M.D. (1973). Videotape and attribution process : Reversing actors' and observers' points of view. *Journal of Personality and Social Psychology, 27*, 165-175.

Storms, M.D., Denney, D.R., McCaul, K.D. & Lowery, C.R. (1979). Treating insomnia. In I.H. Frieze, D. Bar-Tal & J.S. Carroll (Eds.), *New approaches to social problems : Application of attribution theory*. San Francisco, CA: Jossey-Bass.

Storms, M.D. & McCaul, K.D. (1976). Attribution processes and emotional exacerbation of dysfonctional behavior. In J.H. Harvey, W.J. Ickes & R.F. Kidd (Eds.), *New directions in attribution research* (Vol. 1, pp 143-164). Hillsdale, NJ: Erlbaum.

Storms, M.D. & Nisbett, R.E. (1970). Insomnia and the attribution process. *Journal of Personality and Social Psychology, 16*, 319-328.

Stouffer, S.A., Guttman, L., Suchman, E.A., Lazarsfeld, P.F., Star, S.A & Clausen, J.A. (1950). *Measurement and prediction* (Studies in social psychology in World War II, Vol. 4). Princeton, NJ: Princeton University Press.

Stouffer, S.A., Lumsdaine, A.A, Lumsdaine, M.H., Williams, R.B., Jr., Smith, M.B., Janis, I.L., Star, S.A. & Cottrell, L.S., Jr. (1949a). *The American soldier : Combat and its aftermath* (Studies in social psychology in World War II, Vol. 2). Princeton, NJ: Princeton University Press.

Stouffer, S.A., Suchman, E.A., DeVinney, L.C., Star, S.A. & Williams, R.B., Jr. (1949b). *The American soldier : Adjustement during army life* (Studies in social psychology in World War II, Vol. 1). Princeton, NJ: Princeton University Press.

Strauman, T.J. (1992). Self-guides, autobiographical memory, and anxiety and dysphoria : Toward a cognitive model of vulnerability to emotional distress. *Journal of Abnormal Psychology, 101*, 87-95.

Strauman, T.J., Vookles, J., Berenstein, V., Chaiken, S. & Higgins, T.E. (1991). Self-discrepancies and vulnerability to body dissatisfaction and disordered eating. *Journal of Personality and Social Psychology, 61*, 946-956.

Straus, M.A. (1988). *Measuring physical and emotional abuse of children with the conflict tactics scales*. Durham, NH: University of New Hampshire, Family Research Laboratory.

Straus, M.A. & Gelles, R.J. (1988). How violent are American families ? Estimates from the National Family Violence Resurvey and other studies. In G.T. Hotaling, D. Finkelhor, J.T. Kirkpatrick & M.A. Straus (Eds.). *Family abuse and its consequences*, Newbury Park, CA: Sage.

Straus, M.A., Gelles, R.J. & Steinmetz, S. (1980). *Behind close doors : Violence in the American family*. Garden City, NY: Anchor Press.

Street, R.L., Jr. (1986). Interaction processes and outcomes in interviews. *Communication Yearbook, 9*, 215-250.

Street, R.L., Jr. (1990). The communicative functions of language and prosody. In H. Giles & W.P. Robinson (Eds.), *Handbook of language and social psychology* (pp. 121-140). Chichester, NY: John Wiley and Sons.

Street, R.L., Jr. & Capella, J.N. (1985). Sequence and pattern in communicative behavior : A review and commentary. In R.L. Street, Jr. & J.N. Cappella (Eds.), *Sequence and pattern in communicative behavior* (pp. 243-276). London : Arnold.

Streufert, S. & Streufert, S.C. (1969). Effects of conceptual structure, failure and success on attribution of causality and interpersonal attitudes. *Journal of Personality and Social Psychology, 11*, 138-147.

Stringer, C. (1991). L'émergence de l'homme moderne. *Pour la science, 160*, 54-61.

Strube, M.J. (1986). An analysis of the Self-Handicapping Scale. *Basic and Applied Social Psychology, 7*, 211-224.

Struch, N. & Schwartz, S.H. (1989). Intergroup aggression : Its predictors and distinctness from ingroup bias. *Journal of Personality and Social Psychology, 56*, 364-373.

Stryker, S. & Statham, A. (1985). Symbolic interaction and role theory. In G. Lindzey & E. Aronson (Eds.), *The handbook of social psychology (3rd ed.)* (Vol. 1, pp. 311-378). New York: Random House.

Stuart, E.W., Shimp, T.A. & Engle, R.W. (1987). Classical conditioning of consumer attitudes: Four experiments in an advertising context. *Journal of Consumer Research, 14*, 334-349.

Sullivan, J.L. & Conway, M. (1989). Negative affect leads to low-effort cognition: Attributional processing for observed social behavior. *Social Cognition, 7*, 315-337.

Suls, J., Gaes, G. & Gastorf, J.W. (1979). Evaluating a sex-related ability: Comparison with same-, opposite-, and combined-sex norms. *Journal of Research in Personality, 13*, 294-304.

Suls, J., Gastorf, J.W. & Lawhorn, J. (1978). Social comparison choices for evaluating a sex- and age-related ability. *Personality and Social Psychology Bulletin, 4*, 102-105.

Suls, J. & Miller, R.L. (1977). *Social comparison processes: Theoretical and empirical perspectives*. Washington, DC.: Halstead-Wiley.

Suls, J. & Wan, C.K. (1987). In search of the false-uniqueness phenomenon: Fear and estimates of social consensus. *Journal of Personality and Social Psychology, 52*, 211-217.

Suls, J. & Wills, T.A. (1991). *Social comparison: Contemporary theory and research*. Hillsdale, NJ: Erlbaum.

Suls, J.M. (1986). Notes on the occasion of social comparison theory's thirtieth birthday. *Personality and Social Psychology Bulletin, 12*, 289-296.

Suls, J.M. & Miller, R.L. (Eds.). (1977). *Social comparison processes: Theoretical and empirical perspectives*. New York: Hemisphere.

Sumner, W.G. (1906). *Folkways*. New York: Ginn.

Swann, W.B., Jr. (1983). Self-verification: Bringing social reality into harmony with the self. In J. Suls & A.G. Greenwald (Eds.), *Psychological perspectives on the self* (Vol. 2, pp. 3-66). Hillsdale, NJ: Erlbaum.

Swann, W.B., Jr. (1984). Quest for accuracy in person perception: A matter of pragmatics. *Psychological Review, 91*, 457-477.

Swann, W.B., Jr. (1985). The self as architect of social reality. In B. Schlenker (Ed.), *The self and social life* (pp. 100-125). New York: McGraw-Hill.

Swann, W.B., Jr. (1987). Identity negociation: Where two roads meet. *Journal of Personality and Social Psychology, 53*, 1038-1051.

Swann, W.B., Jr. (1990). To be adored or to be known? The interplay of self-enhancement and self-verification. In T.E. Higgins & R.M. Sorrentino (Eds.), *Handbook of motivation and cognition: Foundations of social behavior* (Vol. 2, pp. 408-448). New York: Guilford.

Swann, W.B., Jr. (1992). Seeking "truth", finding despair: Some unhappy consequences of a negative self-concept. *Current Directions in Psychological Science, 1*, 15-18.

Swann, W.B., Jr. & Ely, R.J. (1984). A battle of wills: Self-verification versus behavioral confirmation. *Journal of Personality and Social Psychology, 46*, 1287-1302.

Swann, W.B., Jr., Griffin, J.J., Predmore, S. & Gaines, B. (1987). The cognitive-affective crossfire: When self-consistency confronts self-enhancement. *Journal of Personality and Social Psychology, 52*, 881-889.

Swann, W.B., Jr. & Hill, C.A. (1982). When our identities are mistaken: Reaffirming self-conceptions through social interaction. *Journal of Personality and Social Psychology, 43*, 59-66.

Swann, W.B., Jr., Hixon, G.J. & De La Ronde, C. (1992). Embracing the bitter "truth": Negative self-concepts and marital commitment. *Psychological Science, 3*, 118-121.

Swann, W.B., Jr., Pelham, B.W. & Chidester, T.R. (1988). Change through paradox: Using self-verification to alter beliefs. *Journal of Personality and Social Psychology, 54*, 268-273.

Swann, W. B., Jr. & Predmore, S.C. (1985). Intimates as agents of social support: Sources of consolation or despair? *Journal of Personality and Social Psychology, 49*, 1609-1617.

Swann, W.B., Jr. & Read, S.J. (1981). Acquiring self-knowledge: The search for feedback that fits. *Journal of Personality and Social Psychology, 41*, 1119-1128.

Swann, W.B., Stein-Seroussi, A. & Giesler, B.R. (1992). Why people self-verify. *Journal of Personality and Social Psychology, 62*, 392-401.

Sweeney, P.D., Anderson, K. & Bailey, S. (1986). Attribution style in depression: A meta-analytic review. *Journal of Personality and Social Psychology, 50*, 974-991.

Taguieff, P.A. (1987). *La force du préjugé: essai sur le racisme et ses doubles* (coll. La Découverte). Paris: Gallimard.

Tajfel, H. (1972). Experiments in a vacuum. In J. Israel & H. Tajfel (Eds.), *The context of social psychology: A critical assessment*. London: Academic Press.

Tajfel, H. (1974). Social identity and intergroup behaviour. *Social Science Information, 13*, 65-93.

Tajfel, H. (1978a). The achievement of group differentiation. In H. Tajfel (Ed.), *Differentiation between social groups: Studies in the social psychology of intergroup relations*. London: Academic Press.

Tajfel, H. (1978b). *The social psychology of minorities*. London: Minority Rights Group.

Tajfel, H. (1979). Individuals and groups in social psychology. *British Journal of Social and Clinical Psychology, 18*, 183-190.

Tajfel, H. (1981). *Human groups and social categories*. Cambridge: Cambridge University Press.

Tajfel, H. (1982). Social psychology of intergroup relations. *Annual Review of Psychology, 33*, 1-39.

Tajfel, H. (1984). Intergroup relations, social myths and social justice in social psychology. In H. Tajfel (Ed.), *The social dimension: European developments in social psychology* (Vol. 2). Cambridge: Cambridge University Press.

Tajfel, H., Flament, C., Billig, M.G. & Bundy, R.P. (1971). Social categorization and intergroup behaviour. *European Journal of Social Psychology, 1*, 149-178.

Tajfel, H. & Turner, J.C. (1979). An integrative theory of social conflict. In W. Austin & S. Worchel (Eds.), *The social psychology of intergroup relations*. Chicago, IL: Nelson Hall.

Tajfel, H. & Turner, J.C. (1986). The social identity theory of intergroup behavior. In S. Worchel & W.G. Austin (Eds.), *Psychology of intergroup relations* (pp. 7-24). Chicago, IL: Nelson Hall.

Taylor, D.M. (1981). Stereotypes and intergroup relations. In R.C. Gardner & R. Kalin (Eds.), *A Canadian social psychology of ethnic relations*. New York: Methuen.

Taylor, D.M. & Brown, R.J. (1979). Towards a more social social psychology? *British Journal of Social and Clinical Psychology, 18*, 173- 180.

Taylor, D.M. & Clément, R. (1974). Normative reactions to styles of Quebec French. *Anthropological Linguistics, 16*, pp. 202-217.

Taylor, D.M., Doria, J. & Tyler, J.K. (1983). Group performance and cohesiveness: An attribution analysis. *The Journal of Social Psychology, 119*, 187-198.

Taylor, D.M. & Dubé, L. (1986). Two faces of identity: The "I" and the "We". *Journal of Social Issues, 42*, 81-98.

Taylor, D.M. & Gardner, R.C. (1969). Ethnic stereotypes: Their effects on the perception of communicators of varying credibility. *Canadian Journal of Psychology, 23*, 161-173.

Taylor, D.M. & Guimond, S. (1978). The belief theory of prejudice in an intergroup context. *The Journal of Social Psychology, 105*, 11-25.

Taylor, D.M. & Jaggi, V. (1974). Ethnocentrism and causal attribution in a South Indian context. *Journal of Cross-Cultural Psychology, 5*, 162-171.

Taylor, D.M., Ménard, R. & Rheault, E. (1977). Threat to ethnic identity and second language learning. In H. Giles (Ed.), *Language, ethnicity and intergroup relations* (pp. 98-118). London: Academic Press.

Taylor, D.M. & Moghaddam, F.M. (1987). *Theories of intergroup relations: International social psychological perspectives*. New York: Praeger.

Taylor, D.M. & Simard, L.M. (1975). Social interaction in bilingual setting. *Canadian Psychological Review, 16*, 240-254.

Taylor, S.E. (1989). *Positive illusions: Creative self-deception and the healthy mind*. New York: Basic Books.

Taylor, S.E. & Brown, J.D. (1988). Illusion and well-being: A social-psychological perspective on mental health. *Psychological Bulletin, 103*, 193-210.

Taylor, S.E. & Fiske, S.T. (1975). Point of view and perceptions of causality. *Journal of Personality and Social Psychology, 32*, 439-445.

Taylor, S.E. & Fiske, S.T. (1978). Salience attention and attribution: Top of the head phenomena. In L. Berkowitz (Ed.), *Advances in experimental social psychology* (Vol. 11, pp. 249-288). New York: Academic Press.

Taylor, S.E. & Fiske, S.T. (1981). Getting inside the head: Methodologies for process analysis. In J. Harvey, W. Ickes & R. Kidd (Eds.), *New directions in attribution research* (Vol. 3). Hillsdale, NJ: Erlbaum.

Taylor, S.E., Kemeny, M.E., Aspinwall, L.G., Schneider, S.G., Rodriguez, R. & Herbert, M. (1992). Optimism, coping, psychological distress, and high-risk sexual behavior among men at risk for Acquired Immunodeficiency Syndrome (AIDS). *Journal of Personality and Social Psychology, 63*, 460-473.

Taylor, S.E. & Koivumaki, J.H. (1976). The perception of self and others: Acquaintanceship, affect, and actor-observer differences. *Journal of Personality and Social Psychology, 33*, 403-408.

Taylor, S.E., Lichtman, R.R. & Wood, J.V. (1984). Attributions, beliefs about control, and ajustment to breast cancer. *Journal of Personality and Social Psychology, 46*, 489-502.

Taylor, S.E. & Lobel, M. (1989). Social comparison activity under threat: Downward evaluation and upward contacts. *Psychological Review, 96*, 569-575.

Taylor, S.E., Wood, J.V. & Lichtman, R.R. (1983). It could be worse: Selective evaluation as a response to victimization. *Journal of Social Issues, 39*, 19-40.

Tchoryk-Pelletier, P. (1989). *L'adaptation des minorités ethniques*. Montréal: Cégep de Saint-Laurent.

Tedeschi, J.T., Lindskold, S. & Rosenfeld, P. (1985). *Introduction to social psychology*. St. Paul, MN: West Publishing Company.

Tedeschi, J.T., Schlenker, B.R. & Bonoma, T.V. (1971). Cognitive dissonance: Private ratiocination or public spectacle? *American Psychologist, 26*, 685-695.

Tennen, H., Affleck, G. & Gershman, K. (1986). Self-blame among parents of infant with perinatal complications: The role of self-protective motives. *Journal of Personality and Social Psychology, 50*, 1174-1185.

Tennov, D. (1979). *Love and limerence: The experience of being in love.* New York: Stein and Day.

Termotte, P. & Gauvreau, D. (1988). *La situation démolinguistique au Québec.* Québec: Conseil de la langue française.

Terrace, H.S. (1979). *Nim: A chimpanzee who learned sign language.* New York: Knopf.

Tesser, A. (1978). Self-generated attitude change. In L. Berkowitz (Ed.), *Advances in experimental social psychology* (Vol. 11, pp. 181-227). New York: Academic Press.

Tesser, A. (1988). Toward a self-evaluation maintenance model of social behavior. In L. Berkowitz (Ed.), *Advances in experimental social psychology* (Vol. 21, pp. 181-227). New York: Academic Press.

Tesser, A. (1993). The importance of heritability in psychological research: The cases of attitudes. *Psychological Review, 100*, 129-142.

Tesser, A. & Smith, J. (1980). Some effects of task relevance and friendship on helping: You don't always help the one you like. *Journal of Experimental Social Psychology, 16*, 582-590.

Tetlock, P.E. (1980). Explaining teacher explanations of pupil performance: A self-presentational interpretation. *Social Psychology Quarterly, 43*, 283-290.

Tetlock, P.E. (1983). Accountability and the perseverance of first impressions. *Social Psychology Quarterly, 46*, 285-292.

Tetlock, P.E. (1984). Cognitive style and political belief systems in the British House of Commons. *Journal of Personality and Social Psychology, 46*, 365-375.

Tetlock, P.E. (1985). Toward an intuitive politician model of attribution process. In B.R. Schlenker (Ed.), *The self and social life* (pp. 203-234). New York: McGraw-Hill.

Tetlock, P.E. (1989). Structure and function in political belief systems. In A.R. Pratkanis, S.J. Breckler & A.G. Greenwald (Eds.), *Attitude, structure and function* (pp. 129-151). Hillsdale, NJ: Erlbaum.

Tetlock, P.E. & Levi, A. (1982). Attribution bias: On the inconclusiveness of the cognition-motivation debate. *Journal of Experimental Social Psychology, 18*, 68-88.

Thibaut, J.W. & Kelley, H.H. (1959). *The social psychology of groups.* New York: John Wiley and Sons.

Thomas, D.A. & Reznikoff, M. (1984). Sex role orientation, personality structure, and adjustment in women. *Journal of Personality Assessment, 48*, 28-36.

Thomas, D.S. (1929). Some new techniques for studying social behavior. *Child Development Monographs* (No. 1). New York: Teachers College.

Thompson, S.C., Sobolew-Shubin, A., Galbraith, M.E., Schwankovsky, L. & Cruven, D. (1993). Maintaining perceptions of control: Finding perceived control in low-control circumstances. *Journal of Personality and Social Psychology, 64*, 293-304.

Thorndike, E.L. (1911). *Animal intelligence.* New York: Macmillan.

Thorne, B., Kramarae, C. & Henley, N.M. (Eds.). (1983). *Language, gender and society.* Rowley, MA: Newbury House.

Thurstone, L.L. (1928). Attitudes can be measured. *American Journal of Sociology, 33*, 529-554.

Thurstone, L.L. (1931). The measurement of attitudes. *Journal of Abnormal and Social Psychology, 26*, 249-269.

Thurstone, L.L. & Chave, E.J. (1929). *The Measurement of attitude.* Chicago: University of Chicago Press.

Tice, D.M. & Baumeister, R.F. (1985). Masculinity inhibits helping in emergencies: Personality does predict the bystander effect. *Journal of Personality and Social Psychology, 49*, 420-428.

Tice, D.M. & Baumeister, R.F. (1990). Self-esteem, self-handicapping, and self-presentation: The strategy of inadequate practice. *Journal of Personality, 58*, 443-464.

Tieger, T. (1980). On the biological basis of sex differences in aggression. *Child Development, 51*, 943-963.

Tilker, H.A. (1970). Socially responsible behavior as a function of observer responsibility and victim feedback. *Journal of Personality and Social Psychology, 14*, 95-100.

Timko, C. & Janoff-Bulman, R. (1985). Attributions, vulnerability, and psychological adjustment: The case of breast cancer. *Health Psychology, 4*, 521-544.

Tinbergen, N. (1968). On war and peace in animals and man. *Science, 160*, 1411-1418.

Tomkins, S.S. (1962). *Affect, imagery, consciousness. The positive affects* (Vol. 1). New York: Springer-Verlag.

Tomkins, S.S. (1963). *Affect, imagery, consciousness. The negative affects* (Vol. 2). New York: Springer-Verlag.

Tougas, F. & Veilleux, F. (1989). Who likes affirmative action: Attitudinal processes among men and women. In F.A. Blanchard & F.J. Crosby (Eds.), *Affirmative action in perspective* (pp. 111-124). New York: Springer-Verlag.

Tougas, F. & Veilleux, F. (1992). Quelques déterminants de réactions des hommes et des femmes à l'action positive. *Revue québécoise de psychologie, 13,* 128-139.

Tracy, K. (1990). The many faces of facework. In H. Giles & W.P. Robinson (Eds.), *Handbook of language and social psychology* (pp. 209-226). Chichester, NY: John Wiley and Sons.

Trafimow, D., Triandis, H.C. & Goto, S.G. (1991). Some tests of the distinction between the private self and the collective self. *Journal of Personality and Social Psychology, 60,* 649-655.

Tremblay, C., Kirouac, G. & Doré, F.Y. (1987). The recognition of adults' and children's facial expressions of emotion. *Journal of Psychology, 121,* 341-350.

Triplett, N. (1897/1898). The dynamogenic factors in pacemaking and competition. *American Journal of Psychology, 9,* 507-533.

Trivers, R.L. (1971). The evolution of reciprocal altruism. *Quality Review of Biology, 46,* 35-57.

Trope, Y. (1975). Seeking information about one's own ability as a determinant of choice among tasks. *Journal of Personality and Social Psychology, 32,* 1004-1013.

Trope, Y. (1979). Uncertainty-reducing properties of achievement tasks. *Journal of Personality and Social Psychology, 37,* 1505-1518.

Trope, Y. (1980). Self-assessment, self-enhancement, and taste preference. *Journal of Experimental Social Psychology, 16,* 116-129.

Trope, Y. (1983). Self-assessment in achievement behavior. In J. Suls & A.G. Greenwald (Eds.), *Psychological perspectives on the self* (Vol. 2, pp. 93-122). Hillsdale, NJ: Erlbaum.

Trope, Y. & Ben-Yair, E. (1982). Task construction and persistence as means for self-assessment of abilities. *Journal of Personality and Social Psychology, 42,* 637-645.

Trope, Y. & Brickman, P. (1975). Difficulty and diagnosticity as determinants of choice among tasks. *Journal of Personality and Social Psychology, 31,* 918-926.

Trope, Y. & Mackie, D.M. (1987). Sensitivity to alternatives in social hypothesis-testing. *Journal of Experimental Social Psychology, 23,* 445-459.

Trottier, C. (1983). Le processus de socialisation à l'école. In R. Cloutier, J. Moisset & R. Ouellet (Eds.), *Analyse sociale de l'éducation* (pp. 87-104). Montréal : Boréal Express.

Trzebinski, J. & Richards, K. (1986). The role of goal categories in person impression. *Journal of Experimental Social Psychology, 22,* 216-227.

Tunnel, G. (1984). The discrepancy between private and public selves : Public self-consciousness and its correlates. *Journal of Personality Assessment, 48,* 549-555.

Turner, J.C. (1975). Social comparison and social identity: Some prospects for intergroup behaviour. *European Journal of Social Psychology, 5,* 5-34.

Turner, J.C. (1980). Fairness or discrimination in intergroup behavior : A reply to Branthwaite, Doyle and Lightbown. *European Journal of Social Psychology, 10,* 131-147.

Turner, J.C. (1981). The experimental social psychology of intergroup behaviour. In J.C. Turner & H. Giles (Eds.), *Intergroup behaviour* (pp. 66-101). Oxford : Basil Blackwell.

Turner, J.C. (1982). Towards a cognitive redefinition of social group. In H. Tajfel (Ed.), *Social identity and intergroup relations* (pp. 15-40). Cambridge : Cambridge University Press.

Turner, J.C. (1985). Social categorization and the self-concept : A social cognitive theory of group behavior. In E.J. Lawler (Ed.), *Advances in group processes* (Vol. 2, pp. 77-122). Greenwhich, CT: JAI Press.

Turner, J.C. & Brown, R.J. (1978). Social status, cognitive alternatives and intergroup relations. In H. Tajfel (Ed.), *Differentiation between social groups.* London : Academic Press.

Turner, J.C. & Giles, H. (Eds.). (1981). *Intergroup behavior.* Oxford : Basil Blackwell.

Turner, J.C., Hogg, M.A., Oakes, P.J., Reicher, J.D. & Wetherell, M.S. (1987). *Rediscovering the social group : A self-categorization theory.* Oxford : Basil Blackwell.

Turner, J.C., Hogg, M.A., Oakes, P.J. & Smith, P.M. (1984). Failure and defeat as determinants of group cohesiveness. *British Journal of Social Psychology, 23,* 97-111.

Tversky, A. & Kahneman, D. (1973). Availability: A heuristic for judging frequency and probability. *Cognitive Psychology, 5,* 207-232.

Tversky, A. & Kahneman, D. (1974). Judgment under uncertainty: Heuristics and biases. *Science, 185,* 1124-1131.

UNESCO. (1969). *Race and science.* New York: Columbia Press.

Ungar, S. & Sev'er, A. (1989). "Say it ain't so, Ben": Attributions for a fallen hero. *Social Psychology Quarterly, 52,* 207-212.

Vaillancourt, F. (1992). *Langue et statut économique au Québec, 1980-1985.* Québec : Conseil de la langue française.

Valentine, M.E. (1980). The attenuating influence of gaze upon the bystander intervention effect. *Journal of Social Psychology, 11,* 197-203.

Valins, S. (1966). Cognitive effects of false heart rate feedback. *Journal of Personality and Social Psychology, 4,* 400-408.

Valins, S. (1972). Persistent effects of information about internal reactions: Ineffectivness of debriefing. In R.H. London & R.E. Nisbett (Eds.), *The cognitive alteration of feeling states* (pp. 116-140). Chicago, IL: Aldine.

Vallacher, R.R. & Selz, K. (1991). Who's to blame? Action identification in allocating responsibility for alleged rape. *Social Cognition, 9*, 194-219.

Vallerand, R.J. (1985). Vers une intégration de la perspective attributionnelle à la psychologie sociale appliquée: dangers, critiques et recommandations de recherches futures. *Revue québécoise de psychologie, 6*, 114-139.

Vallerand, R.J. (1987). Antecedents of self-related affects in sport: Preliminary evidence on the intuitive-reflective appraisal model. *Journal of Sport Psychology, 9*, 161-182.

Vallerand, R.J. (1993). La motivation intrinsèque et extrinsèque en contexte naturel: implications pour les secteurs de l'éducation, du travail, des relations interpersonnelles et des loisirs. In R. J.Vallerand & E. Thill (Eds.), *Introduction à la psychologie de la motivation* (pp. 533-581). Montréal: Études Vivantes.

Vallerand, R.J. & Bissonnette, R. (1992). Intrinsic, extrinsic, and amotivational styles as predictors of behavior: A prospective study. *Journal of Personality, 60*, 599-620.

Vallerand, R.J., Blais, M.R., Brière, N.M. & Pelletier, L.G. (1989). Construction et validation de l'échelle de motivation en éducation (EME). *Revue canadienne des sciences du comportement, 21*, 321-349.

Vallerand, R.J. & Bouffard, L. (1985). Concepts et théories en attribution. *Revue québécoise de psychologie, 6*, 45-65.

Vallerand, R.J. & Brière, N.M. (1990). *Développement et validation d'un instrument de mesure par questionnaire de motivation intrinsèque, extrinsèque et d'amotivation pour le domaine des sports.* Rapport final de recherche, Université du Québec à Montréal.

Vallerand, R.J., Deci, E.L. & Ryan, R.M. (1987). Intrinsic motivation in sport. In K. Pandolf (Ed.), *Exercice and sport science reviews* (pp. 389-425). New York: Macmillan.

Vallerand, R.J., Deshaies, P., Cuerrier, J.P., Pelletier, L.G. & Mongeau, C. (1992). Ajzen and Fishbein's theory of reasoned action as applied to moral behavior: A confirmatory analysis. *Journal of Personality and Social Psychology, 62*, 98-109.

Vallerand, R.J., Gauvin, L.I. & Halliwell, W.R. (1986). Effects of zero sum competition on children's intrinsic motivation and perceived competence. *Journal of Social Psychology, 126*, 465-472.

Vallerand, R.J. & Halliwell, W.R. (1983). Formulations théoriques contemporaines en motivation intrinsèque: revue et critiques. *Psychologie canadienne, 24*, 243-256.

Vallerand, R.J. & O'Connor, B.P. (1989). Motivation in the elderly: A theoretical framework and some promising findings. *Canadian Psychology, 30*, 538-550.

Vallerand, R.J. & O'Connor, B.P. (1991). Construction et validation de l'Échelle de motivation pour les personnes âgées (EMPA). *Journal international de psychologie, 26*, 219-240.

Vallerand, R.J., O'Connor, B.P. & Blais, M.R. (1989). Life satisfaction of elderly individuals in regular community housing, in low-cost community housing, and high and low self-determination nursing homes. *International Journal of Aging and Human Development, 28*, 277-283.

Vallerand, R.J., Pelletier, L.G., Blais, M.R., Brière, N.M., Senécal, C. & Vallières, E.F. (1992). The Academic Motivation Scale: A measure of intrinsic, extrinsic, and amotivation in education. *Educational and Psychological Measurement, 52*, 1003-1019.

Vallerand, R.J., Pelletier, L.G. & Gagné, F. (1991). On the multidimensional versus unidimensional perspective of self-esteem: A test using the group-comparison approach. *Social Behavior and Personality, 19*, 121-132.

Vallerand, R.J. & Reid, G. (1984). On the causal effects of perceived competence on intrinsic motivation: A test of cognitive evaluation theory. *Journal of Sport Psychology, 6*, 94-102.

Vallerand, R.J. & Reid, G. (1988). On the relative effects of positive and negative feedback on males' and females' intrinsic motivation. *Canadian Journal of Behavioral Science, 20*, 239-250.

Vallerand, R.J. & Reid, G. (1990). Motivation and special population: Theory, research, and implications regarding motor behavior. In G. Reid (Ed.), *Problems in movement control* (pp. 159-197). New York: North-Holland.

Vallerand, R.J. & Richer, F. (1988). On the use of the Causal Dimension Scale in a field setting: A test with confirmatory factor analysis in success and failure situations. *Journal of Personality and Social Psychology, 54*, 704-712.

Vallerand, R.J. & Senécal, C. (1992). Une analyse motivationnelle de l'abandon des études. *Apprentissage et socialisation, 15*, 49-62.

Vallières, E.F. & Vallerand, R.J. (1990). *Motivation and gender as determinants of commitment toward gambling.* Manuscrit inédit, Université du Québec à Montréal.

Vallières, P. (1969). *Nègres blancs d'Amérique: autobiographie d'un terroriste québécois.* Paris: Maspéro.

Vanbeselaere, N. (1987). The effects of dichotomous and crossed social categorization upon intergroup competition. *European Journal of Social Psychology, 17*, 143-156.

Vanbeselaere, N. (1991). The different effects of simple and crossed categorizations : A result of the category differentiation process or of differential category salience ? In W. Stroebe & M. Hewstone (Eds.), *European review of social psychology* (Vol. 2, pp. 247-278), Toronto : John Wiley and Sons.

Van den Berghe, P. (1976). *South Africa : A study in conflict*. Berkeley, CA: University of California Press.

Van der Zanden, J.W. (1987). *Social psychology*. New York: Random House.

Van Hout, R. & Knops, U. (1988). *Language attitudes in the Dutch language area*. Dordrecht, Hollande : Foris.

Van Ijzendoorn, M.H. & Kroonenberg, P.M. (1988). Cross-cultural patterns of attachment : A meta-analysis of the strange situation. *Child Development, 59*, 147-156.

Van Knippenberg, A. & Van Oers, H. (1984). Social identity and equity concerns in intergroup perceptions. *British Journal of Social Psychology, 23*, 351-361.

Van Overwalle, F. & deMetsenaere, M. (1990). The effects of attribution-based intervention and study strategy training on academic achievement in college freshmen. *British Journal of Educational Psychology, 60*, 299-311.

Van Staden, F.J. (1987). White South Africans' attitudes toward the desegregation of public amenities. *Journal of Social Psychology, 127*, 163-173.

Vaughan, E.D. (1977). Misconceptions about psychology among introductory psychology students. *Teaching of Psychology, 4*, 138-141.

Vaughan, G.M. (1978). Social changes and intergroup preferences in New Zealand. *European Journal of Social Psychology, 8*, 297-314.

Vitelli (1988). The crisis issue assessed : An empirical analysis. *Basic and Applied Social Psychology, 9*, 301-309

Von Baeyer, C.L., Sherk, D.L. & Zanna, M.P. (1981). Impression management in the job interview: When the female applicant meets the male (chauvinist) interviewer. *Personality and Social Psychology Bulletin, 7*, 45-51.

Vreven, R. & Nuttin, J. (1976). Frequency perception of successes as a function of results previously obtained by others and by oneself. *Journal of Personality and Social Psychology, 34*, 734-743.

Walker, I. & Mann, L. (1987). Unemployement, relative deprivation, and social protest. *Personality and Social Psychology Bulletin, 13*, 275-283.

Walker, I. & Pettigrew, T.F. (1984). Relative deprivation theory: An overview and conceptual critique. *British Journal of Social Psychology, 23*, 301-310.

Walker, L. (1979). *Battered women*. New York: Harper.

Wallston, B.S., Algana, S.W., DeVellis, B. McE. & DeVellis, R.F. (1983). Social support and physical health. *Health Psychology, 2*, 367-391.

Walster, E. (1966). Assignment of responsibility for an accident. *Journal of Personality and Social Psychology, 3*, 73-79.

Walster, E., Walster, G.W. & Berscheid, E. (1978). *Equity theory and research*. Boston, MA: Allyn and Bacon.

Walters, G.C. & Grusec, J.E. (1977). *Punishment*. San Francisco, CA: Freeman.

Walters, R.H. & Brown, M. (1963). Studies of reinforcement of aggression. III. Transfer of responses to an interpersonal situation. *Child Development, 34*, 563-571.

Wanous, J. (1977). Organizational entry: Newcomers moving from outside to inside. *Psychological Bulletin, 84*, 601-618.

Waring, E.M., Tillman, M.P., Frelick, L., Russell, L. & Weisz, G. (1980). Concepts of intimacy in the general population. *Journal of Nervous and Mental Disease, 168*, 471-474.

Warshaw, P.R. (1980). A new model for predicting behavioral intentions : An alternative to Fishbein. *Journal of Marketing Research, 17*, 153-172.

Wasserman, D., Lempert, R.O. & Hastie, R. (1991). Hindsight and causality. *Personality and Social Psychology Bulletin, 17*, 30-35.

Waters, E., Wippman, J. & Sroufe, L.A. (1979). Attachment, positive affect, and competence in the peer group : Two studies in construct validation. *Child Development, 50*, 821-829.

Watson, D. (1982). The actor and the observor : How are the perception of causality divergent? *Psychological Bulletin, 92*, 682-700.

Watson, R.I., Jr. (1973). Investigation into deindividuation using a cross-cultural survey technique. *Journal of Personality and Social Psychology, 25*, 342-345.

Weary, G. (1980). Affect and egotism as mediators of bias in causal attributions. *Journal of Personality and Social Psychology, 38*, 348-357.

Weary, G. & Arkin, R.M. (1981). Attributional self-presentation. In J.H. Harvey, W. Ickes & R.F. Kidd (Eds.), *New directions in attribution research* (Vol. 3, pp. 223-246). Hillsdale, NJ : Erlbaum.

Webb, E.J., Campbell, D.T., Schwartz, R.D., Secherest, L. & Grove, J.B. (1982). *Nonreactive measures in the social sciences* (2nd ed.). Boston : Houghton Mifflin Co.

Wegner, D.M. & Schaefer, D. (1978). The concentration of responsability: An objective self awareness analysis of group size effects in helping. *Journal of Personality and Social Psychology, 36*, 147-155.

Weigel, R.H. & Newman, L.S. (1976). Increasing attitude-behavior correspondence by broadening the scope of the behavioral measure. *Journal of Personality and Social Psychology, 33*, 793-802.

Weimann, G. & Brosius, H.B. (1989). The predictability of international terrorism: A time-scale analysis. *Terrorism, 11*, 491-502.

Weiner, B. (1972). *Theories of motivation: From mechanism to cognition*. Chicago, IL: Markham.

Weiner, B. (1974). Achievement motivation as conceptualized by an attribution theorist. In B. Weiner (Ed.), *Achievement motivation and attribution theory* (pp. 3-48). Morristown, NJ: General Learning Press.

Weiner, B. (1979). A theory of motivation for some classroom experiences. *Journal of Educational Psychology, 71*, 3-25

Weiner, B. (1980). *Human motivation*. New York: Holt, Rinehart and Winston.

Weiner, B. (1980a). A cognitive (attribution)-emotion-action model of motivated behavior: An analysis of judgements of help-giving. *Journal of Personality and Social Psychology, 39*, 186-200.

Weiner, B. (1980b). May I borrow your class notes? An attributional analysis of judgements of help-giving in an achievement-related context. *Journal of Educational Psychology, 72*, 676-681.

Weiner, B. (1983). Some methodological pitfalls in attributional research. *Journal of Educational Psychology, 75*, 530-543.

Weiner, B. (1985a). "Spontaneous" causal thinking. *Psychological Bulletin, 97*, 74-84.

Weiner, B. (1985b). An attributional theory of achievement motivation and emotion. *Psychological Review, 92*, 548-573.

Weiner, B. (1986). *An attributional theory of motivation and emotion*. New York: Springer-Verlag.

Weiner, B. (1991). On perceiving the other as responsible. In R.A. Dienstbier (Ed.), *Nebraska symposium on motivation, 1990: Perspectives on motivation* (pp. 165-198). Lincoln, NE: University of Nebreska Press.

Weiner, B., Figueroa-Munoz, A. & Kakihara, C. (1991). The goals of excuses and communication strategies related to causal perceptions. *Personality and Social Psychology Bulletin, 17*, 4-13.

Weiner, B., Russell, D. & Lerman, D. (1978). Affective consequences of causal ascriptions. In J.H. Harvey, W. Ickes & R.F. Kidd (Eds.), *New directions in attribution research* (Vol. 2, pp. 59-90). Hillsdale, NJ: Erlbaum.

Weiner, B., Russell, D. & Lerman, D. (1979). The cognition-emotion process in achievement-related contexts. *Journal of Personality and Social Psychology, 37*, 1211-1220.

Weiss, R.S. (1973). *Loneliness: The experience of emotional and social isolation*. Cambridge, MA: MIT Press.

Wells, G.L. & Gavanski, I. (1989). Mental simulations of causality. *Journal of Personality and Social Psychology, 56*, 1059-1068.

Wells, G.L. & Petty, R.E. (1980). The effects of overt head-movements on persuasion: Compatibility and incompatibility of responses. *Basic and Applied Social Psychology, 1*, 219-230.

West, S.G., Newsom, J.T. & Fenaughty, A.M. (1992). Publication trends in JPSP: Stability and change in topics, methods, and theories across two decades. *Personality and Social Psychology Bulletin, 18*, 473-484.

West, S.G. & Wicklund, R.A. (1980). *A primer of social psychological theories*. Monterey, CA: Brooks-Cole Publishing Co.

Wetherell, M. (1982). Cross-cultural studies of minimal groups: Implications for the social identity theory of intergroup relations. In H. Tajfel (Ed.), *Social identity and intergroup relations* (pp. 207-240). Cambridge et Paris: Cambridge University Press et Maison des sciences de l'homme.

Wethington, E. & Kessler, R.C. (1986). Perceived support, received support, and adjustment to stressful life events. *Journal of Health and Social Behavior, 27*, 78-89.

Weyant, J.M. (1978). Effects of mood states, costs, and benefits on helping. *Journal of Personality and Social Psychology, 36*, 1169-1176.

Wheeler, L., Koestner, R. & Driver, R.E. (1982). Related attributes in the choice of comparison others. *Journal of Experimental Social Psychology, 18*, 489-500.

Wheeler, L. & Miyake, K. (1992). Social comparison in everyday life. *Journal of Personality and Social Psychology, 62*, 760-773.

Whitcher, S.J. & Fisher, J.D. (1979). Multidimensional reaction to therapeutic touch in a hospital setting. *Journal of Personality and Social Psychology, 37*, 87-96.

White, G.L. & Shapiro, D. (1987). Don't I know you? Antecedents and social consequences of perceived familiarity. *Journal of Experimental Social Psychology, 23*, 75-92.

White, K.M., Speisman, J.C., Jackson, D., Bartis, S. & Costos, D. (1986). Intimacy maturity and its correlates in young married couples. *Journal of Personality and Social Psychology, 50*, 152-162.

White, P.A. (1988). Causal processing: Origins and development. *Psychological Bulletin, 104*, 36-52.

Whitley, B.E. (1987). Effects of question-wording style and research context on attributions for success and failure. *Basic and Applied Social Psychology, 8*, 139-150.

Whittaker, J.O. & Meade, R.D. (1967). Social pressure in the modification and distortion of judgment: A cross-cultural study. *International Journal of Psychology, 2*, 109-113.

Whorf, B.L. (1956). *Language, thought, and reality*. Cambridge, MA: MIT Press.

Wicker, A.W. (1969). Attitudes vs actions: The relationship of verbal and overt behavioral responses to attitude objects. *Journal of Social Issues, 25*, 41-78.

Wicker, A.W. (1971). An examination of the "other variables" explanation of attitude-behavior consistency. *Journal of Personality and Social Psychology, 19*, 18-30.

Wicklund, R.A. (1975). Objective self-awareness. In L. Berkowitz (Ed.), *Advances in experimental social psychology* (Vol. 8, pp. 233-275). New York: Academic Press.

Wicklund, R.A. (1978). Three years later. In L. Berkowitz (Ed.), *Cognitive theories in social psychology* (Vol. 11, pp. 509-521). New York: Academic Press.

Wicklund, R.A. & Brehm, J.W. (1976). *Perspectives on cognitive dissonance*. Hillsdale, NJ: Erlbaum.

Widom, C.S. (1989). Does violence begets violence? A critical examination of the literature. *Psychological Bulletin, 106* (1), 3-28.

Wiemann, J.M. & Giles, H. (1988). Interpersonal communication. In M. Hewstone, W. Stroebe, J.P. Codol & G.M. Stephenson (Eds.), *Introduction to social psychology* (pp. 199-221). Cambridge: Basil Blackwell.

Wieviorka, M. (1991). *L'espace du racisme*. Paris: Éditions du Seuil.

Wilder, D.A. (1977). Perception of groups, size of opposition, and social influence. *Journal of Experimental and Social Psychology, 13*, 253-268.

Wilder, D.A. (1978). Reduction of intergroup discrimination through individuation to the outgroup. *Journal of Personality and Social Psychology, 36*, 1361-1374.

Wilder, D.A. (1984). Intergroup contact: The typical member and the exception to the rule. *Journal of Experimental Social Psychology, 5*, 219-232.

Wilder, D.A. (1986). Social categorization: Implications for creation and reduction of intergroup bias. In L. Berkowitz (Ed.), *Advances in experimental social psychology* (Vol. 19). New York: Academic Press.

Wiley, M.G., Crittenden, K.S. & Birg, L.D. (1979). Why a rejection? Causal attribution of a career achievement event. *Social Psychology Quarterly, 42*, 214-222.

Wilke, H. & Lanzetta, J.T. (1970). The obligation to help: The effects of amount of prior help on subsequent helping behavior. *Journal of Experimental Social Psychology, 6*, 488-493.

Williams, K.B., Harkins, S. & Latané, B. (1981). Identifiability as a deterrent to social loafing: Two cheering experiments. *Journal of Personality and Social Psychology, 40*, 303-311.

Wills, T.A. (1981). Downward comparison principles in social psychology. *Psychological Bulletin, 90*, 245-271.

Wills, T.A. (1991). Social support and interpersonal relationships. In M.S. Clark (Ed.), *Review of personality and social psychology: Vol. 12. Prosocial behavior* (pp. 265-289). Newbury Park, CA: Sage.

Wilson, E.O. (1975). *Sociobiology: The new synthesis*. Cambridge, MA: Harvard University Press.

Wilson, E.O. (1978). The genetic evolution of altruism. In L.G. Wispé (Ed.), *Altruism, sympathy and helping*. New York: Academic Press.

Wilson, T.D. (1985). Strangers to ourselves: The origins and accuracy of beliefs about one's own mental states. In J.H. Harvey & G. Weary (Eds.), *Attribution: Basic issues and applications* (pp. 9-36). New York: Academic Press.

Wilson, T.D. & Linville, P.W. (1982). Improving the academic performance of college freshmen: Attribution therapy revisited. *Journal of Personality and Social Psychology, 42*, 367-376.

Wilson, T.D. & Linville, P.W. (1985). Improving the performance of college freshmen with attributional techniques. *Journal of Personality and Social Psychology, 49*, 287-293.

Winnicott, D.W. (1964). *The child, the family, and the outside world*. New York: Penguin.

Wispé, L.G. & Freshley, H.B. (1971). Race, sex, and sympathetic helping behavior: The broken bag caper. *Journal of Personality and Social Psychology, 17*, 59-65.

Wong, P.T.P. & Weiner, B. (1981). When people ask "why" questions and the heuristics of attributional search. *Journal of Personality and Social Psychology, 40*, 650-663.

Wood, J.V. (1989). Theory and research concerning social comparisons of personal attributes. *Psychological Bulletin, 106*, 231-248.

Wood, J.V. & Taylor, K.L. (1991). Serving self-relevant goals through social comparison. In J. Suls & T.A. Wills (Eds.), *Social comparison: Contemporary theory and research* (pp. 23-49). Hillsdale, NJ: Erlbaum.

Wood, J.V., Taylor, S.E. & Lichtman, R.R. (1985). Social comparison in adjustment to breast cancer. *Journal of Personality and Social Psychology, 49*, 1169-1183.

Worchel, S. (1986). The role of cooperation in reducing intergroup conflict. In S. Worchel & W.G. Austin (Eds.), *Psychology of intergroup relations*. Chicago, IL: Nelson Hall.

Worchel, S., Andreoli, V.A. & Folger, R. (1977). Intergroup cooperation and intergroup attraction: The effect of previous interaction and outcome and combined effort. *Journal of Experimental Social Psychology, 13*, 131-140.

Worchel, S. & Norvell, N. (1980). Effects of perceived environmental conditions during cooperation on intergroup attraction. *Journal of Personality and Social Psychology, 38*, 764-772.

Worchel, S. & Teddlie, C. (1976). The experience of crowding: A two-factor theory. *Journal of Personality and Social Psychology, 34*, 30-40.

Worthy, M., Gary, A.L. & Kahn, G.M. (1969). Self-disclosure as an exchange process. *Journal of Personality and Social Psychology, 13*, 59-63.

Wortman, C.B. (1984). Social support and the cancer patient: Conceptual and methodological issues. *Cancer, 53*, 2339-2360.

Wortman, C.B. & Brehm, J.W. (1975). Responses to uncontrollable outcomes: An integration of reactance theory and the learned helplessness model. In L. Berkowitz (Ed.), *Advances in experimental social psychology* (vol. 8, pp. 277-336). New York: Academic Press.

Wortman, C.B. & Dunkel-Schetter, C. (1979). Interpersonal relationships and cancer: A theoretical analysis. *Journal of Social Issues, 35*, 120-155.

Wortman, C.B. & Dunkel-Schetter, C. (1987). Conceptual and methodological issues in the study of social support. In A. Baum & J.E. Singer (Eds.), *Handbook of psychology and health: Vol. 5. Stress* (pp. 63-108). Hillsdale, NJ: Erlbaum.

Wright, J. (1985). *La survie du couple*. Montréal: Éditions La Presse.

Wright, J., Duchesne, C., Sabourin, S., Bissonnette, F., Benoît, J. & Girard, Y. (1991). Psychosocial distress and infertility: Men and women respond differently. *Fertility and Sterility, 55* (1), 100-108.

Wright, J. & Sabourin, S. (1985). *L'intervention auprès du couple*. Ottawa: Éditions Consultaction.

Wright, M.E. (1942). Constructiveness of play as affected by group organization and frustration. *Character and Personality, 11*, 40-49.

Wright, M.E. (1943). The influence of frustration upon the social relations of young children. *Character and Personality, 12*, 111-122.

Wright, M.J. & Myers, C.R. (1982). *History of academic psychology in Canada*. Toronto: C.J. Hogrefe.

Wright, S., Taylor, D.M. & Moghaddam, F.M. (1990). Responding to membership in a disadvantaged group: From acceptance to collective protest. *Journal of Personality and Social Psychology, 58*, 994-1003.

Wrightsman, L.S. (1977). *Social psychology*. Monterey, CA: Brooks-Cole Publishing Co.

Wrightsman, L.S. & Deaux, K. (1981). *Social psychology in the 80's* (3rd ed.). Monterey, CA: Brooks-Cole Publishing Co.

Wyer, R.S. (1966). Effects of incentive to perform well, group attraction and group acceptance on conformity in a judgmental task. *Journal of Personality and Social Psychology, 29*, 829-835.

Wyer, R.S. (1981). An information-processing perspective on social attribution. In J.H. Harvey, W. Ickes & R.F. Kidd (Eds.), *New directions in attribution research* (Vol. 3, pp. 360-404). Hillsdale, NJ: Erlbaum.

Wyer, R.S. & Srull, T.K. (Eds.). (1984). *Handbook of social cognition*. Hillsdale, NJ: Erlbaum.

Wyer, R.S. & Srull, T.K. (1986). Human cognition in its social context. *Psychological Review, 93*, 322-359.

Wylie, R. (1979). *The self concept*. Lincoln, NE: University of Nebraska Press.

Yaguello, M. (1987). *Les mots et les femmes*. Paris: Payot.

Yaguello, M. (1989). L'élargissement du capitaine Prieur. *Contrastes, 20*, 73-78.

Yalom, I.D. (1980). *Existential psychotherapy*. New York: Basic Books.

Yin, R.K. (1984). *Case study research: Design and methods*. Beverly Hills, CA: Sage.

Yinon, Y. & Landau, M.O. (1987). On the reinforcing value of helping behavior in a positive mood. *Motivation and Emotion, 11*, 83-93.

Young, M.Y. & Gardner, R.C. (1990). Modes of acculturation and second language proficiency. *Canadian Journal of Behavioural Science, 22* (1), 59-71.

Younger, J.C. & Doob, A.N. (1978). Attribution and aggression: The misattribution of anger. *Journal of Research in Personality, 12*, 164-171.

Zajonc, R.B. (1965). Social facilitation. *Science, 149*, 269-274.

Zajonc, R.B. (1968). Attitudinal Effects of mere repeated exposure. *Journal of Personality and Social Psychology: Monograph Supplement, 9*, 1-27.

Zajonc, R.B. (1980). Feeling and thinking: Preferences need no inferences. *American Psychologist, 35*, 151-175.

Zajonc, R.B. (1984). On the primacy of affect. *American Psychologist, 39*, 117-123.

Zajonc, R.B. (1985). Emotion and facial efference: A theory reclaimed. *Science, 228*, 15-21.

Zajonc, R.B. (1989). Feeling and facial efference: Implications of the vascular theory of emotion. *Psychological Review, 96*, 395-416.

Zajonc, R.B. & McIntosh, D.N. (1992). Emotions research: Some promising questions and some questionable promises. *Psychological Science, 3*, 70-74.

Zaleski, Z. (1988). Attributions and emotions related to future goal attainment. *Journal of Educational Psychology, 80*, 563-568.

Zammichieli, M.E., Gilroy, F.D. & Sherman, M.F. (1988). Relation between sex-role orientation and marital satisfaction. *Personality and Social Psychology Bulletin, 14*, 747-754.

Zanna, M.P., Goethals, G.R., & Hill, J.F. (1975). Evaluating a sex-related ability: Social comparison with similar others and standard setters. *Journal of Experimental Social Psychology, 11*, 86-93.

Zanna, M.P., Haddock, G. & Esses, V.M. (1990). *The nature of prejudice*. Texte présenté à la Nags Head Conference on Prejudice, Nags Head, NC.

Zanna, M.P., Kiesler, C.A. & Pilkonis, P.A. (1970). Positive and negative attitudinal affect established by classical conditioning. *Journal of Personality and Social Psychology, 14*, 321-328.

Zanna, M. & Olson, J.M. (Eds.). (1993). *The Ontario symposium: The psychology of prejudice* (Vol. 7). Hillsdale, NJ: Erlbaum.

Zanna, M.P., Olson, J.M. & Fazio, R.H. (1980). Attitude-behavior consistency: An individual difference perspective. *Journal of Personality and Social Psychology, 38*, 432-440.

Zanna, M.P. & Pack, S.J. (1975). On the self-fulfilling nature of apparent sex differences in behavior. *Journal of Experimental Social Psychology, 11*, 252-256.

Zanna, M.P. & Rempel, J.K. (1988). Attitudes: A new look at an old concept. In D. Bar-Tal & A. Kruglanski (Eds.), *The social psychology of knowledge* (pp. 315-334). New York: Cambridge University Press.

Zillmann, D. (1971). Excitation transfer in communication-mediated aggressive behavior. *Journal of Experimental Social Psychology, 7*, 419-434.

Zillmann, D. (1978). Attribution and misattribution of excitatory reactions. In J.H. Harvey, W.J. Ickes & R.F. Kidd (Eds.), *New directions in attribution research* (Vol. 2). Hillsdale, NJ: Erlbaum.

Zillmann, D. (1979). *Hostility and aggression*. Hillsdale, NJ: Erlbaum.

Zillmann, D. (1983). Arousal and aggression. In R.G. Geen & E.I. Donnerstein (Eds.), *Aggression: Theoretical and empirical reviews* (Vol 1, pp. 75-102). New York: Academic Press.

Zillmann, D. & Bryant, J. (1984). Effects of massive exposure to pornography. In N.M. Malamuth & E. Donnerstein (Eds.), *Pornography and social aggression* (pp. 115-138). New York: Academic Press.

Zillmann, D. & Cantor, J. (1975). Effect of timing of information about mitigating circumstances on emotional responses to provocation and retaliatory behavior. *Journal of Experimental Social Psychology, 12*, 38-55.

Zillmann, D., Hoyt, J.L. & Day, K.D. (1974). Strength and duration of the effect of aggressive, violent, and erotic communications on subsequent aggressive behavior. *Communication Research, 1*, 286-306.

Zillmann, D., Katcher, A.H. & Milavsky, B. (1972). Excitation transfer from physical exercise to subsequent aggressive behavior. *Journal of Experimental Social Psychology, 8*, 247-259.

Zimbardo, P. (1965). The effect of effort and improvisation in self-persuasion produced by role playing. *Journal of Experimental Social Psychology, 1*, 103-120.

Zimbardo, P.G. (1970). The human choice: Individuation, reason, and order versus desindividuation, impulse and chaos. In W.J. Arnold & D. Levine (Eds.), *Nebraska symposium on motivation, 1969*. Lincoln, NE: University of Nebraska Press.

Zimbardo, P.G. (1975). Transforming experimental research into advocacy for social change. In M. Deutsch & H.A. Hornstein (Eds.), *Applying social psychology* (pp. 33-66). Hillsdale, NJ: Erlbaum.

Zimbardo, P.G. (1977). *Shyness: What it is, what to do about it*. Reading, MA: Addison-Wesley.

Zimbardo, P.G. & Leippe, M.R. (1991). *The psychology of attitude change and social influence*. New York: McGraw-Hill.

Zimbardo, P.G., Weisenberg, M., Firestone, I. & Levy, B. (1965). Communicator effectiveness in producing public conformity and private attitude change. *Journal of Personality, 33*, 233-255.

Zirkel, S. & Cantor, N. (1990). Personal construal of life tasks: Those who struggle for independence. *Journal of Personality and Social Psychology, 58*, 172-185.

Zuckerman, M. (1974). The sensation seeking motive. In B. Maher (Ed.), *Progress in experimental personality research* (Vol. 7, pp. 79-148). New York: Academic Press.

Zuckerman, M. & Brody, N. (1988). Oysters, rabbits and people: A critique of "Race differences in behaviour" by J.P. Rushton. *Personality and Individual Differences, 9*, 1025-1033.

Zuckerman, M., DePaulo, B.M. & Rosenthal, R. (1981). Verbal and nonverbal communication of deception. In L. Berkowitz (Ed.), *Advances in experimental social psychology* (Vol. 14, pp. 1-59). New York: Academic Press.

Zuckerman, M. & Driver, R. (1989). What sounds beautiful is good: The vocal attractiveness stereotype. *Journal of Nonverbal Behavior, 13*, 67-82.

Zuckerman, M., Hodgins, H. & Miyake, K. (1990). The vocal attractiveness stereotype: Replication and elaboration. *Journal of Nonverbal Behavior, 14*, 97-112.

Zuckerman, M., Klorman, R., Larrance, D.T. & Spiegel, N.H. (1981). Facial, autonomic, and subjective components of emotion: The facial feedback hypothesis versus the externalizer-internalizer distinction. *Journal of Personality and Social Psychology, 41*, 929-944.

Zuckerman, M., Koestner, R. & Driver, R. (1981). Beliefs about cues associated with deception. *Journal of Nonverbal Behavior, 6*, 105-114.

Zuckerman, M., Lazzaro, M.M. & Waldgeir, D. (1979). Undermining effects of the foot-in-the-door technique with extrinsic rewards. *Journal of Applied Social Psychology, 9*, 292-296.

Zuckerman, M., Miyake, K. & Hodgins, H. (1991). Cross-channel effects of vocal and physical attractiveness and their implications for interpersonal perception. *Journal of Personality and Social Psychology, 60*, 545-554.

Zuckerman, M., Porac, J., Lathin, D., Smith, R. & Deci, E. (1978). On the importance of self-determination for intrinsically motivated behavior. *Personality and Social Psychology Bulletin, 4*, 443-451.

INDEX DES AUTEURS

A

Abbey, A., 230
Abbondanza, M., 100, 101
Abelson, R.P., 213, 235, 336, 357, 368, 370, 392, 416
Aboud, F.E., 452, 453, 734, 739, 749
Abraham, L.M., 333
Abrams, D., 668, 750, 751, 757, 761
Abramson, L.Y., 264, 268, 273, 274, 311, 313, 315
Adair, J.G., 80
Adams, J., 685
Adams, J.S., 467
Adler, N.L., 498
Adler, R.B., 412
Adorno, T.W., 25, 650, 733, 734, 735, 737, 738
Aebischer, V., 659, 671, 686
Affleck, G., 314, 318
Agnoli, F., 429
Aiken, P.A., 501
Ainsworth, M.D.S., 469, 470, 560
Ajzen, I., 279, 332, 333, 344, 350, 356, 367, 394, 395, 396, 397, 398, 399, 400, 401, 402
Alain, M., 630
Alba, J.W., 135
Albouy, S., 671
Albright, L., 228
Alcock, J.E., 660
Alicke, M.D., 434
Allard, R., 447, 449
Allen, J.L., 280
Allen, M., 185
Allen, N.J., 676
Allen, V.L., 627, 670, 748
Alloy, L.B., 315
Allport, F.H., 10, 13, 14, 22, 335, 659, 691
Allport, G.W., 10, 12, 18, 19, 253, 331, 353, 392, 599, 733, 736, 759, 760
Alper, T., 425
Altermeyer, B., 675
Altman, I., 184, 434
Alwin, D.F., 676
Amabile, T.M., 174
Amato, P.R., 591
Amir, Y., 760
Anastasi, A., 82
Anctil, P., 736
Andersen, S.M., 148
Anderson, C.A., 216, 223, 287, 291, 292, 319
Anderson, J.R., 716, 723, 724
Anderson, N.H., 236, 237, 239, 240
Andreoli, V.A., 761
Andrews, B., 320
Anisfeld, E., 232
Annis, R.C., 749
Antill, J.K., 501
Antonovsky, A., 498
Anzieu, D., 658, 662
Archer, D., 345
Archer, R.L., 185, 186, 434
Argyle, M., 179, 241, 413, 415, 418, 420, 423, 425
Arkin, R.M., 182, 290
Aron, A., 495
Aron, A.P., 302
Aron, E.N., 495
Aronson, E., 71, 111, 351, 380, 761
Arvey, R.D., 333
Ascani, K., 640
Asch, S.E., 17, 28, 67, 203, 233, 236, 237, 238, 623, 626
Asher, H.B., 102
Ashmore, R.D., 210, 724
Aspinwall, L.G., 168, 174
Assael, H., 391
Atkinson, J.W., 306
Atkinson, R.C., 671, 672
Atkinson, R.L., 671, 672
Augelli, R.W., 182
Austin, W., 754, 758
Axsom, D., 375, 391

B

Bachman, J.G., 672
Back, K., 673
Backman, C.W., 248, 481, 497
Bagozzi, R.P., 401
Baillargeon, J., 500
Balakrishnan, T.R., 711
Baldwin, M.W., 146
Bales, R.F., 28, 432
Ball-Rokeach, S.J., 360
Bandura, A., 33, 41, 170, 174, 179, 363, 366, 514, 518, 526, 531, 533, 534, 535, 536, 537, 546, 551, 560, 564
Banks, C., 84
Banuazizi, A., 85
Barden, R.C., 595
Bargh, J.A., 161, 162, 209, 214, 215, 216, 220, 221, 234, 252
Barker, G.P., 608
Barlow, D.H., 86
Barnes, J., 134
Barnes, M.L., 491
Barnes, R.D., 501
Barnett, M.A., 611
Baron, R., 197, 221, 228
Baron, R.A., 11, 12, 112, 183, 235, 528, 534, 540, 546, 553, 579, 676, 698
Baron, R.M., 396
Baron, R.S., 321, 693
Barrett, G., 553
Barrett, L.C., 268, 319
Barrios, M., 345
Bar-Tal, D., 672
Bartell, P.A., 582
Bartlett, F.C., 23 ,24
Bartolucci, G., 432
Basham, R.B., 472
Bassett, R., 641, 642
Bassili, J.N., 340, 341, 633
Bate, B., 429
Bates, J.E., 545, 561
Bateson, G., 524
Batson, C.D., 583, 596, 597, 598, 599, 604, 607
Baucom, D.H., 501
Baum, A., 74, 75, 76, 318
Baumann, D.J., 595
Baumann, M., 433
Baumeister, R.F., 124, 159, 161, 165, 168, 175, 181, 316, 380, 589
Baumgardner, A.H., 159
Baumgardner, M.H., 383
Bavelas, J.B., 419, 436
Baxter, L.A., 186
Bayma, B., 186
Beale, D.A., 402
Beaman, A.L., 638, 701
Bear, J., 415
Beatty, S.E., 359
Beauchamp, S., 448
Beauvois, J.L., 638
Beck, A.T., 312, 316
Becker, H.S., 497

Bédard, E., 451
Bégin, G., 78, 98, 346, 347, 348, 674, 675
Bélanger, C., 502
Belew, J., 96
Bell, P.A., 540, 553
Bem, D.J., 32, 144, 145, 274, 280, 339, 365, 375, 377, 378, 611, 638, 640
Bem, S.L., 210, 500
Benfield, C.Y., 322
Benson, P.L., 602
Bentler, P.M., 401
Ben-Yair, E., 149
Berard, S.P., 111
Berg, J.H., 186, 434
Berger, C.R., 454
Berger, S.M., 150
Bergeron, J.L., 684
Berglas, S.C., 181, 182
Berkowitz, L., 467, 526, 528, 529, 530, 531, 533, 537, 538, 547, 551, 557, 564, 565, 572, 603, 697, 736, 756
Berman, J.J., 76, 425
Berndt, T.J., 672
Bernier, L., 674
Bernieri, F.J., 424
Berry, D.S., 228
Berry, J.W., 674, 713, 720, 721, 737, 738
Berscheid, E., 112, 188, 189, 190, 228, 244, 254, 466, 476, 479, 486, 487, 488, 572, 610, 725, 753
Betancourt, H., 86, 308, 320, 600
Betz, N.E., 170
Bickman, L., 32, 114, 393, 582, 697
Biddle, B.J., 39
Bierhoff, H.W., 572, 591
Billig, M.G., 741, 746
Billings, A.G., 471
Bilsky, W., 358, 359
Bird, C., 739
Birdwhistell, R.L., 421
Bissonnette, R., 172, 173
Bitter, E., 534
Black, A., 419
Blair, I., 308, 320
Blais, M.R., 81, 82, 89, 94, 171, 172, 173, 503
Blake, R.R., 686, 687, 688, 744, 761
Blanc, B., 711
Blanc, M.H.A., 432, 442, 443
Blanchard, K.H., 687
Blanchard, N., 499
Blaney, P.H., 311
Blank, A., 634
Blehar, M.C., 469
Blondin, J.P., 474, 483, 484
Blumstein, P., 49
Bochner, S., 688
Boel, E., 430
Bok, D.C., 9, 45
Bolduc, D., 713, 714
Bond, R.N., 165
Bonoma, T.V., 379
Booker, A., 530
Boon, C., 319
Bootzin, R.R., 321
Borgida, E., 282
Borkovec, T.D., 321
Borkowski, J.G., 323
Bornstein, R.F., 363
Boss, D., 425
Bouchard, J., 359
Bouchard, P., 448
Bouchard, T.J. Jr, 333
Boucher, C., 172, 503
Boucher, J.D., 418
Bouffard, L., 32, 279, 320
Bourdieu, P., 680, 733
Bourhis, R.Y., 446, 447, 448, 449, 450, 452, 711, 712, 714, 716, 717, 746, 747, 749, 750, 751, 752, 753, 757
Bourque, P.E., 173
Boutillier, R.G., 432, 686
Bowen, H.R., 674
Bower, G.H., 162, 234, 235
Bower, R.T., 546
Bowers, J.W., 411
Bowlby, J., 469, 492, 493, 560
Bradac, J., 446
Bradac, J.J., 411, 432, 450, 451, 454
Bradbury, T.N., 501
Bradley, G.W., 290
Bradshaw, D., 495
Bradshaw, J.W.S., 364
Brandt, J.R., 604
Braun, O.L., 284
Brawley, L.R., 664, 665
Breakwell, G.M., 16
Breckler, S.J., 103, 342, 344
Brehm, J.W., 311, 372, 497, 610
Brehm, S.S., 381, 479, 487, 488, 496
Bretherton, I., 469
Brewer, M., 351
Brewer, M.B., 138, 287, 588, 723, 747, 748, 752, 760, 763, 764, 767
Brewer, W.F., 365
Brewin, C.R., 311, 312, 320
Brickman, P., 149, 471, 496, 498
Brière, N.M., 94, 171, 173
Britt, T.W., 156
Brock, T.C., 388, 528
Brodsky, A., 487
Brody, N., 715
Broll, L., 572
Bronowski, J., 370
Brophy, 61
Brosh, M.E., 672
Brosius, H.B., 366
Brower, A., 168
Brown, J.D., 144, 160, 168, 217, 218, 290, 315
Brown, M., 534, 543
Brown, R., 737, 738, 747, 749, 750, 758
Brown, R.J., 167, 659, 662, 670, 672, 744, 751, 752, 761, 767, 769
Bruner, J., 202
Bruner, J.S., 354
Brunswick, E., 198, 199
Bryan, J.H., 573
Bryant, J., 554
Buchsbaum, K., 543
Bugelski, R., 523, 675
Bugental, D.E., 416
Bull, P., 423
Bull, V., 295
Bulman, R.J., 317
Bundy, R.P., 746
Burger, J.M., 272, 294, 300, 643
Burgess, M., 526
Burgess, R.L., 479
Burgoon, J.K., 436
Burgoon, M., 638
Burleson, J.A., 186
Burling, J.W., 135
Burns, M.O., 268
Burns, R.B., 130
Bush, M., 638
Bushman, B.J., 646
Buss, A.H., 154, 396, 514, 525, 528, 534
Buss, D.M., 496
Butler, D., 270
Byrne, B.M., 134
Byrne, D., 11, 12, 43, 112, 475, 528, 579, 698, 760
Byrne, J.L., 454

C

Cacioppo, J.T., 61, 69, 70, 99, 336, 344, 351, 352, 353, 385, 387, 389, 391, 392, 641, 642
Caddick, B., 753
Cadeau, M., 740
Caldwell, D.F., 190
Caldwell, G., 448
Callagan, C., 298
Camino, L., 547

Campbell, A., 89, 473
Campbell, D.T., 65, 333, 588, 723, 736, 738
Campbell, J.D., 178
Campos, J.J., 470
Cantor, J., 540
Cantor, N., 135, 168, 169, 204
Cantril, H., 336
Capella, J.N., 425, 436
Caplan, N., 756
Caporael, L.R., 588
Caputo, C., 296
Carli, L.L., 294
Carlo, G., 591, 596, 599
Carlsmith, J., 71, 73, 96
Carlsmith, J.M., 351, 375, 376, 378, 380
Carlson, J.H., 163, 301
Carlson, M., 592, 593
Carlston, D.E., 241
Carment, D.W., 660
Carranza, M., 451
Carroll, J.B., 441
Carroll, J.S., 308
Carron, A.V., 664, 665
Cartwright, D., 369, 448
Carver, C.S., 33, 61, 154, 155, 156, 157, 158, 164, 302, 379, 396
Casler, L., 485
Cassidy, J., 470
Castore, C.H., 149
CEC, 732, 733
Chaiken, S., 146, 230, 386, 389, 391, 630
Chaikin, A.L., 185, 186, 280, 293
Chanowitz, B., 634
Charlin, V., 592, 593
Chassin, L., 501
Chave, E.J., 335, 347
Check, J.V.P., 557
Chelune, G.J., 479
Chen, H.J., 298
Chidester, T.R., 245, 338
Child, P., 143
Childs, L., 185
Chisholm, J., 454
Chomsky, N., 427
Chown, S.M., 294
Chravala, A.C., 630
Christy, P.R., 538
Cialdini, R.B., 61, 72, 183, 595, 597, 607, 623, 639, 640, 641, 642
Clark, A.W., 689
Clark, E.M., 319
Clark, H.H., 415
Clark, K.B., 131, 749
Clark, M.P., 131, 749
Clark, M.S., 231, 603
Clark, R.D., 585
Clark, R.D., III, 633
Clary, E.G., 591, 599, 607
Clawson, C.J., 359
Clément, R., 432, 442, 443, 444, 452, 453, 454, 456
Clifton, A.K., 433
Cline, V.B., 551
Clore, G.L., 602
Cohen, J., 372
Cohen, J.B., 401
Cohen, M.E., 526
Cohen, R.A., 497
Cohen, R.L., 676
Cohen, S., 602, 608
Coke, J.S., 596, 607
Cole, A.H., 610
Cole, E., 216
Cole, R., 716
Coleman, M., 501
Colgan, L., 303
Collins, J.E., II, 612
Collins, N.L., 493
Comstock, G., 546
Condor, S., 758
Condry, J., 210
Condry, S., 210
Conn, M.K., 472
Connolley, R.S., 626
Connor, W.H., 603
Conte, H.R., 487
Converse, P.E., 89, 332
Conway, M., 127, 162, 163, 294, 365, 375
Cook, K.S., 42
Cook, S.W., 109, 760
Cooley, C.H., 124, 139
Cooper, J., 280, 281, 375, 376, 377, 378, 379, 380
Cooper, K., 501
Coopersmith, S., 133
Corenblum, B., 749
Corsini, R.J., 361
Costanzo, P.R., 37, 39, 43
Cota, A.A., 143
Cotton, J.L., 321
Cottrell, N.B., 636, 693
Courrier, S., 551
Courtney, E., 133
Coutu, S., 543
Couture, H., 78, 98
Cox, C.E., 229
Coyne, J.C., 471
Cozzarelli, C., 230
Cramer, R.E., 582
Crampont-Courseau, B., 430
Crawford, T.J., 756
Critchlow, B., 371
Crittenden, P.M., 560
Crocker, J., 130, 131, 132
Croft, R.G., 551
Cronbach, L.J., 202
Cropanzano, R., 333
Crosby, F., 467, 756
Crouch, I., 433
Crowe, B.J., 688
Crowley, M., 589
Crowne, D.P., 350
Croyle, R.T., 376, 378
Crutchfield, R.S., 628
Csikszentmihalyi, M., 496, 498
Culbertson, G.H., 432
Cunningham, M.R., 185
Curtis, J., 713
Cutrona, C.E., 507

D

Dakof, G.A., 609
D'Anglejan, A., 451, 712
Daniels, L.R., 603
Daoust, H., 172, 173
Darby, B.L., 595
Darley, J.M., 61, 68, 149, 150, 253, 256, 293, 377, 570, 576, 577, 578, 579, 580, 581, 583, 603, 613, 615
Darwin, C.R., 202, 205, 206, 353, 417
Dashiell, J.F., 29
Davidson, R., 417
Davis, K.E., 17, 203, 230, 274, 276, 277, 280, 287, 319, 493
Davison, J., 182
Davitz, J.R., 534
Dawes, R., 723
Dawes, R.M., 331, 344, 346, 351
Day, K.D., 540
Dean, J., 413, 415
Deaux, K., 138, 210, 298, 299, 660
DeBono, K.G., 190, 357
DeCenzo, D.A., 677
Deci, E.L., 17, 31, 62, 66, 162, 170, 171, 172, 173, 174, 306, 308, 309, 310
Dejong, W., 638
De Jong-Gierveld, J., 505, 506
DeLamater, J.D., 14, 661
De La Ronde, C., 179
Delgado, J.M.R., 521
deMetsenaere, M., 322
Demo, D.H., 133, 153
DeNinno, J.A., 149
Denney, D.R., 321
DePaulo, B.M., 91, 111, 207, 425, 437, 438, 439
Deppe, R.K., 182

Derlega, V.J., 185, 186, 425
Dermer, M., 188, 244
Deschamps, J.C., 723, 768
Deschênes, L., 89, 90
Desrochers, A., 430
Des Roches, M.J., 499
Deutsch, M., 28, 626, 745
Deutscher, I., 393
Devine, P.G., 725, 741
Dickoff, H., 183, 636
Dickson, W.J., 80
Diener, E., 157, 158, 179, 701
Dillard, J.P., 638, 639
Dindia, K., 185
Dion, K.K., 228, 444, 487, 677
Dion, K.L., 143, 444, 487, 664
Dittes, J., 630
Dodge, K.A., 541, 542, 543, 544, 545, 561, 562
Dodson, C.L., 86
Doise, W., 16, 699, 710, 723, 747, 748, 763, 768, 769
Dollard, J., 41, 522, 526, 530, 736
Donnelly, J.H. Jr, 383
Donnerstein, E., 554
Donnerstein, E.I., 540, 553, 554, 557
Donnerstein, M., 540, 554
Dontas, C., 470
Doob, A.N., 540
Doob, L.W., 332, 382, 522
Doré, F., 517
Doré, F.Y., 417, 418
Doria, J., 664, 745
Dörnyei, Z., 442
Dossett, K.L., 401
Dovidio, J.F., 585, 586, 595, 602, 723, 726, 763, 766
Downing, L.L., 607
Dragna, M., 582
Drake, M.F., 229
Driver, M.J., 335
Driver, R., 229, 439
Driver, R.E., 150
Dubé, L., 143, 474, 483, 484, 498, 499
Dubé-Simard, L., 100, 101, 467, 476, 734, 757
Dubois, B.L., 433
Dubois, G., 500
Duck, S., 181, 186
Dulude, D., 502, 503
Duncan, S.D., 420
Duncan, S.W., 595
Dunkel-Schetter, C., 608
Durso, F.T., 216
Dutton, D.G., 302
Duval, S., 33, 154, 164
Duyckaerts, F., 516
Dweck, 322
Dwyer, J., 314
Dyce, J., 141
Dynes, R.R., 664

E

Eagly, A.H., 338, 386, 556, 589, 630
Earle, W.B., 290
Earn, B.M., 308
Eaton, G., 556
Ebbesen, E.G., 528
Edelman, R., 527
Edwards, A.L., 346
Edwards, K., 764
Edwards, R.E., 373
Eflal, B., 745
Egeland, B., 470
Ehrhardt, A., 555
Eibl-Eibesfeldt, I., 516
Eisenberg, N., 572, 590, 591, 596, 636, 638
Eiser, J.R., 359, 366, 723
Eiser, R.J., 308
Ekman, P., 206, 415, 417, 418, 423, 424, 437, 438
Elias, C., 430
Ellemers, N., 753
Ellerston, N., 666
Ellsworth, P., 71
Ellsworth, P.C., 205, 419, 426
Ellyson, S.L., 420
Elms, A., 650
Ely, R.J., 143, 245, 255, 256
Emery, G., 313
Emery, R.E., 564
Emmons, R.A., 179
Emswiller, T., 299
Engle, R.W., 363
Enzle, M.E., 284
Erber, R., 244
Erickson, M.F., 470
Erikson, E.H., 312, 478
Eron, L.D., 549, 550
Esses, V.M., 345
Evans, R., 540
Evers, F.T., 443
Exline, R.V., 419, 420

F

Fabes, R.A., 596
Fafoutis, M., 470
Fantuzzo, J.W., 559
Farris, E., 298, 299
Fazio, R.H., 281, 284, 332, 339, 340, 345, 350, 354, 377, 378, 379, 397, 611
Feeney, J.A., 493
Fehr, B., 472
Fei, J., 486
Feingold, A., 46
Feldman, K.A., 674, 675
Felson, R.B., 141
Fenaughty, A.M., 70
Fencil-Morse, E., 310
Fenigstein, A., 154, 156, 165, 179, 180, 396
Ferguson, T.J., 62
Ferson, J.E., 739
Feshbach, S., 513, 514, 525, 534
Festinger, L., 28, 45, 148, 149, 150, 317, 368, 370, 375, 376, 378, 380, 465, 471, 497, 498, 673 679, 680, 701, 748
Fiedler, F.E., 688
Field, P.B., 133
Fifield, J., 314
Figueroa-Munoz, A., 316, 320
Fillenbaum, S., 450
Fincham, F.D., 270, 501
Finney, H.C., 674
Firestone, I., 376
Fisch, E., 574
Fischhoff, B., 294
Fishbaugh, L., 630
Fishbein, M., 344, 350, 356, 367, 394, 396, 397, 398, 399, 400, 401, 402
Fisher, J.D., 425, 608, 610
Fisher, R.J., 32, 113
Fishman, P.M., 433
Fiske, A.P., 571, 588
Fiske, S.T., 23, 32, 102, 204, 205, 209, 214, 219, 225, 234, 244, 245, 246, 247, 370, 716, 723
Flacks, R., 675
Flament, C., 746
Flay, B.R., 389
Fleming, J., 110
Fleming, J.H., 253
Fleming, J.S., 133
Fleming, R., 318
Fletcher, G., 282
Fletcher, G.J., 272, 295
Fletcher, J.F., 340, 341
Florian, V., 493
Folger, R., 761
Folkes, V.S., 149
Folkman, J.R., 70
Fordyce, J., 421
Forgas, J.P., 235

Forsterling, F., 322
Forsyth, D.R., 109, 270, 322, 658, 662, 670, 685, 688, 695
Forsyth, N.L., 322
Forsythe, S., 229
Forte, R.A., 419
Fortin, P., 713, 714
Frable, D.E.S., 178
Frame, C.L., 542
Franco, J.N., 434
Frankel-Brunswick, E., 640
Fransworth, P.R., 36
Fraser, S.C., 607, 637, 638, 701
Fredricks, A.J., 401
Freedman, J., 473
Freedman, J.L., 547, 552, 557, 607, 637, 638
French, J.R.P. Jr, 644
French, R.D., 319
Frenkel-Brunswick, E., 733
Freshley, H.B., 603
Freud, S., 515
Freund, T., 245
Frey, D.L., 603
Frideres, J.S., 750
Friedland, N., 758
Friedman, H.S., 439
Friedrich-Cofer, L., 552
Friesen, W., 437
Friesen, W.V., 415, 417, 424, 438
Frodi, A., 556
Fromkin, H.L., 528
Fromm, E., 485, 504
Fuehrer, A., 185
Fujioka, T., 143
Fulcher, R., 50
Fulkerson, D., 430
Fultz, J., 596
Funder, D.C., 300
Furnham, A., 179

G

Gadfield, N., 717
Gaertner, S.L., 602, 603, 723, 726, 763, 764, 766
Gaertner, S.S., 585
Gaes, G., 150
Gaes, G.G., 379
Gagné, F., 134
Gagnon, A., 716, 746
Gaines, B., 160
Gale, W.S., 433
Gammage, P., 366
Gangestad, S., 179, 187, 190, 251
Ganong, L.H., 501
Garbarino, J., 559
Garber, J., 595
Gardner, B.T., 426
Gardner, R.A., 426
Gardner, R.C., 232, 441, 442, 443, 444
Garfingel, 671
Gary, A.L., 186
Gastorf, J.W., 150
Gauvin, L.I., 78
Gauvreau, D., 448, 711
Gavanski, I., 285
Gazda, G.M., 361
Geen, R., 529
Geen, R.G., 525, 528, 546, 551
Geen, T.R., 344
Gelfand, D.M., 538
Gelles, R.J., 558, 559
Genesee, F., 449, 450, 452
Gerard, H.B., 355, 374, 497, 626
Gerbner, G., 351, 546, 552, 740
Gergen, K.J., 30, 31, 137, 151, 277, 671, 685
Gergen, M.M., 671, 685
Gerrard, M., 150
Gershman, K., 318
Getzlaf, S., 359
Ghiglione, R., 413
Gibbons, F.X., 124, 150, 154, 186, 302, 340
Giesler, B.R., 180
Gifford, R., 425
Gifford, R.K., 211, 724
Gilbert, D.T., 204, 243, 293
Gilbert, L.A., 652
Giles, H., 431, 432, 435, 445, 446, 447, 449, 451, 454, 717, 723, 727, 750
Gilliam, G., 559
Gillig, P.M., 383
Gilovich, T., 232, 289
Gilroy, F.D., 501
Giltrow, M., 153
Ginzberg, E., 731, 732
Givens, D., 424
Glass, D., 602
Glass, D.C., 310, 693
Glass, G., 90
Gleason, H.A. Jr, 428
Glick, P., 189, 221
Godfrey, S.S., 223
Goethals, G., 380
Goethals, G.R., 149, 150, 659
Goffman, E., 187
Goldberg, S., 215, 424
Goldman, M., 421
Goldstein, A.P., 516
Goldstein, J.H., 528
Golin, S., 311
Gollwitzer, P.M., 290
Gonzales, M.H., 181
Goranson, R.E., 552
Gordon, C., 128, 129
Gordon, L.J., 182
Gordon, S., 505
Goto, S.G., 144
Gottlieb, A., 110, 582, 607
Gould, R., 297
Gouldner, A.W., 434
Gouvernement du Québec, 712
Goy, R., 555
Graham, S., 608
Grajek, S., 479, 491, 492
Grant, P.R., 753
Gray, E., 366
Graziano, W., 188, 244
Graziano, W.G., 590
Greenberg, J., 134, 135, 165, 292, 695
Greenberg, M.A., 186
Greenberg, M.S., 636
Greene, D., 176, 281
Greenspoon, J., 364
Greenwald, A.G., 127, 135, 162, 203, 333, 334, 344, 354, 355, 357, 361, 383
Gregory, D., 666
Grether, J., 421
Griffin, J.J., 160
Groebel, J., 514
Grolnick, W.S., 174
Gross, A.E., 110, 572
Gross, L., 351, 546, 552, 740
Grove, J.R., 298
Grube, J., 360
Grube, J.W., 359
Gruder, C.L., 383, 384, 591
Grusec, J.E., 571, 575, 576
Grush, J.E., 364
Gudykunst, W.B., 453
Guimond, S., 674, 675, 677, 714, 734, 740, 757
Gumperz, J.J., 445
Gunderson, M., 755
Gurr, T.R., 756
Gurtman, M.B., 351
Gutierres, S.E., 151

H

Haberkorn, G., 633
Hacker, T.A., 472
Hackett, G., 170
Hackman, J.R., 657
Haddock, G., 345
Hagège, C., 426
Hale, J., 436
Hall, C.A., 284

Hall, C.S., 37
Hall, E.T., 424
Hall, J.A., 425
Hallam, J., 540, 553
Halliwell, W.R., 78
Hamers, J.F., 432, 442, 443
Hamill, R., 204
Hamilton, D.L., 211, 717, 724, 725
Hampson, S.E., 215
Haney, C., 84
Hanrahan, S.J., 289
Hansen, C.H., 417
Hansen, R.D., 284, 285, 417
Hanson, M., 607
Hapkiewicz, W.G., 551
Harackiewicz, J.M., 323
Harary, F., 369
Harkins, S., 694, 695
Harlow, H., 103, 556
Harlow, L.L., 102
Harper, R.G., 424
Harris, M.B., 607
Harris, M.S., 185
Harris, R.N., 182
Harris, V.A., 277, 292
Harrison, C.L., 610
Harter, S., 133, 134
Hartman, D.A., 335
Hartmann, D.P., 538
Hartwick, J., 400
Harvey, J.H., 284, 295
Hasher, L., 135
Hass, R.G., 765
Hastie, R., 216, 221, 287
Hastorf, A.J., 205, 426
Hatfield, E., 112, 164, 301, 467, 478, 487
Hattie, J., 124
Hausknecht, D., 392
Hayes, C., 426
Hayes, K., 426
Hazan, C., 470, 493, 494, 495
Heath, L., 552
Heatherton, T.D., 165
Heatherton, T.F., 132, 175
Heaton, A.W., 175
Heidegger, M., 504
Heider, F., 25, 28, 45, 203, 219, 262, 269, 273, 274, 275, 288, 368, 465
Heilbrun, A.B., 500
Heim, M., 308
Heimreich, R., 500
Helly, D., 711
Hemans, L.T., 272
Henchy, T., 693
Henderson, D., 667
Henderson, J.E., 377
Hendrich, C., 582, 589
Hendrick, C., 47, 491, 496, 497, 498
Hendrick, S.S., 491, 496, 497, 498
Henley, N.M., 429, 433
Henry, E., 731, 732
Henwood, K., 432
Herberg, E., 711, 712, 733
Herek, G.M., 346, 358
Herman, C.P., 321
Herman, P.C., 165
Hernandez, A.C.R., 602
Hersen, M., 86
Hersey, P., 687
Heslin, R., 425
Hess, U., 417
Hewitt, E., 149
Hewstone, M.R.C., 760, 761, 767
Higbee, K.L., 70
Higgins, E.T., 138, 165, 166, 209, 214, 216, 220, 221, 233, 234, 252, 691
Higgins, R.L., 315
Higgins, T.E., 167
Hilgard, E.R., 18, 19, 23
Hilgard, R.E., 671
Hill, C.A., 141, 142, 152
Hill, P., 750
Hillerband, E., 113
Hilton, J.L., 253, 256
Hilton, T., 726, 727
Hinde, R.A., 464, 479, 497, 514, 518
Hindy, C.G., 487
Hiroto, D.S., 310
Hirsch, B., 153
Hirt, E.R., 182, 216
Hixon, G.J., 154, 179
Hodgins, H., 229
Hodgson, R., 450
Hoffman, C., 429
Hofling, C.K., 646
Hogg, M.A., 659, 668, 745, 750, 751
Hokanson, J.E., 526, 527
Hollander, E.P., 689
Holmes, J.G., 487
Holmes, M., 574
Holmes, W.H., 279
Holobow, N.E., 450
Holtzam, W.H., 739
Holtzworth-Munroe, A., 268, 271
Hom, H.L. Jr, 174
Homans, G.C., 466
Homer, P.M., 357, 359
Hornstein, H.A., 574, 602
Horowitz, L.M., 319
Horwitz, M., 746
Hospers, H.J., 314
Houdebine, A.M., 430
House, J.A., 471
House, P., 176
Hovland, C., 24, 28, 382, 383, 384, 736
Hovland, C.I., 332, 342
Howard, G.S., 113
Howard, J.W., 49, 50
Hoyt, J.L., 540
Hu, L.T., 724
Huesmann, L.R., 549, 550
Hughes, H.M., 559
Hull, J.G., 312
Humphrey, R.H., 672
Hunt, E., 429
Hunter, J.E., 638
Huntzinger, R.M., 300
Huston, A.C., 552
Huston, T.L., 479
Hutton, D.G., 161
Huynh, C.L., 80
Hyde, J.S., 430, 556
Hyman, H.H., 661, 675
Hymes, D., 445
Hyun, Y.J., 385

I

Ickes, W., 12, 69, 179, 501
Inbar-Saban, N., 360
Ingram, R.E., 182
Inkster, J.A., 373
Insko, C.A., 382
Instone, D., 685
Iritani, B., 345
Isen, A.M., 235, 236, 592
Ivancevich, J.M., 373
Izard, C.E., 164, 418, 592

J

Jacklin, C.N., 556
Jackson, J.M., 697, 698
Jacobson, L., 254
Jacobson, N.S., 268, 271
Jaffe, P.G., 559, 564
Jaggi, V., 767
James, J., 333
James, W., 124, 126, 128, 139
Jamieson, D.W., 355, 356
Janis, I.L., 61, 87, 133, 664, 699
Janis, L., 28, 382
Janoff-Bulman, R., 266, 294, 317, 318, 320, 471
Janowitz, M., 667
Jasnoski, M.L., 607

John, O.P., 215, 761
Johnson, B.T., 338
Johnson, D.R., 429
Johnson, D.W., 761
Johnson, J.L., 433
Johnson, M.P., 496, 497
Johnson, P., 446, 454
Johnson, R., 761
Johnson, R.N., 524
Johnson, V.E., 671
Johnson-George, C., 487
Johnston, L.D., 419, 672
Jones, C.R., 220
Jones, E.E., 17, 18, 28, 48, 86, 181, 182, 183, 184, 185, 197, 201, 203, 204, 207, 230, 274, 276, 277, 278, 280, 281, 287, 292, 293, 295, 296, 297, 319, 350, 612, 636
Jones, J.M., 752
Jones, R.A., 379
Jöreskog, K.G., 102, 359
Jose, P.E., 294
Josephs, R.A., 144
Joshi, P., 113
Joule, R.V., 638
Jourard, S.M., 184, 185, 186
Judd, C.M., 73, 83

K

Kahle, L.R., 359
Kahn, A., 744, 761
Kahn, G.M., 186
Kahneman, D., 221, 222, 223, 285
Kairouz, S., 474, 483, 484, 498
Kakihara, C., 316, 320
Kalin, R., 674, 713, 727, 730, 732
Kalle, R.J., 379
Kalmuss, D., 560
Kamen-Siegel, L., 314
Kamins, M.A., 391
Kao, C.F., 392
Kaplan, N., 470
Karabenick, S.A., 602
Karangelis, A., 470
Kardes, F.R., 339
Karoly, P., 168
Kassarjian, H., 372
Kassin, S.M., 381, 479
Kaswan, J.E., 416
Katcher, A.H., 538
Katz, D., 354
Katz, I., 602, 765
Kaufman, J., 563
Keith, P.M., 141, 142
Kelem, R.T., 701
Keller, C., 421
Kelley, H., 28, 382, 630
Kelley, H.H., 17, 32, 42, 43, 203, 238, 270, 272, 274, 276, 281, 283, 284, 285, 464, 466, 468, 487
Kellogg, L.A., 426
Kellogg, R., 321
Kellogg, W.N., 426
Kelly, J.G., 739
Kelman, H., 630
Kelman, H.C., 111
Kendzierski, D., 397
Kenny, D.A., 99, 102, 228, 396
Kenrick, D.T., 151, 607
Kerlinger, F.N., 59
Kerr, N.L., 112
Kessler, R.C., 472, 549
Kidder, L.H., 73, 83
Kierkegaard, S., 504
Kiesler, C.A., 43, 362, 496, 497, 498, 638, 641, 652
Kihlstrom, J.F., 135
Kim, H.S., 353
Kimble, C.E., 419
Kimble, G.A., 40
Kimes, D.D., 345
Kincaid, D.L., 413, 415
Kinder, D.R., 369
Kipnis, D., 643
Kirker, W.S., 162
Kirouac, G., 301, 417, 418, 592
Kirsch, K., 638
Kitayama, S., 144
Kitt, A., 661
Kleck, R.E., 186
Klein, D.C., 310
Klein, M., 485, 515
Klein, R., 138, 165, 572
Kleinhesselink, R.R., 373
Kleinke, C.L., 419, 420, 421
Klesges, R.C., 319
Kline, S.L., 397
Klinger, E., 6, 473, 496, 498
Klorman, R., 419
Knops, U., 451
Knox, R.E., 373
Koenig, K.E., 675
Koestner, R., 150, 176, 177, 178, 439
Koivumaki, J.H., 297
Kok, G., 314
Kolodny, R.C., 671
Kommor, M.J., 479
Konecni, V.J., 528
Korte, C., 582
Kowalski, R.M., 124, 181
Kralt, J., 711
Kramarae, C., 433
Kramer, R.M., 723, 747, 750
Kramp, P., 572
Krasnor, L.R., 544
Kratochwill, T.R., 86, 87
Krause, N., 609
Krauss, R.M., 437
Kraut, R.E., 419, 439, 638
Krebs, D.L., 570, 593, 596
Kroonenberg, P.M., 470
Krueger, J., 725
Kruglanski, A.W., 149, 245, 252, 286, 355, 363, 368, 370, 372
Krugman, H., 392
Kruidenier, B.G., 442, 443, 444
Krull, D.S., 243, 293
Kruskal, J.B., 100
Ksionzky, S., 474
Kuczynski, L., 576
Kuiper, N.A., 162
Kulik, J.A., 290
Kunda, Z., 152, 176, 292
Kunst-Wilson, W.R., 363
Kuo, Z.Y., 518
Kurdek, L.A., 501

L

Labov, W., 432
Lacan, J., 515
Lacombe, D., 173
Lacroix, J.M., 423
La Fong, C., 419
La France, M., 113, 420
Lage, E., 633
Lagerspetz, K., 550
Lakoff, R., 433
Lalleman, J., 454
Lalonde, R.N., 443
Lambert, R., 713
Lambert, W.E., 17, 232, 441, 442, 443, 450, 451
Lamberth, J., 649
Landau, M.O., 595
Landry, R., 447, 449
Lang-Gunn, L., 318
Langer, E., 322
Langer, E.J., 174, 175, 235, 634, 635
Langer, J., 421, 422
Langis, J., 501
Langlais, J., 711
Lanzetta, J.T., 609
Lapadat, J., 433
LaPiere, R.T., 34, 393, 395
Laplante, L.S., 456
Laplante, P., 711
Laporte, L., 503
Larrance, D.T., 419
Larsen, R.J., 179

Lasakow, P., 185
Lassiter, D.G, 339
Lassiter, G.D., 439
Lasswell, M.E., 491
Latané, B., 61, 68, 69, 149, 570, 576, 577, 578, 579, 580, 581, 603, 613, 615, 694, 695, 696
Lau, I., 429
Lau, R.R., 162, 289
Laver, J., 435
Lavoie, H., 346, 348
Lawhorn, J., 150
Lazarus, R.S., 301, 305, 471, 592
Lazzaro, M.M., 638
Leary, M.R., 124, 181
Leavy, R.L., 471
Le Bon, G., 19, 701
Lecky, P., 248
Lee, J.A., 490
Lee, K.C., 359
Leeper, R., 199, 216
Lefkowitz, M.M., 549
Legant, P., 296
Legault, J., 712
Lehrman, D.S., 518
Leik, R.K., 497
Leik, S.K., 497
Leippe, M.A., 383
Lemaine, J.M., 346, 349
Lemery, C.R., 419
Lemyre, L., 750, 751
Lenski, G.E., 759
LePage, A., 529
Lepicq, D., 447, 449, 450, 711, 712, 750
Lepper, M.R., 162, 281
Lerman, D., 303, 304
Lerner, M.J., 141, 294, 466, 572, 611, 650, 755
Lerner, R.M., 602
Lerner, S., 755
Lester, O.P., 675
Leventhal, H., 386
Levi, A., 291
Levine, J.M., 627, 677, 678, 679, 680, 683, 691
Levine, M.C., 712
LeVine, R.A., 723, 738
Levinger, G., 479, 481, 497
Levinson, D.J., 650, 733
Levitan, D., 487
Levy, B., 376
Levy, E., 424
Levy, J., 711
Levy, M.B., 493
Lewicki, P., 234
Lewin, K., 24, 26, 27, 28, 44, 233, 660, 687
Lewis, D.K., 415
Lewis, L.L., 210
Lewis, S., 725
Leyens, J.P., 473, 547, 671, 717, 724
Liang, J., 609
Lichtman, R.R., 150, 313
Lieberman, S., 365
Liebert, R.M., 546
Likert, R., 23, 346
Lindquist, C.V., 559
Lindsay, P.H., 44
Lindskold, S., 159
Lindzey, G., 37, 475
Linville, P.W., 167, 209, 322
Linz, D., 553
Lippa, R., 188
Lippitt, R., 27, 28, 687
Liu, T.J., 381
Lizzadro, T., 591
Lobel, M., 150
Lobsenz, N.M., 491
Loeber, R., 542
Loewy, B.Z., 363
Lombardi, W.J., 214
Long, B., 420
Lopata, H.Z., 505
Lord, C.G., 216, 395
Lord, K.A., 144
Lorenz, K., 517, 518, 587
Lortie-Lussier, M., 430
Losch, M.E., 353, 378
Losier, G.F., 173
Lott, A., 664, 666
Lott, A.J., 19, 43
Lott, B., 664, 666
Lott, B.E., 19, 43
Loud, R.E. Jr, 604
Love, L.R., 416
Love, N., 730
Low, H., 556
Lowe, C.A., 284
Lowe, J.B., 350
Lowenthal, M.F., 472
Lowery, C.R., 321
Ludwig, D., 434
Luhtanen, R., 130, 131, 132
Lukaszewski, M.P., 432
Lumsdaine, A., 24
Lussier, Y., 503
Lykken, D.L., 153
Lyle, J., 546
Lysynchuk, L.M., 443
Lytton, H., 571

M

Maass, A., 633, 767, 768
Macauley, J., 556
Maccoby, E.E., 469, 555, 556
MacCoun, R.J., 112
MacIntyre, P.D., 442, 444
MacKay, D.G., 430
Mackie, D., 395
Mackie, D.M., 252, 723, 724, 747
MacLean, M.J., 294
MacLeod, L., 558
Madden, J.T., 402
Mahler, H.I., 290
Maier, S.F., 310
Maillet, L., 667, 685, 686
Main, M., 470, 495
Malamuth, N.M., 554, 557
Mallick, S.K., 528
Malloy, J.E., 434
Malloy, T.E., 228
Mann, J.A., 763, 764
Mann, L., 757
Manstead, A.S., 298
Manstead, A.S.R., 402
Manucia, G.K., 595
Maratos, O., 470
Marchand, P.P., 113
Marecek, J., 296
Marger, M.N., 733, 756, 758, 760
Marineau, R., 500
Marks, G., 177
Markus, H.R., 33, 124, 135, 137, 138, 139, 143, 144, 152, 159, 160, 162, 168, 169, 174, 176, 204, 233, 236
Marlowe, D., 350
Marrs, S., 216
Marsh, H.W., 133, 134, 152
Marshall, G.D., 302
Martin, H., 435
Martin, J.Y., 658, 662
Martyna, W., 430
Maruyama, G., 761
Marvel, J., 636
Maslach, C., 302
Maslow, A.H., 485, 504, 524, 525
Masters, J.C., 595
Masters, W.H., 671
Matarazzo, J.D., 424
Mathewson, G.C., 374
Mathieu, M., 501
Matlin, M., 241
Matsumoto, D., 419
Mattsson, A., 556
Matwychuk, 190
Maurais, J., 451, 712
Mayer, J.D., 594
Mayo, C., 113, 420
Mayor, B., 318
Mayseless, O., 149, 245, 252, 608, 610
Mazur-Hart, S.F., 76

McAdams, D.P., 478
McAra, M.J., 541
McArthur, L.Z., 197, 219, 221, 228, 229, 234, 282
McAuley, E., 305, 573
McBride, D., 666
McCandless, B.R., 528
McCaul, K.D., 321
McClaskey, C.L., 543
McClelland, D.C., 306, 474, 663
McConahay, J.B., 765
McConnell, H.K., 375
McDavid, J.W., 629
McDavis, K., 596
McDougall, W., 20, 21, 597
McFarland, C., 108, 153, 162, 285, 290
McGarty, C., 723
McGhee, P.E., 628
McGillis, D., 278
McGinnies, E., 298
McGrath, D., 433
McGue, M., 153
McGuire, C.V., 143, 144
McGuire, W.J., 60, 143, 144, 331, 342, 368, 383, 385, 387, 388
McInman, A., 289
McIntosh, D.N., 305
McLane, D., 487
McLaughlin, K., 230
McMaster, M.R., 582
McMillan, J.R., 433
McMillan, J.H., 289
McMullen, L.M., 88
McNeill, D., 424
Mead, G.H., 38, 139
Meade, R.D., 628
Meeker, F.B., 419
Mehlman, R.C., 316, 317
Mehrabian, A., 423, 436, 474
Mellen, S.L.W., 496
Ménard, R., 443
Mendes, H., 667
Mendolia, M., 186, 312
Merei, F., 669
Merton, R., 253, 661
Messick, D.M., 722, 747
Metford, J., 443
Meyer, G., 723
Meyer, J.P., 308, 600, 676
Meyer, T.P., 540
Meyer, W.U., 149
Meyer-Bahlburg, H., 555
Meyers, S.A., 181
Michela, J.L., 272, 313
Michener, H.A., 14, 15, 661
Mickler, S.E., 612
Midlarsky, E., 603, 607, 608
Mikulincer, M., 493
Milavsky, B., 538
Milavsky, J.R., 549
Milberg, S., 603
Milgram, S., 111, 530, 537, 628, 634, 647, 648, 650, 651, 696, 697
Mill, J., 190
Millar, K.U., 595
Millar, M.G., 216, 595
Millard, R.J., 70
Miller, A.G., 648, 649
Miller, C., 451
Miller, D.T., 285, 290, 294, 300, 572
Miller, J.A., 641, 642
Miller, M.L., 187
Miller, N., 177, 592, 593, 760, 763, 764
Miller, N.E., 41, 522, 523, 524
Miller, R.L., 148, 149, 471
Miller, S.J., 185
Mills, J., 603
Milner, D., 749
Miniard, P.W., 401
Mischel, W., 12, 393
Miyake, K., 150, 229
Moghaddam, F.M., 711, 737, 749, 754, 755, 756
Moïse, L.C., 442
Monachesi, E.D., 739
Monson, T., 244
Monson, T.C., 188, 297
Montagu, M.F.A., 518
Monteil, J.M., 162
Montello, D.R., 151
Montepare, J.M., 229
Monto, M.A., 602
Moorcroft, R., 443
Moore, D.L., 392, 693
Moore, T.E., 740
Moos, R.H., 471
Moreland, R.L., 176, 659, 662, 662, 677, 678, 679, 680, 683
Moreno, J.L., 23, 475
Morgan, J., 366
Morgan, M., 351, 546, 552
Mori, D., 230
Moriarty, T., 582
Morley, I., 758
Morse, S.J., 151
Moscovici, S., 633, 659, 683, 684, 699
Mott, S.E., 86
Moulton, J., 430
Mouton, J.S., 686, 687, 688, 744, 761
Movahedi, S., 85
Mowrer, O.H., 441, 522
Mueller, P., 318
Mugny, G., 633
Mulac, A., 446
Mulherin, A., 308, 600
Mullen, B., 176, 659, 724
Mullett, J., 419
Murphy, M.D., 174
Murphy, R.M., 543
Murrell, P., 764
Murstein, B.I., 480, 501
Myers, C.R., 36
Myers, D.G., 552

N

Naditch, M., 756
Nadler, A., 608, 610, 613
Naffrechoux, M., 633
Nebergall, R.E., 336, 337
Neimeyer, R.A., 319
Neisser, U., 135, 214
Nelson, C., 221
Nesdale, A.R., 541
Neuberg, S.L., 234, 244, 245, 246, 247, 716, 723
Newcomb, M.D., 102, 103, 602
Newcomb, T., 701
Newcomb, T.M., 332, 465, 672, 673, 674, 675, 676, 739
Newman, J.P., 542
Newman, L.S., 167, 394
Newsom, J.T., 70
Newtson, D., 279
Ng, S.H., 432, 752, 754
Nicassio, P., 321
Niedenthal, P., 168
Niederehe, G., 420
Nielson Television Index, 546
Nisbett, R.E., 145, 176, 219, 281, 282, 295, 296, 297, 321, 332, 363
Noels, K.A., 442, 454
Noller, P., 493
Norman, N.A., 44
Norvell, N., 665, 762
Novick, N.J., 144
Nurius, P., 138, 139, 168, 169
Nurmi, J.E., 289
Nuttin, J., 162
Nuttin, J.M. Jr, 161, 345

O

Oakes, P.J., 745
O'Barr, W.M., 432
Oberlé, D., 659, 671, 686
O'Connor, B.P., 141, 173, 425
Ogden, J., 314

Ogilvie, D.M., 138
O'Keefe, D.J., 346, 372, 397
Oleson, K.C., 599
Olson, J.M., 321, 397, 771
Olweus, D., 542, 556
O'Malley, P.M., 672
Omond, 733, 737
Omoto, A.M., 605, 606, 607
Orbuch, T.L., 295
O'Reilly, C.A., 190
Orenstein, L., 591, 599
Orive, R., 355
Orne, M.T., 107
Orvis, B.R., 270
Osborne, R., 715
Osgood, C.E., 346, 349, 368
Oskamp, S., 386, 397, 573
O'Sullivan, C.S., 216
O'Sullivan, M., 417, 437
Otten, C.A., 586, 590
Ouellette, R., 603
Owen, D.J., 560
Oyserman, D., 170

P

Pack, S.J., 183
Padawer-Singer, A., 143
Page, M.M., 361
Paillé, M., 448
Paivio, A., 429
Pak, A.W., 444
Palmer, D.J., 322
Palmer, D.L., 674, 675, 740
Palmer, M.I., 436
Palmer, M.T., 425
Paltridge, J., 451
Pam, A., 487
Parent, E., 431
Park, B., 221, 549, 723
Parke, R.D., 513, 514, 546, 547, 555
Parkinson, B., 303
Passeron, J.C., 733
Pastore, N., 525
Patterson, F., 426, 427
Patterson, G.R., 561, 563
Patterson, M.L., 414, 415, 416, 421, 431, 435, 561
Paulhus, D., 380
Paulhus, D.L., 607
Paulus, P.B., 659
Pavelchak, M.A., 215, 245, 247, 677
Pavlov, I.P., 60
Peele, S., 486, 495
Pelham, B.W., 243, 245, 293, 338
Pelletier, L., 442
Pelletier, L.G., 95, 134, 156, 157, 171, 172, 173
Penfield, J., 429
Pennebaker, J.W., 96
Penner, L.A., 586
Pennington, N., 216
Penny, R.E.C., 723
Penrod, S., 553
Pepitone, A., 701
Peplau, L.A., 308, 479, 505, 506
Peri, N., 286
Perlman, D., 48, 472, 505, 506
Perruchet, P., 363
Person, E.S., 488
Pervin, L.A., 249
Peters, T.J., 661
Peters-Golden, H., 609
Peterson, C., 268, 311, 312, 314, 319, 472, 601
Peterson, L., 271
Peterson, R.C., 383
Petraitis, J., 552
Pettigrew, T.F., 734, 739, 757, 761
Pettit, G.S., 543, 545, 561
Petty, R.E., 61, 69, 336, 344, 351, 352, 353, 387, 388, 389, 391, 392
Peukert, D., 734, 736, 739
Pfefferbaum, B., 322
Pfeiffer, C., 314
Phares, E.J., 293
Phillips, D., 366
Phillips, D.P., 551
Phinney, J.S., 739
Phoenix, C., 555
Pierce, G.R., 472
Pierson, H.D., 449
Pierson, R., 443
Pietromonaco, P., 234
Piliavin, I.M., 572
Piliavin, J.A., 585, 589, 595
Pilkonis, P.A., 43, 362
Pinard, A., 34
Pinkney, A., 750
Pion, 50
Pistole, C.M., 493
Pittman, N.L., 270
Pittman, T.S., 181, 183, 184, 270
Pliner, P., 230
Plutchik, R., 487
Poe, D., 439
Poliakov, L., 734, 736, 737, 739
Polivy, J., 132, 133, 165
Pomare, M., 763
Pomazal, R.J., 602
Pope, B., 435
Poplack, S., 451
Porter, C.A., 300
Porterfield, A.L., 623
Post, D.L., 219
Potvin, L., 726, 727
Powell, M.C., 339, 340, 345, 603
Powesland, P.F., 445, 451, 729
Pratkanis, A.R., 127, 135, 334, 354, 383, 384, 394
Predmore, S.C., 141, 160, 249
Premack, A.J., 427
Premack, D., 427
Prentice, D.A., 357
Prentice-Dunn, S., 701, 702, 766
Provencal, A., 633
Pruitt, D.G., 609
Pryor, J.B., 287
Purdue, C.W., 351
Pyszczynski, T., 134, 135, 165
Pyszczynski, T.A., 292

Q

Quanty, M.B., 528
Quarantelli, E.L., 664

R

Rabbie, J.M., 746
Rabow, J., 602
Rajecki, D.W., 332, 393
Rak, D.S., 88
Rank, O., 504
Raven, B.H., 645, 644
Raviv, A., 672
Raw, M., 308
Rayko, D.S., 730
Raz, M., 640
Read, S.J., 493
Reeder, G.D., 281, 295
Reeves, R.A., 47
Regan, D.T., 297, 601, 635
Reid, G., 31, 140, 173, 250, 310
Reik, T., 485
Reingen, P.H., 643
Reis, H., 231
Reis, H.T., 67, 99
Reis, T.J., 150
Reisenzein, R., 102, 321, 600
Remley, A., 652
Rempel, J.K., 344, 352, 487
Rescorla, R.A., 363
Resnick, L.B., 691
Rheault, E., 443
Rhodewalt, F., 182
Rholes, W.S., 220, 287
Rice, B., 80
Rice, R.W., 685

Richard, B.A., 534
Richards, G.E., 134
Richards, J.M., 144
Richards, K., 221
Richardson, D.C., 47
Richer, F., 268
Riecken, H.W., 680
Rinn, W.E., 417
Rioux, Y., 423
Riseborough, M.G., 424
Riviere, J., 485
Robbins, S.P., 677
Robert, G., 658
Robinson, G.M., 430
Robinson, J., 229
Robinson, J.T., 479
Robinson, W.P., 729
Roden, A.H., 551
Rodgers, W.L., 89
Rodin, J., 114, 314, 322, 577, 580
Rodriguez, R., 392
Roethlisberger, F.J., 80
Rogel, M., 582
Rogers, E.M., 413, 415
Rogers, R.J., 290
Rogers, R.W., 701, 702, 766
Rogers, T.B., 162
Rohrberg, R.G., 185
Rokeach, M., 330, 358, 359, 360
Romer, D., 591
Roscoe, J.T., 98
Rose, T.L., 211
Rosen, S., 612
Rosenberg, G.B., 421, 422
Rosenberg, M., 133, 138
Rosenberg, M.J., 332, 342, 368, 370, 378
Rosenblatt, P.C., 497
Rosenfeld, L.B., 412
Rosenfeld, P., 159
Rosenfield, D., 297
Rosenhan, D.L., 594
Rosenthal, R., 90, 91, 92, 106, 107, 108, 109, 111, 207, 254, 424, 439
Rosenweig, S., 524
Rosnow, R.L., 106, 107, 108, 109
Ross, D., 41, 534, 535, 536
Ross, L., 146, 176, 216, 219, 292, 293, 363
Ross, M., 108, 127, 153, 162, 163, 282, 290, 321, 375
Ross, S.A., 41, 534, 535, 536
Rothbart, M., 723, 725, 761
Rotheram, M.J., 739
Rothschild, M.L., 385
Rotter, G.S., 418
Rotter, J.B., 179
Rotter, N.G., 418
Rowett, C., 16
Rubens, W.S., 549
Rubenstein, C.M., 479, 506
Rubin, D.B., 109, 249, 254
Rubin, K.H., 544
Rubin, Z., 486, 488
Rugg, E.A., 110
Rule, B.G., 62
Runciman, W.G., 756
Runge, T.E., 185
Rusbult, C.E., 497
Rush, A.J., 312
Rushton, J.P., 575, 576, 590, 591, 715
Russell, D., 266, 267, 289, 303, 304, 305, 308
Ruvolo, A.P., 138, 174
Ryan, E.B., 432, 729
Ryan, E.D., 528
Ryan, R.M., 31, 62, 170, 171, 172, 173, 174, 306, 308, 309, 310
Ryen, A.H., 744, 761
Ryff, C.D., 153
Rytting, M., 425

S

Sabini, J., 634
Sabourin, S., 172, 501, 502, 503
Sachdev, I., 447, 726, 727, 746, 747, 749, 750, 751, 752, 753
Sadava, S.W., 660
Sahakian, W.S., 18, 19, 24
Salancik, G.R., 365
Salovey, P., 594, 611
Sanbonmatsu, D.M., 339
Sanders, D.Y., 96
Sanders, G.S., 693
Sandor, D., 491
Sanford, R.N., 650, 733
Sankoff, D., 451
Sapir, E., 428
Sapon, S.M., 441
Sarason, B.R., 472
Sarason, I.G., 472
Sarbaugh, L.E., 441
Sarbin, T.R., 670
Savoie, A., 661
Sawyer, J., 604
Scanzoni, J., 481
Schachter, S., 271, 273, 274, 301, 302, 378, 414, 471, 488, 538, 666, 667, 673, 680
Schaefer, D., 602
Schaeffer, C., 471
Schafer, R.B., 141, 142
Schaller, M., 767, 768
Schalling, D., 556
Schank, R.C., 213, 416
Schaufeli, W.B., 268
Scheier, M.F., 33, 61, 154, 155, 156, 157, 158, 164, 302, 379, 396
Schein, E.H., 677
Schelling, T.C., 415
Scherer, K., 437
Schermerhorn, R.A., 733, 759
Schlenker, B.R., 40, 109, 135, 160, 181, 183, 187, 379, 380
Schmidt, G., 308, 600
Schmitt, J.P., 501
Schneider, D.J., 205, 225, 426, 473
Schneider, W., 206
Schopler, J., 603
Schroder, H.M., 335
Schroeder, D.A., 72, 280, 598
Schroff, J., 611
Schulman, P., 268, 319
Schuman, J.H., 454
Schunk, D.H., 170, 174
Schwalbe, M.L., 188
Schwartz, G.E., 353
Schwartz, P., 49
Schwartz, S.H., 14, 109, 358, 359, 360, 582, 607, 661, 744
Schwarz, J.C., 487
Schwarzwald, J., 640
Scotton, C.M., 436
Searle, J.R., 431
Sears, D.O., 204, 241, 242
Sears, R.R., 522, 736
Secherest, L., 96
Secord, P.F., 248, 481, 497
Sedikides, C., 164, 287, 687
Seesahai, M., 433
Segal, N.L., 333
Segall, M.H., 516
Seligman, C., 638
Seligman, M.E.P., 60, 264, 268, 274, 310, 311, 312, 314, 319, 322, 757
Senécal, C., 173
Senneker, P., 589
Sentis, K., 135
Sentis, K.P., 204
Sermat, V., 507
Seta, J.J., 150
Sev'er, A., 295
Shaffer, D.E., 607
Shaffer, D.R., 582
Shalker, T.E., 235
Shanab, M.E., 648, 650
Shannon, C.E., 40, 412
Shapiro, D., 228
Sharpe, D., 80
Shavelson, R.J., 134
Shaver, K.G., 266, 269, 293, 294

Shaver, P., 470, 479, 493, 494, 495, 506
Shavitt, S., 357
Shaw, B.F., 313
Shaw, J., 186
Shaw, M.E., 37, 39, 43
Shearin, E.N., 472
Sheffield, F., 24, 383
Shepard, H.A., 761
Sheppard, B.H., 400
Shepperd, J.A., 182
Sherif, C.W., 336, 337, 346, 354, 664, 742, 763
Sherif, M., 17, 23, 40, 336, 337, 354, 623, 659, 664, 734, 741, 742, 743, 744, 745, 746, 751, 758, 759, 761, 762, 763, 771
Sherif, M.O., 661
Sherk, D.L., 184
Sherman, M.F., 501
Sherman, S.J., 216, 252, 390, 724
Shiffrin, R.M., 206
Shils, E.A., 666
Shimp, T.A., 363
Shoenrade, P.A., 596, 604
Short, J.C., 149
Showers, C., 167, 204
Shpitzajzen, A., 245
Sidera, J., 61, 69
Siegman, A.W., 435
Siem, F.M., 589
Sigall, H., 175, 297, 350
Signorielli, N., 351, 546, 552
Silver, R.L., 918
Silverman, I., 59
Simard, L.M., 443
Simmons, C.H., 611
Simon, B., 767, 768
Simpson, J.A., 190
Simutis, Z., 576
Singer, J., 271, 301, 302, 538
Singer, J.E., 74, 310, 318
Singerman, K.J., 321
Sistrunk, F., 629
Skinner, B.F., 40, 427
Skov, R.B., 223
Skowronski, J.J., 241
Skubiski, S.L., 575
Slaby, R.G., 513, 514, 546, 555
Sledge, P., 290
Sloan, J.H., 530, 531
Slusher, M.P., 291, 292
Smart, A.S., 160
Smith, C.P., 111
Smith, E.E., 671
Smith, J., 176, 604
Smith, M.B., 354
Smith, M.D., 558
Smith, P.M., 745, 750, 751
Smith, R.E., 340
Smith, T.L., 331, 344, 346, 351
Smith, T.W., 182
Smythe, P.C., 443
Snoek, D.J., 479
Snyder, C.R., 182, 297, 315, 316, 317
Snyder, M., 12, 33, 40, 69, 124, 179, 187, 188, 189, 190, 251, 252, 254, 255, 285, 293, 339, 340, 355, 357, 396, 397, 421, 605, 606, 607, 725
Sobol, M.P., 308
Solomon, S., 134, 135
Sörbom, D., 102, 359
Sorrentino, R.M., 149, 391, 432, 576, 686
Sousa-Poza, J.F., 185
Southwick, L.L., 371
Spacapan, S., 573
Spanier, G.B., 500
Speckart, G., 401
Spence, J.T., 500, 589
Spiegel, N.H., 419
Spivey, C.B., 702
Sroufe, L.A., 470
Srull, T.K., 204, 207, 209, 216, 221, 224, 245, 285, 286, 287
Staats, A.W., 362
Staats, C.K., 362
Stagner, R., 745
Stang, D.J., 241, 628
Stanley, J.C., 65
Stanton, A.L., 150
Stapp, J., 50, 500
Stasson, M., 400, 402
Statham, A., 139
Staub, E., 571
Steck, L., 487
Steele, C.M., 371, 380, 381
Steffen, V.J., 556
Steinberg, M.D., 543
Steiner, I.D., 659, 694, 696
Steinhilber, A., 175
Steinmetz, S., 559
Stein-Seroussi, A., 180
Stephan, C.W., 15, 666, 714, 760
Stephan, W.G., 15, 290, 297, 666, 714, 760, 767
Stephenson, G., 758
Stern, L.D., 216
Sternberg, R.J., 479, 491, 492
Stier, D.S., 425
Stiles, W.B., 534
Stiller, J., 67, 100
Stipp, H.H., 549
Stokes, J., 185
Stone, A.A., 186
Stone, J.I., 339, 439
Stone, R.D., 551
Stones, M.H., 319
Storms, M.D., 297, 321
Stouffer, S.A., 24
Stowe, M.L., 322
Strauman, T., 138, 165
Straus, M.A., 558, 559, 560
Strecher, V.J., 314
Street, R.L. Jr, 432, 435, 436
Streufert, S., 335, 665
Streufert, S.C., 665
Stringer, C., 175
Strube, M.J., 272
Struch, N., 744
Stryker, S., 139
Stuart, E.W., 363
Stucky, R.J., 315
Suci, G.J., 346
Sufrategui, M., 749
Sullivan, J.L., 294
Suls, J.M., 148, 149, 150, 159, 178, 471
Sumner, W.G., 735
Sutton, S.R., 308
Swann, W.B., 180
Swann, W.B. Jr, 124, 141, 142, 143, 152, 160, 179, 180, 181, 203, 207, 245, 248, 249, 250, 251, 252, 253, 254, 255, 256, 257, 338, 340, 397
Swap, W., 487
Sweeney, P.D., 312
Swinyard, W.R., 340

T

Tafarodi, R.W., 144
Taguieff, P.A., 715, 733, 737, 760
Tajfel, H., 131, 441, 446, 453, 659, 702, 716, 717, 723, 724, 734, 746, 747, 748, 749, 750, 751, 752, 753, 754, 756, 758, 759, 761, 764, 767
Tanke, E.D., 254, 725
Tannenbaum, P., 368
Tannenbaum, P.H., 346
Taylor, D., 446
Taylor, D.A., 184, 434
Taylor, D.M., 143, 232, 432, 443, 447, 452, 453, 659, 664, 665, 674, 713, 722, 745, 749, 754, 755, 756, 767
Taylor, K.L., 150
Taylor, S.E., 23, 32, 102, 167, 168, 174, 201, 204, 205, 209, 214, 217, 218, 219, 225, 234, 244, 297, 313, 315, 370, 609, 611, 723
Tchoryk-Pelletier, P., 720, 721, 722
Teasdale, J.D., 264, 268, 274

Teddlie, C., 302
Tedeschi, J.T., 159, 184, 379
Teevan, R.C., 628
Tennen, H., 314, 318
Tennov, D., 486, 487
Termotte, P., 448, 711
Terrace, H.S., 427
Terrell, F., 311
Tesser, A., 159, 332, 335, 595, 604
Test, M.A., 573
Tetlock, P.E., 183, 245, 270, 291, 295, 335, 336
Thamodaran, K., 392
Thayer, J.F., 187
Thibaut, J.W., 42, 43, 207, 468
Thomas, E.J., 39
Thomas, D.S., 23
Thomas, S.L., 546, 551
Thome, P.R., 556
Thompson, M.A., 611
Thompson, S.C., 168
Thorndike, E.L., 40
Thorne, B., 433
Thurstone, L., 383
Thurstone, L.L., 335, 346, 347, 348
Tice, D.M., 159, 175, 380, 589
Tilker, H.A., 652
Timko, C., 294, 318
Tinbergen, N., 518, 587
Ting-Toomey, S., 453
Tolmacz, R., 493
Tomkins, S.S., 419
Totten, J., 297
Tougas, F., 754, 755, 757
Towne, N., 412
Tracy, K., 434
Trafimow, D., 144
Traupmann, J., 467
Tremblay, C., 418
Tremblay, D., 346
Triandis, H.C., 144
Triplett, N., 20, 60, 691
Trivers, R.L., 588
Trolier, T., 717, 725
Trope, Y., 148, 149, 159, 252
Trost, M.R., 151
Trottier, C., 672
Trudgill, P., 435
Trzebinski, J., 221
Tucker, J.S., 439
Tucker, R., 451
Tudor, M., 495
Tunnel, G., 396
Turnbull, W., 285
Turner, J.C., 131, 440, 446, 659, 660, 662, 665, 668, 669, 723, 734, 745, 747, 750, 751, 752, 756, 759, 763, 764, 767, 769
Turner, R.H., 332
Tversky, A., 221, 222, 223
Tykocinski, O., 167
Tyler, J.K., 664

U

UNESCO, 715
Ungar, S., 295
Unger, R.K., 589, 590

V

Vaillancourt, F., 710
Vaillant, G., 268
Valentine, M.E., 421
Valins, S., 302, 303
Vallacher, R.R., 295
Vallerand, R.J., 31, 32, 78, 94, 97, 98, 113, 133, 134, 140, 153, 156, 157, 171, 172, 173, 174, 268, 279, 305, 310, 320, 401, 442, 503
Vallières, E.F., 133
Vanable, P.A., 165
Van Avermaet, E., 633
Vanbeselaere, N., 768, 769, 771
Van den Berghe, P., 733
Van der Pligt, J., 308, 359
Van der Zanden, J.W., 661
Van Hout, R., 451
Van Ijzendoorn, M.H., 470
Van Knippenberg, A., 753, 754
Van Ness, M.J., 300
Van Oers, H., 754
Van Overwalle, F., 322
Van Staden, F.J., 737
Vaughan, E.D., 8
Veilleux, F., 754, 755, 757
Villanova, P., 311
Vincent, J.E., 595
Vinson, D.E., 359
Vitelli, 32
Von Baeyer, C.L., 184
Vookles, J., 167
Vreven, R., 162
Vuksanovic, V., 737

W

Wackenhut, J., 765
Walder, L.O., 549
Waldgeir, D., 638
Walker, I., 757
Walker, L., 559
Wall, S., 469
Walster, E., 228, 293, 294, 467, 476, 486, 487, 488, 572, 610, 753, 754
Walster, G.W., 572, 753
Walters, G.C., 575
Walters, R.H., 514, 534
Wan, C.K., 178
Wanous, J., 676
Ward, C., 767
Wardle, J., 314
Waring, E.M., 478
Warshaw, P.R., 400, 401
Warwick, D.P., 675
Waterman, R.H. Jr, 661
Waters, E., 469, 470
Watson, D., 281, 296
Watson, R.I. Jr, 701
Waugh, G., 586
Weary, G., 263, 284, 290
Weaver, W., 40, 412
Webb, E.J., 67, 96
Webb, J., 758
Weber, A.L., 295
Weber, R., 221
Wegner, D.M., 602
Weigel, R.H., 394
Weigold, M.F., 339
Weimann, G., 366
Weiner, B., 32, 62, 149, 159, 264, 265, 266, 267, 271, 273, 274, 289, 303, 304, 305, 306, 308, 316, 319, 320, 526, 541, 599, 600
Weir, I.L., 359
Weisenberg, M., 376
Weiss, R.S., 478, 505, 507
Wells, G.L., 285, 352, 388
West, S.G., 70, 94, 96, 279
Westcott, D.R., 636
Wethington, E., 472
Weyant, J.M., 593, 595
Weyhing, R.S., 323
Wheeler, L., 150
Whilhelmy, R.A., 626
Whitcher, S.J., 425
Whitcher-Alagna, S., 610
White, G.L., 228
White, K.M., 501
White, P.A., 270, 285
White, R., 27, 28
White, R.W., 354
Whitley, B.E., 267, 311
Whittaker, J.O., 628
Whorf, B.L., 428
Wicker, A.W., 393, 395
Wicklund, R.A., 33, 154, 164, 279, 284, 372
Widmeyer, W.N., 664, 665

Widom, C.S., 558, 559, 560, 563, 564
Wiemann, J.M., 431, 435
Wiens, A.N., 424
Wieviorka, M., 716, 737
Wiggins, E.C., 344
Wilder, D.A., 626, 748
Wilke, H., 609, 753
Williams, C.J., 340, 345
Williams, J.A., 744
Williams, K., 694
Williams, K.B., 695
Williams, M., 146, 148
Williams, P.D., 501
Wills, T.A., 149, 150, 159, 589, 608
Wilmot, W.W., 186
Wilson, E.O., 587, 588
Wilson, K.G., 293
Wilson, S.K., 559
Wilson, T.D., 145, 322, 332
Winnicott, D.W., 515, 516
Winton, W., 143
Wippman, J., 470
Wisegarver, R., 432
Wish, M., 100
Wispé, L.G., 603
Wolfe, D.A., 559
Wong, P.T.P., 271
Wood, J.V., 149, 150, 313
Wood, W., 630
Worchel, S., 302, 665, 761, 762
Worthy, M., 186
Wortman, C.B., 311, 317, 471, 608
Wortman, E.E., 183, 636
Wright, C.R., 675
Wright, J., 502, 503, 504
Wright, M.E., 524
Wright, M.J., 36
Wright, S., 749
Wrightsman, L.S., 623, 660
Wurf, E., 124, 137, 143, 152, 159, 160
Wyer, R.S. Jr, 204, 207, 209, 216, 221, 224, 245, 285, 286, 287, 666
Wylie, R., 129

X

Xharnish, R.J., 230

Y

Yaguello, M., 429, 430
Yahya, K.A., 648, 650
Yalom, I.D., 504
Yates, B.T., 298
Yates, S., 391
Yatomi, N., 609
Yin, R.K., 86
Yinon, Y., 595
Yoshikawa, J.C., 419
Young, L., 449
Young, M.Y., 454
Younger, J.C., 540

Z

Zajonc, R.B., 17, 29, 31, 61, 129, 137, 162, 233, 236, 301, 305, 333, 355, 363, 417, 691, 692, 693
Zak, L., 559
Zakai, D., 286
Zaleski, Z., 304
Zammichieli, M.E., 501
Zanna, M.P., 43, 150, 183, 184, 281, 340, 344, 345, 352, 355, 356, 362, 379, 380, 397, 771
Zavalloni, M., 699
Zebrowitz, L., 206
Zeiss, A., 501
Zigler, E., 563
Zillmann, D., 514, 526, 528, 531, 538, 539, 540, 551, 553, 554
Zimbardo, P.G., 84, 302, 374, 376, 507, 537, 701, 702
Zion, C., 221
Zirkel, S., 168
Zuckerman, M., 91, 92, 111, 207, 229, 309, 419, 439, 638, 715
Zvibel, M., 640

INDEX DES SUJETS

A

accommodation, 682
acquiescement, 631, 634
acteur, 276
activation, 691
adolescence, 677
affectation aléatoire, 67
âge adulte, 677
agression
  défensive, 514
  hostile, 514
  indirecte, 523
  instrumentale, 514
  intraspécifique, 517
  maîtrise de l'__, 518
    autorégulation, 537
    inhibition, 517
  perspective éthologique, *voir* perspective
  perspective psychanalytique, 515-516
agressivité, 672
aide, *voir* comportement d'aide
ajustement
  matériel, 754
  psychologique, 755
altruisme, 570
amitié, 475, 480
  différence entre amour et __, 486
amour, 480, 482, 483
  altruiste, 490
  attachement, 492-493
  bonheur, 483, 489
  composante de l'__, 491
  confiance interpersonnelle, 487
  dépendance psychologique, 485, 486
  différence entre amitié et__, 486, 488, 489
  différentes façons d'aimer, 490, 491
  durable, 490
  passe-temps, 490
  -passion, 487-490
  possessif, 490
  pragmatique, 491
  romantique, 490
  sentiments conflictuels, 487
  théories des émotions de Schachter, 488
analyses statistiques, 97-103
  corrélation, 98
  de variance, 99
  effet
    d'interaction statistique, 99
    principal, 99
  médiane, 97
  modelage par équations structurelles, 101-103
  moyenne, 97
  multidimensionnelle, 100-101, 474, 483
  tendance centrale, 97
  variabilité, 98
anglophone, 666
anticonformisme, 623
antisémitisme, 715
appréciation, 224-225
apprentissage, 527
  conditionnement
    classique, 530
    opérant, 534
  instrumental, 534
  par observation, 534
  renforçateur, 534
  social, 533
  vicariant, 534
armes, 529
assertion, 513
attachement, 469
  théorie de l'__, 469, 560
  styles d'__, 469, 493
attention, 693
  flexible, 174
  insouciante, 174
attirance initiale, 463, 476
attitude(s), 673
  caractéristiques, 333-341
  définition, 331
  fonctions des __, 354-358
  formation des __, 361-367
    sources
      cognitives, 366-367
      comportementales, 364-366
  mesures des __
    verbales, 346-350
    indirectes, 351-353
  modèle de la structure attitudinale, 342-345
  relations valeurs-__, 359-361
  valeurs, 358-359
  voir aussi changement d'attitudes
attraction interpersonnelle, 663
attribution(s), 32
  causales, 264-265
  conséquences des __ sur l'adaptation psychologique, 310-319
    les émotions, 301-305
    les relations interpersonnelles, 319-320
    la motivation, 305-310
    la santé, 313-315
  de blâme personnel, 316-318
  de responsabilité, 266
  défensive, 294
  définition, 263
  dispositionnelles, 265-266
  échec, 665
  intergroupes, 767
  mesures des __
    Causal Dimension Scale (CDS), 266-267
    Attributional Style Questionnaire (ASQ), 268
  modification des __, 320-323
    mésattribution, 321
    réattribution, 322
  répartition de la responsabilité, 665
  succès, 665
  théorie(s)
    approche pragmatique, 284
    bifactorielle de Schachter, 301
    cognitive de l'émotion de Valins, 302
    de Janoff-Bulman, 317-318
    de Kelley, 281
    de l'épistémologie naïve, 286
    de l'évaluation cognitive de Deci, 308
    de la motivation à l'accomplissement de Weiner, 306-308
    de la perception de soi de Bem, 280
    de la résignation acquise, 310
    des émotions de Weiner, 303
    des inférences correspondantes de Jones et Davis, 276
    économie cognitive, 285
    excuses, 315-316
    modèle d'attente-attribution, 321
    naïve de Heider, 273
    simulation mentale, 285
    traitement de l'information, 286
  voir aussi biais attributionnels
augmentation de soi, 159
autoefficacité, 33
autostéréotypes, 717, 722, 768
avortement, 699

B

bénévolat, 605-606
besoin
d'affiliation, 474, 663
de sécurité, 663
biais
attributionnels
acteur-observateur, 295
attribution défensive, 294
de connaissance après les faits, 294
différence entre les sexes, 298
effet temporel, 300
égocentrique, 289
erreur attributionnelle fondamentale, 292
hypothèse du monde juste, 294
de fausse perception d'unicité, 178
de faux consensus, 176-178
en recherche, 106-109
de l'expérimentateur, 108
dus au contexte expérimental, 107
effets
biosociaux, 108
psychosociaux, 108
situationnels, 109
expérience à double insu, 109
sujets volontaires, 106
proendogroupe, 723, 728, 730, 743, 744, 746, 748, 752, 754, 761, 763, 764, 767, 768, 769
bien-être personnel, 483, 499
bonheur, 473-474, 482, 483, 499
théories implicites du __, 473

C

calcul du passant, 585
catégorisation, 716, 723, 724, 747, 750
croisée, 768, 769
double __, 769
multiple, 771
sociale, 723, 752
catharsis, 516
changement d'attitudes
approche
de l'apprentissage du message, 382-387
de la réponse cognitive, 387-389
modèle de la vraisemblance d'élaboration cognitive, 389-392
théories de la consistance cognitive, 368-382
choix, 276, 279
chômage, 677
cible d'influence, 698
cognition(s) sociale(s), 32, 538, 679
attributions causales, 525
biais d'attribution, 541
évolution de l'étude des __, 201-204
illusions, 217-218
médiation cognitive, 525
processus cognitifs supérieurs, 533
santé mentale, 217-218
traitement cognitif de l'information sociale, 541
cohérence de soi, 160
cohésion sociale, 662, 663-668
collège de Bennington, 672-673
communication, 684
affiliation, 433-434
présentation de soi, 434
contrôle, 431-432
parole puissante, 432
et société
acquisition d'une langue seconde, 441-444
aptitude linguistique, 441
attitudes et motivation, 441-443
confiance langagière, 444
motivation intégrative, 443
orientation
instrumentale, 442
intégrative, 442
peur de l'assimilation, 443
balanciers compensatoires, 447
codes et leur usage, 444-449
alternance des codes, 445
convergence langagière, 445
dialectes, 444
divergence langagière, 445
langue et loi, 447-449
maintien langagier, 445
mélange des codes, 445
styles d'une langue, 444
théorie de l'accommodation langagière, 446
degré d'interculturalité, 440
formation des impressions, 449-452
codes appariés, 450
emprunts lexicaux, 451
position sociale, 450
solidarité, 450
langage et identité, 452-454
assimilation, 454
intégration, 454
vitalité ethnolinguistique, 447
fonctions, 431
modes de __ combinés, 436-440
effet vidéo, 437
non verbale
expressions faciales, 416-419
électromyographie faciale, 417
règles de manifestation, 418
fonctions, 416
langage du corps, 421-424
mouvements, 423-424
emblèmes, 423
illustrateurs, 423
postures, 421-423
regard, 419-421
comportement de domination visuelle, 420
toucher, 424-425
proxémique, 424
problème de coordination, 415
symboles, 415
terrain d'entente, 415
théorie de
l'activation, 414
l'équilibre, 413
tromperie, 438-440
détection d'une __, 439
fuites non verbales, 438
verbale
acquisition de la langue, 427
universaux linguistiques, 427
hypothèse de la relativité linguistique, 428
langue et genre, 429-431
morphèmes, 426
paralangage et prosodie, 434-436
affiliation, 436
contrôle, 436
phonèmes, 426
primates, 426
comparaison, 678
sociale, 470-471, 472, 748, 749
compétence, 685
compétition
intergroupe, 664
sociale, 750, 751
comportement(s)
agressif, acquisition du, 535
causes du __ de la cible, 203-204
non verbaux, 204, 205-206
d'aide, 570
conséquences du __, 604-613
influences
interpersonnelles, 601-604
personnelles, 587-601
situationnelles, 571-587
modèles, 573

perspective sociobiologique, 587-589
sexe de l'aidant, 589
confiance en soi, 685
conflit intergroupe, 664
conformisme, 623, 666
privé, 626
public, 626
conscience de soi, 33, 154, 164-165
dispositionnelle
privée, 156
publique, 156
privée, 154
publique, 154
consensus, 281
consistance, 281
contexte militaire, 667
continuum de processus perceptuels, 245-248
conventionnalisme, 623
coopération, 667
corrélations illusoires, 724, 768
correspondance, 276
couple
satisfaction du __, 504
attribution de la causalité, 502
efficacité personnelle, 502
rôles sexuels, 500-510
infertilité, 502
motivation, 502
créativité sociale, 750
crédibilité, 697

D

décatégorisation, 764
déformations cognitives, 755, 756
degré d'occupation cognitive du percevant, 242
déontologie, 73
debriefing, 111
duperie, 110
formule de consentement, 110
invasion de l'intimité du sujet, 112
session d'information, 111
stress psychologique, 110
déplacement
de l'agression, 523
de la responsabilité, 537
vers l'audace, 698
désindividuation, 157, 700-702
désirabilité sociale, 276, 277
déviance, 623
déviant, 666
devis de recherche
à séries temporelles interrompues, 76
avec groupe témoin non équivalent, 74
corrélationnel, 77-79
expérimental
en laboratoire, 67
en terrain naturel, 71-73
factoriel expérimental, 69
prétest — post-test avec groupe témoin non équivalent, 74
quasi expérimental, 73-77
diagnosticité, 149
différences sexuelles, 555-556
différenciation catégorielle, 747
dimensions causales
contrôlabilité, 264
globalité, 264
lieu de causalité, 264
stabilité, 264
distinction, 281
distraction, 693
duperie, 207

E

échange social, 609
échantillonnage
aléatoire, 83
simple, 83
stratifié, 83
école, 671, 672-675
éducation, 675
effet(s)
d'interaction, 69
de confusion, 64
de responsabilité, 585
distinctifs, 276, 278
du cas exceptionnel, 725
du passant, 576-578, 581
Hawthorne, 80
élections, 673
émotion(s), 163-168, 538, 592
activation
physiologique, 538
résiduelle, 539
colère, 514
de détresse psychologique, 596-599
empathiques, 596-599
peur, 514
tension émotionnelle, 526
transfert d'excitation, 538
empathie, 609
enfance, 677
enfants agressifs, 542
engagement, 481, 491, 496-499
bien-être personnel, 499
bonheur, 499
comportemental, 496
personnel, 496
satisfaction de vie, 499
sens donné à la vie, 499
sentiment d'__, 676
estime de soi, 129
collective, 130-132
d'état, 132
dispositionnelle, 133
personnelle, 130
ethnocentrisme, 735, 737, 738
évaluation, 678
de soi, 148-151, 159

F

facteurs de personnalité, 590-591
famille, 671
fidélité
de reproductibilité, 67
interitems, 66
interjuges, 66
temporelle, 66
triangulation, 67
flânerie sociale, 694
formation d'une impression, 203, 237, 238
francophone, 666
frustration, 522

G

gènes, 519
grille managériale, 686
groupe, 658, 660
agrégat, 660
approche cognitive, 660
de pairs, 672
de référence, 661, 739, 740, 749
définition, 660
effet du __ sur l'individu, 696
sources d'influence, 696
foule, 662
types de __, 660-662
guerre, 529

H

heuristiques
d'ancrage, 223
de disponibilité, 222
de représentativité, 221
par simulation, 222
historique de la psychologie sociale, 18-37
Allport, Floyd, 22
années
1897 à 1930, 20, 22-23
1930, 23-24
1940 et 1950, 24-26
1960 et 1970, 28-32
1980 et 1990, 32-33
au Canada et au Québec, 35-37
Comte, Auguste, 18
crise de confiance, 29
Durkheim, Émile, 19
influences philosophiques, 18-20
Le Bon, Gustave, 19
Lewin, Kurt, 26
père de la psychologie sociale, 26-27
philosophes grecs, 18
première expérimentation, 20-22
Seconde Guerre mondiale, 24
Tarde, Gabriel, 19
homogénéisation de groupe, 723, 767
humeur, 592
hypothèse(s) de recherche
définition, 58-59
formulation d'__, 58-60
importance des __, 59
provenance des __, 59-60
rivales plausibles, 79

I

identification, 631
sociale, 662, 668
identité sociale, 748, 767, 769
négative, 748-749
positive, 748-751, 768
indépendance, 623, 633
individualisme, 659
influence
de l'information, 625
de la majorité, 626-630
composition du groupe, 630
différences culturelles, 628
grandeur du groupe, 626
ordre de prononciation, 627
selon le sexe, 628
traits de personnalité, 628
unanimité, 627
des normes, 626
sources d'__ sur les perceptions sociales, 205
inhibitions, 517, 702
instinct, 516
de mort, 515
de vie, 515
intégration de renseignements multiples, 236-242
biais de la positivité, 241-242
modèle(s)
additif et de la moyenne, 239-240
de la moyenne pondérée, 240-241
position de la Gestalt de Asch, 237-239
interactionnisme
réciproque, 179
symbolique, 139
interactions entre cible et percevant, 207, 248-257
dévoilement d'indices sur notre identité, 249
influence de la cible, 248-249, 255-257
maintien d'interactions sélectives, 249
intérêts, 682
intériorisation, 632
intimité, 478, 491
intolérance, 666
investissement, 679

L

langage, *voir* communication
leadership, 683
approche
interactionniste, 684, 688-689
personnaliste, 684-688
situationniste, 684
transactionnelle, 689
charismatique, 683
comportement du leader, 684, 686
leader autoritaire, 687
qualités personnelles, 683
traits
de personnalité, 685
physiques, 685
loyauté, 668

M

manipulation, 636
médias, 545
télévision, 545
mémoire, 162
menace, 664
mesures
comportementales, 95-96
non réactives, 96
verbales, 94-95
méthodes de recherche non expérimentales, 79-93
analyse
archivistique, 89-90
de contenu, 88-89
méta-__, 90-92
avantages et désavantages des __, 93
enquête, 81
entrevue, 82
étude de cas, 86-88
jeu de rôles, 84-86
simulation, 84-86
milieu
de travail, 671, 675-677
universitaire, 674
domaine d'études, 674
mobilité sociale, 749
modèle(s)
activation-coût et bénéfices, 595
cognitif du comportement d'aide, 576, 578-587
de la menace de l'estime personnelle, 610
des attributions-émotions-comportement d'aide de Weiner, 599-601
dissonance entre comportement et message du __, 575
du maintien de l'autoévaluation, 604
du soulagement des émotions négatives, 594
fonctionnaliste, 662-663
hydrodynamique, 516
similarité entre __ et observateur, 574
monitorage de soi, 33, 187
motivation, 514, 678
du percevant, 204, 244-245
buts visés, 221
et soi, 168-171
sentiment
d'autodétermination, 170-171
d'autoefficacité, 170

état motivationnel interne, 522
tâches importantes et soi possibles, 168-170

N

négociation, 682
norme, 571-573, 659, 669
d'équité, 572
de justice, 572
de réciprocité, 572, 635
de responsabilité sociale, 572

O

obéissance à l'autorité, 646-652
caractéristiques personnelles, 650
différence sexuelle, 650
effet
de l'âge, 650
du groupe, 650
proximité
de l'autorité, 649
de la victime, 648
objectif commun, 684
observateur, 276
observation vicariante, 41
oubli sélectif, 162

P

paradigme des groupes minimaux (PGM), 747, 748, 751
passion, 491
perception(s)
des objets, 198-201
sociales
évolution de l'étude des __, 201-204
sans interactions avec la cible, 223-248
sources d'influence sur les __, 205
personnalité, 12, 513, 685
perspective
éthologique de l'agression, 516-522
mécanismes évolutifs, 516
pressions sélectives, 517
primates, 521
sélection
naturelle, 521
sexuelle, 517
stimuli déclencheurs, 518
succès reproductif, 517
psychanalytique (de l'agression), 515-516
sociobiologique (du comportement d'aide), 587-589
persuasion, 697
phénomène de diffusion de responsabilité, 581
polarisation, 698
popularité, 463, 475
pornographie, 553
matériel pornographique, 553
violente, 557
pouvoir
autorité légitime, 645
de l'information, 645
de la coercition, 644
de référence, 645
des connaissances, 644
des récompenses, 644
social, 643-645
précision de la perception, 202
prédiction du comportement, 393-402
conditions méthodologiques de __, 393
dilemme de la consistance attitude-comportement, 393
modèles théoriques de __, 395
présentation, 634
de soi, 181-190
authentique, 181, 184-186
stratégique, 181-184
pression, craquer sous la, 175
principe
d'augmentation, 284
d'ignorement, 283
de covariation, 281
prise de décision, 690
privation relative
collective, 756, 757
personnelle, 757
processus de coercition familiale, 563
productivité, 666
prophétie qui s'autoréalise, 253-255, 725
protection de soi, 159
provocation, 528
proximité, 696
psychologie sociale
appliquée, 32, 114-115
approche interactionniste, 12
cadre d'analyse, 16
caractéristiques, 13
carrières en __, 49-51
contemporaine, 45-49
chercheurs, 48
revues scientifiques, 46
thèmes étudiés, 47-48
définitions, 10
historique, 30
psychologique, 14
sociologique, 14

R

racisme, 715, 754, 765-766
rapidité des jugements, 206
rappel(s), 224-225
sélectifs, 162
réactance psychologique, 610
réaction innée, 692
réalisme
expérimental, 71
trivial, 71
recatégorisation, 763
réciprocité, 635
relations
communales, 603
intimes, 463, 478
caractéristiques, 479
définitions, 478
étapes de développement, 479
intimité, 478
intragroupes, 658
rendement, 666
renforcements, 41
révélation de soi, 184
rites de passage, 680
rôle(s), 480, 669
sexuels, conceptions stéréotypées des, 671
des théories, 38

S

santé mentale, 163-168, 608
illusions, 217-218
satisfaction au travail, 676
schémas
prototypes, 210
sexisme , 210
stéréotypes, 200, 210, 211-213
sur la personne, 209
sur le soi, 32, 135-137, 209
sur les événements, 213
sur les groupes sociaux, 210
sur les rôles, 210

utilisés dans la formation d'une perception, 218
accessibilité, 220
amorçage, 220, 233
apparence physique, 228
buts visés, 221
caractéristiques de la cible, 227-233
comportement, 230
contexte, 218, 233-235
culture, 231
humeur du percevant, 235-236
information subliminale, 234
intensité du stimulus, 219
mémoire, 235
ouï-dire, 232
représentativité, 220
stimuli saillants, 219, 234
tenue vestimentaire, 229
voix, 228
secte religieuse, 680
sexisme, 715, 754
socialisation, 669
organisationnelle, 676
sociogramme, 463, 475
soi, 33, 124-127
concept de __, 128
déterminants du __, 139-153
idéal, 138
obligé, 138
performance, 171-175
possibles, 138
réel, 138
stabilité et changement, 152-153
structures du __, 165-168
solitude, 463, 501
causes de la __, 505-507
émotionnelle, 505
existentielle, 504
interpersonnelle, 504-505
sociale, 505
soumission, 684
soutien social, 471
émotionnel, 471
évaluatif, 471
tangible, 472
statut, 669
stéréotypes, 200, 210, 211-213, 717-726
rôles sexuels, 671
stigmatisation, 612
stimuli sociaux, 11
stratégie(s)
autohandicapantes, 181
de la faveur déguisée, 641-642
de la manipulation, 183
de la porte dans la face, 639-641
du pied dans la porte, 637-639
suiveurs, 685

T

taux de roulement, 665
tempérament, 532
testostérone, 555
théoriciens néo-freudiens, 515
théorie(s)
cognitive, 43-45
de l'apprentissage social, 41, 533
de l'attachement, 469, 560
de l'autodétermination, 172-174
de l'autoefficacité, 170
de l'échange social, 42-43, 467
de l'équité, 467, 753, 754, 756, 757, 758
de l'évaluation de soi, 148
de l'harmonie cognitive, 463, 465
de l'équilibre, 463, 465
de la dissonance, 463, 465
de la symétrie, 465
de l'identité sociale, 748, 750, 751, 753, 758, 763, 764, 768
de l'interdépendance sociale, 468
de la comparaison sociale, 149-151, 463, 470-471
de la dépression réactive de la conscience de soi, 165
de la perception de soi, 144
de la privation relative, 756, 757, 758
de la vérification de soi, 180
définitions, 37
des conflits réels, 741, 751, 753, 758
des rôles, 38-40
conflits
interrôles, 39
intrarôles, 40
du bouc émissaire, 736
du champ, 44
du renforcement, 40-43, 463, 466-467
approche
S-R, 40
S-O-R, 40
justice, 467
niveau de comparaison, 468
d'une alternative, 468
privation relative, 467
mini-__, 38
phénoménologie, 43
voir aussi attributions (théories)
traitement de l'information, 161-163
attention, 214-215
entreposage en mémoire, 215, 235
jugement, 216
rappel d'information, 215-216
transmission intergénérationnelle, 560

U

uniformité, 623

V

valeurs, 671
en recherche, 112-113
validité, 64
de construit, 64
externe, 65
interne, 64
vandalisme, 702
variable
concomitante, 79
dépendante, 63
indépendante, 63
vérification confirmative des hypothèses, 251-253
négociation d'une identité entre cible et percevant, 255-257
prophéties qui s'autoréalisent, 253-255
rôle de la cible, 255-257
violence, 519
conjugale, 559
familiale, 558
psychologique, 558
sexuelle, 557
télévisée, 545-552
viol, 557